A Million Nines

A Million Nines

Douglas Crockford

A Million Nines
Douglas Crockford
Public Domain

978-1-949815-09-1 Hardcover.
978-1-949815-10-8 Paperback.
978-1-949815-11-5 EPUB.

Books By Douglas Crockford

JavaScript: The Good Parts

How JavaScript Works

A Million And One Random Digits

A Million Nines

Forthcoming

Lower Mathematics

Misty System

Capability Security For Beginners

A Million Nines

```
0000:   99999 99999   99999 99999   99999 99999   99999 99999   99999 99999     99999 99999   99999 99999   99999 99999   99999 99999   99999 99999
0001:   99999 99999   99999 99999   99999 99999   99999 99999   99999 99999     99999 99999   99999 99999   99999 99999   99999 99999   99999 99999
0002:   99999 99999   99999 99999   99999 99999   99999 99999   99999 99999     99999 99999   99999 99999   99999 99999   99999 99999   99999 99999
0003:   99999 99999   99999 99999   99999 99999   99999 99999   99999 99999     99999 99999   99999 99999   99999 99999   99999 99999   99999 99999
0004:   99999 99999   99999 99999   99999 99999   99999 99999   99999 99999     99999 99999   99999 99999   99999 99999   99999 99999   99999 99999
0005:   99999 99999   99999 99999   99999 99999   99999 99999   99999 99999     99999 99999   99999 99999   99999 99999   99999 99999   99999 99999
0006:   99999 99999   99999 99999   99999 99999   99999 99999   99999 99999     99999 99999   99999 99999   99999 99999   99999 99999   99999 99999
0007:   99999 99999   99999 99999   99999 99999   99999 99999   99999 99999     99999 99999   99999 99999   99999 99999   99999 99999   99999 99999
0008:   99999 99999   99999 99999   99999 99999   99999 99999   99999 99999     99999 99999   99999 99999   99999 99999   99999 99999   99999 99999
0009:   99999 99999   99999 99999   99999 99999   99999 99999   99999 99999     99999 99999   99999 99999   99999 99999   99999 99999   99999 99999
0010:   99999 99999   99999 99999   99999 99999   99999 99999   99999 99999     99999 99999   99999 99999   99999 99999   99999 99999   99999 99999
0011:   99999 99999   99999 99999   99999 99999   99999 99999   99999 99999     99999 99999   99999 99999   99999 99999   99999 99999   99999 99999
0012:   99999 99999   99999 99999   99999 99999   99999 99999   99999 99999     99999 99999   99999 99999   99999 99999   99999 99999   99999 99999
0013:   99999 99999   99999 99999   99999 99999   99999 99999   99999 99999     99999 99999   99999 99999   99999 99999   99999 99999   99999 99999
0014:   99999 99999   99999 99999   99999 99999   99999 99999   99999 99999     99999 99999   99999 99999   99999 99999   99999 99999   99999 99999
0015:   99999 99999   99999 99999   99999 99999   99999 99999   99999 99999     99999 99999   99999 99999   99999 99999   99999 99999   99999 99999
0016:   99999 99999   99999 99999   99999 99999   99999 99999   99999 99999     99999 99999   99999 99999   99999 99999   99999 99999   99999 99999
0017:   99999 99999   99999 99999   99999 99999   99999 99999   99999 99999     99999 99999   99999 99999   99999 99999   99999 99999   99999 99999
0018:   99999 99999   99999 99999   99999 99999   99999 99999   99999 99999     99999 99999   99999 99999   99999 99999   99999 99999   99999 99999
0019:   99999 99999   99999 99999   99999 99999   99999 99999   99999 99999     99999 99999   99999 99999   99999 99999   99999 99999   99999 99999
0020:   99999 99999   99999 99999   99999 99999   99999 99999   99999 99999     99999 99999   99999 99999   99999 99999   99999 99999   99999 99999
0021:   99999 99999   99999 99999   99999 99999   99999 99999   99999 99999     99999 99999   99999 99999   99999 99999   99999 99999   99999 99999
0022:   99999 99999   99999 99999   99999 99999   99999 99999   99999 99999     99999 99999   99999 99999   99999 99999   99999 99999   99999 99999
0023:   99999 99999   99999 99999   99999 99999   99999 99999   99999 99999     99999 99999   99999 99999   99999 99999   99999 99999   99999 99999
0024:   99999 99999   99999 99999   99999 99999   99999 99999   99999 99999     99999 99999   99999 99999   99999 99999   99999 99999   99999 99999
0025:   99999 99999   99999 99999   99999 99999   99999 99999   99999 99999     99999 99999   99999 99999   99999 99999   99999 99999   99999 99999
0026:   99999 99999   99999 99999   99999 99999   99999 99999   99999 99999     99999 99999   99999 99999   99999 99999   99999 99999   99999 99999
0027:   99999 99999   99999 99999   99999 99999   99999 99999   99999 99999     99999 99999   99999 99999   99999 99999   99999 99999   99999 99999
0028:   99999 99999   99999 99999   99999 99999   99999 99999   99999 99999     99999 99999   99999 99999   99999 99999   99999 99999   99999 99999
0029:   99999 99999   99999 99999   99999 99999   99999 99999   99999 99999     99999 99999   99999 99999   99999 99999   99999 99999   99999 99999
0030:   99999 99999   99999 99999   99999 99999   99999 99999   99999 99999     99999 99999   99999 99999   99999 99999   99999 99999   99999 99999
0031:   99999 99999   99999 99999   99999 99999   99999 99999   99999 99999     99999 99999   99999 99999   99999 99999   99999 99999   99999 99999
0032:   99999 99999   99999 99999   99999 99999   99999 99999   99999 99999     99999 99999   99999 99999   99999 99999   99999 99999   99999 99999
0033:   99999 99999   99999 99999   99999 99999   99999 99999   99999 99999     99999 99999   99999 99999   99999 99999   99999 99999   99999 99999
0034:   99999 99999   99999 99999   99999 99999   99999 99999   99999 99999     99999 99999   99999 99999   99999 99999   99999 99999   99999 99999
0035:   99999 99999   99999 99999   99999 99999   99999 99999   99999 99999     99999 99999   99999 99999   99999 99999   99999 99999   99999 99999
0036:   99999 99999   99999 99999   99999 99999   99999 99999   99999 99999     99999 99999   99999 99999   99999 99999   99999 99999   99999 99999
0037:   99999 99999   99999 99999   99999 99999   99999 99999   99999 99999     99999 99999   99999 99999   99999 99999   99999 99999   99999 99999
0038:   99999 99999   99999 99999   99999 99999   99999 99999   99999 99999     99999 99999   99999 99999   99999 99999   99999 99999   99999 99999
0039:   99999 99999   99999 99999   99999 99999   99999 99999   99999 99999     99999 99999   99999 99999   99999 99999   99999 99999   99999 99999
0040:   99999 99999   99999 99999   99999 99999   99999 99999   99999 99999     99999 99999   99999 99999   99999 99999   99999 99999   99999 99999
0041:   99999 99999   99999 99999   99999 99999   99999 99999   99999 99999     99999 99999   99999 99999   99999 99999   99999 99999   99999 99999
0042:   99999 99999   99999 99999   99999 99999   99999 99999   99999 99999     99999 99999   99999 99999   99999 99999   99999 99999   99999 99999
0043:   99999 99999   99999 99999   99999 99999   99999 99999   99999 99999     99999 99999   99999 99999   99999 99999   99999 99999   99999 99999
0044:   99999 99999   99999 99999   99999 99999   99999 99999   99999 99999     99999 99999   99999 99999   99999 99999   99999 99999   99999 99999
0045:   99999 99999   99999 99999   99999 99999   99999 99999   99999 99999     99999 99999   99999 99999   99999 99999   99999 99999   99999 99999
0046:   99999 99999   99999 99999   99999 99999   99999 99999   99999 99999     99999 99999   99999 99999   99999 99999   99999 99999   99999 99999
0047:   99999 99999   99999 99999   99999 99999   99999 99999   99999 99999     99999 99999   99999 99999   99999 99999   99999 99999   99999 99999
0048:   99999 99999   99999 99999   99999 99999   99999 99999   99999 99999     99999 99999   99999 99999   99999 99999   99999 99999   99999 99999
0049:   99999 99999   99999 99999   99999 99999   99999 99999   99999 99999     99999 99999   99999 99999   99999 99999   99999 99999   99999 99999
```

```
0050:  99999 99999  99999 99999  99999 99999  99999 99999  99999 99999    99999 99999  99999 99999  99999 99999  99999 99999  99999 99999
0051:  99999 99999  99999 99999  99999 99999  99999 99999  99999 99999    99999 99999  99999 99999  99999 99999  99999 99999  99999 99999
0052:  99999 99999  99999 99999  99999 99999  99999 99999  99999 99999    99999 99999  99999 99999  99999 99999  99999 99999  99999 99999
0053:  99999 99999  99999 99999  99999 99999  99999 99999  99999 99999    99999 99999  99999 99999  99999 99999  99999 99999  99999 99999
0054:  99999 99999  99999 99999  99999 99999  99999 99999  99999 99999    99999 99999  99999 99999  99999 99999  99999 99999  99999 99999
0055:  99999 99999  99999 99999  99999 99999  99999 99999  99999 99999    99999 99999  99999 99999  99999 99999  99999 99999  99999 99999
0056:  99999 99999  99999 99999  99999 99999  99999 99999  99999 99999    99999 99999  99999 99999  99999 99999  99999 99999  99999 99999
0057:  99999 99999  99999 99999  99999 99999  99999 99999  99999 99999    99999 99999  99999 99999  99999 99999  99999 99999  99999 99999
0058:  99999 99999  99999 99999  99999 99999  99999 99999  99999 99999    99999 99999  99999 99999  99999 99999  99999 99999  99999 99999
0059:  99999 99999  99999 99999  99999 99999  99999 99999  99999 99999    99999 99999  99999 99999  99999 99999  99999 99999  99999 99999
0060:  99999 99999  99999 99999  99999 99999  99999 99999  99999 99999    99999 99999  99999 99999  99999 99999  99999 99999  99999 99999
0061:  99999 99999  99999 99999  99999 99999  99999 99999  99999 99999    99999 99999  99999 99999  99999 99999  99999 99999  99999 99999
0062:  99999 99999  99999 99999  99999 99999  99999 99999  99999 99999    99999 99999  99999 99999  99999 99999  99999 99999  99999 99999
0063:  99999 99999  99999 99999  99999 99999  99999 99999  99999 99999    99999 99999  99999 99999  99999 99999  99999 99999  99999 99999
0064:  99999 99999  99999 99999  99999 99999  99999 99999  99999 99999    99999 99999  99999 99999  99999 99999  99999 99999  99999 99999
0065:  99999 99999  99999 99999  99999 99999  99999 99999  99999 99999    99999 99999  99999 99999  99999 99999  99999 99999  99999 99999
0066:  99999 99999  99999 99999  99999 99999  99999 99999  99999 99999    99999 99999  99999 99999  99999 99999  99999 99999  99999 99999
0067:  99999 99999  99999 99999  99999 99999  99999 99999  99999 99999    99999 99999  99999 99999  99999 99999  99999 99999  99999 99999
0068:  99999 99999  99999 99999  99999 99999  99999 99999  99999 99999    99999 99999  99999 99999  99999 99999  99999 99999  99999 99999
0069:  99999 99999  99999 99999  99999 99999  99999 99999  99999 99999    99999 99999  99999 99999  99999 99999  99999 99999  99999 99999
0070:  99999 99999  99999 99999  99999 99999  99999 99999  99999 99999    99999 99999  99999 99999  99999 99999  99999 99999  99999 99999
0071:  99999 99999  99999 99999  99999 99999  99999 99999  99999 99999    99999 99999  99999 99999  99999 99999  99999 99999  99999 99999
0072:  99999 99999  99999 99999  99999 99999  99999 99999  99999 99999    99999 99999  99999 99999  99999 99999  99999 99999  99999 99999
0073:  99999 99999  99999 99999  99999 99999  99999 99999  99999 99999    99999 99999  99999 99999  99999 99999  99999 99999  99999 99999
0074:  99999 99999  99999 99999  99999 99999  99999 99999  99999 99999    99999 99999  99999 99999  99999 99999  99999 99999  99999 99999
0075:  99999 99999  99999 99999  99999 99999  99999 99999  99999 99999    99999 99999  99999 99999  99999 99999  99999 99999  99999 99999
0076:  99999 99999  99999 99999  99999 99999  99999 99999  99999 99999    99999 99999  99999 99999  99999 99999  99999 99999  99999 99999
0077:  99999 99999  99999 99999  99999 99999  99999 99999  99999 99999    99999 99999  99999 99999  99999 99999  99999 99999  99999 99999
0078:  99999 99999  99999 99999  99999 99999  99999 99999  99999 99999    99999 99999  99999 99999  99999 99999  99999 99999  99999 99999
0079:  99999 99999  99999 99999  99999 99999  99999 99999  99999 99999    99999 99999  99999 99999  99999 99999  99999 99999  99999 99999
0080:  99999 99999  99999 99999  99999 99999  99999 99999  99999 99999    99999 99999  99999 99999  99999 99999  99999 99999  99999 99999
0081:  99999 99999  99999 99999  99999 99999  99999 99999  99999 99999    99999 99999  99999 99999  99999 99999  99999 99999  99999 99999
0082:  99999 99999  99999 99999  99999 99999  99999 99999  99999 99999    99999 99999  99999 99999  99999 99999  99999 99999  99999 99999
0083:  99999 99999  99999 99999  99999 99999  99999 99999  99999 99999    99999 99999  99999 99999  99999 99999  99999 99999  99999 99999
0084:  99999 99999  99999 99999  99999 99999  99999 99999  99999 99999    99999 99999  99999 99999  99999 99999  99999 99999  99999 99999
0085:  99999 99999  99999 99999  99999 99999  99999 99999  99999 99999    99999 99999  99999 99999  99999 99999  99999 99999  99999 99999
0086:  99999 99999  99999 99999  99999 99999  99999 99999  99999 99999    99999 99999  99999 99999  99999 99999  99999 99999  99999 99999
0087:  99999 99999  99999 99999  99999 99999  99999 99999  99999 99999    99999 99999  99999 99999  99999 99999  99999 99999  99999 99999
0088:  99999 99999  99999 99999  99999 99999  99999 99999  99999 99999    99999 99999  99999 99999  99999 99999  99999 99999  99999 99999
0089:  99999 99999  99999 99999  99999 99999  99999 99999  99999 99999    99999 99999  99999 99999  99999 99999  99999 99999  99999 99999
0090:  99999 99999  99999 99999  99999 99999  99999 99999  99999 99999    99999 99999  99999 99999  99999 99999  99999 99999  99999 99999
0091:  99999 99999  99999 99999  99999 99999  99999 99999  99999 99999    99999 99999  99999 99999  99999 99999  99999 99999  99999 99999
0092:  99999 99999  99999 99999  99999 99999  99999 99999  99999 99999    99999 99999  99999 99999  99999 99999  99999 99999  99999 99999
0093:  99999 99999  99999 99999  99999 99999  99999 99999  99999 99999    99999 99999  99999 99999  99999 99999  99999 99999  99999 99999
0094:  99999 99999  99999 99999  99999 99999  99999 99999  99999 99999    99999 99999  99999 99999  99999 99999  99999 99999  99999 99999
0095:  99999 99999  99999 99999  99999 99999  99999 99999  99999 99999    99999 99999  99999 99999  99999 99999  99999 99999  99999 99999
0096:  99999 99999  99999 99999  99999 99999  99999 99999  99999 99999    99999 99999  99999 99999  99999 99999  99999 99999  99999 99999
0097:  99999 99999  99999 99999  99999 99999  99999 99999  99999 99999    99999 99999  99999 99999  99999 99999  99999 99999  99999 99999
0098:  99999 99999  99999 99999  99999 99999  99999 99999  99999 99999    99999 99999  99999 99999  99999 99999  99999 99999  99999 99999
0099:  99999 99999  99999 99999  99999 99999  99999 99999  99999 99999    99999 99999  99999 99999  99999 99999  99999 99999  99999 99999
```

```
0100:  99999 99999  99999 99999  99999 99999  99999 99999  99999 99999    99999 99999  99999 99999  99999 99999  99999 99999  99999 99999
0101:  99999 99999  99999 99999  99999 99999  99999 99999  99999 99999    99999 99999  99999 99999  99999 99999  99999 99999  99999 99999
0102:  99999 99999  99999 99999  99999 99999  99999 99999  99999 99999    99999 99999  99999 99999  99999 99999  99999 99999  99999 99999
0103:  99999 99999  99999 99999  99999 99999  99999 99999  99999 99999    99999 99999  99999 99999  99999 99999  99999 99999  99999 99999
0104:  99999 99999  99999 99999  99999 99999  99999 99999  99999 99999    99999 99999  99999 99999  99999 99999  99999 99999  99999 99999
0105:  99999 99999  99999 99999  99999 99999  99999 99999  99999 99999    99999 99999  99999 99999  99999 99999  99999 99999  99999 99999
0106:  99999 99999  99999 99999  99999 99999  99999 99999  99999 99999    99999 99999  99999 99999  99999 99999  99999 99999  99999 99999
0107:  99999 99999  99999 99999  99999 99999  99999 99999  99999 99999    99999 99999  99999 99999  99999 99999  99999 99999  99999 99999
0108:  99999 99999  99999 99999  99999 99999  99999 99999  99999 99999    99999 99999  99999 99999  99999 99999  99999 99999  99999 99999
0109:  99999 99999  99999 99999  99999 99999  99999 99999  99999 99999    99999 99999  99999 99999  99999 99999  99999 99999  99999 99999
0110:  99999 99999  99999 99999  99999 99999  99999 99999  99999 99999    99999 99999  99999 99999  99999 99999  99999 99999  99999 99999
0111:  99999 99999  99999 99999  99999 99999  99999 99999  99999 99999    99999 99999  99999 99999  99999 99999  99999 99999  99999 99999
0112:  99999 99999  99999 99999  99999 99999  99999 99999  99999 99999    99999 99999  99999 99999  99999 99999  99999 99999  99999 99999
0113:  99999 99999  99999 99999  99999 99999  99999 99999  99999 99999    99999 99999  99999 99999  99999 99999  99999 99999  99999 99999
0114:  99999 99999  99999 99999  99999 99999  99999 99999  99999 99999    99999 99999  99999 99999  99999 99999  99999 99999  99999 99999
0115:  99999 99999  99999 99999  99999 99999  99999 99999  99999 99999    99999 99999  99999 99999  99999 99999  99999 99999  99999 99999
0116:  99999 99999  99999 99999  99999 99999  99999 99999  99999 99999    99999 99999  99999 99999  99999 99999  99999 99999  99999 99999
0117:  99999 99999  99999 99999  99999 99999  99999 99999  99999 99999    99999 99999  99999 99999  99999 99999  99999 99999  99999 99999
0118:  99999 99999  99999 99999  99999 99999  99999 99999  99999 99999    99999 99999  99999 99999  99999 99999  99999 99999  99999 99999
0119:  99999 99999  99999 99999  99999 99999  99999 99999  99999 99999    99999 99999  99999 99999  99999 99999  99999 99999  99999 99999
0120:  99999 99999  99999 99999  99999 99999  99999 99999  99999 99999    99999 99999  99999 99999  99999 99999  99999 99999  99999 99999
0121:  99999 99999  99999 99999  99999 99999  99999 99999  99999 99999    99999 99999  99999 99999  99999 99999  99999 99999  99999 99999
0122:  99999 99999  99999 99999  99999 99999  99999 99999  99999 99999    99999 99999  99999 99999  99999 99999  99999 99999  99999 99999
0123:  99999 99999  99999 99999  99999 99999  99999 99999  99999 99999    99999 99999  99999 99999  99999 99999  99999 99999  99999 99999
0124:  99999 99999  99999 99999  99999 99999  99999 99999  99999 99999    99999 99999  99999 99999  99999 99999  99999 99999  99999 99999
0125:  99999 99999  99999 99999  99999 99999  99999 99999  99999 99999    99999 99999  99999 99999  99999 99999  99999 99999  99999 99999
0126:  99999 99999  99999 99999  99999 99999  99999 99999  99999 99999    99999 99999  99999 99999  99999 99999  99999 99999  99999 99999
0127:  99999 99999  99999 99999  99999 99999  99999 99999  99999 99999    99999 99999  99999 99999  99999 99999  99999 99999  99999 99999
0128:  99999 99999  99999 99999  99999 99999  99999 99999  99999 99999    99999 99999  99999 99999  99999 99999  99999 99999  99999 99999
0129:  99999 99999  99999 99999  99999 99999  99999 99999  99999 99999    99999 99999  99999 99999  99999 99999  99999 99999  99999 99999
0130:  99999 99999  99999 99999  99999 99999  99999 99999  99999 99999    99999 99999  99999 99999  99999 99999  99999 99999  99999 99999
0131:  99999 99999  99999 99999  99999 99999  99999 99999  99999 99999    99999 99999  99999 99999  99999 99999  99999 99999  99999 99999
0132:  99999 99999  99999 99999  99999 99999  99999 99999  99999 99999    99999 99999  99999 99999  99999 99999  99999 99999  99999 99999
0133:  99999 99999  99999 99999  99999 99999  99999 99999  99999 99999    99999 99999  99999 99999  99999 99999  99999 99999  99999 99999
0134:  99999 99999  99999 99999  99999 99999  99999 99999  99999 99999    99999 99999  99999 99999  99999 99999  99999 99999  99999 99999
0135:  99999 99999  99999 99999  99999 99999  99999 99999  99999 99999    99999 99999  99999 99999  99999 99999  99999 99999  99999 99999
0136:  99999 99999  99999 99999  99999 99999  99999 99999  99999 99999    99999 99999  99999 99999  99999 99999  99999 99999  99999 99999
0137:  99999 99999  99999 99999  99999 99999  99999 99999  99999 99999    99999 99999  99999 99999  99999 99999  99999 99999  99999 99999
0138:  99999 99999  99999 99999  99999 99999  99999 99999  99999 99999    99999 99999  99999 99999  99999 99999  99999 99999  99999 99999
0139:  99999 99999  99999 99999  99999 99999  99999 99999  99999 99999    99999 99999  99999 99999  99999 99999  99999 99999  99999 99999
0140:  99999 99999  99999 99999  99999 99999  99999 99999  99999 99999    99999 99999  99999 99999  99999 99999  99999 99999  99999 99999
0141:  99999 99999  99999 99999  99999 99999  99999 99999  99999 99999    99999 99999  99999 99999  99999 99999  99999 99999  99999 99999
0142:  99999 99999  99999 99999  99999 99999  99999 99999  99999 99999    99999 99999  99999 99999  99999 99999  99999 99999  99999 99999
0143:  99999 99999  99999 99999  99999 99999  99999 99999  99999 99999    99999 99999  99999 99999  99999 99999  99999 99999  99999 99999
0144:  99999 99999  99999 99999  99999 99999  99999 99999  99999 99999    99999 99999  99999 99999  99999 99999  99999 99999  99999 99999
0145:  99999 99999  99999 99999  99999 99999  99999 99999  99999 99999    99999 99999  99999 99999  99999 99999  99999 99999  99999 99999
0146:  99999 99999  99999 99999  99999 99999  99999 99999  99999 99999    99999 99999  99999 99999  99999 99999  99999 99999  99999 99999
0147:  99999 99999  99999 99999  99999 99999  99999 99999  99999 99999    99999 99999  99999 99999  99999 99999  99999 99999  99999 99999
0148:  99999 99999  99999 99999  99999 99999  99999 99999  99999 99999    99999 99999  99999 99999  99999 99999  99999 99999  99999 99999
0149:  99999 99999  99999 99999  99999 99999  99999 99999  99999 99999    99999 99999  99999 99999  99999 99999  99999 99999  99999 99999
```

```
0150:  99999 99999   99999 99999   99999 99999   99999 99999   99999 99999   99999 99999   99999 99999   99999 99999   99999 99999   99999 99999
0151:  99999 99999   99999 99999   99999 99999   99999 99999   99999 99999   99999 99999   99999 99999   99999 99999   99999 99999   99999 99999
0152:  99999 99999   99999 99999   99999 99999   99999 99999   99999 99999   99999 99999   99999 99999   99999 99999   99999 99999   99999 99999
0153:  99999 99999   99999 99999   99999 99999   99999 99999   99999 99999   99999 99999   99999 99999   99999 99999   99999 99999   99999 99999
0154:  99999 99999   99999 99999   99999 99999   99999 99999   99999 99999   99999 99999   99999 99999   99999 99999   99999 99999   99999 99999
0155:  99999 99999   99999 99999   99999 99999   99999 99999   99999 99999   99999 99999   99999 99999   99999 99999   99999 99999   99999 99999
0156:  99999 99999   99999 99999   99999 99999   99999 99999   99999 99999   99999 99999   99999 99999   99999 99999   99999 99999   99999 99999
0157:  99999 99999   99999 99999   99999 99999   99999 99999   99999 99999   99999 99999   99999 99999   99999 99999   99999 99999   99999 99999
0158:  99999 99999   99999 99999   99999 99999   99999 99999   99999 99999   99999 99999   99999 99999   99999 99999   99999 99999   99999 99999
0159:  99999 99999   99999 99999   99999 99999   99999 99999   99999 99999   99999 99999   99999 99999   99999 99999   99999 99999   99999 99999
0160:  99999 99999   99999 99999   99999 99999   99999 99999   99999 99999   99999 99999   99999 99999   99999 99999   99999 99999   99999 99999
0161:  99999 99999   99999 99999   99999 99999   99999 99999   99999 99999   99999 99999   99999 99999   99999 99999   99999 99999   99999 99999
0162:  99999 99999   99999 99999   99999 99999   99999 99999   99999 99999   99999 99999   99999 99999   99999 99999   99999 99999   99999 99999
0163:  99999 99999   99999 99999   99999 99999   99999 99999   99999 99999   99999 99999   99999 99999   99999 99999   99999 99999   99999 99999
0164:  99999 99999   99999 99999   99999 99999   99999 99999   99999 99999   99999 99999   99999 99999   99999 99999   99999 99999   99999 99999
0165:  99999 99999   99999 99999   99999 99999   99999 99999   99999 99999   99999 99999   99999 99999   99999 99999   99999 99999   99999 99999
0166:  99999 99999   99999 99999   99999 99999   99999 99999   99999 99999   99999 99999   99999 99999   99999 99999   99999 99999   99999 99999
0167:  99999 99999   99999 99999   99999 99999   99999 99999   99999 99999   99999 99999   99999 99999   99999 99999   99999 99999   99999 99999
0168:  99999 99999   99999 99999   99999 99999   99999 99999   99999 99999   99999 99999   99999 99999   99999 99999   99999 99999   99999 99999
0169:  99999 99999   99999 99999   99999 99999   99999 99999   99999 99999   99999 99999   99999 99999   99999 99999   99999 99999   99999 99999
0170:  99999 99999   99999 99999   99999 99999   99999 99999   99999 99999   99999 99999   99999 99999   99999 99999   99999 99999   99999 99999
0171:  99999 99999   99999 99999   99999 99999   99999 99999   99999 99999   99999 99999   99999 99999   99999 99999   99999 99999   99999 99999
0172:  99999 99999   99999 99999   99999 99999   99999 99999   99999 99999   99999 99999   99999 99999   99999 99999   99999 99999   99999 99999
0173:  99999 99999   99999 99999   99999 99999   99999 99999   99999 99999   99999 99999   99999 99999   99999 99999   99999 99999   99999 99999
0174:  99999 99999   99999 99999   99999 99999   99999 99999   99999 99999   99999 99999   99999 99999   99999 99999   99999 99999   99999 99999
0175:  99999 99999   99999 99999   99999 99999   99999 99999   99999 99999   99999 99999   99999 99999   99999 99999   99999 99999   99999 99999
0176:  99999 99999   99999 99999   99999 99999   99999 99999   99999 99999   99999 99999   99999 99999   99999 99999   99999 99999   99999 99999
0177:  99999 99999   99999 99999   99999 99999   99999 99999   99999 99999   99999 99999   99999 99999   99999 99999   99999 99999   99999 99999
0178:  99999 99999   99999 99999   99999 99999   99999 99999   99999 99999   99999 99999   99999 99999   99999 99999   99999 99999   99999 99999
0179:  99999 99999   99999 99999   99999 99999   99999 99999   99999 99999   99999 99999   99999 99999   99999 99999   99999 99999   99999 99999
0180:  99999 99999   99999 99999   99999 99999   99999 99999   99999 99999   99999 99999   99999 99999   99999 99999   99999 99999   99999 99999
0181:  99999 99999   99999 99999   99999 99999   99999 99999   99999 99999   99999 99999   99999 99999   99999 99999   99999 99999   99999 99999
0182:  99999 99999   99999 99999   99999 99999   99999 99999   99999 99999   99999 99999   99999 99999   99999 99999   99999 99999   99999 99999
0183:  99999 99999   99999 99999   99999 99999   99999 99999   99999 99999   99999 99999   99999 99999   99999 99999   99999 99999   99999 99999
0184:  99999 99999   99999 99999   99999 99999   99999 99999   99999 99999   99999 99999   99999 99999   99999 99999   99999 99999   99999 99999
0185:  99999 99999   99999 99999   99999 99999   99999 99999   99999 99999   99999 99999   99999 99999   99999 99999   99999 99999   99999 99999
0186:  99999 99999   99999 99999   99999 99999   99999 99999   99999 99999   99999 99999   99999 99999   99999 99999   99999 99999   99999 99999
0187:  99999 99999   99999 99999   99999 99999   99999 99999   99999 99999   99999 99999   99999 99999   99999 99999   99999 99999   99999 99999
0188:  99999 99999   99999 99999   99999 99999   99999 99999   99999 99999   99999 99999   99999 99999   99999 99999   99999 99999   99999 99999
0189:  99999 99999   99999 99999   99999 99999   99999 99999   99999 99999   99999 99999   99999 99999   99999 99999   99999 99999   99999 99999
0190:  99999 99999   99999 99999   99999 99999   99999 99999   99999 99999   99999 99999   99999 99999   99999 99999   99999 99999   99999 99999
0191:  99999 99999   99999 99999   99999 99999   99999 99999   99999 99999   99999 99999   99999 99999   99999 99999   99999 99999   99999 99999
0192:  99999 99999   99999 99999   99999 99999   99999 99999   99999 99999   99999 99999   99999 99999   99999 99999   99999 99999   99999 99999
0193:  99999 99999   99999 99999   99999 99999   99999 99999   99999 99999   99999 99999   99999 99999   99999 99999   99999 99999   99999 99999
0194:  99999 99999   99999 99999   99999 99999   99999 99999   99999 99999   99999 99999   99999 99999   99999 99999   99999 99999   99999 99999
0195:  99999 99999   99999 99999   99999 99999   99999 99999   99999 99999   99999 99999   99999 99999   99999 99999   99999 99999   99999 99999
0196:  99999 99999   99999 99999   99999 99999   99999 99999   99999 99999   99999 99999   99999 99999   99999 99999   99999 99999   99999 99999
0197:  99999 99999   99999 99999   99999 99999   99999 99999   99999 99999   99999 99999   99999 99999   99999 99999   99999 99999   99999 99999
0198:  99999 99999   99999 99999   99999 99999   99999 99999   99999 99999   99999 99999   99999 99999   99999 99999   99999 99999   99999 99999
0199:  99999 99999   99999 99999   99999 99999   99999 99999   99999 99999   99999 99999   99999 99999   99999 99999   99999 99999   99999 99999
```

```
0200:  99999 99999  99999 99999  99999 99999  99999 99999  99999 99999    99999 99999  99999 99999  99999 99999  99999 99999  99999 99999
0201:  99999 99999  99999 99999  99999 99999  99999 99999  99999 99999    99999 99999  99999 99999  99999 99999  99999 99999  99999 99999
0202:  99999 99999  99999 99999  99999 99999  99999 99999  99999 99999    99999 99999  99999 99999  99999 99999  99999 99999  99999 99999
0203:  99999 99999  99999 99999  99999 99999  99999 99999  99999 99999    99999 99999  99999 99999  99999 99999  99999 99999  99999 99999
0204:  99999 99999  99999 99999  99999 99999  99999 99999  99999 99999    99999 99999  99999 99999  99999 99999  99999 99999  99999 99999
0205:  99999 99999  99999 99999  99999 99999  99999 99999  99999 99999    99999 99999  99999 99999  99999 99999  99999 99999  99999 99999
0206:  99999 99999  99999 99999  99999 99999  99999 99999  99999 99999    99999 99999  99999 99999  99999 99999  99999 99999  99999 99999
0207:  99999 99999  99999 99999  99999 99999  99999 99999  99999 99999    99999 99999  99999 99999  99999 99999  99999 99999  99999 99999
0208:  99999 99999  99999 99999  99999 99999  99999 99999  99999 99999    99999 99999  99999 99999  99999 99999  99999 99999  99999 99999
0209:  99999 99999  99999 99999  99999 99999  99999 99999  99999 99999    99999 99999  99999 99999  99999 99999  99999 99999  99999 99999
0210:  99999 99999  99999 99999  99999 99999  99999 99999  99999 99999    99999 99999  99999 99999  99999 99999  99999 99999  99999 99999
0211:  99999 99999  99999 99999  99999 99999  99999 99999  99999 99999    99999 99999  99999 99999  99999 99999  99999 99999  99999 99999
0212:  99999 99999  99999 99999  99999 99999  99999 99999  99999 99999    99999 99999  99999 99999  99999 99999  99999 99999  99999 99999
0213:  99999 99999  99999 99999  99999 99999  99999 99999  99999 99999    99999 99999  99999 99999  99999 99999  99999 99999  99999 99999
0214:  99999 99999  99999 99999  99999 99999  99999 99999  99999 99999    99999 99999  99999 99999  99999 99999  99999 99999  99999 99999
0215:  99999 99999  99999 99999  99999 99999  99999 99999  99999 99999    99999 99999  99999 99999  99999 99999  99999 99999  99999 99999
0216:  99999 99999  99999 99999  99999 99999  99999 99999  99999 99999    99999 99999  99999 99999  99999 99999  99999 99999  99999 99999
0217:  99999 99999  99999 99999  99999 99999  99999 99999  99999 99999    99999 99999  99999 99999  99999 99999  99999 99999  99999 99999
0218:  99999 99999  99999 99999  99999 99999  99999 99999  99999 99999    99999 99999  99999 99999  99999 99999  99999 99999  99999 99999
0219:  99999 99999  99999 99999  99999 99999  99999 99999  99999 99999    99999 99999  99999 99999  99999 99999  99999 99999  99999 99999
0220:  99999 99999  99999 99999  99999 99999  99999 99999  99999 99999    99999 99999  99999 99999  99999 99999  99999 99999  99999 99999
0221:  99999 99999  99999 99999  99999 99999  99999 99999  99999 99999    99999 99999  99999 99999  99999 99999  99999 99999  99999 99999
0222:  99999 99999  99999 99999  99999 99999  99999 99999  99999 99999    99999 99999  99999 99999  99999 99999  99999 99999  99999 99999
0223:  99999 99999  99999 99999  99999 99999  99999 99999  99999 99999    99999 99999  99999 99999  99999 99999  99999 99999  99999 99999
0224:  99999 99999  99999 99999  99999 99999  99999 99999  99999 99999    99999 99999  99999 99999  99999 99999  99999 99999  99999 99999
0225:  99999 99999  99999 99999  99999 99999  99999 99999  99999 99999    99999 99999  99999 99999  99999 99999  99999 99999  99999 99999
0226:  99999 99999  99999 99999  99999 99999  99999 99999  99999 99999    99999 99999  99999 99999  99999 99999  99999 99999  99999 99999
0227:  99999 99999  99999 99999  99999 99999  99999 99999  99999 99999    99999 99999  99999 99999  99999 99999  99999 99999  99999 99999
0228:  99999 99999  99999 99999  99999 99999  99999 99999  99999 99999    99999 99999  99999 99999  99999 99999  99999 99999  99999 99999
0229:  99999 99999  99999 99999  99999 99999  99999 99999  99999 99999    99999 99999  99999 99999  99999 99999  99999 99999  99999 99999
0230:  99999 99999  99999 99999  99999 99999  99999 99999  99999 99999    99999 99999  99999 99999  99999 99999  99999 99999  99999 99999
0231:  99999 99999  99999 99999  99999 99999  99999 99999  99999 99999    99999 99999  99999 99999  99999 99999  99999 99999  99999 99999
0232:  99999 99999  99999 99999  99999 99999  99999 99999  99999 99999    99999 99999  99999 99999  99999 99999  99999 99999  99999 99999
0233:  99999 99999  99999 99999  99999 99999  99999 99999  99999 99999    99999 99999  99999 99999  99999 99999  99999 99999  99999 99999
0234:  99999 99999  99999 99999  99999 99999  99999 99999  99999 99999    99999 99999  99999 99999  99999 99999  99999 99999  99999 99999
0235:  99999 99999  99999 99999  99999 99999  99999 99999  99999 99999    99999 99999  99999 99999  99999 99999  99999 99999  99999 99999
0236:  99999 99999  99999 99999  99999 99999  99999 99999  99999 99999    99999 99999  99999 99999  99999 99999  99999 99999  99999 99999
0237:  99999 99999  99999 99999  99999 99999  99999 99999  99999 99999    99999 99999  99999 99999  99999 99999  99999 99999  99999 99999
0238:  99999 99999  99999 99999  99999 99999  99999 99999  99999 99999    99999 99999  99999 99999  99999 99999  99999 99999  99999 99999
0239:  99999 99999  99999 99999  99999 99999  99999 99999  99999 99999    99999 99999  99999 99999  99999 99999  99999 99999  99999 99999
0240:  99999 99999  99999 99999  99999 99999  99999 99999  99999 99999    99999 99999  99999 99999  99999 99999  99999 99999  99999 99999
0241:  99999 99999  99999 99999  99999 99999  99999 99999  99999 99999    99999 99999  99999 99999  99999 99999  99999 99999  99999 99999
0242:  99999 99999  99999 99999  99999 99999  99999 99999  99999 99999    99999 99999  99999 99999  99999 99999  99999 99999  99999 99999
0243:  99999 99999  99999 99999  99999 99999  99999 99999  99999 99999    99999 99999  99999 99999  99999 99999  99999 99999  99999 99999
0244:  99999 99999  99999 99999  99999 99999  99999 99999  99999 99999    99999 99999  99999 99999  99999 99999  99999 99999  99999 99999
0245:  99999 99999  99999 99999  99999 99999  99999 99999  99999 99999    99999 99999  99999 99999  99999 99999  99999 99999  99999 99999
0246:  99999 99999  99999 99999  99999 99999  99999 99999  99999 99999    99999 99999  99999 99999  99999 99999  99999 99999  99999 99999
0247:  99999 99999  99999 99999  99999 99999  99999 99999  99999 99999    99999 99999  99999 99999  99999 99999  99999 99999  99999 99999
0248:  99999 99999  99999 99999  99999 99999  99999 99999  99999 99999    99999 99999  99999 99999  99999 99999  99999 99999  99999 99999
0249:  99999 99999  99999 99999  99999 99999  99999 99999  99999 99999    99999 99999  99999 99999  99999 99999  99999 99999  99999 99999
```

```
0250:  99999 99999  99999 99999  99999 99999  99999 99999  99999 99999    99999 99999  99999 99999  99999 99999  99999 99999  99999 99999
0251:  99999 99999  99999 99999  99999 99999  99999 99999  99999 99999    99999 99999  99999 99999  99999 99999  99999 99999  99999 99999
0252:  99999 99999  99999 99999  99999 99999  99999 99999  99999 99999    99999 99999  99999 99999  99999 99999  99999 99999  99999 99999
0253:  99999 99999  99999 99999  99999 99999  99999 99999  99999 99999    99999 99999  99999 99999  99999 99999  99999 99999  99999 99999
0254:  99999 99999  99999 99999  99999 99999  99999 99999  99999 99999    99999 99999  99999 99999  99999 99999  99999 99999  99999 99999
0255:  99999 99999  99999 99999  99999 99999  99999 99999  99999 99999    99999 99999  99999 99999  99999 99999  99999 99999  99999 99999
0256:  99999 99999  99999 99999  99999 99999  99999 99999  99999 99999    99999 99999  99999 99999  99999 99999  99999 99999  99999 99999
0257:  99999 99999  99999 99999  99999 99999  99999 99999  99999 99999    99999 99999  99999 99999  99999 99999  99999 99999  99999 99999
0258:  99999 99999  99999 99999  99999 99999  99999 99999  99999 99999    99999 99999  99999 99999  99999 99999  99999 99999  99999 99999
0259:  99999 99999  99999 99999  99999 99999  99999 99999  99999 99999    99999 99999  99999 99999  99999 99999  99999 99999  99999 99999
0260:  99999 99999  99999 99999  99999 99999  99999 99999  99999 99999    99999 99999  99999 99999  99999 99999  99999 99999  99999 99999
0261:  99999 99999  99999 99999  99999 99999  99999 99999  99999 99999    99999 99999  99999 99999  99999 99999  99999 99999  99999 99999
0262:  99999 99999  99999 99999  99999 99999  99999 99999  99999 99999    99999 99999  99999 99999  99999 99999  99999 99999  99999 99999
0263:  99999 99999  99999 99999  99999 99999  99999 99999  99999 99999    99999 99999  99999 99999  99999 99999  99999 99999  99999 99999
0264:  99999 99999  99999 99999  99999 99999  99999 99999  99999 99999    99999 99999  99999 99999  99999 99999  99999 99999  99999 99999
0265:  99999 99999  99999 99999  99999 99999  99999 99999  99999 99999    99999 99999  99999 99999  99999 99999  99999 99999  99999 99999
0266:  99999 99999  99999 99999  99999 99999  99999 99999  99999 99999    99999 99999  99999 99999  99999 99999  99999 99999  99999 99999
0267:  99999 99999  99999 99999  99999 99999  99999 99999  99999 99999    99999 99999  99999 99999  99999 99999  99999 99999  99999 99999
0268:  99999 99999  99999 99999  99999 99999  99999 99999  99999 99999    99999 99999  99999 99999  99999 99999  99999 99999  99999 99999
0269:  99999 99999  99999 99999  99999 99999  99999 99999  99999 99999    99999 99999  99999 99999  99999 99999  99999 99999  99999 99999
0270:  99999 99999  99999 99999  99999 99999  99999 99999  99999 99999    99999 99999  99999 99999  99999 99999  99999 99999  99999 99999
0271:  99999 99999  99999 99999  99999 99999  99999 99999  99999 99999    99999 99999  99999 99999  99999 99999  99999 99999  99999 99999
0272:  99999 99999  99999 99999  99999 99999  99999 99999  99999 99999    99999 99999  99999 99999  99999 99999  99999 99999  99999 99999
0273:  99999 99999  99999 99999  99999 99999  99999 99999  99999 99999    99999 99999  99999 99999  99999 99999  99999 99999  99999 99999
0274:  99999 99999  99999 99999  99999 99999  99999 99999  99999 99999    99999 99999  99999 99999  99999 99999  99999 99999  99999 99999
0275:  99999 99999  99999 99999  99999 99999  99999 99999  99999 99999    99999 99999  99999 99999  99999 99999  99999 99999  99999 99999
0276:  99999 99999  99999 99999  99999 99999  99999 99999  99999 99999    99999 99999  99999 99999  99999 99999  99999 99999  99999 99999
0277:  99999 99999  99999 99999  99999 99999  99999 99999  99999 99999    99999 99999  99999 99999  99999 99999  99999 99999  99999 99999
0278:  99999 99999  99999 99999  99999 99999  99999 99999  99999 99999    99999 99999  99999 99999  99999 99999  99999 99999  99999 99999
0279:  99999 99999  99999 99999  99999 99999  99999 99999  99999 99999    99999 99999  99999 99999  99999 99999  99999 99999  99999 99999
0280:  99999 99999  99999 99999  99999 99999  99999 99999  99999 99999    99999 99999  99999 99999  99999 99999  99999 99999  99999 99999
0281:  99999 99999  99999 99999  99999 99999  99999 99999  99999 99999    99999 99999  99999 99999  99999 99999  99999 99999  99999 99999
0282:  99999 99999  99999 99999  99999 99999  99999 99999  99999 99999    99999 99999  99999 99999  99999 99999  99999 99999  99999 99999
0283:  99999 99999  99999 99999  99999 99999  99999 99999  99999 99999    99999 99999  99999 99999  99999 99999  99999 99999  99999 99999
0284:  99999 99999  99999 99999  99999 99999  99999 99999  99999 99999    99999 99999  99999 99999  99999 99999  99999 99999  99999 99999
0285:  99999 99999  99999 99999  99999 99999  99999 99999  99999 99999    99999 99999  99999 99999  99999 99999  99999 99999  99999 99999
0286:  99999 99999  99999 99999  99999 99999  99999 99999  99999 99999    99999 99999  99999 99999  99999 99999  99999 99999  99999 99999
0287:  99999 99999  99999 99999  99999 99999  99999 99999  99999 99999    99999 99999  99999 99999  99999 99999  99999 99999  99999 99999
0288:  99999 99999  99999 99999  99999 99999  99999 99999  99999 99999    99999 99999  99999 99999  99999 99999  99999 99999  99999 99999
0289:  99999 99999  99999 99999  99999 99999  99999 99999  99999 99999    99999 99999  99999 99999  99999 99999  99999 99999  99999 99999
0290:  99999 99999  99999 99999  99999 99999  99999 99999  99999 99999    99999 99999  99999 99999  99999 99999  99999 99999  99999 99999
0291:  99999 99999  99999 99999  99999 99999  99999 99999  99999 99999    99999 99999  99999 99999  99999 99999  99999 99999  99999 99999
0292:  99999 99999  99999 99999  99999 99999  99999 99999  99999 99999    99999 99999  99999 99999  99999 99999  99999 99999  99999 99999
0293:  99999 99999  99999 99999  99999 99999  99999 99999  99999 99999    99999 99999  99999 99999  99999 99999  99999 99999  99999 99999
0294:  99999 99999  99999 99999  99999 99999  99999 99999  99999 99999    99999 99999  99999 99999  99999 99999  99999 99999  99999 99999
0295:  99999 99999  99999 99999  99999 99999  99999 99999  99999 99999    99999 99999  99999 99999  99999 99999  99999 99999  99999 99999
0296:  99999 99999  99999 99999  99999 99999  99999 99999  99999 99999    99999 99999  99999 99999  99999 99999  99999 99999  99999 99999
0297:  99999 99999  99999 99999  99999 99999  99999 99999  99999 99999    99999 99999  99999 99999  99999 99999  99999 99999  99999 99999
0298:  99999 99999  99999 99999  99999 99999  99999 99999  99999 99999    99999 99999  99999 99999  99999 99999  99999 99999  99999 99999
0299:  99999 99999  99999 99999  99999 99999  99999 99999  99999 99999    99999 99999  99999 99999  99999 99999  99999 99999  99999 99999
```

```
0300:  99999 99999  99999 99999  99999 99999  99999 99999  99999 99999    99999 99999  99999 99999  99999 99999  99999 99999  99999 99999
0301:  99999 99999  99999 99999  99999 99999  99999 99999  99999 99999    99999 99999  99999 99999  99999 99999  99999 99999  99999 99999
0302:  99999 99999  99999 99999  99999 99999  99999 99999  99999 99999    99999 99999  99999 99999  99999 99999  99999 99999  99999 99999
0303:  99999 99999  99999 99999  99999 99999  99999 99999  99999 99999    99999 99999  99999 99999  99999 99999  99999 99999  99999 99999
0304:  99999 99999  99999 99999  99999 99999  99999 99999  99999 99999    99999 99999  99999 99999  99999 99999  99999 99999  99999 99999
0305:  99999 99999  99999 99999  99999 99999  99999 99999  99999 99999    99999 99999  99999 99999  99999 99999  99999 99999  99999 99999
0306:  99999 99999  99999 99999  99999 99999  99999 99999  99999 99999    99999 99999  99999 99999  99999 99999  99999 99999  99999 99999
0307:  99999 99999  99999 99999  99999 99999  99999 99999  99999 99999    99999 99999  99999 99999  99999 99999  99999 99999  99999 99999
0308:  99999 99999  99999 99999  99999 99999  99999 99999  99999 99999    99999 99999  99999 99999  99999 99999  99999 99999  99999 99999
0309:  99999 99999  99999 99999  99999 99999  99999 99999  99999 99999    99999 99999  99999 99999  99999 99999  99999 99999  99999 99999
0310:  99999 99999  99999 99999  99999 99999  99999 99999  99999 99999    99999 99999  99999 99999  99999 99999  99999 99999  99999 99999
0311:  99999 99999  99999 99999  99999 99999  99999 99999  99999 99999    99999 99999  99999 99999  99999 99999  99999 99999  99999 99999
0312:  99999 99999  99999 99999  99999 99999  99999 99999  99999 99999    99999 99999  99999 99999  99999 99999  99999 99999  99999 99999
0313:  99999 99999  99999 99999  99999 99999  99999 99999  99999 99999    99999 99999  99999 99999  99999 99999  99999 99999  99999 99999
0314:  99999 99999  99999 99999  99999 99999  99999 99999  99999 99999    99999 99999  99999 99999  99999 99999  99999 99999  99999 99999
0315:  99999 99999  99999 99999  99999 99999  99999 99999  99999 99999    99999 99999  99999 99999  99999 99999  99999 99999  99999 99999
0316:  99999 99999  99999 99999  99999 99999  99999 99999  99999 99999    99999 99999  99999 99999  99999 99999  99999 99999  99999 99999
0317:  99999 99999  99999 99999  99999 99999  99999 99999  99999 99999    99999 99999  99999 99999  99999 99999  99999 99999  99999 99999
0318:  99999 99999  99999 99999  99999 99999  99999 99999  99999 99999    99999 99999  99999 99999  99999 99999  99999 99999  99999 99999
0319:  99999 99999  99999 99999  99999 99999  99999 99999  99999 99999    99999 99999  99999 99999  99999 99999  99999 99999  99999 99999
0320:  99999 99999  99999 99999  99999 99999  99999 99999  99999 99999    99999 99999  99999 99999  99999 99999  99999 99999  99999 99999
0321:  99999 99999  99999 99999  99999 99999  99999 99999  99999 99999    99999 99999  99999 99999  99999 99999  99999 99999  99999 99999
0322:  99999 99999  99999 99999  99999 99999  99999 99999  99999 99999    99999 99999  99999 99999  99999 99999  99999 99999  99999 99999
0323:  99999 99999  99999 99999  99999 99999  99999 99999  99999 99999    99999 99999  99999 99999  99999 99999  99999 99999  99999 99999
0324:  99999 99999  99999 99999  99999 99999  99999 99999  99999 99999    99999 99999  99999 99999  99999 99999  99999 99999  99999 99999
0325:  99999 99999  99999 99999  99999 99999  99999 99999  99999 99999    99999 99999  99999 99999  99999 99999  99999 99999  99999 99999
0326:  99999 99999  99999 99999  99999 99999  99999 99999  99999 99999    99999 99999  99999 99999  99999 99999  99999 99999  99999 99999
0327:  99999 99999  99999 99999  99999 99999  99999 99999  99999 99999    99999 99999  99999 99999  99999 99999  99999 99999  99999 99999
0328:  99999 99999  99999 99999  99999 99999  99999 99999  99999 99999    99999 99999  99999 99999  99999 99999  99999 99999  99999 99999
0329:  99999 99999  99999 99999  99999 99999  99999 99999  99999 99999    99999 99999  99999 99999  99999 99999  99999 99999  99999 99999
0330:  99999 99999  99999 99999  99999 99999  99999 99999  99999 99999    99999 99999  99999 99999  99999 99999  99999 99999  99999 99999
0331:  99999 99999  99999 99999  99999 99999  99999 99999  99999 99999    99999 99999  99999 99999  99999 99999  99999 99999  99999 99999
0332:  99999 99999  99999 99999  99999 99999  99999 99999  99999 99999    99999 99999  99999 99999  99999 99999  99999 99999  99999 99999
0333:  99999 99999  99999 99999  99999 99999  99999 99999  99999 99999    99999 99999  99999 99999  99999 99999  99999 99999  99999 99999
0334:  99999 99999  99999 99999  99999 99999  99999 99999  99999 99999    99999 99999  99999 99999  99999 99999  99999 99999  99999 99999
0335:  99999 99999  99999 99999  99999 99999  99999 99999  99999 99999    99999 99999  99999 99999  99999 99999  99999 99999  99999 99999
0336:  99999 99999  99999 99999  99999 99999  99999 99999  99999 99999    99999 99999  99999 99999  99999 99999  99999 99999  99999 99999
0337:  99999 99999  99999 99999  99999 99999  99999 99999  99999 99999    99999 99999  99999 99999  99999 99999  99999 99999  99999 99999
0338:  99999 99999  99999 99999  99999 99999  99999 99999  99999 99999    99999 99999  99999 99999  99999 99999  99999 99999  99999 99999
0339:  99999 99999  99999 99999  99999 99999  99999 99999  99999 99999    99999 99999  99999 99999  99999 99999  99999 99999  99999 99999
0340:  99999 99999  99999 99999  99999 99999  99999 99999  99999 99999    99999 99999  99999 99999  99999 99999  99999 99999  99999 99999
0341:  99999 99999  99999 99999  99999 99999  99999 99999  99999 99999    99999 99999  99999 99999  99999 99999  99999 99999  99999 99999
0342:  99999 99999  99999 99999  99999 99999  99999 99999  99999 99999    99999 99999  99999 99999  99999 99999  99999 99999  99999 99999
0343:  99999 99999  99999 99999  99999 99999  99999 99999  99999 99999    99999 99999  99999 99999  99999 99999  99999 99999  99999 99999
0344:  99999 99999  99999 99999  99999 99999  99999 99999  99999 99999    99999 99999  99999 99999  99999 99999  99999 99999  99999 99999
0345:  99999 99999  99999 99999  99999 99999  99999 99999  99999 99999    99999 99999  99999 99999  99999 99999  99999 99999  99999 99999
0346:  99999 99999  99999 99999  99999 99999  99999 99999  99999 99999    99999 99999  99999 99999  99999 99999  99999 99999  99999 99999
0347:  99999 99999  99999 99999  99999 99999  99999 99999  99999 99999    99999 99999  99999 99999  99999 99999  99999 99999  99999 99999
0348:  99999 99999  99999 99999  99999 99999  99999 99999  99999 99999    99999 99999  99999 99999  99999 99999  99999 99999  99999 99999
0349:  99999 99999  99999 99999  99999 99999  99999 99999  99999 99999    99999 99999  99999 99999  99999 99999  99999 99999  99999 99999
```

```
0350:  99999 99999  99999 99999  99999 99999  99999 99999  99999 99999    99999 99999  99999 99999  99999 99999  99999 99999  99999 99999
0351:  99999 99999  99999 99999  99999 99999  99999 99999  99999 99999    99999 99999  99999 99999  99999 99999  99999 99999  99999 99999
0352:  99999 99999  99999 99999  99999 99999  99999 99999  99999 99999    99999 99999  99999 99999  99999 99999  99999 99999  99999 99999
0353:  99999 99999  99999 99999  99999 99999  99999 99999  99999 99999    99999 99999  99999 99999  99999 99999  99999 99999  99999 99999
0354:  99999 99999  99999 99999  99999 99999  99999 99999  99999 99999    99999 99999  99999 99999  99999 99999  99999 99999  99999 99999
0355:  99999 99999  99999 99999  99999 99999  99999 99999  99999 99999    99999 99999  99999 99999  99999 99999  99999 99999  99999 99999
0356:  99999 99999  99999 99999  99999 99999  99999 99999  99999 99999    99999 99999  99999 99999  99999 99999  99999 99999  99999 99999
0357:  99999 99999  99999 99999  99999 99999  99999 99999  99999 99999    99999 99999  99999 99999  99999 99999  99999 99999  99999 99999
0358:  99999 99999  99999 99999  99999 99999  99999 99999  99999 99999    99999 99999  99999 99999  99999 99999  99999 99999  99999 99999
0359:  99999 99999  99999 99999  99999 99999  99999 99999  99999 99999    99999 99999  99999 99999  99999 99999  99999 99999  99999 99999
0360:  99999 99999  99999 99999  99999 99999  99999 99999  99999 99999    99999 99999  99999 99999  99999 99999  99999 99999  99999 99999
0361:  99999 99999  99999 99999  99999 99999  99999 99999  99999 99999    99999 99999  99999 99999  99999 99999  99999 99999  99999 99999
0362:  99999 99999  99999 99999  99999 99999  99999 99999  99999 99999    99999 99999  99999 99999  99999 99999  99999 99999  99999 99999
0363:  99999 99999  99999 99999  99999 99999  99999 99999  99999 99999    99999 99999  99999 99999  99999 99999  99999 99999  99999 99999
0364:  99999 99999  99999 99999  99999 99999  99999 99999  99999 99999    99999 99999  99999 99999  99999 99999  99999 99999  99999 99999
0365:  99999 99999  99999 99999  99999 99999  99999 99999  99999 99999    99999 99999  99999 99999  99999 99999  99999 99999  99999 99999
0366:  99999 99999  99999 99999  99999 99999  99999 99999  99999 99999    99999 99999  99999 99999  99999 99999  99999 99999  99999 99999
0367:  99999 99999  99999 99999  99999 99999  99999 99999  99999 99999    99999 99999  99999 99999  99999 99999  99999 99999  99999 99999
0368:  99999 99999  99999 99999  99999 99999  99999 99999  99999 99999    99999 99999  99999 99999  99999 99999  99999 99999  99999 99999
0369:  99999 99999  99999 99999  99999 99999  99999 99999  99999 99999    99999 99999  99999 99999  99999 99999  99999 99999  99999 99999
0370:  99999 99999  99999 99999  99999 99999  99999 99999  99999 99999    99999 99999  99999 99999  99999 99999  99999 99999  99999 99999
0371:  99999 99999  99999 99999  99999 99999  99999 99999  99999 99999    99999 99999  99999 99999  99999 99999  99999 99999  99999 99999
0372:  99999 99999  99999 99999  99999 99999  99999 99999  99999 99999    99999 99999  99999 99999  99999 99999  99999 99999  99999 99999
0373:  99999 99999  99999 99999  99999 99999  99999 99999  99999 99999    99999 99999  99999 99999  99999 99999  99999 99999  99999 99999
0374:  99999 99999  99999 99999  99999 99999  99999 99999  99999 99999    99999 99999  99999 99999  99999 99999  99999 99999  99999 99999
0375:  99999 99999  99999 99999  99999 99999  99999 99999  99999 99999    99999 99999  99999 99999  99999 99999  99999 99999  99999 99999
0376:  99999 99999  99999 99999  99999 99999  99999 99999  99999 99999    99999 99999  99999 99999  99999 99999  99999 99999  99999 99999
0377:  99999 99999  99999 99999  99999 99999  99999 99999  99999 99999    99999 99999  99999 99999  99999 99999  99999 99999  99999 99999
0378:  99999 99999  99999 99999  99999 99999  99999 99999  99999 99999    99999 99999  99999 99999  99999 99999  99999 99999  99999 99999
0379:  99999 99999  99999 99999  99999 99999  99999 99999  99999 99999    99999 99999  99999 99999  99999 99999  99999 99999  99999 99999
0380:  99999 99999  99999 99999  99999 99999  99999 99999  99999 99999    99999 99999  99999 99999  99999 99999  99999 99999  99999 99999
0381:  99999 99999  99999 99999  99999 99999  99999 99999  99999 99999    99999 99999  99999 99999  99999 99999  99999 99999  99999 99999
0382:  99999 99999  99999 99999  99999 99999  99999 99999  99999 99999    99999 99999  99999 99999  99999 99999  99999 99999  99999 99999
0383:  99999 99999  99999 99999  99999 99999  99999 99999  99999 99999    99999 99999  99999 99999  99999 99999  99999 99999  99999 99999
0384:  99999 99999  99999 99999  99999 99999  99999 99999  99999 99999    99999 99999  99999 99999  99999 99999  99999 99999  99999 99999
0385:  99999 99999  99999 99999  99999 99999  99999 99999  99999 99999    99999 99999  99999 99999  99999 99999  99999 99999  99999 99999
0386:  99999 99999  99999 99999  99999 99999  99999 99999  99999 99999    99999 99999  99999 99999  99999 99999  99999 99999  99999 99999
0387:  99999 99999  99999 99999  99999 99999  99999 99999  99999 99999    99999 99999  99999 99999  99999 99999  99999 99999  99999 99999
0388:  99999 99999  99999 99999  99999 99999  99999 99999  99999 99999    99999 99999  99999 99999  99999 99999  99999 99999  99999 99999
0389:  99999 99999  99999 99999  99999 99999  99999 99999  99999 99999    99999 99999  99999 99999  99999 99999  99999 99999  99999 99999
0390:  99999 99999  99999 99999  99999 99999  99999 99999  99999 99999    99999 99999  99999 99999  99999 99999  99999 99999  99999 99999
0391:  99999 99999  99999 99999  99999 99999  99999 99999  99999 99999    99999 99999  99999 99999  99999 99999  99999 99999  99999 99999
0392:  99999 99999  99999 99999  99999 99999  99999 99999  99999 99999    99999 99999  99999 99999  99999 99999  99999 99999  99999 99999
0393:  99999 99999  99999 99999  99999 99999  99999 99999  99999 99999    99999 99999  99999 99999  99999 99999  99999 99999  99999 99999
0394:  99999 99999  99999 99999  99999 99999  99999 99999  99999 99999    99999 99999  99999 99999  99999 99999  99999 99999  99999 99999
0395:  99999 99999  99999 99999  99999 99999  99999 99999  99999 99999    99999 99999  99999 99999  99999 99999  99999 99999  99999 99999
0396:  99999 99999  99999 99999  99999 99999  99999 99999  99999 99999    99999 99999  99999 99999  99999 99999  99999 99999  99999 99999
0397:  99999 99999  99999 99999  99999 99999  99999 99999  99999 99999    99999 99999  99999 99999  99999 99999  99999 99999  99999 99999
0398:  99999 99999  99999 99999  99999 99999  99999 99999  99999 99999    99999 99999  99999 99999  99999 99999  99999 99999  99999 99999
0399:  99999 99999  99999 99999  99999 99999  99999 99999  99999 99999    99999 99999  99999 99999  99999 99999  99999 99999  99999 99999
```

```
0400:  99999 99999  99999 99999  99999 99999  99999 99999  99999 99999   99999 99999  99999 99999  99999 99999  99999 99999  99999 99999
0401:  99999 99999  99999 99999  99999 99999  99999 99999  99999 99999   99999 99999  99999 99999  99999 99999  99999 99999  99999 99999
0402:  99999 99999  99999 99999  99999 99999  99999 99999  99999 99999   99999 99999  99999 99999  99999 99999  99999 99999  99999 99999
0403:  99999 99999  99999 99999  99999 99999  99999 99999  99999 99999   99999 99999  99999 99999  99999 99999  99999 99999  99999 99999
0404:  99999 99999  99999 99999  99999 99999  99999 99999  99999 99999   99999 99999  99999 99999  99999 99999  99999 99999  99999 99999
0405:  99999 99999  99999 99999  99999 99999  99999 99999  99999 99999   99999 99999  99999 99999  99999 99999  99999 99999  99999 99999
0406:  99999 99999  99999 99999  99999 99999  99999 99999  99999 99999   99999 99999  99999 99999  99999 99999  99999 99999  99999 99999
0407:  99999 99999  99999 99999  99999 99999  99999 99999  99999 99999   99999 99999  99999 99999  99999 99999  99999 99999  99999 99999
0408:  99999 99999  99999 99999  99999 99999  99999 99999  99999 99999   99999 99999  99999 99999  99999 99999  99999 99999  99999 99999
0409:  99999 99999  99999 99999  99999 99999  99999 99999  99999 99999   99999 99999  99999 99999  99999 99999  99999 99999  99999 99999
0410:  99999 99999  99999 99999  99999 99999  99999 99999  99999 99999   99999 99999  99999 99999  99999 99999  99999 99999  99999 99999
0411:  99999 99999  99999 99999  99999 99999  99999 99999  99999 99999   99999 99999  99999 99999  99999 99999  99999 99999  99999 99999
0412:  99999 99999  99999 99999  99999 99999  99999 99999  99999 99999   99999 99999  99999 99999  99999 99999  99999 99999  99999 99999
0413:  99999 99999  99999 99999  99999 99999  99999 99999  99999 99999   99999 99999  99999 99999  99999 99999  99999 99999  99999 99999
0414:  99999 99999  99999 99999  99999 99999  99999 99999  99999 99999   99999 99999  99999 99999  99999 99999  99999 99999  99999 99999
0415:  99999 99999  99999 99999  99999 99999  99999 99999  99999 99999   99999 99999  99999 99999  99999 99999  99999 99999  99999 99999
0416:  99999 99999  99999 99999  99999 99999  99999 99999  99999 99999   99999 99999  99999 99999  99999 99999  99999 99999  99999 99999
0417:  99999 99999  99999 99999  99999 99999  99999 99999  99999 99999   99999 99999  99999 99999  99999 99999  99999 99999  99999 99999
0418:  99999 99999  99999 99999  99999 99999  99999 99999  99999 99999   99999 99999  99999 99999  99999 99999  99999 99999  99999 99999
0419:  99999 99999  99999 99999  99999 99999  99999 99999  99999 99999   99999 99999  99999 99999  99999 99999  99999 99999  99999 99999
0420:  99999 99999  99999 99999  99999 99999  99999 99999  99999 99999   99999 99999  99999 99999  99999 99999  99999 99999  99999 99999
0421:  99999 99999  99999 99999  99999 99999  99999 99999  99999 99999   99999 99999  99999 99999  99999 99999  99999 99999  99999 99999
0422:  99999 99999  99999 99999  99999 99999  99999 99999  99999 99999   99999 99999  99999 99999  99999 99999  99999 99999  99999 99999
0423:  99999 99999  99999 99999  99999 99999  99999 99999  99999 99999   99999 99999  99999 99999  99999 99999  99999 99999  99999 99999
0424:  99999 99999  99999 99999  99999 99999  99999 99999  99999 99999   99999 99999  99999 99999  99999 99999  99999 99999  99999 99999
0425:  99999 99999  99999 99999  99999 99999  99999 99999  99999 99999   99999 99999  99999 99999  99999 99999  99999 99999  99999 99999
0426:  99999 99999  99999 99999  99999 99999  99999 99999  99999 99999   99999 99999  99999 99999  99999 99999  99999 99999  99999 99999
0427:  99999 99999  99999 99999  99999 99999  99999 99999  99999 99999   99999 99999  99999 99999  99999 99999  99999 99999  99999 99999
0428:  99999 99999  99999 99999  99999 99999  99999 99999  99999 99999   99999 99999  99999 99999  99999 99999  99999 99999  99999 99999
0429:  99999 99999  99999 99999  99999 99999  99999 99999  99999 99999   99999 99999  99999 99999  99999 99999  99999 99999  99999 99999
0430:  99999 99999  99999 99999  99999 99999  99999 99999  99999 99999   99999 99999  99999 99999  99999 99999  99999 99999  99999 99999
0431:  99999 99999  99999 99999  99999 99999  99999 99999  99999 99999   99999 99999  99999 99999  99999 99999  99999 99999  99999 99999
0432:  99999 99999  99999 99999  99999 99999  99999 99999  99999 99999   99999 99999  99999 99999  99999 99999  99999 99999  99999 99999
0433:  99999 99999  99999 99999  99999 99999  99999 99999  99999 99999   99999 99999  99999 99999  99999 99999  99999 99999  99999 99999
0434:  99999 99999  99999 99999  99999 99999  99999 99999  99999 99999   99999 99999  99999 99999  99999 99999  99999 99999  99999 99999
0435:  99999 99999  99999 99999  99999 99999  99999 99999  99999 99999   99999 99999  99999 99999  99999 99999  99999 99999  99999 99999
0436:  99999 99999  99999 99999  99999 99999  99999 99999  99999 99999   99999 99999  99999 99999  99999 99999  99999 99999  99999 99999
0437:  99999 99999  99999 99999  99999 99999  99999 99999  99999 99999   99999 99999  99999 99999  99999 99999  99999 99999  99999 99999
0438:  99999 99999  99999 99999  99999 99999  99999 99999  99999 99999   99999 99999  99999 99999  99999 99999  99999 99999  99999 99999
0439:  99999 99999  99999 99999  99999 99999  99999 99999  99999 99999   99999 99999  99999 99999  99999 99999  99999 99999  99999 99999
0440:  99999 99999  99999 99999  99999 99999  99999 99999  99999 99999   99999 99999  99999 99999  99999 99999  99999 99999  99999 99999
0441:  99999 99999  99999 99999  99999 99999  99999 99999  99999 99999   99999 99999  99999 99999  99999 99999  99999 99999  99999 99999
0442:  99999 99999  99999 99999  99999 99999  99999 99999  99999 99999   99999 99999  99999 99999  99999 99999  99999 99999  99999 99999
0443:  99999 99999  99999 99999  99999 99999  99999 99999  99999 99999   99999 99999  99999 99999  99999 99999  99999 99999  99999 99999
0444:  99999 99999  99999 99999  99999 99999  99999 99999  99999 99999   99999 99999  99999 99999  99999 99999  99999 99999  99999 99999
0445:  99999 99999  99999 99999  99999 99999  99999 99999  99999 99999   99999 99999  99999 99999  99999 99999  99999 99999  99999 99999
0446:  99999 99999  99999 99999  99999 99999  99999 99999  99999 99999   99999 99999  99999 99999  99999 99999  99999 99999  99999 99999
0447:  99999 99999  99999 99999  99999 99999  99999 99999  99999 99999   99999 99999  99999 99999  99999 99999  99999 99999  99999 99999
0448:  99999 99999  99999 99999  99999 99999  99999 99999  99999 99999   99999 99999  99999 99999  99999 99999  99999 99999  99999 99999
0449:  99999 99999  99999 99999  99999 99999  99999 99999  99999 99999   99999 99999  99999 99999  99999 99999  99999 99999  99999 99999
```

```
0450:  99999 99999  99999 99999  99999 99999  99999 99999  99999 99999    99999 99999  99999 99999  99999 99999  99999 99999  99999 99999
0451:  99999 99999  99999 99999  99999 99999  99999 99999  99999 99999    99999 99999  99999 99999  99999 99999  99999 99999  99999 99999
0452:  99999 99999  99999 99999  99999 99999  99999 99999  99999 99999    99999 99999  99999 99999  99999 99999  99999 99999  99999 99999
0453:  99999 99999  99999 99999  99999 99999  99999 99999  99999 99999    99999 99999  99999 99999  99999 99999  99999 99999  99999 99999
0454:  99999 99999  99999 99999  99999 99999  99999 99999  99999 99999    99999 99999  99999 99999  99999 99999  99999 99999  99999 99999
0455:  99999 99999  99999 99999  99999 99999  99999 99999  99999 99999    99999 99999  99999 99999  99999 99999  99999 99999  99999 99999
0456:  99999 99999  99999 99999  99999 99999  99999 99999  99999 99999    99999 99999  99999 99999  99999 99999  99999 99999  99999 99999
0457:  99999 99999  99999 99999  99999 99999  99999 99999  99999 99999    99999 99999  99999 99999  99999 99999  99999 99999  99999 99999
0458:  99999 99999  99999 99999  99999 99999  99999 99999  99999 99999    99999 99999  99999 99999  99999 99999  99999 99999  99999 99999
0459:  99999 99999  99999 99999  99999 99999  99999 99999  99999 99999    99999 99999  99999 99999  99999 99999  99999 99999  99999 99999
0460:  99999 99999  99999 99999  99999 99999  99999 99999  99999 99999    99999 99999  99999 99999  99999 99999  99999 99999  99999 99999
0461:  99999 99999  99999 99999  99999 99999  99999 99999  99999 99999    99999 99999  99999 99999  99999 99999  99999 99999  99999 99999
0462:  99999 99999  99999 99999  99999 99999  99999 99999  99999 99999    99999 99999  99999 99999  99999 99999  99999 99999  99999 99999
0463:  99999 99999  99999 99999  99999 99999  99999 99999  99999 99999    99999 99999  99999 99999  99999 99999  99999 99999  99999 99999
0464:  99999 99999  99999 99999  99999 99999  99999 99999  99999 99999    99999 99999  99999 99999  99999 99999  99999 99999  99999 99999
0465:  99999 99999  99999 99999  99999 99999  99999 99999  99999 99999    99999 99999  99999 99999  99999 99999  99999 99999  99999 99999
0466:  99999 99999  99999 99999  99999 99999  99999 99999  99999 99999    99999 99999  99999 99999  99999 99999  99999 99999  99999 99999
0467:  99999 99999  99999 99999  99999 99999  99999 99999  99999 99999    99999 99999  99999 99999  99999 99999  99999 99999  99999 99999
0468:  99999 99999  99999 99999  99999 99999  99999 99999  99999 99999    99999 99999  99999 99999  99999 99999  99999 99999  99999 99999
0469:  99999 99999  99999 99999  99999 99999  99999 99999  99999 99999    99999 99999  99999 99999  99999 99999  99999 99999  99999 99999
0470:  99999 99999  99999 99999  99999 99999  99999 99999  99999 99999    99999 99999  99999 99999  99999 99999  99999 99999  99999 99999
0471:  99999 99999  99999 99999  99999 99999  99999 99999  99999 99999    99999 99999  99999 99999  99999 99999  99999 99999  99999 99999
0472:  99999 99999  99999 99999  99999 99999  99999 99999  99999 99999    99999 99999  99999 99999  99999 99999  99999 99999  99999 99999
0473:  99999 99999  99999 99999  99999 99999  99999 99999  99999 99999    99999 99999  99999 99999  99999 99999  99999 99999  99999 99999
0474:  99999 99999  99999 99999  99999 99999  99999 99999  99999 99999    99999 99999  99999 99999  99999 99999  99999 99999  99999 99999
0475:  99999 99999  99999 99999  99999 99999  99999 99999  99999 99999    99999 99999  99999 99999  99999 99999  99999 99999  99999 99999
0476:  99999 99999  99999 99999  99999 99999  99999 99999  99999 99999    99999 99999  99999 99999  99999 99999  99999 99999  99999 99999
0477:  99999 99999  99999 99999  99999 99999  99999 99999  99999 99999    99999 99999  99999 99999  99999 99999  99999 99999  99999 99999
0478:  99999 99999  99999 99999  99999 99999  99999 99999  99999 99999    99999 99999  99999 99999  99999 99999  99999 99999  99999 99999
0479:  99999 99999  99999 99999  99999 99999  99999 99999  99999 99999    99999 99999  99999 99999  99999 99999  99999 99999  99999 99999
0480:  99999 99999  99999 99999  99999 99999  99999 99999  99999 99999    99999 99999  99999 99999  99999 99999  99999 99999  99999 99999
0481:  99999 99999  99999 99999  99999 99999  99999 99999  99999 99999    99999 99999  99999 99999  99999 99999  99999 99999  99999 99999
0482:  99999 99999  99999 99999  99999 99999  99999 99999  99999 99999    99999 99999  99999 99999  99999 99999  99999 99999  99999 99999
0483:  99999 99999  99999 99999  99999 99999  99999 99999  99999 99999    99999 99999  99999 99999  99999 99999  99999 99999  99999 99999
0484:  99999 99999  99999 99999  99999 99999  99999 99999  99999 99999    99999 99999  99999 99999  99999 99999  99999 99999  99999 99999
0485:  99999 99999  99999 99999  99999 99999  99999 99999  99999 99999    99999 99999  99999 99999  99999 99999  99999 99999  99999 99999
0486:  99999 99999  99999 99999  99999 99999  99999 99999  99999 99999    99999 99999  99999 99999  99999 99999  99999 99999  99999 99999
0487:  99999 99999  99999 99999  99999 99999  99999 99999  99999 99999    99999 99999  99999 99999  99999 99999  99999 99999  99999 99999
0488:  99999 99999  99999 99999  99999 99999  99999 99999  99999 99999    99999 99999  99999 99999  99999 99999  99999 99999  99999 99999
0489:  99999 99999  99999 99999  99999 99999  99999 99999  99999 99999    99999 99999  99999 99999  99999 99999  99999 99999  99999 99999
0490:  99999 99999  99999 99999  99999 99999  99999 99999  99999 99999    99999 99999  99999 99999  99999 99999  99999 99999  99999 99999
0491:  99999 99999  99999 99999  99999 99999  99999 99999  99999 99999    99999 99999  99999 99999  99999 99999  99999 99999  99999 99999
0492:  99999 99999  99999 99999  99999 99999  99999 99999  99999 99999    99999 99999  99999 99999  99999 99999  99999 99999  99999 99999
0493:  99999 99999  99999 99999  99999 99999  99999 99999  99999 99999    99999 99999  99999 99999  99999 99999  99999 99999  99999 99999
0494:  99999 99999  99999 99999  99999 99999  99999 99999  99999 99999    99999 99999  99999 99999  99999 99999  99999 99999  99999 99999
0495:  99999 99999  99999 99999  99999 99999  99999 99999  99999 99999    99999 99999  99999 99999  99999 99999  99999 99999  99999 99999
0496:  99999 99999  99999 99999  99999 99999  99999 99999  99999 99999    99999 99999  99999 99999  99999 99999  99999 99999  99999 99999
0497:  99999 99999  99999 99999  99999 99999  99999 99999  99999 99999    99999 99999  99999 99999  99999 99999  99999 99999  99999 99999
0498:  99999 99999  99999 99999  99999 99999  99999 99999  99999 99999    99999 99999  99999 99999  99999 99999  99999 99999  99999 99999
0499:  99999 99999  99999 99999  99999 99999  99999 99999  99999 99999    99999 99999  99999 99999  99999 99999  99999 99999  99999 99999
```

```
0500:  99999 99999  99999 99999  99999 99999  99999 99999  99999 99999    99999 99999  99999 99999  99999 99999  99999 99999  99999 99999
0501:  99999 99999  99999 99999  99999 99999  99999 99999  99999 99999    99999 99999  99999 99999  99999 99999  99999 99999  99999 99999
0502:  99999 99999  99999 99999  99999 99999  99999 99999  99999 99999    99999 99999  99999 99999  99999 99999  99999 99999  99999 99999
0503:  99999 99999  99999 99999  99999 99999  99999 99999  99999 99999    99999 99999  99999 99999  99999 99999  99999 99999  99999 99999
0504:  99999 99999  99999 99999  99999 99999  99999 99999  99999 99999    99999 99999  99999 99999  99999 99999  99999 99999  99999 99999
0505:  99999 99999  99999 99999  99999 99999  99999 99999  99999 99999    99999 99999  99999 99999  99999 99999  99999 99999  99999 99999
0506:  99999 99999  99999 99999  99999 99999  99999 99999  99999 99999    99999 99999  99999 99999  99999 99999  99999 99999  99999 99999
0507:  99999 99999  99999 99999  99999 99999  99999 99999  99999 99999    99999 99999  99999 99999  99999 99999  99999 99999  99999 99999
0508:  99999 99999  99999 99999  99999 99999  99999 99999  99999 99999    99999 99999  99999 99999  99999 99999  99999 99999  99999 99999
0509:  99999 99999  99999 99999  99999 99999  99999 99999  99999 99999    99999 99999  99999 99999  99999 99999  99999 99999  99999 99999
0510:  99999 99999  99999 99999  99999 99999  99999 99999  99999 99999    99999 99999  99999 99999  99999 99999  99999 99999  99999 99999
0511:  99999 99999  99999 99999  99999 99999  99999 99999  99999 99999    99999 99999  99999 99999  99999 99999  99999 99999  99999 99999
0512:  99999 99999  99999 99999  99999 99999  99999 99999  99999 99999    99999 99999  99999 99999  99999 99999  99999 99999  99999 99999
0513:  99999 99999  99999 99999  99999 99999  99999 99999  99999 99999    99999 99999  99999 99999  99999 99999  99999 99999  99999 99999
0514:  99999 99999  99999 99999  99999 99999  99999 99999  99999 99999    99999 99999  99999 99999  99999 99999  99999 99999  99999 99999
0515:  99999 99999  99999 99999  99999 99999  99999 99999  99999 99999    99999 99999  99999 99999  99999 99999  99999 99999  99999 99999
0516:  99999 99999  99999 99999  99999 99999  99999 99999  99999 99999    99999 99999  99999 99999  99999 99999  99999 99999  99999 99999
0517:  99999 99999  99999 99999  99999 99999  99999 99999  99999 99999    99999 99999  99999 99999  99999 99999  99999 99999  99999 99999
0518:  99999 99999  99999 99999  99999 99999  99999 99999  99999 99999    99999 99999  99999 99999  99999 99999  99999 99999  99999 99999
0519:  99999 99999  99999 99999  99999 99999  99999 99999  99999 99999    99999 99999  99999 99999  99999 99999  99999 99999  99999 99999
0520:  99999 99999  99999 99999  99999 99999  99999 99999  99999 99999    99999 99999  99999 99999  99999 99999  99999 99999  99999 99999
0521:  99999 99999  99999 99999  99999 99999  99999 99999  99999 99999    99999 99999  99999 99999  99999 99999  99999 99999  99999 99999
0522:  99999 99999  99999 99999  99999 99999  99999 99999  99999 99999    99999 99999  99999 99999  99999 99999  99999 99999  99999 99999
0523:  99999 99999  99999 99999  99999 99999  99999 99999  99999 99999    99999 99999  99999 99999  99999 99999  99999 99999  99999 99999
0524:  99999 99999  99999 99999  99999 99999  99999 99999  99999 99999    99999 99999  99999 99999  99999 99999  99999 99999  99999 99999
0525:  99999 99999  99999 99999  99999 99999  99999 99999  99999 99999    99999 99999  99999 99999  99999 99999  99999 99999  99999 99999
0526:  99999 99999  99999 99999  99999 99999  99999 99999  99999 99999    99999 99999  99999 99999  99999 99999  99999 99999  99999 99999
0527:  99999 99999  99999 99999  99999 99999  99999 99999  99999 99999    99999 99999  99999 99999  99999 99999  99999 99999  99999 99999
0528:  99999 99999  99999 99999  99999 99999  99999 99999  99999 99999    99999 99999  99999 99999  99999 99999  99999 99999  99999 99999
0529:  99999 99999  99999 99999  99999 99999  99999 99999  99999 99999    99999 99999  99999 99999  99999 99999  99999 99999  99999 99999
0530:  99999 99999  99999 99999  99999 99999  99999 99999  99999 99999    99999 99999  99999 99999  99999 99999  99999 99999  99999 99999
0531:  99999 99999  99999 99999  99999 99999  99999 99999  99999 99999    99999 99999  99999 99999  99999 99999  99999 99999  99999 99999
0532:  99999 99999  99999 99999  99999 99999  99999 99999  99999 99999    99999 99999  99999 99999  99999 99999  99999 99999  99999 99999
0533:  99999 99999  99999 99999  99999 99999  99999 99999  99999 99999    99999 99999  99999 99999  99999 99999  99999 99999  99999 99999
0534:  99999 99999  99999 99999  99999 99999  99999 99999  99999 99999    99999 99999  99999 99999  99999 99999  99999 99999  99999 99999
0535:  99999 99999  99999 99999  99999 99999  99999 99999  99999 99999    99999 99999  99999 99999  99999 99999  99999 99999  99999 99999
0536:  99999 99999  99999 99999  99999 99999  99999 99999  99999 99999    99999 99999  99999 99999  99999 99999  99999 99999  99999 99999
0537:  99999 99999  99999 99999  99999 99999  99999 99999  99999 99999    99999 99999  99999 99999  99999 99999  99999 99999  99999 99999
0538:  99999 99999  99999 99999  99999 99999  99999 99999  99999 99999    99999 99999  99999 99999  99999 99999  99999 99999  99999 99999
0539:  99999 99999  99999 99999  99999 99999  99999 99999  99999 99999    99999 99999  99999 99999  99999 99999  99999 99999  99999 99999
0540:  99999 99999  99999 99999  99999 99999  99999 99999  99999 99999    99999 99999  99999 99999  99999 99999  99999 99999  99999 99999
0541:  99999 99999  99999 99999  99999 99999  99999 99999  99999 99999    99999 99999  99999 99999  99999 99999  99999 99999  99999 99999
0542:  99999 99999  99999 99999  99999 99999  99999 99999  99999 99999    99999 99999  99999 99999  99999 99999  99999 99999  99999 99999
0543:  99999 99999  99999 99999  99999 99999  99999 99999  99999 99999    99999 99999  99999 99999  99999 99999  99999 99999  99999 99999
0544:  99999 99999  99999 99999  99999 99999  99999 99999  99999 99999    99999 99999  99999 99999  99999 99999  99999 99999  99999 99999
0545:  99999 99999  99999 99999  99999 99999  99999 99999  99999 99999    99999 99999  99999 99999  99999 99999  99999 99999  99999 99999
0546:  99999 99999  99999 99999  99999 99999  99999 99999  99999 99999    99999 99999  99999 99999  99999 99999  99999 99999  99999 99999
0547:  99999 99999  99999 99999  99999 99999  99999 99999  99999 99999    99999 99999  99999 99999  99999 99999  99999 99999  99999 99999
0548:  99999 99999  99999 99999  99999 99999  99999 99999  99999 99999    99999 99999  99999 99999  99999 99999  99999 99999  99999 99999
0549:  99999 99999  99999 99999  99999 99999  99999 99999  99999 99999    99999 99999  99999 99999  99999 99999  99999 99999  99999 99999
```

```
0550:  99999 99999  99999 99999  99999 99999  99999 99999  99999 99999    99999 99999  99999 99999  99999 99999  99999 99999  99999 99999
0551:  99999 99999  99999 99999  99999 99999  99999 99999  99999 99999    99999 99999  99999 99999  99999 99999  99999 99999  99999 99999
0552:  99999 99999  99999 99999  99999 99999  99999 99999  99999 99999    99999 99999  99999 99999  99999 99999  99999 99999  99999 99999
0553:  99999 99999  99999 99999  99999 99999  99999 99999  99999 99999    99999 99999  99999 99999  99999 99999  99999 99999  99999 99999
0554:  99999 99999  99999 99999  99999 99999  99999 99999  99999 99999    99999 99999  99999 99999  99999 99999  99999 99999  99999 99999
0555:  99999 99999  99999 99999  99999 99999  99999 99999  99999 99999    99999 99999  99999 99999  99999 99999  99999 99999  99999 99999
0556:  99999 99999  99999 99999  99999 99999  99999 99999  99999 99999    99999 99999  99999 99999  99999 99999  99999 99999  99999 99999
0557:  99999 99999  99999 99999  99999 99999  99999 99999  99999 99999    99999 99999  99999 99999  99999 99999  99999 99999  99999 99999
0558:  99999 99999  99999 99999  99999 99999  99999 99999  99999 99999    99999 99999  99999 99999  99999 99999  99999 99999  99999 99999
0559:  99999 99999  99999 99999  99999 99999  99999 99999  99999 99999    99999 99999  99999 99999  99999 99999  99999 99999  99999 99999
0560:  99999 99999  99999 99999  99999 99999  99999 99999  99999 99999    99999 99999  99999 99999  99999 99999  99999 99999  99999 99999
0561:  99999 99999  99999 99999  99999 99999  99999 99999  99999 99999    99999 99999  99999 99999  99999 99999  99999 99999  99999 99999
0562:  99999 99999  99999 99999  99999 99999  99999 99999  99999 99999    99999 99999  99999 99999  99999 99999  99999 99999  99999 99999
0563:  99999 99999  99999 99999  99999 99999  99999 99999  99999 99999    99999 99999  99999 99999  99999 99999  99999 99999  99999 99999
0564:  99999 99999  99999 99999  99999 99999  99999 99999  99999 99999    99999 99999  99999 99999  99999 99999  99999 99999  99999 99999
0565:  99999 99999  99999 99999  99999 99999  99999 99999  99999 99999    99999 99999  99999 99999  99999 99999  99999 99999  99999 99999
0566:  99999 99999  99999 99999  99999 99999  99999 99999  99999 99999    99999 99999  99999 99999  99999 99999  99999 99999  99999 99999
0567:  99999 99999  99999 99999  99999 99999  99999 99999  99999 99999    99999 99999  99999 99999  99999 99999  99999 99999  99999 99999
0568:  99999 99999  99999 99999  99999 99999  99999 99999  99999 99999    99999 99999  99999 99999  99999 99999  99999 99999  99999 99999
0569:  99999 99999  99999 99999  99999 99999  99999 99999  99999 99999    99999 99999  99999 99999  99999 99999  99999 99999  99999 99999
0570:  99999 99999  99999 99999  99999 99999  99999 99999  99999 99999    99999 99999  99999 99999  99999 99999  99999 99999  99999 99999
0571:  99999 99999  99999 99999  99999 99999  99999 99999  99999 99999    99999 99999  99999 99999  99999 99999  99999 99999  99999 99999
0572:  99999 99999  99999 99999  99999 99999  99999 99999  99999 99999    99999 99999  99999 99999  99999 99999  99999 99999  99999 99999
0573:  99999 99999  99999 99999  99999 99999  99999 99999  99999 99999    99999 99999  99999 99999  99999 99999  99999 99999  99999 99999
0574:  99999 99999  99999 99999  99999 99999  99999 99999  99999 99999    99999 99999  99999 99999  99999 99999  99999 99999  99999 99999
0575:  99999 99999  99999 99999  99999 99999  99999 99999  99999 99999    99999 99999  99999 99999  99999 99999  99999 99999  99999 99999
0576:  99999 99999  99999 99999  99999 99999  99999 99999  99999 99999    99999 99999  99999 99999  99999 99999  99999 99999  99999 99999
0577:  99999 99999  99999 99999  99999 99999  99999 99999  99999 99999    99999 99999  99999 99999  99999 99999  99999 99999  99999 99999
0578:  99999 99999  99999 99999  99999 99999  99999 99999  99999 99999    99999 99999  99999 99999  99999 99999  99999 99999  99999 99999
0579:  99999 99999  99999 99999  99999 99999  99999 99999  99999 99999    99999 99999  99999 99999  99999 99999  99999 99999  99999 99999
0580:  99999 99999  99999 99999  99999 99999  99999 99999  99999 99999    99999 99999  99999 99999  99999 99999  99999 99999  99999 99999
0581:  99999 99999  99999 99999  99999 99999  99999 99999  99999 99999    99999 99999  99999 99999  99999 99999  99999 99999  99999 99999
0582:  99999 99999  99999 99999  99999 99999  99999 99999  99999 99999    99999 99999  99999 99999  99999 99999  99999 99999  99999 99999
0583:  99999 99999  99999 99999  99999 99999  99999 99999  99999 99999    99999 99999  99999 99999  99999 99999  99999 99999  99999 99999
0584:  99999 99999  99999 99999  99999 99999  99999 99999  99999 99999    99999 99999  99999 99999  99999 99999  99999 99999  99999 99999
0585:  99999 99999  99999 99999  99999 99999  99999 99999  99999 99999    99999 99999  99999 99999  99999 99999  99999 99999  99999 99999
0586:  99999 99999  99999 99999  99999 99999  99999 99999  99999 99999    99999 99999  99999 99999  99999 99999  99999 99999  99999 99999
0587:  99999 99999  99999 99999  99999 99999  99999 99999  99999 99999    99999 99999  99999 99999  99999 99999  99999 99999  99999 99999
0588:  99999 99999  99999 99999  99999 99999  99999 99999  99999 99999    99999 99999  99999 99999  99999 99999  99999 99999  99999 99999
0589:  99999 99999  99999 99999  99999 99999  99999 99999  99999 99999    99999 99999  99999 99999  99999 99999  99999 99999  99999 99999
0590:  99999 99999  99999 99999  99999 99999  99999 99999  99999 99999    99999 99999  99999 99999  99999 99999  99999 99999  99999 99999
0591:  99999 99999  99999 99999  99999 99999  99999 99999  99999 99999    99999 99999  99999 99999  99999 99999  99999 99999  99999 99999
0592:  99999 99999  99999 99999  99999 99999  99999 99999  99999 99999    99999 99999  99999 99999  99999 99999  99999 99999  99999 99999
0593:  99999 99999  99999 99999  99999 99999  99999 99999  99999 99999    99999 99999  99999 99999  99999 99999  99999 99999  99999 99999
0594:  99999 99999  99999 99999  99999 99999  99999 99999  99999 99999    99999 99999  99999 99999  99999 99999  99999 99999  99999 99999
0595:  99999 99999  99999 99999  99999 99999  99999 99999  99999 99999    99999 99999  99999 99999  99999 99999  99999 99999  99999 99999
0596:  99999 99999  99999 99999  99999 99999  99999 99999  99999 99999    99999 99999  99999 99999  99999 99999  99999 99999  99999 99999
0597:  99999 99999  99999 99999  99999 99999  99999 99999  99999 99999    99999 99999  99999 99999  99999 99999  99999 99999  99999 99999
0598:  99999 99999  99999 99999  99999 99999  99999 99999  99999 99999    99999 99999  99999 99999  99999 99999  99999 99999  99999 99999
0599:  99999 99999  99999 99999  99999 99999  99999 99999  99999 99999    99999 99999  99999 99999  99999 99999  99999 99999  99999 99999
```

```
0600:  99999 99999  99999 99999  99999 99999  99999 99999  99999 99999   99999 99999  99999 99999  99999 99999  99999 99999  99999 99999
0601:  99999 99999  99999 99999  99999 99999  99999 99999  99999 99999   99999 99999  99999 99999  99999 99999  99999 99999  99999 99999
0602:  99999 99999  99999 99999  99999 99999  99999 99999  99999 99999   99999 99999  99999 99999  99999 99999  99999 99999  99999 99999
0603:  99999 99999  99999 99999  99999 99999  99999 99999  99999 99999   99999 99999  99999 99999  99999 99999  99999 99999  99999 99999
0604:  99999 99999  99999 99999  99999 99999  99999 99999  99999 99999   99999 99999  99999 99999  99999 99999  99999 99999  99999 99999
0605:  99999 99999  99999 99999  99999 99999  99999 99999  99999 99999   99999 99999  99999 99999  99999 99999  99999 99999  99999 99999
0606:  99999 99999  99999 99999  99999 99999  99999 99999  99999 99999   99999 99999  99999 99999  99999 99999  99999 99999  99999 99999
0607:  99999 99999  99999 99999  99999 99999  99999 99999  99999 99999   99999 99999  99999 99999  99999 99999  99999 99999  99999 99999
0608:  99999 99999  99999 99999  99999 99999  99999 99999  99999 99999   99999 99999  99999 99999  99999 99999  99999 99999  99999 99999
0609:  99999 99999  99999 99999  99999 99999  99999 99999  99999 99999   99999 99999  99999 99999  99999 99999  99999 99999  99999 99999
0610:  99999 99999  99999 99999  99999 99999  99999 99999  99999 99999   99999 99999  99999 99999  99999 99999  99999 99999  99999 99999
0611:  99999 99999  99999 99999  99999 99999  99999 99999  99999 99999   99999 99999  99999 99999  99999 99999  99999 99999  99999 99999
0612:  99999 99999  99999 99999  99999 99999  99999 99999  99999 99999   99999 99999  99999 99999  99999 99999  99999 99999  99999 99999
0613:  99999 99999  99999 99999  99999 99999  99999 99999  99999 99999   99999 99999  99999 99999  99999 99999  99999 99999  99999 99999
0614:  99999 99999  99999 99999  99999 99999  99999 99999  99999 99999   99999 99999  99999 99999  99999 99999  99999 99999  99999 99999
0615:  99999 99999  99999 99999  99999 99999  99999 99999  99999 99999   99999 99999  99999 99999  99999 99999  99999 99999  99999 99999
0616:  99999 99999  99999 99999  99999 99999  99999 99999  99999 99999   99999 99999  99999 99999  99999 99999  99999 99999  99999 99999
0617:  99999 99999  99999 99999  99999 99999  99999 99999  99999 99999   99999 99999  99999 99999  99999 99999  99999 99999  99999 99999
0618:  99999 99999  99999 99999  99999 99999  99999 99999  99999 99999   99999 99999  99999 99999  99999 99999  99999 99999  99999 99999
0619:  99999 99999  99999 99999  99999 99999  99999 99999  99999 99999   99999 99999  99999 99999  99999 99999  99999 99999  99999 99999
0620:  99999 99999  99999 99999  99999 99999  99999 99999  99999 99999   99999 99999  99999 99999  99999 99999  99999 99999  99999 99999
0621:  99999 99999  99999 99999  99999 99999  99999 99999  99999 99999   99999 99999  99999 99999  99999 99999  99999 99999  99999 99999
0622:  99999 99999  99999 99999  99999 99999  99999 99999  99999 99999   99999 99999  99999 99999  99999 99999  99999 99999  99999 99999
0623:  99999 99999  99999 99999  99999 99999  99999 99999  99999 99999   99999 99999  99999 99999  99999 99999  99999 99999  99999 99999
0624:  99999 99999  99999 99999  99999 99999  99999 99999  99999 99999   99999 99999  99999 99999  99999 99999  99999 99999  99999 99999
0625:  99999 99999  99999 99999  99999 99999  99999 99999  99999 99999   99999 99999  99999 99999  99999 99999  99999 99999  99999 99999
0626:  99999 99999  99999 99999  99999 99999  99999 99999  99999 99999   99999 99999  99999 99999  99999 99999  99999 99999  99999 99999
0627:  99999 99999  99999 99999  99999 99999  99999 99999  99999 99999   99999 99999  99999 99999  99999 99999  99999 99999  99999 99999
0628:  99999 99999  99999 99999  99999 99999  99999 99999  99999 99999   99999 99999  99999 99999  99999 99999  99999 99999  99999 99999
0629:  99999 99999  99999 99999  99999 99999  99999 99999  99999 99999   99999 99999  99999 99999  99999 99999  99999 99999  99999 99999
0630:  99999 99999  99999 99999  99999 99999  99999 99999  99999 99999   99999 99999  99999 99999  99999 99999  99999 99999  99999 99999
0631:  99999 99999  99999 99999  99999 99999  99999 99999  99999 99999   99999 99999  99999 99999  99999 99999  99999 99999  99999 99999
0632:  99999 99999  99999 99999  99999 99999  99999 99999  99999 99999   99999 99999  99999 99999  99999 99999  99999 99999  99999 99999
0633:  99999 99999  99999 99999  99999 99999  99999 99999  99999 99999   99999 99999  99999 99999  99999 99999  99999 99999  99999 99999
0634:  99999 99999  99999 99999  99999 99999  99999 99999  99999 99999   99999 99999  99999 99999  99999 99999  99999 99999  99999 99999
0635:  99999 99999  99999 99999  99999 99999  99999 99999  99999 99999   99999 99999  99999 99999  99999 99999  99999 99999  99999 99999
0636:  99999 99999  99999 99999  99999 99999  99999 99999  99999 99999   99999 99999  99999 99999  99999 99999  99999 99999  99999 99999
0637:  99999 99999  99999 99999  99999 99999  99999 99999  99999 99999   99999 99999  99999 99999  99999 99999  99999 99999  99999 99999
0638:  99999 99999  99999 99999  99999 99999  99999 99999  99999 99999   99999 99999  99999 99999  99999 99999  99999 99999  99999 99999
0639:  99999 99999  99999 99999  99999 99999  99999 99999  99999 99999   99999 99999  99999 99999  99999 99999  99999 99999  99999 99999
0640:  99999 99999  99999 99999  99999 99999  99999 99999  99999 99999   99999 99999  99999 99999  99999 99999  99999 99999  99999 99999
0641:  99999 99999  99999 99999  99999 99999  99999 99999  99999 99999   99999 99999  99999 99999  99999 99999  99999 99999  99999 99999
0642:  99999 99999  99999 99999  99999 99999  99999 99999  99999 99999   99999 99999  99999 99999  99999 99999  99999 99999  99999 99999
0643:  99999 99999  99999 99999  99999 99999  99999 99999  99999 99999   99999 99999  99999 99999  99999 99999  99999 99999  99999 99999
0644:  99999 99999  99999 99999  99999 99999  99999 99999  99999 99999   99999 99999  99999 99999  99999 99999  99999 99999  99999 99999
0645:  99999 99999  99999 99999  99999 99999  99999 99999  99999 99999   99999 99999  99999 99999  99999 99999  99999 99999  99999 99999
0646:  99999 99999  99999 99999  99999 99999  99999 99999  99999 99999   99999 99999  99999 99999  99999 99999  99999 99999  99999 99999
0647:  99999 99999  99999 99999  99999 99999  99999 99999  99999 99999   99999 99999  99999 99999  99999 99999  99999 99999  99999 99999
0648:  99999 99999  99999 99999  99999 99999  99999 99999  99999 99999   99999 99999  99999 99999  99999 99999  99999 99999  99999 99999
0649:  99999 99999  99999 99999  99999 99999  99999 99999  99999 99999   99999 99999  99999 99999  99999 99999  99999 99999  99999 99999
```

```
0650:  99999 99999  99999 99999  99999 99999  99999 99999  99999 99999    99999 99999  99999 99999  99999 99999  99999 99999  99999 99999
0651:  99999 99999  99999 99999  99999 99999  99999 99999  99999 99999    99999 99999  99999 99999  99999 99999  99999 99999  99999 99999
0652:  99999 99999  99999 99999  99999 99999  99999 99999  99999 99999    99999 99999  99999 99999  99999 99999  99999 99999  99999 99999
0653:  99999 99999  99999 99999  99999 99999  99999 99999  99999 99999    99999 99999  99999 99999  99999 99999  99999 99999  99999 99999
0654:  99999 99999  99999 99999  99999 99999  99999 99999  99999 99999    99999 99999  99999 99999  99999 99999  99999 99999  99999 99999
0655:  99999 99999  99999 99999  99999 99999  99999 99999  99999 99999    99999 99999  99999 99999  99999 99999  99999 99999  99999 99999
0656:  99999 99999  99999 99999  99999 99999  99999 99999  99999 99999    99999 99999  99999 99999  99999 99999  99999 99999  99999 99999
0657:  99999 99999  99999 99999  99999 99999  99999 99999  99999 99999    99999 99999  99999 99999  99999 99999  99999 99999  99999 99999
0658:  99999 99999  99999 99999  99999 99999  99999 99999  99999 99999    99999 99999  99999 99999  99999 99999  99999 99999  99999 99999
0659:  99999 99999  99999 99999  99999 99999  99999 99999  99999 99999    99999 99999  99999 99999  99999 99999  99999 99999  99999 99999
0660:  99999 99999  99999 99999  99999 99999  99999 99999  99999 99999    99999 99999  99999 99999  99999 99999  99999 99999  99999 99999
0661:  99999 99999  99999 99999  99999 99999  99999 99999  99999 99999    99999 99999  99999 99999  99999 99999  99999 99999  99999 99999
0662:  99999 99999  99999 99999  99999 99999  99999 99999  99999 99999    99999 99999  99999 99999  99999 99999  99999 99999  99999 99999
0663:  99999 99999  99999 99999  99999 99999  99999 99999  99999 99999    99999 99999  99999 99999  99999 99999  99999 99999  99999 99999
0664:  99999 99999  99999 99999  99999 99999  99999 99999  99999 99999    99999 99999  99999 99999  99999 99999  99999 99999  99999 99999
0665:  99999 99999  99999 99999  99999 99999  99999 99999  99999 99999    99999 99999  99999 99999  99999 99999  99999 99999  99999 99999
0666:  99999 99999  99999 99999  99999 99999  99999 99999  99999 99999    99999 99999  99999 99999  99999 99999  99999 99999  99999 99999
0667:  99999 99999  99999 99999  99999 99999  99999 99999  99999 99999    99999 99999  99999 99999  99999 99999  99999 99999  99999 99999
0668:  99999 99999  99999 99999  99999 99999  99999 99999  99999 99999    99999 99999  99999 99999  99999 99999  99999 99999  99999 99999
0669:  99999 99999  99999 99999  99999 99999  99999 99999  99999 99999    99999 99999  99999 99999  99999 99999  99999 99999  99999 99999
0670:  99999 99999  99999 99999  99999 99999  99999 99999  99999 99999    99999 99999  99999 99999  99999 99999  99999 99999  99999 99999
0671:  99999 99999  99999 99999  99999 99999  99999 99999  99999 99999    99999 99999  99999 99999  99999 99999  99999 99999  99999 99999
0672:  99999 99999  99999 99999  99999 99999  99999 99999  99999 99999    99999 99999  99999 99999  99999 99999  99999 99999  99999 99999
0673:  99999 99999  99999 99999  99999 99999  99999 99999  99999 99999    99999 99999  99999 99999  99999 99999  99999 99999  99999 99999
0674:  99999 99999  99999 99999  99999 99999  99999 99999  99999 99999    99999 99999  99999 99999  99999 99999  99999 99999  99999 99999
0675:  99999 99999  99999 99999  99999 99999  99999 99999  99999 99999    99999 99999  99999 99999  99999 99999  99999 99999  99999 99999
0676:  99999 99999  99999 99999  99999 99999  99999 99999  99999 99999    99999 99999  99999 99999  99999 99999  99999 99999  99999 99999
0677:  99999 99999  99999 99999  99999 99999  99999 99999  99999 99999    99999 99999  99999 99999  99999 99999  99999 99999  99999 99999
0678:  99999 99999  99999 99999  99999 99999  99999 99999  99999 99999    99999 99999  99999 99999  99999 99999  99999 99999  99999 99999
0679:  99999 99999  99999 99999  99999 99999  99999 99999  99999 99999    99999 99999  99999 99999  99999 99999  99999 99999  99999 99999
0680:  99999 99999  99999 99999  99999 99999  99999 99999  99999 99999    99999 99999  99999 99999  99999 99999  99999 99999  99999 99999
0681:  99999 99999  99999 99999  99999 99999  99999 99999  99999 99999    99999 99999  99999 99999  99999 99999  99999 99999  99999 99999
0682:  99999 99999  99999 99999  99999 99999  99999 99999  99999 99999    99999 99999  99999 99999  99999 99999  99999 99999  99999 99999
0683:  99999 99999  99999 99999  99999 99999  99999 99999  99999 99999    99999 99999  99999 99999  99999 99999  99999 99999  99999 99999
0684:  99999 99999  99999 99999  99999 99999  99999 99999  99999 99999    99999 99999  99999 99999  99999 99999  99999 99999  99999 99999
0685:  99999 99999  99999 99999  99999 99999  99999 99999  99999 99999    99999 99999  99999 99999  99999 99999  99999 99999  99999 99999
0686:  99999 99999  99999 99999  99999 99999  99999 99999  99999 99999    99999 99999  99999 99999  99999 99999  99999 99999  99999 99999
0687:  99999 99999  99999 99999  99999 99999  99999 99999  99999 99999    99999 99999  99999 99999  99999 99999  99999 99999  99999 99999
0688:  99999 99999  99999 99999  99999 99999  99999 99999  99999 99999    99999 99999  99999 99999  99999 99999  99999 99999  99999 99999
0689:  99999 99999  99999 99999  99999 99999  99999 99999  99999 99999    99999 99999  99999 99999  99999 99999  99999 99999  99999 99999
0690:  99999 99999  99999 99999  99999 99999  99999 99999  99999 99999    99999 99999  99999 99999  99999 99999  99999 99999  99999 99999
0691:  99999 99999  99999 99999  99999 99999  99999 99999  99999 99999    99999 99999  99999 99999  99999 99999  99999 99999  99999 99999
0692:  99999 99999  99999 99999  99999 99999  99999 99999  99999 99999    99999 99999  99999 99999  99999 99999  99999 99999  99999 99999
0693:  99999 99999  99999 99999  99999 99999  99999 99999  99999 99999    99999 99999  99999 99999  99999 99999  99999 99999  99999 99999
0694:  99999 99999  99999 99999  99999 99999  99999 99999  99999 99999    99999 99999  99999 99999  99999 99999  99999 99999  99999 99999
0695:  99999 99999  99999 99999  99999 99999  99999 99999  99999 99999    99999 99999  99999 99999  99999 99999  99999 99999  99999 99999
0696:  99999 99999  99999 99999  99999 99999  99999 99999  99999 99999    99999 99999  99999 99999  99999 99999  99999 99999  99999 99999
0697:  99999 99999  99999 99999  99999 99999  99999 99999  99999 99999    99999 99999  99999 99999  99999 99999  99999 99999  99999 99999
0698:  99999 99999  99999 99999  99999 99999  99999 99999  99999 99999    99999 99999  99999 99999  99999 99999  99999 99999  99999 99999
0699:  99999 99999  99999 99999  99999 99999  99999 99999  99999 99999    99999 99999  99999 99999  99999 99999  99999 99999  99999 99999
```

```
0700:  99999 99999  99999 99999  99999 99999  99999 99999  99999 99999    99999 99999  99999 99999  99999 99999  99999 99999  99999 99999
0701:  99999 99999  99999 99999  99999 99999  99999 99999  99999 99999    99999 99999  99999 99999  99999 99999  99999 99999  99999 99999
0702:  99999 99999  99999 99999  99999 99999  99999 99999  99999 99999    99999 99999  99999 99999  99999 99999  99999 99999  99999 99999
0703:  99999 99999  99999 99999  99999 99999  99999 99999  99999 99999    99999 99999  99999 99999  99999 99999  99999 99999  99999 99999
0704:  99999 99999  99999 99999  99999 99999  99999 99999  99999 99999    99999 99999  99999 99999  99999 99999  99999 99999  99999 99999
0705:  99999 99999  99999 99999  99999 99999  99999 99999  99999 99999    99999 99999  99999 99999  99999 99999  99999 99999  99999 99999
0706:  99999 99999  99999 99999  99999 99999  99999 99999  99999 99999    99999 99999  99999 99999  99999 99999  99999 99999  99999 99999
0707:  99999 99999  99999 99999  99999 99999  99999 99999  99999 99999    99999 99999  99999 99999  99999 99999  99999 99999  99999 99999
0708:  99999 99999  99999 99999  99999 99999  99999 99999  99999 99999    99999 99999  99999 99999  99999 99999  99999 99999  99999 99999
0709:  99999 99999  99999 99999  99999 99999  99999 99999  99999 99999    99999 99999  99999 99999  99999 99999  99999 99999  99999 99999
0710:  99999 99999  99999 99999  99999 99999  99999 99999  99999 99999    99999 99999  99999 99999  99999 99999  99999 99999  99999 99999
0711:  99999 99999  99999 99999  99999 99999  99999 99999  99999 99999    99999 99999  99999 99999  99999 99999  99999 99999  99999 99999
0712:  99999 99999  99999 99999  99999 99999  99999 99999  99999 99999    99999 99999  99999 99999  99999 99999  99999 99999  99999 99999
0713:  99999 99999  99999 99999  99999 99999  99999 99999  99999 99999    99999 99999  99999 99999  99999 99999  99999 99999  99999 99999
0714:  99999 99999  99999 99999  99999 99999  99999 99999  99999 99999    99999 99999  99999 99999  99999 99999  99999 99999  99999 99999
0715:  99999 99999  99999 99999  99999 99999  99999 99999  99999 99999    99999 99999  99999 99999  99999 99999  99999 99999  99999 99999
0716:  99999 99999  99999 99999  99999 99999  99999 99999  99999 99999    99999 99999  99999 99999  99999 99999  99999 99999  99999 99999
0717:  99999 99999  99999 99999  99999 99999  99999 99999  99999 99999    99999 99999  99999 99999  99999 99999  99999 99999  99999 99999
0718:  99999 99999  99999 99999  99999 99999  99999 99999  99999 99999    99999 99999  99999 99999  99999 99999  99999 99999  99999 99999
0719:  99999 99999  99999 99999  99999 99999  99999 99999  99999 99999    99999 99999  99999 99999  99999 99999  99999 99999  99999 99999
0720:  99999 99999  99999 99999  99999 99999  99999 99999  99999 99999    99999 99999  99999 99999  99999 99999  99999 99999  99999 99999
0721:  99999 99999  99999 99999  99999 99999  99999 99999  99999 99999    99999 99999  99999 99999  99999 99999  99999 99999  99999 99999
0722:  99999 99999  99999 99999  99999 99999  99999 99999  99999 99999    99999 99999  99999 99999  99999 99999  99999 99999  99999 99999
0723:  99999 99999  99999 99999  99999 99999  99999 99999  99999 99999    99999 99999  99999 99999  99999 99999  99999 99999  99999 99999
0724:  99999 99999  99999 99999  99999 99999  99999 99999  99999 99999    99999 99999  99999 99999  99999 99999  99999 99999  99999 99999
0725:  99999 99999  99999 99999  99999 99999  99999 99999  99999 99999    99999 99999  99999 99999  99999 99999  99999 99999  99999 99999
0726:  99999 99999  99999 99999  99999 99999  99999 99999  99999 99999    99999 99999  99999 99999  99999 99999  99999 99999  99999 99999
0727:  99999 99999  99999 99999  99999 99999  99999 99999  99999 99999    99999 99999  99999 99999  99999 99999  99999 99999  99999 99999
0728:  99999 99999  99999 99999  99999 99999  99999 99999  99999 99999    99999 99999  99999 99999  99999 99999  99999 99999  99999 99999
0729:  99999 99999  99999 99999  99999 99999  99999 99999  99999 99999    99999 99999  99999 99999  99999 99999  99999 99999  99999 99999
0730:  99999 99999  99999 99999  99999 99999  99999 99999  99999 99999    99999 99999  99999 99999  99999 99999  99999 99999  99999 99999
0731:  99999 99999  99999 99999  99999 99999  99999 99999  99999 99999    99999 99999  99999 99999  99999 99999  99999 99999  99999 99999
0732:  99999 99999  99999 99999  99999 99999  99999 99999  99999 99999    99999 99999  99999 99999  99999 99999  99999 99999  99999 99999
0733:  99999 99999  99999 99999  99999 99999  99999 99999  99999 99999    99999 99999  99999 99999  99999 99999  99999 99999  99999 99999
0734:  99999 99999  99999 99999  99999 99999  99999 99999  99999 99999    99999 99999  99999 99999  99999 99999  99999 99999  99999 99999
0735:  99999 99999  99999 99999  99999 99999  99999 99999  99999 99999    99999 99999  99999 99999  99999 99999  99999 99999  99999 99999
0736:  99999 99999  99999 99999  99999 99999  99999 99999  99999 99999    99999 99999  99999 99999  99999 99999  99999 99999  99999 99999
0737:  99999 99999  99999 99999  99999 99999  99999 99999  99999 99999    99999 99999  99999 99999  99999 99999  99999 99999  99999 99999
0738:  99999 99999  99999 99999  99999 99999  99999 99999  99999 99999    99999 99999  99999 99999  99999 99999  99999 99999  99999 99999
0739:  99999 99999  99999 99999  99999 99999  99999 99999  99999 99999    99999 99999  99999 99999  99999 99999  99999 99999  99999 99999
0740:  99999 99999  99999 99999  99999 99999  99999 99999  99999 99999    99999 99999  99999 99999  99999 99999  99999 99999  99999 99999
0741:  99999 99999  99999 99999  99999 99999  99999 99999  99999 99999    99999 99999  99999 99999  99999 99999  99999 99999  99999 99999
0742:  99999 99999  99999 99999  99999 99999  99999 99999  99999 99999    99999 99999  99999 99999  99999 99999  99999 99999  99999 99999
0743:  99999 99999  99999 99999  99999 99999  99999 99999  99999 99999    99999 99999  99999 99999  99999 99999  99999 99999  99999 99999
0744:  99999 99999  99999 99999  99999 99999  99999 99999  99999 99999    99999 99999  99999 99999  99999 99999  99999 99999  99999 99999
0745:  99999 99999  99999 99999  99999 99999  99999 99999  99999 99999    99999 99999  99999 99999  99999 99999  99999 99999  99999 99999
0746:  99999 99999  99999 99999  99999 99999  99999 99999  99999 99999    99999 99999  99999 99999  99999 99999  99999 99999  99999 99999
0747:  99999 99999  99999 99999  99999 99999  99999 99999  99999 99999    99999 99999  99999 99999  99999 99999  99999 99999  99999 99999
0748:  99999 99999  99999 99999  99999 99999  99999 99999  99999 99999    99999 99999  99999 99999  99999 99999  99999 99999  99999 99999
0749:  99999 99999  99999 99999  99999 99999  99999 99999  99999 99999    99999 99999  99999 99999  99999 99999  99999 99999  99999 99999
```

```
0750:  99999 99999  99999 99999  99999 99999  99999 99999  99999 99999    99999 99999  99999 99999  99999 99999  99999 99999  99999 99999
0751:  99999 99999  99999 99999  99999 99999  99999 99999  99999 99999    99999 99999  99999 99999  99999 99999  99999 99999  99999 99999
0752:  99999 99999  99999 99999  99999 99999  99999 99999  99999 99999    99999 99999  99999 99999  99999 99999  99999 99999  99999 99999
0753:  99999 99999  99999 99999  99999 99999  99999 99999  99999 99999    99999 99999  99999 99999  99999 99999  99999 99999  99999 99999
0754:  99999 99999  99999 99999  99999 99999  99999 99999  99999 99999    99999 99999  99999 99999  99999 99999  99999 99999  99999 99999
0755:  99999 99999  99999 99999  99999 99999  99999 99999  99999 99999    99999 99999  99999 99999  99999 99999  99999 99999  99999 99999
0756:  99999 99999  99999 99999  99999 99999  99999 99999  99999 99999    99999 99999  99999 99999  99999 99999  99999 99999  99999 99999
0757:  99999 99999  99999 99999  99999 99999  99999 99999  99999 99999    99999 99999  99999 99999  99999 99999  99999 99999  99999 99999
0758:  99999 99999  99999 99999  99999 99999  99999 99999  99999 99999    99999 99999  99999 99999  99999 99999  99999 99999  99999 99999
0759:  99999 99999  99999 99999  99999 99999  99999 99999  99999 99999    99999 99999  99999 99999  99999 99999  99999 99999  99999 99999
0760:  99999 99999  99999 99999  99999 99999  99999 99999  99999 99999    99999 99999  99999 99999  99999 99999  99999 99999  99999 99999
0761:  99999 99999  99999 99999  99999 99999  99999 99999  99999 99999    99999 99999  99999 99999  99999 99999  99999 99999  99999 99999
0762:  99999 99999  99999 99999  99999 99999  99999 99999  99999 99999    99999 99999  99999 99999  99999 99999  99999 99999  99999 99999
0763:  99999 99999  99999 99999  99999 99999  99999 99999  99999 99999    99999 99999  99999 99999  99999 99999  99999 99999  99999 99999
0764:  99999 99999  99999 99999  99999 99999  99999 99999  99999 99999    99999 99999  99999 99999  99999 99999  99999 99999  99999 99999
0765:  99999 99999  99999 99999  99999 99999  99999 99999  99999 99999    99999 99999  99999 99999  99999 99999  99999 99999  99999 99999
0766:  99999 99999  99999 99999  99999 99999  99999 99999  99999 99999    99999 99999  99999 99999  99999 99999  99999 99999  99999 99999
0767:  99999 99999  99999 99999  99999 99999  99999 99999  99999 99999    99999 99999  99999 99999  99999 99999  99999 99999  99999 99999
0768:  99999 99999  99999 99999  99999 99999  99999 99999  99999 99999    99999 99999  99999 99999  99999 99999  99999 99999  99999 99999
0769:  99999 99999  99999 99999  99999 99999  99999 99999  99999 99999    99999 99999  99999 99999  99999 99999  99999 99999  99999 99999
0770:  99999 99999  99999 99999  99999 99999  99999 99999  99999 99999    99999 99999  99999 99999  99999 99999  99999 99999  99999 99999
0771:  99999 99999  99999 99999  99999 99999  99999 99999  99999 99999    99999 99999  99999 99999  99999 99999  99999 99999  99999 99999
0772:  99999 99999  99999 99999  99999 99999  99999 99999  99999 99999    99999 99999  99999 99999  99999 99999  99999 99999  99999 99999
0773:  99999 99999  99999 99999  99999 99999  99999 99999  99999 99999    99999 99999  99999 99999  99999 99999  99999 99999  99999 99999
0774:  99999 99999  99999 99999  99999 99999  99999 99999  99999 99999    99999 99999  99999 99999  99999 99999  99999 99999  99999 99999
0775:  99999 99999  99999 99999  99999 99999  99999 99999  99999 99999    99999 99999  99999 99999  99999 99999  99999 99999  99999 99999
0776:  99999 99999  99999 99999  99999 99999  99999 99999  99999 99999    99999 99999  99999 99999  99999 99999  99999 99999  99999 99999
0777:  99999 99999  99999 99999  99999 99999  99999 99999  99999 99999    99999 99999  99999 99999  99999 99999  99999 99999  99999 99999
0778:  99999 99999  99999 99999  99999 99999  99999 99999  99999 99999    99999 99999  99999 99999  99999 99999  99999 99999  99999 99999
0779:  99999 99999  99999 99999  99999 99999  99999 99999  99999 99999    99999 99999  99999 99999  99999 99999  99999 99999  99999 99999
0780:  99999 99999  99999 99999  99999 99999  99999 99999  99999 99999    99999 99999  99999 99999  99999 99999  99999 99999  99999 99999
0781:  99999 99999  99999 99999  99999 99999  99999 99999  99999 99999    99999 99999  99999 99999  99999 99999  99999 99999  99999 99999
0782:  99999 99999  99999 99999  99999 99999  99999 99999  99999 99999    99999 99999  99999 99999  99999 99999  99999 99999  99999 99999
0783:  99999 99999  99999 99999  99999 99999  99999 99999  99999 99999    99999 99999  99999 99999  99999 99999  99999 99999  99999 99999
0784:  99999 99999  99999 99999  99999 99999  99999 99999  99999 99999    99999 99999  99999 99999  99999 99999  99999 99999  99999 99999
0785:  99999 99999  99999 99999  99999 99999  99999 99999  99999 99999    99999 99999  99999 99999  99999 99999  99999 99999  99999 99999
0786:  99999 99999  99999 99999  99999 99999  99999 99999  99999 99999    99999 99999  99999 99999  99999 99999  99999 99999  99999 99999
0787:  99999 99999  99999 99999  99999 99999  99999 99999  99999 99999    99999 99999  99999 99999  99999 99999  99999 99999  99999 99999
0788:  99999 99999  99999 99999  99999 99999  99999 99999  99999 99999    99999 99999  99999 99999  99999 99999  99999 99999  99999 99999
0789:  99999 99999  99999 99999  99999 99999  99999 99999  99999 99999    99999 99999  99999 99999  99999 99999  99999 99999  99999 99999
0790:  99999 99999  99999 99999  99999 99999  99999 99999  99999 99999    99999 99999  99999 99999  99999 99999  99999 99999  99999 99999
0791:  99999 99999  99999 99999  99999 99999  99999 99999  99999 99999    99999 99999  99999 99999  99999 99999  99999 99999  99999 99999
0792:  99999 99999  99999 99999  99999 99999  99999 99999  99999 99999    99999 99999  99999 99999  99999 99999  99999 99999  99999 99999
0793:  99999 99999  99999 99999  99999 99999  99999 99999  99999 99999    99999 99999  99999 99999  99999 99999  99999 99999  99999 99999
0794:  99999 99999  99999 99999  99999 99999  99999 99999  99999 99999    99999 99999  99999 99999  99999 99999  99999 99999  99999 99999
0795:  99999 99999  99999 99999  99999 99999  99999 99999  99999 99999    99999 99999  99999 99999  99999 99999  99999 99999  99999 99999
0796:  99999 99999  99999 99999  99999 99999  99999 99999  99999 99999    99999 99999  99999 99999  99999 99999  99999 99999  99999 99999
0797:  99999 99999  99999 99999  99999 99999  99999 99999  99999 99999    99999 99999  99999 99999  99999 99999  99999 99999  99999 99999
0798:  99999 99999  99999 99999  99999 99999  99999 99999  99999 99999    99999 99999  99999 99999  99999 99999  99999 99999  99999 99999
0799:  99999 99999  99999 99999  99999 99999  99999 99999  99999 99999    99999 99999  99999 99999  99999 99999  99999 99999  99999 99999
```

```
0800:  99999 99999  99999 99999  99999 99999  99999 99999  99999 99999    99999 99999  99999 99999  99999 99999  99999 99999  99999 99999
0801:  99999 99999  99999 99999  99999 99999  99999 99999  99999 99999    99999 99999  99999 99999  99999 99999  99999 99999  99999 99999
0802:  99999 99999  99999 99999  99999 99999  99999 99999  99999 99999    99999 99999  99999 99999  99999 99999  99999 99999  99999 99999
0803:  99999 99999  99999 99999  99999 99999  99999 99999  99999 99999    99999 99999  99999 99999  99999 99999  99999 99999  99999 99999
0804:  99999 99999  99999 99999  99999 99999  99999 99999  99999 99999    99999 99999  99999 99999  99999 99999  99999 99999  99999 99999
0805:  99999 99999  99999 99999  99999 99999  99999 99999  99999 99999    99999 99999  99999 99999  99999 99999  99999 99999  99999 99999
0806:  99999 99999  99999 99999  99999 99999  99999 99999  99999 99999    99999 99999  99999 99999  99999 99999  99999 99999  99999 99999
0807:  99999 99999  99999 99999  99999 99999  99999 99999  99999 99999    99999 99999  99999 99999  99999 99999  99999 99999  99999 99999
0808:  99999 99999  99999 99999  99999 99999  99999 99999  99999 99999    99999 99999  99999 99999  99999 99999  99999 99999  99999 99999
0809:  99999 99999  99999 99999  99999 99999  99999 99999  99999 99999    99999 99999  99999 99999  99999 99999  99999 99999  99999 99999
0810:  99999 99999  99999 99999  99999 99999  99999 99999  99999 99999    99999 99999  99999 99999  99999 99999  99999 99999  99999 99999
0811:  99999 99999  99999 99999  99999 99999  99999 99999  99999 99999    99999 99999  99999 99999  99999 99999  99999 99999  99999 99999
0812:  99999 99999  99999 99999  99999 99999  99999 99999  99999 99999    99999 99999  99999 99999  99999 99999  99999 99999  99999 99999
0813:  99999 99999  99999 99999  99999 99999  99999 99999  99999 99999    99999 99999  99999 99999  99999 99999  99999 99999  99999 99999
0814:  99999 99999  99999 99999  99999 99999  99999 99999  99999 99999    99999 99999  99999 99999  99999 99999  99999 99999  99999 99999
0815:  99999 99999  99999 99999  99999 99999  99999 99999  99999 99999    99999 99999  99999 99999  99999 99999  99999 99999  99999 99999
0816:  99999 99999  99999 99999  99999 99999  99999 99999  99999 99999    99999 99999  99999 99999  99999 99999  99999 99999  99999 99999
0817:  99999 99999  99999 99999  99999 99999  99999 99999  99999 99999    99999 99999  99999 99999  99999 99999  99999 99999  99999 99999
0818:  99999 99999  99999 99999  99999 99999  99999 99999  99999 99999    99999 99999  99999 99999  99999 99999  99999 99999  99999 99999
0819:  99999 99999  99999 99999  99999 99999  99999 99999  99999 99999    99999 99999  99999 99999  99999 99999  99999 99999  99999 99999
0820:  99999 99999  99999 99999  99999 99999  99999 99999  99999 99999    99999 99999  99999 99999  99999 99999  99999 99999  99999 99999
0821:  99999 99999  99999 99999  99999 99999  99999 99999  99999 99999    99999 99999  99999 99999  99999 99999  99999 99999  99999 99999
0822:  99999 99999  99999 99999  99999 99999  99999 99999  99999 99999    99999 99999  99999 99999  99999 99999  99999 99999  99999 99999
0823:  99999 99999  99999 99999  99999 99999  99999 99999  99999 99999    99999 99999  99999 99999  99999 99999  99999 99999  99999 99999
0824:  99999 99999  99999 99999  99999 99999  99999 99999  99999 99999    99999 99999  99999 99999  99999 99999  99999 99999  99999 99999
0825:  99999 99999  99999 99999  99999 99999  99999 99999  99999 99999    99999 99999  99999 99999  99999 99999  99999 99999  99999 99999
0826:  99999 99999  99999 99999  99999 99999  99999 99999  99999 99999    99999 99999  99999 99999  99999 99999  99999 99999  99999 99999
0827:  99999 99999  99999 99999  99999 99999  99999 99999  99999 99999    99999 99999  99999 99999  99999 99999  99999 99999  99999 99999
0828:  99999 99999  99999 99999  99999 99999  99999 99999  99999 99999    99999 99999  99999 99999  99999 99999  99999 99999  99999 99999
0829:  99999 99999  99999 99999  99999 99999  99999 99999  99999 99999    99999 99999  99999 99999  99999 99999  99999 99999  99999 99999
0830:  99999 99999  99999 99999  99999 99999  99999 99999  99999 99999    99999 99999  99999 99999  99999 99999  99999 99999  99999 99999
0831:  99999 99999  99999 99999  99999 99999  99999 99999  99999 99999    99999 99999  99999 99999  99999 99999  99999 99999  99999 99999
0832:  99999 99999  99999 99999  99999 99999  99999 99999  99999 99999    99999 99999  99999 99999  99999 99999  99999 99999  99999 99999
0833:  99999 99999  99999 99999  99999 99999  99999 99999  99999 99999    99999 99999  99999 99999  99999 99999  99999 99999  99999 99999
0834:  99999 99999  99999 99999  99999 99999  99999 99999  99999 99999    99999 99999  99999 99999  99999 99999  99999 99999  99999 99999
0835:  99999 99999  99999 99999  99999 99999  99999 99999  99999 99999    99999 99999  99999 99999  99999 99999  99999 99999  99999 99999
0836:  99999 99999  99999 99999  99999 99999  99999 99999  99999 99999    99999 99999  99999 99999  99999 99999  99999 99999  99999 99999
0837:  99999 99999  99999 99999  99999 99999  99999 99999  99999 99999    99999 99999  99999 99999  99999 99999  99999 99999  99999 99999
0838:  99999 99999  99999 99999  99999 99999  99999 99999  99999 99999    99999 99999  99999 99999  99999 99999  99999 99999  99999 99999
0839:  99999 99999  99999 99999  99999 99999  99999 99999  99999 99999    99999 99999  99999 99999  99999 99999  99999 99999  99999 99999
0840:  99999 99999  99999 99999  99999 99999  99999 99999  99999 99999    99999 99999  99999 99999  99999 99999  99999 99999  99999 99999
0841:  99999 99999  99999 99999  99999 99999  99999 99999  99999 99999    99999 99999  99999 99999  99999 99999  99999 99999  99999 99999
0842:  99999 99999  99999 99999  99999 99999  99999 99999  99999 99999    99999 99999  99999 99999  99999 99999  99999 99999  99999 99999
0843:  99999 99999  99999 99999  99999 99999  99999 99999  99999 99999    99999 99999  99999 99999  99999 99999  99999 99999  99999 99999
0844:  99999 99999  99999 99999  99999 99999  99999 99999  99999 99999    99999 99999  99999 99999  99999 99999  99999 99999  99999 99999
0845:  99999 99999  99999 99999  99999 99999  99999 99999  99999 99999    99999 99999  99999 99999  99999 99999  99999 99999  99999 99999
0846:  99999 99999  99999 99999  99999 99999  99999 99999  99999 99999    99999 99999  99999 99999  99999 99999  99999 99999  99999 99999
0847:  99999 99999  99999 99999  99999 99999  99999 99999  99999 99999    99999 99999  99999 99999  99999 99999  99999 99999  99999 99999
0848:  99999 99999  99999 99999  99999 99999  99999 99999  99999 99999    99999 99999  99999 99999  99999 99999  99999 99999  99999 99999
0849:  99999 99999  99999 99999  99999 99999  99999 99999  99999 99999    99999 99999  99999 99999  99999 99999  99999 99999  99999 99999
```

```
0850:  99999 99999  99999 99999  99999 99999  99999 99999  99999 99999    99999 99999  99999 99999  99999 99999  99999 99999  99999 99999
0851:  99999 99999  99999 99999  99999 99999  99999 99999  99999 99999    99999 99999  99999 99999  99999 99999  99999 99999  99999 99999
0852:  99999 99999  99999 99999  99999 99999  99999 99999  99999 99999    99999 99999  99999 99999  99999 99999  99999 99999  99999 99999
0853:  99999 99999  99999 99999  99999 99999  99999 99999  99999 99999    99999 99999  99999 99999  99999 99999  99999 99999  99999 99999
0854:  99999 99999  99999 99999  99999 99999  99999 99999  99999 99999    99999 99999  99999 99999  99999 99999  99999 99999  99999 99999
0855:  99999 99999  99999 99999  99999 99999  99999 99999  99999 99999    99999 99999  99999 99999  99999 99999  99999 99999  99999 99999
0856:  99999 99999  99999 99999  99999 99999  99999 99999  99999 99999    99999 99999  99999 99999  99999 99999  99999 99999  99999 99999
0857:  99999 99999  99999 99999  99999 99999  99999 99999  99999 99999    99999 99999  99999 99999  99999 99999  99999 99999  99999 99999
0858:  99999 99999  99999 99999  99999 99999  99999 99999  99999 99999    99999 99999  99999 99999  99999 99999  99999 99999  99999 99999
0859:  99999 99999  99999 99999  99999 99999  99999 99999  99999 99999    99999 99999  99999 99999  99999 99999  99999 99999  99999 99999
0860:  99999 99999  99999 99999  99999 99999  99999 99999  99999 99999    99999 99999  99999 99999  99999 99999  99999 99999  99999 99999
0861:  99999 99999  99999 99999  99999 99999  99999 99999  99999 99999    99999 99999  99999 99999  99999 99999  99999 99999  99999 99999
0862:  99999 99999  99999 99999  99999 99999  99999 99999  99999 99999    99999 99999  99999 99999  99999 99999  99999 99999  99999 99999
0863:  99999 99999  99999 99999  99999 99999  99999 99999  99999 99999    99999 99999  99999 99999  99999 99999  99999 99999  99999 99999
0864:  99999 99999  99999 99999  99999 99999  99999 99999  99999 99999    99999 99999  99999 99999  99999 99999  99999 99999  99999 99999
0865:  99999 99999  99999 99999  99999 99999  99999 99999  99999 99999    99999 99999  99999 99999  99999 99999  99999 99999  99999 99999
0866:  99999 99999  99999 99999  99999 99999  99999 99999  99999 99999    99999 99999  99999 99999  99999 99999  99999 99999  99999 99999
0867:  99999 99999  99999 99999  99999 99999  99999 99999  99999 99999    99999 99999  99999 99999  99999 99999  99999 99999  99999 99999
0868:  99999 99999  99999 99999  99999 99999  99999 99999  99999 99999    99999 99999  99999 99999  99999 99999  99999 99999  99999 99999
0869:  99999 99999  99999 99999  99999 99999  99999 99999  99999 99999    99999 99999  99999 99999  99999 99999  99999 99999  99999 99999
0870:  99999 99999  99999 99999  99999 99999  99999 99999  99999 99999    99999 99999  99999 99999  99999 99999  99999 99999  99999 99999
0871:  99999 99999  99999 99999  99999 99999  99999 99999  99999 99999    99999 99999  99999 99999  99999 99999  99999 99999  99999 99999
0872:  99999 99999  99999 99999  99999 99999  99999 99999  99999 99999    99999 99999  99999 99999  99999 99999  99999 99999  99999 99999
0873:  99999 99999  99999 99999  99999 99999  99999 99999  99999 99999    99999 99999  99999 99999  99999 99999  99999 99999  99999 99999
0874:  99999 99999  99999 99999  99999 99999  99999 99999  99999 99999    99999 99999  99999 99999  99999 99999  99999 99999  99999 99999
0875:  99999 99999  99999 99999  99999 99999  99999 99999  99999 99999    99999 99999  99999 99999  99999 99999  99999 99999  99999 99999
0876:  99999 99999  99999 99999  99999 99999  99999 99999  99999 99999    99999 99999  99999 99999  99999 99999  99999 99999  99999 99999
0877:  99999 99999  99999 99999  99999 99999  99999 99999  99999 99999    99999 99999  99999 99999  99999 99999  99999 99999  99999 99999
0878:  99999 99999  99999 99999  99999 99999  99999 99999  99999 99999    99999 99999  99999 99999  99999 99999  99999 99999  99999 99999
0879:  99999 99999  99999 99999  99999 99999  99999 99999  99999 99999    99999 99999  99999 99999  99999 99999  99999 99999  99999 99999
0880:  99999 99999  99999 99999  99999 99999  99999 99999  99999 99999    99999 99999  99999 99999  99999 99999  99999 99999  99999 99999
0881:  99999 99999  99999 99999  99999 99999  99999 99999  99999 99999    99999 99999  99999 99999  99999 99999  99999 99999  99999 99999
0882:  99999 99999  99999 99999  99999 99999  99999 99999  99999 99999    99999 99999  99999 99999  99999 99999  99999 99999  99999 99999
0883:  99999 99999  99999 99999  99999 99999  99999 99999  99999 99999    99999 99999  99999 99999  99999 99999  99999 99999  99999 99999
0884:  99999 99999  99999 99999  99999 99999  99999 99999  99999 99999    99999 99999  99999 99999  99999 99999  99999 99999  99999 99999
0885:  99999 99999  99999 99999  99999 99999  99999 99999  99999 99999    99999 99999  99999 99999  99999 99999  99999 99999  99999 99999
0886:  99999 99999  99999 99999  99999 99999  99999 99999  99999 99999    99999 99999  99999 99999  99999 99999  99999 99999  99999 99999
0887:  99999 99999  99999 99999  99999 99999  99999 99999  99999 99999    99999 99999  99999 99999  99999 99999  99999 99999  99999 99999
0888:  99999 99999  99999 99999  99999 99999  99999 99999  99999 99999    99999 99999  99999 99999  99999 99999  99999 99999  99999 99999
0889:  99999 99999  99999 99999  99999 99999  99999 99999  99999 99999    99999 99999  99999 99999  99999 99999  99999 99999  99999 99999
0890:  99999 99999  99999 99999  99999 99999  99999 99999  99999 99999    99999 99999  99999 99999  99999 99999  99999 99999  99999 99999
0891:  99999 99999  99999 99999  99999 99999  99999 99999  99999 99999    99999 99999  99999 99999  99999 99999  99999 99999  99999 99999
0892:  99999 99999  99999 99999  99999 99999  99999 99999  99999 99999    99999 99999  99999 99999  99999 99999  99999 99999  99999 99999
0893:  99999 99999  99999 99999  99999 99999  99999 99999  99999 99999    99999 99999  99999 99999  99999 99999  99999 99999  99999 99999
0894:  99999 99999  99999 99999  99999 99999  99999 99999  99999 99999    99999 99999  99999 99999  99999 99999  99999 99999  99999 99999
0895:  99999 99999  99999 99999  99999 99999  99999 99999  99999 99999    99999 99999  99999 99999  99999 99999  99999 99999  99999 99999
0896:  99999 99999  99999 99999  99999 99999  99999 99999  99999 99999    99999 99999  99999 99999  99999 99999  99999 99999  99999 99999
0897:  99999 99999  99999 99999  99999 99999  99999 99999  99999 99999    99999 99999  99999 99999  99999 99999  99999 99999  99999 99999
0898:  99999 99999  99999 99999  99999 99999  99999 99999  99999 99999    99999 99999  99999 99999  99999 99999  99999 99999  99999 99999
0899:  99999 99999  99999 99999  99999 99999  99999 99999  99999 99999    99999 99999  99999 99999  99999 99999  99999 99999  99999 99999
```

```
0900:  99999 99999  99999 99999  99999 99999  99999 99999  99999 99999    99999 99999  99999 99999  99999 99999  99999 99999  99999 99999
0901:  99999 99999  99999 99999  99999 99999  99999 99999  99999 99999    99999 99999  99999 99999  99999 99999  99999 99999  99999 99999
0902:  99999 99999  99999 99999  99999 99999  99999 99999  99999 99999    99999 99999  99999 99999  99999 99999  99999 99999  99999 99999
0903:  99999 99999  99999 99999  99999 99999  99999 99999  99999 99999    99999 99999  99999 99999  99999 99999  99999 99999  99999 99999
0904:  99999 99999  99999 99999  99999 99999  99999 99999  99999 99999    99999 99999  99999 99999  99999 99999  99999 99999  99999 99999
0905:  99999 99999  99999 99999  99999 99999  99999 99999  99999 99999    99999 99999  99999 99999  99999 99999  99999 99999  99999 99999
0906:  99999 99999  99999 99999  99999 99999  99999 99999  99999 99999    99999 99999  99999 99999  99999 99999  99999 99999  99999 99999
0907:  99999 99999  99999 99999  99999 99999  99999 99999  99999 99999    99999 99999  99999 99999  99999 99999  99999 99999  99999 99999
0908:  99999 99999  99999 99999  99999 99999  99999 99999  99999 99999    99999 99999  99999 99999  99999 99999  99999 99999  99999 99999
0909:  99999 99999  99999 99999  99999 99999  99999 99999  99999 99999    99999 99999  99999 99999  99999 99999  99999 99999  99999 99999
0910:  99999 99999  99999 99999  99999 99999  99999 99999  99999 99999    99999 99999  99999 99999  99999 99999  99999 99999  99999 99999
0911:  99999 99999  99999 99999  99999 99999  99999 99999  99999 99999    99999 99999  99999 99999  99999 99999  99999 99999  99999 99999
0912:  99999 99999  99999 99999  99999 99999  99999 99999  99999 99999    99999 99999  99999 99999  99999 99999  99999 99999  99999 99999
0913:  99999 99999  99999 99999  99999 99999  99999 99999  99999 99999    99999 99999  99999 99999  99999 99999  99999 99999  99999 99999
0914:  99999 99999  99999 99999  99999 99999  99999 99999  99999 99999    99999 99999  99999 99999  99999 99999  99999 99999  99999 99999
0915:  99999 99999  99999 99999  99999 99999  99999 99999  99999 99999    99999 99999  99999 99999  99999 99999  99999 99999  99999 99999
0916:  99999 99999  99999 99999  99999 99999  99999 99999  99999 99999    99999 99999  99999 99999  99999 99999  99999 99999  99999 99999
0917:  99999 99999  99999 99999  99999 99999  99999 99999  99999 99999    99999 99999  99999 99999  99999 99999  99999 99999  99999 99999
0918:  99999 99999  99999 99999  99999 99999  99999 99999  99999 99999    99999 99999  99999 99999  99999 99999  99999 99999  99999 99999
0919:  99999 99999  99999 99999  99999 99999  99999 99999  99999 99999    99999 99999  99999 99999  99999 99999  99999 99999  99999 99999
0920:  99999 99999  99999 99999  99999 99999  99999 99999  99999 99999    99999 99999  99999 99999  99999 99999  99999 99999  99999 99999
0921:  99999 99999  99999 99999  99999 99999  99999 99999  99999 99999    99999 99999  99999 99999  99999 99999  99999 99999  99999 99999
0922:  99999 99999  99999 99999  99999 99999  99999 99999  99999 99999    99999 99999  99999 99999  99999 99999  99999 99999  99999 99999
0923:  99999 99999  99999 99999  99999 99999  99999 99999  99999 99999    99999 99999  99999 99999  99999 99999  99999 99999  99999 99999
0924:  99999 99999  99999 99999  99999 99999  99999 99999  99999 99999    99999 99999  99999 99999  99999 99999  99999 99999  99999 99999
0925:  99999 99999  99999 99999  99999 99999  99999 99999  99999 99999    99999 99999  99999 99999  99999 99999  99999 99999  99999 99999
0926:  99999 99999  99999 99999  99999 99999  99999 99999  99999 99999    99999 99999  99999 99999  99999 99999  99999 99999  99999 99999
0927:  99999 99999  99999 99999  99999 99999  99999 99999  99999 99999    99999 99999  99999 99999  99999 99999  99999 99999  99999 99999
0928:  99999 99999  99999 99999  99999 99999  99999 99999  99999 99999    99999 99999  99999 99999  99999 99999  99999 99999  99999 99999
0929:  99999 99999  99999 99999  99999 99999  99999 99999  99999 99999    99999 99999  99999 99999  99999 99999  99999 99999  99999 99999
0930:  99999 99999  99999 99999  99999 99999  99999 99999  99999 99999    99999 99999  99999 99999  99999 99999  99999 99999  99999 99999
0931:  99999 99999  99999 99999  99999 99999  99999 99999  99999 99999    99999 99999  99999 99999  99999 99999  99999 99999  99999 99999
0932:  99999 99999  99999 99999  99999 99999  99999 99999  99999 99999    99999 99999  99999 99999  99999 99999  99999 99999  99999 99999
0933:  99999 99999  99999 99999  99999 99999  99999 99999  99999 99999    99999 99999  99999 99999  99999 99999  99999 99999  99999 99999
0934:  99999 99999  99999 99999  99999 99999  99999 99999  99999 99999    99999 99999  99999 99999  99999 99999  99999 99999  99999 99999
0935:  99999 99999  99999 99999  99999 99999  99999 99999  99999 99999    99999 99999  99999 99999  99999 99999  99999 99999  99999 99999
0936:  99999 99999  99999 99999  99999 99999  99999 99999  99999 99999    99999 99999  99999 99999  99999 99999  99999 99999  99999 99999
0937:  99999 99999  99999 99999  99999 99999  99999 99999  99999 99999    99999 99999  99999 99999  99999 99999  99999 99999  99999 99999
0938:  99999 99999  99999 99999  99999 99999  99999 99999  99999 99999    99999 99999  99999 99999  99999 99999  99999 99999  99999 99999
0939:  99999 99999  99999 99999  99999 99999  99999 99999  99999 99999    99999 99999  99999 99999  99999 99999  99999 99999  99999 99999
0940:  99999 99999  99999 99999  99999 99999  99999 99999  99999 99999    99999 99999  99999 99999  99999 99999  99999 99999  99999 99999
0941:  99999 99999  99999 99999  99999 99999  99999 99999  99999 99999    99999 99999  99999 99999  99999 99999  99999 99999  99999 99999
0942:  99999 99999  99999 99999  99999 99999  99999 99999  99999 99999    99999 99999  99999 99999  99999 99999  99999 99999  99999 99999
0943:  99999 99999  99999 99999  99999 99999  99999 99999  99999 99999    99999 99999  99999 99999  99999 99999  99999 99999  99999 99999
0944:  99999 99999  99999 99999  99999 99999  99999 99999  99999 99999    99999 99999  99999 99999  99999 99999  99999 99999  99999 99999
0945:  99999 99999  99999 99999  99999 99999  99999 99999  99999 99999    99999 99999  99999 99999  99999 99999  99999 99999  99999 99999
0946:  99999 99999  99999 99999  99999 99999  99999 99999  99999 99999    99999 99999  99999 99999  99999 99999  99999 99999  99999 99999
0947:  99999 99999  99999 99999  99999 99999  99999 99999  99999 99999    99999 99999  99999 99999  99999 99999  99999 99999  99999 99999
0948:  99999 99999  99999 99999  99999 99999  99999 99999  99999 99999    99999 99999  99999 99999  99999 99999  99999 99999  99999 99999
0949:  99999 99999  99999 99999  99999 99999  99999 99999  99999 99999    99999 99999  99999 99999  99999 99999  99999 99999  99999 99999
```

```
0950:  99999 99999  99999 99999  99999 99999  99999 99999  99999 99999    99999 99999  99999 99999  99999 99999  99999 99999  99999 99999
0951:  99999 99999  99999 99999  99999 99999  99999 99999  99999 99999    99999 99999  99999 99999  99999 99999  99999 99999  99999 99999
0952:  99999 99999  99999 99999  99999 99999  99999 99999  99999 99999    99999 99999  99999 99999  99999 99999  99999 99999  99999 99999
0953:  99999 99999  99999 99999  99999 99999  99999 99999  99999 99999    99999 99999  99999 99999  99999 99999  99999 99999  99999 99999
0954:  99999 99999  99999 99999  99999 99999  99999 99999  99999 99999    99999 99999  99999 99999  99999 99999  99999 99999  99999 99999
0955:  99999 99999  99999 99999  99999 99999  99999 99999  99999 99999    99999 99999  99999 99999  99999 99999  99999 99999  99999 99999
0956:  99999 99999  99999 99999  99999 99999  99999 99999  99999 99999    99999 99999  99999 99999  99999 99999  99999 99999  99999 99999
0957:  99999 99999  99999 99999  99999 99999  99999 99999  99999 99999    99999 99999  99999 99999  99999 99999  99999 99999  99999 99999
0958:  99999 99999  99999 99999  99999 99999  99999 99999  99999 99999    99999 99999  99999 99999  99999 99999  99999 99999  99999 99999
0959:  99999 99999  99999 99999  99999 99999  99999 99999  99999 99999    99999 99999  99999 99999  99999 99999  99999 99999  99999 99999
0960:  99999 99999  99999 99999  99999 99999  99999 99999  99999 99999    99999 99999  99999 99999  99999 99999  99999 99999  99999 99999
0961:  99999 99999  99999 99999  99999 99999  99999 99999  99999 99999    99999 99999  99999 99999  99999 99999  99999 99999  99999 99999
0962:  99999 99999  99999 99999  99999 99999  99999 99999  99999 99999    99999 99999  99999 99999  99999 99999  99999 99999  99999 99999
0963:  99999 99999  99999 99999  99999 99999  99999 99999  99999 99999    99999 99999  99999 99999  99999 99999  99999 99999  99999 99999
0964:  99999 99999  99999 99999  99999 99999  99999 99999  99999 99999    99999 99999  99999 99999  99999 99999  99999 99999  99999 99999
0965:  99999 99999  99999 99999  99999 99999  99999 99999  99999 99999    99999 99999  99999 99999  99999 99999  99999 99999  99999 99999
0966:  99999 99999  99999 99999  99999 99999  99999 99999  99999 99999    99999 99999  99999 99999  99999 99999  99999 99999  99999 99999
0967:  99999 99999  99999 99999  99999 99999  99999 99999  99999 99999    99999 99999  99999 99999  99999 99999  99999 99999  99999 99999
0968:  99999 99999  99999 99999  99999 99999  99999 99999  99999 99999    99999 99999  99999 99999  99999 99999  99999 99999  99999 99999
0969:  99999 99999  99999 99999  99999 99999  99999 99999  99999 99999    99999 99999  99999 99999  99999 99999  99999 99999  99999 99999
0970:  99999 99999  99999 99999  99999 99999  99999 99999  99999 99999    99999 99999  99999 99999  99999 99999  99999 99999  99999 99999
0971:  99999 99999  99999 99999  99999 99999  99999 99999  99999 99999    99999 99999  99999 99999  99999 99999  99999 99999  99999 99999
0972:  99999 99999  99999 99999  99999 99999  99999 99999  99999 99999    99999 99999  99999 99999  99999 99999  99999 99999  99999 99999
0973:  99999 99999  99999 99999  99999 99999  99999 99999  99999 99999    99999 99999  99999 99999  99999 99999  99999 99999  99999 99999
0974:  99999 99999  99999 99999  99999 99999  99999 99999  99999 99999    99999 99999  99999 99999  99999 99999  99999 99999  99999 99999
0975:  99999 99999  99999 99999  99999 99999  99999 99999  99999 99999    99999 99999  99999 99999  99999 99999  99999 99999  99999 99999
0976:  99999 99999  99999 99999  99999 99999  99999 99999  99999 99999    99999 99999  99999 99999  99999 99999  99999 99999  99999 99999
0977:  99999 99999  99999 99999  99999 99999  99999 99999  99999 99999    99999 99999  99999 99999  99999 99999  99999 99999  99999 99999
0978:  99999 99999  99999 99999  99999 99999  99999 99999  99999 99999    99999 99999  99999 99999  99999 99999  99999 99999  99999 99999
0979:  99999 99999  99999 99999  99999 99999  99999 99999  99999 99999    99999 99999  99999 99999  99999 99999  99999 99999  99999 99999
0980:  99999 99999  99999 99999  99999 99999  99999 99999  99999 99999    99999 99999  99999 99999  99999 99999  99999 99999  99999 99999
0981:  99999 99999  99999 99999  99999 99999  99999 99999  99999 99999    99999 99999  99999 99999  99999 99999  99999 99999  99999 99999
0982:  99999 99999  99999 99999  99999 99999  99999 99999  99999 99999    99999 99999  99999 99999  99999 99999  99999 99999  99999 99999
0983:  99999 99999  99999 99999  99999 99999  99999 99999  99999 99999    99999 99999  99999 99999  99999 99999  99999 99999  99999 99999
0984:  99999 99999  99999 99999  99999 99999  99999 99999  99999 99999    99999 99999  99999 99999  99999 99999  99999 99999  99999 99999
0985:  99999 99999  99999 99999  99999 99999  99999 99999  99999 99999    99999 99999  99999 99999  99999 99999  99999 99999  99999 99999
0986:  99999 99999  99999 99999  99999 99999  99999 99999  99999 99999    99999 99999  99999 99999  99999 99999  99999 99999  99999 99999
0987:  99999 99999  99999 99999  99999 99999  99999 99999  99999 99999    99999 99999  99999 99999  99999 99999  99999 99999  99999 99999
0988:  99999 99999  99999 99999  99999 99999  99999 99999  99999 99999    99999 99999  99999 99999  99999 99999  99999 99999  99999 99999
0989:  99999 99999  99999 99999  99999 99999  99999 99999  99999 99999    99999 99999  99999 99999  99999 99999  99999 99999  99999 99999
0990:  99999 99999  99999 99999  99999 99999  99999 99999  99999 99999    99999 99999  99999 99999  99999 99999  99999 99999  99999 99999
0991:  99999 99999  99999 99999  99999 99999  99999 99999  99999 99999    99999 99999  99999 99999  99999 99999  99999 99999  99999 99999
0992:  99999 99999  99999 99999  99999 99999  99999 99999  99999 99999    99999 99999  99999 99999  99999 99999  99999 99999  99999 99999
0993:  99999 99999  99999 99999  99999 99999  99999 99999  99999 99999    99999 99999  99999 99999  99999 99999  99999 99999  99999 99999
0994:  99999 99999  99999 99999  99999 99999  99999 99999  99999 99999    99999 99999  99999 99999  99999 99999  99999 99999  99999 99999
0995:  99999 99999  99999 99999  99999 99999  99999 99999  99999 99999    99999 99999  99999 99999  99999 99999  99999 99999  99999 99999
0996:  99999 99999  99999 99999  99999 99999  99999 99999  99999 99999    99999 99999  99999 99999  99999 99999  99999 99999  99999 99999
0997:  99999 99999  99999 99999  99999 99999  99999 99999  99999 99999    99999 99999  99999 99999  99999 99999  99999 99999  99999 99999
0998:  99999 99999  99999 99999  99999 99999  99999 99999  99999 99999    99999 99999  99999 99999  99999 99999  99999 99999  99999 99999
0999:  99999 99999  99999 99999  99999 99999  99999 99999  99999 99999    99999 99999  99999 99999  99999 99999  99999 99999  99999 99999
```

```
1000:  99999 99999  99999 99999  99999 99999  99999 99999  99999 99999   99999 99999  99999 99999  99999 99999  99999 99999  99999 99999
1001:  99999 99999  99999 99999  99999 99999  99999 99999  99999 99999   99999 99999  99999 99999  99999 99999  99999 99999  99999 99999
1002:  99999 99999  99999 99999  99999 99999  99999 99999  99999 99999   99999 99999  99999 99999  99999 99999  99999 99999  99999 99999
1003:  99999 99999  99999 99999  99999 99999  99999 99999  99999 99999   99999 99999  99999 99999  99999 99999  99999 99999  99999 99999
1004:  99999 99999  99999 99999  99999 99999  99999 99999  99999 99999   99999 99999  99999 99999  99999 99999  99999 99999  99999 99999
1005:  99999 99999  99999 99999  99999 99999  99999 99999  99999 99999   99999 99999  99999 99999  99999 99999  99999 99999  99999 99999
1006:  99999 99999  99999 99999  99999 99999  99999 99999  99999 99999   99999 99999  99999 99999  99999 99999  99999 99999  99999 99999
1007:  99999 99999  99999 99999  99999 99999  99999 99999  99999 99999   99999 99999  99999 99999  99999 99999  99999 99999  99999 99999
1008:  99999 99999  99999 99999  99999 99999  99999 99999  99999 99999   99999 99999  99999 99999  99999 99999  99999 99999  99999 99999
1009:  99999 99999  99999 99999  99999 99999  99999 99999  99999 99999   99999 99999  99999 99999  99999 99999  99999 99999  99999 99999
1010:  99999 99999  99999 99999  99999 99999  99999 99999  99999 99999   99999 99999  99999 99999  99999 99999  99999 99999  99999 99999
1011:  99999 99999  99999 99999  99999 99999  99999 99999  99999 99999   99999 99999  99999 99999  99999 99999  99999 99999  99999 99999
1012:  99999 99999  99999 99999  99999 99999  99999 99999  99999 99999   99999 99999  99999 99999  99999 99999  99999 99999  99999 99999
1013:  99999 99999  99999 99999  99999 99999  99999 99999  99999 99999   99999 99999  99999 99999  99999 99999  99999 99999  99999 99999
1014:  99999 99999  99999 99999  99999 99999  99999 99999  99999 99999   99999 99999  99999 99999  99999 99999  99999 99999  99999 99999
1015:  99999 99999  99999 99999  99999 99999  99999 99999  99999 99999   99999 99999  99999 99999  99999 99999  99999 99999  99999 99999
1016:  99999 99999  99999 99999  99999 99999  99999 99999  99999 99999   99999 99999  99999 99999  99999 99999  99999 99999  99999 99999
1017:  99999 99999  99999 99999  99999 99999  99999 99999  99999 99999   99999 99999  99999 99999  99999 99999  99999 99999  99999 99999
1018:  99999 99999  99999 99999  99999 99999  99999 99999  99999 99999   99999 99999  99999 99999  99999 99999  99999 99999  99999 99999
1019:  99999 99999  99999 99999  99999 99999  99999 99999  99999 99999   99999 99999  99999 99999  99999 99999  99999 99999  99999 99999
1020:  99999 99999  99999 99999  99999 99999  99999 99999  99999 99999   99999 99999  99999 99999  99999 99999  99999 99999  99999 99999
1021:  99999 99999  99999 99999  99999 99999  99999 99999  99999 99999   99999 99999  99999 99999  99999 99999  99999 99999  99999 99999
1022:  99999 99999  99999 99999  99999 99999  99999 99999  99999 99999   99999 99999  99999 99999  99999 99999  99999 99999  99999 99999
1023:  99999 99999  99999 99999  99999 99999  99999 99999  99999 99999   99999 99999  99999 99999  99999 99999  99999 99999  99999 99999
1024:  99999 99999  99999 99999  99999 99999  99999 99999  99999 99999   99999 99999  99999 99999  99999 99999  99999 99999  99999 99999
1025:  99999 99999  99999 99999  99999 99999  99999 99999  99999 99999   99999 99999  99999 99999  99999 99999  99999 99999  99999 99999
1026:  99999 99999  99999 99999  99999 99999  99999 99999  99999 99999   99999 99999  99999 99999  99999 99999  99999 99999  99999 99999
1027:  99999 99999  99999 99999  99999 99999  99999 99999  99999 99999   99999 99999  99999 99999  99999 99999  99999 99999  99999 99999
1028:  99999 99999  99999 99999  99999 99999  99999 99999  99999 99999   99999 99999  99999 99999  99999 99999  99999 99999  99999 99999
1029:  99999 99999  99999 99999  99999 99999  99999 99999  99999 99999   99999 99999  99999 99999  99999 99999  99999 99999  99999 99999
1030:  99999 99999  99999 99999  99999 99999  99999 99999  99999 99999   99999 99999  99999 99999  99999 99999  99999 99999  99999 99999
1031:  99999 99999  99999 99999  99999 99999  99999 99999  99999 99999   99999 99999  99999 99999  99999 99999  99999 99999  99999 99999
1032:  99999 99999  99999 99999  99999 99999  99999 99999  99999 99999   99999 99999  99999 99999  99999 99999  99999 99999  99999 99999
1033:  99999 99999  99999 99999  99999 99999  99999 99999  99999 99999   99999 99999  99999 99999  99999 99999  99999 99999  99999 99999
1034:  99999 99999  99999 99999  99999 99999  99999 99999  99999 99999   99999 99999  99999 99999  99999 99999  99999 99999  99999 99999
1035:  99999 99999  99999 99999  99999 99999  99999 99999  99999 99999   99999 99999  99999 99999  99999 99999  99999 99999  99999 99999
1036:  99999 99999  99999 99999  99999 99999  99999 99999  99999 99999   99999 99999  99999 99999  99999 99999  99999 99999  99999 99999
1037:  99999 99999  99999 99999  99999 99999  99999 99999  99999 99999   99999 99999  99999 99999  99999 99999  99999 99999  99999 99999
1038:  99999 99999  99999 99999  99999 99999  99999 99999  99999 99999   99999 99999  99999 99999  99999 99999  99999 99999  99999 99999
1039:  99999 99999  99999 99999  99999 99999  99999 99999  99999 99999   99999 99999  99999 99999  99999 99999  99999 99999  99999 99999
1040:  99999 99999  99999 99999  99999 99999  99999 99999  99999 99999   99999 99999  99999 99999  99999 99999  99999 99999  99999 99999
1041:  99999 99999  99999 99999  99999 99999  99999 99999  99999 99999   99999 99999  99999 99999  99999 99999  99999 99999  99999 99999
1042:  99999 99999  99999 99999  99999 99999  99999 99999  99999 99999   99999 99999  99999 99999  99999 99999  99999 99999  99999 99999
1043:  99999 99999  99999 99999  99999 99999  99999 99999  99999 99999   99999 99999  99999 99999  99999 99999  99999 99999  99999 99999
1044:  99999 99999  99999 99999  99999 99999  99999 99999  99999 99999   99999 99999  99999 99999  99999 99999  99999 99999  99999 99999
1045:  99999 99999  99999 99999  99999 99999  99999 99999  99999 99999   99999 99999  99999 99999  99999 99999  99999 99999  99999 99999
1046:  99999 99999  99999 99999  99999 99999  99999 99999  99999 99999   99999 99999  99999 99999  99999 99999  99999 99999  99999 99999
1047:  99999 99999  99999 99999  99999 99999  99999 99999  99999 99999   99999 99999  99999 99999  99999 99999  99999 99999  99999 99999
1048:  99999 99999  99999 99999  99999 99999  99999 99999  99999 99999   99999 99999  99999 99999  99999 99999  99999 99999  99999 99999
1049:  99999 99999  99999 99999  99999 99999  99999 99999  99999 99999   99999 99999  99999 99999  99999 99999  99999 99999  99999 99999
```

1050: 99999
1051: 99999
1052: 99999
1053: 99999
1054: 99999
1055: 99999
1056: 99999
1057: 99999
1058: 99999
1059: 99999
1060: 99999
1061: 99999
1062: 99999
1063: 99999
1064: 99999
1065: 99999
1066: 99999
1067: 99999
1068: 99999
1069: 99999
1070: 99999
1071: 99999
1072: 99999
1073: 99999
1074: 99999
1075: 99999
1076: 99999
1077: 99999
1078: 99999
1079: 99999
1080: 99999
1081: 99999
1082: 99999
1083: 99999
1084: 99999
1085: 99999
1086: 99999
1087: 99999
1088: 99999
1089: 99999
1090: 99999
1091: 99999
1092: 99999
1093: 99999
1094: 99999
1095: 99999
1096: 99999
1097: 99999
1098: 99999
1099: 99999

```
1100:  99999 99999  99999 99999  99999 99999  99999 99999  99999 99999    99999 99999  99999 99999  99999 99999  99999 99999  99999 99999
1101:  99999 99999  99999 99999  99999 99999  99999 99999  99999 99999    99999 99999  99999 99999  99999 99999  99999 99999  99999 99999
1102:  99999 99999  99999 99999  99999 99999  99999 99999  99999 99999    99999 99999  99999 99999  99999 99999  99999 99999  99999 99999
1103:  99999 99999  99999 99999  99999 99999  99999 99999  99999 99999    99999 99999  99999 99999  99999 99999  99999 99999  99999 99999
1104:  99999 99999  99999 99999  99999 99999  99999 99999  99999 99999    99999 99999  99999 99999  99999 99999  99999 99999  99999 99999
1105:  99999 99999  99999 99999  99999 99999  99999 99999  99999 99999    99999 99999  99999 99999  99999 99999  99999 99999  99999 99999
1106:  99999 99999  99999 99999  99999 99999  99999 99999  99999 99999    99999 99999  99999 99999  99999 99999  99999 99999  99999 99999
1107:  99999 99999  99999 99999  99999 99999  99999 99999  99999 99999    99999 99999  99999 99999  99999 99999  99999 99999  99999 99999
1108:  99999 99999  99999 99999  99999 99999  99999 99999  99999 99999    99999 99999  99999 99999  99999 99999  99999 99999  99999 99999
1109:  99999 99999  99999 99999  99999 99999  99999 99999  99999 99999    99999 99999  99999 99999  99999 99999  99999 99999  99999 99999
1110:  99999 99999  99999 99999  99999 99999  99999 99999  99999 99999    99999 99999  99999 99999  99999 99999  99999 99999  99999 99999
1111:  99999 99999  99999 99999  99999 99999  99999 99999  99999 99999    99999 99999  99999 99999  99999 99999  99999 99999  99999 99999
1112:  99999 99999  99999 99999  99999 99999  99999 99999  99999 99999    99999 99999  99999 99999  99999 99999  99999 99999  99999 99999
1113:  99999 99999  99999 99999  99999 99999  99999 99999  99999 99999    99999 99999  99999 99999  99999 99999  99999 99999  99999 99999
1114:  99999 99999  99999 99999  99999 99999  99999 99999  99999 99999    99999 99999  99999 99999  99999 99999  99999 99999  99999 99999
1115:  99999 99999  99999 99999  99999 99999  99999 99999  99999 99999    99999 99999  99999 99999  99999 99999  99999 99999  99999 99999
1116:  99999 99999  99999 99999  99999 99999  99999 99999  99999 99999    99999 99999  99999 99999  99999 99999  99999 99999  99999 99999
1117:  99999 99999  99999 99999  99999 99999  99999 99999  99999 99999    99999 99999  99999 99999  99999 99999  99999 99999  99999 99999
1118:  99999 99999  99999 99999  99999 99999  99999 99999  99999 99999    99999 99999  99999 99999  99999 99999  99999 99999  99999 99999
1119:  99999 99999  99999 99999  99999 99999  99999 99999  99999 99999    99999 99999  99999 99999  99999 99999  99999 99999  99999 99999
1120:  99999 99999  99999 99999  99999 99999  99999 99999  99999 99999    99999 99999  99999 99999  99999 99999  99999 99999  99999 99999
1121:  99999 99999  99999 99999  99999 99999  99999 99999  99999 99999    99999 99999  99999 99999  99999 99999  99999 99999  99999 99999
1122:  99999 99999  99999 99999  99999 99999  99999 99999  99999 99999    99999 99999  99999 99999  99999 99999  99999 99999  99999 99999
1123:  99999 99999  99999 99999  99999 99999  99999 99999  99999 99999    99999 99999  99999 99999  99999 99999  99999 99999  99999 99999
1124:  99999 99999  99999 99999  99999 99999  99999 99999  99999 99999    99999 99999  99999 99999  99999 99999  99999 99999  99999 99999
1125:  99999 99999  99999 99999  99999 99999  99999 99999  99999 99999    99999 99999  99999 99999  99999 99999  99999 99999  99999 99999
1126:  99999 99999  99999 99999  99999 99999  99999 99999  99999 99999    99999 99999  99999 99999  99999 99999  99999 99999  99999 99999
1127:  99999 99999  99999 99999  99999 99999  99999 99999  99999 99999    99999 99999  99999 99999  99999 99999  99999 99999  99999 99999
1128:  99999 99999  99999 99999  99999 99999  99999 99999  99999 99999    99999 99999  99999 99999  99999 99999  99999 99999  99999 99999
1129:  99999 99999  99999 99999  99999 99999  99999 99999  99999 99999    99999 99999  99999 99999  99999 99999  99999 99999  99999 99999
1130:  99999 99999  99999 99999  99999 99999  99999 99999  99999 99999    99999 99999  99999 99999  99999 99999  99999 99999  99999 99999
1131:  99999 99999  99999 99999  99999 99999  99999 99999  99999 99999    99999 99999  99999 99999  99999 99999  99999 99999  99999 99999
1132:  99999 99999  99999 99999  99999 99999  99999 99999  99999 99999    99999 99999  99999 99999  99999 99999  99999 99999  99999 99999
1133:  99999 99999  99999 99999  99999 99999  99999 99999  99999 99999    99999 99999  99999 99999  99999 99999  99999 99999  99999 99999
1134:  99999 99999  99999 99999  99999 99999  99999 99999  99999 99999    99999 99999  99999 99999  99999 99999  99999 99999  99999 99999
1135:  99999 99999  99999 99999  99999 99999  99999 99999  99999 99999    99999 99999  99999 99999  99999 99999  99999 99999  99999 99999
1136:  99999 99999  99999 99999  99999 99999  99999 99999  99999 99999    99999 99999  99999 99999  99999 99999  99999 99999  99999 99999
1137:  99999 99999  99999 99999  99999 99999  99999 99999  99999 99999    99999 99999  99999 99999  99999 99999  99999 99999  99999 99999
1138:  99999 99999  99999 99999  99999 99999  99999 99999  99999 99999    99999 99999  99999 99999  99999 99999  99999 99999  99999 99999
1139:  99999 99999  99999 99999  99999 99999  99999 99999  99999 99999    99999 99999  99999 99999  99999 99999  99999 99999  99999 99999
1140:  99999 99999  99999 99999  99999 99999  99999 99999  99999 99999    99999 99999  99999 99999  99999 99999  99999 99999  99999 99999
1141:  99999 99999  99999 99999  99999 99999  99999 99999  99999 99999    99999 99999  99999 99999  99999 99999  99999 99999  99999 99999
1142:  99999 99999  99999 99999  99999 99999  99999 99999  99999 99999    99999 99999  99999 99999  99999 99999  99999 99999  99999 99999
1143:  99999 99999  99999 99999  99999 99999  99999 99999  99999 99999    99999 99999  99999 99999  99999 99999  99999 99999  99999 99999
1144:  99999 99999  99999 99999  99999 99999  99999 99999  99999 99999    99999 99999  99999 99999  99999 99999  99999 99999  99999 99999
1145:  99999 99999  99999 99999  99999 99999  99999 99999  99999 99999    99999 99999  99999 99999  99999 99999  99999 99999  99999 99999
1146:  99999 99999  99999 99999  99999 99999  99999 99999  99999 99999    99999 99999  99999 99999  99999 99999  99999 99999  99999 99999
1147:  99999 99999  99999 99999  99999 99999  99999 99999  99999 99999    99999 99999  99999 99999  99999 99999  99999 99999  99999 99999
1148:  99999 99999  99999 99999  99999 99999  99999 99999  99999 99999    99999 99999  99999 99999  99999 99999  99999 99999  99999 99999
1149:  99999 99999  99999 99999  99999 99999  99999 99999  99999 99999    99999 99999  99999 99999  99999 99999  99999 99999  99999 99999
```

```
1150:  99999 99999  99999 99999  99999 99999  99999 99999  99999 99999   99999 99999  99999 99999  99999 99999  99999 99999  99999 99999
1151:  99999 99999  99999 99999  99999 99999  99999 99999  99999 99999   99999 99999  99999 99999  99999 99999  99999 99999  99999 99999
1152:  99999 99999  99999 99999  99999 99999  99999 99999  99999 99999   99999 99999  99999 99999  99999 99999  99999 99999  99999 99999
1153:  99999 99999  99999 99999  99999 99999  99999 99999  99999 99999   99999 99999  99999 99999  99999 99999  99999 99999  99999 99999
1154:  99999 99999  99999 99999  99999 99999  99999 99999  99999 99999   99999 99999  99999 99999  99999 99999  99999 99999  99999 99999
1155:  99999 99999  99999 99999  99999 99999  99999 99999  99999 99999   99999 99999  99999 99999  99999 99999  99999 99999  99999 99999
1156:  99999 99999  99999 99999  99999 99999  99999 99999  99999 99999   99999 99999  99999 99999  99999 99999  99999 99999  99999 99999
1157:  99999 99999  99999 99999  99999 99999  99999 99999  99999 99999   99999 99999  99999 99999  99999 99999  99999 99999  99999 99999
1158:  99999 99999  99999 99999  99999 99999  99999 99999  99999 99999   99999 99999  99999 99999  99999 99999  99999 99999  99999 99999
1159:  99999 99999  99999 99999  99999 99999  99999 99999  99999 99999   99999 99999  99999 99999  99999 99999  99999 99999  99999 99999
1160:  99999 99999  99999 99999  99999 99999  99999 99999  99999 99999   99999 99999  99999 99999  99999 99999  99999 99999  99999 99999
1161:  99999 99999  99999 99999  99999 99999  99999 99999  99999 99999   99999 99999  99999 99999  99999 99999  99999 99999  99999 99999
1162:  99999 99999  99999 99999  99999 99999  99999 99999  99999 99999   99999 99999  99999 99999  99999 99999  99999 99999  99999 99999
1163:  99999 99999  99999 99999  99999 99999  99999 99999  99999 99999   99999 99999  99999 99999  99999 99999  99999 99999  99999 99999
1164:  99999 99999  99999 99999  99999 99999  99999 99999  99999 99999   99999 99999  99999 99999  99999 99999  99999 99999  99999 99999
1165:  99999 99999  99999 99999  99999 99999  99999 99999  99999 99999   99999 99999  99999 99999  99999 99999  99999 99999  99999 99999
1166:  99999 99999  99999 99999  99999 99999  99999 99999  99999 99999   99999 99999  99999 99999  99999 99999  99999 99999  99999 99999
1167:  99999 99999  99999 99999  99999 99999  99999 99999  99999 99999   99999 99999  99999 99999  99999 99999  99999 99999  99999 99999
1168:  99999 99999  99999 99999  99999 99999  99999 99999  99999 99999   99999 99999  99999 99999  99999 99999  99999 99999  99999 99999
1169:  99999 99999  99999 99999  99999 99999  99999 99999  99999 99999   99999 99999  99999 99999  99999 99999  99999 99999  99999 99999
1170:  99999 99999  99999 99999  99999 99999  99999 99999  99999 99999   99999 99999  99999 99999  99999 99999  99999 99999  99999 99999
1171:  99999 99999  99999 99999  99999 99999  99999 99999  99999 99999   99999 99999  99999 99999  99999 99999  99999 99999  99999 99999
1172:  99999 99999  99999 99999  99999 99999  99999 99999  99999 99999   99999 99999  99999 99999  99999 99999  99999 99999  99999 99999
1173:  99999 99999  99999 99999  99999 99999  99999 99999  99999 99999   99999 99999  99999 99999  99999 99999  99999 99999  99999 99999
1174:  99999 99999  99999 99999  99999 99999  99999 99999  99999 99999   99999 99999  99999 99999  99999 99999  99999 99999  99999 99999
1175:  99999 99999  99999 99999  99999 99999  99999 99999  99999 99999   99999 99999  99999 99999  99999 99999  99999 99999  99999 99999
1176:  99999 99999  99999 99999  99999 99999  99999 99999  99999 99999   99999 99999  99999 99999  99999 99999  99999 99999  99999 99999
1177:  99999 99999  99999 99999  99999 99999  99999 99999  99999 99999   99999 99999  99999 99999  99999 99999  99999 99999  99999 99999
1178:  99999 99999  99999 99999  99999 99999  99999 99999  99999 99999   99999 99999  99999 99999  99999 99999  99999 99999  99999 99999
1179:  99999 99999  99999 99999  99999 99999  99999 99999  99999 99999   99999 99999  99999 99999  99999 99999  99999 99999  99999 99999
1180:  99999 99999  99999 99999  99999 99999  99999 99999  99999 99999   99999 99999  99999 99999  99999 99999  99999 99999  99999 99999
1181:  99999 99999  99999 99999  99999 99999  99999 99999  99999 99999   99999 99999  99999 99999  99999 99999  99999 99999  99999 99999
1182:  99999 99999  99999 99999  99999 99999  99999 99999  99999 99999   99999 99999  99999 99999  99999 99999  99999 99999  99999 99999
1183:  99999 99999  99999 99999  99999 99999  99999 99999  99999 99999   99999 99999  99999 99999  99999 99999  99999 99999  99999 99999
1184:  99999 99999  99999 99999  99999 99999  99999 99999  99999 99999   99999 99999  99999 99999  99999 99999  99999 99999  99999 99999
1185:  99999 99999  99999 99999  99999 99999  99999 99999  99999 99999   99999 99999  99999 99999  99999 99999  99999 99999  99999 99999
1186:  99999 99999  99999 99999  99999 99999  99999 99999  99999 99999   99999 99999  99999 99999  99999 99999  99999 99999  99999 99999
1187:  99999 99999  99999 99999  99999 99999  99999 99999  99999 99999   99999 99999  99999 99999  99999 99999  99999 99999  99999 99999
1188:  99999 99999  99999 99999  99999 99999  99999 99999  99999 99999   99999 99999  99999 99999  99999 99999  99999 99999  99999 99999
1189:  99999 99999  99999 99999  99999 99999  99999 99999  99999 99999   99999 99999  99999 99999  99999 99999  99999 99999  99999 99999
1190:  99999 99999  99999 99999  99999 99999  99999 99999  99999 99999   99999 99999  99999 99999  99999 99999  99999 99999  99999 99999
1191:  99999 99999  99999 99999  99999 99999  99999 99999  99999 99999   99999 99999  99999 99999  99999 99999  99999 99999  99999 99999
1192:  99999 99999  99999 99999  99999 99999  99999 99999  99999 99999   99999 99999  99999 99999  99999 99999  99999 99999  99999 99999
1193:  99999 99999  99999 99999  99999 99999  99999 99999  99999 99999   99999 99999  99999 99999  99999 99999  99999 99999  99999 99999
1194:  99999 99999  99999 99999  99999 99999  99999 99999  99999 99999   99999 99999  99999 99999  99999 99999  99999 99999  99999 99999
1195:  99999 99999  99999 99999  99999 99999  99999 99999  99999 99999   99999 99999  99999 99999  99999 99999  99999 99999  99999 99999
1196:  99999 99999  99999 99999  99999 99999  99999 99999  99999 99999   99999 99999  99999 99999  99999 99999  99999 99999  99999 99999
1197:  99999 99999  99999 99999  99999 99999  99999 99999  99999 99999   99999 99999  99999 99999  99999 99999  99999 99999  99999 99999
1198:  99999 99999  99999 99999  99999 99999  99999 99999  99999 99999   99999 99999  99999 99999  99999 99999  99999 99999  99999 99999
1199:  99999 99999  99999 99999  99999 99999  99999 99999  99999 99999   99999 99999  99999 99999  99999 99999  99999 99999  99999 99999
```

```
1200:  99999 99999  99999 99999  99999 99999  99999 99999  99999 99999    99999 99999  99999 99999  99999 99999  99999 99999  99999 99999
1201:  99999 99999  99999 99999  99999 99999  99999 99999  99999 99999    99999 99999  99999 99999  99999 99999  99999 99999  99999 99999
1202:  99999 99999  99999 99999  99999 99999  99999 99999  99999 99999    99999 99999  99999 99999  99999 99999  99999 99999  99999 99999
1203:  99999 99999  99999 99999  99999 99999  99999 99999  99999 99999    99999 99999  99999 99999  99999 99999  99999 99999  99999 99999
1204:  99999 99999  99999 99999  99999 99999  99999 99999  99999 99999    99999 99999  99999 99999  99999 99999  99999 99999  99999 99999
1205:  99999 99999  99999 99999  99999 99999  99999 99999  99999 99999    99999 99999  99999 99999  99999 99999  99999 99999  99999 99999
1206:  99999 99999  99999 99999  99999 99999  99999 99999  99999 99999    99999 99999  99999 99999  99999 99999  99999 99999  99999 99999
1207:  99999 99999  99999 99999  99999 99999  99999 99999  99999 99999    99999 99999  99999 99999  99999 99999  99999 99999  99999 99999
1208:  99999 99999  99999 99999  99999 99999  99999 99999  99999 99999    99999 99999  99999 99999  99999 99999  99999 99999  99999 99999
1209:  99999 99999  99999 99999  99999 99999  99999 99999  99999 99999    99999 99999  99999 99999  99999 99999  99999 99999  99999 99999
1210:  99999 99999  99999 99999  99999 99999  99999 99999  99999 99999    99999 99999  99999 99999  99999 99999  99999 99999  99999 99999
1211:  99999 99999  99999 99999  99999 99999  99999 99999  99999 99999    99999 99999  99999 99999  99999 99999  99999 99999  99999 99999
1212:  99999 99999  99999 99999  99999 99999  99999 99999  99999 99999    99999 99999  99999 99999  99999 99999  99999 99999  99999 99999
1213:  99999 99999  99999 99999  99999 99999  99999 99999  99999 99999    99999 99999  99999 99999  99999 99999  99999 99999  99999 99999
1214:  99999 99999  99999 99999  99999 99999  99999 99999  99999 99999    99999 99999  99999 99999  99999 99999  99999 99999  99999 99999
1215:  99999 99999  99999 99999  99999 99999  99999 99999  99999 99999    99999 99999  99999 99999  99999 99999  99999 99999  99999 99999
1216:  99999 99999  99999 99999  99999 99999  99999 99999  99999 99999    99999 99999  99999 99999  99999 99999  99999 99999  99999 99999
1217:  99999 99999  99999 99999  99999 99999  99999 99999  99999 99999    99999 99999  99999 99999  99999 99999  99999 99999  99999 99999
1218:  99999 99999  99999 99999  99999 99999  99999 99999  99999 99999    99999 99999  99999 99999  99999 99999  99999 99999  99999 99999
1219:  99999 99999  99999 99999  99999 99999  99999 99999  99999 99999    99999 99999  99999 99999  99999 99999  99999 99999  99999 99999
1220:  99999 99999  99999 99999  99999 99999  99999 99999  99999 99999    99999 99999  99999 99999  99999 99999  99999 99999  99999 99999
1221:  99999 99999  99999 99999  99999 99999  99999 99999  99999 99999    99999 99999  99999 99999  99999 99999  99999 99999  99999 99999
1222:  99999 99999  99999 99999  99999 99999  99999 99999  99999 99999    99999 99999  99999 99999  99999 99999  99999 99999  99999 99999
1223:  99999 99999  99999 99999  99999 99999  99999 99999  99999 99999    99999 99999  99999 99999  99999 99999  99999 99999  99999 99999
1224:  99999 99999  99999 99999  99999 99999  99999 99999  99999 99999    99999 99999  99999 99999  99999 99999  99999 99999  99999 99999
1225:  99999 99999  99999 99999  99999 99999  99999 99999  99999 99999    99999 99999  99999 99999  99999 99999  99999 99999  99999 99999
1226:  99999 99999  99999 99999  99999 99999  99999 99999  99999 99999    99999 99999  99999 99999  99999 99999  99999 99999  99999 99999
1227:  99999 99999  99999 99999  99999 99999  99999 99999  99999 99999    99999 99999  99999 99999  99999 99999  99999 99999  99999 99999
1228:  99999 99999  99999 99999  99999 99999  99999 99999  99999 99999    99999 99999  99999 99999  99999 99999  99999 99999  99999 99999
1229:  99999 99999  99999 99999  99999 99999  99999 99999  99999 99999    99999 99999  99999 99999  99999 99999  99999 99999  99999 99999
1230:  99999 99999  99999 99999  99999 99999  99999 99999  99999 99999    99999 99999  99999 99999  99999 99999  99999 99999  99999 99999
1231:  99999 99999  99999 99999  99999 99999  99999 99999  99999 99999    99999 99999  99999 99999  99999 99999  99999 99999  99999 99999
1232:  99999 99999  99999 99999  99999 99999  99999 99999  99999 99999    99999 99999  99999 99999  99999 99999  99999 99999  99999 99999
1233:  99999 99999  99999 99999  99999 99999  99999 99999  99999 99999    99999 99999  99999 99999  99999 99999  99999 99999  99999 99999
1234:  99999 99999  99999 99999  99999 99999  99999 99999  99999 99999    99999 99999  99999 99999  99999 99999  99999 99999  99999 99999
1235:  99999 99999  99999 99999  99999 99999  99999 99999  99999 99999    99999 99999  99999 99999  99999 99999  99999 99999  99999 99999
1236:  99999 99999  99999 99999  99999 99999  99999 99999  99999 99999    99999 99999  99999 99999  99999 99999  99999 99999  99999 99999
1237:  99999 99999  99999 99999  99999 99999  99999 99999  99999 99999    99999 99999  99999 99999  99999 99999  99999 99999  99999 99999
1238:  99999 99999  99999 99999  99999 99999  99999 99999  99999 99999    99999 99999  99999 99999  99999 99999  99999 99999  99999 99999
1239:  99999 99999  99999 99999  99999 99999  99999 99999  99999 99999    99999 99999  99999 99999  99999 99999  99999 99999  99999 99999
1240:  99999 99999  99999 99999  99999 99999  99999 99999  99999 99999    99999 99999  99999 99999  99999 99999  99999 99999  99999 99999
1241:  99999 99999  99999 99999  99999 99999  99999 99999  99999 99999    99999 99999  99999 99999  99999 99999  99999 99999  99999 99999
1242:  99999 99999  99999 99999  99999 99999  99999 99999  99999 99999    99999 99999  99999 99999  99999 99999  99999 99999  99999 99999
1243:  99999 99999  99999 99999  99999 99999  99999 99999  99999 99999    99999 99999  99999 99999  99999 99999  99999 99999  99999 99999
1244:  99999 99999  99999 99999  99999 99999  99999 99999  99999 99999    99999 99999  99999 99999  99999 99999  99999 99999  99999 99999
1245:  99999 99999  99999 99999  99999 99999  99999 99999  99999 99999    99999 99999  99999 99999  99999 99999  99999 99999  99999 99999
1246:  99999 99999  99999 99999  99999 99999  99999 99999  99999 99999    99999 99999  99999 99999  99999 99999  99999 99999  99999 99999
1247:  99999 99999  99999 99999  99999 99999  99999 99999  99999 99999    99999 99999  99999 99999  99999 99999  99999 99999  99999 99999
1248:  99999 99999  99999 99999  99999 99999  99999 99999  99999 99999    99999 99999  99999 99999  99999 99999  99999 99999  99999 99999
1249:  99999 99999  99999 99999  99999 99999  99999 99999  99999 99999    99999 99999  99999 99999  99999 99999  99999 99999  99999 99999
```

```
1250:  99999 99999  99999 99999  99999 99999  99999 99999  99999 99999    99999 99999  99999 99999  99999 99999  99999 99999  99999 99999
1251:  99999 99999  99999 99999  99999 99999  99999 99999  99999 99999    99999 99999  99999 99999  99999 99999  99999 99999  99999 99999
1252:  99999 99999  99999 99999  99999 99999  99999 99999  99999 99999    99999 99999  99999 99999  99999 99999  99999 99999  99999 99999
1253:  99999 99999  99999 99999  99999 99999  99999 99999  99999 99999    99999 99999  99999 99999  99999 99999  99999 99999  99999 99999
1254:  99999 99999  99999 99999  99999 99999  99999 99999  99999 99999    99999 99999  99999 99999  99999 99999  99999 99999  99999 99999
1255:  99999 99999  99999 99999  99999 99999  99999 99999  99999 99999    99999 99999  99999 99999  99999 99999  99999 99999  99999 99999
1256:  99999 99999  99999 99999  99999 99999  99999 99999  99999 99999    99999 99999  99999 99999  99999 99999  99999 99999  99999 99999
1257:  99999 99999  99999 99999  99999 99999  99999 99999  99999 99999    99999 99999  99999 99999  99999 99999  99999 99999  99999 99999
1258:  99999 99999  99999 99999  99999 99999  99999 99999  99999 99999    99999 99999  99999 99999  99999 99999  99999 99999  99999 99999
1259:  99999 99999  99999 99999  99999 99999  99999 99999  99999 99999    99999 99999  99999 99999  99999 99999  99999 99999  99999 99999
1260:  99999 99999  99999 99999  99999 99999  99999 99999  99999 99999    99999 99999  99999 99999  99999 99999  99999 99999  99999 99999
1261:  99999 99999  99999 99999  99999 99999  99999 99999  99999 99999    99999 99999  99999 99999  99999 99999  99999 99999  99999 99999
1262:  99999 99999  99999 99999  99999 99999  99999 99999  99999 99999    99999 99999  99999 99999  99999 99999  99999 99999  99999 99999
1263:  99999 99999  99999 99999  99999 99999  99999 99999  99999 99999    99999 99999  99999 99999  99999 99999  99999 99999  99999 99999
1264:  99999 99999  99999 99999  99999 99999  99999 99999  99999 99999    99999 99999  99999 99999  99999 99999  99999 99999  99999 99999
1265:  99999 99999  99999 99999  99999 99999  99999 99999  99999 99999    99999 99999  99999 99999  99999 99999  99999 99999  99999 99999
1266:  99999 99999  99999 99999  99999 99999  99999 99999  99999 99999    99999 99999  99999 99999  99999 99999  99999 99999  99999 99999
1267:  99999 99999  99999 99999  99999 99999  99999 99999  99999 99999    99999 99999  99999 99999  99999 99999  99999 99999  99999 99999
1268:  99999 99999  99999 99999  99999 99999  99999 99999  99999 99999    99999 99999  99999 99999  99999 99999  99999 99999  99999 99999
1269:  99999 99999  99999 99999  99999 99999  99999 99999  99999 99999    99999 99999  99999 99999  99999 99999  99999 99999  99999 99999
1270:  99999 99999  99999 99999  99999 99999  99999 99999  99999 99999    99999 99999  99999 99999  99999 99999  99999 99999  99999 99999
1271:  99999 99999  99999 99999  99999 99999  99999 99999  99999 99999    99999 99999  99999 99999  99999 99999  99999 99999  99999 99999
1272:  99999 99999  99999 99999  99999 99999  99999 99999  99999 99999    99999 99999  99999 99999  99999 99999  99999 99999  99999 99999
1273:  99999 99999  99999 99999  99999 99999  99999 99999  99999 99999    99999 99999  99999 99999  99999 99999  99999 99999  99999 99999
1274:  99999 99999  99999 99999  99999 99999  99999 99999  99999 99999    99999 99999  99999 99999  99999 99999  99999 99999  99999 99999
1275:  99999 99999  99999 99999  99999 99999  99999 99999  99999 99999    99999 99999  99999 99999  99999 99999  99999 99999  99999 99999
1276:  99999 99999  99999 99999  99999 99999  99999 99999  99999 99999    99999 99999  99999 99999  99999 99999  99999 99999  99999 99999
1277:  99999 99999  99999 99999  99999 99999  99999 99999  99999 99999    99999 99999  99999 99999  99999 99999  99999 99999  99999 99999
1278:  99999 99999  99999 99999  99999 99999  99999 99999  99999 99999    99999 99999  99999 99999  99999 99999  99999 99999  99999 99999
1279:  99999 99999  99999 99999  99999 99999  99999 99999  99999 99999    99999 99999  99999 99999  99999 99999  99999 99999  99999 99999
1280:  99999 99999  99999 99999  99999 99999  99999 99999  99999 99999    99999 99999  99999 99999  99999 99999  99999 99999  99999 99999
1281:  99999 99999  99999 99999  99999 99999  99999 99999  99999 99999    99999 99999  99999 99999  99999 99999  99999 99999  99999 99999
1282:  99999 99999  99999 99999  99999 99999  99999 99999  99999 99999    99999 99999  99999 99999  99999 99999  99999 99999  99999 99999
1283:  99999 99999  99999 99999  99999 99999  99999 99999  99999 99999    99999 99999  99999 99999  99999 99999  99999 99999  99999 99999
1284:  99999 99999  99999 99999  99999 99999  99999 99999  99999 99999    99999 99999  99999 99999  99999 99999  99999 99999  99999 99999
1285:  99999 99999  99999 99999  99999 99999  99999 99999  99999 99999    99999 99999  99999 99999  99999 99999  99999 99999  99999 99999
1286:  99999 99999  99999 99999  99999 99999  99999 99999  99999 99999    99999 99999  99999 99999  99999 99999  99999 99999  99999 99999
1287:  99999 99999  99999 99999  99999 99999  99999 99999  99999 99999    99999 99999  99999 99999  99999 99999  99999 99999  99999 99999
1288:  99999 99999  99999 99999  99999 99999  99999 99999  99999 99999    99999 99999  99999 99999  99999 99999  99999 99999  99999 99999
1289:  99999 99999  99999 99999  99999 99999  99999 99999  99999 99999    99999 99999  99999 99999  99999 99999  99999 99999  99999 99999
1290:  99999 99999  99999 99999  99999 99999  99999 99999  99999 99999    99999 99999  99999 99999  99999 99999  99999 99999  99999 99999
1291:  99999 99999  99999 99999  99999 99999  99999 99999  99999 99999    99999 99999  99999 99999  99999 99999  99999 99999  99999 99999
1292:  99999 99999  99999 99999  99999 99999  99999 99999  99999 99999    99999 99999  99999 99999  99999 99999  99999 99999  99999 99999
1293:  99999 99999  99999 99999  99999 99999  99999 99999  99999 99999    99999 99999  99999 99999  99999 99999  99999 99999  99999 99999
1294:  99999 99999  99999 99999  99999 99999  99999 99999  99999 99999    99999 99999  99999 99999  99999 99999  99999 99999  99999 99999
1295:  99999 99999  99999 99999  99999 99999  99999 99999  99999 99999    99999 99999  99999 99999  99999 99999  99999 99999  99999 99999
1296:  99999 99999  99999 99999  99999 99999  99999 99999  99999 99999    99999 99999  99999 99999  99999 99999  99999 99999  99999 99999
1297:  99999 99999  99999 99999  99999 99999  99999 99999  99999 99999    99999 99999  99999 99999  99999 99999  99999 99999  99999 99999
1298:  99999 99999  99999 99999  99999 99999  99999 99999  99999 99999    99999 99999  99999 99999  99999 99999  99999 99999  99999 99999
1299:  99999 99999  99999 99999  99999 99999  99999 99999  99999 99999    99999 99999  99999 99999  99999 99999  99999 99999  99999 99999
```

```
1300:  99999 99999  99999 99999  99999 99999  99999 99999  99999 99999    99999 99999  99999 99999  99999 99999  99999 99999  99999 99999
1301:  99999 99999  99999 99999  99999 99999  99999 99999  99999 99999    99999 99999  99999 99999  99999 99999  99999 99999  99999 99999
1302:  99999 99999  99999 99999  99999 99999  99999 99999  99999 99999    99999 99999  99999 99999  99999 99999  99999 99999  99999 99999
1303:  99999 99999  99999 99999  99999 99999  99999 99999  99999 99999    99999 99999  99999 99999  99999 99999  99999 99999  99999 99999
1304:  99999 99999  99999 99999  99999 99999  99999 99999  99999 99999    99999 99999  99999 99999  99999 99999  99999 99999  99999 99999
1305:  99999 99999  99999 99999  99999 99999  99999 99999  99999 99999    99999 99999  99999 99999  99999 99999  99999 99999  99999 99999
1306:  99999 99999  99999 99999  99999 99999  99999 99999  99999 99999    99999 99999  99999 99999  99999 99999  99999 99999  99999 99999
1307:  99999 99999  99999 99999  99999 99999  99999 99999  99999 99999    99999 99999  99999 99999  99999 99999  99999 99999  99999 99999
1308:  99999 99999  99999 99999  99999 99999  99999 99999  99999 99999    99999 99999  99999 99999  99999 99999  99999 99999  99999 99999
1309:  99999 99999  99999 99999  99999 99999  99999 99999  99999 99999    99999 99999  99999 99999  99999 99999  99999 99999  99999 99999
1310:  99999 99999  99999 99999  99999 99999  99999 99999  99999 99999    99999 99999  99999 99999  99999 99999  99999 99999  99999 99999
1311:  99999 99999  99999 99999  99999 99999  99999 99999  99999 99999    99999 99999  99999 99999  99999 99999  99999 99999  99999 99999
1312:  99999 99999  99999 99999  99999 99999  99999 99999  99999 99999    99999 99999  99999 99999  99999 99999  99999 99999  99999 99999
1313:  99999 99999  99999 99999  99999 99999  99999 99999  99999 99999    99999 99999  99999 99999  99999 99999  99999 99999  99999 99999
1314:  99999 99999  99999 99999  99999 99999  99999 99999  99999 99999    99999 99999  99999 99999  99999 99999  99999 99999  99999 99999
1315:  99999 99999  99999 99999  99999 99999  99999 99999  99999 99999    99999 99999  99999 99999  99999 99999  99999 99999  99999 99999
1316:  99999 99999  99999 99999  99999 99999  99999 99999  99999 99999    99999 99999  99999 99999  99999 99999  99999 99999  99999 99999
1317:  99999 99999  99999 99999  99999 99999  99999 99999  99999 99999    99999 99999  99999 99999  99999 99999  99999 99999  99999 99999
1318:  99999 99999  99999 99999  99999 99999  99999 99999  99999 99999    99999 99999  99999 99999  99999 99999  99999 99999  99999 99999
1319:  99999 99999  99999 99999  99999 99999  99999 99999  99999 99999    99999 99999  99999 99999  99999 99999  99999 99999  99999 99999
1320:  99999 99999  99999 99999  99999 99999  99999 99999  99999 99999    99999 99999  99999 99999  99999 99999  99999 99999  99999 99999
1321:  99999 99999  99999 99999  99999 99999  99999 99999  99999 99999    99999 99999  99999 99999  99999 99999  99999 99999  99999 99999
1322:  99999 99999  99999 99999  99999 99999  99999 99999  99999 99999    99999 99999  99999 99999  99999 99999  99999 99999  99999 99999
1323:  99999 99999  99999 99999  99999 99999  99999 99999  99999 99999    99999 99999  99999 99999  99999 99999  99999 99999  99999 99999
1324:  99999 99999  99999 99999  99999 99999  99999 99999  99999 99999    99999 99999  99999 99999  99999 99999  99999 99999  99999 99999
1325:  99999 99999  99999 99999  99999 99999  99999 99999  99999 99999    99999 99999  99999 99999  99999 99999  99999 99999  99999 99999
1326:  99999 99999  99999 99999  99999 99999  99999 99999  99999 99999    99999 99999  99999 99999  99999 99999  99999 99999  99999 99999
1327:  99999 99999  99999 99999  99999 99999  99999 99999  99999 99999    99999 99999  99999 99999  99999 99999  99999 99999  99999 99999
1328:  99999 99999  99999 99999  99999 99999  99999 99999  99999 99999    99999 99999  99999 99999  99999 99999  99999 99999  99999 99999
1329:  99999 99999  99999 99999  99999 99999  99999 99999  99999 99999    99999 99999  99999 99999  99999 99999  99999 99999  99999 99999
1330:  99999 99999  99999 99999  99999 99999  99999 99999  99999 99999    99999 99999  99999 99999  99999 99999  99999 99999  99999 99999
1331:  99999 99999  99999 99999  99999 99999  99999 99999  99999 99999    99999 99999  99999 99999  99999 99999  99999 99999  99999 99999
1332:  99999 99999  99999 99999  99999 99999  99999 99999  99999 99999    99999 99999  99999 99999  99999 99999  99999 99999  99999 99999
1333:  99999 99999  99999 99999  99999 99999  99999 99999  99999 99999    99999 99999  99999 99999  99999 99999  99999 99999  99999 99999
1334:  99999 99999  99999 99999  99999 99999  99999 99999  99999 99999    99999 99999  99999 99999  99999 99999  99999 99999  99999 99999
1335:  99999 99999  99999 99999  99999 99999  99999 99999  99999 99999    99999 99999  99999 99999  99999 99999  99999 99999  99999 99999
1336:  99999 99999  99999 99999  99999 99999  99999 99999  99999 99999    99999 99999  99999 99999  99999 99999  99999 99999  99999 99999
1337:  99999 99999  99999 99999  99999 99999  99999 99999  99999 99999    99999 99999  99999 99999  99999 99999  99999 99999  99999 99999
1338:  99999 99999  99999 99999  99999 99999  99999 99999  99999 99999    99999 99999  99999 99999  99999 99999  99999 99999  99999 99999
1339:  99999 99999  99999 99999  99999 99999  99999 99999  99999 99999    99999 99999  99999 99999  99999 99999  99999 99999  99999 99999
1340:  99999 99999  99999 99999  99999 99999  99999 99999  99999 99999    99999 99999  99999 99999  99999 99999  99999 99999  99999 99999
1341:  99999 99999  99999 99999  99999 99999  99999 99999  99999 99999    99999 99999  99999 99999  99999 99999  99999 99999  99999 99999
1342:  99999 99999  99999 99999  99999 99999  99999 99999  99999 99999    99999 99999  99999 99999  99999 99999  99999 99999  99999 99999
1343:  99999 99999  99999 99999  99999 99999  99999 99999  99999 99999    99999 99999  99999 99999  99999 99999  99999 99999  99999 99999
1344:  99999 99999  99999 99999  99999 99999  99999 99999  99999 99999    99999 99999  99999 99999  99999 99999  99999 99999  99999 99999
1345:  99999 99999  99999 99999  99999 99999  99999 99999  99999 99999    99999 99999  99999 99999  99999 99999  99999 99999  99999 99999
1346:  99999 99999  99999 99999  99999 99999  99999 99999  99999 99999    99999 99999  99999 99999  99999 99999  99999 99999  99999 99999
1347:  99999 99999  99999 99999  99999 99999  99999 99999  99999 99999    99999 99999  99999 99999  99999 99999  99999 99999  99999 99999
1348:  99999 99999  99999 99999  99999 99999  99999 99999  99999 99999    99999 99999  99999 99999  99999 99999  99999 99999  99999 99999
1349:  99999 99999  99999 99999  99999 99999  99999 99999  99999 99999    99999 99999  99999 99999  99999 99999  99999 99999  99999 99999
```

```
1350: 99999 99999  99999 99999  99999 99999  99999 99999  99999 99999    99999 99999  99999 99999  99999 99999  99999 99999  99999 99999
1351: 99999 99999  99999 99999  99999 99999  99999 99999  99999 99999    99999 99999  99999 99999  99999 99999  99999 99999  99999 99999
1352: 99999 99999  99999 99999  99999 99999  99999 99999  99999 99999    99999 99999  99999 99999  99999 99999  99999 99999  99999 99999
1353: 99999 99999  99999 99999  99999 99999  99999 99999  99999 99999    99999 99999  99999 99999  99999 99999  99999 99999  99999 99999
1354: 99999 99999  99999 99999  99999 99999  99999 99999  99999 99999    99999 99999  99999 99999  99999 99999  99999 99999  99999 99999
1355: 99999 99999  99999 99999  99999 99999  99999 99999  99999 99999    99999 99999  99999 99999  99999 99999  99999 99999  99999 99999
1356: 99999 99999  99999 99999  99999 99999  99999 99999  99999 99999    99999 99999  99999 99999  99999 99999  99999 99999  99999 99999
1357: 99999 99999  99999 99999  99999 99999  99999 99999  99999 99999    99999 99999  99999 99999  99999 99999  99999 99999  99999 99999
1358: 99999 99999  99999 99999  99999 99999  99999 99999  99999 99999    99999 99999  99999 99999  99999 99999  99999 99999  99999 99999
1359: 99999 99999  99999 99999  99999 99999  99999 99999  99999 99999    99999 99999  99999 99999  99999 99999  99999 99999  99999 99999
1360: 99999 99999  99999 99999  99999 99999  99999 99999  99999 99999    99999 99999  99999 99999  99999 99999  99999 99999  99999 99999
1361: 99999 99999  99999 99999  99999 99999  99999 99999  99999 99999    99999 99999  99999 99999  99999 99999  99999 99999  99999 99999
1362: 99999 99999  99999 99999  99999 99999  99999 99999  99999 99999    99999 99999  99999 99999  99999 99999  99999 99999  99999 99999
1363: 99999 99999  99999 99999  99999 99999  99999 99999  99999 99999    99999 99999  99999 99999  99999 99999  99999 99999  99999 99999
1364: 99999 99999  99999 99999  99999 99999  99999 99999  99999 99999    99999 99999  99999 99999  99999 99999  99999 99999  99999 99999
1365: 99999 99999  99999 99999  99999 99999  99999 99999  99999 99999    99999 99999  99999 99999  99999 99999  99999 99999  99999 99999
1366: 99999 99999  99999 99999  99999 99999  99999 99999  99999 99999    99999 99999  99999 99999  99999 99999  99999 99999  99999 99999
1367: 99999 99999  99999 99999  99999 99999  99999 99999  99999 99999    99999 99999  99999 99999  99999 99999  99999 99999  99999 99999
1368: 99999 99999  99999 99999  99999 99999  99999 99999  99999 99999    99999 99999  99999 99999  99999 99999  99999 99999  99999 99999
1369: 99999 99999  99999 99999  99999 99999  99999 99999  99999 99999    99999 99999  99999 99999  99999 99999  99999 99999  99999 99999
1370: 99999 99999  99999 99999  99999 99999  99999 99999  99999 99999    99999 99999  99999 99999  99999 99999  99999 99999  99999 99999
1371: 99999 99999  99999 99999  99999 99999  99999 99999  99999 99999    99999 99999  99999 99999  99999 99999  99999 99999  99999 99999
1372: 99999 99999  99999 99999  99999 99999  99999 99999  99999 99999    99999 99999  99999 99999  99999 99999  99999 99999  99999 99999
1373: 99999 99999  99999 99999  99999 99999  99999 99999  99999 99999    99999 99999  99999 99999  99999 99999  99999 99999  99999 99999
1374: 99999 99999  99999 99999  99999 99999  99999 99999  99999 99999    99999 99999  99999 99999  99999 99999  99999 99999  99999 99999
1375: 99999 99999  99999 99999  99999 99999  99999 99999  99999 99999    99999 99999  99999 99999  99999 99999  99999 99999  99999 99999
1376: 99999 99999  99999 99999  99999 99999  99999 99999  99999 99999    99999 99999  99999 99999  99999 99999  99999 99999  99999 99999
1377: 99999 99999  99999 99999  99999 99999  99999 99999  99999 99999    99999 99999  99999 99999  99999 99999  99999 99999  99999 99999
1378: 99999 99999  99999 99999  99999 99999  99999 99999  99999 99999    99999 99999  99999 99999  99999 99999  99999 99999  99999 99999
1379: 99999 99999  99999 99999  99999 99999  99999 99999  99999 99999    99999 99999  99999 99999  99999 99999  99999 99999  99999 99999
1380: 99999 99999  99999 99999  99999 99999  99999 99999  99999 99999    99999 99999  99999 99999  99999 99999  99999 99999  99999 99999
1381: 99999 99999  99999 99999  99999 99999  99999 99999  99999 99999    99999 99999  99999 99999  99999 99999  99999 99999  99999 99999
1382: 99999 99999  99999 99999  99999 99999  99999 99999  99999 99999    99999 99999  99999 99999  99999 99999  99999 99999  99999 99999
1383: 99999 99999  99999 99999  99999 99999  99999 99999  99999 99999    99999 99999  99999 99999  99999 99999  99999 99999  99999 99999
1384: 99999 99999  99999 99999  99999 99999  99999 99999  99999 99999    99999 99999  99999 99999  99999 99999  99999 99999  99999 99999
1385: 99999 99999  99999 99999  99999 99999  99999 99999  99999 99999    99999 99999  99999 99999  99999 99999  99999 99999  99999 99999
1386: 99999 99999  99999 99999  99999 99999  99999 99999  99999 99999    99999 99999  99999 99999  99999 99999  99999 99999  99999 99999
1387: 99999 99999  99999 99999  99999 99999  99999 99999  99999 99999    99999 99999  99999 99999  99999 99999  99999 99999  99999 99999
1388: 99999 99999  99999 99999  99999 99999  99999 99999  99999 99999    99999 99999  99999 99999  99999 99999  99999 99999  99999 99999
1389: 99999 99999  99999 99999  99999 99999  99999 99999  99999 99999    99999 99999  99999 99999  99999 99999  99999 99999  99999 99999
1390: 99999 99999  99999 99999  99999 99999  99999 99999  99999 99999    99999 99999  99999 99999  99999 99999  99999 99999  99999 99999
1391: 99999 99999  99999 99999  99999 99999  99999 99999  99999 99999    99999 99999  99999 99999  99999 99999  99999 99999  99999 99999
1392: 99999 99999  99999 99999  99999 99999  99999 99999  99999 99999    99999 99999  99999 99999  99999 99999  99999 99999  99999 99999
1393: 99999 99999  99999 99999  99999 99999  99999 99999  99999 99999    99999 99999  99999 99999  99999 99999  99999 99999  99999 99999
1394: 99999 99999  99999 99999  99999 99999  99999 99999  99999 99999    99999 99999  99999 99999  99999 99999  99999 99999  99999 99999
1395: 99999 99999  99999 99999  99999 99999  99999 99999  99999 99999    99999 99999  99999 99999  99999 99999  99999 99999  99999 99999
1396: 99999 99999  99999 99999  99999 99999  99999 99999  99999 99999    99999 99999  99999 99999  99999 99999  99999 99999  99999 99999
1397: 99999 99999  99999 99999  99999 99999  99999 99999  99999 99999    99999 99999  99999 99999  99999 99999  99999 99999  99999 99999
1398: 99999 99999  99999 99999  99999 99999  99999 99999  99999 99999    99999 99999  99999 99999  99999 99999  99999 99999  99999 99999
1399: 99999 99999  99999 99999  99999 99999  99999 99999  99999 99999    99999 99999  99999 99999  99999 99999  99999 99999  99999 99999
```

```
1400:  99999 99999  99999 99999  99999 99999  99999 99999  99999 99999    99999 99999  99999 99999  99999 99999  99999 99999  99999 99999
1401:  99999 99999  99999 99999  99999 99999  99999 99999  99999 99999    99999 99999  99999 99999  99999 99999  99999 99999  99999 99999
1402:  99999 99999  99999 99999  99999 99999  99999 99999  99999 99999    99999 99999  99999 99999  99999 99999  99999 99999  99999 99999
1403:  99999 99999  99999 99999  99999 99999  99999 99999  99999 99999    99999 99999  99999 99999  99999 99999  99999 99999  99999 99999
1404:  99999 99999  99999 99999  99999 99999  99999 99999  99999 99999    99999 99999  99999 99999  99999 99999  99999 99999  99999 99999
1405:  99999 99999  99999 99999  99999 99999  99999 99999  99999 99999    99999 99999  99999 99999  99999 99999  99999 99999  99999 99999
1406:  99999 99999  99999 99999  99999 99999  99999 99999  99999 99999    99999 99999  99999 99999  99999 99999  99999 99999  99999 99999
1407:  99999 99999  99999 99999  99999 99999  99999 99999  99999 99999    99999 99999  99999 99999  99999 99999  99999 99999  99999 99999
1408:  99999 99999  99999 99999  99999 99999  99999 99999  99999 99999    99999 99999  99999 99999  99999 99999  99999 99999  99999 99999
1409:  99999 99999  99999 99999  99999 99999  99999 99999  99999 99999    99999 99999  99999 99999  99999 99999  99999 99999  99999 99999
1410:  99999 99999  99999 99999  99999 99999  99999 99999  99999 99999    99999 99999  99999 99999  99999 99999  99999 99999  99999 99999
1411:  99999 99999  99999 99999  99999 99999  99999 99999  99999 99999    99999 99999  99999 99999  99999 99999  99999 99999  99999 99999
1412:  99999 99999  99999 99999  99999 99999  99999 99999  99999 99999    99999 99999  99999 99999  99999 99999  99999 99999  99999 99999
1413:  99999 99999  99999 99999  99999 99999  99999 99999  99999 99999    99999 99999  99999 99999  99999 99999  99999 99999  99999 99999
1414:  99999 99999  99999 99999  99999 99999  99999 99999  99999 99999    99999 99999  99999 99999  99999 99999  99999 99999  99999 99999
1415:  99999 99999  99999 99999  99999 99999  99999 99999  99999 99999    99999 99999  99999 99999  99999 99999  99999 99999  99999 99999
1416:  99999 99999  99999 99999  99999 99999  99999 99999  99999 99999    99999 99999  99999 99999  99999 99999  99999 99999  99999 99999
1417:  99999 99999  99999 99999  99999 99999  99999 99999  99999 99999    99999 99999  99999 99999  99999 99999  99999 99999  99999 99999
1418:  99999 99999  99999 99999  99999 99999  99999 99999  99999 99999    99999 99999  99999 99999  99999 99999  99999 99999  99999 99999
1419:  99999 99999  99999 99999  99999 99999  99999 99999  99999 99999    99999 99999  99999 99999  99999 99999  99999 99999  99999 99999
1420:  99999 99999  99999 99999  99999 99999  99999 99999  99999 99999    99999 99999  99999 99999  99999 99999  99999 99999  99999 99999
1421:  99999 99999  99999 99999  99999 99999  99999 99999  99999 99999    99999 99999  99999 99999  99999 99999  99999 99999  99999 99999
1422:  99999 99999  99999 99999  99999 99999  99999 99999  99999 99999    99999 99999  99999 99999  99999 99999  99999 99999  99999 99999
1423:  99999 99999  99999 99999  99999 99999  99999 99999  99999 99999    99999 99999  99999 99999  99999 99999  99999 99999  99999 99999
1424:  99999 99999  99999 99999  99999 99999  99999 99999  99999 99999    99999 99999  99999 99999  99999 99999  99999 99999  99999 99999
1425:  99999 99999  99999 99999  99999 99999  99999 99999  99999 99999    99999 99999  99999 99999  99999 99999  99999 99999  99999 99999
1426:  99999 99999  99999 99999  99999 99999  99999 99999  99999 99999    99999 99999  99999 99999  99999 99999  99999 99999  99999 99999
1427:  99999 99999  99999 99999  99999 99999  99999 99999  99999 99999    99999 99999  99999 99999  99999 99999  99999 99999  99999 99999
1428:  99999 99999  99999 99999  99999 99999  99999 99999  99999 99999    99999 99999  99999 99999  99999 99999  99999 99999  99999 99999
1429:  99999 99999  99999 99999  99999 99999  99999 99999  99999 99999    99999 99999  99999 99999  99999 99999  99999 99999  99999 99999
1430:  99999 99999  99999 99999  99999 99999  99999 99999  99999 99999    99999 99999  99999 99999  99999 99999  99999 99999  99999 99999
1431:  99999 99999  99999 99999  99999 99999  99999 99999  99999 99999    99999 99999  99999 99999  99999 99999  99999 99999  99999 99999
1432:  99999 99999  99999 99999  99999 99999  99999 99999  99999 99999    99999 99999  99999 99999  99999 99999  99999 99999  99999 99999
1433:  99999 99999  99999 99999  99999 99999  99999 99999  99999 99999    99999 99999  99999 99999  99999 99999  99999 99999  99999 99999
1434:  99999 99999  99999 99999  99999 99999  99999 99999  99999 99999    99999 99999  99999 99999  99999 99999  99999 99999  99999 99999
1435:  99999 99999  99999 99999  99999 99999  99999 99999  99999 99999    99999 99999  99999 99999  99999 99999  99999 99999  99999 99999
1436:  99999 99999  99999 99999  99999 99999  99999 99999  99999 99999    99999 99999  99999 99999  99999 99999  99999 99999  99999 99999
1437:  99999 99999  99999 99999  99999 99999  99999 99999  99999 99999    99999 99999  99999 99999  99999 99999  99999 99999  99999 99999
1438:  99999 99999  99999 99999  99999 99999  99999 99999  99999 99999    99999 99999  99999 99999  99999 99999  99999 99999  99999 99999
1439:  99999 99999  99999 99999  99999 99999  99999 99999  99999 99999    99999 99999  99999 99999  99999 99999  99999 99999  99999 99999
1440:  99999 99999  99999 99999  99999 99999  99999 99999  99999 99999    99999 99999  99999 99999  99999 99999  99999 99999  99999 99999
1441:  99999 99999  99999 99999  99999 99999  99999 99999  99999 99999    99999 99999  99999 99999  99999 99999  99999 99999  99999 99999
1442:  99999 99999  99999 99999  99999 99999  99999 99999  99999 99999    99999 99999  99999 99999  99999 99999  99999 99999  99999 99999
1443:  99999 99999  99999 99999  99999 99999  99999 99999  99999 99999    99999 99999  99999 99999  99999 99999  99999 99999  99999 99999
1444:  99999 99999  99999 99999  99999 99999  99999 99999  99999 99999    99999 99999  99999 99999  99999 99999  99999 99999  99999 99999
1445:  99999 99999  99999 99999  99999 99999  99999 99999  99999 99999    99999 99999  99999 99999  99999 99999  99999 99999  99999 99999
1446:  99999 99999  99999 99999  99999 99999  99999 99999  99999 99999    99999 99999  99999 99999  99999 99999  99999 99999  99999 99999
1447:  99999 99999  99999 99999  99999 99999  99999 99999  99999 99999    99999 99999  99999 99999  99999 99999  99999 99999  99999 99999
1448:  99999 99999  99999 99999  99999 99999  99999 99999  99999 99999    99999 99999  99999 99999  99999 99999  99999 99999  99999 99999
1449:  99999 99999  99999 99999  99999 99999  99999 99999  99999 99999    99999 99999  99999 99999  99999 99999  99999 99999  99999 99999
```

```
1450:  99999 99999  99999 99999  99999 99999  99999 99999  99999 99999    99999 99999  99999 99999  99999 99999  99999 99999  99999 99999
1451:  99999 99999  99999 99999  99999 99999  99999 99999  99999 99999    99999 99999  99999 99999  99999 99999  99999 99999  99999 99999
1452:  99999 99999  99999 99999  99999 99999  99999 99999  99999 99999    99999 99999  99999 99999  99999 99999  99999 99999  99999 99999
1453:  99999 99999  99999 99999  99999 99999  99999 99999  99999 99999    99999 99999  99999 99999  99999 99999  99999 99999  99999 99999
1454:  99999 99999  99999 99999  99999 99999  99999 99999  99999 99999    99999 99999  99999 99999  99999 99999  99999 99999  99999 99999
1455:  99999 99999  99999 99999  99999 99999  99999 99999  99999 99999    99999 99999  99999 99999  99999 99999  99999 99999  99999 99999
1456:  99999 99999  99999 99999  99999 99999  99999 99999  99999 99999    99999 99999  99999 99999  99999 99999  99999 99999  99999 99999
1457:  99999 99999  99999 99999  99999 99999  99999 99999  99999 99999    99999 99999  99999 99999  99999 99999  99999 99999  99999 99999
1458:  99999 99999  99999 99999  99999 99999  99999 99999  99999 99999    99999 99999  99999 99999  99999 99999  99999 99999  99999 99999
1459:  99999 99999  99999 99999  99999 99999  99999 99999  99999 99999    99999 99999  99999 99999  99999 99999  99999 99999  99999 99999
1460:  99999 99999  99999 99999  99999 99999  99999 99999  99999 99999    99999 99999  99999 99999  99999 99999  99999 99999  99999 99999
1461:  99999 99999  99999 99999  99999 99999  99999 99999  99999 99999    99999 99999  99999 99999  99999 99999  99999 99999  99999 99999
1462:  99999 99999  99999 99999  99999 99999  99999 99999  99999 99999    99999 99999  99999 99999  99999 99999  99999 99999  99999 99999
1463:  99999 99999  99999 99999  99999 99999  99999 99999  99999 99999    99999 99999  99999 99999  99999 99999  99999 99999  99999 99999
1464:  99999 99999  99999 99999  99999 99999  99999 99999  99999 99999    99999 99999  99999 99999  99999 99999  99999 99999  99999 99999
1465:  99999 99999  99999 99999  99999 99999  99999 99999  99999 99999    99999 99999  99999 99999  99999 99999  99999 99999  99999 99999
1466:  99999 99999  99999 99999  99999 99999  99999 99999  99999 99999    99999 99999  99999 99999  99999 99999  99999 99999  99999 99999
1467:  99999 99999  99999 99999  99999 99999  99999 99999  99999 99999    99999 99999  99999 99999  99999 99999  99999 99999  99999 99999
1468:  99999 99999  99999 99999  99999 99999  99999 99999  99999 99999    99999 99999  99999 99999  99999 99999  99999 99999  99999 99999
1469:  99999 99999  99999 99999  99999 99999  99999 99999  99999 99999    99999 99999  99999 99999  99999 99999  99999 99999  99999 99999
1470:  99999 99999  99999 99999  99999 99999  99999 99999  99999 99999    99999 99999  99999 99999  99999 99999  99999 99999  99999 99999
1471:  99999 99999  99999 99999  99999 99999  99999 99999  99999 99999    99999 99999  99999 99999  99999 99999  99999 99999  99999 99999
1472:  99999 99999  99999 99999  99999 99999  99999 99999  99999 99999    99999 99999  99999 99999  99999 99999  99999 99999  99999 99999
1473:  99999 99999  99999 99999  99999 99999  99999 99999  99999 99999    99999 99999  99999 99999  99999 99999  99999 99999  99999 99999
1474:  99999 99999  99999 99999  99999 99999  99999 99999  99999 99999    99999 99999  99999 99999  99999 99999  99999 99999  99999 99999
1475:  99999 99999  99999 99999  99999 99999  99999 99999  99999 99999    99999 99999  99999 99999  99999 99999  99999 99999  99999 99999
1476:  99999 99999  99999 99999  99999 99999  99999 99999  99999 99999    99999 99999  99999 99999  99999 99999  99999 99999  99999 99999
1477:  99999 99999  99999 99999  99999 99999  99999 99999  99999 99999    99999 99999  99999 99999  99999 99999  99999 99999  99999 99999
1478:  99999 99999  99999 99999  99999 99999  99999 99999  99999 99999    99999 99999  99999 99999  99999 99999  99999 99999  99999 99999
1479:  99999 99999  99999 99999  99999 99999  99999 99999  99999 99999    99999 99999  99999 99999  99999 99999  99999 99999  99999 99999
1480:  99999 99999  99999 99999  99999 99999  99999 99999  99999 99999    99999 99999  99999 99999  99999 99999  99999 99999  99999 99999
1481:  99999 99999  99999 99999  99999 99999  99999 99999  99999 99999    99999 99999  99999 99999  99999 99999  99999 99999  99999 99999
1482:  99999 99999  99999 99999  99999 99999  99999 99999  99999 99999    99999 99999  99999 99999  99999 99999  99999 99999  99999 99999
1483:  99999 99999  99999 99999  99999 99999  99999 99999  99999 99999    99999 99999  99999 99999  99999 99999  99999 99999  99999 99999
1484:  99999 99999  99999 99999  99999 99999  99999 99999  99999 99999    99999 99999  99999 99999  99999 99999  99999 99999  99999 99999
1485:  99999 99999  99999 99999  99999 99999  99999 99999  99999 99999    99999 99999  99999 99999  99999 99999  99999 99999  99999 99999
1486:  99999 99999  99999 99999  99999 99999  99999 99999  99999 99999    99999 99999  99999 99999  99999 99999  99999 99999  99999 99999
1487:  99999 99999  99999 99999  99999 99999  99999 99999  99999 99999    99999 99999  99999 99999  99999 99999  99999 99999  99999 99999
1488:  99999 99999  99999 99999  99999 99999  99999 99999  99999 99999    99999 99999  99999 99999  99999 99999  99999 99999  99999 99999
1489:  99999 99999  99999 99999  99999 99999  99999 99999  99999 99999    99999 99999  99999 99999  99999 99999  99999 99999  99999 99999
1490:  99999 99999  99999 99999  99999 99999  99999 99999  99999 99999    99999 99999  99999 99999  99999 99999  99999 99999  99999 99999
1491:  99999 99999  99999 99999  99999 99999  99999 99999  99999 99999    99999 99999  99999 99999  99999 99999  99999 99999  99999 99999
1492:  99999 99999  99999 99999  99999 99999  99999 99999  99999 99999    99999 99999  99999 99999  99999 99999  99999 99999  99999 99999
1493:  99999 99999  99999 99999  99999 99999  99999 99999  99999 99999    99999 99999  99999 99999  99999 99999  99999 99999  99999 99999
1494:  99999 99999  99999 99999  99999 99999  99999 99999  99999 99999    99999 99999  99999 99999  99999 99999  99999 99999  99999 99999
1495:  99999 99999  99999 99999  99999 99999  99999 99999  99999 99999    99999 99999  99999 99999  99999 99999  99999 99999  99999 99999
1496:  99999 99999  99999 99999  99999 99999  99999 99999  99999 99999    99999 99999  99999 99999  99999 99999  99999 99999  99999 99999
1497:  99999 99999  99999 99999  99999 99999  99999 99999  99999 99999    99999 99999  99999 99999  99999 99999  99999 99999  99999 99999
1498:  99999 99999  99999 99999  99999 99999  99999 99999  99999 99999    99999 99999  99999 99999  99999 99999  99999 99999  99999 99999
1499:  99999 99999  99999 99999  99999 99999  99999 99999  99999 99999    99999 99999  99999 99999  99999 99999  99999 99999  99999 99999
```

```
1500:   99999 99999   99999 99999   99999 99999   99999 99999   99999 99999      99999 99999   99999 99999   99999 99999   99999 99999   99999 99999
1501:   99999 99999   99999 99999   99999 99999   99999 99999   99999 99999      99999 99999   99999 99999   99999 99999   99999 99999   99999 99999
1502:   99999 99999   99999 99999   99999 99999   99999 99999   99999 99999      99999 99999   99999 99999   99999 99999   99999 99999   99999 99999
1503:   99999 99999   99999 99999   99999 99999   99999 99999   99999 99999      99999 99999   99999 99999   99999 99999   99999 99999   99999 99999
1504:   99999 99999   99999 99999   99999 99999   99999 99999   99999 99999      99999 99999   99999 99999   99999 99999   99999 99999   99999 99999
1505:   99999 99999   99999 99999   99999 99999   99999 99999   99999 99999      99999 99999   99999 99999   99999 99999   99999 99999   99999 99999
1506:   99999 99999   99999 99999   99999 99999   99999 99999   99999 99999      99999 99999   99999 99999   99999 99999   99999 99999   99999 99999
1507:   99999 99999   99999 99999   99999 99999   99999 99999   99999 99999      99999 99999   99999 99999   99999 99999   99999 99999   99999 99999
1508:   99999 99999   99999 99999   99999 99999   99999 99999   99999 99999      99999 99999   99999 99999   99999 99999   99999 99999   99999 99999
1509:   99999 99999   99999 99999   99999 99999   99999 99999   99999 99999      99999 99999   99999 99999   99999 99999   99999 99999   99999 99999
1510:   99999 99999   99999 99999   99999 99999   99999 99999   99999 99999      99999 99999   99999 99999   99999 99999   99999 99999   99999 99999
1511:   99999 99999   99999 99999   99999 99999   99999 99999   99999 99999      99999 99999   99999 99999   99999 99999   99999 99999   99999 99999
1512:   99999 99999   99999 99999   99999 99999   99999 99999   99999 99999      99999 99999   99999 99999   99999 99999   99999 99999   99999 99999
1513:   99999 99999   99999 99999   99999 99999   99999 99999   99999 99999      99999 99999   99999 99999   99999 99999   99999 99999   99999 99999
1514:   99999 99999   99999 99999   99999 99999   99999 99999   99999 99999      99999 99999   99999 99999   99999 99999   99999 99999   99999 99999
1515:   99999 99999   99999 99999   99999 99999   99999 99999   99999 99999      99999 99999   99999 99999   99999 99999   99999 99999   99999 99999
1516:   99999 99999   99999 99999   99999 99999   99999 99999   99999 99999      99999 99999   99999 99999   99999 99999   99999 99999   99999 99999
1517:   99999 99999   99999 99999   99999 99999   99999 99999   99999 99999      99999 99999   99999 99999   99999 99999   99999 99999   99999 99999
1518:   99999 99999   99999 99999   99999 99999   99999 99999   99999 99999      99999 99999   99999 99999   99999 99999   99999 99999   99999 99999
1519:   99999 99999   99999 99999   99999 99999   99999 99999   99999 99999      99999 99999   99999 99999   99999 99999   99999 99999   99999 99999
1520:   99999 99999   99999 99999   99999 99999   99999 99999   99999 99999      99999 99999   99999 99999   99999 99999   99999 99999   99999 99999
1521:   99999 99999   99999 99999   99999 99999   99999 99999   99999 99999      99999 99999   99999 99999   99999 99999   99999 99999   99999 99999
1522:   99999 99999   99999 99999   99999 99999   99999 99999   99999 99999      99999 99999   99999 99999   99999 99999   99999 99999   99999 99999
1523:   99999 99999   99999 99999   99999 99999   99999 99999   99999 99999      99999 99999   99999 99999   99999 99999   99999 99999   99999 99999
1524:   99999 99999   99999 99999   99999 99999   99999 99999   99999 99999      99999 99999   99999 99999   99999 99999   99999 99999   99999 99999
1525:   99999 99999   99999 99999   99999 99999   99999 99999   99999 99999      99999 99999   99999 99999   99999 99999   99999 99999   99999 99999
1526:   99999 99999   99999 99999   99999 99999   99999 99999   99999 99999      99999 99999   99999 99999   99999 99999   99999 99999   99999 99999
1527:   99999 99999   99999 99999   99999 99999   99999 99999   99999 99999      99999 99999   99999 99999   99999 99999   99999 99999   99999 99999
1528:   99999 99999   99999 99999   99999 99999   99999 99999   99999 99999      99999 99999   99999 99999   99999 99999   99999 99999   99999 99999
1529:   99999 99999   99999 99999   99999 99999   99999 99999   99999 99999      99999 99999   99999 99999   99999 99999   99999 99999   99999 99999
1530:   99999 99999   99999 99999   99999 99999   99999 99999   99999 99999      99999 99999   99999 99999   99999 99999   99999 99999   99999 99999
1531:   99999 99999   99999 99999   99999 99999   99999 99999   99999 99999      99999 99999   99999 99999   99999 99999   99999 99999   99999 99999
1532:   99999 99999   99999 99999   99999 99999   99999 99999   99999 99999      99999 99999   99999 99999   99999 99999   99999 99999   99999 99999
1533:   99999 99999   99999 99999   99999 99999   99999 99999   99999 99999      99999 99999   99999 99999   99999 99999   99999 99999   99999 99999
1534:   99999 99999   99999 99999   99999 99999   99999 99999   99999 99999      99999 99999   99999 99999   99999 99999   99999 99999   99999 99999
1535:   99999 99999   99999 99999   99999 99999   99999 99999   99999 99999      99999 99999   99999 99999   99999 99999   99999 99999   99999 99999
1536:   99999 99999   99999 99999   99999 99999   99999 99999   99999 99999      99999 99999   99999 99999   99999 99999   99999 99999   99999 99999
1537:   99999 99999   99999 99999   99999 99999   99999 99999   99999 99999      99999 99999   99999 99999   99999 99999   99999 99999   99999 99999
1538:   99999 99999   99999 99999   99999 99999   99999 99999   99999 99999      99999 99999   99999 99999   99999 99999   99999 99999   99999 99999
1539:   99999 99999   99999 99999   99999 99999   99999 99999   99999 99999      99999 99999   99999 99999   99999 99999   99999 99999   99999 99999
1540:   99999 99999   99999 99999   99999 99999   99999 99999   99999 99999      99999 99999   99999 99999   99999 99999   99999 99999   99999 99999
1541:   99999 99999   99999 99999   99999 99999   99999 99999   99999 99999      99999 99999   99999 99999   99999 99999   99999 99999   99999 99999
1542:   99999 99999   99999 99999   99999 99999   99999 99999   99999 99999      99999 99999   99999 99999   99999 99999   99999 99999   99999 99999
1543:   99999 99999   99999 99999   99999 99999   99999 99999   99999 99999      99999 99999   99999 99999   99999 99999   99999 99999   99999 99999
1544:   99999 99999   99999 99999   99999 99999   99999 99999   99999 99999      99999 99999   99999 99999   99999 99999   99999 99999   99999 99999
1545:   99999 99999   99999 99999   99999 99999   99999 99999   99999 99999      99999 99999   99999 99999   99999 99999   99999 99999   99999 99999
1546:   99999 99999   99999 99999   99999 99999   99999 99999   99999 99999      99999 99999   99999 99999   99999 99999   99999 99999   99999 99999
1547:   99999 99999   99999 99999   99999 99999   99999 99999   99999 99999      99999 99999   99999 99999   99999 99999   99999 99999   99999 99999
1548:   99999 99999   99999 99999   99999 99999   99999 99999   99999 99999      99999 99999   99999 99999   99999 99999   99999 99999   99999 99999
1549:   99999 99999   99999 99999   99999 99999   99999 99999   99999 99999      99999 99999   99999 99999   99999 99999   99999 99999   99999 99999
```

```
1550:   99999 99999   99999 99999   99999 99999   99999 99999   99999 99999     99999 99999   99999 99999   99999 99999   99999 99999   99999 99999
1551:   99999 99999   99999 99999   99999 99999   99999 99999   99999 99999     99999 99999   99999 99999   99999 99999   99999 99999   99999 99999
1552:   99999 99999   99999 99999   99999 99999   99999 99999   99999 99999     99999 99999   99999 99999   99999 99999   99999 99999   99999 99999
1553:   99999 99999   99999 99999   99999 99999   99999 99999   99999 99999     99999 99999   99999 99999   99999 99999   99999 99999   99999 99999
1554:   99999 99999   99999 99999   99999 99999   99999 99999   99999 99999     99999 99999   99999 99999   99999 99999   99999 99999   99999 99999
1555:   99999 99999   99999 99999   99999 99999   99999 99999   99999 99999     99999 99999   99999 99999   99999 99999   99999 99999   99999 99999
1556:   99999 99999   99999 99999   99999 99999   99999 99999   99999 99999     99999 99999   99999 99999   99999 99999   99999 99999   99999 99999
1557:   99999 99999   99999 99999   99999 99999   99999 99999   99999 99999     99999 99999   99999 99999   99999 99999   99999 99999   99999 99999
1558:   99999 99999   99999 99999   99999 99999   99999 99999   99999 99999     99999 99999   99999 99999   99999 99999   99999 99999   99999 99999
1559:   99999 99999   99999 99999   99999 99999   99999 99999   99999 99999     99999 99999   99999 99999   99999 99999   99999 99999   99999 99999
1560:   99999 99999   99999 99999   99999 99999   99999 99999   99999 99999     99999 99999   99999 99999   99999 99999   99999 99999   99999 99999
1561:   99999 99999   99999 99999   99999 99999   99999 99999   99999 99999     99999 99999   99999 99999   99999 99999   99999 99999   99999 99999
1562:   99999 99999   99999 99999   99999 99999   99999 99999   99999 99999     99999 99999   99999 99999   99999 99999   99999 99999   99999 99999
1563:   99999 99999   99999 99999   99999 99999   99999 99999   99999 99999     99999 99999   99999 99999   99999 99999   99999 99999   99999 99999
1564:   99999 99999   99999 99999   99999 99999   99999 99999   99999 99999     99999 99999   99999 99999   99999 99999   99999 99999   99999 99999
1565:   99999 99999   99999 99999   99999 99999   99999 99999   99999 99999     99999 99999   99999 99999   99999 99999   99999 99999   99999 99999
1566:   99999 99999   99999 99999   99999 99999   99999 99999   99999 99999     99999 99999   99999 99999   99999 99999   99999 99999   99999 99999
1567:   99999 99999   99999 99999   99999 99999   99999 99999   99999 99999     99999 99999   99999 99999   99999 99999   99999 99999   99999 99999
1568:   99999 99999   99999 99999   99999 99999   99999 99999   99999 99999     99999 99999   99999 99999   99999 99999   99999 99999   99999 99999
1569:   99999 99999   99999 99999   99999 99999   99999 99999   99999 99999     99999 99999   99999 99999   99999 99999   99999 99999   99999 99999
1570:   99999 99999   99999 99999   99999 99999   99999 99999   99999 99999     99999 99999   99999 99999   99999 99999   99999 99999   99999 99999
1571:   99999 99999   99999 99999   99999 99999   99999 99999   99999 99999     99999 99999   99999 99999   99999 99999   99999 99999   99999 99999
1572:   99999 99999   99999 99999   99999 99999   99999 99999   99999 99999     99999 99999   99999 99999   99999 99999   99999 99999   99999 99999
1573:   99999 99999   99999 99999   99999 99999   99999 99999   99999 99999     99999 99999   99999 99999   99999 99999   99999 99999   99999 99999
1574:   99999 99999   99999 99999   99999 99999   99999 99999   99999 99999     99999 99999   99999 99999   99999 99999   99999 99999   99999 99999
1575:   99999 99999   99999 99999   99999 99999   99999 99999   99999 99999     99999 99999   99999 99999   99999 99999   99999 99999   99999 99999
1576:   99999 99999   99999 99999   99999 99999   99999 99999   99999 99999     99999 99999   99999 99999   99999 99999   99999 99999   99999 99999
1577:   99999 99999   99999 99999   99999 99999   99999 99999   99999 99999     99999 99999   99999 99999   99999 99999   99999 99999   99999 99999
1578:   99999 99999   99999 99999   99999 99999   99999 99999   99999 99999     99999 99999   99999 99999   99999 99999   99999 99999   99999 99999
1579:   99999 99999   99999 99999   99999 99999   99999 99999   99999 99999     99999 99999   99999 99999   99999 99999   99999 99999   99999 99999
1580:   99999 99999   99999 99999   99999 99999   99999 99999   99999 99999     99999 99999   99999 99999   99999 99999   99999 99999   99999 99999
1581:   99999 99999   99999 99999   99999 99999   99999 99999   99999 99999     99999 99999   99999 99999   99999 99999   99999 99999   99999 99999
1582:   99999 99999   99999 99999   99999 99999   99999 99999   99999 99999     99999 99999   99999 99999   99999 99999   99999 99999   99999 99999
1583:   99999 99999   99999 99999   99999 99999   99999 99999   99999 99999     99999 99999   99999 99999   99999 99999   99999 99999   99999 99999
1584:   99999 99999   99999 99999   99999 99999   99999 99999   99999 99999     99999 99999   99999 99999   99999 99999   99999 99999   99999 99999
1585:   99999 99999   99999 99999   99999 99999   99999 99999   99999 99999     99999 99999   99999 99999   99999 99999   99999 99999   99999 99999
1586:   99999 99999   99999 99999   99999 99999   99999 99999   99999 99999     99999 99999   99999 99999   99999 99999   99999 99999   99999 99999
1587:   99999 99999   99999 99999   99999 99999   99999 99999   99999 99999     99999 99999   99999 99999   99999 99999   99999 99999   99999 99999
1588:   99999 99999   99999 99999   99999 99999   99999 99999   99999 99999     99999 99999   99999 99999   99999 99999   99999 99999   99999 99999
1589:   99999 99999   99999 99999   99999 99999   99999 99999   99999 99999     99999 99999   99999 99999   99999 99999   99999 99999   99999 99999
1590:   99999 99999   99999 99999   99999 99999   99999 99999   99999 99999     99999 99999   99999 99999   99999 99999   99999 99999   99999 99999
1591:   99999 99999   99999 99999   99999 99999   99999 99999   99999 99999     99999 99999   99999 99999   99999 99999   99999 99999   99999 99999
1592:   99999 99999   99999 99999   99999 99999   99999 99999   99999 99999     99999 99999   99999 99999   99999 99999   99999 99999   99999 99999
1593:   99999 99999   99999 99999   99999 99999   99999 99999   99999 99999     99999 99999   99999 99999   99999 99999   99999 99999   99999 99999
1594:   99999 99999   99999 99999   99999 99999   99999 99999   99999 99999     99999 99999   99999 99999   99999 99999   99999 99999   99999 99999
1595:   99999 99999   99999 99999   99999 99999   99999 99999   99999 99999     99999 99999   99999 99999   99999 99999   99999 99999   99999 99999
1596:   99999 99999   99999 99999   99999 99999   99999 99999   99999 99999     99999 99999   99999 99999   99999 99999   99999 99999   99999 99999
1597:   99999 99999   99999 99999   99999 99999   99999 99999   99999 99999     99999 99999   99999 99999   99999 99999   99999 99999   99999 99999
1598:   99999 99999   99999 99999   99999 99999   99999 99999   99999 99999     99999 99999   99999 99999   99999 99999   99999 99999   99999 99999
1599:   99999 99999   99999 99999   99999 99999   99999 99999   99999 99999     99999 99999   99999 99999   99999 99999   99999 99999   99999 99999
```

```
1600:  99999 99999   99999 99999   99999 99999   99999 99999   99999 99999      99999 99999   99999 99999   99999 99999   99999 99999   99999 99999
1601:  99999 99999   99999 99999   99999 99999   99999 99999   99999 99999      99999 99999   99999 99999   99999 99999   99999 99999   99999 99999
1602:  99999 99999   99999 99999   99999 99999   99999 99999   99999 99999      99999 99999   99999 99999   99999 99999   99999 99999   99999 99999
1603:  99999 99999   99999 99999   99999 99999   99999 99999   99999 99999      99999 99999   99999 99999   99999 99999   99999 99999   99999 99999
1604:  99999 99999   99999 99999   99999 99999   99999 99999   99999 99999      99999 99999   99999 99999   99999 99999   99999 99999   99999 99999
1605:  99999 99999   99999 99999   99999 99999   99999 99999   99999 99999      99999 99999   99999 99999   99999 99999   99999 99999   99999 99999
1606:  99999 99999   99999 99999   99999 99999   99999 99999   99999 99999      99999 99999   99999 99999   99999 99999   99999 99999   99999 99999
1607:  99999 99999   99999 99999   99999 99999   99999 99999   99999 99999      99999 99999   99999 99999   99999 99999   99999 99999   99999 99999
1608:  99999 99999   99999 99999   99999 99999   99999 99999   99999 99999      99999 99999   99999 99999   99999 99999   99999 99999   99999 99999
1609:  99999 99999   99999 99999   99999 99999   99999 99999   99999 99999      99999 99999   99999 99999   99999 99999   99999 99999   99999 99999
1610:  99999 99999   99999 99999   99999 99999   99999 99999   99999 99999      99999 99999   99999 99999   99999 99999   99999 99999   99999 99999
1611:  99999 99999   99999 99999   99999 99999   99999 99999   99999 99999      99999 99999   99999 99999   99999 99999   99999 99999   99999 99999
1612:  99999 99999   99999 99999   99999 99999   99999 99999   99999 99999      99999 99999   99999 99999   99999 99999   99999 99999   99999 99999
1613:  99999 99999   99999 99999   99999 99999   99999 99999   99999 99999      99999 99999   99999 99999   99999 99999   99999 99999   99999 99999
1614:  99999 99999   99999 99999   99999 99999   99999 99999   99999 99999      99999 99999   99999 99999   99999 99999   99999 99999   99999 99999
1615:  99999 99999   99999 99999   99999 99999   99999 99999   99999 99999      99999 99999   99999 99999   99999 99999   99999 99999   99999 99999
1616:  99999 99999   99999 99999   99999 99999   99999 99999   99999 99999      99999 99999   99999 99999   99999 99999   99999 99999   99999 99999
1617:  99999 99999   99999 99999   99999 99999   99999 99999   99999 99999      99999 99999   99999 99999   99999 99999   99999 99999   99999 99999
1618:  99999 99999   99999 99999   99999 99999   99999 99999   99999 99999      99999 99999   99999 99999   99999 99999   99999 99999   99999 99999
1619:  99999 99999   99999 99999   99999 99999   99999 99999   99999 99999      99999 99999   99999 99999   99999 99999   99999 99999   99999 99999
1620:  99999 99999   99999 99999   99999 99999   99999 99999   99999 99999      99999 99999   99999 99999   99999 99999   99999 99999   99999 99999
1621:  99999 99999   99999 99999   99999 99999   99999 99999   99999 99999      99999 99999   99999 99999   99999 99999   99999 99999   99999 99999
1622:  99999 99999   99999 99999   99999 99999   99999 99999   99999 99999      99999 99999   99999 99999   99999 99999   99999 99999   99999 99999
1623:  99999 99999   99999 99999   99999 99999   99999 99999   99999 99999      99999 99999   99999 99999   99999 99999   99999 99999   99999 99999
1624:  99999 99999   99999 99999   99999 99999   99999 99999   99999 99999      99999 99999   99999 99999   99999 99999   99999 99999   99999 99999
1625:  99999 99999   99999 99999   99999 99999   99999 99999   99999 99999      99999 99999   99999 99999   99999 99999   99999 99999   99999 99999
1626:  99999 99999   99999 99999   99999 99999   99999 99999   99999 99999      99999 99999   99999 99999   99999 99999   99999 99999   99999 99999
1627:  99999 99999   99999 99999   99999 99999   99999 99999   99999 99999      99999 99999   99999 99999   99999 99999   99999 99999   99999 99999
1628:  99999 99999   99999 99999   99999 99999   99999 99999   99999 99999      99999 99999   99999 99999   99999 99999   99999 99999   99999 99999
1629:  99999 99999   99999 99999   99999 99999   99999 99999   99999 99999      99999 99999   99999 99999   99999 99999   99999 99999   99999 99999
1630:  99999 99999   99999 99999   99999 99999   99999 99999   99999 99999      99999 99999   99999 99999   99999 99999   99999 99999   99999 99999
1631:  99999 99999   99999 99999   99999 99999   99999 99999   99999 99999      99999 99999   99999 99999   99999 99999   99999 99999   99999 99999
1632:  99999 99999   99999 99999   99999 99999   99999 99999   99999 99999      99999 99999   99999 99999   99999 99999   99999 99999   99999 99999
1633:  99999 99999   99999 99999   99999 99999   99999 99999   99999 99999      99999 99999   99999 99999   99999 99999   99999 99999   99999 99999
1634:  99999 99999   99999 99999   99999 99999   99999 99999   99999 99999      99999 99999   99999 99999   99999 99999   99999 99999   99999 99999
1635:  99999 99999   99999 99999   99999 99999   99999 99999   99999 99999      99999 99999   99999 99999   99999 99999   99999 99999   99999 99999
1636:  99999 99999   99999 99999   99999 99999   99999 99999   99999 99999      99999 99999   99999 99999   99999 99999   99999 99999   99999 99999
1637:  99999 99999   99999 99999   99999 99999   99999 99999   99999 99999      99999 99999   99999 99999   99999 99999   99999 99999   99999 99999
1638:  99999 99999   99999 99999   99999 99999   99999 99999   99999 99999      99999 99999   99999 99999   99999 99999   99999 99999   99999 99999
1639:  99999 99999   99999 99999   99999 99999   99999 99999   99999 99999      99999 99999   99999 99999   99999 99999   99999 99999   99999 99999
1640:  99999 99999   99999 99999   99999 99999   99999 99999   99999 99999      99999 99999   99999 99999   99999 99999   99999 99999   99999 99999
1641:  99999 99999   99999 99999   99999 99999   99999 99999   99999 99999      99999 99999   99999 99999   99999 99999   99999 99999   99999 99999
1642:  99999 99999   99999 99999   99999 99999   99999 99999   99999 99999      99999 99999   99999 99999   99999 99999   99999 99999   99999 99999
1643:  99999 99999   99999 99999   99999 99999   99999 99999   99999 99999      99999 99999   99999 99999   99999 99999   99999 99999   99999 99999
1644:  99999 99999   99999 99999   99999 99999   99999 99999   99999 99999      99999 99999   99999 99999   99999 99999   99999 99999   99999 99999
1645:  99999 99999   99999 99999   99999 99999   99999 99999   99999 99999      99999 99999   99999 99999   99999 99999   99999 99999   99999 99999
1646:  99999 99999   99999 99999   99999 99999   99999 99999   99999 99999      99999 99999   99999 99999   99999 99999   99999 99999   99999 99999
1647:  99999 99999   99999 99999   99999 99999   99999 99999   99999 99999      99999 99999   99999 99999   99999 99999   99999 99999   99999 99999
1648:  99999 99999   99999 99999   99999 99999   99999 99999   99999 99999      99999 99999   99999 99999   99999 99999   99999 99999   99999 99999
1649:  99999 99999   99999 99999   99999 99999   99999 99999   99999 99999      99999 99999   99999 99999   99999 99999   99999 99999   99999 99999
```

```
1650:   99999 99999   99999 99999   99999 99999   99999 99999   99999 99999      99999 99999   99999 99999   99999 99999   99999 99999   99999 99999
1651:   99999 99999   99999 99999   99999 99999   99999 99999   99999 99999      99999 99999   99999 99999   99999 99999   99999 99999   99999 99999
1652:   99999 99999   99999 99999   99999 99999   99999 99999   99999 99999      99999 99999   99999 99999   99999 99999   99999 99999   99999 99999
1653:   99999 99999   99999 99999   99999 99999   99999 99999   99999 99999      99999 99999   99999 99999   99999 99999   99999 99999   99999 99999
1654:   99999 99999   99999 99999   99999 99999   99999 99999   99999 99999      99999 99999   99999 99999   99999 99999   99999 99999   99999 99999
1655:   99999 99999   99999 99999   99999 99999   99999 99999   99999 99999      99999 99999   99999 99999   99999 99999   99999 99999   99999 99999
1656:   99999 99999   99999 99999   99999 99999   99999 99999   99999 99999      99999 99999   99999 99999   99999 99999   99999 99999   99999 99999
1657:   99999 99999   99999 99999   99999 99999   99999 99999   99999 99999      99999 99999   99999 99999   99999 99999   99999 99999   99999 99999
1658:   99999 99999   99999 99999   99999 99999   99999 99999   99999 99999      99999 99999   99999 99999   99999 99999   99999 99999   99999 99999
1659:   99999 99999   99999 99999   99999 99999   99999 99999   99999 99999      99999 99999   99999 99999   99999 99999   99999 99999   99999 99999
1660:   99999 99999   99999 99999   99999 99999   99999 99999   99999 99999      99999 99999   99999 99999   99999 99999   99999 99999   99999 99999
1661:   99999 99999   99999 99999   99999 99999   99999 99999   99999 99999      99999 99999   99999 99999   99999 99999   99999 99999   99999 99999
1662:   99999 99999   99999 99999   99999 99999   99999 99999   99999 99999      99999 99999   99999 99999   99999 99999   99999 99999   99999 99999
1663:   99999 99999   99999 99999   99999 99999   99999 99999   99999 99999      99999 99999   99999 99999   99999 99999   99999 99999   99999 99999
1664:   99999 99999   99999 99999   99999 99999   99999 99999   99999 99999      99999 99999   99999 99999   99999 99999   99999 99999   99999 99999
1665:   99999 99999   99999 99999   99999 99999   99999 99999   99999 99999      99999 99999   99999 99999   99999 99999   99999 99999   99999 99999
1666:   99999 99999   99999 99999   99999 99999   99999 99999   99999 99999      99999 99999   99999 99999   99999 99999   99999 99999   99999 99999
1667:   99999 99999   99999 99999   99999 99999   99999 99999   99999 99999      99999 99999   99999 99999   99999 99999   99999 99999   99999 99999
1668:   99999 99999   99999 99999   99999 99999   99999 99999   99999 99999      99999 99999   99999 99999   99999 99999   99999 99999   99999 99999
1669:   99999 99999   99999 99999   99999 99999   99999 99999   99999 99999      99999 99999   99999 99999   99999 99999   99999 99999   99999 99999
1670:   99999 99999   99999 99999   99999 99999   99999 99999   99999 99999      99999 99999   99999 99999   99999 99999   99999 99999   99999 99999
1671:   99999 99999   99999 99999   99999 99999   99999 99999   99999 99999      99999 99999   99999 99999   99999 99999   99999 99999   99999 99999
1672:   99999 99999   99999 99999   99999 99999   99999 99999   99999 99999      99999 99999   99999 99999   99999 99999   99999 99999   99999 99999
1673:   99999 99999   99999 99999   99999 99999   99999 99999   99999 99999      99999 99999   99999 99999   99999 99999   99999 99999   99999 99999
1674:   99999 99999   99999 99999   99999 99999   99999 99999   99999 99999      99999 99999   99999 99999   99999 99999   99999 99999   99999 99999
1675:   99999 99999   99999 99999   99999 99999   99999 99999   99999 99999      99999 99999   99999 99999   99999 99999   99999 99999   99999 99999
1676:   99999 99999   99999 99999   99999 99999   99999 99999   99999 99999      99999 99999   99999 99999   99999 99999   99999 99999   99999 99999
1677:   99999 99999   99999 99999   99999 99999   99999 99999   99999 99999      99999 99999   99999 99999   99999 99999   99999 99999   99999 99999
1678:   99999 99999   99999 99999   99999 99999   99999 99999   99999 99999      99999 99999   99999 99999   99999 99999   99999 99999   99999 99999
1679:   99999 99999   99999 99999   99999 99999   99999 99999   99999 99999      99999 99999   99999 99999   99999 99999   99999 99999   99999 99999
1680:   99999 99999   99999 99999   99999 99999   99999 99999   99999 99999      99999 99999   99999 99999   99999 99999   99999 99999   99999 99999
1681:   99999 99999   99999 99999   99999 99999   99999 99999   99999 99999      99999 99999   99999 99999   99999 99999   99999 99999   99999 99999
1682:   99999 99999   99999 99999   99999 99999   99999 99999   99999 99999      99999 99999   99999 99999   99999 99999   99999 99999   99999 99999
1683:   99999 99999   99999 99999   99999 99999   99999 99999   99999 99999      99999 99999   99999 99999   99999 99999   99999 99999   99999 99999
1684:   99999 99999   99999 99999   99999 99999   99999 99999   99999 99999      99999 99999   99999 99999   99999 99999   99999 99999   99999 99999
1685:   99999 99999   99999 99999   99999 99999   99999 99999   99999 99999      99999 99999   99999 99999   99999 99999   99999 99999   99999 99999
1686:   99999 99999   99999 99999   99999 99999   99999 99999   99999 99999      99999 99999   99999 99999   99999 99999   99999 99999   99999 99999
1687:   99999 99999   99999 99999   99999 99999   99999 99999   99999 99999      99999 99999   99999 99999   99999 99999   99999 99999   99999 99999
1688:   99999 99999   99999 99999   99999 99999   99999 99999   99999 99999      99999 99999   99999 99999   99999 99999   99999 99999   99999 99999
1689:   99999 99999   99999 99999   99999 99999   99999 99999   99999 99999      99999 99999   99999 99999   99999 99999   99999 99999   99999 99999
1690:   99999 99999   99999 99999   99999 99999   99999 99999   99999 99999      99999 99999   99999 99999   99999 99999   99999 99999   99999 99999
1691:   99999 99999   99999 99999   99999 99999   99999 99999   99999 99999      99999 99999   99999 99999   99999 99999   99999 99999   99999 99999
1692:   99999 99999   99999 99999   99999 99999   99999 99999   99999 99999      99999 99999   99999 99999   99999 99999   99999 99999   99999 99999
1693:   99999 99999   99999 99999   99999 99999   99999 99999   99999 99999      99999 99999   99999 99999   99999 99999   99999 99999   99999 99999
1694:   99999 99999   99999 99999   99999 99999   99999 99999   99999 99999      99999 99999   99999 99999   99999 99999   99999 99999   99999 99999
1695:   99999 99999   99999 99999   99999 99999   99999 99999   99999 99999      99999 99999   99999 99999   99999 99999   99999 99999   99999 99999
1696:   99999 99999   99999 99999   99999 99999   99999 99999   99999 99999      99999 99999   99999 99999   99999 99999   99999 99999   99999 99999
1697:   99999 99999   99999 99999   99999 99999   99999 99999   99999 99999      99999 99999   99999 99999   99999 99999   99999 99999   99999 99999
1698:   99999 99999   99999 99999   99999 99999   99999 99999   99999 99999      99999 99999   99999 99999   99999 99999   99999 99999   99999 99999
1699:   99999 99999   99999 99999   99999 99999   99999 99999   99999 99999      99999 99999   99999 99999   99999 99999   99999 99999   99999 99999
```

```
1700:   99999 99999   99999 99999   99999 99999   99999 99999   99999 99999      99999 99999   99999 99999   99999 99999   99999 99999   99999 99999
1701:   99999 99999   99999 99999   99999 99999   99999 99999   99999 99999      99999 99999   99999 99999   99999 99999   99999 99999   99999 99999
1702:   99999 99999   99999 99999   99999 99999   99999 99999   99999 99999      99999 99999   99999 99999   99999 99999   99999 99999   99999 99999
1703:   99999 99999   99999 99999   99999 99999   99999 99999   99999 99999      99999 99999   99999 99999   99999 99999   99999 99999   99999 99999
1704:   99999 99999   99999 99999   99999 99999   99999 99999   99999 99999      99999 99999   99999 99999   99999 99999   99999 99999   99999 99999
1705:   99999 99999   99999 99999   99999 99999   99999 99999   99999 99999      99999 99999   99999 99999   99999 99999   99999 99999   99999 99999
1706:   99999 99999   99999 99999   99999 99999   99999 99999   99999 99999      99999 99999   99999 99999   99999 99999   99999 99999   99999 99999
1707:   99999 99999   99999 99999   99999 99999   99999 99999   99999 99999      99999 99999   99999 99999   99999 99999   99999 99999   99999 99999
1708:   99999 99999   99999 99999   99999 99999   99999 99999   99999 99999      99999 99999   99999 99999   99999 99999   99999 99999   99999 99999
1709:   99999 99999   99999 99999   99999 99999   99999 99999   99999 99999      99999 99999   99999 99999   99999 99999   99999 99999   99999 99999
1710:   99999 99999   99999 99999   99999 99999   99999 99999   99999 99999      99999 99999   99999 99999   99999 99999   99999 99999   99999 99999
1711:   99999 99999   99999 99999   99999 99999   99999 99999   99999 99999      99999 99999   99999 99999   99999 99999   99999 99999   99999 99999
1712:   99999 99999   99999 99999   99999 99999   99999 99999   99999 99999      99999 99999   99999 99999   99999 99999   99999 99999   99999 99999
1713:   99999 99999   99999 99999   99999 99999   99999 99999   99999 99999      99999 99999   99999 99999   99999 99999   99999 99999   99999 99999
1714:   99999 99999   99999 99999   99999 99999   99999 99999   99999 99999      99999 99999   99999 99999   99999 99999   99999 99999   99999 99999
1715:   99999 99999   99999 99999   99999 99999   99999 99999   99999 99999      99999 99999   99999 99999   99999 99999   99999 99999   99999 99999
1716:   99999 99999   99999 99999   99999 99999   99999 99999   99999 99999      99999 99999   99999 99999   99999 99999   99999 99999   99999 99999
1717:   99999 99999   99999 99999   99999 99999   99999 99999   99999 99999      99999 99999   99999 99999   99999 99999   99999 99999   99999 99999
1718:   99999 99999   99999 99999   99999 99999   99999 99999   99999 99999      99999 99999   99999 99999   99999 99999   99999 99999   99999 99999
1719:   99999 99999   99999 99999   99999 99999   99999 99999   99999 99999      99999 99999   99999 99999   99999 99999   99999 99999   99999 99999
1720:   99999 99999   99999 99999   99999 99999   99999 99999   99999 99999      99999 99999   99999 99999   99999 99999   99999 99999   99999 99999
1721:   99999 99999   99999 99999   99999 99999   99999 99999   99999 99999      99999 99999   99999 99999   99999 99999   99999 99999   99999 99999
1722:   99999 99999   99999 99999   99999 99999   99999 99999   99999 99999      99999 99999   99999 99999   99999 99999   99999 99999   99999 99999
1723:   99999 99999   99999 99999   99999 99999   99999 99999   99999 99999      99999 99999   99999 99999   99999 99999   99999 99999   99999 99999
1724:   99999 99999   99999 99999   99999 99999   99999 99999   99999 99999      99999 99999   99999 99999   99999 99999   99999 99999   99999 99999
1725:   99999 99999   99999 99999   99999 99999   99999 99999   99999 99999      99999 99999   99999 99999   99999 99999   99999 99999   99999 99999
1726:   99999 99999   99999 99999   99999 99999   99999 99999   99999 99999      99999 99999   99999 99999   99999 99999   99999 99999   99999 99999
1727:   99999 99999   99999 99999   99999 99999   99999 99999   99999 99999      99999 99999   99999 99999   99999 99999   99999 99999   99999 99999
1728:   99999 99999   99999 99999   99999 99999   99999 99999   99999 99999      99999 99999   99999 99999   99999 99999   99999 99999   99999 99999
1729:   99999 99999   99999 99999   99999 99999   99999 99999   99999 99999      99999 99999   99999 99999   99999 99999   99999 99999   99999 99999
1730:   99999 99999   99999 99999   99999 99999   99999 99999   99999 99999      99999 99999   99999 99999   99999 99999   99999 99999   99999 99999
1731:   99999 99999   99999 99999   99999 99999   99999 99999   99999 99999      99999 99999   99999 99999   99999 99999   99999 99999   99999 99999
1732:   99999 99999   99999 99999   99999 99999   99999 99999   99999 99999      99999 99999   99999 99999   99999 99999   99999 99999   99999 99999
1733:   99999 99999   99999 99999   99999 99999   99999 99999   99999 99999      99999 99999   99999 99999   99999 99999   99999 99999   99999 99999
1734:   99999 99999   99999 99999   99999 99999   99999 99999   99999 99999      99999 99999   99999 99999   99999 99999   99999 99999   99999 99999
1735:   99999 99999   99999 99999   99999 99999   99999 99999   99999 99999      99999 99999   99999 99999   99999 99999   99999 99999   99999 99999
1736:   99999 99999   99999 99999   99999 99999   99999 99999   99999 99999      99999 99999   99999 99999   99999 99999   99999 99999   99999 99999
1737:   99999 99999   99999 99999   99999 99999   99999 99999   99999 99999      99999 99999   99999 99999   99999 99999   99999 99999   99999 99999
1738:   99999 99999   99999 99999   99999 99999   99999 99999   99999 99999      99999 99999   99999 99999   99999 99999   99999 99999   99999 99999
1739:   99999 99999   99999 99999   99999 99999   99999 99999   99999 99999      99999 99999   99999 99999   99999 99999   99999 99999   99999 99999
1740:   99999 99999   99999 99999   99999 99999   99999 99999   99999 99999      99999 99999   99999 99999   99999 99999   99999 99999   99999 99999
1741:   99999 99999   99999 99999   99999 99999   99999 99999   99999 99999      99999 99999   99999 99999   99999 99999   99999 99999   99999 99999
1742:   99999 99999   99999 99999   99999 99999   99999 99999   99999 99999      99999 99999   99999 99999   99999 99999   99999 99999   99999 99999
1743:   99999 99999   99999 99999   99999 99999   99999 99999   99999 99999      99999 99999   99999 99999   99999 99999   99999 99999   99999 99999
1744:   99999 99999   99999 99999   99999 99999   99999 99999   99999 99999      99999 99999   99999 99999   99999 99999   99999 99999   99999 99999
1745:   99999 99999   99999 99999   99999 99999   99999 99999   99999 99999      99999 99999   99999 99999   99999 99999   99999 99999   99999 99999
1746:   99999 99999   99999 99999   99999 99999   99999 99999   99999 99999      99999 99999   99999 99999   99999 99999   99999 99999   99999 99999
1747:   99999 99999   99999 99999   99999 99999   99999 99999   99999 99999      99999 99999   99999 99999   99999 99999   99999 99999   99999 99999
1748:   99999 99999   99999 99999   99999 99999   99999 99999   99999 99999      99999 99999   99999 99999   99999 99999   99999 99999   99999 99999
1749:   99999 99999   99999 99999   99999 99999   99999 99999   99999 99999      99999 99999   99999 99999   99999 99999   99999 99999   99999 99999
```

```
1750:  99999 99999  99999 99999  99999 99999  99999 99999  99999 99999   99999 99999  99999 99999  99999 99999  99999 99999  99999 99999
1751:  99999 99999  99999 99999  99999 99999  99999 99999  99999 99999   99999 99999  99999 99999  99999 99999  99999 99999  99999 99999
1752:  99999 99999  99999 99999  99999 99999  99999 99999  99999 99999   99999 99999  99999 99999  99999 99999  99999 99999  99999 99999
1753:  99999 99999  99999 99999  99999 99999  99999 99999  99999 99999   99999 99999  99999 99999  99999 99999  99999 99999  99999 99999
1754:  99999 99999  99999 99999  99999 99999  99999 99999  99999 99999   99999 99999  99999 99999  99999 99999  99999 99999  99999 99999
1755:  99999 99999  99999 99999  99999 99999  99999 99999  99999 99999   99999 99999  99999 99999  99999 99999  99999 99999  99999 99999
1756:  99999 99999  99999 99999  99999 99999  99999 99999  99999 99999   99999 99999  99999 99999  99999 99999  99999 99999  99999 99999
1757:  99999 99999  99999 99999  99999 99999  99999 99999  99999 99999   99999 99999  99999 99999  99999 99999  99999 99999  99999 99999
1758:  99999 99999  99999 99999  99999 99999  99999 99999  99999 99999   99999 99999  99999 99999  99999 99999  99999 99999  99999 99999
1759:  99999 99999  99999 99999  99999 99999  99999 99999  99999 99999   99999 99999  99999 99999  99999 99999  99999 99999  99999 99999
1760:  99999 99999  99999 99999  99999 99999  99999 99999  99999 99999   99999 99999  99999 99999  99999 99999  99999 99999  99999 99999
1761:  99999 99999  99999 99999  99999 99999  99999 99999  99999 99999   99999 99999  99999 99999  99999 99999  99999 99999  99999 99999
1762:  99999 99999  99999 99999  99999 99999  99999 99999  99999 99999   99999 99999  99999 99999  99999 99999  99999 99999  99999 99999
1763:  99999 99999  99999 99999  99999 99999  99999 99999  99999 99999   99999 99999  99999 99999  99999 99999  99999 99999  99999 99999
1764:  99999 99999  99999 99999  99999 99999  99999 99999  99999 99999   99999 99999  99999 99999  99999 99999  99999 99999  99999 99999
1765:  99999 99999  99999 99999  99999 99999  99999 99999  99999 99999   99999 99999  99999 99999  99999 99999  99999 99999  99999 99999
1766:  99999 99999  99999 99999  99999 99999  99999 99999  99999 99999   99999 99999  99999 99999  99999 99999  99999 99999  99999 99999
1767:  99999 99999  99999 99999  99999 99999  99999 99999  99999 99999   99999 99999  99999 99999  99999 99999  99999 99999  99999 99999
1768:  99999 99999  99999 99999  99999 99999  99999 99999  99999 99999   99999 99999  99999 99999  99999 99999  99999 99999  99999 99999
1769:  99999 99999  99999 99999  99999 99999  99999 99999  99999 99999   99999 99999  99999 99999  99999 99999  99999 99999  99999 99999
1770:  99999 99999  99999 99999  99999 99999  99999 99999  99999 99999   99999 99999  99999 99999  99999 99999  99999 99999  99999 99999
1771:  99999 99999  99999 99999  99999 99999  99999 99999  99999 99999   99999 99999  99999 99999  99999 99999  99999 99999  99999 99999
1772:  99999 99999  99999 99999  99999 99999  99999 99999  99999 99999   99999 99999  99999 99999  99999 99999  99999 99999  99999 99999
1773:  99999 99999  99999 99999  99999 99999  99999 99999  99999 99999   99999 99999  99999 99999  99999 99999  99999 99999  99999 99999
1774:  99999 99999  99999 99999  99999 99999  99999 99999  99999 99999   99999 99999  99999 99999  99999 99999  99999 99999  99999 99999
1775:  99999 99999  99999 99999  99999 99999  99999 99999  99999 99999   99999 99999  99999 99999  99999 99999  99999 99999  99999 99999
1776:  99999 99999  99999 99999  99999 99999  99999 99999  99999 99999   99999 99999  99999 99999  99999 99999  99999 99999  99999 99999
1777:  99999 99999  99999 99999  99999 99999  99999 99999  99999 99999   99999 99999  99999 99999  99999 99999  99999 99999  99999 99999
1778:  99999 99999  99999 99999  99999 99999  99999 99999  99999 99999   99999 99999  99999 99999  99999 99999  99999 99999  99999 99999
1779:  99999 99999  99999 99999  99999 99999  99999 99999  99999 99999   99999 99999  99999 99999  99999 99999  99999 99999  99999 99999
1780:  99999 99999  99999 99999  99999 99999  99999 99999  99999 99999   99999 99999  99999 99999  99999 99999  99999 99999  99999 99999
1781:  99999 99999  99999 99999  99999 99999  99999 99999  99999 99999   99999 99999  99999 99999  99999 99999  99999 99999  99999 99999
1782:  99999 99999  99999 99999  99999 99999  99999 99999  99999 99999   99999 99999  99999 99999  99999 99999  99999 99999  99999 99999
1783:  99999 99999  99999 99999  99999 99999  99999 99999  99999 99999   99999 99999  99999 99999  99999 99999  99999 99999  99999 99999
1784:  99999 99999  99999 99999  99999 99999  99999 99999  99999 99999   99999 99999  99999 99999  99999 99999  99999 99999  99999 99999
1785:  99999 99999  99999 99999  99999 99999  99999 99999  99999 99999   99999 99999  99999 99999  99999 99999  99999 99999  99999 99999
1786:  99999 99999  99999 99999  99999 99999  99999 99999  99999 99999   99999 99999  99999 99999  99999 99999  99999 99999  99999 99999
1787:  99999 99999  99999 99999  99999 99999  99999 99999  99999 99999   99999 99999  99999 99999  99999 99999  99999 99999  99999 99999
1788:  99999 99999  99999 99999  99999 99999  99999 99999  99999 99999   99999 99999  99999 99999  99999 99999  99999 99999  99999 99999
1789:  99999 99999  99999 99999  99999 99999  99999 99999  99999 99999   99999 99999  99999 99999  99999 99999  99999 99999  99999 99999
1790:  99999 99999  99999 99999  99999 99999  99999 99999  99999 99999   99999 99999  99999 99999  99999 99999  99999 99999  99999 99999
1791:  99999 99999  99999 99999  99999 99999  99999 99999  99999 99999   99999 99999  99999 99999  99999 99999  99999 99999  99999 99999
1792:  99999 99999  99999 99999  99999 99999  99999 99999  99999 99999   99999 99999  99999 99999  99999 99999  99999 99999  99999 99999
1793:  99999 99999  99999 99999  99999 99999  99999 99999  99999 99999   99999 99999  99999 99999  99999 99999  99999 99999  99999 99999
1794:  99999 99999  99999 99999  99999 99999  99999 99999  99999 99999   99999 99999  99999 99999  99999 99999  99999 99999  99999 99999
1795:  99999 99999  99999 99999  99999 99999  99999 99999  99999 99999   99999 99999  99999 99999  99999 99999  99999 99999  99999 99999
1796:  99999 99999  99999 99999  99999 99999  99999 99999  99999 99999   99999 99999  99999 99999  99999 99999  99999 99999  99999 99999
1797:  99999 99999  99999 99999  99999 99999  99999 99999  99999 99999   99999 99999  99999 99999  99999 99999  99999 99999  99999 99999
1798:  99999 99999  99999 99999  99999 99999  99999 99999  99999 99999   99999 99999  99999 99999  99999 99999  99999 99999  99999 99999
1799:  99999 99999  99999 99999  99999 99999  99999 99999  99999 99999   99999 99999  99999 99999  99999 99999  99999 99999  99999 99999
```

```
1800:  99999 99999  99999 99999  99999 99999  99999 99999  99999 99999    99999 99999  99999 99999  99999 99999  99999 99999  99999 99999
1801:  99999 99999  99999 99999  99999 99999  99999 99999  99999 99999    99999 99999  99999 99999  99999 99999  99999 99999  99999 99999
1802:  99999 99999  99999 99999  99999 99999  99999 99999  99999 99999    99999 99999  99999 99999  99999 99999  99999 99999  99999 99999
1803:  99999 99999  99999 99999  99999 99999  99999 99999  99999 99999    99999 99999  99999 99999  99999 99999  99999 99999  99999 99999
1804:  99999 99999  99999 99999  99999 99999  99999 99999  99999 99999    99999 99999  99999 99999  99999 99999  99999 99999  99999 99999
1805:  99999 99999  99999 99999  99999 99999  99999 99999  99999 99999    99999 99999  99999 99999  99999 99999  99999 99999  99999 99999
1806:  99999 99999  99999 99999  99999 99999  99999 99999  99999 99999    99999 99999  99999 99999  99999 99999  99999 99999  99999 99999
1807:  99999 99999  99999 99999  99999 99999  99999 99999  99999 99999    99999 99999  99999 99999  99999 99999  99999 99999  99999 99999
1808:  99999 99999  99999 99999  99999 99999  99999 99999  99999 99999    99999 99999  99999 99999  99999 99999  99999 99999  99999 99999
1809:  99999 99999  99999 99999  99999 99999  99999 99999  99999 99999    99999 99999  99999 99999  99999 99999  99999 99999  99999 99999
1810:  99999 99999  99999 99999  99999 99999  99999 99999  99999 99999    99999 99999  99999 99999  99999 99999  99999 99999  99999 99999
1811:  99999 99999  99999 99999  99999 99999  99999 99999  99999 99999    99999 99999  99999 99999  99999 99999  99999 99999  99999 99999
1812:  99999 99999  99999 99999  99999 99999  99999 99999  99999 99999    99999 99999  99999 99999  99999 99999  99999 99999  99999 99999
1813:  99999 99999  99999 99999  99999 99999  99999 99999  99999 99999    99999 99999  99999 99999  99999 99999  99999 99999  99999 99999
1814:  99999 99999  99999 99999  99999 99999  99999 99999  99999 99999    99999 99999  99999 99999  99999 99999  99999 99999  99999 99999
1815:  99999 99999  99999 99999  99999 99999  99999 99999  99999 99999    99999 99999  99999 99999  99999 99999  99999 99999  99999 99999
1816:  99999 99999  99999 99999  99999 99999  99999 99999  99999 99999    99999 99999  99999 99999  99999 99999  99999 99999  99999 99999
1817:  99999 99999  99999 99999  99999 99999  99999 99999  99999 99999    99999 99999  99999 99999  99999 99999  99999 99999  99999 99999
1818:  99999 99999  99999 99999  99999 99999  99999 99999  99999 99999    99999 99999  99999 99999  99999 99999  99999 99999  99999 99999
1819:  99999 99999  99999 99999  99999 99999  99999 99999  99999 99999    99999 99999  99999 99999  99999 99999  99999 99999  99999 99999
1820:  99999 99999  99999 99999  99999 99999  99999 99999  99999 99999    99999 99999  99999 99999  99999 99999  99999 99999  99999 99999
1821:  99999 99999  99999 99999  99999 99999  99999 99999  99999 99999    99999 99999  99999 99999  99999 99999  99999 99999  99999 99999
1822:  99999 99999  99999 99999  99999 99999  99999 99999  99999 99999    99999 99999  99999 99999  99999 99999  99999 99999  99999 99999
1823:  99999 99999  99999 99999  99999 99999  99999 99999  99999 99999    99999 99999  99999 99999  99999 99999  99999 99999  99999 99999
1824:  99999 99999  99999 99999  99999 99999  99999 99999  99999 99999    99999 99999  99999 99999  99999 99999  99999 99999  99999 99999
1825:  99999 99999  99999 99999  99999 99999  99999 99999  99999 99999    99999 99999  99999 99999  99999 99999  99999 99999  99999 99999
1826:  99999 99999  99999 99999  99999 99999  99999 99999  99999 99999    99999 99999  99999 99999  99999 99999  99999 99999  99999 99999
1827:  99999 99999  99999 99999  99999 99999  99999 99999  99999 99999    99999 99999  99999 99999  99999 99999  99999 99999  99999 99999
1828:  99999 99999  99999 99999  99999 99999  99999 99999  99999 99999    99999 99999  99999 99999  99999 99999  99999 99999  99999 99999
1829:  99999 99999  99999 99999  99999 99999  99999 99999  99999 99999    99999 99999  99999 99999  99999 99999  99999 99999  99999 99999
1830:  99999 99999  99999 99999  99999 99999  99999 99999  99999 99999    99999 99999  99999 99999  99999 99999  99999 99999  99999 99999
1831:  99999 99999  99999 99999  99999 99999  99999 99999  99999 99999    99999 99999  99999 99999  99999 99999  99999 99999  99999 99999
1832:  99999 99999  99999 99999  99999 99999  99999 99999  99999 99999    99999 99999  99999 99999  99999 99999  99999 99999  99999 99999
1833:  99999 99999  99999 99999  99999 99999  99999 99999  99999 99999    99999 99999  99999 99999  99999 99999  99999 99999  99999 99999
1834:  99999 99999  99999 99999  99999 99999  99999 99999  99999 99999    99999 99999  99999 99999  99999 99999  99999 99999  99999 99999
1835:  99999 99999  99999 99999  99999 99999  99999 99999  99999 99999    99999 99999  99999 99999  99999 99999  99999 99999  99999 99999
1836:  99999 99999  99999 99999  99999 99999  99999 99999  99999 99999    99999 99999  99999 99999  99999 99999  99999 99999  99999 99999
1837:  99999 99999  99999 99999  99999 99999  99999 99999  99999 99999    99999 99999  99999 99999  99999 99999  99999 99999  99999 99999
1838:  99999 99999  99999 99999  99999 99999  99999 99999  99999 99999    99999 99999  99999 99999  99999 99999  99999 99999  99999 99999
1839:  99999 99999  99999 99999  99999 99999  99999 99999  99999 99999    99999 99999  99999 99999  99999 99999  99999 99999  99999 99999
1840:  99999 99999  99999 99999  99999 99999  99999 99999  99999 99999    99999 99999  99999 99999  99999 99999  99999 99999  99999 99999
1841:  99999 99999  99999 99999  99999 99999  99999 99999  99999 99999    99999 99999  99999 99999  99999 99999  99999 99999  99999 99999
1842:  99999 99999  99999 99999  99999 99999  99999 99999  99999 99999    99999 99999  99999 99999  99999 99999  99999 99999  99999 99999
1843:  99999 99999  99999 99999  99999 99999  99999 99999  99999 99999    99999 99999  99999 99999  99999 99999  99999 99999  99999 99999
1844:  99999 99999  99999 99999  99999 99999  99999 99999  99999 99999    99999 99999  99999 99999  99999 99999  99999 99999  99999 99999
1845:  99999 99999  99999 99999  99999 99999  99999 99999  99999 99999    99999 99999  99999 99999  99999 99999  99999 99999  99999 99999
1846:  99999 99999  99999 99999  99999 99999  99999 99999  99999 99999    99999 99999  99999 99999  99999 99999  99999 99999  99999 99999
1847:  99999 99999  99999 99999  99999 99999  99999 99999  99999 99999    99999 99999  99999 99999  99999 99999  99999 99999  99999 99999
1848:  99999 99999  99999 99999  99999 99999  99999 99999  99999 99999    99999 99999  99999 99999  99999 99999  99999 99999  99999 99999
1849:  99999 99999  99999 99999  99999 99999  99999 99999  99999 99999    99999 99999  99999 99999  99999 99999  99999 99999  99999 99999
```

```
1850:  99999 99999  99999 99999  99999 99999  99999 99999  99999 99999    99999 99999  99999 99999  99999 99999  99999 99999  99999 99999
1851:  99999 99999  99999 99999  99999 99999  99999 99999  99999 99999    99999 99999  99999 99999  99999 99999  99999 99999  99999 99999
1852:  99999 99999  99999 99999  99999 99999  99999 99999  99999 99999    99999 99999  99999 99999  99999 99999  99999 99999  99999 99999
1853:  99999 99999  99999 99999  99999 99999  99999 99999  99999 99999    99999 99999  99999 99999  99999 99999  99999 99999  99999 99999
1854:  99999 99999  99999 99999  99999 99999  99999 99999  99999 99999    99999 99999  99999 99999  99999 99999  99999 99999  99999 99999
1855:  99999 99999  99999 99999  99999 99999  99999 99999  99999 99999    99999 99999  99999 99999  99999 99999  99999 99999  99999 99999
1856:  99999 99999  99999 99999  99999 99999  99999 99999  99999 99999    99999 99999  99999 99999  99999 99999  99999 99999  99999 99999
1857:  99999 99999  99999 99999  99999 99999  99999 99999  99999 99999    99999 99999  99999 99999  99999 99999  99999 99999  99999 99999
1858:  99999 99999  99999 99999  99999 99999  99999 99999  99999 99999    99999 99999  99999 99999  99999 99999  99999 99999  99999 99999
1859:  99999 99999  99999 99999  99999 99999  99999 99999  99999 99999    99999 99999  99999 99999  99999 99999  99999 99999  99999 99999
1860:  99999 99999  99999 99999  99999 99999  99999 99999  99999 99999    99999 99999  99999 99999  99999 99999  99999 99999  99999 99999
1861:  99999 99999  99999 99999  99999 99999  99999 99999  99999 99999    99999 99999  99999 99999  99999 99999  99999 99999  99999 99999
1862:  99999 99999  99999 99999  99999 99999  99999 99999  99999 99999    99999 99999  99999 99999  99999 99999  99999 99999  99999 99999
1863:  99999 99999  99999 99999  99999 99999  99999 99999  99999 99999    99999 99999  99999 99999  99999 99999  99999 99999  99999 99999
1864:  99999 99999  99999 99999  99999 99999  99999 99999  99999 99999    99999 99999  99999 99999  99999 99999  99999 99999  99999 99999
1865:  99999 99999  99999 99999  99999 99999  99999 99999  99999 99999    99999 99999  99999 99999  99999 99999  99999 99999  99999 99999
1866:  99999 99999  99999 99999  99999 99999  99999 99999  99999 99999    99999 99999  99999 99999  99999 99999  99999 99999  99999 99999
1867:  99999 99999  99999 99999  99999 99999  99999 99999  99999 99999    99999 99999  99999 99999  99999 99999  99999 99999  99999 99999
1868:  99999 99999  99999 99999  99999 99999  99999 99999  99999 99999    99999 99999  99999 99999  99999 99999  99999 99999  99999 99999
1869:  99999 99999  99999 99999  99999 99999  99999 99999  99999 99999    99999 99999  99999 99999  99999 99999  99999 99999  99999 99999
1870:  99999 99999  99999 99999  99999 99999  99999 99999  99999 99999    99999 99999  99999 99999  99999 99999  99999 99999  99999 99999
1871:  99999 99999  99999 99999  99999 99999  99999 99999  99999 99999    99999 99999  99999 99999  99999 99999  99999 99999  99999 99999
1872:  99999 99999  99999 99999  99999 99999  99999 99999  99999 99999    99999 99999  99999 99999  99999 99999  99999 99999  99999 99999
1873:  99999 99999  99999 99999  99999 99999  99999 99999  99999 99999    99999 99999  99999 99999  99999 99999  99999 99999  99999 99999
1874:  99999 99999  99999 99999  99999 99999  99999 99999  99999 99999    99999 99999  99999 99999  99999 99999  99999 99999  99999 99999
1875:  99999 99999  99999 99999  99999 99999  99999 99999  99999 99999    99999 99999  99999 99999  99999 99999  99999 99999  99999 99999
1876:  99999 99999  99999 99999  99999 99999  99999 99999  99999 99999    99999 99999  99999 99999  99999 99999  99999 99999  99999 99999
1877:  99999 99999  99999 99999  99999 99999  99999 99999  99999 99999    99999 99999  99999 99999  99999 99999  99999 99999  99999 99999
1878:  99999 99999  99999 99999  99999 99999  99999 99999  99999 99999    99999 99999  99999 99999  99999 99999  99999 99999  99999 99999
1879:  99999 99999  99999 99999  99999 99999  99999 99999  99999 99999    99999 99999  99999 99999  99999 99999  99999 99999  99999 99999
1880:  99999 99999  99999 99999  99999 99999  99999 99999  99999 99999    99999 99999  99999 99999  99999 99999  99999 99999  99999 99999
1881:  99999 99999  99999 99999  99999 99999  99999 99999  99999 99999    99999 99999  99999 99999  99999 99999  99999 99999  99999 99999
1882:  99999 99999  99999 99999  99999 99999  99999 99999  99999 99999    99999 99999  99999 99999  99999 99999  99999 99999  99999 99999
1883:  99999 99999  99999 99999  99999 99999  99999 99999  99999 99999    99999 99999  99999 99999  99999 99999  99999 99999  99999 99999
1884:  99999 99999  99999 99999  99999 99999  99999 99999  99999 99999    99999 99999  99999 99999  99999 99999  99999 99999  99999 99999
1885:  99999 99999  99999 99999  99999 99999  99999 99999  99999 99999    99999 99999  99999 99999  99999 99999  99999 99999  99999 99999
1886:  99999 99999  99999 99999  99999 99999  99999 99999  99999 99999    99999 99999  99999 99999  99999 99999  99999 99999  99999 99999
1887:  99999 99999  99999 99999  99999 99999  99999 99999  99999 99999    99999 99999  99999 99999  99999 99999  99999 99999  99999 99999
1888:  99999 99999  99999 99999  99999 99999  99999 99999  99999 99999    99999 99999  99999 99999  99999 99999  99999 99999  99999 99999
1889:  99999 99999  99999 99999  99999 99999  99999 99999  99999 99999    99999 99999  99999 99999  99999 99999  99999 99999  99999 99999
1890:  99999 99999  99999 99999  99999 99999  99999 99999  99999 99999    99999 99999  99999 99999  99999 99999  99999 99999  99999 99999
1891:  99999 99999  99999 99999  99999 99999  99999 99999  99999 99999    99999 99999  99999 99999  99999 99999  99999 99999  99999 99999
1892:  99999 99999  99999 99999  99999 99999  99999 99999  99999 99999    99999 99999  99999 99999  99999 99999  99999 99999  99999 99999
1893:  99999 99999  99999 99999  99999 99999  99999 99999  99999 99999    99999 99999  99999 99999  99999 99999  99999 99999  99999 99999
1894:  99999 99999  99999 99999  99999 99999  99999 99999  99999 99999    99999 99999  99999 99999  99999 99999  99999 99999  99999 99999
1895:  99999 99999  99999 99999  99999 99999  99999 99999  99999 99999    99999 99999  99999 99999  99999 99999  99999 99999  99999 99999
1896:  99999 99999  99999 99999  99999 99999  99999 99999  99999 99999    99999 99999  99999 99999  99999 99999  99999 99999  99999 99999
1897:  99999 99999  99999 99999  99999 99999  99999 99999  99999 99999    99999 99999  99999 99999  99999 99999  99999 99999  99999 99999
1898:  99999 99999  99999 99999  99999 99999  99999 99999  99999 99999    99999 99999  99999 99999  99999 99999  99999 99999  99999 99999
1899:  99999 99999  99999 99999  99999 99999  99999 99999  99999 99999    99999 99999  99999 99999  99999 99999  99999 99999  99999 99999
```

```
1900:  99999 99999  99999 99999  99999 99999  99999 99999  99999 99999    99999 99999  99999 99999  99999 99999  99999 99999  99999 99999
1901:  99999 99999  99999 99999  99999 99999  99999 99999  99999 99999    99999 99999  99999 99999  99999 99999  99999 99999  99999 99999
1902:  99999 99999  99999 99999  99999 99999  99999 99999  99999 99999    99999 99999  99999 99999  99999 99999  99999 99999  99999 99999
1903:  99999 99999  99999 99999  99999 99999  99999 99999  99999 99999    99999 99999  99999 99999  99999 99999  99999 99999  99999 99999
1904:  99999 99999  99999 99999  99999 99999  99999 99999  99999 99999    99999 99999  99999 99999  99999 99999  99999 99999  99999 99999
1905:  99999 99999  99999 99999  99999 99999  99999 99999  99999 99999    99999 99999  99999 99999  99999 99999  99999 99999  99999 99999
1906:  99999 99999  99999 99999  99999 99999  99999 99999  99999 99999    99999 99999  99999 99999  99999 99999  99999 99999  99999 99999
1907:  99999 99999  99999 99999  99999 99999  99999 99999  99999 99999    99999 99999  99999 99999  99999 99999  99999 99999  99999 99999
1908:  99999 99999  99999 99999  99999 99999  99999 99999  99999 99999    99999 99999  99999 99999  99999 99999  99999 99999  99999 99999
1909:  99999 99999  99999 99999  99999 99999  99999 99999  99999 99999    99999 99999  99999 99999  99999 99999  99999 99999  99999 99999
1910:  99999 99999  99999 99999  99999 99999  99999 99999  99999 99999    99999 99999  99999 99999  99999 99999  99999 99999  99999 99999
1911:  99999 99999  99999 99999  99999 99999  99999 99999  99999 99999    99999 99999  99999 99999  99999 99999  99999 99999  99999 99999
1912:  99999 99999  99999 99999  99999 99999  99999 99999  99999 99999    99999 99999  99999 99999  99999 99999  99999 99999  99999 99999
1913:  99999 99999  99999 99999  99999 99999  99999 99999  99999 99999    99999 99999  99999 99999  99999 99999  99999 99999  99999 99999
1914:  99999 99999  99999 99999  99999 99999  99999 99999  99999 99999    99999 99999  99999 99999  99999 99999  99999 99999  99999 99999
1915:  99999 99999  99999 99999  99999 99999  99999 99999  99999 99999    99999 99999  99999 99999  99999 99999  99999 99999  99999 99999
1916:  99999 99999  99999 99999  99999 99999  99999 99999  99999 99999    99999 99999  99999 99999  99999 99999  99999 99999  99999 99999
1917:  99999 99999  99999 99999  99999 99999  99999 99999  99999 99999    99999 99999  99999 99999  99999 99999  99999 99999  99999 99999
1918:  99999 99999  99999 99999  99999 99999  99999 99999  99999 99999    99999 99999  99999 99999  99999 99999  99999 99999  99999 99999
1919:  99999 99999  99999 99999  99999 99999  99999 99999  99999 99999    99999 99999  99999 99999  99999 99999  99999 99999  99999 99999
1920:  99999 99999  99999 99999  99999 99999  99999 99999  99999 99999    99999 99999  99999 99999  99999 99999  99999 99999  99999 99999
1921:  99999 99999  99999 99999  99999 99999  99999 99999  99999 99999    99999 99999  99999 99999  99999 99999  99999 99999  99999 99999
1922:  99999 99999  99999 99999  99999 99999  99999 99999  99999 99999    99999 99999  99999 99999  99999 99999  99999 99999  99999 99999
1923:  99999 99999  99999 99999  99999 99999  99999 99999  99999 99999    99999 99999  99999 99999  99999 99999  99999 99999  99999 99999
1924:  99999 99999  99999 99999  99999 99999  99999 99999  99999 99999    99999 99999  99999 99999  99999 99999  99999 99999  99999 99999
1925:  99999 99999  99999 99999  99999 99999  99999 99999  99999 99999    99999 99999  99999 99999  99999 99999  99999 99999  99999 99999
1926:  99999 99999  99999 99999  99999 99999  99999 99999  99999 99999    99999 99999  99999 99999  99999 99999  99999 99999  99999 99999
1927:  99999 99999  99999 99999  99999 99999  99999 99999  99999 99999    99999 99999  99999 99999  99999 99999  99999 99999  99999 99999
1928:  99999 99999  99999 99999  99999 99999  99999 99999  99999 99999    99999 99999  99999 99999  99999 99999  99999 99999  99999 99999
1929:  99999 99999  99999 99999  99999 99999  99999 99999  99999 99999    99999 99999  99999 99999  99999 99999  99999 99999  99999 99999
1930:  99999 99999  99999 99999  99999 99999  99999 99999  99999 99999    99999 99999  99999 99999  99999 99999  99999 99999  99999 99999
1931:  99999 99999  99999 99999  99999 99999  99999 99999  99999 99999    99999 99999  99999 99999  99999 99999  99999 99999  99999 99999
1932:  99999 99999  99999 99999  99999 99999  99999 99999  99999 99999    99999 99999  99999 99999  99999 99999  99999 99999  99999 99999
1933:  99999 99999  99999 99999  99999 99999  99999 99999  99999 99999    99999 99999  99999 99999  99999 99999  99999 99999  99999 99999
1934:  99999 99999  99999 99999  99999 99999  99999 99999  99999 99999    99999 99999  99999 99999  99999 99999  99999 99999  99999 99999
1935:  99999 99999  99999 99999  99999 99999  99999 99999  99999 99999    99999 99999  99999 99999  99999 99999  99999 99999  99999 99999
1936:  99999 99999  99999 99999  99999 99999  99999 99999  99999 99999    99999 99999  99999 99999  99999 99999  99999 99999  99999 99999
1937:  99999 99999  99999 99999  99999 99999  99999 99999  99999 99999    99999 99999  99999 99999  99999 99999  99999 99999  99999 99999
1938:  99999 99999  99999 99999  99999 99999  99999 99999  99999 99999    99999 99999  99999 99999  99999 99999  99999 99999  99999 99999
1939:  99999 99999  99999 99999  99999 99999  99999 99999  99999 99999    99999 99999  99999 99999  99999 99999  99999 99999  99999 99999
1940:  99999 99999  99999 99999  99999 99999  99999 99999  99999 99999    99999 99999  99999 99999  99999 99999  99999 99999  99999 99999
1941:  99999 99999  99999 99999  99999 99999  99999 99999  99999 99999    99999 99999  99999 99999  99999 99999  99999 99999  99999 99999
1942:  99999 99999  99999 99999  99999 99999  99999 99999  99999 99999    99999 99999  99999 99999  99999 99999  99999 99999  99999 99999
1943:  99999 99999  99999 99999  99999 99999  99999 99999  99999 99999    99999 99999  99999 99999  99999 99999  99999 99999  99999 99999
1944:  99999 99999  99999 99999  99999 99999  99999 99999  99999 99999    99999 99999  99999 99999  99999 99999  99999 99999  99999 99999
1945:  99999 99999  99999 99999  99999 99999  99999 99999  99999 99999    99999 99999  99999 99999  99999 99999  99999 99999  99999 99999
1946:  99999 99999  99999 99999  99999 99999  99999 99999  99999 99999    99999 99999  99999 99999  99999 99999  99999 99999  99999 99999
1947:  99999 99999  99999 99999  99999 99999  99999 99999  99999 99999    99999 99999  99999 99999  99999 99999  99999 99999  99999 99999
1948:  99999 99999  99999 99999  99999 99999  99999 99999  99999 99999    99999 99999  99999 99999  99999 99999  99999 99999  99999 99999
1949:  99999 99999  99999 99999  99999 99999  99999 99999  99999 99999    99999 99999  99999 99999  99999 99999  99999 99999  99999 99999
```

```
1950:  99999 99999   99999 99999   99999 99999   99999 99999   99999 99999      99999 99999   99999 99999   99999 99999   99999 99999   99999 99999
1951:  99999 99999   99999 99999   99999 99999   99999 99999   99999 99999      99999 99999   99999 99999   99999 99999   99999 99999   99999 99999
1952:  99999 99999   99999 99999   99999 99999   99999 99999   99999 99999      99999 99999   99999 99999   99999 99999   99999 99999   99999 99999
1953:  99999 99999   99999 99999   99999 99999   99999 99999   99999 99999      99999 99999   99999 99999   99999 99999   99999 99999   99999 99999
1954:  99999 99999   99999 99999   99999 99999   99999 99999   99999 99999      99999 99999   99999 99999   99999 99999   99999 99999   99999 99999
1955:  99999 99999   99999 99999   99999 99999   99999 99999   99999 99999      99999 99999   99999 99999   99999 99999   99999 99999   99999 99999
1956:  99999 99999   99999 99999   99999 99999   99999 99999   99999 99999      99999 99999   99999 99999   99999 99999   99999 99999   99999 99999
1957:  99999 99999   99999 99999   99999 99999   99999 99999   99999 99999      99999 99999   99999 99999   99999 99999   99999 99999   99999 99999
1958:  99999 99999   99999 99999   99999 99999   99999 99999   99999 99999      99999 99999   99999 99999   99999 99999   99999 99999   99999 99999
1959:  99999 99999   99999 99999   99999 99999   99999 99999   99999 99999      99999 99999   99999 99999   99999 99999   99999 99999   99999 99999
1960:  99999 99999   99999 99999   99999 99999   99999 99999   99999 99999      99999 99999   99999 99999   99999 99999   99999 99999   99999 99999
1961:  99999 99999   99999 99999   99999 99999   99999 99999   99999 99999      99999 99999   99999 99999   99999 99999   99999 99999   99999 99999
1962:  99999 99999   99999 99999   99999 99999   99999 99999   99999 99999      99999 99999   99999 99999   99999 99999   99999 99999   99999 99999
1963:  99999 99999   99999 99999   99999 99999   99999 99999   99999 99999      99999 99999   99999 99999   99999 99999   99999 99999   99999 99999
1964:  99999 99999   99999 99999   99999 99999   99999 99999   99999 99999      99999 99999   99999 99999   99999 99999   99999 99999   99999 99999
1965:  99999 99999   99999 99999   99999 99999   99999 99999   99999 99999      99999 99999   99999 99999   99999 99999   99999 99999   99999 99999
1966:  99999 99999   99999 99999   99999 99999   99999 99999   99999 99999      99999 99999   99999 99999   99999 99999   99999 99999   99999 99999
1967:  99999 99999   99999 99999   99999 99999   99999 99999   99999 99999      99999 99999   99999 99999   99999 99999   99999 99999   99999 99999
1968:  99999 99999   99999 99999   99999 99999   99999 99999   99999 99999      99999 99999   99999 99999   99999 99999   99999 99999   99999 99999
1969:  99999 99999   99999 99999   99999 99999   99999 99999   99999 99999      99999 99999   99999 99999   99999 99999   99999 99999   99999 99999
1970:  99999 99999   99999 99999   99999 99999   99999 99999   99999 99999      99999 99999   99999 99999   99999 99999   99999 99999   99999 99999
1971:  99999 99999   99999 99999   99999 99999   99999 99999   99999 99999      99999 99999   99999 99999   99999 99999   99999 99999   99999 99999
1972:  99999 99999   99999 99999   99999 99999   99999 99999   99999 99999      99999 99999   99999 99999   99999 99999   99999 99999   99999 99999
1973:  99999 99999   99999 99999   99999 99999   99999 99999   99999 99999      99999 99999   99999 99999   99999 99999   99999 99999   99999 99999
1974:  99999 99999   99999 99999   99999 99999   99999 99999   99999 99999      99999 99999   99999 99999   99999 99999   99999 99999   99999 99999
1975:  99999 99999   99999 99999   99999 99999   99999 99999   99999 99999      99999 99999   99999 99999   99999 99999   99999 99999   99999 99999
1976:  99999 99999   99999 99999   99999 99999   99999 99999   99999 99999      99999 99999   99999 99999   99999 99999   99999 99999   99999 99999
1977:  99999 99999   99999 99999   99999 99999   99999 99999   99999 99999      99999 99999   99999 99999   99999 99999   99999 99999   99999 99999
1978:  99999 99999   99999 99999   99999 99999   99999 99999   99999 99999      99999 99999   99999 99999   99999 99999   99999 99999   99999 99999
1979:  99999 99999   99999 99999   99999 99999   99999 99999   99999 99999      99999 99999   99999 99999   99999 99999   99999 99999   99999 99999
1980:  99999 99999   99999 99999   99999 99999   99999 99999   99999 99999      99999 99999   99999 99999   99999 99999   99999 99999   99999 99999
1981:  99999 99999   99999 99999   99999 99999   99999 99999   99999 99999      99999 99999   99999 99999   99999 99999   99999 99999   99999 99999
1982:  99999 99999   99999 99999   99999 99999   99999 99999   99999 99999      99999 99999   99999 99999   99999 99999   99999 99999   99999 99999
1983:  99999 99999   99999 99999   99999 99999   99999 99999   99999 99999      99999 99999   99999 99999   99999 99999   99999 99999   99999 99999
1984:  99999 99999   99999 99999   99999 99999   99999 99999   99999 99999      99999 99999   99999 99999   99999 99999   99999 99999   99999 99999
1985:  99999 99999   99999 99999   99999 99999   99999 99999   99999 99999      99999 99999   99999 99999   99999 99999   99999 99999   99999 99999
1986:  99999 99999   99999 99999   99999 99999   99999 99999   99999 99999      99999 99999   99999 99999   99999 99999   99999 99999   99999 99999
1987:  99999 99999   99999 99999   99999 99999   99999 99999   99999 99999      99999 99999   99999 99999   99999 99999   99999 99999   99999 99999
1988:  99999 99999   99999 99999   99999 99999   99999 99999   99999 99999      99999 99999   99999 99999   99999 99999   99999 99999   99999 99999
1989:  99999 99999   99999 99999   99999 99999   99999 99999   99999 99999      99999 99999   99999 99999   99999 99999   99999 99999   99999 99999
1990:  99999 99999   99999 99999   99999 99999   99999 99999   99999 99999      99999 99999   99999 99999   99999 99999   99999 99999   99999 99999
1991:  99999 99999   99999 99999   99999 99999   99999 99999   99999 99999      99999 99999   99999 99999   99999 99999   99999 99999   99999 99999
1992:  99999 99999   99999 99999   99999 99999   99999 99999   99999 99999      99999 99999   99999 99999   99999 99999   99999 99999   99999 99999
1993:  99999 99999   99999 99999   99999 99999   99999 99999   99999 99999      99999 99999   99999 99999   99999 99999   99999 99999   99999 99999
1994:  99999 99999   99999 99999   99999 99999   99999 99999   99999 99999      99999 99999   99999 99999   99999 99999   99999 99999   99999 99999
1995:  99999 99999   99999 99999   99999 99999   99999 99999   99999 99999      99999 99999   99999 99999   99999 99999   99999 99999   99999 99999
1996:  99999 99999   99999 99999   99999 99999   99999 99999   99999 99999      99999 99999   99999 99999   99999 99999   99999 99999   99999 99999
1997:  99999 99999   99999 99999   99999 99999   99999 99999   99999 99999      99999 99999   99999 99999   99999 99999   99999 99999   99999 99999
1998:  99999 99999   99999 99999   99999 99999   99999 99999   99999 99999      99999 99999   99999 99999   99999 99999   99999 99999   99999 99999
1999:  99999 99999   99999 99999   99999 99999   99999 99999   99999 99999      99999 99999   99999 99999   99999 99999   99999 99999   99999 99999
```

```
2000:  99999 99999  99999 99999  99999 99999  99999 99999  99999 99999   99999 99999  99999 99999  99999 99999  99999 99999  99999 99999
2001:  99999 99999  99999 99999  99999 99999  99999 99999  99999 99999   99999 99999  99999 99999  99999 99999  99999 99999  99999 99999
2002:  99999 99999  99999 99999  99999 99999  99999 99999  99999 99999   99999 99999  99999 99999  99999 99999  99999 99999  99999 99999
2003:  99999 99999  99999 99999  99999 99999  99999 99999  99999 99999   99999 99999  99999 99999  99999 99999  99999 99999  99999 99999
2004:  99999 99999  99999 99999  99999 99999  99999 99999  99999 99999   99999 99999  99999 99999  99999 99999  99999 99999  99999 99999
2005:  99999 99999  99999 99999  99999 99999  99999 99999  99999 99999   99999 99999  99999 99999  99999 99999  99999 99999  99999 99999
2006:  99999 99999  99999 99999  99999 99999  99999 99999  99999 99999   99999 99999  99999 99999  99999 99999  99999 99999  99999 99999
2007:  99999 99999  99999 99999  99999 99999  99999 99999  99999 99999   99999 99999  99999 99999  99999 99999  99999 99999  99999 99999
2008:  99999 99999  99999 99999  99999 99999  99999 99999  99999 99999   99999 99999  99999 99999  99999 99999  99999 99999  99999 99999
2009:  99999 99999  99999 99999  99999 99999  99999 99999  99999 99999   99999 99999  99999 99999  99999 99999  99999 99999  99999 99999
2010:  99999 99999  99999 99999  99999 99999  99999 99999  99999 99999   99999 99999  99999 99999  99999 99999  99999 99999  99999 99999
2011:  99999 99999  99999 99999  99999 99999  99999 99999  99999 99999   99999 99999  99999 99999  99999 99999  99999 99999  99999 99999
2012:  99999 99999  99999 99999  99999 99999  99999 99999  99999 99999   99999 99999  99999 99999  99999 99999  99999 99999  99999 99999
2013:  99999 99999  99999 99999  99999 99999  99999 99999  99999 99999   99999 99999  99999 99999  99999 99999  99999 99999  99999 99999
2014:  99999 99999  99999 99999  99999 99999  99999 99999  99999 99999   99999 99999  99999 99999  99999 99999  99999 99999  99999 99999
2015:  99999 99999  99999 99999  99999 99999  99999 99999  99999 99999   99999 99999  99999 99999  99999 99999  99999 99999  99999 99999
2016:  99999 99999  99999 99999  99999 99999  99999 99999  99999 99999   99999 99999  99999 99999  99999 99999  99999 99999  99999 99999
2017:  99999 99999  99999 99999  99999 99999  99999 99999  99999 99999   99999 99999  99999 99999  99999 99999  99999 99999  99999 99999
2018:  99999 99999  99999 99999  99999 99999  99999 99999  99999 99999   99999 99999  99999 99999  99999 99999  99999 99999  99999 99999
2019:  99999 99999  99999 99999  99999 99999  99999 99999  99999 99999   99999 99999  99999 99999  99999 99999  99999 99999  99999 99999
2020:  99999 99999  99999 99999  99999 99999  99999 99999  99999 99999   99999 99999  99999 99999  99999 99999  99999 99999  99999 99999
2021:  99999 99999  99999 99999  99999 99999  99999 99999  99999 99999   99999 99999  99999 99999  99999 99999  99999 99999  99999 99999
2022:  99999 99999  99999 99999  99999 99999  99999 99999  99999 99999   99999 99999  99999 99999  99999 99999  99999 99999  99999 99999
2023:  99999 99999  99999 99999  99999 99999  99999 99999  99999 99999   99999 99999  99999 99999  99999 99999  99999 99999  99999 99999
2024:  99999 99999  99999 99999  99999 99999  99999 99999  99999 99999   99999 99999  99999 99999  99999 99999  99999 99999  99999 99999
2025:  99999 99999  99999 99999  99999 99999  99999 99999  99999 99999   99999 99999  99999 99999  99999 99999  99999 99999  99999 99999
2026:  99999 99999  99999 99999  99999 99999  99999 99999  99999 99999   99999 99999  99999 99999  99999 99999  99999 99999  99999 99999
2027:  99999 99999  99999 99999  99999 99999  99999 99999  99999 99999   99999 99999  99999 99999  99999 99999  99999 99999  99999 99999
2028:  99999 99999  99999 99999  99999 99999  99999 99999  99999 99999   99999 99999  99999 99999  99999 99999  99999 99999  99999 99999
2029:  99999 99999  99999 99999  99999 99999  99999 99999  99999 99999   99999 99999  99999 99999  99999 99999  99999 99999  99999 99999
2030:  99999 99999  99999 99999  99999 99999  99999 99999  99999 99999   99999 99999  99999 99999  99999 99999  99999 99999  99999 99999
2031:  99999 99999  99999 99999  99999 99999  99999 99999  99999 99999   99999 99999  99999 99999  99999 99999  99999 99999  99999 99999
2032:  99999 99999  99999 99999  99999 99999  99999 99999  99999 99999   99999 99999  99999 99999  99999 99999  99999 99999  99999 99999
2033:  99999 99999  99999 99999  99999 99999  99999 99999  99999 99999   99999 99999  99999 99999  99999 99999  99999 99999  99999 99999
2034:  99999 99999  99999 99999  99999 99999  99999 99999  99999 99999   99999 99999  99999 99999  99999 99999  99999 99999  99999 99999
2035:  99999 99999  99999 99999  99999 99999  99999 99999  99999 99999   99999 99999  99999 99999  99999 99999  99999 99999  99999 99999
2036:  99999 99999  99999 99999  99999 99999  99999 99999  99999 99999   99999 99999  99999 99999  99999 99999  99999 99999  99999 99999
2037:  99999 99999  99999 99999  99999 99999  99999 99999  99999 99999   99999 99999  99999 99999  99999 99999  99999 99999  99999 99999
2038:  99999 99999  99999 99999  99999 99999  99999 99999  99999 99999   99999 99999  99999 99999  99999 99999  99999 99999  99999 99999
2039:  99999 99999  99999 99999  99999 99999  99999 99999  99999 99999   99999 99999  99999 99999  99999 99999  99999 99999  99999 99999
2040:  99999 99999  99999 99999  99999 99999  99999 99999  99999 99999   99999 99999  99999 99999  99999 99999  99999 99999  99999 99999
2041:  99999 99999  99999 99999  99999 99999  99999 99999  99999 99999   99999 99999  99999 99999  99999 99999  99999 99999  99999 99999
2042:  99999 99999  99999 99999  99999 99999  99999 99999  99999 99999   99999 99999  99999 99999  99999 99999  99999 99999  99999 99999
2043:  99999 99999  99999 99999  99999 99999  99999 99999  99999 99999   99999 99999  99999 99999  99999 99999  99999 99999  99999 99999
2044:  99999 99999  99999 99999  99999 99999  99999 99999  99999 99999   99999 99999  99999 99999  99999 99999  99999 99999  99999 99999
2045:  99999 99999  99999 99999  99999 99999  99999 99999  99999 99999   99999 99999  99999 99999  99999 99999  99999 99999  99999 99999
2046:  99999 99999  99999 99999  99999 99999  99999 99999  99999 99999   99999 99999  99999 99999  99999 99999  99999 99999  99999 99999
2047:  99999 99999  99999 99999  99999 99999  99999 99999  99999 99999   99999 99999  99999 99999  99999 99999  99999 99999  99999 99999
2048:  99999 99999  99999 99999  99999 99999  99999 99999  99999 99999   99999 99999  99999 99999  99999 99999  99999 99999  99999 99999
2049:  99999 99999  99999 99999  99999 99999  99999 99999  99999 99999   99999 99999  99999 99999  99999 99999  99999 99999  99999 99999
```

```
2050:  99999 99999  99999 99999  99999 99999  99999 99999  99999 99999    99999 99999  99999 99999  99999 99999  99999 99999  99999 99999
2051:  99999 99999  99999 99999  99999 99999  99999 99999  99999 99999    99999 99999  99999 99999  99999 99999  99999 99999  99999 99999
2052:  99999 99999  99999 99999  99999 99999  99999 99999  99999 99999    99999 99999  99999 99999  99999 99999  99999 99999  99999 99999
2053:  99999 99999  99999 99999  99999 99999  99999 99999  99999 99999    99999 99999  99999 99999  99999 99999  99999 99999  99999 99999
2054:  99999 99999  99999 99999  99999 99999  99999 99999  99999 99999    99999 99999  99999 99999  99999 99999  99999 99999  99999 99999
2055:  99999 99999  99999 99999  99999 99999  99999 99999  99999 99999    99999 99999  99999 99999  99999 99999  99999 99999  99999 99999
2056:  99999 99999  99999 99999  99999 99999  99999 99999  99999 99999    99999 99999  99999 99999  99999 99999  99999 99999  99999 99999
2057:  99999 99999  99999 99999  99999 99999  99999 99999  99999 99999    99999 99999  99999 99999  99999 99999  99999 99999  99999 99999
2058:  99999 99999  99999 99999  99999 99999  99999 99999  99999 99999    99999 99999  99999 99999  99999 99999  99999 99999  99999 99999
2059:  99999 99999  99999 99999  99999 99999  99999 99999  99999 99999    99999 99999  99999 99999  99999 99999  99999 99999  99999 99999
2060:  99999 99999  99999 99999  99999 99999  99999 99999  99999 99999    99999 99999  99999 99999  99999 99999  99999 99999  99999 99999
2061:  99999 99999  99999 99999  99999 99999  99999 99999  99999 99999    99999 99999  99999 99999  99999 99999  99999 99999  99999 99999
2062:  99999 99999  99999 99999  99999 99999  99999 99999  99999 99999    99999 99999  99999 99999  99999 99999  99999 99999  99999 99999
2063:  99999 99999  99999 99999  99999 99999  99999 99999  99999 99999    99999 99999  99999 99999  99999 99999  99999 99999  99999 99999
2064:  99999 99999  99999 99999  99999 99999  99999 99999  99999 99999    99999 99999  99999 99999  99999 99999  99999 99999  99999 99999
2065:  99999 99999  99999 99999  99999 99999  99999 99999  99999 99999    99999 99999  99999 99999  99999 99999  99999 99999  99999 99999
2066:  99999 99999  99999 99999  99999 99999  99999 99999  99999 99999    99999 99999  99999 99999  99999 99999  99999 99999  99999 99999
2067:  99999 99999  99999 99999  99999 99999  99999 99999  99999 99999    99999 99999  99999 99999  99999 99999  99999 99999  99999 99999
2068:  99999 99999  99999 99999  99999 99999  99999 99999  99999 99999    99999 99999  99999 99999  99999 99999  99999 99999  99999 99999
2069:  99999 99999  99999 99999  99999 99999  99999 99999  99999 99999    99999 99999  99999 99999  99999 99999  99999 99999  99999 99999
2070:  99999 99999  99999 99999  99999 99999  99999 99999  99999 99999    99999 99999  99999 99999  99999 99999  99999 99999  99999 99999
2071:  99999 99999  99999 99999  99999 99999  99999 99999  99999 99999    99999 99999  99999 99999  99999 99999  99999 99999  99999 99999
2072:  99999 99999  99999 99999  99999 99999  99999 99999  99999 99999    99999 99999  99999 99999  99999 99999  99999 99999  99999 99999
2073:  99999 99999  99999 99999  99999 99999  99999 99999  99999 99999    99999 99999  99999 99999  99999 99999  99999 99999  99999 99999
2074:  99999 99999  99999 99999  99999 99999  99999 99999  99999 99999    99999 99999  99999 99999  99999 99999  99999 99999  99999 99999
2075:  99999 99999  99999 99999  99999 99999  99999 99999  99999 99999    99999 99999  99999 99999  99999 99999  99999 99999  99999 99999
2076:  99999 99999  99999 99999  99999 99999  99999 99999  99999 99999    99999 99999  99999 99999  99999 99999  99999 99999  99999 99999
2077:  99999 99999  99999 99999  99999 99999  99999 99999  99999 99999    99999 99999  99999 99999  99999 99999  99999 99999  99999 99999
2078:  99999 99999  99999 99999  99999 99999  99999 99999  99999 99999    99999 99999  99999 99999  99999 99999  99999 99999  99999 99999
2079:  99999 99999  99999 99999  99999 99999  99999 99999  99999 99999    99999 99999  99999 99999  99999 99999  99999 99999  99999 99999
2080:  99999 99999  99999 99999  99999 99999  99999 99999  99999 99999    99999 99999  99999 99999  99999 99999  99999 99999  99999 99999
2081:  99999 99999  99999 99999  99999 99999  99999 99999  99999 99999    99999 99999  99999 99999  99999 99999  99999 99999  99999 99999
2082:  99999 99999  99999 99999  99999 99999  99999 99999  99999 99999    99999 99999  99999 99999  99999 99999  99999 99999  99999 99999
2083:  99999 99999  99999 99999  99999 99999  99999 99999  99999 99999    99999 99999  99999 99999  99999 99999  99999 99999  99999 99999
2084:  99999 99999  99999 99999  99999 99999  99999 99999  99999 99999    99999 99999  99999 99999  99999 99999  99999 99999  99999 99999
2085:  99999 99999  99999 99999  99999 99999  99999 99999  99999 99999    99999 99999  99999 99999  99999 99999  99999 99999  99999 99999
2086:  99999 99999  99999 99999  99999 99999  99999 99999  99999 99999    99999 99999  99999 99999  99999 99999  99999 99999  99999 99999
2087:  99999 99999  99999 99999  99999 99999  99999 99999  99999 99999    99999 99999  99999 99999  99999 99999  99999 99999  99999 99999
2088:  99999 99999  99999 99999  99999 99999  99999 99999  99999 99999    99999 99999  99999 99999  99999 99999  99999 99999  99999 99999
2089:  99999 99999  99999 99999  99999 99999  99999 99999  99999 99999    99999 99999  99999 99999  99999 99999  99999 99999  99999 99999
2090:  99999 99999  99999 99999  99999 99999  99999 99999  99999 99999    99999 99999  99999 99999  99999 99999  99999 99999  99999 99999
2091:  99999 99999  99999 99999  99999 99999  99999 99999  99999 99999    99999 99999  99999 99999  99999 99999  99999 99999  99999 99999
2092:  99999 99999  99999 99999  99999 99999  99999 99999  99999 99999    99999 99999  99999 99999  99999 99999  99999 99999  99999 99999
2093:  99999 99999  99999 99999  99999 99999  99999 99999  99999 99999    99999 99999  99999 99999  99999 99999  99999 99999  99999 99999
2094:  99999 99999  99999 99999  99999 99999  99999 99999  99999 99999    99999 99999  99999 99999  99999 99999  99999 99999  99999 99999
2095:  99999 99999  99999 99999  99999 99999  99999 99999  99999 99999    99999 99999  99999 99999  99999 99999  99999 99999  99999 99999
2096:  99999 99999  99999 99999  99999 99999  99999 99999  99999 99999    99999 99999  99999 99999  99999 99999  99999 99999  99999 99999
2097:  99999 99999  99999 99999  99999 99999  99999 99999  99999 99999    99999 99999  99999 99999  99999 99999  99999 99999  99999 99999
2098:  99999 99999  99999 99999  99999 99999  99999 99999  99999 99999    99999 99999  99999 99999  99999 99999  99999 99999  99999 99999
2099:  99999 99999  99999 99999  99999 99999  99999 99999  99999 99999    99999 99999  99999 99999  99999 99999  99999 99999  99999 99999
```

```
2100:  99999 99999  99999 99999  99999 99999  99999 99999  99999 99999    99999 99999  99999 99999  99999 99999  99999 99999  99999 99999
2101:  99999 99999  99999 99999  99999 99999  99999 99999  99999 99999    99999 99999  99999 99999  99999 99999  99999 99999  99999 99999
2102:  99999 99999  99999 99999  99999 99999  99999 99999  99999 99999    99999 99999  99999 99999  99999 99999  99999 99999  99999 99999
2103:  99999 99999  99999 99999  99999 99999  99999 99999  99999 99999    99999 99999  99999 99999  99999 99999  99999 99999  99999 99999
2104:  99999 99999  99999 99999  99999 99999  99999 99999  99999 99999    99999 99999  99999 99999  99999 99999  99999 99999  99999 99999
2105:  99999 99999  99999 99999  99999 99999  99999 99999  99999 99999    99999 99999  99999 99999  99999 99999  99999 99999  99999 99999
2106:  99999 99999  99999 99999  99999 99999  99999 99999  99999 99999    99999 99999  99999 99999  99999 99999  99999 99999  99999 99999
2107:  99999 99999  99999 99999  99999 99999  99999 99999  99999 99999    99999 99999  99999 99999  99999 99999  99999 99999  99999 99999
2108:  99999 99999  99999 99999  99999 99999  99999 99999  99999 99999    99999 99999  99999 99999  99999 99999  99999 99999  99999 99999
2109:  99999 99999  99999 99999  99999 99999  99999 99999  99999 99999    99999 99999  99999 99999  99999 99999  99999 99999  99999 99999
2110:  99999 99999  99999 99999  99999 99999  99999 99999  99999 99999    99999 99999  99999 99999  99999 99999  99999 99999  99999 99999
2111:  99999 99999  99999 99999  99999 99999  99999 99999  99999 99999    99999 99999  99999 99999  99999 99999  99999 99999  99999 99999
2112:  99999 99999  99999 99999  99999 99999  99999 99999  99999 99999    99999 99999  99999 99999  99999 99999  99999 99999  99999 99999
2113:  99999 99999  99999 99999  99999 99999  99999 99999  99999 99999    99999 99999  99999 99999  99999 99999  99999 99999  99999 99999
2114:  99999 99999  99999 99999  99999 99999  99999 99999  99999 99999    99999 99999  99999 99999  99999 99999  99999 99999  99999 99999
2115:  99999 99999  99999 99999  99999 99999  99999 99999  99999 99999    99999 99999  99999 99999  99999 99999  99999 99999  99999 99999
2116:  99999 99999  99999 99999  99999 99999  99999 99999  99999 99999    99999 99999  99999 99999  99999 99999  99999 99999  99999 99999
2117:  99999 99999  99999 99999  99999 99999  99999 99999  99999 99999    99999 99999  99999 99999  99999 99999  99999 99999  99999 99999
2118:  99999 99999  99999 99999  99999 99999  99999 99999  99999 99999    99999 99999  99999 99999  99999 99999  99999 99999  99999 99999
2119:  99999 99999  99999 99999  99999 99999  99999 99999  99999 99999    99999 99999  99999 99999  99999 99999  99999 99999  99999 99999
2120:  99999 99999  99999 99999  99999 99999  99999 99999  99999 99999    99999 99999  99999 99999  99999 99999  99999 99999  99999 99999
2121:  99999 99999  99999 99999  99999 99999  99999 99999  99999 99999    99999 99999  99999 99999  99999 99999  99999 99999  99999 99999
2122:  99999 99999  99999 99999  99999 99999  99999 99999  99999 99999    99999 99999  99999 99999  99999 99999  99999 99999  99999 99999
2123:  99999 99999  99999 99999  99999 99999  99999 99999  99999 99999    99999 99999  99999 99999  99999 99999  99999 99999  99999 99999
2124:  99999 99999  99999 99999  99999 99999  99999 99999  99999 99999    99999 99999  99999 99999  99999 99999  99999 99999  99999 99999
2125:  99999 99999  99999 99999  99999 99999  99999 99999  99999 99999    99999 99999  99999 99999  99999 99999  99999 99999  99999 99999
2126:  99999 99999  99999 99999  99999 99999  99999 99999  99999 99999    99999 99999  99999 99999  99999 99999  99999 99999  99999 99999
2127:  99999 99999  99999 99999  99999 99999  99999 99999  99999 99999    99999 99999  99999 99999  99999 99999  99999 99999  99999 99999
2128:  99999 99999  99999 99999  99999 99999  99999 99999  99999 99999    99999 99999  99999 99999  99999 99999  99999 99999  99999 99999
2129:  99999 99999  99999 99999  99999 99999  99999 99999  99999 99999    99999 99999  99999 99999  99999 99999  99999 99999  99999 99999
2130:  99999 99999  99999 99999  99999 99999  99999 99999  99999 99999    99999 99999  99999 99999  99999 99999  99999 99999  99999 99999
2131:  99999 99999  99999 99999  99999 99999  99999 99999  99999 99999    99999 99999  99999 99999  99999 99999  99999 99999  99999 99999
2132:  99999 99999  99999 99999  99999 99999  99999 99999  99999 99999    99999 99999  99999 99999  99999 99999  99999 99999  99999 99999
2133:  99999 99999  99999 99999  99999 99999  99999 99999  99999 99999    99999 99999  99999 99999  99999 99999  99999 99999  99999 99999
2134:  99999 99999  99999 99999  99999 99999  99999 99999  99999 99999    99999 99999  99999 99999  99999 99999  99999 99999  99999 99999
2135:  99999 99999  99999 99999  99999 99999  99999 99999  99999 99999    99999 99999  99999 99999  99999 99999  99999 99999  99999 99999
2136:  99999 99999  99999 99999  99999 99999  99999 99999  99999 99999    99999 99999  99999 99999  99999 99999  99999 99999  99999 99999
2137:  99999 99999  99999 99999  99999 99999  99999 99999  99999 99999    99999 99999  99999 99999  99999 99999  99999 99999  99999 99999
2138:  99999 99999  99999 99999  99999 99999  99999 99999  99999 99999    99999 99999  99999 99999  99999 99999  99999 99999  99999 99999
2139:  99999 99999  99999 99999  99999 99999  99999 99999  99999 99999    99999 99999  99999 99999  99999 99999  99999 99999  99999 99999
2140:  99999 99999  99999 99999  99999 99999  99999 99999  99999 99999    99999 99999  99999 99999  99999 99999  99999 99999  99999 99999
2141:  99999 99999  99999 99999  99999 99999  99999 99999  99999 99999    99999 99999  99999 99999  99999 99999  99999 99999  99999 99999
2142:  99999 99999  99999 99999  99999 99999  99999 99999  99999 99999    99999 99999  99999 99999  99999 99999  99999 99999  99999 99999
2143:  99999 99999  99999 99999  99999 99999  99999 99999  99999 99999    99999 99999  99999 99999  99999 99999  99999 99999  99999 99999
2144:  99999 99999  99999 99999  99999 99999  99999 99999  99999 99999    99999 99999  99999 99999  99999 99999  99999 99999  99999 99999
2145:  99999 99999  99999 99999  99999 99999  99999 99999  99999 99999    99999 99999  99999 99999  99999 99999  99999 99999  99999 99999
2146:  99999 99999  99999 99999  99999 99999  99999 99999  99999 99999    99999 99999  99999 99999  99999 99999  99999 99999  99999 99999
2147:  99999 99999  99999 99999  99999 99999  99999 99999  99999 99999    99999 99999  99999 99999  99999 99999  99999 99999  99999 99999
2148:  99999 99999  99999 99999  99999 99999  99999 99999  99999 99999    99999 99999  99999 99999  99999 99999  99999 99999  99999 99999
2149:  99999 99999  99999 99999  99999 99999  99999 99999  99999 99999    99999 99999  99999 99999  99999 99999  99999 99999  99999 99999
```

```
2150:   99999 99999   99999 99999   99999 99999   99999 99999   99999 99999    99999 99999   99999 99999   99999 99999   99999 99999   99999 99999
2151:   99999 99999   99999 99999   99999 99999   99999 99999   99999 99999    99999 99999   99999 99999   99999 99999   99999 99999   99999 99999
2152:   99999 99999   99999 99999   99999 99999   99999 99999   99999 99999    99999 99999   99999 99999   99999 99999   99999 99999   99999 99999
2153:   99999 99999   99999 99999   99999 99999   99999 99999   99999 99999    99999 99999   99999 99999   99999 99999   99999 99999   99999 99999
2154:   99999 99999   99999 99999   99999 99999   99999 99999   99999 99999    99999 99999   99999 99999   99999 99999   99999 99999   99999 99999
2155:   99999 99999   99999 99999   99999 99999   99999 99999   99999 99999    99999 99999   99999 99999   99999 99999   99999 99999   99999 99999
2156:   99999 99999   99999 99999   99999 99999   99999 99999   99999 99999    99999 99999   99999 99999   99999 99999   99999 99999   99999 99999
2157:   99999 99999   99999 99999   99999 99999   99999 99999   99999 99999    99999 99999   99999 99999   99999 99999   99999 99999   99999 99999
2158:   99999 99999   99999 99999   99999 99999   99999 99999   99999 99999    99999 99999   99999 99999   99999 99999   99999 99999   99999 99999
2159:   99999 99999   99999 99999   99999 99999   99999 99999   99999 99999    99999 99999   99999 99999   99999 99999   99999 99999   99999 99999
2160:   99999 99999   99999 99999   99999 99999   99999 99999   99999 99999    99999 99999   99999 99999   99999 99999   99999 99999   99999 99999
2161:   99999 99999   99999 99999   99999 99999   99999 99999   99999 99999    99999 99999   99999 99999   99999 99999   99999 99999   99999 99999
2162:   99999 99999   99999 99999   99999 99999   99999 99999   99999 99999    99999 99999   99999 99999   99999 99999   99999 99999   99999 99999
2163:   99999 99999   99999 99999   99999 99999   99999 99999   99999 99999    99999 99999   99999 99999   99999 99999   99999 99999   99999 99999
2164:   99999 99999   99999 99999   99999 99999   99999 99999   99999 99999    99999 99999   99999 99999   99999 99999   99999 99999   99999 99999
2165:   99999 99999   99999 99999   99999 99999   99999 99999   99999 99999    99999 99999   99999 99999   99999 99999   99999 99999   99999 99999
2166:   99999 99999   99999 99999   99999 99999   99999 99999   99999 99999    99999 99999   99999 99999   99999 99999   99999 99999   99999 99999
2167:   99999 99999   99999 99999   99999 99999   99999 99999   99999 99999    99999 99999   99999 99999   99999 99999   99999 99999   99999 99999
2168:   99999 99999   99999 99999   99999 99999   99999 99999   99999 99999    99999 99999   99999 99999   99999 99999   99999 99999   99999 99999
2169:   99999 99999   99999 99999   99999 99999   99999 99999   99999 99999    99999 99999   99999 99999   99999 99999   99999 99999   99999 99999
2170:   99999 99999   99999 99999   99999 99999   99999 99999   99999 99999    99999 99999   99999 99999   99999 99999   99999 99999   99999 99999
2171:   99999 99999   99999 99999   99999 99999   99999 99999   99999 99999    99999 99999   99999 99999   99999 99999   99999 99999   99999 99999
2172:   99999 99999   99999 99999   99999 99999   99999 99999   99999 99999    99999 99999   99999 99999   99999 99999   99999 99999   99999 99999
2173:   99999 99999   99999 99999   99999 99999   99999 99999   99999 99999    99999 99999   99999 99999   99999 99999   99999 99999   99999 99999
2174:   99999 99999   99999 99999   99999 99999   99999 99999   99999 99999    99999 99999   99999 99999   99999 99999   99999 99999   99999 99999
2175:   99999 99999   99999 99999   99999 99999   99999 99999   99999 99999    99999 99999   99999 99999   99999 99999   99999 99999   99999 99999
2176:   99999 99999   99999 99999   99999 99999   99999 99999   99999 99999    99999 99999   99999 99999   99999 99999   99999 99999   99999 99999
2177:   99999 99999   99999 99999   99999 99999   99999 99999   99999 99999    99999 99999   99999 99999   99999 99999   99999 99999   99999 99999
2178:   99999 99999   99999 99999   99999 99999   99999 99999   99999 99999    99999 99999   99999 99999   99999 99999   99999 99999   99999 99999
2179:   99999 99999   99999 99999   99999 99999   99999 99999   99999 99999    99999 99999   99999 99999   99999 99999   99999 99999   99999 99999
2180:   99999 99999   99999 99999   99999 99999   99999 99999   99999 99999    99999 99999   99999 99999   99999 99999   99999 99999   99999 99999
2181:   99999 99999   99999 99999   99999 99999   99999 99999   99999 99999    99999 99999   99999 99999   99999 99999   99999 99999   99999 99999
2182:   99999 99999   99999 99999   99999 99999   99999 99999   99999 99999    99999 99999   99999 99999   99999 99999   99999 99999   99999 99999
2183:   99999 99999   99999 99999   99999 99999   99999 99999   99999 99999    99999 99999   99999 99999   99999 99999   99999 99999   99999 99999
2184:   99999 99999   99999 99999   99999 99999   99999 99999   99999 99999    99999 99999   99999 99999   99999 99999   99999 99999   99999 99999
2185:   99999 99999   99999 99999   99999 99999   99999 99999   99999 99999    99999 99999   99999 99999   99999 99999   99999 99999   99999 99999
2186:   99999 99999   99999 99999   99999 99999   99999 99999   99999 99999    99999 99999   99999 99999   99999 99999   99999 99999   99999 99999
2187:   99999 99999   99999 99999   99999 99999   99999 99999   99999 99999    99999 99999   99999 99999   99999 99999   99999 99999   99999 99999
2188:   99999 99999   99999 99999   99999 99999   99999 99999   99999 99999    99999 99999   99999 99999   99999 99999   99999 99999   99999 99999
2189:   99999 99999   99999 99999   99999 99999   99999 99999   99999 99999    99999 99999   99999 99999   99999 99999   99999 99999   99999 99999
2190:   99999 99999   99999 99999   99999 99999   99999 99999   99999 99999    99999 99999   99999 99999   99999 99999   99999 99999   99999 99999
2191:   99999 99999   99999 99999   99999 99999   99999 99999   99999 99999    99999 99999   99999 99999   99999 99999   99999 99999   99999 99999
2192:   99999 99999   99999 99999   99999 99999   99999 99999   99999 99999    99999 99999   99999 99999   99999 99999   99999 99999   99999 99999
2193:   99999 99999   99999 99999   99999 99999   99999 99999   99999 99999    99999 99999   99999 99999   99999 99999   99999 99999   99999 99999
2194:   99999 99999   99999 99999   99999 99999   99999 99999   99999 99999    99999 99999   99999 99999   99999 99999   99999 99999   99999 99999
2195:   99999 99999   99999 99999   99999 99999   99999 99999   99999 99999    99999 99999   99999 99999   99999 99999   99999 99999   99999 99999
2196:   99999 99999   99999 99999   99999 99999   99999 99999   99999 99999    99999 99999   99999 99999   99999 99999   99999 99999   99999 99999
2197:   99999 99999   99999 99999   99999 99999   99999 99999   99999 99999    99999 99999   99999 99999   99999 99999   99999 99999   99999 99999
2198:   99999 99999   99999 99999   99999 99999   99999 99999   99999 99999    99999 99999   99999 99999   99999 99999   99999 99999   99999 99999
2199:   99999 99999   99999 99999   99999 99999   99999 99999   99999 99999    99999 99999   99999 99999   99999 99999   99999 99999   99999 99999
```

```
2200:   99999 99999   99999 99999   99999 99999   99999 99999   99999 99999      99999 99999   99999 99999   99999 99999   99999 99999   99999 99999
2201:   99999 99999   99999 99999   99999 99999   99999 99999   99999 99999      99999 99999   99999 99999   99999 99999   99999 99999   99999 99999
2202:   99999 99999   99999 99999   99999 99999   99999 99999   99999 99999      99999 99999   99999 99999   99999 99999   99999 99999   99999 99999
2203:   99999 99999   99999 99999   99999 99999   99999 99999   99999 99999      99999 99999   99999 99999   99999 99999   99999 99999   99999 99999
2204:   99999 99999   99999 99999   99999 99999   99999 99999   99999 99999      99999 99999   99999 99999   99999 99999   99999 99999   99999 99999
2205:   99999 99999   99999 99999   99999 99999   99999 99999   99999 99999      99999 99999   99999 99999   99999 99999   99999 99999   99999 99999
2206:   99999 99999   99999 99999   99999 99999   99999 99999   99999 99999      99999 99999   99999 99999   99999 99999   99999 99999   99999 99999
2207:   99999 99999   99999 99999   99999 99999   99999 99999   99999 99999      99999 99999   99999 99999   99999 99999   99999 99999   99999 99999
2208:   99999 99999   99999 99999   99999 99999   99999 99999   99999 99999      99999 99999   99999 99999   99999 99999   99999 99999   99999 99999
2209:   99999 99999   99999 99999   99999 99999   99999 99999   99999 99999      99999 99999   99999 99999   99999 99999   99999 99999   99999 99999
2210:   99999 99999   99999 99999   99999 99999   99999 99999   99999 99999      99999 99999   99999 99999   99999 99999   99999 99999   99999 99999
2211:   99999 99999   99999 99999   99999 99999   99999 99999   99999 99999      99999 99999   99999 99999   99999 99999   99999 99999   99999 99999
2212:   99999 99999   99999 99999   99999 99999   99999 99999   99999 99999      99999 99999   99999 99999   99999 99999   99999 99999   99999 99999
2213:   99999 99999   99999 99999   99999 99999   99999 99999   99999 99999      99999 99999   99999 99999   99999 99999   99999 99999   99999 99999
2214:   99999 99999   99999 99999   99999 99999   99999 99999   99999 99999      99999 99999   99999 99999   99999 99999   99999 99999   99999 99999
2215:   99999 99999   99999 99999   99999 99999   99999 99999   99999 99999      99999 99999   99999 99999   99999 99999   99999 99999   99999 99999
2216:   99999 99999   99999 99999   99999 99999   99999 99999   99999 99999      99999 99999   99999 99999   99999 99999   99999 99999   99999 99999
2217:   99999 99999   99999 99999   99999 99999   99999 99999   99999 99999      99999 99999   99999 99999   99999 99999   99999 99999   99999 99999
2218:   99999 99999   99999 99999   99999 99999   99999 99999   99999 99999      99999 99999   99999 99999   99999 99999   99999 99999   99999 99999
2219:   99999 99999   99999 99999   99999 99999   99999 99999   99999 99999      99999 99999   99999 99999   99999 99999   99999 99999   99999 99999
2220:   99999 99999   99999 99999   99999 99999   99999 99999   99999 99999      99999 99999   99999 99999   99999 99999   99999 99999   99999 99999
2221:   99999 99999   99999 99999   99999 99999   99999 99999   99999 99999      99999 99999   99999 99999   99999 99999   99999 99999   99999 99999
2222:   99999 99999   99999 99999   99999 99999   99999 99999   99999 99999      99999 99999   99999 99999   99999 99999   99999 99999   99999 99999
2223:   99999 99999   99999 99999   99999 99999   99999 99999   99999 99999      99999 99999   99999 99999   99999 99999   99999 99999   99999 99999
2224:   99999 99999   99999 99999   99999 99999   99999 99999   99999 99999      99999 99999   99999 99999   99999 99999   99999 99999   99999 99999
2225:   99999 99999   99999 99999   99999 99999   99999 99999   99999 99999      99999 99999   99999 99999   99999 99999   99999 99999   99999 99999
2226:   99999 99999   99999 99999   99999 99999   99999 99999   99999 99999      99999 99999   99999 99999   99999 99999   99999 99999   99999 99999
2227:   99999 99999   99999 99999   99999 99999   99999 99999   99999 99999      99999 99999   99999 99999   99999 99999   99999 99999   99999 99999
2228:   99999 99999   99999 99999   99999 99999   99999 99999   99999 99999      99999 99999   99999 99999   99999 99999   99999 99999   99999 99999
2229:   99999 99999   99999 99999   99999 99999   99999 99999   99999 99999      99999 99999   99999 99999   99999 99999   99999 99999   99999 99999
2230:   99999 99999   99999 99999   99999 99999   99999 99999   99999 99999      99999 99999   99999 99999   99999 99999   99999 99999   99999 99999
2231:   99999 99999   99999 99999   99999 99999   99999 99999   99999 99999      99999 99999   99999 99999   99999 99999   99999 99999   99999 99999
2232:   99999 99999   99999 99999   99999 99999   99999 99999   99999 99999      99999 99999   99999 99999   99999 99999   99999 99999   99999 99999
2233:   99999 99999   99999 99999   99999 99999   99999 99999   99999 99999      99999 99999   99999 99999   99999 99999   99999 99999   99999 99999
2234:   99999 99999   99999 99999   99999 99999   99999 99999   99999 99999      99999 99999   99999 99999   99999 99999   99999 99999   99999 99999
2235:   99999 99999   99999 99999   99999 99999   99999 99999   99999 99999      99999 99999   99999 99999   99999 99999   99999 99999   99999 99999
2236:   99999 99999   99999 99999   99999 99999   99999 99999   99999 99999      99999 99999   99999 99999   99999 99999   99999 99999   99999 99999
2237:   99999 99999   99999 99999   99999 99999   99999 99999   99999 99999      99999 99999   99999 99999   99999 99999   99999 99999   99999 99999
2238:   99999 99999   99999 99999   99999 99999   99999 99999   99999 99999      99999 99999   99999 99999   99999 99999   99999 99999   99999 99999
2239:   99999 99999   99999 99999   99999 99999   99999 99999   99999 99999      99999 99999   99999 99999   99999 99999   99999 99999   99999 99999
2240:   99999 99999   99999 99999   99999 99999   99999 99999   99999 99999      99999 99999   99999 99999   99999 99999   99999 99999   99999 99999
2241:   99999 99999   99999 99999   99999 99999   99999 99999   99999 99999      99999 99999   99999 99999   99999 99999   99999 99999   99999 99999
2242:   99999 99999   99999 99999   99999 99999   99999 99999   99999 99999      99999 99999   99999 99999   99999 99999   99999 99999   99999 99999
2243:   99999 99999   99999 99999   99999 99999   99999 99999   99999 99999      99999 99999   99999 99999   99999 99999   99999 99999   99999 99999
2244:   99999 99999   99999 99999   99999 99999   99999 99999   99999 99999      99999 99999   99999 99999   99999 99999   99999 99999   99999 99999
2245:   99999 99999   99999 99999   99999 99999   99999 99999   99999 99999      99999 99999   99999 99999   99999 99999   99999 99999   99999 99999
2246:   99999 99999   99999 99999   99999 99999   99999 99999   99999 99999      99999 99999   99999 99999   99999 99999   99999 99999   99999 99999
2247:   99999 99999   99999 99999   99999 99999   99999 99999   99999 99999      99999 99999   99999 99999   99999 99999   99999 99999   99999 99999
2248:   99999 99999   99999 99999   99999 99999   99999 99999   99999 99999      99999 99999   99999 99999   99999 99999   99999 99999   99999 99999
2249:   99999 99999   99999 99999   99999 99999   99999 99999   99999 99999      99999 99999   99999 99999   99999 99999   99999 99999   99999 99999
```

```
2250: 99999 99999  99999 99999  99999 99999  99999 99999  99999 99999    99999 99999  99999 99999  99999 99999  99999 99999  99999 99999
2251: 99999 99999  99999 99999  99999 99999  99999 99999  99999 99999    99999 99999  99999 99999  99999 99999  99999 99999  99999 99999
2252: 99999 99999  99999 99999  99999 99999  99999 99999  99999 99999    99999 99999  99999 99999  99999 99999  99999 99999  99999 99999
2253: 99999 99999  99999 99999  99999 99999  99999 99999  99999 99999    99999 99999  99999 99999  99999 99999  99999 99999  99999 99999
2254: 99999 99999  99999 99999  99999 99999  99999 99999  99999 99999    99999 99999  99999 99999  99999 99999  99999 99999  99999 99999
2255: 99999 99999  99999 99999  99999 99999  99999 99999  99999 99999    99999 99999  99999 99999  99999 99999  99999 99999  99999 99999
2256: 99999 99999  99999 99999  99999 99999  99999 99999  99999 99999    99999 99999  99999 99999  99999 99999  99999 99999  99999 99999
2257: 99999 99999  99999 99999  99999 99999  99999 99999  99999 99999    99999 99999  99999 99999  99999 99999  99999 99999  99999 99999
2258: 99999 99999  99999 99999  99999 99999  99999 99999  99999 99999    99999 99999  99999 99999  99999 99999  99999 99999  99999 99999
2259: 99999 99999  99999 99999  99999 99999  99999 99999  99999 99999    99999 99999  99999 99999  99999 99999  99999 99999  99999 99999
2260: 99999 99999  99999 99999  99999 99999  99999 99999  99999 99999    99999 99999  99999 99999  99999 99999  99999 99999  99999 99999
2261: 99999 99999  99999 99999  99999 99999  99999 99999  99999 99999    99999 99999  99999 99999  99999 99999  99999 99999  99999 99999
2262: 99999 99999  99999 99999  99999 99999  99999 99999  99999 99999    99999 99999  99999 99999  99999 99999  99999 99999  99999 99999
2263: 99999 99999  99999 99999  99999 99999  99999 99999  99999 99999    99999 99999  99999 99999  99999 99999  99999 99999  99999 99999
2264: 99999 99999  99999 99999  99999 99999  99999 99999  99999 99999    99999 99999  99999 99999  99999 99999  99999 99999  99999 99999
2265: 99999 99999  99999 99999  99999 99999  99999 99999  99999 99999    99999 99999  99999 99999  99999 99999  99999 99999  99999 99999
2266: 99999 99999  99999 99999  99999 99999  99999 99999  99999 99999    99999 99999  99999 99999  99999 99999  99999 99999  99999 99999
2267: 99999 99999  99999 99999  99999 99999  99999 99999  99999 99999    99999 99999  99999 99999  99999 99999  99999 99999  99999 99999
2268: 99999 99999  99999 99999  99999 99999  99999 99999  99999 99999    99999 99999  99999 99999  99999 99999  99999 99999  99999 99999
2269: 99999 99999  99999 99999  99999 99999  99999 99999  99999 99999    99999 99999  99999 99999  99999 99999  99999 99999  99999 99999
2270: 99999 99999  99999 99999  99999 99999  99999 99999  99999 99999    99999 99999  99999 99999  99999 99999  99999 99999  99999 99999
2271: 99999 99999  99999 99999  99999 99999  99999 99999  99999 99999    99999 99999  99999 99999  99999 99999  99999 99999  99999 99999
2272: 99999 99999  99999 99999  99999 99999  99999 99999  99999 99999    99999 99999  99999 99999  99999 99999  99999 99999  99999 99999
2273: 99999 99999  99999 99999  99999 99999  99999 99999  99999 99999    99999 99999  99999 99999  99999 99999  99999 99999  99999 99999
2274: 99999 99999  99999 99999  99999 99999  99999 99999  99999 99999    99999 99999  99999 99999  99999 99999  99999 99999  99999 99999
2275: 99999 99999  99999 99999  99999 99999  99999 99999  99999 99999    99999 99999  99999 99999  99999 99999  99999 99999  99999 99999
2276: 99999 99999  99999 99999  99999 99999  99999 99999  99999 99999    99999 99999  99999 99999  99999 99999  99999 99999  99999 99999
2277: 99999 99999  99999 99999  99999 99999  99999 99999  99999 99999    99999 99999  99999 99999  99999 99999  99999 99999  99999 99999
2278: 99999 99999  99999 99999  99999 99999  99999 99999  99999 99999    99999 99999  99999 99999  99999 99999  99999 99999  99999 99999
2279: 99999 99999  99999 99999  99999 99999  99999 99999  99999 99999    99999 99999  99999 99999  99999 99999  99999 99999  99999 99999
2280: 99999 99999  99999 99999  99999 99999  99999 99999  99999 99999    99999 99999  99999 99999  99999 99999  99999 99999  99999 99999
2281: 99999 99999  99999 99999  99999 99999  99999 99999  99999 99999    99999 99999  99999 99999  99999 99999  99999 99999  99999 99999
2282: 99999 99999  99999 99999  99999 99999  99999 99999  99999 99999    99999 99999  99999 99999  99999 99999  99999 99999  99999 99999
2283: 99999 99999  99999 99999  99999 99999  99999 99999  99999 99999    99999 99999  99999 99999  99999 99999  99999 99999  99999 99999
2284: 99999 99999  99999 99999  99999 99999  99999 99999  99999 99999    99999 99999  99999 99999  99999 99999  99999 99999  99999 99999
2285: 99999 99999  99999 99999  99999 99999  99999 99999  99999 99999    99999 99999  99999 99999  99999 99999  99999 99999  99999 99999
2286: 99999 99999  99999 99999  99999 99999  99999 99999  99999 99999    99999 99999  99999 99999  99999 99999  99999 99999  99999 99999
2287: 99999 99999  99999 99999  99999 99999  99999 99999  99999 99999    99999 99999  99999 99999  99999 99999  99999 99999  99999 99999
2288: 99999 99999  99999 99999  99999 99999  99999 99999  99999 99999    99999 99999  99999 99999  99999 99999  99999 99999  99999 99999
2289: 99999 99999  99999 99999  99999 99999  99999 99999  99999 99999    99999 99999  99999 99999  99999 99999  99999 99999  99999 99999
2290: 99999 99999  99999 99999  99999 99999  99999 99999  99999 99999    99999 99999  99999 99999  99999 99999  99999 99999  99999 99999
2291: 99999 99999  99999 99999  99999 99999  99999 99999  99999 99999    99999 99999  99999 99999  99999 99999  99999 99999  99999 99999
2292: 99999 99999  99999 99999  99999 99999  99999 99999  99999 99999    99999 99999  99999 99999  99999 99999  99999 99999  99999 99999
2293: 99999 99999  99999 99999  99999 99999  99999 99999  99999 99999    99999 99999  99999 99999  99999 99999  99999 99999  99999 99999
2294: 99999 99999  99999 99999  99999 99999  99999 99999  99999 99999    99999 99999  99999 99999  99999 99999  99999 99999  99999 99999
2295: 99999 99999  99999 99999  99999 99999  99999 99999  99999 99999    99999 99999  99999 99999  99999 99999  99999 99999  99999 99999
2296: 99999 99999  99999 99999  99999 99999  99999 99999  99999 99999    99999 99999  99999 99999  99999 99999  99999 99999  99999 99999
2297: 99999 99999  99999 99999  99999 99999  99999 99999  99999 99999    99999 99999  99999 99999  99999 99999  99999 99999  99999 99999
2298: 99999 99999  99999 99999  99999 99999  99999 99999  99999 99999    99999 99999  99999 99999  99999 99999  99999 99999  99999 99999
2299: 99999 99999  99999 99999  99999 99999  99999 99999  99999 99999    99999 99999  99999 99999  99999 99999  99999 99999  99999 99999
```

```
2300:  99999 99999  99999 99999  99999 99999  99999 99999  99999 99999    99999 99999  99999 99999  99999 99999  99999 99999  99999 99999
2301:  99999 99999  99999 99999  99999 99999  99999 99999  99999 99999    99999 99999  99999 99999  99999 99999  99999 99999  99999 99999
2302:  99999 99999  99999 99999  99999 99999  99999 99999  99999 99999    99999 99999  99999 99999  99999 99999  99999 99999  99999 99999
2303:  99999 99999  99999 99999  99999 99999  99999 99999  99999 99999    99999 99999  99999 99999  99999 99999  99999 99999  99999 99999
2304:  99999 99999  99999 99999  99999 99999  99999 99999  99999 99999    99999 99999  99999 99999  99999 99999  99999 99999  99999 99999
2305:  99999 99999  99999 99999  99999 99999  99999 99999  99999 99999    99999 99999  99999 99999  99999 99999  99999 99999  99999 99999
2306:  99999 99999  99999 99999  99999 99999  99999 99999  99999 99999    99999 99999  99999 99999  99999 99999  99999 99999  99999 99999
2307:  99999 99999  99999 99999  99999 99999  99999 99999  99999 99999    99999 99999  99999 99999  99999 99999  99999 99999  99999 99999
2308:  99999 99999  99999 99999  99999 99999  99999 99999  99999 99999    99999 99999  99999 99999  99999 99999  99999 99999  99999 99999
2309:  99999 99999  99999 99999  99999 99999  99999 99999  99999 99999    99999 99999  99999 99999  99999 99999  99999 99999  99999 99999
2310:  99999 99999  99999 99999  99999 99999  99999 99999  99999 99999    99999 99999  99999 99999  99999 99999  99999 99999  99999 99999
2311:  99999 99999  99999 99999  99999 99999  99999 99999  99999 99999    99999 99999  99999 99999  99999 99999  99999 99999  99999 99999
2312:  99999 99999  99999 99999  99999 99999  99999 99999  99999 99999    99999 99999  99999 99999  99999 99999  99999 99999  99999 99999
2313:  99999 99999  99999 99999  99999 99999  99999 99999  99999 99999    99999 99999  99999 99999  99999 99999  99999 99999  99999 99999
2314:  99999 99999  99999 99999  99999 99999  99999 99999  99999 99999    99999 99999  99999 99999  99999 99999  99999 99999  99999 99999
2315:  99999 99999  99999 99999  99999 99999  99999 99999  99999 99999    99999 99999  99999 99999  99999 99999  99999 99999  99999 99999
2316:  99999 99999  99999 99999  99999 99999  99999 99999  99999 99999    99999 99999  99999 99999  99999 99999  99999 99999  99999 99999
2317:  99999 99999  99999 99999  99999 99999  99999 99999  99999 99999    99999 99999  99999 99999  99999 99999  99999 99999  99999 99999
2318:  99999 99999  99999 99999  99999 99999  99999 99999  99999 99999    99999 99999  99999 99999  99999 99999  99999 99999  99999 99999
2319:  99999 99999  99999 99999  99999 99999  99999 99999  99999 99999    99999 99999  99999 99999  99999 99999  99999 99999  99999 99999
2320:  99999 99999  99999 99999  99999 99999  99999 99999  99999 99999    99999 99999  99999 99999  99999 99999  99999 99999  99999 99999
2321:  99999 99999  99999 99999  99999 99999  99999 99999  99999 99999    99999 99999  99999 99999  99999 99999  99999 99999  99999 99999
2322:  99999 99999  99999 99999  99999 99999  99999 99999  99999 99999    99999 99999  99999 99999  99999 99999  99999 99999  99999 99999
2323:  99999 99999  99999 99999  99999 99999  99999 99999  99999 99999    99999 99999  99999 99999  99999 99999  99999 99999  99999 99999
2324:  99999 99999  99999 99999  99999 99999  99999 99999  99999 99999    99999 99999  99999 99999  99999 99999  99999 99999  99999 99999
2325:  99999 99999  99999 99999  99999 99999  99999 99999  99999 99999    99999 99999  99999 99999  99999 99999  99999 99999  99999 99999
2326:  99999 99999  99999 99999  99999 99999  99999 99999  99999 99999    99999 99999  99999 99999  99999 99999  99999 99999  99999 99999
2327:  99999 99999  99999 99999  99999 99999  99999 99999  99999 99999    99999 99999  99999 99999  99999 99999  99999 99999  99999 99999
2328:  99999 99999  99999 99999  99999 99999  99999 99999  99999 99999    99999 99999  99999 99999  99999 99999  99999 99999  99999 99999
2329:  99999 99999  99999 99999  99999 99999  99999 99999  99999 99999    99999 99999  99999 99999  99999 99999  99999 99999  99999 99999
2330:  99999 99999  99999 99999  99999 99999  99999 99999  99999 99999    99999 99999  99999 99999  99999 99999  99999 99999  99999 99999
2331:  99999 99999  99999 99999  99999 99999  99999 99999  99999 99999    99999 99999  99999 99999  99999 99999  99999 99999  99999 99999
2332:  99999 99999  99999 99999  99999 99999  99999 99999  99999 99999    99999 99999  99999 99999  99999 99999  99999 99999  99999 99999
2333:  99999 99999  99999 99999  99999 99999  99999 99999  99999 99999    99999 99999  99999 99999  99999 99999  99999 99999  99999 99999
2334:  99999 99999  99999 99999  99999 99999  99999 99999  99999 99999    99999 99999  99999 99999  99999 99999  99999 99999  99999 99999
2335:  99999 99999  99999 99999  99999 99999  99999 99999  99999 99999    99999 99999  99999 99999  99999 99999  99999 99999  99999 99999
2336:  99999 99999  99999 99999  99999 99999  99999 99999  99999 99999    99999 99999  99999 99999  99999 99999  99999 99999  99999 99999
2337:  99999 99999  99999 99999  99999 99999  99999 99999  99999 99999    99999 99999  99999 99999  99999 99999  99999 99999  99999 99999
2338:  99999 99999  99999 99999  99999 99999  99999 99999  99999 99999    99999 99999  99999 99999  99999 99999  99999 99999  99999 99999
2339:  99999 99999  99999 99999  99999 99999  99999 99999  99999 99999    99999 99999  99999 99999  99999 99999  99999 99999  99999 99999
2340:  99999 99999  99999 99999  99999 99999  99999 99999  99999 99999    99999 99999  99999 99999  99999 99999  99999 99999  99999 99999
2341:  99999 99999  99999 99999  99999 99999  99999 99999  99999 99999    99999 99999  99999 99999  99999 99999  99999 99999  99999 99999
2342:  99999 99999  99999 99999  99999 99999  99999 99999  99999 99999    99999 99999  99999 99999  99999 99999  99999 99999  99999 99999
2343:  99999 99999  99999 99999  99999 99999  99999 99999  99999 99999    99999 99999  99999 99999  99999 99999  99999 99999  99999 99999
2344:  99999 99999  99999 99999  99999 99999  99999 99999  99999 99999    99999 99999  99999 99999  99999 99999  99999 99999  99999 99999
2345:  99999 99999  99999 99999  99999 99999  99999 99999  99999 99999    99999 99999  99999 99999  99999 99999  99999 99999  99999 99999
2346:  99999 99999  99999 99999  99999 99999  99999 99999  99999 99999    99999 99999  99999 99999  99999 99999  99999 99999  99999 99999
2347:  99999 99999  99999 99999  99999 99999  99999 99999  99999 99999    99999 99999  99999 99999  99999 99999  99999 99999  99999 99999
2348:  99999 99999  99999 99999  99999 99999  99999 99999  99999 99999    99999 99999  99999 99999  99999 99999  99999 99999  99999 99999
2349:  99999 99999  99999 99999  99999 99999  99999 99999  99999 99999    99999 99999  99999 99999  99999 99999  99999 99999  99999 99999
```

```
2350:  99999 99999  99999 99999  99999 99999  99999 99999  99999 99999    99999 99999  99999 99999  99999 99999  99999 99999  99999 99999
2351:  99999 99999  99999 99999  99999 99999  99999 99999  99999 99999    99999 99999  99999 99999  99999 99999  99999 99999  99999 99999
2352:  99999 99999  99999 99999  99999 99999  99999 99999  99999 99999    99999 99999  99999 99999  99999 99999  99999 99999  99999 99999
2353:  99999 99999  99999 99999  99999 99999  99999 99999  99999 99999    99999 99999  99999 99999  99999 99999  99999 99999  99999 99999
2354:  99999 99999  99999 99999  99999 99999  99999 99999  99999 99999    99999 99999  99999 99999  99999 99999  99999 99999  99999 99999
2355:  99999 99999  99999 99999  99999 99999  99999 99999  99999 99999    99999 99999  99999 99999  99999 99999  99999 99999  99999 99999
2356:  99999 99999  99999 99999  99999 99999  99999 99999  99999 99999    99999 99999  99999 99999  99999 99999  99999 99999  99999 99999
2357:  99999 99999  99999 99999  99999 99999  99999 99999  99999 99999    99999 99999  99999 99999  99999 99999  99999 99999  99999 99999
2358:  99999 99999  99999 99999  99999 99999  99999 99999  99999 99999    99999 99999  99999 99999  99999 99999  99999 99999  99999 99999
2359:  99999 99999  99999 99999  99999 99999  99999 99999  99999 99999    99999 99999  99999 99999  99999 99999  99999 99999  99999 99999
2360:  99999 99999  99999 99999  99999 99999  99999 99999  99999 99999    99999 99999  99999 99999  99999 99999  99999 99999  99999 99999
2361:  99999 99999  99999 99999  99999 99999  99999 99999  99999 99999    99999 99999  99999 99999  99999 99999  99999 99999  99999 99999
2362:  99999 99999  99999 99999  99999 99999  99999 99999  99999 99999    99999 99999  99999 99999  99999 99999  99999 99999  99999 99999
2363:  99999 99999  99999 99999  99999 99999  99999 99999  99999 99999    99999 99999  99999 99999  99999 99999  99999 99999  99999 99999
2364:  99999 99999  99999 99999  99999 99999  99999 99999  99999 99999    99999 99999  99999 99999  99999 99999  99999 99999  99999 99999
2365:  99999 99999  99999 99999  99999 99999  99999 99999  99999 99999    99999 99999  99999 99999  99999 99999  99999 99999  99999 99999
2366:  99999 99999  99999 99999  99999 99999  99999 99999  99999 99999    99999 99999  99999 99999  99999 99999  99999 99999  99999 99999
2367:  99999 99999  99999 99999  99999 99999  99999 99999  99999 99999    99999 99999  99999 99999  99999 99999  99999 99999  99999 99999
2368:  99999 99999  99999 99999  99999 99999  99999 99999  99999 99999    99999 99999  99999 99999  99999 99999  99999 99999  99999 99999
2369:  99999 99999  99999 99999  99999 99999  99999 99999  99999 99999    99999 99999  99999 99999  99999 99999  99999 99999  99999 99999
2370:  99999 99999  99999 99999  99999 99999  99999 99999  99999 99999    99999 99999  99999 99999  99999 99999  99999 99999  99999 99999
2371:  99999 99999  99999 99999  99999 99999  99999 99999  99999 99999    99999 99999  99999 99999  99999 99999  99999 99999  99999 99999
2372:  99999 99999  99999 99999  99999 99999  99999 99999  99999 99999    99999 99999  99999 99999  99999 99999  99999 99999  99999 99999
2373:  99999 99999  99999 99999  99999 99999  99999 99999  99999 99999    99999 99999  99999 99999  99999 99999  99999 99999  99999 99999
2374:  99999 99999  99999 99999  99999 99999  99999 99999  99999 99999    99999 99999  99999 99999  99999 99999  99999 99999  99999 99999
2375:  99999 99999  99999 99999  99999 99999  99999 99999  99999 99999    99999 99999  99999 99999  99999 99999  99999 99999  99999 99999
2376:  99999 99999  99999 99999  99999 99999  99999 99999  99999 99999    99999 99999  99999 99999  99999 99999  99999 99999  99999 99999
2377:  99999 99999  99999 99999  99999 99999  99999 99999  99999 99999    99999 99999  99999 99999  99999 99999  99999 99999  99999 99999
2378:  99999 99999  99999 99999  99999 99999  99999 99999  99999 99999    99999 99999  99999 99999  99999 99999  99999 99999  99999 99999
2379:  99999 99999  99999 99999  99999 99999  99999 99999  99999 99999    99999 99999  99999 99999  99999 99999  99999 99999  99999 99999
2380:  99999 99999  99999 99999  99999 99999  99999 99999  99999 99999    99999 99999  99999 99999  99999 99999  99999 99999  99999 99999
2381:  99999 99999  99999 99999  99999 99999  99999 99999  99999 99999    99999 99999  99999 99999  99999 99999  99999 99999  99999 99999
2382:  99999 99999  99999 99999  99999 99999  99999 99999  99999 99999    99999 99999  99999 99999  99999 99999  99999 99999  99999 99999
2383:  99999 99999  99999 99999  99999 99999  99999 99999  99999 99999    99999 99999  99999 99999  99999 99999  99999 99999  99999 99999
2384:  99999 99999  99999 99999  99999 99999  99999 99999  99999 99999    99999 99999  99999 99999  99999 99999  99999 99999  99999 99999
2385:  99999 99999  99999 99999  99999 99999  99999 99999  99999 99999    99999 99999  99999 99999  99999 99999  99999 99999  99999 99999
2386:  99999 99999  99999 99999  99999 99999  99999 99999  99999 99999    99999 99999  99999 99999  99999 99999  99999 99999  99999 99999
2387:  99999 99999  99999 99999  99999 99999  99999 99999  99999 99999    99999 99999  99999 99999  99999 99999  99999 99999  99999 99999
2388:  99999 99999  99999 99999  99999 99999  99999 99999  99999 99999    99999 99999  99999 99999  99999 99999  99999 99999  99999 99999
2389:  99999 99999  99999 99999  99999 99999  99999 99999  99999 99999    99999 99999  99999 99999  99999 99999  99999 99999  99999 99999
2390:  99999 99999  99999 99999  99999 99999  99999 99999  99999 99999    99999 99999  99999 99999  99999 99999  99999 99999  99999 99999
2391:  99999 99999  99999 99999  99999 99999  99999 99999  99999 99999    99999 99999  99999 99999  99999 99999  99999 99999  99999 99999
2392:  99999 99999  99999 99999  99999 99999  99999 99999  99999 99999    99999 99999  99999 99999  99999 99999  99999 99999  99999 99999
2393:  99999 99999  99999 99999  99999 99999  99999 99999  99999 99999    99999 99999  99999 99999  99999 99999  99999 99999  99999 99999
2394:  99999 99999  99999 99999  99999 99999  99999 99999  99999 99999    99999 99999  99999 99999  99999 99999  99999 99999  99999 99999
2395:  99999 99999  99999 99999  99999 99999  99999 99999  99999 99999    99999 99999  99999 99999  99999 99999  99999 99999  99999 99999
2396:  99999 99999  99999 99999  99999 99999  99999 99999  99999 99999    99999 99999  99999 99999  99999 99999  99999 99999  99999 99999
2397:  99999 99999  99999 99999  99999 99999  99999 99999  99999 99999    99999 99999  99999 99999  99999 99999  99999 99999  99999 99999
2398:  99999 99999  99999 99999  99999 99999  99999 99999  99999 99999    99999 99999  99999 99999  99999 99999  99999 99999  99999 99999
2399:  99999 99999  99999 99999  99999 99999  99999 99999  99999 99999    99999 99999  99999 99999  99999 99999  99999 99999  99999 99999
```

```
2400: 99999 99999  99999 99999  99999 99999  99999 99999  99999 99999    99999 99999  99999 99999  99999 99999  99999 99999  99999 99999
2401: 99999 99999  99999 99999  99999 99999  99999 99999  99999 99999    99999 99999  99999 99999  99999 99999  99999 99999  99999 99999
2402: 99999 99999  99999 99999  99999 99999  99999 99999  99999 99999    99999 99999  99999 99999  99999 99999  99999 99999  99999 99999
2403: 99999 99999  99999 99999  99999 99999  99999 99999  99999 99999    99999 99999  99999 99999  99999 99999  99999 99999  99999 99999
2404: 99999 99999  99999 99999  99999 99999  99999 99999  99999 99999    99999 99999  99999 99999  99999 99999  99999 99999  99999 99999
2405: 99999 99999  99999 99999  99999 99999  99999 99999  99999 99999    99999 99999  99999 99999  99999 99999  99999 99999  99999 99999
2406: 99999 99999  99999 99999  99999 99999  99999 99999  99999 99999    99999 99999  99999 99999  99999 99999  99999 99999  99999 99999
2407: 99999 99999  99999 99999  99999 99999  99999 99999  99999 99999    99999 99999  99999 99999  99999 99999  99999 99999  99999 99999
2408: 99999 99999  99999 99999  99999 99999  99999 99999  99999 99999    99999 99999  99999 99999  99999 99999  99999 99999  99999 99999
2409: 99999 99999  99999 99999  99999 99999  99999 99999  99999 99999    99999 99999  99999 99999  99999 99999  99999 99999  99999 99999
2410: 99999 99999  99999 99999  99999 99999  99999 99999  99999 99999    99999 99999  99999 99999  99999 99999  99999 99999  99999 99999
2411: 99999 99999  99999 99999  99999 99999  99999 99999  99999 99999    99999 99999  99999 99999  99999 99999  99999 99999  99999 99999
2412: 99999 99999  99999 99999  99999 99999  99999 99999  99999 99999    99999 99999  99999 99999  99999 99999  99999 99999  99999 99999
2413: 99999 99999  99999 99999  99999 99999  99999 99999  99999 99999    99999 99999  99999 99999  99999 99999  99999 99999  99999 99999
2414: 99999 99999  99999 99999  99999 99999  99999 99999  99999 99999    99999 99999  99999 99999  99999 99999  99999 99999  99999 99999
2415: 99999 99999  99999 99999  99999 99999  99999 99999  99999 99999    99999 99999  99999 99999  99999 99999  99999 99999  99999 99999
2416: 99999 99999  99999 99999  99999 99999  99999 99999  99999 99999    99999 99999  99999 99999  99999 99999  99999 99999  99999 99999
2417: 99999 99999  99999 99999  99999 99999  99999 99999  99999 99999    99999 99999  99999 99999  99999 99999  99999 99999  99999 99999
2418: 99999 99999  99999 99999  99999 99999  99999 99999  99999 99999    99999 99999  99999 99999  99999 99999  99999 99999  99999 99999
2419: 99999 99999  99999 99999  99999 99999  99999 99999  99999 99999    99999 99999  99999 99999  99999 99999  99999 99999  99999 99999
2420: 99999 99999  99999 99999  99999 99999  99999 99999  99999 99999    99999 99999  99999 99999  99999 99999  99999 99999  99999 99999
2421: 99999 99999  99999 99999  99999 99999  99999 99999  99999 99999    99999 99999  99999 99999  99999 99999  99999 99999  99999 99999
2422: 99999 99999  99999 99999  99999 99999  99999 99999  99999 99999    99999 99999  99999 99999  99999 99999  99999 99999  99999 99999
2423: 99999 99999  99999 99999  99999 99999  99999 99999  99999 99999    99999 99999  99999 99999  99999 99999  99999 99999  99999 99999
2424: 99999 99999  99999 99999  99999 99999  99999 99999  99999 99999    99999 99999  99999 99999  99999 99999  99999 99999  99999 99999
2425: 99999 99999  99999 99999  99999 99999  99999 99999  99999 99999    99999 99999  99999 99999  99999 99999  99999 99999  99999 99999
2426: 99999 99999  99999 99999  99999 99999  99999 99999  99999 99999    99999 99999  99999 99999  99999 99999  99999 99999  99999 99999
2427: 99999 99999  99999 99999  99999 99999  99999 99999  99999 99999    99999 99999  99999 99999  99999 99999  99999 99999  99999 99999
2428: 99999 99999  99999 99999  99999 99999  99999 99999  99999 99999    99999 99999  99999 99999  99999 99999  99999 99999  99999 99999
2429: 99999 99999  99999 99999  99999 99999  99999 99999  99999 99999    99999 99999  99999 99999  99999 99999  99999 99999  99999 99999
2430: 99999 99999  99999 99999  99999 99999  99999 99999  99999 99999    99999 99999  99999 99999  99999 99999  99999 99999  99999 99999
2431: 99999 99999  99999 99999  99999 99999  99999 99999  99999 99999    99999 99999  99999 99999  99999 99999  99999 99999  99999 99999
2432: 99999 99999  99999 99999  99999 99999  99999 99999  99999 99999    99999 99999  99999 99999  99999 99999  99999 99999  99999 99999
2433: 99999 99999  99999 99999  99999 99999  99999 99999  99999 99999    99999 99999  99999 99999  99999 99999  99999 99999  99999 99999
2434: 99999 99999  99999 99999  99999 99999  99999 99999  99999 99999    99999 99999  99999 99999  99999 99999  99999 99999  99999 99999
2435: 99999 99999  99999 99999  99999 99999  99999 99999  99999 99999    99999 99999  99999 99999  99999 99999  99999 99999  99999 99999
2436: 99999 99999  99999 99999  99999 99999  99999 99999  99999 99999    99999 99999  99999 99999  99999 99999  99999 99999  99999 99999
2437: 99999 99999  99999 99999  99999 99999  99999 99999  99999 99999    99999 99999  99999 99999  99999 99999  99999 99999  99999 99999
2438: 99999 99999  99999 99999  99999 99999  99999 99999  99999 99999    99999 99999  99999 99999  99999 99999  99999 99999  99999 99999
2439: 99999 99999  99999 99999  99999 99999  99999 99999  99999 99999    99999 99999  99999 99999  99999 99999  99999 99999  99999 99999
2440: 99999 99999  99999 99999  99999 99999  99999 99999  99999 99999    99999 99999  99999 99999  99999 99999  99999 99999  99999 99999
2441: 99999 99999  99999 99999  99999 99999  99999 99999  99999 99999    99999 99999  99999 99999  99999 99999  99999 99999  99999 99999
2442: 99999 99999  99999 99999  99999 99999  99999 99999  99999 99999    99999 99999  99999 99999  99999 99999  99999 99999  99999 99999
2443: 99999 99999  99999 99999  99999 99999  99999 99999  99999 99999    99999 99999  99999 99999  99999 99999  99999 99999  99999 99999
2444: 99999 99999  99999 99999  99999 99999  99999 99999  99999 99999    99999 99999  99999 99999  99999 99999  99999 99999  99999 99999
2445: 99999 99999  99999 99999  99999 99999  99999 99999  99999 99999    99999 99999  99999 99999  99999 99999  99999 99999  99999 99999
2446: 99999 99999  99999 99999  99999 99999  99999 99999  99999 99999    99999 99999  99999 99999  99999 99999  99999 99999  99999 99999
2447: 99999 99999  99999 99999  99999 99999  99999 99999  99999 99999    99999 99999  99999 99999  99999 99999  99999 99999  99999 99999
2448: 99999 99999  99999 99999  99999 99999  99999 99999  99999 99999    99999 99999  99999 99999  99999 99999  99999 99999  99999 99999
2449: 99999 99999  99999 99999  99999 99999  99999 99999  99999 99999    99999 99999  99999 99999  99999 99999  99999 99999  99999 99999
```

```
2450:   99999 99999   99999 99999   99999 99999   99999 99999   99999 99999      99999 99999   99999 99999   99999 99999   99999 99999   99999 99999
2451:   99999 99999   99999 99999   99999 99999   99999 99999   99999 99999      99999 99999   99999 99999   99999 99999   99999 99999   99999 99999
2452:   99999 99999   99999 99999   99999 99999   99999 99999   99999 99999      99999 99999   99999 99999   99999 99999   99999 99999   99999 99999
2453:   99999 99999   99999 99999   99999 99999   99999 99999   99999 99999      99999 99999   99999 99999   99999 99999   99999 99999   99999 99999
2454:   99999 99999   99999 99999   99999 99999   99999 99999   99999 99999      99999 99999   99999 99999   99999 99999   99999 99999   99999 99999
2455:   99999 99999   99999 99999   99999 99999   99999 99999   99999 99999      99999 99999   99999 99999   99999 99999   99999 99999   99999 99999
2456:   99999 99999   99999 99999   99999 99999   99999 99999   99999 99999      99999 99999   99999 99999   99999 99999   99999 99999   99999 99999
2457:   99999 99999   99999 99999   99999 99999   99999 99999   99999 99999      99999 99999   99999 99999   99999 99999   99999 99999   99999 99999
2458:   99999 99999   99999 99999   99999 99999   99999 99999   99999 99999      99999 99999   99999 99999   99999 99999   99999 99999   99999 99999
2459:   99999 99999   99999 99999   99999 99999   99999 99999   99999 99999      99999 99999   99999 99999   99999 99999   99999 99999   99999 99999
2460:   99999 99999   99999 99999   99999 99999   99999 99999   99999 99999      99999 99999   99999 99999   99999 99999   99999 99999   99999 99999
2461:   99999 99999   99999 99999   99999 99999   99999 99999   99999 99999      99999 99999   99999 99999   99999 99999   99999 99999   99999 99999
2462:   99999 99999   99999 99999   99999 99999   99999 99999   99999 99999      99999 99999   99999 99999   99999 99999   99999 99999   99999 99999
2463:   99999 99999   99999 99999   99999 99999   99999 99999   99999 99999      99999 99999   99999 99999   99999 99999   99999 99999   99999 99999
2464:   99999 99999   99999 99999   99999 99999   99999 99999   99999 99999      99999 99999   99999 99999   99999 99999   99999 99999   99999 99999
2465:   99999 99999   99999 99999   99999 99999   99999 99999   99999 99999      99999 99999   99999 99999   99999 99999   99999 99999   99999 99999
2466:   99999 99999   99999 99999   99999 99999   99999 99999   99999 99999      99999 99999   99999 99999   99999 99999   99999 99999   99999 99999
2467:   99999 99999   99999 99999   99999 99999   99999 99999   99999 99999      99999 99999   99999 99999   99999 99999   99999 99999   99999 99999
2468:   99999 99999   99999 99999   99999 99999   99999 99999   99999 99999      99999 99999   99999 99999   99999 99999   99999 99999   99999 99999
2469:   99999 99999   99999 99999   99999 99999   99999 99999   99999 99999      99999 99999   99999 99999   99999 99999   99999 99999   99999 99999
2470:   99999 99999   99999 99999   99999 99999   99999 99999   99999 99999      99999 99999   99999 99999   99999 99999   99999 99999   99999 99999
2471:   99999 99999   99999 99999   99999 99999   99999 99999   99999 99999      99999 99999   99999 99999   99999 99999   99999 99999   99999 99999
2472:   99999 99999   99999 99999   99999 99999   99999 99999   99999 99999      99999 99999   99999 99999   99999 99999   99999 99999   99999 99999
2473:   99999 99999   99999 99999   99999 99999   99999 99999   99999 99999      99999 99999   99999 99999   99999 99999   99999 99999   99999 99999
2474:   99999 99999   99999 99999   99999 99999   99999 99999   99999 99999      99999 99999   99999 99999   99999 99999   99999 99999   99999 99999
2475:   99999 99999   99999 99999   99999 99999   99999 99999   99999 99999      99999 99999   99999 99999   99999 99999   99999 99999   99999 99999
2476:   99999 99999   99999 99999   99999 99999   99999 99999   99999 99999      99999 99999   99999 99999   99999 99999   99999 99999   99999 99999
2477:   99999 99999   99999 99999   99999 99999   99999 99999   99999 99999      99999 99999   99999 99999   99999 99999   99999 99999   99999 99999
2478:   99999 99999   99999 99999   99999 99999   99999 99999   99999 99999      99999 99999   99999 99999   99999 99999   99999 99999   99999 99999
2479:   99999 99999   99999 99999   99999 99999   99999 99999   99999 99999      99999 99999   99999 99999   99999 99999   99999 99999   99999 99999
2480:   99999 99999   99999 99999   99999 99999   99999 99999   99999 99999      99999 99999   99999 99999   99999 99999   99999 99999   99999 99999
2481:   99999 99999   99999 99999   99999 99999   99999 99999   99999 99999      99999 99999   99999 99999   99999 99999   99999 99999   99999 99999
2482:   99999 99999   99999 99999   99999 99999   99999 99999   99999 99999      99999 99999   99999 99999   99999 99999   99999 99999   99999 99999
2483:   99999 99999   99999 99999   99999 99999   99999 99999   99999 99999      99999 99999   99999 99999   99999 99999   99999 99999   99999 99999
2484:   99999 99999   99999 99999   99999 99999   99999 99999   99999 99999      99999 99999   99999 99999   99999 99999   99999 99999   99999 99999
2485:   99999 99999   99999 99999   99999 99999   99999 99999   99999 99999      99999 99999   99999 99999   99999 99999   99999 99999   99999 99999
2486:   99999 99999   99999 99999   99999 99999   99999 99999   99999 99999      99999 99999   99999 99999   99999 99999   99999 99999   99999 99999
2487:   99999 99999   99999 99999   99999 99999   99999 99999   99999 99999      99999 99999   99999 99999   99999 99999   99999 99999   99999 99999
2488:   99999 99999   99999 99999   99999 99999   99999 99999   99999 99999      99999 99999   99999 99999   99999 99999   99999 99999   99999 99999
2489:   99999 99999   99999 99999   99999 99999   99999 99999   99999 99999      99999 99999   99999 99999   99999 99999   99999 99999   99999 99999
2490:   99999 99999   99999 99999   99999 99999   99999 99999   99999 99999      99999 99999   99999 99999   99999 99999   99999 99999   99999 99999
2491:   99999 99999   99999 99999   99999 99999   99999 99999   99999 99999      99999 99999   99999 99999   99999 99999   99999 99999   99999 99999
2492:   99999 99999   99999 99999   99999 99999   99999 99999   99999 99999      99999 99999   99999 99999   99999 99999   99999 99999   99999 99999
2493:   99999 99999   99999 99999   99999 99999   99999 99999   99999 99999      99999 99999   99999 99999   99999 99999   99999 99999   99999 99999
2494:   99999 99999   99999 99999   99999 99999   99999 99999   99999 99999      99999 99999   99999 99999   99999 99999   99999 99999   99999 99999
2495:   99999 99999   99999 99999   99999 99999   99999 99999   99999 99999      99999 99999   99999 99999   99999 99999   99999 99999   99999 99999
2496:   99999 99999   99999 99999   99999 99999   99999 99999   99999 99999      99999 99999   99999 99999   99999 99999   99999 99999   99999 99999
2497:   99999 99999   99999 99999   99999 99999   99999 99999   99999 99999      99999 99999   99999 99999   99999 99999   99999 99999   99999 99999
2498:   99999 99999   99999 99999   99999 99999   99999 99999   99999 99999      99999 99999   99999 99999   99999 99999   99999 99999   99999 99999
2499:   99999 99999   99999 99999   99999 99999   99999 99999   99999 99999      99999 99999   99999 99999   99999 99999   99999 99999   99999 99999
```

```
2500:  99999 99999  99999 99999  99999 99999  99999 99999  99999 99999    99999 99999  99999 99999  99999 99999  99999 99999  99999 99999
2501:  99999 99999  99999 99999  99999 99999  99999 99999  99999 99999    99999 99999  99999 99999  99999 99999  99999 99999  99999 99999
2502:  99999 99999  99999 99999  99999 99999  99999 99999  99999 99999    99999 99999  99999 99999  99999 99999  99999 99999  99999 99999
2503:  99999 99999  99999 99999  99999 99999  99999 99999  99999 99999    99999 99999  99999 99999  99999 99999  99999 99999  99999 99999
2504:  99999 99999  99999 99999  99999 99999  99999 99999  99999 99999    99999 99999  99999 99999  99999 99999  99999 99999  99999 99999
2505:  99999 99999  99999 99999  99999 99999  99999 99999  99999 99999    99999 99999  99999 99999  99999 99999  99999 99999  99999 99999
2506:  99999 99999  99999 99999  99999 99999  99999 99999  99999 99999    99999 99999  99999 99999  99999 99999  99999 99999  99999 99999
2507:  99999 99999  99999 99999  99999 99999  99999 99999  99999 99999    99999 99999  99999 99999  99999 99999  99999 99999  99999 99999
2508:  99999 99999  99999 99999  99999 99999  99999 99999  99999 99999    99999 99999  99999 99999  99999 99999  99999 99999  99999 99999
2509:  99999 99999  99999 99999  99999 99999  99999 99999  99999 99999    99999 99999  99999 99999  99999 99999  99999 99999  99999 99999
2510:  99999 99999  99999 99999  99999 99999  99999 99999  99999 99999    99999 99999  99999 99999  99999 99999  99999 99999  99999 99999
2511:  99999 99999  99999 99999  99999 99999  99999 99999  99999 99999    99999 99999  99999 99999  99999 99999  99999 99999  99999 99999
2512:  99999 99999  99999 99999  99999 99999  99999 99999  99999 99999    99999 99999  99999 99999  99999 99999  99999 99999  99999 99999
2513:  99999 99999  99999 99999  99999 99999  99999 99999  99999 99999    99999 99999  99999 99999  99999 99999  99999 99999  99999 99999
2514:  99999 99999  99999 99999  99999 99999  99999 99999  99999 99999    99999 99999  99999 99999  99999 99999  99999 99999  99999 99999
2515:  99999 99999  99999 99999  99999 99999  99999 99999  99999 99999    99999 99999  99999 99999  99999 99999  99999 99999  99999 99999
2516:  99999 99999  99999 99999  99999 99999  99999 99999  99999 99999    99999 99999  99999 99999  99999 99999  99999 99999  99999 99999
2517:  99999 99999  99999 99999  99999 99999  99999 99999  99999 99999    99999 99999  99999 99999  99999 99999  99999 99999  99999 99999
2518:  99999 99999  99999 99999  99999 99999  99999 99999  99999 99999    99999 99999  99999 99999  99999 99999  99999 99999  99999 99999
2519:  99999 99999  99999 99999  99999 99999  99999 99999  99999 99999    99999 99999  99999 99999  99999 99999  99999 99999  99999 99999
2520:  99999 99999  99999 99999  99999 99999  99999 99999  99999 99999    99999 99999  99999 99999  99999 99999  99999 99999  99999 99999
2521:  99999 99999  99999 99999  99999 99999  99999 99999  99999 99999    99999 99999  99999 99999  99999 99999  99999 99999  99999 99999
2522:  99999 99999  99999 99999  99999 99999  99999 99999  99999 99999    99999 99999  99999 99999  99999 99999  99999 99999  99999 99999
2523:  99999 99999  99999 99999  99999 99999  99999 99999  99999 99999    99999 99999  99999 99999  99999 99999  99999 99999  99999 99999
2524:  99999 99999  99999 99999  99999 99999  99999 99999  99999 99999    99999 99999  99999 99999  99999 99999  99999 99999  99999 99999
2525:  99999 99999  99999 99999  99999 99999  99999 99999  99999 99999    99999 99999  99999 99999  99999 99999  99999 99999  99999 99999
2526:  99999 99999  99999 99999  99999 99999  99999 99999  99999 99999    99999 99999  99999 99999  99999 99999  99999 99999  99999 99999
2527:  99999 99999  99999 99999  99999 99999  99999 99999  99999 99999    99999 99999  99999 99999  99999 99999  99999 99999  99999 99999
2528:  99999 99999  99999 99999  99999 99999  99999 99999  99999 99999    99999 99999  99999 99999  99999 99999  99999 99999  99999 99999
2529:  99999 99999  99999 99999  99999 99999  99999 99999  99999 99999    99999 99999  99999 99999  99999 99999  99999 99999  99999 99999
2530:  99999 99999  99999 99999  99999 99999  99999 99999  99999 99999    99999 99999  99999 99999  99999 99999  99999 99999  99999 99999
2531:  99999 99999  99999 99999  99999 99999  99999 99999  99999 99999    99999 99999  99999 99999  99999 99999  99999 99999  99999 99999
2532:  99999 99999  99999 99999  99999 99999  99999 99999  99999 99999    99999 99999  99999 99999  99999 99999  99999 99999  99999 99999
2533:  99999 99999  99999 99999  99999 99999  99999 99999  99999 99999    99999 99999  99999 99999  99999 99999  99999 99999  99999 99999
2534:  99999 99999  99999 99999  99999 99999  99999 99999  99999 99999    99999 99999  99999 99999  99999 99999  99999 99999  99999 99999
2535:  99999 99999  99999 99999  99999 99999  99999 99999  99999 99999    99999 99999  99999 99999  99999 99999  99999 99999  99999 99999
2536:  99999 99999  99999 99999  99999 99999  99999 99999  99999 99999    99999 99999  99999 99999  99999 99999  99999 99999  99999 99999
2537:  99999 99999  99999 99999  99999 99999  99999 99999  99999 99999    99999 99999  99999 99999  99999 99999  99999 99999  99999 99999
2538:  99999 99999  99999 99999  99999 99999  99999 99999  99999 99999    99999 99999  99999 99999  99999 99999  99999 99999  99999 99999
2539:  99999 99999  99999 99999  99999 99999  99999 99999  99999 99999    99999 99999  99999 99999  99999 99999  99999 99999  99999 99999
2540:  99999 99999  99999 99999  99999 99999  99999 99999  99999 99999    99999 99999  99999 99999  99999 99999  99999 99999  99999 99999
2541:  99999 99999  99999 99999  99999 99999  99999 99999  99999 99999    99999 99999  99999 99999  99999 99999  99999 99999  99999 99999
2542:  99999 99999  99999 99999  99999 99999  99999 99999  99999 99999    99999 99999  99999 99999  99999 99999  99999 99999  99999 99999
2543:  99999 99999  99999 99999  99999 99999  99999 99999  99999 99999    99999 99999  99999 99999  99999 99999  99999 99999  99999 99999
2544:  99999 99999  99999 99999  99999 99999  99999 99999  99999 99999    99999 99999  99999 99999  99999 99999  99999 99999  99999 99999
2545:  99999 99999  99999 99999  99999 99999  99999 99999  99999 99999    99999 99999  99999 99999  99999 99999  99999 99999  99999 99999
2546:  99999 99999  99999 99999  99999 99999  99999 99999  99999 99999    99999 99999  99999 99999  99999 99999  99999 99999  99999 99999
2547:  99999 99999  99999 99999  99999 99999  99999 99999  99999 99999    99999 99999  99999 99999  99999 99999  99999 99999  99999 99999
2548:  99999 99999  99999 99999  99999 99999  99999 99999  99999 99999    99999 99999  99999 99999  99999 99999  99999 99999  99999 99999
2549:  99999 99999  99999 99999  99999 99999  99999 99999  99999 99999    99999 99999  99999 99999  99999 99999  99999 99999  99999 99999
```

```
2550:  99999 99999  99999 99999  99999 99999  99999 99999  99999 99999   99999 99999  99999 99999  99999 99999  99999 99999  99999 99999
2551:  99999 99999  99999 99999  99999 99999  99999 99999  99999 99999   99999 99999  99999 99999  99999 99999  99999 99999  99999 99999
2552:  99999 99999  99999 99999  99999 99999  99999 99999  99999 99999   99999 99999  99999 99999  99999 99999  99999 99999  99999 99999
2553:  99999 99999  99999 99999  99999 99999  99999 99999  99999 99999   99999 99999  99999 99999  99999 99999  99999 99999  99999 99999
2554:  99999 99999  99999 99999  99999 99999  99999 99999  99999 99999   99999 99999  99999 99999  99999 99999  99999 99999  99999 99999
2555:  99999 99999  99999 99999  99999 99999  99999 99999  99999 99999   99999 99999  99999 99999  99999 99999  99999 99999  99999 99999
2556:  99999 99999  99999 99999  99999 99999  99999 99999  99999 99999   99999 99999  99999 99999  99999 99999  99999 99999  99999 99999
2557:  99999 99999  99999 99999  99999 99999  99999 99999  99999 99999   99999 99999  99999 99999  99999 99999  99999 99999  99999 99999
2558:  99999 99999  99999 99999  99999 99999  99999 99999  99999 99999   99999 99999  99999 99999  99999 99999  99999 99999  99999 99999
2559:  99999 99999  99999 99999  99999 99999  99999 99999  99999 99999   99999 99999  99999 99999  99999 99999  99999 99999  99999 99999
2560:  99999 99999  99999 99999  99999 99999  99999 99999  99999 99999   99999 99999  99999 99999  99999 99999  99999 99999  99999 99999
2561:  99999 99999  99999 99999  99999 99999  99999 99999  99999 99999   99999 99999  99999 99999  99999 99999  99999 99999  99999 99999
2562:  99999 99999  99999 99999  99999 99999  99999 99999  99999 99999   99999 99999  99999 99999  99999 99999  99999 99999  99999 99999
2563:  99999 99999  99999 99999  99999 99999  99999 99999  99999 99999   99999 99999  99999 99999  99999 99999  99999 99999  99999 99999
2564:  99999 99999  99999 99999  99999 99999  99999 99999  99999 99999   99999 99999  99999 99999  99999 99999  99999 99999  99999 99999
2565:  99999 99999  99999 99999  99999 99999  99999 99999  99999 99999   99999 99999  99999 99999  99999 99999  99999 99999  99999 99999
2566:  99999 99999  99999 99999  99999 99999  99999 99999  99999 99999   99999 99999  99999 99999  99999 99999  99999 99999  99999 99999
2567:  99999 99999  99999 99999  99999 99999  99999 99999  99999 99999   99999 99999  99999 99999  99999 99999  99999 99999  99999 99999
2568:  99999 99999  99999 99999  99999 99999  99999 99999  99999 99999   99999 99999  99999 99999  99999 99999  99999 99999  99999 99999
2569:  99999 99999  99999 99999  99999 99999  99999 99999  99999 99999   99999 99999  99999 99999  99999 99999  99999 99999  99999 99999
2570:  99999 99999  99999 99999  99999 99999  99999 99999  99999 99999   99999 99999  99999 99999  99999 99999  99999 99999  99999 99999
2571:  99999 99999  99999 99999  99999 99999  99999 99999  99999 99999   99999 99999  99999 99999  99999 99999  99999 99999  99999 99999
2572:  99999 99999  99999 99999  99999 99999  99999 99999  99999 99999   99999 99999  99999 99999  99999 99999  99999 99999  99999 99999
2573:  99999 99999  99999 99999  99999 99999  99999 99999  99999 99999   99999 99999  99999 99999  99999 99999  99999 99999  99999 99999
2574:  99999 99999  99999 99999  99999 99999  99999 99999  99999 99999   99999 99999  99999 99999  99999 99999  99999 99999  99999 99999
2575:  99999 99999  99999 99999  99999 99999  99999 99999  99999 99999   99999 99999  99999 99999  99999 99999  99999 99999  99999 99999
2576:  99999 99999  99999 99999  99999 99999  99999 99999  99999 99999   99999 99999  99999 99999  99999 99999  99999 99999  99999 99999
2577:  99999 99999  99999 99999  99999 99999  99999 99999  99999 99999   99999 99999  99999 99999  99999 99999  99999 99999  99999 99999
2578:  99999 99999  99999 99999  99999 99999  99999 99999  99999 99999   99999 99999  99999 99999  99999 99999  99999 99999  99999 99999
2579:  99999 99999  99999 99999  99999 99999  99999 99999  99999 99999   99999 99999  99999 99999  99999 99999  99999 99999  99999 99999
2580:  99999 99999  99999 99999  99999 99999  99999 99999  99999 99999   99999 99999  99999 99999  99999 99999  99999 99999  99999 99999
2581:  99999 99999  99999 99999  99999 99999  99999 99999  99999 99999   99999 99999  99999 99999  99999 99999  99999 99999  99999 99999
2582:  99999 99999  99999 99999  99999 99999  99999 99999  99999 99999   99999 99999  99999 99999  99999 99999  99999 99999  99999 99999
2583:  99999 99999  99999 99999  99999 99999  99999 99999  99999 99999   99999 99999  99999 99999  99999 99999  99999 99999  99999 99999
2584:  99999 99999  99999 99999  99999 99999  99999 99999  99999 99999   99999 99999  99999 99999  99999 99999  99999 99999  99999 99999
2585:  99999 99999  99999 99999  99999 99999  99999 99999  99999 99999   99999 99999  99999 99999  99999 99999  99999 99999  99999 99999
2586:  99999 99999  99999 99999  99999 99999  99999 99999  99999 99999   99999 99999  99999 99999  99999 99999  99999 99999  99999 99999
2587:  99999 99999  99999 99999  99999 99999  99999 99999  99999 99999   99999 99999  99999 99999  99999 99999  99999 99999  99999 99999
2588:  99999 99999  99999 99999  99999 99999  99999 99999  99999 99999   99999 99999  99999 99999  99999 99999  99999 99999  99999 99999
2589:  99999 99999  99999 99999  99999 99999  99999 99999  99999 99999   99999 99999  99999 99999  99999 99999  99999 99999  99999 99999
2590:  99999 99999  99999 99999  99999 99999  99999 99999  99999 99999   99999 99999  99999 99999  99999 99999  99999 99999  99999 99999
2591:  99999 99999  99999 99999  99999 99999  99999 99999  99999 99999   99999 99999  99999 99999  99999 99999  99999 99999  99999 99999
2592:  99999 99999  99999 99999  99999 99999  99999 99999  99999 99999   99999 99999  99999 99999  99999 99999  99999 99999  99999 99999
2593:  99999 99999  99999 99999  99999 99999  99999 99999  99999 99999   99999 99999  99999 99999  99999 99999  99999 99999  99999 99999
2594:  99999 99999  99999 99999  99999 99999  99999 99999  99999 99999   99999 99999  99999 99999  99999 99999  99999 99999  99999 99999
2595:  99999 99999  99999 99999  99999 99999  99999 99999  99999 99999   99999 99999  99999 99999  99999 99999  99999 99999  99999 99999
2596:  99999 99999  99999 99999  99999 99999  99999 99999  99999 99999   99999 99999  99999 99999  99999 99999  99999 99999  99999 99999
2597:  99999 99999  99999 99999  99999 99999  99999 99999  99999 99999   99999 99999  99999 99999  99999 99999  99999 99999  99999 99999
2598:  99999 99999  99999 99999  99999 99999  99999 99999  99999 99999   99999 99999  99999 99999  99999 99999  99999 99999  99999 99999
2599:  99999 99999  99999 99999  99999 99999  99999 99999  99999 99999   99999 99999  99999 99999  99999 99999  99999 99999  99999 99999
```

```
2600:  99999 99999  99999 99999  99999 99999  99999 99999  99999 99999   99999 99999  99999 99999  99999 99999  99999 99999  99999 99999
2601:  99999 99999  99999 99999  99999 99999  99999 99999  99999 99999   99999 99999  99999 99999  99999 99999  99999 99999  99999 99999
2602:  99999 99999  99999 99999  99999 99999  99999 99999  99999 99999   99999 99999  99999 99999  99999 99999  99999 99999  99999 99999
2603:  99999 99999  99999 99999  99999 99999  99999 99999  99999 99999   99999 99999  99999 99999  99999 99999  99999 99999  99999 99999
2604:  99999 99999  99999 99999  99999 99999  99999 99999  99999 99999   99999 99999  99999 99999  99999 99999  99999 99999  99999 99999
2605:  99999 99999  99999 99999  99999 99999  99999 99999  99999 99999   99999 99999  99999 99999  99999 99999  99999 99999  99999 99999
2606:  99999 99999  99999 99999  99999 99999  99999 99999  99999 99999   99999 99999  99999 99999  99999 99999  99999 99999  99999 99999
2607:  99999 99999  99999 99999  99999 99999  99999 99999  99999 99999   99999 99999  99999 99999  99999 99999  99999 99999  99999 99999
2608:  99999 99999  99999 99999  99999 99999  99999 99999  99999 99999   99999 99999  99999 99999  99999 99999  99999 99999  99999 99999
2609:  99999 99999  99999 99999  99999 99999  99999 99999  99999 99999   99999 99999  99999 99999  99999 99999  99999 99999  99999 99999
2610:  99999 99999  99999 99999  99999 99999  99999 99999  99999 99999   99999 99999  99999 99999  99999 99999  99999 99999  99999 99999
2611:  99999 99999  99999 99999  99999 99999  99999 99999  99999 99999   99999 99999  99999 99999  99999 99999  99999 99999  99999 99999
2612:  99999 99999  99999 99999  99999 99999  99999 99999  99999 99999   99999 99999  99999 99999  99999 99999  99999 99999  99999 99999
2613:  99999 99999  99999 99999  99999 99999  99999 99999  99999 99999   99999 99999  99999 99999  99999 99999  99999 99999  99999 99999
2614:  99999 99999  99999 99999  99999 99999  99999 99999  99999 99999   99999 99999  99999 99999  99999 99999  99999 99999  99999 99999
2615:  99999 99999  99999 99999  99999 99999  99999 99999  99999 99999   99999 99999  99999 99999  99999 99999  99999 99999  99999 99999
2616:  99999 99999  99999 99999  99999 99999  99999 99999  99999 99999   99999 99999  99999 99999  99999 99999  99999 99999  99999 99999
2617:  99999 99999  99999 99999  99999 99999  99999 99999  99999 99999   99999 99999  99999 99999  99999 99999  99999 99999  99999 99999
2618:  99999 99999  99999 99999  99999 99999  99999 99999  99999 99999   99999 99999  99999 99999  99999 99999  99999 99999  99999 99999
2619:  99999 99999  99999 99999  99999 99999  99999 99999  99999 99999   99999 99999  99999 99999  99999 99999  99999 99999  99999 99999
2620:  99999 99999  99999 99999  99999 99999  99999 99999  99999 99999   99999 99999  99999 99999  99999 99999  99999 99999  99999 99999
2621:  99999 99999  99999 99999  99999 99999  99999 99999  99999 99999   99999 99999  99999 99999  99999 99999  99999 99999  99999 99999
2622:  99999 99999  99999 99999  99999 99999  99999 99999  99999 99999   99999 99999  99999 99999  99999 99999  99999 99999  99999 99999
2623:  99999 99999  99999 99999  99999 99999  99999 99999  99999 99999   99999 99999  99999 99999  99999 99999  99999 99999  99999 99999
2624:  99999 99999  99999 99999  99999 99999  99999 99999  99999 99999   99999 99999  99999 99999  99999 99999  99999 99999  99999 99999
2625:  99999 99999  99999 99999  99999 99999  99999 99999  99999 99999   99999 99999  99999 99999  99999 99999  99999 99999  99999 99999
2626:  99999 99999  99999 99999  99999 99999  99999 99999  99999 99999   99999 99999  99999 99999  99999 99999  99999 99999  99999 99999
2627:  99999 99999  99999 99999  99999 99999  99999 99999  99999 99999   99999 99999  99999 99999  99999 99999  99999 99999  99999 99999
2628:  99999 99999  99999 99999  99999 99999  99999 99999  99999 99999   99999 99999  99999 99999  99999 99999  99999 99999  99999 99999
2629:  99999 99999  99999 99999  99999 99999  99999 99999  99999 99999   99999 99999  99999 99999  99999 99999  99999 99999  99999 99999
2630:  99999 99999  99999 99999  99999 99999  99999 99999  99999 99999   99999 99999  99999 99999  99999 99999  99999 99999  99999 99999
2631:  99999 99999  99999 99999  99999 99999  99999 99999  99999 99999   99999 99999  99999 99999  99999 99999  99999 99999  99999 99999
2632:  99999 99999  99999 99999  99999 99999  99999 99999  99999 99999   99999 99999  99999 99999  99999 99999  99999 99999  99999 99999
2633:  99999 99999  99999 99999  99999 99999  99999 99999  99999 99999   99999 99999  99999 99999  99999 99999  99999 99999  99999 99999
2634:  99999 99999  99999 99999  99999 99999  99999 99999  99999 99999   99999 99999  99999 99999  99999 99999  99999 99999  99999 99999
2635:  99999 99999  99999 99999  99999 99999  99999 99999  99999 99999   99999 99999  99999 99999  99999 99999  99999 99999  99999 99999
2636:  99999 99999  99999 99999  99999 99999  99999 99999  99999 99999   99999 99999  99999 99999  99999 99999  99999 99999  99999 99999
2637:  99999 99999  99999 99999  99999 99999  99999 99999  99999 99999   99999 99999  99999 99999  99999 99999  99999 99999  99999 99999
2638:  99999 99999  99999 99999  99999 99999  99999 99999  99999 99999   99999 99999  99999 99999  99999 99999  99999 99999  99999 99999
2639:  99999 99999  99999 99999  99999 99999  99999 99999  99999 99999   99999 99999  99999 99999  99999 99999  99999 99999  99999 99999
2640:  99999 99999  99999 99999  99999 99999  99999 99999  99999 99999   99999 99999  99999 99999  99999 99999  99999 99999  99999 99999
2641:  99999 99999  99999 99999  99999 99999  99999 99999  99999 99999   99999 99999  99999 99999  99999 99999  99999 99999  99999 99999
2642:  99999 99999  99999 99999  99999 99999  99999 99999  99999 99999   99999 99999  99999 99999  99999 99999  99999 99999  99999 99999
2643:  99999 99999  99999 99999  99999 99999  99999 99999  99999 99999   99999 99999  99999 99999  99999 99999  99999 99999  99999 99999
2644:  99999 99999  99999 99999  99999 99999  99999 99999  99999 99999   99999 99999  99999 99999  99999 99999  99999 99999  99999 99999
2645:  99999 99999  99999 99999  99999 99999  99999 99999  99999 99999   99999 99999  99999 99999  99999 99999  99999 99999  99999 99999
2646:  99999 99999  99999 99999  99999 99999  99999 99999  99999 99999   99999 99999  99999 99999  99999 99999  99999 99999  99999 99999
2647:  99999 99999  99999 99999  99999 99999  99999 99999  99999 99999   99999 99999  99999 99999  99999 99999  99999 99999  99999 99999
2648:  99999 99999  99999 99999  99999 99999  99999 99999  99999 99999   99999 99999  99999 99999  99999 99999  99999 99999  99999 99999
2649:  99999 99999  99999 99999  99999 99999  99999 99999  99999 99999   99999 99999  99999 99999  99999 99999  99999 99999  99999 99999
```

```
2650:   99999 99999   99999 99999   99999 99999   99999 99999   99999 99999     99999 99999   99999 99999   99999 99999   99999 99999   99999 99999
2651:   99999 99999   99999 99999   99999 99999   99999 99999   99999 99999     99999 99999   99999 99999   99999 99999   99999 99999   99999 99999
2652:   99999 99999   99999 99999   99999 99999   99999 99999   99999 99999     99999 99999   99999 99999   99999 99999   99999 99999   99999 99999
2653:   99999 99999   99999 99999   99999 99999   99999 99999   99999 99999     99999 99999   99999 99999   99999 99999   99999 99999   99999 99999
2654:   99999 99999   99999 99999   99999 99999   99999 99999   99999 99999     99999 99999   99999 99999   99999 99999   99999 99999   99999 99999
2655:   99999 99999   99999 99999   99999 99999   99999 99999   99999 99999     99999 99999   99999 99999   99999 99999   99999 99999   99999 99999
2656:   99999 99999   99999 99999   99999 99999   99999 99999   99999 99999     99999 99999   99999 99999   99999 99999   99999 99999   99999 99999
2657:   99999 99999   99999 99999   99999 99999   99999 99999   99999 99999     99999 99999   99999 99999   99999 99999   99999 99999   99999 99999
2658:   99999 99999   99999 99999   99999 99999   99999 99999   99999 99999     99999 99999   99999 99999   99999 99999   99999 99999   99999 99999
2659:   99999 99999   99999 99999   99999 99999   99999 99999   99999 99999     99999 99999   99999 99999   99999 99999   99999 99999   99999 99999
2660:   99999 99999   99999 99999   99999 99999   99999 99999   99999 99999     99999 99999   99999 99999   99999 99999   99999 99999   99999 99999
2661:   99999 99999   99999 99999   99999 99999   99999 99999   99999 99999     99999 99999   99999 99999   99999 99999   99999 99999   99999 99999
2662:   99999 99999   99999 99999   99999 99999   99999 99999   99999 99999     99999 99999   99999 99999   99999 99999   99999 99999   99999 99999
2663:   99999 99999   99999 99999   99999 99999   99999 99999   99999 99999     99999 99999   99999 99999   99999 99999   99999 99999   99999 99999
2664:   99999 99999   99999 99999   99999 99999   99999 99999   99999 99999     99999 99999   99999 99999   99999 99999   99999 99999   99999 99999
2665:   99999 99999   99999 99999   99999 99999   99999 99999   99999 99999     99999 99999   99999 99999   99999 99999   99999 99999   99999 99999
2666:   99999 99999   99999 99999   99999 99999   99999 99999   99999 99999     99999 99999   99999 99999   99999 99999   99999 99999   99999 99999
2667:   99999 99999   99999 99999   99999 99999   99999 99999   99999 99999     99999 99999   99999 99999   99999 99999   99999 99999   99999 99999
2668:   99999 99999   99999 99999   99999 99999   99999 99999   99999 99999     99999 99999   99999 99999   99999 99999   99999 99999   99999 99999
2669:   99999 99999   99999 99999   99999 99999   99999 99999   99999 99999     99999 99999   99999 99999   99999 99999   99999 99999   99999 99999
2670:   99999 99999   99999 99999   99999 99999   99999 99999   99999 99999     99999 99999   99999 99999   99999 99999   99999 99999   99999 99999
2671:   99999 99999   99999 99999   99999 99999   99999 99999   99999 99999     99999 99999   99999 99999   99999 99999   99999 99999   99999 99999
2672:   99999 99999   99999 99999   99999 99999   99999 99999   99999 99999     99999 99999   99999 99999   99999 99999   99999 99999   99999 99999
2673:   99999 99999   99999 99999   99999 99999   99999 99999   99999 99999     99999 99999   99999 99999   99999 99999   99999 99999   99999 99999
2674:   99999 99999   99999 99999   99999 99999   99999 99999   99999 99999     99999 99999   99999 99999   99999 99999   99999 99999   99999 99999
2675:   99999 99999   99999 99999   99999 99999   99999 99999   99999 99999     99999 99999   99999 99999   99999 99999   99999 99999   99999 99999
2676:   99999 99999   99999 99999   99999 99999   99999 99999   99999 99999     99999 99999   99999 99999   99999 99999   99999 99999   99999 99999
2677:   99999 99999   99999 99999   99999 99999   99999 99999   99999 99999     99999 99999   99999 99999   99999 99999   99999 99999   99999 99999
2678:   99999 99999   99999 99999   99999 99999   99999 99999   99999 99999     99999 99999   99999 99999   99999 99999   99999 99999   99999 99999
2679:   99999 99999   99999 99999   99999 99999   99999 99999   99999 99999     99999 99999   99999 99999   99999 99999   99999 99999   99999 99999
2680:   99999 99999   99999 99999   99999 99999   99999 99999   99999 99999     99999 99999   99999 99999   99999 99999   99999 99999   99999 99999
2681:   99999 99999   99999 99999   99999 99999   99999 99999   99999 99999     99999 99999   99999 99999   99999 99999   99999 99999   99999 99999
2682:   99999 99999   99999 99999   99999 99999   99999 99999   99999 99999     99999 99999   99999 99999   99999 99999   99999 99999   99999 99999
2683:   99999 99999   99999 99999   99999 99999   99999 99999   99999 99999     99999 99999   99999 99999   99999 99999   99999 99999   99999 99999
2684:   99999 99999   99999 99999   99999 99999   99999 99999   99999 99999     99999 99999   99999 99999   99999 99999   99999 99999   99999 99999
2685:   99999 99999   99999 99999   99999 99999   99999 99999   99999 99999     99999 99999   99999 99999   99999 99999   99999 99999   99999 99999
2686:   99999 99999   99999 99999   99999 99999   99999 99999   99999 99999     99999 99999   99999 99999   99999 99999   99999 99999   99999 99999
2687:   99999 99999   99999 99999   99999 99999   99999 99999   99999 99999     99999 99999   99999 99999   99999 99999   99999 99999   99999 99999
2688:   99999 99999   99999 99999   99999 99999   99999 99999   99999 99999     99999 99999   99999 99999   99999 99999   99999 99999   99999 99999
2689:   99999 99999   99999 99999   99999 99999   99999 99999   99999 99999     99999 99999   99999 99999   99999 99999   99999 99999   99999 99999
2690:   99999 99999   99999 99999   99999 99999   99999 99999   99999 99999     99999 99999   99999 99999   99999 99999   99999 99999   99999 99999
2691:   99999 99999   99999 99999   99999 99999   99999 99999   99999 99999     99999 99999   99999 99999   99999 99999   99999 99999   99999 99999
2692:   99999 99999   99999 99999   99999 99999   99999 99999   99999 99999     99999 99999   99999 99999   99999 99999   99999 99999   99999 99999
2693:   99999 99999   99999 99999   99999 99999   99999 99999   99999 99999     99999 99999   99999 99999   99999 99999   99999 99999   99999 99999
2694:   99999 99999   99999 99999   99999 99999   99999 99999   99999 99999     99999 99999   99999 99999   99999 99999   99999 99999   99999 99999
2695:   99999 99999   99999 99999   99999 99999   99999 99999   99999 99999     99999 99999   99999 99999   99999 99999   99999 99999   99999 99999
2696:   99999 99999   99999 99999   99999 99999   99999 99999   99999 99999     99999 99999   99999 99999   99999 99999   99999 99999   99999 99999
2697:   99999 99999   99999 99999   99999 99999   99999 99999   99999 99999     99999 99999   99999 99999   99999 99999   99999 99999   99999 99999
2698:   99999 99999   99999 99999   99999 99999   99999 99999   99999 99999     99999 99999   99999 99999   99999 99999   99999 99999   99999 99999
2699:   99999 99999   99999 99999   99999 99999   99999 99999   99999 99999     99999 99999   99999 99999   99999 99999   99999 99999   99999 99999
```

```
2700:  99999 99999  99999 99999  99999 99999  99999 99999  99999 99999    99999 99999  99999 99999  99999 99999  99999 99999  99999 99999
2701:  99999 99999  99999 99999  99999 99999  99999 99999  99999 99999    99999 99999  99999 99999  99999 99999  99999 99999  99999 99999
2702:  99999 99999  99999 99999  99999 99999  99999 99999  99999 99999    99999 99999  99999 99999  99999 99999  99999 99999  99999 99999
2703:  99999 99999  99999 99999  99999 99999  99999 99999  99999 99999    99999 99999  99999 99999  99999 99999  99999 99999  99999 99999
2704:  99999 99999  99999 99999  99999 99999  99999 99999  99999 99999    99999 99999  99999 99999  99999 99999  99999 99999  99999 99999
2705:  99999 99999  99999 99999  99999 99999  99999 99999  99999 99999    99999 99999  99999 99999  99999 99999  99999 99999  99999 99999
2706:  99999 99999  99999 99999  99999 99999  99999 99999  99999 99999    99999 99999  99999 99999  99999 99999  99999 99999  99999 99999
2707:  99999 99999  99999 99999  99999 99999  99999 99999  99999 99999    99999 99999  99999 99999  99999 99999  99999 99999  99999 99999
2708:  99999 99999  99999 99999  99999 99999  99999 99999  99999 99999    99999 99999  99999 99999  99999 99999  99999 99999  99999 99999
2709:  99999 99999  99999 99999  99999 99999  99999 99999  99999 99999    99999 99999  99999 99999  99999 99999  99999 99999  99999 99999
2710:  99999 99999  99999 99999  99999 99999  99999 99999  99999 99999    99999 99999  99999 99999  99999 99999  99999 99999  99999 99999
2711:  99999 99999  99999 99999  99999 99999  99999 99999  99999 99999    99999 99999  99999 99999  99999 99999  99999 99999  99999 99999
2712:  99999 99999  99999 99999  99999 99999  99999 99999  99999 99999    99999 99999  99999 99999  99999 99999  99999 99999  99999 99999
2713:  99999 99999  99999 99999  99999 99999  99999 99999  99999 99999    99999 99999  99999 99999  99999 99999  99999 99999  99999 99999
2714:  99999 99999  99999 99999  99999 99999  99999 99999  99999 99999    99999 99999  99999 99999  99999 99999  99999 99999  99999 99999
2715:  99999 99999  99999 99999  99999 99999  99999 99999  99999 99999    99999 99999  99999 99999  99999 99999  99999 99999  99999 99999
2716:  99999 99999  99999 99999  99999 99999  99999 99999  99999 99999    99999 99999  99999 99999  99999 99999  99999 99999  99999 99999
2717:  99999 99999  99999 99999  99999 99999  99999 99999  99999 99999    99999 99999  99999 99999  99999 99999  99999 99999  99999 99999
2718:  99999 99999  99999 99999  99999 99999  99999 99999  99999 99999    99999 99999  99999 99999  99999 99999  99999 99999  99999 99999
2719:  99999 99999  99999 99999  99999 99999  99999 99999  99999 99999    99999 99999  99999 99999  99999 99999  99999 99999  99999 99999
2720:  99999 99999  99999 99999  99999 99999  99999 99999  99999 99999    99999 99999  99999 99999  99999 99999  99999 99999  99999 99999
2721:  99999 99999  99999 99999  99999 99999  99999 99999  99999 99999    99999 99999  99999 99999  99999 99999  99999 99999  99999 99999
2722:  99999 99999  99999 99999  99999 99999  99999 99999  99999 99999    99999 99999  99999 99999  99999 99999  99999 99999  99999 99999
2723:  99999 99999  99999 99999  99999 99999  99999 99999  99999 99999    99999 99999  99999 99999  99999 99999  99999 99999  99999 99999
2724:  99999 99999  99999 99999  99999 99999  99999 99999  99999 99999    99999 99999  99999 99999  99999 99999  99999 99999  99999 99999
2725:  99999 99999  99999 99999  99999 99999  99999 99999  99999 99999    99999 99999  99999 99999  99999 99999  99999 99999  99999 99999
2726:  99999 99999  99999 99999  99999 99999  99999 99999  99999 99999    99999 99999  99999 99999  99999 99999  99999 99999  99999 99999
2727:  99999 99999  99999 99999  99999 99999  99999 99999  99999 99999    99999 99999  99999 99999  99999 99999  99999 99999  99999 99999
2728:  99999 99999  99999 99999  99999 99999  99999 99999  99999 99999    99999 99999  99999 99999  99999 99999  99999 99999  99999 99999
2729:  99999 99999  99999 99999  99999 99999  99999 99999  99999 99999    99999 99999  99999 99999  99999 99999  99999 99999  99999 99999
2730:  99999 99999  99999 99999  99999 99999  99999 99999  99999 99999    99999 99999  99999 99999  99999 99999  99999 99999  99999 99999
2731:  99999 99999  99999 99999  99999 99999  99999 99999  99999 99999    99999 99999  99999 99999  99999 99999  99999 99999  99999 99999
2732:  99999 99999  99999 99999  99999 99999  99999 99999  99999 99999    99999 99999  99999 99999  99999 99999  99999 99999  99999 99999
2733:  99999 99999  99999 99999  99999 99999  99999 99999  99999 99999    99999 99999  99999 99999  99999 99999  99999 99999  99999 99999
2734:  99999 99999  99999 99999  99999 99999  99999 99999  99999 99999    99999 99999  99999 99999  99999 99999  99999 99999  99999 99999
2735:  99999 99999  99999 99999  99999 99999  99999 99999  99999 99999    99999 99999  99999 99999  99999 99999  99999 99999  99999 99999
2736:  99999 99999  99999 99999  99999 99999  99999 99999  99999 99999    99999 99999  99999 99999  99999 99999  99999 99999  99999 99999
2737:  99999 99999  99999 99999  99999 99999  99999 99999  99999 99999    99999 99999  99999 99999  99999 99999  99999 99999  99999 99999
2738:  99999 99999  99999 99999  99999 99999  99999 99999  99999 99999    99999 99999  99999 99999  99999 99999  99999 99999  99999 99999
2739:  99999 99999  99999 99999  99999 99999  99999 99999  99999 99999    99999 99999  99999 99999  99999 99999  99999 99999  99999 99999
2740:  99999 99999  99999 99999  99999 99999  99999 99999  99999 99999    99999 99999  99999 99999  99999 99999  99999 99999  99999 99999
2741:  99999 99999  99999 99999  99999 99999  99999 99999  99999 99999    99999 99999  99999 99999  99999 99999  99999 99999  99999 99999
2742:  99999 99999  99999 99999  99999 99999  99999 99999  99999 99999    99999 99999  99999 99999  99999 99999  99999 99999  99999 99999
2743:  99999 99999  99999 99999  99999 99999  99999 99999  99999 99999    99999 99999  99999 99999  99999 99999  99999 99999  99999 99999
2744:  99999 99999  99999 99999  99999 99999  99999 99999  99999 99999    99999 99999  99999 99999  99999 99999  99999 99999  99999 99999
2745:  99999 99999  99999 99999  99999 99999  99999 99999  99999 99999    99999 99999  99999 99999  99999 99999  99999 99999  99999 99999
2746:  99999 99999  99999 99999  99999 99999  99999 99999  99999 99999    99999 99999  99999 99999  99999 99999  99999 99999  99999 99999
2747:  99999 99999  99999 99999  99999 99999  99999 99999  99999 99999    99999 99999  99999 99999  99999 99999  99999 99999  99999 99999
2748:  99999 99999  99999 99999  99999 99999  99999 99999  99999 99999    99999 99999  99999 99999  99999 99999  99999 99999  99999 99999
2749:  99999 99999  99999 99999  99999 99999  99999 99999  99999 99999    99999 99999  99999 99999  99999 99999  99999 99999  99999 99999
```

```
2750:  99999 99999  99999 99999  99999 99999  99999 99999  99999 99999   99999 99999  99999 99999  99999 99999  99999 99999  99999 99999
2751:  99999 99999  99999 99999  99999 99999  99999 99999  99999 99999   99999 99999  99999 99999  99999 99999  99999 99999  99999 99999
2752:  99999 99999  99999 99999  99999 99999  99999 99999  99999 99999   99999 99999  99999 99999  99999 99999  99999 99999  99999 99999
2753:  99999 99999  99999 99999  99999 99999  99999 99999  99999 99999   99999 99999  99999 99999  99999 99999  99999 99999  99999 99999
2754:  99999 99999  99999 99999  99999 99999  99999 99999  99999 99999   99999 99999  99999 99999  99999 99999  99999 99999  99999 99999
2755:  99999 99999  99999 99999  99999 99999  99999 99999  99999 99999   99999 99999  99999 99999  99999 99999  99999 99999  99999 99999
2756:  99999 99999  99999 99999  99999 99999  99999 99999  99999 99999   99999 99999  99999 99999  99999 99999  99999 99999  99999 99999
2757:  99999 99999  99999 99999  99999 99999  99999 99999  99999 99999   99999 99999  99999 99999  99999 99999  99999 99999  99999 99999
2758:  99999 99999  99999 99999  99999 99999  99999 99999  99999 99999   99999 99999  99999 99999  99999 99999  99999 99999  99999 99999
2759:  99999 99999  99999 99999  99999 99999  99999 99999  99999 99999   99999 99999  99999 99999  99999 99999  99999 99999  99999 99999
2760:  99999 99999  99999 99999  99999 99999  99999 99999  99999 99999   99999 99999  99999 99999  99999 99999  99999 99999  99999 99999
2761:  99999 99999  99999 99999  99999 99999  99999 99999  99999 99999   99999 99999  99999 99999  99999 99999  99999 99999  99999 99999
2762:  99999 99999  99999 99999  99999 99999  99999 99999  99999 99999   99999 99999  99999 99999  99999 99999  99999 99999  99999 99999
2763:  99999 99999  99999 99999  99999 99999  99999 99999  99999 99999   99999 99999  99999 99999  99999 99999  99999 99999  99999 99999
2764:  99999 99999  99999 99999  99999 99999  99999 99999  99999 99999   99999 99999  99999 99999  99999 99999  99999 99999  99999 99999
2765:  99999 99999  99999 99999  99999 99999  99999 99999  99999 99999   99999 99999  99999 99999  99999 99999  99999 99999  99999 99999
2766:  99999 99999  99999 99999  99999 99999  99999 99999  99999 99999   99999 99999  99999 99999  99999 99999  99999 99999  99999 99999
2767:  99999 99999  99999 99999  99999 99999  99999 99999  99999 99999   99999 99999  99999 99999  99999 99999  99999 99999  99999 99999
2768:  99999 99999  99999 99999  99999 99999  99999 99999  99999 99999   99999 99999  99999 99999  99999 99999  99999 99999  99999 99999
2769:  99999 99999  99999 99999  99999 99999  99999 99999  99999 99999   99999 99999  99999 99999  99999 99999  99999 99999  99999 99999
2770:  99999 99999  99999 99999  99999 99999  99999 99999  99999 99999   99999 99999  99999 99999  99999 99999  99999 99999  99999 99999
2771:  99999 99999  99999 99999  99999 99999  99999 99999  99999 99999   99999 99999  99999 99999  99999 99999  99999 99999  99999 99999
2772:  99999 99999  99999 99999  99999 99999  99999 99999  99999 99999   99999 99999  99999 99999  99999 99999  99999 99999  99999 99999
2773:  99999 99999  99999 99999  99999 99999  99999 99999  99999 99999   99999 99999  99999 99999  99999 99999  99999 99999  99999 99999
2774:  99999 99999  99999 99999  99999 99999  99999 99999  99999 99999   99999 99999  99999 99999  99999 99999  99999 99999  99999 99999
2775:  99999 99999  99999 99999  99999 99999  99999 99999  99999 99999   99999 99999  99999 99999  99999 99999  99999 99999  99999 99999
2776:  99999 99999  99999 99999  99999 99999  99999 99999  99999 99999   99999 99999  99999 99999  99999 99999  99999 99999  99999 99999
2777:  99999 99999  99999 99999  99999 99999  99999 99999  99999 99999   99999 99999  99999 99999  99999 99999  99999 99999  99999 99999
2778:  99999 99999  99999 99999  99999 99999  99999 99999  99999 99999   99999 99999  99999 99999  99999 99999  99999 99999  99999 99999
2779:  99999 99999  99999 99999  99999 99999  99999 99999  99999 99999   99999 99999  99999 99999  99999 99999  99999 99999  99999 99999
2780:  99999 99999  99999 99999  99999 99999  99999 99999  99999 99999   99999 99999  99999 99999  99999 99999  99999 99999  99999 99999
2781:  99999 99999  99999 99999  99999 99999  99999 99999  99999 99999   99999 99999  99999 99999  99999 99999  99999 99999  99999 99999
2782:  99999 99999  99999 99999  99999 99999  99999 99999  99999 99999   99999 99999  99999 99999  99999 99999  99999 99999  99999 99999
2783:  99999 99999  99999 99999  99999 99999  99999 99999  99999 99999   99999 99999  99999 99999  99999 99999  99999 99999  99999 99999
2784:  99999 99999  99999 99999  99999 99999  99999 99999  99999 99999   99999 99999  99999 99999  99999 99999  99999 99999  99999 99999
2785:  99999 99999  99999 99999  99999 99999  99999 99999  99999 99999   99999 99999  99999 99999  99999 99999  99999 99999  99999 99999
2786:  99999 99999  99999 99999  99999 99999  99999 99999  99999 99999   99999 99999  99999 99999  99999 99999  99999 99999  99999 99999
2787:  99999 99999  99999 99999  99999 99999  99999 99999  99999 99999   99999 99999  99999 99999  99999 99999  99999 99999  99999 99999
2788:  99999 99999  99999 99999  99999 99999  99999 99999  99999 99999   99999 99999  99999 99999  99999 99999  99999 99999  99999 99999
2789:  99999 99999  99999 99999  99999 99999  99999 99999  99999 99999   99999 99999  99999 99999  99999 99999  99999 99999  99999 99999
2790:  99999 99999  99999 99999  99999 99999  99999 99999  99999 99999   99999 99999  99999 99999  99999 99999  99999 99999  99999 99999
2791:  99999 99999  99999 99999  99999 99999  99999 99999  99999 99999   99999 99999  99999 99999  99999 99999  99999 99999  99999 99999
2792:  99999 99999  99999 99999  99999 99999  99999 99999  99999 99999   99999 99999  99999 99999  99999 99999  99999 99999  99999 99999
2793:  99999 99999  99999 99999  99999 99999  99999 99999  99999 99999   99999 99999  99999 99999  99999 99999  99999 99999  99999 99999
2794:  99999 99999  99999 99999  99999 99999  99999 99999  99999 99999   99999 99999  99999 99999  99999 99999  99999 99999  99999 99999
2795:  99999 99999  99999 99999  99999 99999  99999 99999  99999 99999   99999 99999  99999 99999  99999 99999  99999 99999  99999 99999
2796:  99999 99999  99999 99999  99999 99999  99999 99999  99999 99999   99999 99999  99999 99999  99999 99999  99999 99999  99999 99999
2797:  99999 99999  99999 99999  99999 99999  99999 99999  99999 99999   99999 99999  99999 99999  99999 99999  99999 99999  99999 99999
2798:  99999 99999  99999 99999  99999 99999  99999 99999  99999 99999   99999 99999  99999 99999  99999 99999  99999 99999  99999 99999
2799:  99999 99999  99999 99999  99999 99999  99999 99999  99999 99999   99999 99999  99999 99999  99999 99999  99999 99999  99999 99999
```

```
2800:  99999 99999  99999 99999  99999 99999  99999 99999  99999 99999    99999 99999  99999 99999  99999 99999  99999 99999  99999 99999
2801:  99999 99999  99999 99999  99999 99999  99999 99999  99999 99999    99999 99999  99999 99999  99999 99999  99999 99999  99999 99999
2802:  99999 99999  99999 99999  99999 99999  99999 99999  99999 99999    99999 99999  99999 99999  99999 99999  99999 99999  99999 99999
2803:  99999 99999  99999 99999  99999 99999  99999 99999  99999 99999    99999 99999  99999 99999  99999 99999  99999 99999  99999 99999
2804:  99999 99999  99999 99999  99999 99999  99999 99999  99999 99999    99999 99999  99999 99999  99999 99999  99999 99999  99999 99999
2805:  99999 99999  99999 99999  99999 99999  99999 99999  99999 99999    99999 99999  99999 99999  99999 99999  99999 99999  99999 99999
2806:  99999 99999  99999 99999  99999 99999  99999 99999  99999 99999    99999 99999  99999 99999  99999 99999  99999 99999  99999 99999
2807:  99999 99999  99999 99999  99999 99999  99999 99999  99999 99999    99999 99999  99999 99999  99999 99999  99999 99999  99999 99999
2808:  99999 99999  99999 99999  99999 99999  99999 99999  99999 99999    99999 99999  99999 99999  99999 99999  99999 99999  99999 99999
2809:  99999 99999  99999 99999  99999 99999  99999 99999  99999 99999    99999 99999  99999 99999  99999 99999  99999 99999  99999 99999
2810:  99999 99999  99999 99999  99999 99999  99999 99999  99999 99999    99999 99999  99999 99999  99999 99999  99999 99999  99999 99999
2811:  99999 99999  99999 99999  99999 99999  99999 99999  99999 99999    99999 99999  99999 99999  99999 99999  99999 99999  99999 99999
2812:  99999 99999  99999 99999  99999 99999  99999 99999  99999 99999    99999 99999  99999 99999  99999 99999  99999 99999  99999 99999
2813:  99999 99999  99999 99999  99999 99999  99999 99999  99999 99999    99999 99999  99999 99999  99999 99999  99999 99999  99999 99999
2814:  99999 99999  99999 99999  99999 99999  99999 99999  99999 99999    99999 99999  99999 99999  99999 99999  99999 99999  99999 99999
2815:  99999 99999  99999 99999  99999 99999  99999 99999  99999 99999    99999 99999  99999 99999  99999 99999  99999 99999  99999 99999
2816:  99999 99999  99999 99999  99999 99999  99999 99999  99999 99999    99999 99999  99999 99999  99999 99999  99999 99999  99999 99999
2817:  99999 99999  99999 99999  99999 99999  99999 99999  99999 99999    99999 99999  99999 99999  99999 99999  99999 99999  99999 99999
2818:  99999 99999  99999 99999  99999 99999  99999 99999  99999 99999    99999 99999  99999 99999  99999 99999  99999 99999  99999 99999
2819:  99999 99999  99999 99999  99999 99999  99999 99999  99999 99999    99999 99999  99999 99999  99999 99999  99999 99999  99999 99999
2820:  99999 99999  99999 99999  99999 99999  99999 99999  99999 99999    99999 99999  99999 99999  99999 99999  99999 99999  99999 99999
2821:  99999 99999  99999 99999  99999 99999  99999 99999  99999 99999    99999 99999  99999 99999  99999 99999  99999 99999  99999 99999
2822:  99999 99999  99999 99999  99999 99999  99999 99999  99999 99999    99999 99999  99999 99999  99999 99999  99999 99999  99999 99999
2823:  99999 99999  99999 99999  99999 99999  99999 99999  99999 99999    99999 99999  99999 99999  99999 99999  99999 99999  99999 99999
2824:  99999 99999  99999 99999  99999 99999  99999 99999  99999 99999    99999 99999  99999 99999  99999 99999  99999 99999  99999 99999
2825:  99999 99999  99999 99999  99999 99999  99999 99999  99999 99999    99999 99999  99999 99999  99999 99999  99999 99999  99999 99999
2826:  99999 99999  99999 99999  99999 99999  99999 99999  99999 99999    99999 99999  99999 99999  99999 99999  99999 99999  99999 99999
2827:  99999 99999  99999 99999  99999 99999  99999 99999  99999 99999    99999 99999  99999 99999  99999 99999  99999 99999  99999 99999
2828:  99999 99999  99999 99999  99999 99999  99999 99999  99999 99999    99999 99999  99999 99999  99999 99999  99999 99999  99999 99999
2829:  99999 99999  99999 99999  99999 99999  99999 99999  99999 99999    99999 99999  99999 99999  99999 99999  99999 99999  99999 99999
2830:  99999 99999  99999 99999  99999 99999  99999 99999  99999 99999    99999 99999  99999 99999  99999 99999  99999 99999  99999 99999
2831:  99999 99999  99999 99999  99999 99999  99999 99999  99999 99999    99999 99999  99999 99999  99999 99999  99999 99999  99999 99999
2832:  99999 99999  99999 99999  99999 99999  99999 99999  99999 99999    99999 99999  99999 99999  99999 99999  99999 99999  99999 99999
2833:  99999 99999  99999 99999  99999 99999  99999 99999  99999 99999    99999 99999  99999 99999  99999 99999  99999 99999  99999 99999
2834:  99999 99999  99999 99999  99999 99999  99999 99999  99999 99999    99999 99999  99999 99999  99999 99999  99999 99999  99999 99999
2835:  99999 99999  99999 99999  99999 99999  99999 99999  99999 99999    99999 99999  99999 99999  99999 99999  99999 99999  99999 99999
2836:  99999 99999  99999 99999  99999 99999  99999 99999  99999 99999    99999 99999  99999 99999  99999 99999  99999 99999  99999 99999
2837:  99999 99999  99999 99999  99999 99999  99999 99999  99999 99999    99999 99999  99999 99999  99999 99999  99999 99999  99999 99999
2838:  99999 99999  99999 99999  99999 99999  99999 99999  99999 99999    99999 99999  99999 99999  99999 99999  99999 99999  99999 99999
2839:  99999 99999  99999 99999  99999 99999  99999 99999  99999 99999    99999 99999  99999 99999  99999 99999  99999 99999  99999 99999
2840:  99999 99999  99999 99999  99999 99999  99999 99999  99999 99999    99999 99999  99999 99999  99999 99999  99999 99999  99999 99999
2841:  99999 99999  99999 99999  99999 99999  99999 99999  99999 99999    99999 99999  99999 99999  99999 99999  99999 99999  99999 99999
2842:  99999 99999  99999 99999  99999 99999  99999 99999  99999 99999    99999 99999  99999 99999  99999 99999  99999 99999  99999 99999
2843:  99999 99999  99999 99999  99999 99999  99999 99999  99999 99999    99999 99999  99999 99999  99999 99999  99999 99999  99999 99999
2844:  99999 99999  99999 99999  99999 99999  99999 99999  99999 99999    99999 99999  99999 99999  99999 99999  99999 99999  99999 99999
2845:  99999 99999  99999 99999  99999 99999  99999 99999  99999 99999    99999 99999  99999 99999  99999 99999  99999 99999  99999 99999
2846:  99999 99999  99999 99999  99999 99999  99999 99999  99999 99999    99999 99999  99999 99999  99999 99999  99999 99999  99999 99999
2847:  99999 99999  99999 99999  99999 99999  99999 99999  99999 99999    99999 99999  99999 99999  99999 99999  99999 99999  99999 99999
2848:  99999 99999  99999 99999  99999 99999  99999 99999  99999 99999    99999 99999  99999 99999  99999 99999  99999 99999  99999 99999
2849:  99999 99999  99999 99999  99999 99999  99999 99999  99999 99999    99999 99999  99999 99999  99999 99999  99999 99999  99999 99999
```

```
2850:  99999 99999  99999 99999  99999 99999  99999 99999  99999 99999    99999 99999  99999 99999  99999 99999  99999 99999  99999 99999
2851:  99999 99999  99999 99999  99999 99999  99999 99999  99999 99999    99999 99999  99999 99999  99999 99999  99999 99999  99999 99999
2852:  99999 99999  99999 99999  99999 99999  99999 99999  99999 99999    99999 99999  99999 99999  99999 99999  99999 99999  99999 99999
2853:  99999 99999  99999 99999  99999 99999  99999 99999  99999 99999    99999 99999  99999 99999  99999 99999  99999 99999  99999 99999
2854:  99999 99999  99999 99999  99999 99999  99999 99999  99999 99999    99999 99999  99999 99999  99999 99999  99999 99999  99999 99999
2855:  99999 99999  99999 99999  99999 99999  99999 99999  99999 99999    99999 99999  99999 99999  99999 99999  99999 99999  99999 99999
2856:  99999 99999  99999 99999  99999 99999  99999 99999  99999 99999    99999 99999  99999 99999  99999 99999  99999 99999  99999 99999
2857:  99999 99999  99999 99999  99999 99999  99999 99999  99999 99999    99999 99999  99999 99999  99999 99999  99999 99999  99999 99999
2858:  99999 99999  99999 99999  99999 99999  99999 99999  99999 99999    99999 99999  99999 99999  99999 99999  99999 99999  99999 99999
2859:  99999 99999  99999 99999  99999 99999  99999 99999  99999 99999    99999 99999  99999 99999  99999 99999  99999 99999  99999 99999
2860:  99999 99999  99999 99999  99999 99999  99999 99999  99999 99999    99999 99999  99999 99999  99999 99999  99999 99999  99999 99999
2861:  99999 99999  99999 99999  99999 99999  99999 99999  99999 99999    99999 99999  99999 99999  99999 99999  99999 99999  99999 99999
2862:  99999 99999  99999 99999  99999 99999  99999 99999  99999 99999    99999 99999  99999 99999  99999 99999  99999 99999  99999 99999
2863:  99999 99999  99999 99999  99999 99999  99999 99999  99999 99999    99999 99999  99999 99999  99999 99999  99999 99999  99999 99999
2864:  99999 99999  99999 99999  99999 99999  99999 99999  99999 99999    99999 99999  99999 99999  99999 99999  99999 99999  99999 99999
2865:  99999 99999  99999 99999  99999 99999  99999 99999  99999 99999    99999 99999  99999 99999  99999 99999  99999 99999  99999 99999
2866:  99999 99999  99999 99999  99999 99999  99999 99999  99999 99999    99999 99999  99999 99999  99999 99999  99999 99999  99999 99999
2867:  99999 99999  99999 99999  99999 99999  99999 99999  99999 99999    99999 99999  99999 99999  99999 99999  99999 99999  99999 99999
2868:  99999 99999  99999 99999  99999 99999  99999 99999  99999 99999    99999 99999  99999 99999  99999 99999  99999 99999  99999 99999
2869:  99999 99999  99999 99999  99999 99999  99999 99999  99999 99999    99999 99999  99999 99999  99999 99999  99999 99999  99999 99999
2870:  99999 99999  99999 99999  99999 99999  99999 99999  99999 99999    99999 99999  99999 99999  99999 99999  99999 99999  99999 99999
2871:  99999 99999  99999 99999  99999 99999  99999 99999  99999 99999    99999 99999  99999 99999  99999 99999  99999 99999  99999 99999
2872:  99999 99999  99999 99999  99999 99999  99999 99999  99999 99999    99999 99999  99999 99999  99999 99999  99999 99999  99999 99999
2873:  99999 99999  99999 99999  99999 99999  99999 99999  99999 99999    99999 99999  99999 99999  99999 99999  99999 99999  99999 99999
2874:  99999 99999  99999 99999  99999 99999  99999 99999  99999 99999    99999 99999  99999 99999  99999 99999  99999 99999  99999 99999
2875:  99999 99999  99999 99999  99999 99999  99999 99999  99999 99999    99999 99999  99999 99999  99999 99999  99999 99999  99999 99999
2876:  99999 99999  99999 99999  99999 99999  99999 99999  99999 99999    99999 99999  99999 99999  99999 99999  99999 99999  99999 99999
2877:  99999 99999  99999 99999  99999 99999  99999 99999  99999 99999    99999 99999  99999 99999  99999 99999  99999 99999  99999 99999
2878:  99999 99999  99999 99999  99999 99999  99999 99999  99999 99999    99999 99999  99999 99999  99999 99999  99999 99999  99999 99999
2879:  99999 99999  99999 99999  99999 99999  99999 99999  99999 99999    99999 99999  99999 99999  99999 99999  99999 99999  99999 99999
2880:  99999 99999  99999 99999  99999 99999  99999 99999  99999 99999    99999 99999  99999 99999  99999 99999  99999 99999  99999 99999
2881:  99999 99999  99999 99999  99999 99999  99999 99999  99999 99999    99999 99999  99999 99999  99999 99999  99999 99999  99999 99999
2882:  99999 99999  99999 99999  99999 99999  99999 99999  99999 99999    99999 99999  99999 99999  99999 99999  99999 99999  99999 99999
2883:  99999 99999  99999 99999  99999 99999  99999 99999  99999 99999    99999 99999  99999 99999  99999 99999  99999 99999  99999 99999
2884:  99999 99999  99999 99999  99999 99999  99999 99999  99999 99999    99999 99999  99999 99999  99999 99999  99999 99999  99999 99999
2885:  99999 99999  99999 99999  99999 99999  99999 99999  99999 99999    99999 99999  99999 99999  99999 99999  99999 99999  99999 99999
2886:  99999 99999  99999 99999  99999 99999  99999 99999  99999 99999    99999 99999  99999 99999  99999 99999  99999 99999  99999 99999
2887:  99999 99999  99999 99999  99999 99999  99999 99999  99999 99999    99999 99999  99999 99999  99999 99999  99999 99999  99999 99999
2888:  99999 99999  99999 99999  99999 99999  99999 99999  99999 99999    99999 99999  99999 99999  99999 99999  99999 99999  99999 99999
2889:  99999 99999  99999 99999  99999 99999  99999 99999  99999 99999    99999 99999  99999 99999  99999 99999  99999 99999  99999 99999
2890:  99999 99999  99999 99999  99999 99999  99999 99999  99999 99999    99999 99999  99999 99999  99999 99999  99999 99999  99999 99999
2891:  99999 99999  99999 99999  99999 99999  99999 99999  99999 99999    99999 99999  99999 99999  99999 99999  99999 99999  99999 99999
2892:  99999 99999  99999 99999  99999 99999  99999 99999  99999 99999    99999 99999  99999 99999  99999 99999  99999 99999  99999 99999
2893:  99999 99999  99999 99999  99999 99999  99999 99999  99999 99999    99999 99999  99999 99999  99999 99999  99999 99999  99999 99999
2894:  99999 99999  99999 99999  99999 99999  99999 99999  99999 99999    99999 99999  99999 99999  99999 99999  99999 99999  99999 99999
2895:  99999 99999  99999 99999  99999 99999  99999 99999  99999 99999    99999 99999  99999 99999  99999 99999  99999 99999  99999 99999
2896:  99999 99999  99999 99999  99999 99999  99999 99999  99999 99999    99999 99999  99999 99999  99999 99999  99999 99999  99999 99999
2897:  99999 99999  99999 99999  99999 99999  99999 99999  99999 99999    99999 99999  99999 99999  99999 99999  99999 99999  99999 99999
2898:  99999 99999  99999 99999  99999 99999  99999 99999  99999 99999    99999 99999  99999 99999  99999 99999  99999 99999  99999 99999
2899:  99999 99999  99999 99999  99999 99999  99999 99999  99999 99999    99999 99999  99999 99999  99999 99999  99999 99999  99999 99999
```

```
2900:  99999 99999  99999 99999  99999 99999  99999 99999  99999 99999    99999 99999  99999 99999  99999 99999  99999 99999  99999 99999
2901:  99999 99999  99999 99999  99999 99999  99999 99999  99999 99999    99999 99999  99999 99999  99999 99999  99999 99999  99999 99999
2902:  99999 99999  99999 99999  99999 99999  99999 99999  99999 99999    99999 99999  99999 99999  99999 99999  99999 99999  99999 99999
2903:  99999 99999  99999 99999  99999 99999  99999 99999  99999 99999    99999 99999  99999 99999  99999 99999  99999 99999  99999 99999
2904:  99999 99999  99999 99999  99999 99999  99999 99999  99999 99999    99999 99999  99999 99999  99999 99999  99999 99999  99999 99999
2905:  99999 99999  99999 99999  99999 99999  99999 99999  99999 99999    99999 99999  99999 99999  99999 99999  99999 99999  99999 99999
2906:  99999 99999  99999 99999  99999 99999  99999 99999  99999 99999    99999 99999  99999 99999  99999 99999  99999 99999  99999 99999
2907:  99999 99999  99999 99999  99999 99999  99999 99999  99999 99999    99999 99999  99999 99999  99999 99999  99999 99999  99999 99999
2908:  99999 99999  99999 99999  99999 99999  99999 99999  99999 99999    99999 99999  99999 99999  99999 99999  99999 99999  99999 99999
2909:  99999 99999  99999 99999  99999 99999  99999 99999  99999 99999    99999 99999  99999 99999  99999 99999  99999 99999  99999 99999
2910:  99999 99999  99999 99999  99999 99999  99999 99999  99999 99999    99999 99999  99999 99999  99999 99999  99999 99999  99999 99999
2911:  99999 99999  99999 99999  99999 99999  99999 99999  99999 99999    99999 99999  99999 99999  99999 99999  99999 99999  99999 99999
2912:  99999 99999  99999 99999  99999 99999  99999 99999  99999 99999    99999 99999  99999 99999  99999 99999  99999 99999  99999 99999
2913:  99999 99999  99999 99999  99999 99999  99999 99999  99999 99999    99999 99999  99999 99999  99999 99999  99999 99999  99999 99999
2914:  99999 99999  99999 99999  99999 99999  99999 99999  99999 99999    99999 99999  99999 99999  99999 99999  99999 99999  99999 99999
2915:  99999 99999  99999 99999  99999 99999  99999 99999  99999 99999    99999 99999  99999 99999  99999 99999  99999 99999  99999 99999
2916:  99999 99999  99999 99999  99999 99999  99999 99999  99999 99999    99999 99999  99999 99999  99999 99999  99999 99999  99999 99999
2917:  99999 99999  99999 99999  99999 99999  99999 99999  99999 99999    99999 99999  99999 99999  99999 99999  99999 99999  99999 99999
2918:  99999 99999  99999 99999  99999 99999  99999 99999  99999 99999    99999 99999  99999 99999  99999 99999  99999 99999  99999 99999
2919:  99999 99999  99999 99999  99999 99999  99999 99999  99999 99999    99999 99999  99999 99999  99999 99999  99999 99999  99999 99999
2920:  99999 99999  99999 99999  99999 99999  99999 99999  99999 99999    99999 99999  99999 99999  99999 99999  99999 99999  99999 99999
2921:  99999 99999  99999 99999  99999 99999  99999 99999  99999 99999    99999 99999  99999 99999  99999 99999  99999 99999  99999 99999
2922:  99999 99999  99999 99999  99999 99999  99999 99999  99999 99999    99999 99999  99999 99999  99999 99999  99999 99999  99999 99999
2923:  99999 99999  99999 99999  99999 99999  99999 99999  99999 99999    99999 99999  99999 99999  99999 99999  99999 99999  99999 99999
2924:  99999 99999  99999 99999  99999 99999  99999 99999  99999 99999    99999 99999  99999 99999  99999 99999  99999 99999  99999 99999
2925:  99999 99999  99999 99999  99999 99999  99999 99999  99999 99999    99999 99999  99999 99999  99999 99999  99999 99999  99999 99999
2926:  99999 99999  99999 99999  99999 99999  99999 99999  99999 99999    99999 99999  99999 99999  99999 99999  99999 99999  99999 99999
2927:  99999 99999  99999 99999  99999 99999  99999 99999  99999 99999    99999 99999  99999 99999  99999 99999  99999 99999  99999 99999
2928:  99999 99999  99999 99999  99999 99999  99999 99999  99999 99999    99999 99999  99999 99999  99999 99999  99999 99999  99999 99999
2929:  99999 99999  99999 99999  99999 99999  99999 99999  99999 99999    99999 99999  99999 99999  99999 99999  99999 99999  99999 99999
2930:  99999 99999  99999 99999  99999 99999  99999 99999  99999 99999    99999 99999  99999 99999  99999 99999  99999 99999  99999 99999
2931:  99999 99999  99999 99999  99999 99999  99999 99999  99999 99999    99999 99999  99999 99999  99999 99999  99999 99999  99999 99999
2932:  99999 99999  99999 99999  99999 99999  99999 99999  99999 99999    99999 99999  99999 99999  99999 99999  99999 99999  99999 99999
2933:  99999 99999  99999 99999  99999 99999  99999 99999  99999 99999    99999 99999  99999 99999  99999 99999  99999 99999  99999 99999
2934:  99999 99999  99999 99999  99999 99999  99999 99999  99999 99999    99999 99999  99999 99999  99999 99999  99999 99999  99999 99999
2935:  99999 99999  99999 99999  99999 99999  99999 99999  99999 99999    99999 99999  99999 99999  99999 99999  99999 99999  99999 99999
2936:  99999 99999  99999 99999  99999 99999  99999 99999  99999 99999    99999 99999  99999 99999  99999 99999  99999 99999  99999 99999
2937:  99999 99999  99999 99999  99999 99999  99999 99999  99999 99999    99999 99999  99999 99999  99999 99999  99999 99999  99999 99999
2938:  99999 99999  99999 99999  99999 99999  99999 99999  99999 99999    99999 99999  99999 99999  99999 99999  99999 99999  99999 99999
2939:  99999 99999  99999 99999  99999 99999  99999 99999  99999 99999    99999 99999  99999 99999  99999 99999  99999 99999  99999 99999
2940:  99999 99999  99999 99999  99999 99999  99999 99999  99999 99999    99999 99999  99999 99999  99999 99999  99999 99999  99999 99999
2941:  99999 99999  99999 99999  99999 99999  99999 99999  99999 99999    99999 99999  99999 99999  99999 99999  99999 99999  99999 99999
2942:  99999 99999  99999 99999  99999 99999  99999 99999  99999 99999    99999 99999  99999 99999  99999 99999  99999 99999  99999 99999
2943:  99999 99999  99999 99999  99999 99999  99999 99999  99999 99999    99999 99999  99999 99999  99999 99999  99999 99999  99999 99999
2944:  99999 99999  99999 99999  99999 99999  99999 99999  99999 99999    99999 99999  99999 99999  99999 99999  99999 99999  99999 99999
2945:  99999 99999  99999 99999  99999 99999  99999 99999  99999 99999    99999 99999  99999 99999  99999 99999  99999 99999  99999 99999
2946:  99999 99999  99999 99999  99999 99999  99999 99999  99999 99999    99999 99999  99999 99999  99999 99999  99999 99999  99999 99999
2947:  99999 99999  99999 99999  99999 99999  99999 99999  99999 99999    99999 99999  99999 99999  99999 99999  99999 99999  99999 99999
2948:  99999 99999  99999 99999  99999 99999  99999 99999  99999 99999    99999 99999  99999 99999  99999 99999  99999 99999  99999 99999
2949:  99999 99999  99999 99999  99999 99999  99999 99999  99999 99999    99999 99999  99999 99999  99999 99999  99999 99999  99999 99999
```

```
2950:  99999 99999  99999 99999  99999 99999  99999 99999  99999 99999    99999 99999  99999 99999  99999 99999  99999 99999  99999 99999
2951:  99999 99999  99999 99999  99999 99999  99999 99999  99999 99999    99999 99999  99999 99999  99999 99999  99999 99999  99999 99999
2952:  99999 99999  99999 99999  99999 99999  99999 99999  99999 99999    99999 99999  99999 99999  99999 99999  99999 99999  99999 99999
2953:  99999 99999  99999 99999  99999 99999  99999 99999  99999 99999    99999 99999  99999 99999  99999 99999  99999 99999  99999 99999
2954:  99999 99999  99999 99999  99999 99999  99999 99999  99999 99999    99999 99999  99999 99999  99999 99999  99999 99999  99999 99999
2955:  99999 99999  99999 99999  99999 99999  99999 99999  99999 99999    99999 99999  99999 99999  99999 99999  99999 99999  99999 99999
2956:  99999 99999  99999 99999  99999 99999  99999 99999  99999 99999    99999 99999  99999 99999  99999 99999  99999 99999  99999 99999
2957:  99999 99999  99999 99999  99999 99999  99999 99999  99999 99999    99999 99999  99999 99999  99999 99999  99999 99999  99999 99999
2958:  99999 99999  99999 99999  99999 99999  99999 99999  99999 99999    99999 99999  99999 99999  99999 99999  99999 99999  99999 99999
2959:  99999 99999  99999 99999  99999 99999  99999 99999  99999 99999    99999 99999  99999 99999  99999 99999  99999 99999  99999 99999
2960:  99999 99999  99999 99999  99999 99999  99999 99999  99999 99999    99999 99999  99999 99999  99999 99999  99999 99999  99999 99999
2961:  99999 99999  99999 99999  99999 99999  99999 99999  99999 99999    99999 99999  99999 99999  99999 99999  99999 99999  99999 99999
2962:  99999 99999  99999 99999  99999 99999  99999 99999  99999 99999    99999 99999  99999 99999  99999 99999  99999 99999  99999 99999
2963:  99999 99999  99999 99999  99999 99999  99999 99999  99999 99999    99999 99999  99999 99999  99999 99999  99999 99999  99999 99999
2964:  99999 99999  99999 99999  99999 99999  99999 99999  99999 99999    99999 99999  99999 99999  99999 99999  99999 99999  99999 99999
2965:  99999 99999  99999 99999  99999 99999  99999 99999  99999 99999    99999 99999  99999 99999  99999 99999  99999 99999  99999 99999
2966:  99999 99999  99999 99999  99999 99999  99999 99999  99999 99999    99999 99999  99999 99999  99999 99999  99999 99999  99999 99999
2967:  99999 99999  99999 99999  99999 99999  99999 99999  99999 99999    99999 99999  99999 99999  99999 99999  99999 99999  99999 99999
2968:  99999 99999  99999 99999  99999 99999  99999 99999  99999 99999    99999 99999  99999 99999  99999 99999  99999 99999  99999 99999
2969:  99999 99999  99999 99999  99999 99999  99999 99999  99999 99999    99999 99999  99999 99999  99999 99999  99999 99999  99999 99999
2970:  99999 99999  99999 99999  99999 99999  99999 99999  99999 99999    99999 99999  99999 99999  99999 99999  99999 99999  99999 99999
2971:  99999 99999  99999 99999  99999 99999  99999 99999  99999 99999    99999 99999  99999 99999  99999 99999  99999 99999  99999 99999
2972:  99999 99999  99999 99999  99999 99999  99999 99999  99999 99999    99999 99999  99999 99999  99999 99999  99999 99999  99999 99999
2973:  99999 99999  99999 99999  99999 99999  99999 99999  99999 99999    99999 99999  99999 99999  99999 99999  99999 99999  99999 99999
2974:  99999 99999  99999 99999  99999 99999  99999 99999  99999 99999    99999 99999  99999 99999  99999 99999  99999 99999  99999 99999
2975:  99999 99999  99999 99999  99999 99999  99999 99999  99999 99999    99999 99999  99999 99999  99999 99999  99999 99999  99999 99999
2976:  99999 99999  99999 99999  99999 99999  99999 99999  99999 99999    99999 99999  99999 99999  99999 99999  99999 99999  99999 99999
2977:  99999 99999  99999 99999  99999 99999  99999 99999  99999 99999    99999 99999  99999 99999  99999 99999  99999 99999  99999 99999
2978:  99999 99999  99999 99999  99999 99999  99999 99999  99999 99999    99999 99999  99999 99999  99999 99999  99999 99999  99999 99999
2979:  99999 99999  99999 99999  99999 99999  99999 99999  99999 99999    99999 99999  99999 99999  99999 99999  99999 99999  99999 99999
2980:  99999 99999  99999 99999  99999 99999  99999 99999  99999 99999    99999 99999  99999 99999  99999 99999  99999 99999  99999 99999
2981:  99999 99999  99999 99999  99999 99999  99999 99999  99999 99999    99999 99999  99999 99999  99999 99999  99999 99999  99999 99999
2982:  99999 99999  99999 99999  99999 99999  99999 99999  99999 99999    99999 99999  99999 99999  99999 99999  99999 99999  99999 99999
2983:  99999 99999  99999 99999  99999 99999  99999 99999  99999 99999    99999 99999  99999 99999  99999 99999  99999 99999  99999 99999
2984:  99999 99999  99999 99999  99999 99999  99999 99999  99999 99999    99999 99999  99999 99999  99999 99999  99999 99999  99999 99999
2985:  99999 99999  99999 99999  99999 99999  99999 99999  99999 99999    99999 99999  99999 99999  99999 99999  99999 99999  99999 99999
2986:  99999 99999  99999 99999  99999 99999  99999 99999  99999 99999    99999 99999  99999 99999  99999 99999  99999 99999  99999 99999
2987:  99999 99999  99999 99999  99999 99999  99999 99999  99999 99999    99999 99999  99999 99999  99999 99999  99999 99999  99999 99999
2988:  99999 99999  99999 99999  99999 99999  99999 99999  99999 99999    99999 99999  99999 99999  99999 99999  99999 99999  99999 99999
2989:  99999 99999  99999 99999  99999 99999  99999 99999  99999 99999    99999 99999  99999 99999  99999 99999  99999 99999  99999 99999
2990:  99999 99999  99999 99999  99999 99999  99999 99999  99999 99999    99999 99999  99999 99999  99999 99999  99999 99999  99999 99999
2991:  99999 99999  99999 99999  99999 99999  99999 99999  99999 99999    99999 99999  99999 99999  99999 99999  99999 99999  99999 99999
2992:  99999 99999  99999 99999  99999 99999  99999 99999  99999 99999    99999 99999  99999 99999  99999 99999  99999 99999  99999 99999
2993:  99999 99999  99999 99999  99999 99999  99999 99999  99999 99999    99999 99999  99999 99999  99999 99999  99999 99999  99999 99999
2994:  99999 99999  99999 99999  99999 99999  99999 99999  99999 99999    99999 99999  99999 99999  99999 99999  99999 99999  99999 99999
2995:  99999 99999  99999 99999  99999 99999  99999 99999  99999 99999    99999 99999  99999 99999  99999 99999  99999 99999  99999 99999
2996:  99999 99999  99999 99999  99999 99999  99999 99999  99999 99999    99999 99999  99999 99999  99999 99999  99999 99999  99999 99999
2997:  999.99 99999  99999 99999  99999 99999  99999 99999  99999 99999    99999 99999  99999 99999  99999 99999  99999 99999  99999 99999
2998:  99999 99999  99999 99999  99999 99999  99999 99999  99999 99999    99999 99999  99999 99999  99999 99999  99999 99999  99999 99999
2999:  99999 99999  99999 99999  99999 99999  99999 99999  99999 99999    99999 99999  99999 99999  99999 99999  99999 99999  99999 99999
```

```
3000:  99999 99999  99999 99999  99999 99999  99999 99999  99999 99999    99999 99999  99999 99999  99999 99999  99999 99999  99999 99999
3001:  99999 99999  99999 99999  99999 99999  99999 99999  99999 99999    99999 99999  99999 99999  99999 99999  99999 99999  99999 99999
3002:  99999 99999  99999 99999  99999 99999  99999 99999  99999 99999    99999 99999  99999 99999  99999 99999  99999 99999  99999 99999
3003:  99999 99999  99999 99999  99999 99999  99999 99999  99999 99999    99999 99999  99999 99999  99999 99999  99999 99999  99999 99999
3004:  99999 99999  99999 99999  99999 99999  99999 99999  99999 99999    99999 99999  99999 99999  99999 99999  99999 99999  99999 99999
3005:  99999 99999  99999 99999  99999 99999  99999 99999  99999 99999    99999 99999  99999 99999  99999 99999  99999 99999  99999 99999
3006:  99999 99999  99999 99999  99999 99999  99999 99999  99999 99999    99999 99999  99999 99999  99999 99999  99999 99999  99999 99999
3007:  99999 99999  99999 99999  99999 99999  99999 99999  99999 99999    99999 99999  99999 99999  99999 99999  99999 99999  99999 99999
3008:  99999 99999  99999 99999  99999 99999  99999 99999  99999 99999    99999 99999  99999 99999  99999 99999  99999 99999  99999 99999
3009:  99999 99999  99999 99999  99999 99999  99999 99999  99999 99999    99999 99999  99999 99999  99999 99999  99999 99999  99999 99999
3010:  99999 99999  99999 99999  99999 99999  99999 99999  99999 99999    99999 99999  99999 99999  99999 99999  99999 99999  99999 99999
3011:  99999 99999  99999 99999  99999 99999  99999 99999  99999 99999    99999 99999  99999 99999  99999 99999  99999 99999  99999 99999
3012:  99999 99999  99999 99999  99999 99999  99999 99999  99999 99999    99999 99999  99999 99999  99999 99999  99999 99999  99999 99999
3013:  99999 99999  99999 99999  99999 99999  99999 99999  99999 99999    99999 99999  99999 99999  99999 99999  99999 99999  99999 99999
3014:  99999 99999  99999 99999  99999 99999  99999 99999  99999 99999    99999 99999  99999 99999  99999 99999  99999 99999  99999 99999
3015:  99999 99999  99999 99999  99999 99999  99999 99999  99999 99999    99999 99999  99999 99999  99999 99999  99999 99999  99999 99999
3016:  99999 99999  99999 99999  99999 99999  99999 99999  99999 99999    99999 99999  99999 99999  99999 99999  99999 99999  99999 99999
3017:  99999 99999  99999 99999  99999 99999  99999 99999  99999 99999    99999 99999  99999 99999  99999 99999  99999 99999  99999 99999
3018:  99999 99999  99999 99999  99999 99999  99999 99999  99999 99999    99999 99999  99999 99999  99999 99999  99999 99999  99999 99999
3019:  99999 99999  99999 99999  99999 99999  99999 99999  99999 99999    99999 99999  99999 99999  99999 99999  99999 99999  99999 99999
3020:  99999 99999  99999 99999  99999 99999  99999 99999  99999 99999    99999 99999  99999 99999  99999 99999  99999 99999  99999 99999
3021:  99999 99999  99999 99999  99999 99999  99999 99999  99999 99999    99999 99999  99999 99999  99999 99999  99999 99999  99999 99999
3022:  99999 99999  99999 99999  99999 99999  99999 99999  99999 99999    99999 99999  99999 99999  99999 99999  99999 99999  99999 99999
3023:  99999 99999  99999 99999  99999 99999  99999 99999  99999 99999    99999 99999  99999 99999  99999 99999  99999 99999  99999 99999
3024:  99999 99999  99999 99999  99999 99999  99999 99999  99999 99999    99999 99999  99999 99999  99999 99999  99999 99999  99999 99999
3025:  99999 99999  99999 99999  99999 99999  99999 99999  99999 99999    99999 99999  99999 99999  99999 99999  99999 99999  99999 99999
3026:  99999 99999  99999 99999  99999 99999  99999 99999  99999 99999    99999 99999  99999 99999  99999 99999  99999 99999  99999 99999
3027:  99999 99999  99999 99999  99999 99999  99999 99999  99999 99999    99999 99999  99999 99999  99999 99999  99999 99999  99999 99999
3028:  99999 99999  99999 99999  99999 99999  99999 99999  99999 99999    99999 99999  99999 99999  99999 99999  99999 99999  99999 99999
3029:  99999 99999  99999 99999  99999 99999  99999 99999  99999 99999    99999 99999  99999 99999  99999 99999  99999 99999  99999 99999
3030:  99999 99999  99999 99999  99999 99999  99999 99999  99999 99999    99999 99999  99999 99999  99999 99999  99999 99999  99999 99999
3031:  99999 99999  99999 99999  99999 99999  99999 99999  99999 99999    99999 99999  99999 99999  99999 99999  99999 99999  99999 99999
3032:  99999 99999  99999 99999  99999 99999  99999 99999  99999 99999    99999 99999  99999 99999  99999 99999  99999 99999  99999 99999
3033:  99999 99999  99999 99999  99999 99999  99999 99999  99999 99999    99999 99999  99999 99999  99999 99999  99999 99999  99999 99999
3034:  99999 99999  99999 99999  99999 99999  99999 99999  99999 99999    99999 99999  99999 99999  99999 99999  99999 99999  99999 99999
3035:  99999 99999  99999 99999  99999 99999  99999 99999  99999 99999    99999 99999  99999 99999  99999 99999  99999 99999  99999 99999
3036:  99999 99999  99999 99999  99999 99999  99999 99999  99999 99999    99999 99999  99999 99999  99999 99999  99999 99999  99999 99999
3037:  99999 99999  99999 99999  99999 99999  99999 99999  99999 99999    99999 99999  99999 99999  99999 99999  99999 99999  99999 99999
3038:  99999 99999  99999 99999  99999 99999  99999 99999  99999 99999    99999 99999  99999 99999  99999 99999  99999 99999  99999 99999
3039:  99999 99999  99999 99999  99999 99999  99999 99999  99999 99999    99999 99999  99999 99999  99999 99999  99999 99999  99999 99999
3040:  99999 99999  99999 99999  99999 99999  99999 99999  99999 99999    99999 99999  99999 99999  99999 99999  99999 99999  99999 99999
3041:  99999 99999  99999 99999  99999 99999  99999 99999  99999 99999    99999 99999  99999 99999  99999 99999  99999 99999  99999 99999
3042:  99999 99999  99999 99999  99999 99999  99999 99999  99999 99999    99999 99999  99999 99999  99999 99999  99999 99999  99999 99999
3043:  99999 99999  99999 99999  99999 99999  99999 99999  99999 99999    99999 99999  99999 99999  99999 99999  99999 99999  99999 99999
3044:  99999 99999  99999 99999  99999 99999  99999 99999  99999 99999    99999 99999  99999 99999  99999 99999  99999 99999  99999 99999
3045:  99999 99999  99999 99999  99999 99999  99999 99999  99999 99999    99999 99999  99999 99999  99999 99999  99999 99999  99999 99999
3046:  99999 99999  99999 99999  99999 99999  99999 99999  99999 99999    99999 99999  99999 99999  99999 99999  99999 99999  99999 99999
3047:  99999 99999  99999 99999  99999 99999  99999 99999  99999 99999    99999 99999  99999 99999  99999 99999  99999 99999  99999 99999
3048:  99999 99999  99999 99999  99999 99999  99999 99999  99999 99999    99999 99999  99999 99999  99999 99999  99999 99999  99999 99999
3049:  99999 99999  99999 99999  99999 99999  99999 99999  99999 99999    99999 99999  99999 99999  99999 99999  99999 99999  99999 99999
```

```
3050:  99999 99999  99999 99999  99999 99999  99999 99999  99999 99999    99999 99999  99999 99999  99999 99999  99999 99999  99999 99999
3051:  99999 99999  99999 99999  99999 99999  99999 99999  99999 99999    99999 99999  99999 99999  99999 99999  99999 99999  99999 99999
3052:  99999 99999  99999 99999  99999 99999  99999 99999  99999 99999    99999 99999  99999 99999  99999 99999  99999 99999  99999 99999
3053:  99999 99999  99999 99999  99999 99999  99999 99999  99999 99999    99999 99999  99999 99999  99999 99999  99999 99999  99999 99999
3054:  99999 99999  99999 99999  99999 99999  99999 99999  99999 99999    99999 99999  99999 99999  99999 99999  99999 99999  99999 99999
3055:  99999 99999  99999 99999  99999 99999  99999 99999  99999 99999    99999 99999  99999 99999  99999 99999  99999 99999  99999 99999
3056:  99999 99999  99999 99999  99999 99999  99999 99999  99999 99999    99999 99999  99999 99999  99999 99999  99999 99999  99999 99999
3057:  99999 99999  99999 99999  99999 99999  99999 99999  99999 99999    99999 99999  99999 99999  99999 99999  99999 99999  99999 99999
3058:  99999 99999  99999 99999  99999 99999  99999 99999  99999 99999    99999 99999  99999 99999  99999 99999  99999 99999  99999 99999
3059:  99999 99999  99999 99999  99999 99999  99999 99999  99999 99999    99999 99999  99999 99999  99999 99999  99999 99999  99999 99999
3060:  99999 99999  99999 99999  99999 99999  99999 99999  99999 99999    99999 99999  99999 99999  99999 99999  99999 99999  99999 99999
3061:  99999 99999  99999 99999  99999 99999  99999 99999  99999 99999    99999 99999  99999 99999  99999 99999  99999 99999  99999 99999
3062:  99999 99999  99999 99999  99999 99999  99999 99999  99999 99999    99999 99999  99999 99999  99999 99999  99999 99999  99999 99999
3063:  99999 99999  99999 99999  99999 99999  99999 99999  99999 99999    99999 99999  99999 99999  99999 99999  99999 99999  99999 99999
3064:  99999 99999  99999 99999  99999 99999  99999 99999  99999 99999    99999 99999  99999 99999  99999 99999  99999 99999  99999 99999
3065:  99999 99999  99999 99999  99999 99999  99999 99999  99999 99999    99999 99999  99999 99999  99999 99999  99999 99999  99999 99999
3066:  99999 99999  99999 99999  99999 99999  99999 99999  99999 99999    99999 99999  99999 99999  99999 99999  99999 99999  99999 99999
3067:  99999 99999  99999 99999  99999 99999  99999 99999  99999 99999    99999 99999  99999 99999  99999 99999  99999 99999  99999 99999
3068:  99999 99999  99999 99999  99999 99999  99999 99999  99999 99999    99999 99999  99999 99999  99999 99999  99999 99999  99999 99999
3069:  99999 99999  99999 99999  99999 99999  99999 99999  99999 99999    99999 99999  99999 99999  99999 99999  99999 99999  99999 99999
3070:  99999 99999  99999 99999  99999 99999  99999 99999  99999 99999    99999 99999  99999 99999  99999 99999  99999 99999  99999 99999
3071:  99999 99999  99999 99999  99999 99999  99999 99999  99999 99999    99999 99999  99999 99999  99999 99999  99999 99999  99999 99999
3072:  99999 99999  99999 99999  99999 99999  99999 99999  99999 99999    99999 99999  99999 99999  99999 99999  99999 99999  99999 99999
3073:  99999 99999  99999 99999  99999 99999  99999 99999  99999 99999    99999 99999  99999 99999  99999 99999  99999 99999  99999 99999
3074:  99999 99999  99999 99999  99999 99999  99999 99999  99999 99999    99999 99999  99999 99999  99999 99999  99999 99999  99999 99999
3075:  99999 99999  99999 99999  99999 99999  99999 99999  99999 99999    99999 99999  99999 99999  99999 99999  99999 99999  99999 99999
3076:  99999 99999  99999 99999  99999 99999  99999 99999  99999 99999    99999 99999  99999 99999  99999 99999  99999 99999  99999 99999
3077:  99999 99999  99999 99999  99999 99999  99999 99999  99999 99999    99999 99999  99999 99999  99999 99999  99999 99999  99999 99999
3078:  99999 99999  99999 99999  99999 99999  99999 99999  99999 99999    99999 99999  99999 99999  99999 99999  99999 99999  99999 99999
3079:  99999 99999  99999 99999  99999 99999  99999 99999  99999 99999    99999 99999  99999 99999  99999 99999  99999 99999  99999 99999
3080:  99999 99999  99999 99999  99999 99999  99999 99999  99999 99999    99999 99999  99999 99999  99999 99999  99999 99999  99999 99999
3081:  99999 99999  99999 99999  99999 99999  99999 99999  99999 99999    99999 99999  99999 99999  99999 99999  99999 99999  99999 99999
3082:  99999 99999  99999 99999  99999 99999  99999 99999  99999 99999    99999 99999  99999 99999  99999 99999  99999 99999  99999 99999
3083:  99999 99999  99999 99999  99999 99999  99999 99999  99999 99999    99999 99999  99999 99999  99999 99999  99999 99999  99999 99999
3084:  99999 99999  99999 99999  99999 99999  99999 99999  99999 99999    99999 99999  99999 99999  99999 99999  99999 99999  99999 99999
3085:  99999 99999  99999 99999  99999 99999  99999 99999  99999 99999    99999 99999  99999 99999  99999 99999  99999 99999  99999 99999
3086:  99999 99999  99999 99999  99999 99999  99999 99999  99999 99999    99999 99999  99999 99999  99999 99999  99999 99999  99999 99999
3087:  99999 99999  99999 99999  99999 99999  99999 99999  99999 99999    99999 99999  99999 99999  99999 99999  99999 99999  99999 99999
3088:  99999 99999  99999 99999  99999 99999  99999 99999  99999 99999    99999 99999  99999 99999  99999 99999  99999 99999  99999 99999
3089:  99999 99999  99999 99999  99999 99999  99999 99999  99999 99999    99999 99999  99999 99999  99999 99999  99999 99999  99999 99999
3090:  99999 99999  99999 99999  99999 99999  99999 99999  99999 99999    99999 99999  99999 99999  99999 99999  99999 99999  99999 99999
3091:  99999 99999  99999 99999  99999 99999  99999 99999  99999 99999    99999 99999  99999 99999  99999 99999  99999 99999  99999 99999
3092:  99999 99999  99999 99999  99999 99999  99999 99999  99999 99999    99999 99999  99999 99999  99999 99999  99999 99999  99999 99999
3093:  99999 99999  99999 99999  99999 99999  99999 99999  99999 99999    99999 99999  99999 99999  99999 99999  99999 99999  99999 99999
3094:  99999 99999  99999 99999  99999 99999  99999 99999  99999 99999    99999 99999  99999 99999  99999 99999  99999 99999  99999 99999
3095:  99999 99999  99999 99999  99999 99999  99999 99999  99999 99999    99999 99999  99999 99999  99999 99999  99999 99999  99999 99999
3096:  99999 99999  99999 99999  99999 99999  99999 99999  99999 99999    99999 99999  99999 99999  99999 99999  99999 99999  99999 99999
3097:  99999 99999  99999 99999  99999 99999  99999 99999  99999 99999    99999 99999  99999 99999  99999 99999  99999 99999  99999 99999
3098:  99999 99999  99999 99999  99999 99999  99999 99999  99999 99999    99999 99999  99999 99999  99999 99999  99999 99999  99999 99999
3099:  99999 99999  99999 99999  99999 99999  99999 99999  99999 99999    99999 99999  99999 99999  99999 99999  99999 99999  99999 99999
```

```
3100:  99999 99999  99999 99999  99999 99999  99999 99999  99999 99999    99999 99999  99999 99999  99999 99999  99999 99999  99999 99999
3101:  99999 99999  99999 99999  99999 99999  99999 99999  99999 99999    99999 99999  99999 99999  99999 99999  99999 99999  99999 99999
3102:  99999 99999  99999 99999  99999 99999  99999 99999  99999 99999    99999 99999  99999 99999  99999 99999  99999 99999  99999 99999
3103:  99999 99999  99999 99999  99999 99999  99999 99999  99999 99999    99999 99999  99999 99999  99999 99999  99999 99999  99999 99999
3104:  99999 99999  99999 99999  99999 99999  99999 99999  99999 99999    99999 99999  99999 99999  99999 99999  99999 99999  99999 99999
3105:  99999 99999  99999 99999  99999 99999  99999 99999  99999 99999    99999 99999  99999 99999  99999 99999  99999 99999  99999 99999
3106:  99999 99999  99999 99999  99999 99999  99999 99999  99999 99999    99999 99999  99999 99999  99999 99999  99999 99999  99999 99999
3107:  99999 99999  99999 99999  99999 99999  99999 99999  99999 99999    99999 99999  99999 99999  99999 99999  99999 99999  99999 99999
3108:  99999 99999  99999 99999  99999 99999  99999 99999  99999 99999    99999 99999  99999 99999  99999 99999  99999 99999  99999 99999
3109:  99999 99999  99999 99999  99999 99999  99999 99999  99999 99999    99999 99999  99999 99999  99999 99999  99999 99999  99999 99999
3110:  99999 99999  99999 99999  99999 99999  99999 99999  99999 99999    99999 99999  99999 99999  99999 99999  99999 99999  99999 99999
3111:  99999 99999  99999 99999  99999 99999  99999 99999  99999 99999    99999 99999  99999 99999  99999 99999  99999 99999  99999 99999
3112:  99999 99999  99999 99999  99999 99999  99999 99999  99999 99999    99999 99999  99999 99999  99999 99999  99999 99999  99999 99999
3113:  99999 99999  99999 99999  99999 99999  99999 99999  99999 99999    99999 99999  99999 99999  99999 99999  99999 99999  99999 99999
3114:  99999 99999  99999 99999  99999 99999  99999 99999  99999 99999    99999 99999  99999 99999  99999 99999  99999 99999  99999 99999
3115:  99999 99999  99999 99999  99999 99999  99999 99999  99999 99999    99999 99999  99999 99999  99999 99999  99999 99999  99999 99999
3116:  99999 99999  99999 99999  99999 99999  99999 99999  99999 99999    99999 99999  99999 99999  99999 99999  99999 99999  99999 99999
3117:  99999 99999  99999 99999  99999 99999  99999 99999  99999 99999    99999 99999  99999 99999  99999 99999  99999 99999  99999 99999
3118:  99999 99999  99999 99999  99999 99999  99999 99999  99999 99999    99999 99999  99999 99999  99999 99999  99999 99999  99999 99999
3119:  99999 99999  99999 99999  99999 99999  99999 99999  99999 99999    99999 99999  99999 99999  99999 99999  99999 99999  99999 99999
3120:  99999 99999  99999 99999  99999 99999  99999 99999  99999 99999    99999 99999  99999 99999  99999 99999  99999 99999  99999 99999
3121:  99999 99999  99999 99999  99999 99999  99999 99999  99999 99999    99999 99999  99999 99999  99999 99999  99999 99999  99999 99999
3122:  99999 99999  99999 99999  99999 99999  99999 99999  99999 99999    99999 99999  99999 99999  99999 99999  99999 99999  99999 99999
3123:  99999 99999  99999 99999  99999 99999  99999 99999  99999 99999    99999 99999  99999 99999  99999 99999  99999 99999  99999 99999
3124:  99999 99999  99999 99999  99999 99999  99999 99999  99999 99999    99999 99999  99999 99999  99999 99999  99999 99999  99999 99999
3125:  99999 99999  99999 99999  99999 99999  99999 99999  99999 99999    99999 99999  99999 99999  99999 99999  99999 99999  99999 99999
3126:  99999 99999  99999 99999  99999 99999  99999 99999  99999 99999    99999 99999  99999 99999  99999 99999  99999 99999  99999 99999
3127:  99999 99999  99999 99999  99999 99999  99999 99999  99999 99999    99999 99999  99999 99999  99999 99999  99999 99999  99999 99999
3128:  99999 99999  99999 99999  99999 99999  99999 99999  99999 99999    99999 99999  99999 99999  99999 99999  99999 99999  99999 99999
3129:  99999 99999  99999 99999  99999 99999  99999 99999  99999 99999    99999 99999  99999 99999  99999 99999  99999 99999  99999 99999
3130:  99999 99999  99999 99999  99999 99999  99999 99999  99999 99999    99999 99999  99999 99999  99999 99999  99999 99999  99999 99999
3131:  99999 99999  99999 99999  99999 99999  99999 99999  99999 99999    99999 99999  99999 99999  99999 99999  99999 99999  99999 99999
3132:  99999 99999  99999 99999  99999 99999  99999 99999  99999 99999    99999 99999  99999 99999  99999 99999  99999 99999  99999 99999
3133:  99999 99999  99999 99999  99999 99999  99999 99999  99999 99999    99999 99999  99999 99999  99999 99999  99999 99999  99999 99999
3134:  99999 99999  99999 99999  99999 99999  99999 99999  99999 99999    99999 99999  99999 99999  99999 99999  99999 99999  99999 99999
3135:  99999 99999  99999 99999  99999 99999  99999 99999  99999 99999    99999 99999  99999 99999  99999 99999  99999 99999  99999 99999
3136:  99999 99999  99999 99999  99999 99999  99999 99999  99999 99999    99999 99999  99999 99999  99999 99999  99999 99999  99999 99999
3137:  99999 99999  99999 99999  99999 99999  99999 99999  99999 99999    99999 99999  99999 99999  99999 99999  99999 99999  99999 99999
3138:  99999 99999  99999 99999  99999 99999  99999 99999  99999 99999    99999 99999  99999 99999  99999 99999  99999 99999  99999 99999
3139:  99999 99999  99999 99999  99999 99999  99999 99999  99999 99999    99999 99999  99999 99999  99999 99999  99999 99999  99999 99999
3140:  99999 99999  99999 99999  99999 99999  99999 99999  99999 99999    99999 99999  99999 99999  99999 99999  99999 99999  99999 99999
3141:  99999 99999  99999 99999  99999 99999  99999 99999  99999 99999    99999 99999  99999 99999  99999 99999  99999 99999  99999 99999
3142:  99999 99999  99999 99999  99999 99999  99999 99999  99999 99999    99999 99999  99999 99999  99999 99999  99999 99999  99999 99999
3143:  99999 99999  99999 99999  99999 99999  99999 99999  99999 99999    99999 99999  99999 99999  99999 99999  99999 99999  99999 99999
3144:  99999 99999  99999 99999  99999 99999  99999 99999  99999 99999    99999 99999  99999 99999  99999 99999  99999 99999  99999 99999
3145:  99999 99999  99999 99999  99999 99999  99999 99999  99999 99999    99999 99999  99999 99999  99999 99999  99999 99999  99999 99999
3146:  99999 99999  99999 99999  99999 99999  99999 99999  99999 99999    99999 99999  99999 99999  99999 99999  99999 99999  99999 99999
3147:  99999 99999  99999 99999  99999 99999  99999 99999  99999 99999    99999 99999  99999 99999  99999 99999  99999 99999  99999 99999
3148:  99999 99999  99999 99999  99999 99999  99999 99999  99999 99999    99999 99999  99999 99999  99999 99999  99999 99999  99999 99999
3149:  99999 99999  99999 99999  99999 99999  99999 99999  99999 99999    99999 99999  99999 99999  99999 99999  99999 99999  99999 99999
```

```
3150:   99999 99999   99999 99999   99999 99999   99999 99999   99999 99999     99999 99999   99999 99999   99999 99999   99999 99999   99999 99999
3151:   99999 99999   99999 99999   99999 99999   99999 99999   99999 99999     99999 99999   99999 99999   99999 99999   99999 99999   99999 99999
3152:   99999 99999   99999 99999   99999 99999   99999 99999   99999 99999     99999 99999   99999 99999   99999 99999   99999 99999   99999 99999
3153:   99999 99999   99999 99999   99999 99999   99999 99999   99999 99999     99999 99999   99999 99999   99999 99999   99999 99999   99999 99999
3154:   99999 99999   99999 99999   99999 99999   99999 99999   99999 99999     99999 99999   99999 99999   99999 99999   99999 99999   99999 99999
3155:   99999 99999   99999 99999   99999 99999   99999 99999   99999 99999     99999 99999   99999 99999   99999 99999   99999 99999   99999 99999
3156:   99999 99999   99999 99999   99999 99999   99999 99999   99999 99999     99999 99999   99999 99999   99999 99999   99999 99999   99999 99999
3157:   99999 99999   99999 99999   99999 99999   99999 99999   99999 99999     99999 99999   99999 99999   99999 99999   99999 99999   99999 99999
3158:   99999 99999   99999 99999   99999 99999   99999 99999   99999 99999     99999 99999   99999 99999   99999 99999   99999 99999   99999 99999
3159:   99999 99999   99999 99999   99999 99999   99999 99999   99999 99999     99999 99999   99999 99999   99999 99999   99999 99999   99999 99999
3160:   99999 99999   99999 99999   99999 99999   99999 99999   99999 99999     99999 99999   99999 99999   99999 99999   99999 99999   99999 99999
3161:   99999 99999   99999 99999   99999 99999   99999 99999   99999 99999     99999 99999   99999 99999   99999 99999   99999 99999   99999 99999
3162:   99999 99999   99999 99999   99999 99999   99999 99999   99999 99999     99999 99999   99999 99999   99999 99999   99999 99999   99999 99999
3163:   99999 99999   99999 99999   99999 99999   99999 99999   99999 99999     99999 99999   99999 99999   99999 99999   99999 99999   99999 99999
3164:   99999 99999   99999 99999   99999 99999   99999 99999   99999 99999     99999 99999   99999 99999   99999 99999   99999 99999   99999 99999
3165:   99999 99999   99999 99999   99999 99999   99999 99999   99999 99999     99999 99999   99999 99999   99999 99999   99999 99999   99999 99999
3166:   99999 99999   99999 99999   99999 99999   99999 99999   99999 99999     99999 99999   99999 99999   99999 99999   99999 99999   99999 99999
3167:   99999 99999   99999 99999   99999 99999   99999 99999   99999 99999     99999 99999   99999 99999   99999 99999   99999 99999   99999 99999
3168:   99999 99999   99999 99999   99999 99999   99999 99999   99999 99999     99999 99999   99999 99999   99999 99999   99999 99999   99999 99999
3169:   99999 99999   99999 99999   99999 99999   99999 99999   99999 99999     99999 99999   99999 99999   99999 99999   99999 99999   99999 99999
3170:   99999 99999   99999 99999   99999 99999   99999 99999   99999 99999     99999 99999   99999 99999   99999 99999   99999 99999   99999 99999
3171:   99999 99999   99999 99999   99999 99999   99999 99999   99999 99999     99999 99999   99999 99999   99999 99999   99999 99999   99999 99999
3172:   99999 99999   99999 99999   99999 99999   99999 99999   99999 99999     99999 99999   99999 99999   99999 99999   99999 99999   99999 99999
3173:   99999 99999   99999 99999   99999 99999   99999 99999   99999 99999     99999 99999   99999 99999   99999 99999   99999 99999   99999 99999
3174:   99999 99999   99999 99999   99999 99999   99999 99999   99999 99999     99999 99999   99999 99999   99999 99999   99999 99999   99999 99999
3175:   99999 99999   99999 99999   99999 99999   99999 99999   99999 99999     99999 99999   99999 99999   99999 99999   99999 99999   99999 99999
3176:   99999 99999   99999 99999   99999 99999   99999 99999   99999 99999     99999 99999   99999 99999   99999 99999   99999 99999   99999 99999
3177:   99999 99999   99999 99999   99999 99999   99999 99999   99999 99999     99999 99999   99999 99999   99999 99999   99999 99999   99999 99999
3178:   99999 99999   99999 99999   99999 99999   99999 99999   99999 99999     99999 99999   99999 99999   99999 99999   99999 99999   99999 99999
3179:   99999 99999   99999 99999   99999 99999   99999 99999   99999 99999     99999 99999   99999 99999   99999 99999   99999 99999   99999 99999
3180:   99999 99999   99999 99999   99999 99999   99999 99999   99999 99999     99999 99999   99999 99999   99999 99999   99999 99999   99999 99999
3181:   99999 99999   99999 99999   99999 99999   99999 99999   99999 99999     99999 99999   99999 99999   99999 99999   99999 99999   99999 99999
3182:   99999 99999   99999 99999   99999 99999   99999 99999   99999 99999     99999 99999   99999 99999   99999 99999   99999 99999   99999 99999
3183:   99999 99999   99999 99999   99999 99999   99999 99999   99999 99999     99999 99999   99999 99999   99999 99999   99999 99999   99999 99999
3184:   99999 99999   99999 99999   99999 99999   99999 99999   99999 99999     99999 99999   99999 99999   99999 99999   99999 99999   99999 99999
3185:   99999 99999   99999 99999   99999 99999   99999 99999   99999 99999     99999 99999   99999 99999   99999 99999   99999 99999   99999 99999
3186:   99999 99999   99999 99999   99999 99999   99999 99999   99999 99999     99999 99999   99999 99999   99999 99999   99999 99999   99999 99999
3187:   99999 99999   99999 99999   99999 99999   99999 99999   99999 99999     99999 99999   99999 99999   99999 99999   99999 99999   99999 99999
3188:   99999 99999   99999 99999   99999 99999   99999 99999   99999 99999     99999 99999   99999 99999   99999 99999   99999 99999   99999 99999
3189:   99999 99999   99999 99999   99999 99999   99999 99999   99999 99999     99999 99999   99999 99999   99999 99999   99999 99999   99999 99999
3190:   99999 99999   99999 99999   99999 99999   99999 99999   99999 99999     99999 99999   99999 99999   99999 99999   99999 99999   99999 99999
3191:   99999 99999   99999 99999   99999 99999   99999 99999   99999 99999     99999 99999   99999 99999   99999 99999   99999 99999   99999 99999
3192:   99999 99999   99999 99999   99999 99999   99999 99999   99999 99999     99999 99999   99999 99999   99999 99999   99999 99999   99999 99999
3193:   99999 99999   99999 99999   99999 99999   99999 99999   99999 99999     99999 99999   99999 99999   99999 99999   99999 99999   99999 99999
3194:   99999 99999   99999 99999   99999 99999   99999 99999   99999 99999     99999 99999   99999 99999   99999 99999   99999 99999   99999 99999
3195:   99999 99999   99999 99999   99999 99999   99999 99999   99999 99999     99999 99999   99999 99999   99999 99999   99999 99999   99999 99999
3196:   99999 99999   99999 99999   99999 99999   99999 99999   99999 99999     99999 99999   99999 99999   99999 99999   99999 99999   99999 99999
3197:   99999 99999   99999 99999   99999 99999   99999 99999   99999 99999     99999 99999   99999 99999   99999 99999   99999 99999   99999 99999
3198:   99999 99999   99999 99999   99999 99999   99999 99999   99999 99999     99999 99999   99999 99999   99999 99999   99999 99999   99999 99999
3199:   99999 99999   99999 99999   99999 99999   99999 99999   99999 99999     99999 99999   99999 99999   99999 99999   99999 99999   99999 99999
```

```
3200:  99999 99999   99999 99999   99999 99999   99999 99999   99999 99999      99999 99999   99999 99999   99999 99999   99999 99999   99999 99999
3201:  99999 99999   99999 99999   99999 99999   99999 99999   99999 99999      99999 99999   99999 99999   99999 99999   99999 99999   99999 99999
3202:  99999 99999   99999 99999   99999 99999   99999 99999   99999 99999      99999 99999   99999 99999   99999 99999   99999 99999   99999 99999
3203:  99999 99999   99999 99999   99999 99999   99999 99999   99999 99999      99999 99999   99999 99999   99999 99999   99999 99999   99999 99999
3204:  99999 99999   99999 99999   99999 99999   99999 99999   99999 99999      99999 99999   99999 99999   99999 99999   99999 99999   99999 99999
3205:  99999 99999   99999 99999   99999 99999   99999 99999   99999 99999      99999 99999   99999 99999   99999 99999   99999 99999   99999 99999
3206:  99999 99999   99999 99999   99999 99999   99999 99999   99999 99999      99999 99999   99999 99999   99999 99999   99999 99999   99999 99999
3207:  99999 99999   99999 99999   99999 99999   99999 99999   99999 99999      99999 99999   99999 99999   99999 99999   99999 99999   99999 99999
3208:  99999 99999   99999 99999   99999 99999   99999 99999   99999 99999      99999 99999   99999 99999   99999 99999   99999 99999   99999 99999
3209:  99999 99999   99999 99999   99999 99999   99999 99999   99999 99999      99999 99999   99999 99999   99999 99999   99999 99999   99999 99999
3210:  99999 99999   99999 99999   99999 99999   99999 99999   99999 99999      99999 99999   99999 99999   99999 99999   99999 99999   99999 99999
3211:  99999 99999   99999 99999   99999 99999   99999 99999   99999 99999      99999 99999   99999 99999   99999 99999   99999 99999   99999 99999
3212:  99999 99999   99999 99999   99999 99999   99999 99999   99999 99999      99999 99999   99999 99999   99999 99999   99999 99999   99999 99999
3213:  99999 99999   99999 99999   99999 99999   99999 99999   99999 99999      99999 99999   99999 99999   99999 99999   99999 99999   99999 99999
3214:  99999 99999   99999 99999   99999 99999   99999 99999   99999 99999      99999 99999   99999 99999   99999 99999   99999 99999   99999 99999
3215:  99999 99999   99999 99999   99999 99999   99999 99999   99999 99999      99999 99999   99999 99999   99999 99999   99999 99999   99999 99999
3216:  99999 99999   99999 99999   99999 99999   99999 99999   99999 99999      99999 99999   99999 99999   99999 99999   99999 99999   99999 99999
3217:  99999 99999   99999 99999   99999 99999   99999 99999   99999 99999      99999 99999   99999 99999   99999 99999   99999 99999   99999 99999
3218:  99999 99999   99999 99999   99999 99999   99999 99999   99999 99999      99999 99999   99999 99999   99999 99999   99999 99999   99999 99999
3219:  99999 99999   99999 99999   99999 99999   99999 99999   99999 99999      99999 99999   99999 99999   99999 99999   99999 99999   99999 99999
3220:  99999 99999   99999 99999   99999 99999   99999 99999   99999 99999      99999 99999   99999 99999   99999 99999   99999 99999   99999 99999
3221:  99999 99999   99999 99999   99999 99999   99999 99999   99999 99999      99999 99999   99999 99999   99999 99999   99999 99999   99999 99999
3222:  99999 99999   99999 99999   99999 99999   99999 99999   99999 99999      99999 99999   99999 99999   99999 99999   99999 99999   99999 99999
3223:  99999 99999   99999 99999   99999 99999   99999 99999   99999 99999      99999 99999   99999 99999   99999 99999   99999 99999   99999 99999
3224:  99999 99999   99999 99999   99999 99999   99999 99999   99999 99999      99999 99999   99999 99999   99999 99999   99999 99999   99999 99999
3225:  99999 99999   99999 99999   99999 99999   99999 99999   99999 99999      99999 99999   99999 99999   99999 99999   99999 99999   99999 99999
3226:  99999 99999   99999 99999   99999 99999   99999 99999   99999 99999      99999 99999   99999 99999   99999 99999   99999 99999   99999 99999
3227:  99999 99999   99999 99999   99999 99999   99999 99999   99999 99999      99999 99999   99999 99999   99999 99999   99999 99999   99999 99999
3228:  99999 99999   99999 99999   99999 99999   99999 99999   99999 99999      99999 99999   99999 99999   99999 99999   99999 99999   99999 99999
3229:  99999 99999   99999 99999   99999 99999   99999 99999   99999 99999      99999 99999   99999 99999   99999 99999   99999 99999   99999 99999
3230:  99999 99999   99999 99999   99999 99999   99999 99999   99999 99999      99999 99999   99999 99999   99999 99999   99999 99999   99999 99999
3231:  99999 99999   99999 99999   99999 99999   99999 99999   99999 99999      99999 99999   99999 99999   99999 99999   99999 99999   99999 99999
3232:  99999 99999   99999 99999   99999 99999   99999 99999   99999 99999      99999 99999   99999 99999   99999 99999   99999 99999   99999 99999
3233:  99999 99999   99999 99999   99999 99999   99999 99999   99999 99999      99999 99999   99999 99999   99999 99999   99999 99999   99999 99999
3234:  99999 99999   99999 99999   99999 99999   99999 99999   99999 99999      99999 99999   99999 99999   99999 99999   99999 99999   99999 99999
3235:  99999 99999   99999 99999   99999 99999   99999 99999   99999 99999      99999 99999   99999 99999   99999 99999   99999 99999   99999 99999
3236:  99999 99999   99999 99999   99999 99999   99999 99999   99999 99999      99999 99999   99999 99999   99999 99999   99999 99999   99999 99999
3237:  99999 99999   99999 99999   99999 99999   99999 99999   99999 99999      99999 99999   99999 99999   99999 99999   99999 99999   99999 99999
3238:  99999 99999   99999 99999   99999 99999   99999 99999   99999 99999      99999 99999   99999 99999   99999 99999   99999 99999   99999 99999
3239:  99999 99999   99999 99999   99999 99999   99999 99999   99999 99999      99999 99999   99999 99999   99999 99999   99999 99999   99999 99999
3240:  99999 99999   99999 99999   99999 99999   99999 99999   99999 99999      99999 99999   99999 99999   99999 99999   99999 99999   99999 99999
3241:  99999 99999   99999 99999   99999 99999   99999 99999   99999 99999      99999 99999   99999 99999   99999 99999   99999 99999   99999 99999
3242:  99999 99999   99999 99999   99999 99999   99999 99999   99999 99999      99999 99999   99999 99999   99999 99999   99999 99999   99999 99999
3243:  99999 99999   99999 99999   99999 99999   99999 99999   99999 99999      99999 99999   99999 99999   99999 99999   99999 99999   99999 99999
3244:  99999 99999   99999 99999   99999 99999   99999 99999   99999 99999      99999 99999   99999 99999   99999 99999   99999 99999   99999 99999
3245:  99999 99999   99999 99999   99999 99999   99999 99999   99999 99999      99999 99999   99999 99999   99999 99999   99999 99999   99999 99999
3246:  99999 99999   99999 99999   99999 99999   99999 99999   99999 99999      99999 99999   99999 99999   99999 99999   99999 99999   99999 99999
3247:  99999 99999   99999 99999   99999 99999   99999 99999   99999 99999      99999 99999   99999 99999   99999 99999   99999 99999   99999 99999
3248:  99999 99999   99999 99999   99999 99999   99999 99999   99999 99999      99999 99999   99999 99999   99999 99999   99999 99999   99999 99999
3249:  99999 99999   99999 99999   99999 99999   99999 99999   99999 99999      99999 99999   99999 99999   99999 99999   99999 99999   99999 99999
```

```
3250:  99999 99999  99999 99999  99999 99999  99999 99999  99999 99999    99999 99999  99999 99999  99999 99999  99999 99999  99999 99999
3251:  99999 99999  99999 99999  99999 99999  99999 99999  99999 99999    99999 99999  99999 99999  99999 99999  99999 99999  99999 99999
3252:  99999 99999  99999 99999  99999 99999  99999 99999  99999 99999    99999 99999  99999 99999  99999 99999  99999 99999  99999 99999
3253:  99999 99999  99999 99999  99999 99999  99999 99999  99999 99999    99999 99999  99999 99999  99999 99999  99999 99999  99999 99999
3254:  99999 99999  99999 99999  99999 99999  99999 99999  99999 99999    99999 99999  99999 99999  99999 99999  99999 99999  99999 99999
3255:  99999 99999  99999 99999  99999 99999  99999 99999  99999 99999    99999 99999  99999 99999  99999 99999  99999 99999  99999 99999
3256:  99999 99999  99999 99999  99999 99999  99999 99999  99999 99999    99999 99999  99999 99999  99999 99999  99999 99999  99999 99999
3257:  99999 99999  99999 99999  99999 99999  99999 99999  99999 99999    99999 99999  99999 99999  99999 99999  99999 99999  99999 99999
3258:  99999 99999  99999 99999  99999 99999  99999 99999  99999 99999    99999 99999  99999 99999  99999 99999  99999 99999  99999 99999
3259:  99999 99999  99999 99999  99999 99999  99999 99999  99999 99999    99999 99999  99999 99999  99999 99999  99999 99999  99999 99999
3260:  99999 99999  99999 99999  99999 99999  99999 99999  99999 99999    99999 99999  99999 99999  99999 99999  99999 99999  99999 99999
3261:  99999 99999  99999 99999  99999 99999  99999 99999  99999 99999    99999 99999  99999 99999  99999 99999  99999 99999  99999 99999
3262:  99999 99999  99999 99999  99999 99999  99999 99999  99999 99999    99999 99999  99999 99999  99999 99999  99999 99999  99999 99999
3263:  99999 99999  99999 99999  99999 99999  99999 99999  99999 99999    99999 99999  99999 99999  99999 99999  99999 99999  99999 99999
3264:  99999 99999  99999 99999  99999 99999  99999 99999  99999 99999    99999 99999  99999 99999  99999 99999  99999 99999  99999 99999
3265:  99999 99999  99999 99999  99999 99999  99999 99999  99999 99999    99999 99999  99999 99999  99999 99999  99999 99999  99999 99999
3266:  99999 99999  99999 99999  99999 99999  99999 99999  99999 99999    99999 99999  99999 99999  99999 99999  99999 99999  99999 99999
3267:  99999 99999  99999 99999  99999 99999  99999 99999  99999 99999    99999 99999  99999 99999  99999 99999  99999 99999  99999 99999
3268:  99999 99999  99999 99999  99999 99999  99999 99999  99999 99999    99999 99999  99999 99999  99999 99999  99999 99999  99999 99999
3269:  99999 99999  99999 99999  99999 99999  99999 99999  99999 99999    99999 99999  99999 99999  99999 99999  99999 99999  99999 99999
3270:  99999 99999  99999 99999  99999 99999  99999 99999  99999 99999    99999 99999  99999 99999  99999 99999  99999 99999  99999 99999
3271:  99999 99999  99999 99999  99999 99999  99999 99999  99999 99999    99999 99999  99999 99999  99999 99999  99999 99999  99999 99999
3272:  99999 99999  99999 99999  99999 99999  99999 99999  99999 99999    99999 99999  99999 99999  99999 99999  99999 99999  99999 99999
3273:  99999 99999  99999 99999  99999 99999  99999 99999  99999 99999    99999 99999  99999 99999  99999 99999  99999 99999  99999 99999
3274:  99999 99999  99999 99999  99999 99999  99999 99999  99999 99999    99999 99999  99999 99999  99999 99999  99999 99999  99999 99999
3275:  99999 99999  99999 99999  99999 99999  99999 99999  99999 99999    99999 99999  99999 99999  99999 99999  99999 99999  99999 99999
3276:  99999 99999  99999 99999  99999 99999  99999 99999  99999 99999    99999 99999  99999 99999  99999 99999  99999 99999  99999 99999
3277:  99999 99999  99999 99999  99999 99999  99999 99999  99999 99999    99999 99999  99999 99999  99999 99999  99999 99999  99999 99999
3278:  99999 99999  99999 99999  99999 99999  99999 99999  99999 99999    99999 99999  99999 99999  99999 99999  99999 99999  99999 99999
3279:  99999 99999  99999 99999  99999 99999  99999 99999  99999 99999    99999 99999  99999 99999  99999 99999  99999 99999  99999 99999
3280:  99999 99999  99999 99999  99999 99999  99999 99999  99999 99999    99999 99999  99999 99999  99999 99999  99999 99999  99999 99999
3281:  99999 99999  99999 99999  99999 99999  99999 99999  99999 99999    99999 99999  99999 99999  99999 99999  99999 99999  99999 99999
3282:  99999 99999  99999 99999  99999 99999  99999 99999  99999 99999    99999 99999  99999 99999  99999 99999  99999 99999  99999 99999
3283:  99999 99999  99999 99999  99999 99999  99999 99999  99999 99999    99999 99999  99999 99999  99999 99999  99999 99999  99999 99999
3284:  99999 99999  99999 99999  99999 99999  99999 99999  99999 99999    99999 99999  99999 99999  99999 99999  99999 99999  99999 99999
3285:  99999 99999  99999 99999  99999 99999  99999 99999  99999 99999    99999 99999  99999 99999  99999 99999  99999 99999  99999 99999
3286:  99999 99999  99999 99999  99999 99999  99999 99999  99999 99999    99999 99999  99999 99999  99999 99999  99999 99999  99999 99999
3287:  99999 99999  99999 99999  99999 99999  99999 99999  99999 99999    99999 99999  99999 99999  99999 99999  99999 99999  99999 99999
3288:  99999 99999  99999 99999  99999 99999  99999 99999  99999 99999    99999 99999  99999 99999  99999 99999  99999 99999  99999 99999
3289:  99999 99999  99999 99999  99999 99999  99999 99999  99999 99999    99999 99999  99999 99999  99999 99999  99999 99999  99999 99999
3290:  99999 99999  99999 99999  99999 99999  99999 99999  99999 99999    99999 99999  99999 99999  99999 99999  99999 99999  99999 99999
3291:  99999 99999  99999 99999  99999 99999  99999 99999  99999 99999    99999 99999  99999 99999  99999 99999  99999 99999  99999 99999
3292:  99999 99999  99999 99999  99999 99999  99999 99999  99999 99999    99999 99999  99999 99999  99999 99999  99999 99999  99999 99999
3293:  99999 99999  99999 99999  99999 99999  99999 99999  99999 99999    99999 99999  99999 99999  99999 99999  99999 99999  99999 99999
3294:  99999 99999  99999 99999  99999 99999  99999 99999  99999 99999    99999 99999  99999 99999  99999 99999  99999 99999  99999 99999
3295:  99999 99999  99999 99999  99999 99999  99999 99999  99999 99999    99999 99999  99999 99999  99999 99999  99999 99999  99999 99999
3296:  99999 99999  99999 99999  99999 99999  99999 99999  99999 99999    99999 99999  99999 99999  99999 99999  99999 99999  99999 99999
3297:  99999 99999  99999 99999  99999 99999  99999 99999  99999 99999    99999 99999  99999 99999  99999 99999  99999 99999  99999 99999
3298:  99999 99999  99999 99999  99999 99999  99999 99999  99999 99999    99999 99999  99999 99999  99999 99999  99999 99999  99999 99999
3299:  99999 99999  99999 99999  99999 99999  99999 99999  99999 99999    99999 99999  99999 99999  99999 99999  99999 99999  99999 99999
```

```
3300:  99999 99999  99999 99999  99999 99999  99999 99999  99999 99999    99999 99999  99999 99999  99999 99999  99999 99999  99999 99999
3301:  99999 99999  99999 99999  99999 99999  99999 99999  99999 99999    99999 99999  99999 99999  99999 99999  99999 99999  99999 99999
3302:  99999 99999  99999 99999  99999 99999  99999 99999  99999 99999    99999 99999  99999 99999  99999 99999  99999 99999  99999 99999
3303:  99999 99999  99999 99999  99999 99999  99999 99999  99999 99999    99999 99999  99999 99999  99999 99999  99999 99999  99999 99999
3304:  99999 99999  99999 99999  99999 99999  99999 99999  99999 99999    99999 99999  99999 99999  99999 99999  99999 99999  99999 99999
3305:  99999 99999  99999 99999  99999 99999  99999 99999  99999 99999    99999 99999  99999 99999  99999 99999  99999 99999  99999 99999
3306:  99999 99999  99999 99999  99999 99999  99999 99999  99999 99999    99999 99999  99999 99999  99999 99999  99999 99999  99999 99999
3307:  99999 99999  99999 99999  99999 99999  99999 99999  99999 99999    99999 99999  99999 99999  99999 99999  99999 99999  99999 99999
3308:  99999 99999  99999 99999  99999 99999  99999 99999  99999 99999    99999 99999  99999 99999  99999 99999  99999 99999  99999 99999
3309:  99999 99999  99999 99999  99999 99999  99999 99999  99999 99999    99999 99999  99999 99999  99999 99999  99999 99999  99999 99999
3310:  99999 99999  99999 99999  99999 99999  99999 99999  99999 99999    99999 99999  99999 99999  99999 99999  99999 99999  99999 99999
3311:  99999 99999  99999 99999  99999 99999  99999 99999  99999 99999    99999 99999  99999 99999  99999 99999  99999 99999  99999 99999
3312:  99999 99999  99999 99999  99999 99999  99999 99999  99999 99999    99999 99999  99999 99999  99999 99999  99999 99999  99999 99999
3313:  99999 99999  99999 99999  99999 99999  99999 99999  99999 99999    99999 99999  99999 99999  99999 99999  99999 99999  99999 99999
3314:  99999 99999  99999 99999  99999 99999  99999 99999  99999 99999    99999 99999  99999 99999  99999 99999  99999 99999  99999 99999
3315:  99999 99999  99999 99999  99999 99999  99999 99999  99999 99999    99999 99999  99999 99999  99999 99999  99999 99999  99999 99999
3316:  99999 99999  99999 99999  99999 99999  99999 99999  99999 99999    99999 99999  99999 99999  99999 99999  99999 99999  99999 99999
3317:  99999 99999  99999 99999  99999 99999  99999 99999  99999 99999    99999 99999  99999 99999  99999 99999  99999 99999  99999 99999
3318:  99999 99999  99999 99999  99999 99999  99999 99999  99999 99999    99999 99999  99999 99999  99999 99999  99999 99999  99999 99999
3319:  99999 99999  99999 99999  99999 99999  99999 99999  99999 99999    99999 99999  99999 99999  99999 99999  99999 99999  99999 99999
3320:  99999 99999  99999 99999  99999 99999  99999 99999  99999 99999    99999 99999  99999 99999  99999 99999  99999 99999  99999 99999
3321:  99999 99999  99999 99999  99999 99999  99999 99999  99999 99999    99999 99999  99999 99999  99999 99999  99999 99999  99999 99999
3322:  99999 99999  99999 99999  99999 99999  99999 99999  99999 99999    99999 99999  99999 99999  99999 99999  99999 99999  99999 99999
3323:  99999 99999  99999 99999  99999 99999  99999 99999  99999 99999    99999 99999  99999 99999  99999 99999  99999 99999  99999 99999
3324:  99999 99999  99999 99999  99999 99999  99999 99999  99999 99999    99999 99999  99999 99999  99999 99999  99999 99999  99999 99999
3325:  99999 99999  99999 99999  99999 99999  99999 99999  99999 99999    99999 99999  99999 99999  99999 99999  99999 99999  99999 99999
3326:  99999 99999  99999 99999  99999 99999  99999 99999  99999 99999    99999 99999  99999 99999  99999 99999  99999 99999  99999 99999
3327:  99999 99999  99999 99999  99999 99999  99999 99999  99999 99999    99999 99999  99999 99999  99999 99999  99999 99999  99999 99999
3328:  99999 99999  99999 99999  99999 99999  99999 99999  99999 99999    99999 99999  99999 99999  99999 99999  99999 99999  99999 99999
3329:  99999 99999  99999 99999  99999 99999  99999 99999  99999 99999    99999 99999  99999 99999  99999 99999  99999 99999  99999 99999
3330:  99999 99999  99999 99999  99999 99999  99999 99999  99999 99999    99999 99999  99999 99999  99999 99999  99999 99999  99999 99999
3331:  99999 99999  99999 99999  99999 99999  99999 99999  99999 99999    99999 99999  99999 99999  99999 99999  99999 99999  99999 99999
3332:  99999 99999  99999 99999  99999 99999  99999 99999  99999 99999    99999 99999  99999 99999  99999 99999  99999 99999  99999 99999
3333:  99999 99999  99999 99999  99999 99999  99999 99999  99999 99999    99999 99999  99999 99999  99999 99999  99999 99999  99999 99999
3334:  99999 99999  99999 99999  99999 99999  99999 99999  99999 99999    99999 99999  99999 99999  99999 99999  99999 99999  99999 99999
3335:  99999 99999  99999 99999  99999 99999  99999 99999  99999 99999    99999 99999  99999 99999  99999 99999  99999 99999  99999 99999
3336:  99999 99999  99999 99999  99999 99999  99999 99999  99999 99999    99999 99999  99999 99999  99999 99999  99999 99999  99999 99999
3337:  99999 99999  99999 99999  99999 99999  99999 99999  99999 99999    99999 99999  99999 99999  99999 99999  99999 99999  99999 99999
3338:  99999 99999  99999 99999  99999 99999  99999 99999  99999 99999    99999 99999  99999 99999  99999 99999  99999 99999  99999 99999
3339:  99999 99999  99999 99999  99999 99999  99999 99999  99999 99999    99999 99999  99999 99999  99999 99999  99999 99999  99999 99999
3340:  99999 99999  99999 99999  99999 99999  99999 99999  99999 99999    99999 99999  99999 99999  99999 99999  99999 99999  99999 99999
3341:  99999 99999  99999 99999  99999 99999  99999 99999  99999 99999    99999 99999  99999 99999  99999 99999  99999 99999  99999 99999
3342:  99999 99999  99999 99999  99999 99999  99999 99999  99999 99999    99999 99999  99999 99999  99999 99999  99999 99999  99999 99999
3343:  99999 99999  99999 99999  99999 99999  99999 99999  99999 99999    99999 99999  99999 99999  99999 99999  99999 99999  99999 99999
3344:  99999 99999  99999 99999  99999 99999  99999 99999  99999 99999    99999 99999  99999 99999  99999 99999  99999 99999  99999 99999
3345:  99999 99999  99999 99999  99999 99999  99999 99999  99999 99999    99999 99999  99999 99999  99999 99999  99999 99999  99999 99999
3346:  99999 99999  99999 99999  99999 99999  99999 99999  99999 99999    99999 99999  99999 99999  99999 99999  99999 99999  99999 99999
3347:  99999 99999  99999 99999  99999 99999  99999 99999  99999 99999    99999 99999  99999 99999  99999 99999  99999 99999  99999 99999
3348:  99999 99999  99999 99999  99999 99999  99999 99999  99999 99999    99999 99999  99999 99999  99999 99999  99999 99999  99999 99999
3349:  99999 99999  99999 99999  99999 99999  99999 99999  99999 99999    99999 99999  99999 99999  99999 99999  99999 99999  99999 99999
```

```
3350:  99999 99999  99999 99999  99999 99999  99999 99999  99999 99999   99999 99999  99999 99999  99999 99999  99999 99999  99999 99999
3351:  99999 99999  99999 99999  99999 99999  99999 99999  99999 99999   99999 99999  99999 99999  99999 99999  99999 99999  99999 99999
3352:  99999 99999  99999 99999  99999 99999  99999 99999  99999 99999   99999 99999  99999 99999  99999 99999  99999 99999  99999 99999
3353:  99999 99999  99999 99999  99999 99999  99999 99999  99999 99999   99999 99999  99999 99999  99999 99999  99999 99999  99999 99999
3354:  99999 99999  99999 99999  99999 99999  99999 99999  99999 99999   99999 99999  99999 99999  99999 99999  99999 99999  99999 99999
3355:  99999 99999  99999 99999  99999 99999  99999 99999  99999 99999   99999 99999  99999 99999  99999 99999  99999 99999  99999 99999
3356:  99999 99999  99999 99999  99999 99999  99999 99999  99999 99999   99999 99999  99999 99999  99999 99999  99999 99999  99999 99999
3357:  99999 99999  99999 99999  99999 99999  99999 99999  99999 99999   99999 99999  99999 99999  99999 99999  99999 99999  99999 99999
3358:  99999 99999  99999 99999  99999 99999  99999 99999  99999 99999   99999 99999  99999 99999  99999 99999  99999 99999  99999 99999
3359:  99999 99999  99999 99999  99999 99999  99999 99999  99999 99999   99999 99999  99999 99999  99999 99999  99999 99999  99999 99999
3360:  99999 99999  99999 99999  99999 99999  99999 99999  99999 99999   99999 99999  99999 99999  99999 99999  99999 99999  99999 99999
3361:  99999 99999  99999 99999  99999 99999  99999 99999  99999 99999   99999 99999  99999 99999  99999 99999  99999 99999  99999 99999
3362:  99999 99999  99999 99999  99999 99999  99999 99999  99999 99999   99999 99999  99999 99999  99999 99999  99999 99999  99999 99999
3363:  99999 99999  99999 99999  99999 99999  99999 99999  99999 99999   99999 99999  99999 99999  99999 99999  99999 99999  99999 99999
3364:  99999 99999  99999 99999  99999 99999  99999 99999  99999 99999   99999 99999  99999 99999  99999 99999  99999 99999  99999 99999
3365:  99999 99999  99999 99999  99999 99999  99999 99999  99999 99999   99999 99999  99999 99999  99999 99999  99999 99999  99999 99999
3366:  99999 99999  99999 99999  99999 99999  99999 99999  99999 99999   99999 99999  99999 99999  99999 99999  99999 99999  99999 99999
3367:  99999 99999  99999 99999  99999 99999  99999 99999  99999 99999   99999 99999  99999 99999  99999 99999  99999 99999  99999 99999
3368:  99999 99999  99999 99999  99999 99999  99999 99999  99999 99999   99999 99999  99999 99999  99999 99999  99999 99999  99999 99999
3369:  99999 99999  99999 99999  99999 99999  99999 99999  99999 99999   99999 99999  99999 99999  99999 99999  99999 99999  99999 99999
3370:  99999 99999  99999 99999  99999 99999  99999 99999  99999 99999   99999 99999  99999 99999  99999 99999  99999 99999  99999 99999
3371:  99999 99999  99999 99999  99999 99999  99999 99999  99999 99999   99999 99999  99999 99999  99999 99999  99999 99999  99999 99999
3372:  99999 99999  99999 99999  99999 99999  99999 99999  99999 99999   99999 99999  99999 99999  99999 99999  99999 99999  99999 99999
3373:  99999 99999  99999 99999  99999 99999  99999 99999  99999 99999   99999 99999  99999 99999  99999 99999  99999 99999  99999 99999
3374:  99999 99999  99999 99999  99999 99999  99999 99999  99999 99999   99999 99999  99999 99999  99999 99999  99999 99999  99999 99999
3375:  99999 99999  99999 99999  99999 99999  99999 99999  99999 99999   99999 99999  99999 99999  99999 99999  99999 99999  99999 99999
3376:  99999 99999  99999 99999  99999 99999  99999 99999  99999 99999   99999 99999  99999 99999  99999 99999  99999 99999  99999 99999
3377:  99999 99999  99999 99999  99999 99999  99999 99999  99999 99999   99999 99999  99999 99999  99999 99999  99999 99999  99999 99999
3378:  99999 99999  99999 99999  99999 99999  99999 99999  99999 99999   99999 99999  99999 99999  99999 99999  99999 99999  99999 99999
3379:  99999 99999  99999 99999  99999 99999  99999 99999  99999 99999   99999 99999  99999 99999  99999 99999  99999 99999  99999 99999
3380:  99999 99999  99999 99999  99999 99999  99999 99999  99999 99999   99999 99999  99999 99999  99999 99999  99999 99999  99999 99999
3381:  99999 99999  99999 99999  99999 99999  99999 99999  99999 99999   99999 99999  99999 99999  99999 99999  99999 99999  99999 99999
3382:  99999 99999  99999 99999  99999 99999  99999 99999  99999 99999   99999 99999  99999 99999  99999 99999  99999 99999  99999 99999
3383:  99999 99999  99999 99999  99999 99999  99999 99999  99999 99999   99999 99999  99999 99999  99999 99999  99999 99999  99999 99999
3384:  99999 99999  99999 99999  99999 99999  99999 99999  99999 99999   99999 99999  99999 99999  99999 99999  99999 99999  99999 99999
3385:  99999 99999  99999 99999  99999 99999  99999 99999  99999 99999   99999 99999  99999 99999  99999 99999  99999 99999  99999 99999
3386:  99999 99999  99999 99999  99999 99999  99999 99999  99999 99999   99999 99999  99999 99999  99999 99999  99999 99999  99999 99999
3387:  99999 99999  99999 99999  99999 99999  99999 99999  99999 99999   99999 99999  99999 99999  99999 99999  99999 99999  99999 99999
3388:  99999 99999  99999 99999  99999 99999  99999 99999  99999 99999   99999 99999  99999 99999  99999 99999  99999 99999  99999 99999
3389:  99999 99999  99999 99999  99999 99999  99999 99999  99999 99999   99999 99999  99999 99999  99999 99999  99999 99999  99999 99999
3390:  99999 99999  99999 99999  99999 99999  99999 99999  99999 99999   99999 99999  99999 99999  99999 99999  99999 99999  99999 99999
3391:  99999 99999  99999 99999  99999 99999  99999 99999  99999 99999   99999 99999  99999 99999  99999 99999  99999 99999  99999 99999
3392:  99999 99999  99999 99999  99999 99999  99999 99999  99999 99999   99999 99999  99999 99999  99999 99999  99999 99999  99999 99999
3393:  99999 99999  99999 99999  99999 99999  99999 99999  99999 99999   99999 99999  99999 99999  99999 99999  99999 99999  99999 99999
3394:  99999 99999  99999 99999  99999 99999  99999 99999  99999 99999   99999 99999  99999 99999  99999 99999  99999 99999  99999 99999
3395:  99999 99999  99999 99999  99999 99999  99999 99999  99999 99999   99999 99999  99999 99999  99999 99999  99999 99999  99999 99999
3396:  99999 99999  99999 99999  99999 99999  99999 99999  99999 99999   99999 99999  99999 99999  99999 99999  99999 99999  99999 99999
3397:  99999 99999  99999 99999  99999 99999  99999 99999  99999 99999   99999 99999  99999 99999  99999 99999  99999 99999  99999 99999
3398:  99999 99999  99999 99999  99999 99999  99999 99999  99999 99999   99999 99999  99999 99999  99999 99999  99999 99999  99999 99999
3399:  99999 99999  99999 99999  99999 99999  99999 99999  99999 99999   99999 99999  99999 99999  99999 99999  99999 99999  99999 99999
```

```
3400:   99999 99999   99999 99999   99999 99999   99999 99999   99999 99999     99999 99999   99999 99999   99999 99999   99999 99999   99999 99999
3401:   99999 99999   99999 99999   99999 99999   99999 99999   99999 99999     99999 99999   99999 99999   99999 99999   99999 99999   99999 99999
3402:   99999 99999   99999 99999   99999 99999   99999 99999   99999 99999     99999 99999   99999 99999   99999 99999   99999 99999   99999 99999
3403:   99999 99999   99999 99999   99999 99999   99999 99999   99999 99999     99999 99999   99999 99999   99999 99999   99999 99999   99999 99999
3404:   99999 99999   99999 99999   99999 99999   99999 99999   99999 99999     99999 99999   99999 99999   99999 99999   99999 99999   99999 99999
3405:   99999 99999   99999 99999   99999 99999   99999 99999   99999 99999     99999 99999   99999 99999   99999 99999   99999 99999   99999 99999
3406:   99999 99999   99999 99999   99999 99999   99999 99999   99999 99999     99999 99999   99999 99999   99999 99999   99999 99999   99999 99999
3407:   99999 99999   99999 99999   99999 99999   99999 99999   99999 99999     99999 99999   99999 99999   99999 99999   99999 99999   99999 99999
3408:   99999 99999   99999 99999   99999 99999   99999 99999   99999 99999     99999 99999   99999 99999   99999 99999   99999 99999   99999 99999
3409:   99999 99999   99999 99999   99999 99999   99999 99999   99999 99999     99999 99999   99999 99999   99999 99999   99999 99999   99999 99999
3410:   99999 99999   99999 99999   99999 99999   99999 99999   99999 99999     99999 99999   99999 99999   99999 99999   99999 99999   99999 99999
3411:   99999 99999   99999 99999   99999 99999   99999 99999   99999 99999     99999 99999   99999 99999   99999 99999   99999 99999   99999 99999
3412:   99999 99999   99999 99999   99999 99999   99999 99999   99999 99999     99999 99999   99999 99999   99999 99999   99999 99999   99999 99999
3413:   99999 99999   99999 99999   99999 99999   99999 99999   99999 99999     99999 99999   99999 99999   99999 99999   99999 99999   99999 99999
3414:   99999 99999   99999 99999   99999 99999   99999 99999   99999 99999     99999 99999   99999 99999   99999 99999   99999 99999   99999 99999
3415:   99999 99999   99999 99999   99999 99999   99999 99999   99999 99999     99999 99999   99999 99999   99999 99999   99999 99999   99999 99999
3416:   99999 99999   99999 99999   99999 99999   99999 99999   99999 99999     99999 99999   99999 99999   99999 99999   99999 99999   99999 99999
3417:   99999 99999   99999 99999   99999 99999   99999 99999   99999 99999     99999 99999   99999 99999   99999 99999   99999 99999   99999 99999
3418:   99999 99999   99999 99999   99999 99999   99999 99999   99999 99999     99999 99999   99999 99999   99999 99999   99999 99999   99999 99999
3419:   99999 99999   99999 99999   99999 99999   99999 99999   99999 99999     99999 99999   99999 99999   99999 99999   99999 99999   99999 99999
3420:   99999 99999   99999 99999   99999 99999   99999 99999   99999 99999     99999 99999   99999 99999   99999 99999   99999 99999   99999 99999
3421:   99999 99999   99999 99999   99999 99999   99999 99999   99999 99999     99999 99999   99999 99999   99999 99999   99999 99999   99999 99999
3422:   99999 99999   99999 99999   99999 99999   99999 99999   99999 99999     99999 99999   99999 99999   99999 99999   99999 99999   99999 99999
3423:   99999 99999   99999 99999   99999 99999   99999 99999   99999 99999     99999 99999   99999 99999   99999 99999   99999 99999   99999 99999
3424:   99999 99999   99999 99999   99999 99999   99999 99999   99999 99999     99999 99999   99999 99999   99999 99999   99999 99999   99999 99999
3425:   99999 99999   99999 99999   99999 99999   99999 99999   99999 99999     99999 99999   99999 99999   99999 99999   99999 99999   99999 99999
3426:   99999 99999   99999 99999   99999 99999   99999 99999   99999 99999     99999 99999   99999 99999   99999 99999   99999 99999   99999 99999
3427:   99999 99999   99999 99999   99999 99999   99999 99999   99999 99999     99999 99999   99999 99999   99999 99999   99999 99999   99999 99999
3428:   99999 99999   99999 99999   99999 99999   99999 99999   99999 99999     99999 99999   99999 99999   99999 99999   99999 99999   99999 99999
3429:   99999 99999   99999 99999   99999 99999   99999 99999   99999 99999     99999 99999   99999 99999   99999 99999   99999 99999   99999 99999
3430:   99999 99999   99999 99999   99999 99999   99999 99999   99999 99999     99999 99999   99999 99999   99999 99999   99999 99999   99999 99999
3431:   99999 99999   99999 99999   99999 99999   99999 99999   99999 99999     99999 99999   99999 99999   99999 99999   99999 99999   99999 99999
3432:   99999 99999   99999 99999   99999 99999   99999 99999   99999 99999     99999 99999   99999 99999   99999 99999   99999 99999   99999 99999
3433:   99999 99999   99999 99999   99999 99999   99999 99999   99999 99999     99999 99999   99999 99999   99999 99999   99999 99999   99999 99999
3434:   99999 99999   99999 99999   99999 99999   99999 99999   99999 99999     99999 99999   99999 99999   99999 99999   99999 99999   99999 99999
3435:   99999 99999   99999 99999   99999 99999   99999 99999   99999 99999     99999 99999   99999 99999   99999 99999   99999 99999   99999 99999
3436:   99999 99999   99999 99999   99999 99999   99999 99999   99999 99999     99999 99999   99999 99999   99999 99999   99999 99999   99999 99999
3437:   99999 99999   99999 99999   99999 99999   99999 99999   99999 99999     99999 99999   99999 99999   99999 99999   99999 99999   99999 99999
3438:   99999 99999   99999 99999   99999 99999   99999 99999   99999 99999     99999 99999   99999 99999   99999 99999   99999 99999   99999 99999
3439:   99999 99999   99999 99999   99999 99999   99999 99999   99999 99999     99999 99999   99999 99999   99999 99999   99999 99999   99999 99999
3440:   99999 99999   99999 99999   99999 99999   99999 99999   99999 99999     99999 99999   99999 99999   99999 99999   99999 99999   99999 99999
3441:   99999 99999   99999 99999   99999 99999   99999 99999   99999 99999     99999 99999   99999 99999   99999 99999   99999 99999   99999 99999
3442:   99999 99999   99999 99999   99999 99999   99999 99999   99999 99999     99999 99999   99999 99999   99999 99999   99999 99999   99999 99999
3443:   99999 99999   99999 99999   99999 99999   99999 99999   99999 99999     99999 99999   99999 99999   99999 99999   99999 99999   99999 99999
3444:   99999 99999   99999 99999   99999 99999   99999 99999   99999 99999     99999 99999   99999 99999   99999 99999   99999 99999   99999 99999
3445:   99999 99999   99999 99999   99999 99999   99999 99999   99999 99999     99999 99999   99999 99999   99999 99999   99999 99999   99999 99999
3446:   99999 99999   99999 99999   99999 99999   99999 99999   99999 99999     99999 99999   99999 99999   99999 99999   99999 99999   99999 99999
3447:   99999 99999   99999 99999   99999 99999   99999 99999   99999 99999     99999 99999   99999 99999   99999 99999   99999 99999   99999 99999
3448:   99999 99999   99999 99999   99999 99999   99999 99999   99999 99999     99999 99999   99999 99999   99999 99999   99999 99999   99999 99999
3449:   99999 99999   99999 99999   99999 99999   99999 99999   99999 99999     99999 99999   99999 99999   99999 99999   99999 99999   99999 99999
```

```
3450:  99999 99999  99999 99999  99999 99999  99999 99999  99999 99999    99999 99999  99999 99999  99999 99999  99999 99999  99999 99999
3451:  99999 99999  99999 99999  99999 99999  99999 99999  99999 99999    99999 99999  99999 99999  99999 99999  99999 99999  99999 99999
3452:  99999 99999  99999 99999  99999 99999  99999 99999  99999 99999    99999 99999  99999 99999  99999 99999  99999 99999  99999 99999
3453:  99999 99999  99999 99999  99999 99999  99999 99999  99999 99999    99999 99999  99999 99999  99999 99999  99999 99999  99999 99999
3454:  99999 99999  99999 99999  99999 99999  99999 99999  99999 99999    99999 99999  99999 99999  99999 99999  99999 99999  99999 99999
3455:  99999 99999  99999 99999  99999 99999  99999 99999  99999 99999    99999 99999  99999 99999  99999 99999  99999 99999  99999 99999
3456:  99999 99999  99999 99999  99999 99999  99999 99999  99999 99999    99999 99999  99999 99999  99999 99999  99999 99999  99999 99999
3457:  99999 99999  99999 99999  99999 99999  99999 99999  99999 99999    99999 99999  99999 99999  99999 99999  99999 99999  99999 99999
3458:  99999 99999  99999 99999  99999 99999  99999 99999  99999 99999    99999 99999  99999 99999  99999 99999  99999 99999  99999 99999
3459:  99999 99999  99999 99999  99999 99999  99999 99999  99999 99999    99999 99999  99999 99999  99999 99999  99999 99999  99999 99999
3460:  99999 99999  99999 99999  99999 99999  99999 99999  99999 99999    99999 99999  99999 99999  99999 99999  99999 99999  99999 99999
3461:  99999 99999  99999 99999  99999 99999  99999 99999  99999 99999    99999 99999  99999 99999  99999 99999  99999 99999  99999 99999
3462:  99999 99999  99999 99999  99999 99999  99999 99999  99999 99999    99999 99999  99999 99999  99999 99999  99999 99999  99999 99999
3463:  99999 99999  99999 99999  99999 99999  99999 99999  99999 99999    99999 99999  99999 99999  99999 99999  99999 99999  99999 99999
3464:  99999 99999  99999 99999  99999 99999  99999 99999  99999 99999    99999 99999  99999 99999  99999 99999  99999 99999  99999 99999
3465:  99999 99999  99999 99999  99999 99999  99999 99999  99999 99999    99999 99999  99999 99999  99999 99999  99999 99999  99999 99999
3466:  99999 99999  99999 99999  99999 99999  99999 99999  99999 99999    99999 99999  99999 99999  99999 99999  99999 99999  99999 99999
3467:  99999 99999  99999 99999  99999 99999  99999 99999  99999 99999    99999 99999  99999 99999  99999 99999  99999 99999  99999 99999
3468:  99999 99999  99999 99999  99999 99999  99999 99999  99999 99999    99999 99999  99999 99999  99999 99999  99999 99999  99999 99999
3469:  99999 99999  99999 99999  99999 99999  99999 99999  99999 99999    99999 99999  99999 99999  99999 99999  99999 99999  99999 99999
3470:  99999 99999  99999 99999  99999 99999  99999 99999  99999 99999    99999 99999  99999 99999  99999 99999  99999 99999  99999 99999
3471:  99999 99999  99999 99999  99999 99999  99999 99999  99999 99999    99999 99999  99999 99999  99999 99999  99999 99999  99999 99999
3472:  99999 99999  99999 99999  99999 99999  99999 99999  99999 99999    99999 99999  99999 99999  99999 99999  99999 99999  99999 99999
3473:  99999 99999  99999 99999  99999 99999  99999 99999  99999 99999    99999 99999  99999 99999  99999 99999  99999 99999  99999 99999
3474:  99999 99999  99999 99999  99999 99999  99999 99999  99999 99999    99999 99999  99999 99999  99999 99999  99999 99999  99999 99999
3475:  99999 99999  99999 99999  99999 99999  99999 99999  99999 99999    99999 99999  99999 99999  99999 99999  99999 99999  99999 99999
3476:  99999 99999  99999 99999  99999 99999  99999 99999  99999 99999    99999 99999  99999 99999  99999 99999  99999 99999  99999 99999
3477:  99999 99999  99999 99999  99999 99999  99999 99999  99999 99999    99999 99999  99999 99999  99999 99999  99999 99999  99999 99999
3478:  99999 99999  99999 99999  99999 99999  99999 99999  99999 99999    99999 99999  99999 99999  99999 99999  99999 99999  99999 99999
3479:  99999 99999  99999 99999  99999 99999  99999 99999  99999 99999    99999 99999  99999 99999  99999 99999  99999 99999  99999 99999
3480:  99999 99999  99999 99999  99999 99999  99999 99999  99999 99999    99999 99999  99999 99999  99999 99999  99999 99999  99999 99999
3481:  99999 99999  99999 99999  99999 99999  99999 99999  99999 99999    99999 99999  99999 99999  99999 99999  99999 99999  99999 99999
3482:  99999 99999  99999 99999  99999 99999  99999 99999  99999 99999    99999 99999  99999 99999  99999 99999  99999 99999  99999 99999
3483:  99999 99999  99999 99999  99999 99999  99999 99999  99999 99999    99999 99999  99999 99999  99999 99999  99999 99999  99999 99999
3484:  99999 99999  99999 99999  99999 99999  99999 99999  99999 99999    99999 99999  99999 99999  99999 99999  99999 99999  99999 99999
3485:  99999 99999  99999 99999  99999 99999  99999 99999  99999 99999    99999 99999  99999 99999  99999 99999  99999 99999  99999 99999
3486:  99999 99999  99999 99999  99999 99999  99999 99999  99999 99999    99999 99999  99999 99999  99999 99999  99999 99999  99999 99999
3487:  99999 99999  99999 99999  99999 99999  99999 99999  99999 99999    99999 99999  99999 99999  99999 99999  99999 99999  99999 99999
3488:  99999 99999  99999 99999  99999 99999  99999 99999  99999 99999    99999 99999  99999 99999  99999 99999  99999 99999  99999 99999
3489:  99999 99999  99999 99999  99999 99999  99999 99999  99999 99999    99999 99999  99999 99999  99999 99999  99999 99999  99999 99999
3490:  99999 99999  99999 99999  99999 99999  99999 99999  99999 99999    99999 99999  99999 99999  99999 99999  99999 99999  99999 99999
3491:  99999 99999  99999 99999  99999 99999  99999 99999  99999 99999    99999 99999  99999 99999  99999 99999  99999 99999  99999 99999
3492:  99999 99999  99999 99999  99999 99999  99999 99999  99999 99999    99999 99999  99999 99999  99999 99999  99999 99999  99999 99999
3493:  99999 99999  99999 99999  99999 99999  99999 99999  99999 99999    99999 99999  99999 99999  99999 99999  99999 99999  99999 99999
3494:  99999 99999  99999 99999  99999 99999  99999 99999  99999 99999    99999 99999  99999 99999  99999 99999  99999 99999  99999 99999
3495:  99999 99999  99999 99999  99999 99999  99999 99999  99999 99999    99999 99999  99999 99999  99999 99999  99999 99999  99999 99999
3496:  99999 99999  99999 99999  99999 99999  99999 99999  99999 99999    99999 99999  99999 99999  99999 99999  99999 99999  99999 99999
3497:  99999 99999  99999 99999  99999 99999  99999 99999  99999 99999    99999 99999  99999 99999  99999 99999  99999 99999  99999 99999
3498:  99999 99999  99999 99999  99999 99999  99999 99999  99999 99999    99999 99999  99999 99999  99999 99999  99999 99999  99999 99999
3499:  99999 99999  99999 99999  99999 99999  99999 99999  99999 99999    99999 99999  99999 99999  99999 99999  99999 99999  99999 99999
```

```
3500:  99999 99999  99999 99999  99999 99999  99999 99999  99999 99999    99999 99999  99999 99999  99999 99999  99999 99999  99999 99999
3501:  99999 99999  99999 99999  99999 99999  99999 99999  99999 99999    99999 99999  99999 99999  99999 99999  99999 99999  99999 99999
3502:  99999 99999  99999 99999  99999 99999  99999 99999  99999 99999    99999 99999  99999 99999  99999 99999  99999 99999  99999 99999
3503:  99999 99999  99999 99999  99999 99999  99999 99999  99999 99999    99999 99999  99999 99999  99999 99999  99999 99999  99999 99999
3504:  99999 99999  99999 99999  99999 99999  99999 99999  99999 99999    99999 99999  99999 99999  99999 99999  99999 99999  99999 99999
3505:  99999 99999  99999 99999  99999 99999  99999 99999  99999 99999    99999 99999  99999 99999  99999 99999  99999 99999  99999 99999
3506:  99999 99999  99999 99999  99999 99999  99999 99999  99999 99999    99999 99999  99999 99999  99999 99999  99999 99999  99999 99999
3507:  99999 99999  99999 99999  99999 99999  99999 99999  99999 99999    99999 99999  99999 99999  99999 99999  99999 99999  99999 99999
3508:  99999 99999  99999 99999  99999 99999  99999 99999  99999 99999    99999 99999  99999 99999  99999 99999  99999 99999  99999 99999
3509:  99999 99999  99999 99999  99999 99999  99999 99999  99999 99999    99999 99999  99999 99999  99999 99999  99999 99999  99999 99999
3510:  99999 99999  99999 99999  99999 99999  99999 99999  99999 99999    99999 99999  99999 99999  99999 99999  99999 99999  99999 99999
3511:  99999 99999  99999 99999  99999 99999  99999 99999  99999 99999    99999 99999  99999 99999  99999 99999  99999 99999  99999 99999
3512:  99999 99999  99999 99999  99999 99999  99999 99999  99999 99999    99999 99999  99999 99999  99999 99999  99999 99999  99999 99999
3513:  99999 99999  99999 99999  99999 99999  99999 99999  99999 99999    99999 99999  99999 99999  99999 99999  99999 99999  99999 99999
3514:  99999 99999  99999 99999  99999 99999  99999 99999  99999 99999    99999 99999  99999 99999  99999 99999  99999 99999  99999 99999
3515:  99999 99999  99999 99999  99999 99999  99999 99999  99999 99999    99999 99999  99999 99999  99999 99999  99999 99999  99999 99999
3516:  99999 99999  99999 99999  99999 99999  99999 99999  99999 99999    99999 99999  99999 99999  99999 99999  99999 99999  99999 99999
3517:  99999 99999  99999 99999  99999 99999  99999 99999  99999 99999    99999 99999  99999 99999  99999 99999  99999 99999  99999 99999
3518:  99999 99999  99999 99999  99999 99999  99999 99999  99999 99999    99999 99999  99999 99999  99999 99999  99999 99999  99999 99999
3519:  99999 99999  99999 99999  99999 99999  99999 99999  99999 99999    99999 99999  99999 99999  99999 99999  99999 99999  99999 99999
3520:  99999 99999  99999 99999  99999 99999  99999 99999  99999 99999    99999 99999  99999 99999  99999 99999  99999 99999  99999 99999
3521:  99999 99999  99999 99999  99999 99999  99999 99999  99999 99999    99999 99999  99999 99999  99999 99999  99999 99999  99999 99999
3522:  99999 99999  99999 99999  99999 99999  99999 99999  99999 99999    99999 99999  99999 99999  99999 99999  99999 99999  99999 99999
3523:  99999 99999  99999 99999  99999 99999  99999 99999  99999 99999    99999 99999  99999 99999  99999 99999  99999 99999  99999 99999
3524:  99999 99999  99999 99999  99999 99999  99999 99999  99999 99999    99999 99999  99999 99999  99999 99999  99999 99999  99999 99999
3525:  99999 99999  99999 99999  99999 99999  99999 99999  99999 99999    99999 99999  99999 99999  99999 99999  99999 99999  99999 99999
3526:  99999 99999  99999 99999  99999 99999  99999 99999  99999 99999    99999 99999  99999 99999  99999 99999  99999 99999  99999 99999
3527:  99999 99999  99999 99999  99999 99999  99999 99999  99999 99999    99999 99999  99999 99999  99999 99999  99999 99999  99999 99999
3528:  99999 99999  99999 99999  99999 99999  99999 99999  99999 99999    99999 99999  99999 99999  99999 99999  99999 99999  99999 99999
3529:  99999 99999  99999 99999  99999 99999  99999 99999  99999 99999    99999 99999  99999 99999  99999 99999  99999 99999  99999 99999
3530:  99999 99999  99999 99999  99999 99999  99999 99999  99999 99999    99999 99999  99999 99999  99999 99999  99999 99999  99999 99999
3531:  99999 99999  99999 99999  99999 99999  99999 99999  99999 99999    99999 99999  99999 99999  99999 99999  99999 99999  99999 99999
3532:  99999 99999  99999 99999  99999 99999  99999 99999  99999 99999    99999 99999  99999 99999  99999 99999  99999 99999  99999 99999
3533:  99999 99999  99999 99999  99999 99999  99999 99999  99999 99999    99999 99999  99999 99999  99999 99999  99999 99999  99999 99999
3534:  99999 99999  99999 99999  99999 99999  99999 99999  99999 99999    99999 99999  99999 99999  99999 99999  99999 99999  99999 99999
3535:  99999 99999  99999 99999  99999 99999  99999 99999  99999 99999    99999 99999  99999 99999  99999 99999  99999 99999  99999 99999
3536:  99999 99999  99999 99999  99999 99999  99999 99999  99999 99999    99999 99999  99999 99999  99999 99999  99999 99999  99999 99999
3537:  99999 99999  99999 99999  99999 99999  99999 99999  99999 99999    99999 99999  99999 99999  99999 99999  99999 99999  99999 99999
3538:  99999 99999  99999 99999  99999 99999  99999 99999  99999 99999    99999 99999  99999 99999  99999 99999  99999 99999  99999 99999
3539:  99999 99999  99999 99999  99999 99999  99999 99999  99999 99999    99999 99999  99999 99999  99999 99999  99999 99999  99999 99999
3540:  99999 99999  99999 99999  99999 99999  99999 99999  99999 99999    99999 99999  99999 99999  99999 99999  99999 99999  99999 99999
3541:  99999 99999  99999 99999  99999 99999  99999 99999  99999 99999    99999 99999  99999 99999  99999 99999  99999 99999  99999 99999
3542:  99999 99999  99999 99999  99999 99999  99999 99999  99999 99999    99999 99999  99999 99999  99999 99999  99999 99999  99999 99999
3543:  99999 99999  99999 99999  99999 99999  99999 99999  99999 99999    99999 99999  99999 99999  99999 99999  99999 99999  99999 99999
3544:  99999 99999  99999 99999  99999 99999  99999 99999  99999 99999    99999 99999  99999 99999  99999 99999  99999 99999  99999 99999
3545:  99999 99999  99999 99999  99999 99999  99999 99999  99999 99999    99999 99999  99999 99999  99999 99999  99999 99999  99999 99999
3546:  99999 99999  99999 99999  99999 99999  99999 99999  99999 99999    99999 99999  99999 99999  99999 99999  99999 99999  99999 99999
3547:  99999 99999  99999 99999  99999 99999  99999 99999  99999 99999    99999 99999  99999 99999  99999 99999  99999 99999  99999 99999
3548:  99999 99999  99999 99999  99999 99999  99999 99999  99999 99999    99999 99999  99999 99999  99999 99999  99999 99999  99999 99999
3549:  99999 99999  99999 99999  99999 99999  99999 99999  99999 99999    99999 99999  99999 99999  99999 99999  99999 99999  99999 99999
```

```
3550:  99999 99999  99999 99999  99999 99999  99999 99999  99999 99999    99999 99999  99999 99999  99999 99999  99999 99999  99999 99999
3551:  99999 99999  99999 99999  99999 99999  99999 99999  99999 99999    99999 99999  99999 99999  99999 99999  99999 99999  99999 99999
3552:  99999 99999  99999 99999  99999 99999  99999 99999  99999 99999    99999 99999  99999 99999  99999 99999  99999 99999  99999 99999
3553:  99999 99999  99999 99999  99999 99999  99999 99999  99999 99999    99999 99999  99999 99999  99999 99999  99999 99999  99999 99999
3554:  99999 99999  99999 99999  99999 99999  99999 99999  99999 99999    99999 99999  99999 99999  99999 99999  99999 99999  99999 99999
3555:  99999 99999  99999 99999  99999 99999  99999 99999  99999 99999    99999 99999  99999 99999  99999 99999  99999 99999  99999 99999
3556:  99999 99999  99999 99999  99999 99999  99999 99999  99999 99999    99999 99999  99999 99999  99999 99999  99999 99999  99999 99999
3557:  99999 99999  99999 99999  99999 99999  99999 99999  99999 99999    99999 99999  99999 99999  99999 99999  99999 99999  99999 99999
3558:  99999 99999  99999 99999  99999 99999  99999 99999  99999 99999    99999 99999  99999 99999  99999 99999  99999 99999  99999 99999
3559:  99999 99999  99999 99999  99999 99999  99999 99999  99999 99999    99999 99999  99999 99999  99999 99999  99999 99999  99999 99999
3560:  99999 99999  99999 99999  99999 99999  99999 99999  99999 99999    99999 99999  99999 99999  99999 99999  99999 99999  99999 99999
3561:  99999 99999  99999 99999  99999 99999  99999 99999  99999 99999    99999 99999  99999 99999  99999 99999  99999 99999  99999 99999
3562:  99999 99999  99999 99999  99999 99999  99999 99999  99999 99999    99999 99999  99999 99999  99999 99999  99999 99999  99999 99999
3563:  99999 99999  99999 99999  99999 99999  99999 99999  99999 99999    99999 99999  99999 99999  99999 99999  99999 99999  99999 99999
3564:  99999 99999  99999 99999  99999 99999  99999 99999  99999 99999    99999 99999  99999 99999  99999 99999  99999 99999  99999 99999
3565:  99999 99999  99999 99999  99999 99999  99999 99999  99999 99999    99999 99999  99999 99999  99999 99999  99999 99999  99999 99999
3566:  99999 99999  99999 99999  99999 99999  99999 99999  99999 99999    99999 99999  99999 99999  99999 99999  99999 99999  99999 99999
3567:  99999 99999  99999 99999  99999 99999  99999 99999  99999 99999    99999 99999  99999 99999  99999 99999  99999 99999  99999 99999
3568:  99999 99999  99999 99999  99999 99999  99999 99999  99999 99999    99999 99999  99999 99999  99999 99999  99999 99999  99999 99999
3569:  99999 99999  99999 99999  99999 99999  99999 99999  99999 99999    99999 99999  99999 99999  99999 99999  99999 99999  99999 99999
3570:  99999 99999  99999 99999  99999 99999  99999 99999  99999 99999    99999 99999  99999 99999  99999 99999  99999 99999  99999 99999
3571:  99999 99999  99999 99999  99999 99999  99999 99999  99999 99999    99999 99999  99999 99999  99999 99999  99999 99999  99999 99999
3572:  99999 99999  99999 99999  99999 99999  99999 99999  99999 99999    99999 99999  99999 99999  99999 99999  99999 99999  99999 99999
3573:  99999 99999  99999 99999  99999 99999  99999 99999  99999 99999    99999 99999  99999 99999  99999 99999  99999 99999  99999 99999
3574:  99999 99999  99999 99999  99999 99999  99999 99999  99999 99999    99999 99999  99999 99999  99999 99999  99999 99999  99999 99999
3575:  99999 99999  99999 99999  99999 99999  99999 99999  99999 99999    99999 99999  99999 99999  99999 99999  99999 99999  99999 99999
3576:  99999 99999  99999 99999  99999 99999  99999 99999  99999 99999    99999 99999  99999 99999  99999 99999  99999 99999  99999 99999
3577:  99999 99999  99999 99999  99999 99999  99999 99999  99999 99999    99999 99999  99999 99999  99999 99999  99999 99999  99999 99999
3578:  99999 99999  99999 99999  99999 99999  99999 99999  99999 99999    99999 99999  99999 99999  99999 99999  99999 99999  99999 99999
3579:  99999 99999  99999 99999  99999 99999  99999 99999  99999 99999    99999 99999  99999 99999  99999 99999  99999 99999  99999 99999
3580:  99999 99999  99999 99999  99999 99999  99999 99999  99999 99999    99999 99999  99999 99999  99999 99999  99999 99999  99999 99999
3581:  99999 99999  99999 99999  99999 99999  99999 99999  99999 99999    99999 99999  99999 99999  99999 99999  99999 99999  99999 99999
3582:  99999 99999  99999 99999  99999 99999  99999 99999  99999 99999    99999 99999  99999 99999  99999 99999  99999 99999  99999 99999
3583:  99999 99999  99999 99999  99999 99999  99999 99999  99999 99999    99999 99999  99999 99999  99999 99999  99999 99999  99999 99999
3584:  99999 99999  99999 99999  99999 99999  99999 99999  99999 99999    99999 99999  99999 99999  99999 99999  99999 99999  99999 99999
3585:  99999 99999  99999 99999  99999 99999  99999 99999  99999 99999    99999 99999  99999 99999  99999 99999  99999 99999  99999 99999
3586:  99999 99999  99999 99999  99999 99999  99999 99999  99999 99999    99999 99999  99999 99999  99999 99999  99999 99999  99999 99999
3587:  99999 99999  99999 99999  99999 99999  99999 99999  99999 99999    99999 99999  99999 99999  99999 99999  99999 99999  99999 99999
3588:  99999 99999  99999 99999  99999 99999  99999 99999  99999 99999    99999 99999  99999 99999  99999 99999  99999 99999  99999 99999
3589:  99999 99999  99999 99999  99999 99999  99999 99999  99999 99999    99999 99999  99999 99999  99999 99999  99999 99999  99999 99999
3590:  99999 99999  99999 99999  99999 99999  99999 99999  99999 99999    99999 99999  99999 99999  99999 99999  99999 99999  99999 99999
3591:  99999 99999  99999 99999  99999 99999  99999 99999  99999 99999    99999 99999  99999 99999  99999 99999  99999 99999  99999 99999
3592:  99999 99999  99999 99999  99999 99999  99999 99999  99999 99999    99999 99999  99999 99999  99999 99999  99999 99999  99999 99999
3593:  99999 99999  99999 99999  99999 99999  99999 99999  99999 99999    99999 99999  99999 99999  99999 99999  99999 99999  99999 99999
3594:  99999 99999  99999 99999  99999 99999  99999 99999  99999 99999    99999 99999  99999 99999  99999 99999  99999 99999  99999 99999
3595:  99999 99999  99999 99999  99999 99999  99999 99999  99999 99999    99999 99999  99999 99999  99999 99999  99999 99999  99999 99999
3596:  99999 99999  99999 99999  99999 99999  99999 99999  99999 99999    99999 99999  99999 99999  99999 99999  99999 99999  99999 99999
3597:  99999 99999  99999 99999  99999 99999  99999 99999  99999 99999    99999 99999  99999 99999  99999 99999  99999 99999  99999 99999
3598:  99999 99999  99999 99999  99999 99999  99999 99999  99999 99999    99999 99999  99999 99999  99999 99999  99999 99999  99999 99999
3599:  99999 99999  99999 99999  99999 99999  99999 99999  99999 99999    99999 99999  99999 99999  99999 99999  99999 99999  99999 99999
```

```
3600:   99999 99999   99999 99999   99999 99999   99999 99999   99999 99999     99999 99999   99999 99999   99999 99999   99999 99999   99999 99999
3601:   99999 99999   99999 99999   99999 99999   99999 99999   99999 99999     99999 99999   99999 99999   99999 99999   99999 99999   99999 99999
3602:   99999 99999   99999 99999   99999 99999   99999 99999   99999 99999     99999 99999   99999 99999   99999 99999   99999 99999   99999 99999
3603:   99999 99999   99999 99999   99999 99999   99999 99999   99999 99999     99999 99999   99999 99999   99999 99999   99999 99999   99999 99999
3604:   99999 99999   99999 99999   99999 99999   99999 99999   99999 99999     99999 99999   99999 99999   99999 99999   99999 99999   99999 99999
3605:   99999 99999   99999 99999   99999 99999   99999 99999   99999 99999     99999 99999   99999 99999   99999 99999   99999 99999   99999 99999
3606:   99999 99999   99999 99999   99999 99999   99999 99999   99999 99999     99999 99999   99999 99999   99999 99999   99999 99999   99999 99999
3607:   99999 99999   99999 99999   99999 99999   99999 99999   99999 99999     99999 99999   99999 99999   99999 99999   99999 99999   99999 99999
3608:   99999 99999   99999 99999   99999 99999   99999 99999   99999 99999     99999 99999   99999 99999   99999 99999   99999 99999   99999 99999
3609:   99999 99999   99999 99999   99999 99999   99999 99999   99999 99999     99999 99999   99999 99999   99999 99999   99999 99999   99999 99999
3610:   99999 99999   99999 99999   99999 99999   99999 99999   99999 99999     99999 99999   99999 99999   99999 99999   99999 99999   99999 99999
3611:   99999 99999   99999 99999   99999 99999   99999 99999   99999 99999     99999 99999   99999 99999   99999 99999   99999 99999   99999 99999
3612:   99999 99999   99999 99999   99999 99999   99999 99999   99999 99999     99999 99999   99999 99999   99999 99999   99999 99999   99999 99999
3613:   99999 99999   99999 99999   99999 99999   99999 99999   99999 99999     99999 99999   99999 99999   99999 99999   99999 99999   99999 99999
3614:   99999 99999   99999 99999   99999 99999   99999 99999   99999 99999     99999 99999   99999 99999   99999 99999   99999 99999   99999 99999
3615:   99999 99999   99999 99999   99999 99999   99999 99999   99999 99999     99999 99999   99999 99999   99999 99999   99999 99999   99999 99999
3616:   99999 99999   99999 99999   99999 99999   99999 99999   99999 99999     99999 99999   99999 99999   99999 99999   99999 99999   99999 99999
3617:   99999 99999   99999 99999   99999 99999   99999 99999   99999 99999     99999 99999   99999 99999   99999 99999   99999 99999   99999 99999
3618:   99999 99999   99999 99999   99999 99999   99999 99999   99999 99999     99999 99999   99999 99999   99999 99999   99999 99999   99999 99999
3619:   99999 99999   99999 99999   99999 99999   99999 99999   99999 99999     99999 99999   99999 99999   99999 99999   99999 99999   99999 99999
3620:   99999 99999   99999 99999   99999 99999   99999 99999   99999 99999     99999 99999   99999 99999   99999 99999   99999 99999   99999 99999
3621:   99999 99999   99999 99999   99999 99999   99999 99999   99999 99999     99999 99999   99999 99999   99999 99999   99999 99999   99999 99999
3622:   99999 99999   99999 99999   99999 99999   99999 99999   99999 99999     99999 99999   99999 99999   99999 99999   99999 99999   99999 99999
3623:   99999 99999   99999 99999   99999 99999   99999 99999   99999 99999     99999 99999   99999 99999   99999 99999   99999 99999   99999 99999
3624:   99999 99999   99999 99999   99999 99999   99999 99999   99999 99999     99999 99999   99999 99999   99999 99999   99999 99999   99999 99999
3625:   99999 99999   99999 99999   99999 99999   99999 99999   99999 99999     99999 99999   99999 99999   99999 99999   99999 99999   99999 99999
3626:   99999 99999   99999 99999   99999 99999   99999 99999   99999 99999     99999 99999   99999 99999   99999 99999   99999 99999   99999 99999
3627:   99999 99999   99999 99999   99999 99999   99999 99999   99999 99999     99999 99999   99999 99999   99999 99999   99999 99999   99999 99999
3628:   99999 99999   99999 99999   99999 99999   99999 99999   99999 99999     99999 99999   99999 99999   99999 99999   99999 99999   99999 99999
3629:   99999 99999   99999 99999   99999 99999   99999 99999   99999 99999     99999 99999   99999 99999   99999 99999   99999 99999   99999 99999
3630:   99999 99999   99999 99999   99999 99999   99999 99999   99999 99999     99999 99999   99999 99999   99999 99999   99999 99999   99999 99999
3631:   99999 99999   99999 99999   99999 99999   99999 99999   99999 99999     99999 99999   99999 99999   99999 99999   99999 99999   99999 99999
3632:   99999 99999   99999 99999   99999 99999   99999 99999   99999 99999     99999 99999   99999 99999   99999 99999   99999 99999   99999 99999
3633:   99999 99999   99999 99999   99999 99999   99999 99999   99999 99999     99999 99999   99999 99999   99999 99999   99999 99999   99999 99999
3634:   99999 99999   99999 99999   99999 99999   99999 99999   99999 99999     99999 99999   99999 99999   99999 99999   99999 99999   99999 99999
3635:   99999 99999   99999 99999   99999 99999   99999 99999   99999 99999     99999 99999   99999 99999   99999 99999   99999 99999   99999 99999
3636:   99999 99999   99999 99999   99999 99999   99999 99999   99999 99999     99999 99999   99999 99999   99999 99999   99999 99999   99999 99999
3637:   99999 99999   99999 99999   99999 99999   99999 99999   99999 99999     99999 99999   99999 99999   99999 99999   99999 99999   99999 99999
3638:   99999 99999   99999 99999   99999 99999   99999 99999   99999 99999     99999 99999   99999 99999   99999 99999   99999 99999   99999 99999
3639:   99999 99999   99999 99999   99999 99999   99999 99999   99999 99999     99999 99999   99999 99999   99999 99999   99999 99999   99999 99999
3640:   99999 99999   99999 99999   99999 99999   99999 99999   99999 99999     99999 99999   99999 99999   99999 99999   99999 99999   99999 99999
3641:   99999 99999   99999 99999   99999 99999   99999 99999   99999 99999     99999 99999   99999 99999   99999 99999   99999 99999   99999 99999
3642:   99999 99999   99999 99999   99999 99999   99999 99999   99999 99999     99999 99999   99999 99999   99999 99999   99999 99999   99999 99999
3643:   99999 99999   99999 99999   99999 99999   99999 99999   99999 99999     99999 99999   99999 99999   99999 99999   99999 99999   99999 99999
3644:   99999 99999   99999 99999   99999 99999   99999 99999   99999 99999     99999 99999   99999 99999   99999 99999   99999 99999   99999 99999
3645:   99999 99999   99999 99999   99999 99999   99999 99999   99999 99999     99999 99999   99999 99999   99999 99999   99999 99999   99999 99999
3646:   99999 99999   99999 99999   99999 99999   99999 99999   99999 99999     99999 99999   99999 99999   99999 99999   99999 99999   99999 99999
3647:   99999 99999   99999 99999   99999 99999   99999 99999   99999 99999     99999 99999   99999 99999   99999 99999   99999 99999   99999 99999
3648:   99999 99999   99999 99999   99999 99999   99999 99999   99999 99999     99999 99999   99999 99999   99999 99999   99999 99999   99999 99999
3649:   99999 99999   99999 99999   99999 99999   99999 99999   99999 99999     99999 99999   99999 99999   99999 99999   99999 99999   99999 99999
```

```
3650:  9999999999  9999999999  9999999999  9999999999  9999999999    9999999999  9999999999  9999999999  9999999999  9999999999
3651:  9999999999  9999999999  9999999999  9999999999  9999999999    9999999999  9999999999  9999999999  9999999999  9999999999
3652:  9999999999  9999999999  9999999999  9999999999  9999999999    9999999999  9999999999  9999999999  9999999999  9999999999
3653:  9999999999  9999999999  9999999999  9999999999  9999999999    9999999999  9999999999  9999999999  9999999999  9999999999
3654:  9999999999  9999999999  9999999999  9999999999  9999999999    9999999999  9999999999  9999999999  9999999999  9999999999
3655:  9999999999  9999999999  9999999999  9999999999  9999999999    9999999999  9999999999  9999999999  9999999999  9999999999
3656:  9999999999  9999999999  9999999999  9999999999  9999999999    9999999999  9999999999  9999999999  9999999999  9999999999
3657:  9999999999  9999999999  9999999999  9999999999  9999999999    9999999999  9999999999  9999999999  9999999999  9999999999
3658:  9999999999  9999999999  9999999999  9999999999  9999999999    9999999999  9999999999  9999999999  9999999999  9999999999
3659:  9999999999  9999999999  9999999999  9999999999  9999999999    9999999999  9999999999  9999999999  9999999999  9999999999
3660:  9999999999  9999999999  9999999999  9999999999  9999999999    9999999999  9999999999  9999999999  9999999999  9999999999
3661:  9999999999  9999999999  9999999999  9999999999  9999999999    9999999999  9999999999  9999999999  9999999999  9999999999
3662:  9999999999  9999999999  9999999999  9999999999  9999999999    9999999999  9999999999  9999999999  9999999999  9999999999
3663:  9999999999  9999999999  9999999999  9999999999  9999999999    9999999999  9999999999  9999999999  9999999999  9999999999
3664:  9999999999  9999999999  9999999999  9999999999  9999999999    9999999999  9999999999  9999999999  9999999999  9999999999
3665:  9999999999  9999999999  9999999999  9999999999  9999999999    9999999999  9999999999  9999999999  9999999999  9999999999
3666:  9999999999  9999999999  9999999999  9999999999  9999999999    9999999999  9999999999  9999999999  9999999999  9999999999
3667:  9999999999  9999999999  9999999999  9999999999  9999999999    9999999999  9999999999  9999999999  9999999999  9999999999
3668:  9999999999  9999999999  9999999999  9999999999  9999999999    9999999999  9999999999  9999999999  9999999999  9999999999
3669:  9999999999  9999999999  9999999999  9999999999  9999999999    9999999999  9999999999  9999999999  9999999999  9999999999
3670:  9999999999  9999999999  9999999999  9999999999  9999999999    9999999999  9999999999  9999999999  9999999999  9999999999
3671:  9999999999  9999999999  9999999999  9999999999  9999999999    9999999999  9999999999  9999999999  9999999999  9999999999
3672:  9999999999  9999999999  9999999999  9999999999  9999999999    9999999999  9999999999  9999999999  9999999999  9999999999
3673:  9999999999  9999999999  9999999999  9999999999  9999999999    9999999999  9999999999  9999999999  9999999999  9999999999
3674:  9999999999  9999999999  9999999999  9999999999  9999999999    9999999999  9999999999  9999999999  9999999999  9999999999
3675:  9999999999  9999999999  9999999999  9999999999  9999999999    9999999999  9999999999  9999999999  9999999999  9999999999
3676:  9999999999  9999999999  9999999999  9999999999  9999999999    9999999999  9999999999  9999999999  9999999999  9999999999
3677:  9999999999  9999999999  9999999999  9999999999  9999999999    9999999999  9999999999  9999999999  9999999999  9999999999
3678:  9999999999  9999999999  9999999999  9999999999  9999999999    9999999999  9999999999  9999999999  9999999999  9999999999
3679:  9999999999  9999999999  9999999999  9999999999  9999999999    9999999999  9999999999  9999999999  9999999999  9999999999
3680:  9999999999  9999999999  9999999999  9999999999  9999999999    9999999999  9999999999  9999999999  9999999999  9999999999
3681:  9999999999  9999999999  9999999999  9999999999  9999999999    9999999999  9999999999  9999999999  9999999999  9999999999
3682:  9999999999  9999999999  9999999999  9999999999  9999999999    9999999999  9999999999  9999999999  9999999999  9999999999
3683:  9999999999  9999999999  9999999999  9999999999  9999999999    9999999999  9999999999  9999999999  9999999999  9999999999
3684:  9999999999  9999999999  9999999999  9999999999  9999999999    9999999999  9999999999  9999999999  9999999999  9999999999
3685:  9999999999  9999999999  9999999999  9999999999  9999999999    9999999999  9999999999  9999999999  9999999999  9999999999
3686:  9999999999  9999999999  9999999999  9999999999  9999999999    9999999999  9999999999  9999999999  9999999999  9999999999
3687:  9999999999  9999999999  9999999999  9999999999  9999999999    9999999999  9999999999  9999999999  9999999999  9999999999
3688:  9999999999  9999999999  9999999999  9999999999  9999999999    9999999999  9999999999  9999999999  9999999999  9999999999
3689:  9999999999  9999999999  9999999999  9999999999  9999999999    9999999999  9999999999  9999999999  9999999999  9999999999
3690:  9999999999  9999999999  9999999999  9999999999  9999999999    9999999999  9999999999  9999999999  9999999999  9999999999
3691:  9999999999  9999999999  9999999999  9999999999  9999999999    9999999999  9999999999  9999999999  9999999999  9999999999
3692:  9999999999  9999999999  9999999999  9999999999  9999999999    9999999999  9999999999  9999999999  9999999999  9999999999
3693:  9999999999  9999999999  9999999999  9999999999  9999999999    9999999999  9999999999  9999999999  9999999999  9999999999
3694:  9999999999  9999999999  9999999999  9999999999  9999999999    9999999999  9999999999  9999999999  9999999999  9999999999
3695:  9999999999  9999999999  9999999999  9999999999  9999999999    9999999999  9999999999  9999999999  9999999999  9999999999
3696:  9999999999  9999999999  9999999999  9999999999  9999999999    9999999999  9999999999  9999999999  9999999999  9999999999
3697:  9999999999  9999999999  9999999999  9999999999  9999999999    9999999999  9999999999  9999999999  9999999999  9999999999
3698:  9999999999  9999999999  9999999999  9999999999  9999999999    9999999999  9999999999  9999999999  9999999999  9999999999
3699:  9999999999  9999999999  9999999999  9999999999  9999999999    9999999999  9999999999  9999999999  9999999999  9999999999
```

```
3700:  99999 99999  99999 99999  99999 99999  99999 99999  99999 99999    99999 99999  99999 99999  99999 99999  99999 99999  99999 99999
3701:  99999 99999  99999 99999  99999 99999  99999 99999  99999 99999    99999 99999  99999 99999  99999 99999  99999 99999  99999 99999
3702:  99999 99999  99999 99999  99999 99999  99999 99999  99999 99999    99999 99999  99999 99999  99999 99999  99999 99999  99999 99999
3703:  99999 99999  99999 99999  99999 99999  99999 99999  99999 99999    99999 99999  99999 99999  99999 99999  99999 99999  99999 99999
3704:  99999 99999  99999 99999  99999 99999  99999 99999  99999 99999    99999 99999  99999 99999  99999 99999  99999 99999  99999 99999
3705:  99999 99999  99999 99999  99999 99999  99999 99999  99999 99999    99999 99999  99999 99999  99999 99999  99999 99999  99999 99999
3706:  99999 99999  99999 99999  99999 99999  99999 99999  99999 99999    99999 99999  99999 99999  99999 99999  99999 99999  99999 99999
3707:  99999 99999  99999 99999  99999 99999  99999 99999  99999 99999    99999 99999  99999 99999  99999 99999  99999 99999  99999 99999
3708:  99999 99999  99999 99999  99999 99999  99999 99999  99999 99999    99999 99999  99999 99999  99999 99999  99999 99999  99999 99999
3709:  99999 99999  99999 99999  99999 99999  99999 99999  99999 99999    99999 99999  99999 99999  99999 99999  99999 99999  99999 99999
3710:  99999 99999  99999 99999  99999 99999  99999 99999  99999 99999    99999 99999  99999 99999  99999 99999  99999 99999  99999 99999
3711:  99999 99999  99999 99999  99999 99999  99999 99999  99999 99999    99999 99999  99999 99999  99999 99999  99999 99999  99999 99999
3712:  99999 99999  99999 99999  99999 99999  99999 99999  99999 99999    99999 99999  99999 99999  99999 99999  99999 99999  99999 99999
3713:  99999 99999  99999 99999  99999 99999  99999 99999  99999 99999    99999 99999  99999 99999  99999 99999  99999 99999  99999 99999
3714:  99999 99999  99999 99999  99999 99999  99999 99999  99999 99999    99999 99999  99999 99999  99999 99999  99999 99999  99999 99999
3715:  99999 99999  99999 99999  99999 99999  99999 99999  99999 99999    99999 99999  99999 99999  99999 99999  99999 99999  99999 99999
3716:  99999 99999  99999 99999  99999 99999  99999 99999  99999 99999    99999 99999  99999 99999  99999 99999  99999 99999  99999 99999
3717:  99999 99999  99999 99999  99999 99999  99999 99999  99999 99999    99999 99999  99999 99999  99999 99999  99999 99999  99999 99999
3718:  99999 99999  99999 99999  99999 99999  99999 99999  99999 99999    99999 99999  99999 99999  99999 99999  99999 99999  99999 99999
3719:  99999 99999  99999 99999  99999 99999  99999 99999  99999 99999    99999 99999  99999 99999  99999 99999  99999 99999  99999 99999
3720:  99999 99999  99999 99999  99999 99999  99999 99999  99999 99999    99999 99999  99999 99999  99999 99999  99999 99999  99999 99999
3721:  99999 99999  99999 99999  99999 99999  99999 99999  99999 99999    99999 99999  99999 99999  99999 99999  99999 99999  99999 99999
3722:  99999 99999  99999 99999  99999 99999  99999 99999  99999 99999    99999 99999  99999 99999  99999 99999  99999 99999  99999 99999
3723:  99999 99999  99999 99999  99999 99999  99999 99999  99999 99999    99999 99999  99999 99999  99999 99999  99999 99999  99999 99999
3724:  99999 99999  99999 99999  99999 99999  99999 99999  99999 99999    99999 99999  99999 99999  99999 99999  99999 99999  99999 99999
3725:  99999 99999  99999 99999  99999 99999  99999 99999  99999 99999    99999 99999  99999 99999  99999 99999  99999 99999  99999 99999
3726:  99999 99999  99999 99999  99999 99999  99999 99999  99999 99999    99999 99999  99999 99999  99999 99999  99999 99999  99999 99999
3727:  99999 99999  99999 99999  99999 99999  99999 99999  99999 99999    99999 99999  99999 99999  99999 99999  99999 99999  99999 99999
3728:  99999 99999  99999 99999  99999 99999  99999 99999  99999 99999    99999 99999  99999 99999  99999 99999  99999 99999  99999 99999
3729:  99999 99999  99999 99999  99999 99999  99999 99999  99999 99999    99999 99999  99999 99999  99999 99999  99999 99999  99999 99999
3730:  99999 99999  99999 99999  99999 99999  99999 99999  99999 99999    99999 99999  99999 99999  99999 99999  99999 99999  99999 99999
3731:  99999 99999  99999 99999  99999 99999  99999 99999  99999 99999    99999 99999  99999 99999  99999 99999  99999 99999  99999 99999
3732:  99999 99999  99999 99999  99999 99999  99999 99999  99999 99999    99999 99999  99999 99999  99999 99999  99999 99999  99999 99999
3733:  99999 99999  99999 99999  99999 99999  99999 99999  99999 99999    99999 99999  99999 99999  99999 99999  99999 99999  99999 99999
3734:  99999 99999  99999 99999  99999 99999  99999 99999  99999 99999    99999 99999  99999 99999  99999 99999  99999 99999  99999 99999
3735:  99999 99999  99999 99999  99999 99999  99999 99999  99999 99999    99999 99999  99999 99999  99999 99999  99999 99999  99999 99999
3736:  99999 99999  99999 99999  99999 99999  99999 99999  99999 99999    99999 99999  99999 99999  99999 99999  99999 99999  99999 99999
3737:  99999 99999  99999 99999  99999 99999  99999 99999  99999 99999    99999 99999  99999 99999  99999 99999  99999 99999  99999 99999
3738:  99999 99999  99999 99999  99999 99999  99999 99999  99999 99999    99999 99999  99999 99999  99999 99999  99999 99999  99999 99999
3739:  99999 99999  99999 99999  99999 99999  99999 99999  99999 99999    99999 99999  99999 99999  99999 99999  99999 99999  99999 99999
3740:  99999 99999  99999 99999  99999 99999  99999 99999  99999 99999    99999 99999  99999 99999  99999 99999  99999 99999  99999 99999
3741:  99999 99999  99999 99999  99999 99999  99999 99999  99999 99999    99999 99999  99999 99999  99999 99999  99999 99999  99999 99999
3742:  99999 99999  99999 99999  99999 99999  99999 99999  99999 99999    99999 99999  99999 99999  99999 99999  99999 99999  99999 99999
3743:  99999 99999  99999 99999  99999 99999  99999 99999  99999 99999    99999 99999  99999 99999  99999 99999  99999 99999  99999 99999
3744:  99999 99999  99999 99999  99999 99999  99999 99999  99999 99999    99999 99999  99999 99999  99999 99999  99999 99999  99999 99999
3745:  99999 99999  99999 99999  99999 99999  99999 99999  99999 99999    99999 99999  99999 99999  99999 99999  99999 99999  99999 99999
3746:  99999 99999  99999 99999  99999 99999  99999 99999  99999 99999    99999 99999  99999 99999  99999 99999  99999 99999  99999 99999
3747:  99999 99999  99999 99999  99999 99999  99999 99999  99999 99999    99999 99999  99999 99999  99999 99999  99999 99999  99999 99999
3748:  99999 99999  99999 99999  99999 99999  99999 99999  99999 99999    99999 99999  99999 99999  99999 99999  99999 99999  99999 99999
3749:  99999 99999  99999 99999  99999 99999  99999 99999  99999 99999    99999 99999  99999 99999  99999 99999  99999 99999  99999 99999
```

```
3750:  99999 99999  99999 99999  99999 99999  99999 99999  99999 99999    99999 99999  99999 99999  99999 99999  99999 99999  99999 99999
3751:  99999 99999  99999 99999  99999 99999  99999 99999  99999 99999    99999 99999  99999 99999  99999 99999  99999 99999  99999 99999
3752:  99999 99999  99999 99999  99999 99999  99999 99999  99999 99999    99999 99999  99999 99999  99999 99999  99999 99999  99999 99999
3753:  99999 99999  99999 99999  99999 99999  99999 99999  99999 99999    99999 99999  99999 99999  99999 99999  99999 99999  99999 99999
3754:  99999 99999  99999 99999  99999 99999  99999 99999  99999 99999    99999 99999  99999 99999  99999 99999  99999 99999  99999 99999
3755:  99999 99999  99999 99999  99999 99999  99999 99999  99999 99999    99999 99999  99999 99999  99999 99999  99999 99999  99999 99999
3756:  99999 99999  99999 99999  99999 99999  99999 99999  99999 99999    99999 99999  99999 99999  99999 99999  99999 99999  99999 99999
3757:  99999 99999  99999 99999  99999 99999  99999 99999  99999 99999    99999 99999  99999 99999  99999 99999  99999 99999  99999 99999
3758:  99999 99999  99999 99999  99999 99999  99999 99999  99999 99999    99999 99999  99999 99999  99999 99999  99999 99999  99999 99999
3759:  99999 99999  99999 99999  99999 99999  99999 99999  99999 99999    99999 99999  99999 99999  99999 99999  99999 99999  99999 99999
3760:  99999 99999  99999 99999  99999 99999  99999 99999  99999 99999    99999 99999  99999 99999  99999 99999  99999 99999  99999 99999
3761:  99999 99999  99999 99999  99999 99999  99999 99999  99999 99999    99999 99999  99999 99999  99999 99999  99999 99999  99999 99999
3762:  99999 99999  99999 99999  99999 99999  99999 99999  99999 99999    99999 99999  99999 99999  99999 99999  99999 99999  99999 99999
3763:  99999 99999  99999 99999  99999 99999  99999 99999  99999 99999    99999 99999  99999 99999  99999 99999  99999 99999  99999 99999
3764:  99999 99999  99999 99999  99999 99999  99999 99999  99999 99999    99999 99999  99999 99999  99999 99999  99999 99999  99999 99999
3765:  99999 99999  99999 99999  99999 99999  99999 99999  99999 99999    99999 99999  99999 99999  99999 99999  99999 99999  99999 99999
3766:  99999 99999  99999 99999  99999 99999  99999 99999  99999 99999    99999 99999  99999 99999  99999 99999  99999 99999  99999 99999
3767:  99999 99999  99999 99999  99999 99999  99999 99999  99999 99999    99999 99999  99999 99999  99999 99999  99999 99999  99999 99999
3768:  99999 99999  99999 99999  99999 99999  99999 99999  99999 99999    99999 99999  99999 99999  99999 99999  99999 99999  99999 99999
3769:  99999 99999  99999 99999  99999 99999  99999 99999  99999 99999    99999 99999  99999 99999  99999 99999  99999 99999  99999 99999
3770:  99999 99999  99999 99999  99999 99999  99999 99999  99999 99999    99999 99999  99999 99999  99999 99999  99999 99999  99999 99999
3771:  99999 99999  99999 99999  99999 99999  99999 99999  99999 99999    99999 99999  99999 99999  99999 99999  99999 99999  99999 99999
3772:  99999 99999  99999 99999  99999 99999  99999 99999  99999 99999    99999 99999  99999 99999  99999 99999  99999 99999  99999 99999
3773:  99999 99999  99999 99999  99999 99999  99999 99999  99999 99999    99999 99999  99999 99999  99999 99999  99999 99999  99999 99999
3774:  99999 99999  99999 99999  99999 99999  99999 99999  99999 99999    99999 99999  99999 99999  99999 99999  99999 99999  99999 99999
3775:  99999 99999  99999 99999  99999 99999  99999 99999  99999 99999    99999 99999  99999 99999  99999 99999  99999 99999  99999 99999
3776:  99999 99999  99999 99999  99999 99999  99999 99999  99999 99999    99999 99999  99999 99999  99999 99999  99999 99999  99999 99999
3777:  99999 99999  99999 99999  99999 99999  99999 99999  99999 99999    99999 99999  99999 99999  99999 99999  99999 99999  99999 99999
3778:  99999 99999  99999 99999  99999 99999  99999 99999  99999 99999    99999 99999  99999 99999  99999 99999  99999 99999  99999 99999
3779:  99999 99999  99999 99999  99999 99999  99999 99999  99999 99999    99999 99999  99999 99999  99999 99999  99999 99999  99999 99999
3780:  99999 99999  99999 99999  99999 99999  99999 99999  99999 99999    99999 99999  99999 99999  99999 99999  99999 99999  99999 99999
3781:  99999 99999  99999 99999  99999 99999  99999 99999  99999 99999    99999 99999  99999 99999  99999 99999  99999 99999  99999 99999
3782:  99999 99999  99999 99999  99999 99999  99999 99999  99999 99999    99999 99999  99999 99999  99999 99999  99999 99999  99999 99999
3783:  99999 99999  99999 99999  99999 99999  99999 99999  99999 99999    99999 99999  99999 99999  99999 99999  99999 99999  99999 99999
3784:  99999 99999  99999 99999  99999 99999  99999 99999  99999 99999    99999 99999  99999 99999  99999 99999  99999 99999  99999 99999
3785:  99999 99999  99999 99999  99999 99999  99999 99999  99999 99999    99999 99999  99999 99999  99999 99999  99999 99999  99999 99999
3786:  99999 99999  99999 99999  99999 99999  99999 99999  99999 99999    99999 99999  99999 99999  99999 99999  99999 99999  99999 99999
3787:  99999 99999  99999 99999  99999 99999  99999 99999  99999 99999    99999 99999  99999 99999  99999 99999  99999 99999  99999 99999
3788:  99999 99999  99999 99999  99999 99999  99999 99999  99999 99999    99999 99999  99999 99999  99999 99999  99999 99999  99999 99999
3789:  99999 99999  99999 99999  99999 99999  99999 99999  99999 99999    99999 99999  99999 99999  99999 99999  99999 99999  99999 99999
3790:  99999 99999  99999 99999  99999 99999  99999 99999  99999 99999    99999 99999  99999 99999  99999 99999  99999 99999  99999 99999
3791:  99999 99999  99999 99999  99999 99999  99999 99999  99999 99999    99999 99999  99999 99999  99999 99999  99999 99999  99999 99999
3792:  99999 99999  99999 99999  99999 99999  99999 99999  99999 99999    99999 99999  99999 99999  99999 99999  99999 99999  99999 99999
3793:  99999 99999  99999 99999  99999 99999  99999 99999  99999 99999    99999 99999  99999 99999  99999 99999  99999 99999  99999 99999
3794:  99999 99999  99999 99999  99999 99999  99999 99999  99999 99999    99999 99999  99999 99999  99999 99999  99999 99999  99999 99999
3795:  99999 99999  99999 99999  99999 99999  99999 99999  99999 99999    99999 99999  99999 99999  99999 99999  99999 99999  99999 99999
3796:  99999 99999  99999 99999  99999 99999  99999 99999  99999 99999    99999 99999  99999 99999  99999 99999  99999 99999  99999 99999
3797:  99999 99999  99999 99999  99999 99999  99999 99999  99999 99999    99999 99999  99999 99999  99999 99999  99999 99999  99999 99999
3798:  99999 99999  99999 99999  99999 99999  99999 99999  99999 99999    99999 99999  99999 99999  99999 99999  99999 99999  99999 99999
3799:  99999 99999  99999 99999  99999 99999  99999 99999  99999 99999    99999 99999  99999 99999  99999 99999  99999 99999  99999 99999
```

```
3800:  99999 99999  99999 99999  99999 99999  99999 99999  99999 99999    99999 99999  99999 99999  99999 99999  99999 99999  99999 99999
3801:  99999 99999  99999 99999  99999 99999  99999 99999  99999 99999    99999 99999  99999 99999  99999 99999  99999 99999  99999 99999
3802:  99999 99999  99999 99999  99999 99999  99999 99999  99999 99999    99999 99999  99999 99999  99999 99999  99999 99999  99999 99999
3803:  99999 99999  99999 99999  99999 99999  99999 99999  99999 99999    99999 99999  99999 99999  99999 99999  99999 99999  99999 99999
3804:  99999 99999  99999 99999  99999 99999  99999 99999  99999 99999    99999 99999  99999 99999  99999 99999  99999 99999  99999 99999
3805:  99999 99999  99999 99999  99999 99999  99999 99999  99999 99999    99999 99999  99999 99999  99999 99999  99999 99999  99999 99999
3806:  99999 99999  99999 99999  99999 99999  99999 99999  99999 99999    99999 99999  99999 99999  99999 99999  99999 99999  99999 99999
3807:  99999 99999  99999 99999  99999 99999  99999 99999  99999 99999    99999 99999  99999 99999  99999 99999  99999 99999  99999 99999
3808:  99999 99999  99999 99999  99999 99999  99999 99999  99999 99999    99999 99999  99999 99999  99999 99999  99999 99999  99999 99999
3809:  99999 99999  99999 99999  99999 99999  99999 99999  99999 99999    99999 99999  99999 99999  99999 99999  99999 99999  99999 99999
3810:  99999 99999  99999 99999  99999 99999  99999 99999  99999 99999    99999 99999  99999 99999  99999 99999  99999 99999  99999 99999
3811:  99999 99999  99999 99999  99999 99999  99999 99999  99999 99999    99999 99999  99999 99999  99999 99999  99999 99999  99999 99999
3812:  99999 99999  99999 99999  99999 99999  99999 99999  99999 99999    99999 99999  99999 99999  99999 99999  99999 99999  99999 99999
3813:  99999 99999  99999 99999  99999 99999  99999 99999  99999 99999    99999 99999  99999 99999  99999 99999  99999 99999  99999 99999
3814:  99999 99999  99999 99999  99999 99999  99999 99999  99999 99999    99999 99999  99999 99999  99999 99999  99999 99999  99999 99999
3815:  99999 99999  99999 99999  99999 99999  99999 99999  99999 99999    99999 99999  99999 99999  99999 99999  99999 99999  99999 99999
3816:  99999 99999  99999 99999  99999 99999  99999 99999  99999 99999    99999 99999  99999 99999  99999 99999  99999 99999  99999 99999
3817:  99999 99999  99999 99999  99999 99999  99999 99999  99999 99999    99999 99999  99999 99999  99999 99999  99999 99999  99999 99999
3818:  99999 99999  99999 99999  99999 99999  99999 99999  99999 99999    99999 99999  99999 99999  99999 99999  99999 99999  99999 99999
3819:  99999 99999  99999 99999  99999 99999  99999 99999  99999 99999    99999 99999  99999 99999  99999 99999  99999 99999  99999 99999
3820:  99999 99999  99999 99999  99999 99999  99999 99999  99999 99999    99999 99999  99999 99999  99999 99999  99999 99999  99999 99999
3821:  99999 99999  99999 99999  99999 99999  99999 99999  99999 99999    99999 99999  99999 99999  99999 99999  99999 99999  99999 99999
3822:  99999 99999  99999 99999  99999 99999  99999 99999  99999 99999    99999 99999  99999 99999  99999 99999  99999 99999  99999 99999
3823:  99999 99999  99999 99999  99999 99999  99999 99999  99999 99999    99999 99999  99999 99999  99999 99999  99999 99999  99999 99999
3824:  99999 99999  99999 99999  99999 99999  99999 99999  99999 99999    99999 99999  99999 99999  99999 99999  99999 99999  99999 99999
3825:  99999 99999  99999 99999  99999 99999  99999 99999  99999 99999    99999 99999  99999 99999  99999 99999  99999 99999  99999 99999
3826:  99999 99999  99999 99999  99999 99999  99999 99999  99999 99999    99999 99999  99999 99999  99999 99999  99999 99999  99999 99999
3827:  99999 99999  99999 99999  99999 99999  99999 99999  99999 99999    99999 99999  99999 99999  99999 99999  99999 99999  99999 99999
3828:  99999 99999  99999 99999  99999 99999  99999 99999  99999 99999    99999 99999  99999 99999  99999 99999  99999 99999  99999 99999
3829:  99999 99999  99999 99999  99999 99999  99999 99999  99999 99999    99999 99999  99999 99999  99999 99999  99999 99999  99999 99999
3830:  99999 99999  99999 99999  99999 99999  99999 99999  99999 99999    99999 99999  99999 99999  99999 99999  99999 99999  99999 99999
3831:  99999 99999  99999 99999  99999 99999  99999 99999  99999 99999    99999 99999  99999 99999  99999 99999  99999 99999  99999 99999
3832:  99999 99999  99999 99999  99999 99999  99999 99999  99999 99999    99999 99999  99999 99999  99999 99999  99999 99999  99999 99999
3833:  99999 99999  99999 99999  99999 99999  99999 99999  99999 99999    99999 99999  99999 99999  99999 99999  99999 99999  99999 99999
3834:  99999 99999  99999 99999  99999 99999  99999 99999  99999 99999    99999 99999  99999 99999  99999 99999  99999 99999  99999 99999
3835:  99999 99999  99999 99999  99999 99999  99999 99999  99999 99999    99999 99999  99999 99999  99999 99999  99999 99999  99999 99999
3836:  99999 99999  99999 99999  99999 99999  99999 99999  99999 99999    99999 99999  99999 99999  99999 99999  99999 99999  99999 99999
3837:  99999 99999  99999 99999  99999 99999  99999 99999  99999 99999    99999 99999  99999 99999  99999 99999  99999 99999  99999 99999
3838:  99999 99999  99999 99999  99999 99999  99999 99999  99999 99999    99999 99999  99999 99999  99999 99999  99999 99999  99999 99999
3839:  99999 99999  99999 99999  99999 99999  99999 99999  99999 99999    99999 99999  99999 99999  99999 99999  99999 99999  99999 99999
3840:  99999 99999  99999 99999  99999 99999  99999 99999  99999 99999    99999 99999  99999 99999  99999 99999  99999 99999  99999 99999
3841:  99999 99999  99999 99999  99999 99999  99999 99999  99999 99999    99999 99999  99999 99999  99999 99999  99999 99999  99999 99999
3842:  99999 99999  99999 99999  99999 99999  99999 99999  99999 99999    99999 99999  99999 99999  99999 99999  99999 99999  99999 99999
3843:  99999 99999  99999 99999  99999 99999  99999 99999  99999 99999    99999 99999  99999 99999  99999 99999  99999 99999  99999 99999
3844:  99999 99999  99999 99999  99999 99999  99999 99999  99999 99999    99999 99999  99999 99999  99999 99999  99999 99999  99999 99999
3845:  99999 99999  99999 99999  99999 99999  99999 99999  99999 99999    99999 99999  99999 99999  99999 99999  99999 99999  99999 99999
3846:  99999 99999  99999 99999  99999 99999  99999 99999  99999 99999    99999 99999  99999 99999  99999 99999  99999 99999  99999 99999
3847:  99999 99999  99999 99999  99999 99999  99999 99999  99999 99999    99999 99999  99999 99999  99999 99999  99999 99999  99999 99999
3848:  99999 99999  99999 99999  99999 99999  99999 99999  99999 99999    99999 99999  99999 99999  99999 99999  99999 99999  99999 99999
3849:  99999 99999  99999 99999  99999 99999  99999 99999  99999 99999    99999 99999  99999 99999  99999 99999  99999 99999  99999 99999
```

```
3850:   99999 99999   99999 99999   99999 99999   99999 99999   99999 99999     99999 99999   99999 99999   99999 99999   99999 99999   99999 99999
3851:   99999 99999   99999 99999   99999 99999   99999 99999   99999 99999     99999 99999   99999 99999   99999 99999   99999 99999   99999 99999
3852:   99999 99999   99999 99999   99999 99999   99999 99999   99999 99999     99999 99999   99999 99999   99999 99999   99999 99999   99999 99999
3853:   99999 99999   99999 99999   99999 99999   99999 99999   99999 99999     99999 99999   99999 99999   99999 99999   99999 99999   99999 99999
3854:   99999 99999   99999 99999   99999 99999   99999 99999   99999 99999     99999 99999   99999 99999   99999 99999   99999 99999   99999 99999
3855:   99999 99999   99999 99999   99999 99999   99999 99999   99999 99999     99999 99999   99999 99999   99999 99999   99999 99999   99999 99999
3856:   99999 99999   99999 99999   99999 99999   99999 99999   99999 99999     99999 99999   99999 99999   99999 99999   99999 99999   99999 99999
3857:   99999 99999   99999 99999   99999 99999   99999 99999   99999 99999     99999 99999   99999 99999   99999 99999   99999 99999   99999 99999
3858:   99999 99999   99999 99999   99999 99999   99999 99999   99999 99999     99999 99999   99999 99999   99999 99999   99999 99999   99999 99999
3859:   99999 99999   99999 99999   99999 99999   99999 99999   99999 99999     99999 99999   99999 99999   99999 99999   99999 99999   99999 99999
3860:   99999 99999   99999 99999   99999 99999   99999 99999   99999 99999     99999 99999   99999 99999   99999 99999   99999 99999   99999 99999
3861:   99999 99999   99999 99999   99999 99999   99999 99999   99999 99999     99999 99999   99999 99999   99999 99999   99999 99999   99999 99999
3862:   99999 99999   99999 99999   99999 99999   99999 99999   99999 99999     99999 99999   99999 99999   99999 99999   99999 99999   99999 99999
3863:   99999 99999   99999 99999   99999 99999   99999 99999   99999 99999     99999 99999   99999 99999   99999 99999   99999 99999   99999 99999
3864:   99999 99999   99999 99999   99999 99999   99999 99999   99999 99999     99999 99999   99999 99999   99999 99999   99999 99999   99999 99999
3865:   99999 99999   99999 99999   99999 99999   99999 99999   99999 99999     99999 99999   99999 99999   99999 99999   99999 99999   99999 99999
3866:   99999 99999   99999 99999   99999 99999   99999 99999   99999 99999     99999 99999   99999 99999   99999 99999   99999 99999   99999 99999
3867:   99999 99999   99999 99999   99999 99999   99999 99999   99999 99999     99999 99999   99999 99999   99999 99999   99999 99999   99999 99999
3868:   99999 99999   99999 99999   99999 99999   99999 99999   99999 99999     99999 99999   99999 99999   99999 99999   99999 99999   99999 99999
3869:   99999 99999   99999 99999   99999 99999   99999 99999   99999 99999     99999 99999   99999 99999   99999 99999   99999 99999   99999 99999
3870:   99999 99999   99999 99999   99999 99999   99999 99999   99999 99999     99999 99999   99999 99999   99999 99999   99999 99999   99999 99999
3871:   99999 99999   99999 99999   99999 99999   99999 99999   99999 99999     99999 99999   99999 99999   99999 99999   99999 99999   99999 99999
3872:   99999 99999   99999 99999   99999 99999   99999 99999   99999 99999     99999 99999   99999 99999   99999 99999   99999 99999   99999 99999
3873:   99999 99999   99999 99999   99999 99999   99999 99999   99999 99999     99999 99999   99999 99999   99999 99999   99999 99999   99999 99999
3874:   99999 99999   99999 99999   99999 99999   99999 99999   99999 99999     99999 99999   99999 99999   99999 99999   99999 99999   99999 99999
3875:   99999 99999   99999 99999   99999 99999   99999 99999   99999 99999     99999 99999   99999 99999   99999 99999   99999 99999   99999 99999
3876:   99999 99999   99999 99999   99999 99999   99999 99999   99999 99999     99999 99999   99999 99999   99999 99999   99999 99999   99999 99999
3877:   99999 99999   99999 99999   99999 99999   99999 99999   99999 99999     99999 99999   99999 99999   99999 99999   99999 99999   99999 99999
3878:   99999 99999   99999 99999   99999 99999   99999 99999   99999 99999     99999 99999   99999 99999   99999 99999   99999 99999   99999 99999
3879:   99999 99999   99999 99999   99999 99999   99999 99999   99999 99999     99999 99999   99999 99999   99999 99999   99999 99999   99999 99999
3880:   99999 99999   99999 99999   99999 99999   99999 99999   99999 99999     99999 99999   99999 99999   99999 99999   99999 99999   99999 99999
3881:   99999 99999   99999 99999   99999 99999   99999 99999   99999 99999     99999 99999   99999 99999   99999 99999   99999 99999   99999 99999
3882:   99999 99999   99999 99999   99999 99999   99999 99999   99999 99999     99999 99999   99999 99999   99999 99999   99999 99999   99999 99999
3883:   99999 99999   99999 99999   99999 99999   99999 99999   99999 99999     99999 99999   99999 99999   99999 99999   99999 99999   99999 99999
3884:   99999 99999   99999 99999   99999 99999   99999 99999   99999 99999     99999 99999   99999 99999   99999 99999   99999 99999   99999 99999
3885:   99999 99999   99999 99999   99999 99999   99999 99999   99999 99999     99999 99999   99999 99999   99999 99999   99999 99999   99999 99999
3886:   99999 99999   99999 99999   99999 99999   99999 99999   99999 99999     99999 99999   99999 99999   99999 99999   99999 99999   99999 99999
3887:   99999 99999   99999 99999   99999 99999   99999 99999   99999 99999     99999 99999   99999 99999   99999 99999   99999 99999   99999 99999
3888:   99999 99999   99999 99999   99999 99999   99999 99999   99999 99999     99999 99999   99999 99999   99999 99999   99999 99999   99999 99999
3889:   99999 99999   99999 99999   99999 99999   99999 99999   99999 99999     99999 99999   99999 99999   99999 99999   99999 99999   99999 99999
3890:   99999 99999   99999 99999   99999 99999   99999 99999   99999 99999     99999 99999   99999 99999   99999 99999   99999 99999   99999 99999
3891:   99999 99999   99999 99999   99999 99999   99999 99999   99999 99999     99999 99999   99999 99999   99999 99999   99999 99999   99999 99999
3892:   99999 99999   99999 99999   99999 99999   99999 99999   99999 99999     99999 99999   99999 99999   99999 99999   99999 99999   99999 99999
3893:   99999 99999   99999 99999   99999 99999   99999 99999   99999 99999     99999 99999   99999 99999   99999 99999   99999 99999   99999 99999
3894:   99999 99999   99999 99999   99999 99999   99999 99999   99999 99999     99999 99999   99999 99999   99999 99999   99999 99999   99999 99999
3895:   99999 99999   99999 99999   99999 99999   99999 99999   99999 99999     99999 99999   99999 99999   99999 99999   99999 99999   99999 99999
3896:   99999 99999   99999 99999   99999 99999   99999 99999   99999 99999     99999 99999   99999 99999   99999 99999   99999 99999   99999 99999
3897:   99999 99999   99999 99999   99999 99999   99999 99999   99999 99999     99999 99999   99999 99999   99999 99999   99999 99999   99999 99999
3898:   99999 99999   99999 99999   99999 99999   99999 99999   99999 99999     99999 99999   99999 99999   99999 99999   99999 99999   99999 99999
3899:   99999 99999   99999 99999   99999 99999   99999 99999   99999 99999     99999 99999   99999 99999   99999 99999   99999 99999   99999 99999
```

```
3900:  99999 99999  99999 99999  99999 99999  99999 99999  99999 99999    99999 99999  99999 99999  99999 99999  99999 99999  99999 99999
3901:  99999 99999  99999 99999  99999 99999  99999 99999  99999 99999    99999 99999  99999 99999  99999 99999  99999 99999  99999 99999
3902:  99999 99999  99999 99999  99999 99999  99999 99999  99999 99999    99999 99999  99999 99999  99999 99999  99999 99999  99999 99999
3903:  99999 99999  99999 99999  99999 99999  99999 99999  99999 99999    99999 99999  99999 99999  99999 99999  99999 99999  99999 99999
3904:  99999 99999  99999 99999  99999 99999  99999 99999  99999 99999    99999 99999  99999 99999  99999 99999  99999 99999  99999 99999
3905:  99999 99999  99999 99999  99999 99999  99999 99999  99999 99999    99999 99999  99999 99999  99999 99999  99999 99999  99999 99999
3906:  99999 99999  99999 99999  99999 99999  99999 99999  99999 99999    99999 99999  99999 99999  99999 99999  99999 99999  99999 99999
3907:  99999 99999  99999 99999  99999 99999  99999 99999  99999 99999    99999 99999  99999 99999  99999 99999  99999 99999  99999 99999
3908:  99999 99999  99999 99999  99999 99999  99999 99999  99999 99999    99999 99999  99999 99999  99999 99999  99999 99999  99999 99999
3909:  99999 99999  99999 99999  99999 99999  99999 99999  99999 99999    99999 99999  99999 99999  99999 99999  99999 99999  99999 99999
3910:  99999 99999  99999 99999  99999 99999  99999 99999  99999 99999    99999 99999  99999 99999  99999 99999  99999 99999  99999 99999
3911:  99999 99999  99999 99999  99999 99999  99999 99999  99999 99999    99999 99999  99999 99999  99999 99999  99999 99999  99999 99999
3912:  99999 99999  99999 99999  99999 99999  99999 99999  99999 99999    99999 99999  99999 99999  99999 99999  99999 99999  99999 99999
3913:  99999 99999  99999 99999  99999 99999  99999 99999  99999 99999    99999 99999  99999 99999  99999 99999  99999 99999  99999 99999
3914:  99999 99999  99999 99999  99999 99999  99999 99999  99999 99999    99999 99999  99999 99999  99999 99999  99999 99999  99999 99999
3915:  99999 99999  99999 99999  99999 99999  99999 99999  99999 99999    99999 99999  99999 99999  99999 99999  99999 99999  99999 99999
3916:  99999 99999  99999 99999  99999 99999  99999 99999  99999 99999    99999 99999  99999 99999  99999 99999  99999 99999  99999 99999
3917:  99999 99999  99999 99999  99999 99999  99999 99999  99999 99999    99999 99999  99999 99999  99999 99999  99999 99999  99999 99999
3918:  99999 99999  99999 99999  99999 99999  99999 99999  99999 99999    99999 99999  99999 99999  99999 99999  99999 99999  99999 99999
3919:  99999 99999  99999 99999  99999 99999  99999 99999  99999 99999    99999 99999  99999 99999  99999 99999  99999 99999  99999 99999
3920:  99999 99999  99999 99999  99999 99999  99999 99999  99999 99999    99999 99999  99999 99999  99999 99999  99999 99999  99999 99999
3921:  99999 99999  99999 99999  99999 99999  99999 99999  99999 99999    99999 99999  99999 99999  99999 99999  99999 99999  99999 99999
3922:  99999 99999  99999 99999  99999 99999  99999 99999  99999 99999    99999 99999  99999 99999  99999 99999  99999 99999  99999 99999
3923:  99999 99999  99999 99999  99999 99999  99999 99999  99999 99999    99999 99999  99999 99999  99999 99999  99999 99999  99999 99999
3924:  99999 99999  99999 99999  99999 99999  99999 99999  99999 99999    99999 99999  99999 99999  99999 99999  99999 99999  99999 99999
3925:  99999 99999  99999 99999  99999 99999  99999 99999  99999 99999    99999 99999  99999 99999  99999 99999  99999 99999  99999 99999
3926:  99999 99999  99999 99999  99999 99999  99999 99999  99999 99999    99999 99999  99999 99999  99999 99999  99999 99999  99999 99999
3927:  99999 99999  99999 99999  99999 99999  99999 99999  99999 99999    99999 99999  99999 99999  99999 99999  99999 99999  99999 99999
3928:  99999 99999  99999 99999  99999 99999  99999 99999  99999 99999    99999 99999  99999 99999  99999 99999  99999 99999  99999 99999
3929:  99999 99999  99999 99999  99999 99999  99999 99999  99999 99999    99999 99999  99999 99999  99999 99999  99999 99999  99999 99999
3930:  99999 99999  99999 99999  99999 99999  99999 99999  99999 99999    99999 99999  99999 99999  99999 99999  99999 99999  99999 99999
3931:  99999 99999  99999 99999  99999 99999  99999 99999  99999 99999    99999 99999  99999 99999  99999 99999  99999 99999  99999 99999
3932:  99999 99999  99999 99999  99999 99999  99999 99999  99999 99999    99999 99999  99999 99999  99999 99999  99999 99999  99999 99999
3933:  99999 99999  99999 99999  99999 99999  99999 99999  99999 99999    99999 99999  99999 99999  99999 99999  99999 99999  99999 99999
3934:  99999 99999  99999 99999  99999 99999  99999 99999  99999 99999    99999 99999  99999 99999  99999 99999  99999 99999  99999 99999
3935:  99999 99999  99999 99999  99999 99999  99999 99999  99999 99999    99999 99999  99999 99999  99999 99999  99999 99999  99999 99999
3936:  99999 99999  99999 99999  99999 99999  99999 99999  99999 99999    99999 99999  99999 99999  99999 99999  99999 99999  99999 99999
3937:  99999 99999  99999 99999  99999 99999  99999 99999  99999 99999    99999 99999  99999 99999  99999 99999  99999 99999  99999 99999
3938:  99999 99999  99999 99999  99999 99999  99999 99999  99999 99999    99999 99999  99999 99999  99999 99999  99999 99999  99999 99999
3939:  99999 99999  99999 99999  99999 99999  99999 99999  99999 99999    99999 99999  99999 99999  99999 99999  99999 99999  99999 99999
3940:  99999 99999  99999 99999  99999 99999  99999 99999  99999 99999    99999 99999  99999 99999  99999 99999  99999 99999  99999 99999
3941:  99999 99999  99999 99999  99999 99999  99999 99999  99999 99999    99999 99999  99999 99999  99999 99999  99999 99999  99999 99999
3942:  99999 99999  99999 99999  99999 99999  99999 99999  99999 99999    99999 99999  99999 99999  99999 99999  99999 99999  99999 99999
3943:  99999 99999  99999 99999  99999 99999  99999 99999  99999 99999    99999 99999  99999 99999  99999 99999  99999 99999  99999 99999
3944:  99999 99999  99999 99999  99999 99999  99999 99999  99999 99999    99999 99999  99999 99999  99999 99999  99999 99999  99999 99999
3945:  99999 99999  99999 99999  99999 99999  99999 99999  99999 99999    99999 99999  99999 99999  99999 99999  99999 99999  99999 99999
3946:  99999 99999  99999 99999  99999 99999  99999 99999  99999 99999    99999 99999  99999 99999  99999 99999  99999 99999  99999 99999
3947:  99999 99999  99999 99999  99999 99999  99999 99999  99999 99999    99999 99999  99999 99999  99999 99999  99999 99999  99999 99999
3948:  99999 99999  99999 99999  99999 99999  99999 99999  99999 99999    99999 99999  99999 99999  99999 99999  99999 99999  99999 99999
3949:  99999 99999  99999 99999  99999 99999  99999 99999  99999 99999    99999 99999  99999 99999  99999 99999  99999 99999  99999 99999
```

```
3950:  99999 99999  99999 99999  99999 99999  99999 99999  99999 99999    99999 99999  99999 99999  99999 99999  99999 99999  99999 99999
3951:  99999 99999  99999 99999  99999 99999  99999 99999  99999 99999    99999 99999  99999 99999  99999 99999  99999 99999  99999 99999
3952:  99999 99999  99999 99999  99999 99999  99999 99999  99999 99999    99999 99999  99999 99999  99999 99999  99999 99999  99999 99999
3953:  99999 99999  99999 99999  99999 99999  99999 99999  99999 99999    99999 99999  99999 99999  99999 99999  99999 99999  99999 99999
3954:  99999 99999  99999 99999  99999 99999  99999 99999  99999 99999    99999 99999  99999 99999  99999 99999  99999 99999  99999 99999
3955:  99999 99999  99999 99999  99999 99999  99999 99999  99999 99999    99999 99999  99999 99999  99999 99999  99999 99999  99999 99999
3956:  99999 99999  99999 99999  99999 99999  99999 99999  99999 99999    99999 99999  99999 99999  99999 99999  99999 99999  99999 99999
3957:  99999 99999  99999 99999  99999 99999  99999 99999  99999 99999    99999 99999  99999 99999  99999 99999  99999 99999  99999 99999
3958:  99999 99999  99999 99999  99999 99999  99999 99999  99999 99999    99999 99999  99999 99999  99999 99999  99999 99999  99999 99999
3959:  99999 99999  99999 99999  99999 99999  99999 99999  99999 99999    99999 99999  99999 99999  99999 99999  99999 99999  99999 99999
3960:  99999 99999  99999 99999  99999 99999  99999 99999  99999 99999    99999 99999  99999 99999  99999 99999  99999 99999  99999 99999
3961:  99999 99999  99999 99999  99999 99999  99999 99999  99999 99999    99999 99999  99999 99999  99999 99999  99999 99999  99999 99999
3962:  99999 99999  99999 99999  99999 99999  99999 99999  99999 99999    99999 99999  99999 99999  99999 99999  99999 99999  99999 99999
3963:  99999 99999  99999 99999  99999 99999  99999 99999  99999 99999    99999 99999  99999 99999  99999 99999  99999 99999  99999 99999
3964:  99999 99999  99999 99999  99999 99999  99999 99999  99999 99999    99999 99999  99999 99999  99999 99999  99999 99999  99999 99999
3965:  99999 99999  99999 99999  99999 99999  99999 99999  99999 99999    99999 99999  99999 99999  99999 99999  99999 99999  99999 99999
3966:  99999 99999  99999 99999  99999 99999  99999 99999  99999 99999    99999 99999  99999 99999  99999 99999  99999 99999  99999 99999
3967:  99999 99999  99999 99999  99999 99999  99999 99999  99999 99999    99999 99999  99999 99999  99999 99999  99999 99999  99999 99999
3968:  99999 99999  99999 99999  99999 99999  99999 99999  99999 99999    99999 99999  99999 99999  99999 99999  99999 99999  99999 99999
3969:  99999 99999  99999 99999  99999 99999  99999 99999  99999 99999    99999 99999  99999 99999  99999 99999  99999 99999  99999 99999
3970:  99999 99999  99999 99999  99999 99999  99999 99999  99999 99999    99999 99999  99999 99999  99999 99999  99999 99999  99999 99999
3971:  99999 99999  99999 99999  99999 99999  99999 99999  99999 99999    99999 99999  99999 99999  99999 99999  99999 99999  99999 99999
3972:  99999 99999  99999 99999  99999 99999  99999 99999  99999 99999    99999 99999  99999 99999  99999 99999  99999 99999  99999 99999
3973:  99999 99999  99999 99999  99999 99999  99999 99999  99999 99999    99999 99999  99999 99999  99999 99999  99999 99999  99999 99999
3974:  99999 99999  99999 99999  99999 99999  99999 99999  99999 99999    99999 99999  99999 99999  99999 99999  99999 99999  99999 99999
3975:  99999 99999  99999 99999  99999 99999  99999 99999  99999 99999    99999 99999  99999 99999  99999 99999  99999 99999  99999 99999
3976:  99999 99999  99999 99999  99999 99999  99999 99999  99999 99999    99999 99999  99999 99999  99999 99999  99999 99999  99999 99999
3977:  99999 99999  99999 99999  99999 99999  99999 99999  99999 99999    99999 99999  99999 99999  99999 99999  99999 99999  99999 99999
3978:  99999 99999  99999 99999  99999 99999  99999 99999  99999 99999    99999 99999  99999 99999  99999 99999  99999 99999  99999 99999
3979:  99999 99999  99999 99999  99999 99999  99999 99999  99999 99999    99999 99999  99999 99999  99999 99999  99999 99999  99999 99999
3980:  99999 99999  99999 99999  99999 99999  99999 99999  99999 99999    99999 99999  99999 99999  99999 99999  99999 99999  99999 99999
3981:  99999 99999  99999 99999  99999 99999  99999 99999  99999 99999    99999 99999  99999 99999  99999 99999  99999 99999  99999 99999
3982:  99999 99999  99999 99999  99999 99999  99999 99999  99999 99999    99999 99999  99999 99999  99999 99999  99999 99999  99999 99999
3983:  99999 99999  99999 99999  99999 99999  99999 99999  99999 99999    99999 99999  99999 99999  99999 99999  99999 99999  99999 99999
3984:  99999 99999  99999 99999  99999 99999  99999 99999  99999 99999    99999 99999  99999 99999  99999 99999  99999 99999  99999 99999
3985:  99999 99999  99999 99999  99999 99999  99999 99999  99999 99999    99999 99999  99999 99999  99999 99999  99999 99999  99999 99999
3986:  99999 99999  99999 99999  99999 99999  99999 99999  99999 99999    99999 99999  99999 99999  99999 99999  99999 99999  99999 99999
3987:  99999 99999  99999 99999  99999 99999  99999 99999  99999 99999    99999 99999  99999 99999  99999 99999  99999 99999  99999 99999
3988:  99999 99999  99999 99999  99999 99999  99999 99999  99999 99999    99999 99999  99999 99999  99999 99999  99999 99999  99999 99999
3989:  99999 99999  99999 99999  99999 99999  99999 99999  99999 99999    99999 99999  99999 99999  99999 99999  99999 99999  99999 99999
3990:  99999 99999  99999 99999  99999 99999  99999 99999  99999 99999    99999 99999  99999 99999  99999 99999  99999 99999  99999 99999
3991:  99999 99999  99999 99999  99999 99999  99999 99999  99999 99999    99999 99999  99999 99999  99999 99999  99999 99999  99999 99999
3992:  99999 99999  99999 99999  99999 99999  99999 99999  99999 99999    99999 99999  99999 99999  99999 99999  99999 99999  99999 99999
3993:  99999 99999  99999 99999  99999 99999  99999 99999  99999 99999    99999 99999  99999 99999  99999 99999  99999 99999  99999 99999
3994:  99999 99999  99999 99999  99999 99999  99999 99999  99999 99999    99999 99999  99999 99999  99999 99999  99999 99999  99999 99999
3995:  99999 99999  99999 99999  99999 99999  99999 99999  99999 99999    99999 99999  99999 99999  99999 99999  99999 99999  99999 99999
3996:  99999 99999  99999 99999  99999 99999  99999 99999  99999 99999    99999 99999  99999 99999  99999 99999  99999 99999  99999 99999
3997:  99999 99999  99999 99999  99999 99999  99999 99999  99999 99999    99999 99999  99999 99999  99999 99999  99999 99999  99999 99999
3998:  99999 99999  99999 99999  99999 99999  99999 99999  99999 99999    99999 99999  99999 99999  99999 99999  99999 99999  99999 99999
3999:  99999 99999  99999 99999  99999 99999  99999 99999  99999 99999    99999 99999  99999 99999  99999 99999  99999 99999  99999 99999
```

```
4000:  99999 99999  99999 99999  99999 99999  99999 99999  99999 99999    99999 99999  99999 99999  99999 99999  99999 99999  99999 99999
4001:  99999 99999  99999 99999  99999 99999  99999 99999  99999 99999    99999 99999  99999 99999  99999 99999  99999 99999  99999 99999
4002:  99999 99999  99999 99999  99999 99999  99999 99999  99999 99999    99999 99999  99999 99999  99999 99999  99999 99999  99999 99999
4003:  99999 99999  99999 99999  99999 99999  99999 99999  99999 99999    99999 99999  99999 99999  99999 99999  99999 99999  99999 99999
4004:  99999 99999  99999 99999  99999 99999  99999 99999  99999 99999    99999 99999  99999 99999  99999 99999  99999 99999  99999 99999
4005:  99999 99999  99999 99999  99999 99999  99999 99999  99999 99999    99999 99999  99999 99999  99999 99999  99999 99999  99999 99999
4006:  99999 99999  99999 99999  99999 99999  99999 99999  99999 99999    99999 99999  99999 99999  99999 99999  99999 99999  99999 99999
4007:  99999 99999  99999 99999  99999 99999  99999 99999  99999 99999    99999 99999  99999 99999  99999 99999  99999 99999  99999 99999
4008:  99999 99999  99999 99999  99999 99999  99999 99999  99999 99999    99999 99999  99999 99999  99999 99999  99999 99999  99999 99999
4009:  99999 99999  99999 99999  99999 99999  99999 99999  99999 99999    99999 99999  99999 99999  99999 99999  99999 99999  99999 99999
4010:  99999 99999  99999 99999  99999 99999  99999 99999  99999 99999    99999 99999  99999 99999  99999 99999  99999 99999  99999 99999
4011:  99999 99999  99999 99999  99999 99999  99999 99999  99999 99999    99999 99999  99999 99999  99999 99999  99999 99999  99999 99999
4012:  99999 99999  99999 99999  99999 99999  99999 99999  99999 99999    99999 99999  99999 99999  99999 99999  99999 99999  99999 99999
4013:  99999 99999  99999 99999  99999 99999  99999 99999  99999 99999    99999 99999  99999 99999  99999 99999  99999 99999  99999 99999
4014:  99999 99999  99999 99999  99999 99999  99999 99999  99999 99999    99999 99999  99999 99999  99999 99999  99999 99999  99999 99999
4015:  99999 99999  99999 99999  99999 99999  99999 99999  99999 99999    99999 99999  99999 99999  99999 99999  99999 99999  99999 99999
4016:  99999 99999  99999 99999  99999 99999  99999 99999  99999 99999    99999 99999  99999 99999  99999 99999  99999 99999  99999 99999
4017:  99999 99999  99999 99999  99999 99999  99999 99999  99999 99999    99999 99999  99999 99999  99999 99999  99999 99999  99999 99999
4018:  99999 99999  99999 99999  99999 99999  99999 99999  99999 99999    99999 99999  99999 99999  99999 99999  99999 99999  99999 99999
4019:  99999 99999  99999 99999  99999 99999  99999 99999  99999 99999    99999 99999  99999 99999  99999 99999  99999 99999  99999 99999
4020:  99999 99999  99999 99999  99999 99999  99999 99999  99999 99999    99999 99999  99999 99999  99999 99999  99999 99999  99999 99999
4021:  99999 99999  99999 99999  99999 99999  99999 99999  99999 99999    99999 99999  99999 99999  99999 99999  99999 99999  99999 99999
4022:  99999 99999  99999 99999  99999 99999  99999 99999  99999 99999    99999 99999  99999 99999  99999 99999  99999 99999  99999 99999
4023:  99999 99999  99999 99999  99999 99999  99999 99999  99999 99999    99999 99999  99999 99999  99999 99999  99999 99999  99999 99999
4024:  99999 99999  99999 99999  99999 99999  99999 99999  99999 99999    99999 99999  99999 99999  99999 99999  99999 99999  99999 99999
4025:  99999 99999  99999 99999  99999 99999  99999 99999  99999 99999    99999 99999  99999 99999  99999 99999  99999 99999  99999 99999
4026:  99999 99999  99999 99999  99999 99999  99999 99999  99999 99999    99999 99999  99999 99999  99999 99999  99999 99999  99999 99999
4027:  99999 99999  99999 99999  99999 99999  99999 99999  99999 99999    99999 99999  99999 99999  99999 99999  99999 99999  99999 99999
4028:  99999 99999  99999 99999  99999 99999  99999 99999  99999 99999    99999 99999  99999 99999  99999 99999  99999 99999  99999 99999
4029:  99999 99999  99999 99999  99999 99999  99999 99999  99999 99999    99999 99999  99999 99999  99999 99999  99999 99999  99999 99999
4030:  99999 99999  99999 99999  99999 99999  99999 99999  99999 99999    99999 99999  99999 99999  99999 99999  99999 99999  99999 99999
4031:  99999 99999  99999 99999  99999 99999  99999 99999  99999 99999    99999 99999  99999 99999  99999 99999  99999 99999  99999 99999
4032:  99999 99999  99999 99999  99999 99999  99999 99999  99999 99999    99999 99999  99999 99999  99999 99999  99999 99999  99999 99999
4033:  99999 99999  99999 99999  99999 99999  99999 99999  99999 99999    99999 99999  99999 99999  99999 99999  99999 99999  99999 99999
4034:  99999 99999  99999 99999  99999 99999  99999 99999  99999 99999    99999 99999  99999 99999  99999 99999  99999 99999  99999 99999
4035:  99999 99999  99999 99999  99999 99999  99999 99999  99999 99999    99999 99999  99999 99999  99999 99999  99999 99999  99999 99999
4036:  99999 99999  99999 99999  99999 99999  99999 99999  99999 99999    99999 99999  99999 99999  99999 99999  99999 99999  99999 99999
4037:  99999 99999  99999 99999  99999 99999  99999 99999  99999 99999    99999 99999  99999 99999  99999 99999  99999 99999  99999 99999
4038:  99999 99999  99999 99999  99999 99999  99999 99999  99999 99999    99999 99999  99999 99999  99999 99999  99999 99999  99999 99999
4039:  99999 99999  99999 99999  99999 99999  99999 99999  99999 99999    99999 99999  99999 99999  99999 99999  99999 99999  99999 99999
4040:  99999 99999  99999 99999  99999 99999  99999 99999  99999 99999    99999 99999  99999 99999  99999 99999  99999 99999  99999 99999
4041:  99999 99999  99999 99999  99999 99999  99999 99999  99999 99999    99999 99999  99999 99999  99999 99999  99999 99999  99999 99999
4042:  99999 99999  99999 99999  99999 99999  99999 99999  99999 99999    99999 99999  99999 99999  99999 99999  99999 99999  99999 99999
4043:  99999 99999  99999 99999  99999 99999  99999 99999  99999 99999    99999 99999  99999 99999  99999 99999  99999 99999  99999 99999
4044:  99999 99999  99999 99999  99999 99999  99999 99999  99999 99999    99999 99999  99999 99999  99999 99999  99999 99999  99999 99999
4045:  99999 99999  99999 99999  99999 99999  99999 99999  99999 99999    99999 99999  99999 99999  99999 99999  99999 99999  99999 99999
4046:  99999 99999  99999 99999  99999 99999  99999 99999  99999 99999    99999 99999  99999 99999  99999 99999  99999 99999  99999 99999
4047:  99999 99999  99999 99999  99999 99999  99999 99999  99999 99999    99999 99999  99999 99999  99999 99999  99999 99999  99999 99999
4048:  99999 99999  99999 99999  99999 99999  99999 99999  99999 99999    99999 99999  99999 99999  99999 99999  99999 99999  99999 99999
4049:  99999 99999  99999 99999  99999 99999  99999 99999  99999 99999    99999 99999  99999 99999  99999 99999  99999 99999  99999 99999
```

```
4050:  99999 99999  99999 99999  99999 99999  99999 99999  99999 99999    99999 99999  99999 99999  99999 99999  99999 99999  99999 99999
4051:  99999 99999  99999 99999  99999 99999  99999 99999  99999 99999    99999 99999  99999 99999  99999 99999  99999 99999  99999 99999
4052:  99999 99999  99999 99999  99999 99999  99999 99999  99999 99999    99999 99999  99999 99999  99999 99999  99999 99999  99999 99999
4053:  99999 99999  99999 99999  99999 99999  99999 99999  99999 99999    99999 99999  99999 99999  99999 99999  99999 99999  99999 99999
4054:  99999 99999  99999 99999  99999 99999  99999 99999  99999 99999    99999 99999  99999 99999  99999 99999  99999 99999  99999 99999
4055:  99999 99999  99999 99999  99999 99999  99999 99999  99999 99999    99999 99999  99999 99999  99999 99999  99999 99999  99999 99999
4056:  99999 99999  99999 99999  99999 99999  99999 99999  99999 99999    99999 99999  99999 99999  99999 99999  99999 99999  99999 99999
4057:  99999 99999  99999 99999  99999 99999  99999 99999  99999 99999    99999 99999  99999 99999  99999 99999  99999 99999  99999 99999
4058:  99999 99999  99999 99999  99999 99999  99999 99999  99999 99999    99999 99999  99999 99999  99999 99999  99999 99999  99999 99999
4059:  99999 99999  99999 99999  99999 99999  99999 99999  99999 99999    99999 99999  99999 99999  99999 99999  99999 99999  99999 99999
4060:  99999 99999  99999 99999  99999 99999  99999 99999  99999 99999    99999 99999  99999 99999  99999 99999  99999 99999  99999 99999
4061:  99999 99999  99999 99999  99999 99999  99999 99999  99999 99999    99999 99999  99999 99999  99999 99999  99999 99999  99999 99999
4062:  99999 99999  99999 99999  99999 99999  99999 99999  99999 99999    99999 99999  99999 99999  99999 99999  99999 99999  99999 99999
4063:  99999 99999  99999 99999  99999 99999  99999 99999  99999 99999    99999 99999  99999 99999  99999 99999  99999 99999  99999 99999
4064:  99999 99999  99999 99999  99999 99999  99999 99999  99999 99999    99999 99999  99999 99999  99999 99999  99999 99999  99999 99999
4065:  99999 99999  99999 99999  99999 99999  99999 99999  99999 99999    99999 99999  99999 99999  99999 99999  99999 99999  99999 99999
4066:  99999 99999  99999 99999  99999 99999  99999 99999  99999 99999    99999 99999  99999 99999  99999 99999  99999 99999  99999 99999
4067:  99999 99999  99999 99999  99999 99999  99999 99999  99999 99999    99999 99999  99999 99999  99999 99999  99999 99999  99999 99999
4068:  99999 99999  99999 99999  99999 99999  99999 99999  99999 99999    99999 99999  99999 99999  99999 99999  99999 99999  99999 99999
4069:  99999 99999  99999 99999  99999 99999  99999 99999  99999 99999    99999 99999  99999 99999  99999 99999  99999 99999  99999 99999
4070:  99999 99999  99999 99999  99999 99999  99999 99999  99999 99999    99999 99999  99999 99999  99999 99999  99999 99999  99999 99999
4071:  99999 99999  99999 99999  99999 99999  99999 99999  99999 99999    99999 99999  99999 99999  99999 99999  99999 99999  99999 99999
4072:  99999 99999  99999 99999  99999 99999  99999 99999  99999 99999    99999 99999  99999 99999  99999 99999  99999 99999  99999 99999
4073:  99999 99999  99999 99999  99999 99999  99999 99999  99999 99999    99999 99999  99999 99999  99999 99999  99999 99999  99999 99999
4074:  99999 99999  99999 99999  99999 99999  99999 99999  99999 99999    99999 99999  99999 99999  99999 99999  99999 99999  99999 99999
4075:  99999 99999  99999 99999  99999 99999  99999 99999  99999 99999    99999 99999  99999 99999  99999 99999  99999 99999  99999 99999
4076:  99999 99999  99999 99999  99999 99999  99999 99999  99999 99999    99999 99999  99999 99999  99999 99999  99999 99999  99999 99999
4077:  99999 99999  99999 99999  99999 99999  99999 99999  99999 99999    99999 99999  99999 99999  99999 99999  99999 99999  99999 99999
4078:  99999 99999  99999 99999  99999 99999  99999 99999  99999 99999    99999 99999  99999 99999  99999 99999  99999 99999  99999 99999
4079:  99999 99999  99999 99999  99999 99999  99999 99999  99999 99999    99999 99999  99999 99999  99999 99999  99999 99999  99999 99999
4080:  99999 99999  99999 99999  99999 99999  99999 99999  99999 99999    99999 99999  99999 99999  99999 99999  99999 99999  99999 99999
4081:  99999 99999  99999 99999  99999 99999  99999 99999  99999 99999    99999 99999  99999 99999  99999 99999  99999 99999  99999 99999
4082:  99999 99999  99999 99999  99999 99999  99999 99999  99999 99999    99999 99999  99999 99999  99999 99999  99999 99999  99999 99999
4083:  99999 99999  99999 99999  99999 99999  99999 99999  99999 99999    99999 99999  99999 99999  99999 99999  99999 99999  99999 99999
4084:  99999 99999  99999 99999  99999 99999  99999 99999  99999 99999    99999 99999  99999 99999  99999 99999  99999 99999  99999 99999
4085:  99999 99999  99999 99999  99999 99999  99999 99999  99999 99999    99999 99999  99999 99999  99999 99999  99999 99999  99999 99999
4086:  99999 99999  99999 99999  99999 99999  99999 99999  99999 99999    99999 99999  99999 99999  99999 99999  99999 99999  99999 99999
4087:  99999 99999  99999 99999  99999 99999  99999 99999  99999 99999    99999 99999  99999 99999  99999 99999  99999 99999  99999 99999
4088:  99999 99999  99999 99999  99999 99999  99999 99999  99999 99999    99999 99999  99999 99999  99999 99999  99999 99999  99999 99999
4089:  99999 99999  99999 99999  99999 99999  99999 99999  99999 99999    99999 99999  99999 99999  99999 99999  99999 99999  99999 99999
4090:  99999 99999  99999 99999  99999 99999  99999 99999  99999 99999    99999 99999  99999 99999  99999 99999  99999 99999  99999 99999
4091:  99999 99999  99999 99999  99999 99999  99999 99999  99999 99999    99999 99999  99999 99999  99999 99999  99999 99999  99999 99999
4092:  99999 99999  99999 99999  99999 99999  99999 99999  99999 99999    99999 99999  99999 99999  99999 99999  99999 99999  99999 99999
4093:  99999 99999  99999 99999  99999 99999  99999 99999  99999 99999    99999 99999  99999 99999  99999 99999  99999 99999  99999 99999
4094:  99999 99999  99999 99999  99999 99999  99999 99999  99999 99999    99999 99999  99999 99999  99999 99999  99999 99999  99999 99999
4095:  99999 99999  99999 99999  99999 99999  99999 99999  99999 99999    99999 99999  99999 99999  99999 99999  99999 99999  99999 99999
4096:  99999 99999  99999 99999  99999 99999  99999 99999  99999 99999    99999 99999  99999 99999  99999 99999  99999 99999  99999 99999
4097:  99999 99999  99999 99999  99999 99999  99999 99999  99999 99999    99999 99999  99999 99999  99999 99999  99999 99999  99999 99999
4098:  99999 99999  99999 99999  99999 99999  99999 99999  99999 99999    99999 99999  99999 99999  99999 99999  99999 99999  99999 99999
4099:  99999 99999  99999 99999  99999 99999  99999 99999  99999 99999    99999 99999  99999 99999  99999 99999  99999 99999  99999 99999
```

```
4100:  99999 99999   99999 99999   99999 99999   99999 99999   99999 99999     99999 99999   99999 99999   99999 99999   99999 99999   99999 99999
4101:  99999 99999   99999 99999   99999 99999   99999 99999   99999 99999     99999 99999   99999 99999   99999 99999   99999 99999   99999 99999
4102:  99999 99999   99999 99999   99999 99999   99999 99999   99999 99999     99999 99999   99999 99999   99999 99999   99999 99999   99999 99999
4103:  99999 99999   99999 99999   99999 99999   99999 99999   99999 99999     99999 99999   99999 99999   99999 99999   99999 99999   99999 99999
4104:  99999 99999   99999 99999   99999 99999   99999 99999   99999 99999     99999 99999   99999 99999   99999 99999   99999 99999   99999 99999
4105:  99999 99999   99999 99999   99999 99999   99999 99999   99999 99999     99999 99999   99999 99999   99999 99999   99999 99999   99999 99999
4106:  99999 99999   99999 99999   99999 99999   99999 99999   99999 99999     99999 99999   99999 99999   99999 99999   99999 99999   99999 99999
4107:  99999 99999   99999 99999   99999 99999   99999 99999   99999 99999     99999 99999   99999 99999   99999 99999   99999 99999   99999 99999
4108:  99999 99999   99999 99999   99999 99999   99999 99999   99999 99999     99999 99999   99999 99999   99999 99999   99999 99999   99999 99999
4109:  99999 99999   99999 99999   99999 99999   99999 99999   99999 99999     99999 99999   99999 99999   99999 99999   99999 99999   99999 99999
4110:  99999 99999   99999 99999   99999 99999   99999 99999   99999 99999     99999 99999   99999 99999   99999 99999   99999 99999   99999 99999
4111:  99999 99999   99999 99999   99999 99999   99999 99999   99999 99999     99999 99999   99999 99999   99999 99999   99999 99999   99999 99999
4112:  99999 99999   99999 99999   99999 99999   99999 99999   99999 99999     99999 99999   99999 99999   99999 99999   99999 99999   99999 99999
4113:  99999 99999   99999 99999   99999 99999   99999 99999   99999 99999     99999 99999   99999 99999   99999 99999   99999 99999   99999 99999
4114:  99999 99999   99999 99999   99999 99999   99999 99999   99999 99999     99999 99999   99999 99999   99999 99999   99999 99999   99999 99999
4115:  99999 99999   99999 99999   99999 99999   99999 99999   99999 99999     99999 99999   99999 99999   99999 99999   99999 99999   99999 99999
4116:  99999 99999   99999 99999   99999 99999   99999 99999   99999 99999     99999 99999   99999 99999   99999 99999   99999 99999   99999 99999
4117:  99999 99999   99999 99999   99999 99999   99999 99999   99999 99999     99999 99999   99999 99999   99999 99999   99999 99999   99999 99999
4118:  99999 99999   99999 99999   99999 99999   99999 99999   99999 99999     99999 99999   99999 99999   99999 99999   99999 99999   99999 99999
4119:  99999 99999   99999 99999   99999 99999   99999 99999   99999 99999     99999 99999   99999 99999   99999 99999   99999 99999   99999 99999
4120:  99999 99999   99999 99999   99999 99999   99999 99999   99999 99999     99999 99999   99999 99999   99999 99999   99999 99999   99999 99999
4121:  99999 99999   99999 99999   99999 99999   99999 99999   99999 99999     99999 99999   99999 99999   99999 99999   99999 99999   99999 99999
4122:  99999 99999   99999 99999   99999 99999   99999 99999   99999 99999     99999 99999   99999 99999   99999 99999   99999 99999   99999 99999
4123:  99999 99999   99999 99999   99999 99999   99999 99999   99999 99999     99999 99999   99999 99999   99999 99999   99999 99999   99999 99999
4124:  99999 99999   99999 99999   99999 99999   99999 99999   99999 99999     99999 99999   99999 99999   99999 99999   99999 99999   99999 99999
4125:  99999 99999   99999 99999   99999 99999   99999 99999   99999 99999     99999 99999   99999 99999   99999 99999   99999 99999   99999 99999
4126:  99999 99999   99999 99999   99999 99999   99999 99999   99999 99999     99999 99999   99999 99999   99999 99999   99999 99999   99999 99999
4127:  99999 99999   99999 99999   99999 99999   99999 99999   99999 99999     99999 99999   99999 99999   99999 99999   99999 99999   99999 99999
4128:  99999 99999   99999 99999   99999 99999   99999 99999   99999 99999     99999 99999   99999 99999   99999 99999   99999 99999   99999 99999
4129:  99999 99999   99999 99999   99999 99999   99999 99999   99999 99999     99999 99999   99999 99999   99999 99999   99999 99999   99999 99999
4130:  99999 99999   99999 99999   99999 99999   99999 99999   99999 99999     99999 99999   99999 99999   99999 99999   99999 99999   99999 99999
4131:  99999 99999   99999 99999   99999 99999   99999 99999   99999 99999     99999 99999   99999 99999   99999 99999   99999 99999   99999 99999
4132:  99999 99999   99999 99999   99999 99999   99999 99999   99999 99999     99999 99999   99999 99999   99999 99999   99999 99999   99999 99999
4133:  99999 99999   99999 99999   99999 99999   99999 99999   99999 99999     99999 99999   99999 99999   99999 99999   99999 99999   99999 99999
4134:  99999 99999   99999 99999   99999 99999   99999 99999   99999 99999     99999 99999   99999 99999   99999 99999   99999 99999   99999 99999
4135:  99999 99999   99999 99999   99999 99999   99999 99999   99999 99999     99999 99999   99999 99999   99999 99999   99999 99999   99999 99999
4136:  99999 99999   99999 99999   99999 99999   99999 99999   99999 99999     99999 99999   99999 99999   99999 99999   99999 99999   99999 99999
4137:  99999 99999   99999 99999   99999 99999   99999 99999   99999 99999     99999 99999   99999 99999   99999 99999   99999 99999   99999 99999
4138:  99999 99999   99999 99999   99999 99999   99999 99999   99999 99999     99999 99999   99999 99999   99999 99999   99999 99999   99999 99999
4139:  99999 99999   99999 99999   99999 99999   99999 99999   99999 99999     99999 99999   99999 99999   99999 99999   99999 99999   99999 99999
4140:  99999 99999   99999 99999   99999 99999   99999 99999   99999 99999     99999 99999   99999 99999   99999 99999   99999 99999   99999 99999
4141:  99999 99999   99999 99999   99999 99999   99999 99999   99999 99999     99999 99999   99999 99999   99999 99999   99999 99999   99999 99999
4142:  99999 99999   99999 99999   99999 99999   99999 99999   99999 99999     99999 99999   99999 99999   99999 99999   99999 99999   99999 99999
4143:  99999 99999   99999 99999   99999 99999   99999 99999   99999 99999     99999 99999   99999 99999   99999 99999   99999 99999   99999 99999
4144:  99999 99999   99999 99999   99999 99999   99999 99999   99999 99999     99999 99999   99999 99999   99999 99999   99999 99999   99999 99999
4145:  99999 99999   99999 99999   99999 99999   99999 99999   99999 99999     99999 99999   99999 99999   99999 99999   99999 99999   99999 99999
4146:  99999 99999   99999 99999   99999 99999   99999 99999   99999 99999     99999 99999   99999 99999   99999 99999   99999 99999   99999 99999
4147:  99999 99999   99999 99999   99999 99999   99999 99999   99999 99999     99999 99999   99999 99999   99999 99999   99999 99999   99999 99999
4148:  99999 99999   99999 99999   99999 99999   99999 99999   99999 99999     99999 99999   99999 99999   99999 99999   99999 99999   99999 99999
4149:  99999 99999   99999 99999   99999 99999   99999 99999   99999 99999     99999 99999   99999 99999   99999 99999   99999 99999   99999 99999
```

```
4150:  99999 99999  99999 99999  99999 99999  99999 99999  99999 99999    99999 99999  99999 99999  99999 99999  99999 99999  99999 99999
4151:  99999 99999  99999 99999  99999 99999  99999 99999  99999 99999    99999 99999  99999 99999  99999 99999  99999 99999  99999 99999
4152:  99999 99999  99999 99999  99999 99999  99999 99999  99999 99999    99999 99999  99999 99999  99999 99999  99999 99999  99999 99999
4153:  99999 99999  99999 99999  99999 99999  99999 99999  99999 99999    99999 99999  99999 99999  99999 99999  99999 99999  99999 99999
4154:  99999 99999  99999 99999  99999 99999  99999 99999  99999 99999    99999 99999  99999 99999  99999 99999  99999 99999  99999 99999
4155:  99999 99999  99999 99999  99999 99999  99999 99999  99999 99999    99999 99999  99999 99999  99999 99999  99999 99999  99999 99999
4156:  99999 99999  99999 99999  99999 99999  99999 99999  99999 99999    99999 99999  99999 99999  99999 99999  99999 99999  99999 99999
4157:  99999 99999  99999 99999  99999 99999  99999 99999  99999 99999    99999 99999  99999 99999  99999 99999  99999 99999  99999 99999
4158:  99999 99999  99999 99999  99999 99999  99999 99999  99999 99999    99999 99999  99999 99999  99999 99999  99999 99999  99999 99999
4159:  99999 99999  99999 99999  99999 99999  99999 99999  99999 99999    99999 99999  99999 99999  99999 99999  99999 99999  99999 99999
4160:  99999 99999  99999 99999  99999 99999  99999 99999  99999 99999    99999 99999  99999 99999  99999 99999  99999 99999  99999 99999
4161:  99999 99999  99999 99999  99999 99999  99999 99999  99999 99999    99999 99999  99999 99999  99999 99999  99999 99999  99999 99999
4162:  99999 99999  99999 99999  99999 99999  99999 99999  99999 99999    99999 99999  99999 99999  99999 99999  99999 99999  99999 99999
4163:  99999 99999  99999 99999  99999 99999  99999 99999  99999 99999    99999 99999  99999 99999  99999 99999  99999 99999  99999 99999
4164:  99999 99999  99999 99999  99999 99999  99999 99999  99999 99999    99999 99999  99999 99999  99999 99999  99999 99999  99999 99999
4165:  99999 99999  99999 99999  99999 99999  99999 99999  99999 99999    99999 99999  99999 99999  99999 99999  99999 99999  99999 99999
4166:  99999 99999  99999 99999  99999 99999  99999 99999  99999 99999    99999 99999  99999 99999  99999 99999  99999 99999  99999 99999
4167:  99999 99999  99999 99999  99999 99999  99999 99999  99999 99999    99999 99999  99999 99999  99999 99999  99999 99999  99999 99999
4168:  99999 99999  99999 99999  99999 99999  99999 99999  99999 99999    99999 99999  99999 99999  99999 99999  99999 99999  99999 99999
4169:  99999 99999  99999 99999  99999 99999  99999 99999  99999 99999    99999 99999  99999 99999  99999 99999  99999 99999  99999 99999
4170:  99999 99999  99999 99999  99999 99999  99999 99999  99999 99999    99999 99999  99999 99999  99999 99999  99999 99999  99999 99999
4171:  99999 99999  99999 99999  99999 99999  99999 99999  99999 99999    99999 99999  99999 99999  99999 99999  99999 99999  99999 99999
4172:  99999 99999  99999 99999  99999 99999  99999 99999  99999 99999    99999 99999  99999 99999  99999 99999  99999 99999  99999 99999
4173:  99999 99999  99999 99999  99999 99999  99999 99999  99999 99999    99999 99999  99999 99999  99999 99999  99999 99999  99999 99999
4174:  99999 99999  99999 99999  99999 99999  99999 99999  99999 99999    99999 99999  99999 99999  99999 99999  99999 99999  99999 99999
4175:  99999 99999  99999 99999  99999 99999  99999 99999  99999 99999    99999 99999  99999 99999  99999 99999  99999 99999  99999 99999
4176:  99999 99999  99999 99999  99999 99999  99999 99999  99999 99999    99999 99999  99999 99999  99999 99999  99999 99999  99999 99999
4177:  99999 99999  99999 99999  99999 99999  99999 99999  99999 99999    99999 99999  99999 99999  99999 99999  99999 99999  99999 99999
4178:  99999 99999  99999 99999  99999 99999  99999 99999  99999 99999    99999 99999  99999 99999  99999 99999  99999 99999  99999 99999
4179:  99999 99999  99999 99999  99999 99999  99999 99999  99999 99999    99999 99999  99999 99999  99999 99999  99999 99999  99999 99999
4180:  99999 99999  99999 99999  99999 99999  99999 99999  99999 99999    99999 99999  99999 99999  99999 99999  99999 99999  99999 99999
4181:  99999 99999  99999 99999  99999 99999  99999 99999  99999 99999    99999 99999  99999 99999  99999 99999  99999 99999  99999 99999
4182:  99999 99999  99999 99999  99999 99999  99999 99999  99999 99999    99999 99999  99999 99999  99999 99999  99999 99999  99999 99999
4183:  99999 99999  99999 99999  99999 99999  99999 99999  99999 99999    99999 99999  99999 99999  99999 99999  99999 99999  99999 99999
4184:  99999 99999  99999 99999  99999 99999  99999 99999  99999 99999    99999 99999  99999 99999  99999 99999  99999 99999  99999 99999
4185:  99999 99999  99999 99999  99999 99999  99999 99999  99999 99999    99999 99999  99999 99999  99999 99999  99999 99999  99999 99999
4186:  99999 99999  99999 99999  99999 99999  99999 99999  99999 99999    99999 99999  99999 99999  99999 99999  99999 99999  99999 99999
4187:  99999 99999  99999 99999  99999 99999  99999 99999  99999 99999    99999 99999  99999 99999  99999 99999  99999 99999  99999 99999
4188:  99999 99999  99999 99999  99999 99999  99999 99999  99999 99999    99999 99999  99999 99999  99999 99999  99999 99999  99999 99999
4189:  99999 99999  99999 99999  99999 99999  99999 99999  99999 99999    99999 99999  99999 99999  99999 99999  99999 99999  99999 99999
4190:  99999 99999  99999 99999  99999 99999  99999 99999  99999 99999    99999 99999  99999 99999  99999 99999  99999 99999  99999 99999
4191:  99999 99999  99999 99999  99999 99999  99999 99999  99999 99999    99999 99999  99999 99999  99999 99999  99999 99999  99999 99999
4192:  99999 99999  99999 99999  99999 99999  99999 99999  99999 99999    99999 99999  99999 99999  99999 99999  99999 99999  99999 99999
4193:  99999 99999  99999 99999  99999 99999  99999 99999  99999 99999    99999 99999  99999 99999  99999 99999  99999 99999  99999 99999
4194:  99999 99999  99999 99999  99999 99999  99999 99999  99999 99999    99999 99999  99999 99999  99999 99999  99999 99999  99999 99999
4195:  99999 99999  99999 99999  99999 99999  99999 99999  99999 99999    99999 99999  99999 99999  99999 99999  99999 99999  99999 99999
4196:  99999 99999  99999 99999  99999 99999  99999 99999  99999 99999    99999 99999  99999 99999  99999 99999  99999 99999  99999 99999
4197:  99999 99999  99999 99999  99999 99999  99999 99999  99999 99999    99999 99999  99999 99999  99999 99999  99999 99999  99999 99999
4198:  99999 99999  99999 99999  99999 99999  99999 99999  99999 99999    99999 99999  99999 99999  99999 99999  99999 99999  99999 99999
4199:  99999 99999  99999 99999  99999 99999  99999 99999  99999 99999    99999 99999  99999 99999  99999 99999  99999 99999  99999 99999
```

```
4200:  99999 99999   99999 99999   99999 99999   99999 99999   99999 99999     99999 99999   99999 99999   99999 99999   99999 99999   99999 99999
4201:  99999 99999   99999 99999   99999 99999   99999 99999   99999 99999     99999 99999   99999 99999   99999 99999   99999 99999   99999 99999
4202:  99999 99999   99999 99999   99999 99999   99999 99999   99999 99999     99999 99999   99999 99999   99999 99999   99999 99999   99999 99999
4203:  99999 99999   99999 99999   99999 99999   99999 99999   99999 99999     99999 99999   99999 99999   99999 99999   99999 99999   99999 99999
4204:  99999 99999   99999 99999   99999 99999   99999 99999   99999 99999     99999 99999   99999 99999   99999 99999   99999 99999   99999 99999
4205:  99999 99999   99999 99999   99999 99999   99999 99999   99999 99999     99999 99999   99999 99999   99999 99999   99999 99999   99999 99999
4206:  99999 99999   99999 99999   99999 99999   99999 99999   99999 99999     99999 99999   99999 99999   99999 99999   99999 99999   99999 99999
4207:  99999 99999   99999 99999   99999 99999   99999 99999   99999 99999     99999 99999   99999 99999   99999 99999   99999 99999   99999 99999
4208:  99999 99999   99999 99999   99999 99999   99999 99999   99999 99999     99999 99999   99999 99999   99999 99999   99999 99999   99999 99999
4209:  99999 99999   99999 99999   99999 99999   99999 99999   99999 99999     99999 99999   99999 99999   99999 99999   99999 99999   99999 99999
4210:  99999 99999   99999 99999   99999 99999   99999 99999   99999 99999     99999 99999   99999 99999   99999 99999   99999 99999   99999 99999
4211:  99999 99999   99999 99999   99999 99999   99999 99999   99999 99999     99999 99999   99999 99999   99999 99999   99999 99999   99999 99999
4212:  99999 99999   99999 99999   99999 99999   99999 99999   99999 99999     99999 99999   99999 99999   99999 99999   99999 99999   99999 99999
4213:  99999 99999   99999 99999   99999 99999   99999 99999   99999 99999     99999 99999   99999 99999   99999 99999   99999 99999   99999 99999
4214:  99999 99999   99999 99999   99999 99999   99999 99999   99999 99999     99999 99999   99999 99999   99999 99999   99999 99999   99999 99999
4215:  99999 99999   99999 99999   99999 99999   99999 99999   99999 99999     99999 99999   99999 99999   99999 99999   99999 99999   99999 99999
4216:  99999 99999   99999 99999   99999 99999   99999 99999   99999 99999     99999 99999   99999 99999   99999 99999   99999 99999   99999 99999
4217:  99999 99999   99999 99999   99999 99999   99999 99999   99999 99999     99999 99999   99999 99999   99999 99999   99999 99999   99999 99999
4218:  99999 99999   99999 99999   99999 99999   99999 99999   99999 99999     99999 99999   99999 99999   99999 99999   99999 99999   99999 99999
4219:  99999 99999   99999 99999   99999 99999   99999 99999   99999 99999     99999 99999   99999 99999   99999 99999   99999 99999   99999 99999
4220:  99999 99999   99999 99999   99999 99999   99999 99999   99999 99999     99999 99999   99999 99999   99999 99999   99999 99999   99999 99999
4221:  99999 99999   99999 99999   99999 99999   99999 99999   99999 99999     99999 99999   99999 99999   99999 99999   99999 99999   99999 99999
4222:  99999 99999   99999 99999   99999 99999   99999 99999   99999 99999     99999 99999   99999 99999   99999 99999   99999 99999   99999 99999
4223:  99999 99999   99999 99999   99999 99999   99999 99999   99999 99999     99999 99999   99999 99999   99999 99999   99999 99999   99999 99999
4224:  99999 99999   99999 99999   99999 99999   99999 99999   99999 99999     99999 99999   99999 99999   99999 99999   99999 99999   99999 99999
4225:  99999 99999   99999 99999   99999 99999   99999 99999   99999 99999     99999 99999   99999 99999   99999 99999   99999 99999   99999 99999
4226:  99999 99999   99999 99999   99999 99999   99999 99999   99999 99999     99999 99999   99999 99999   99999 99999   99999 99999   99999 99999
4227:  99999 99999   99999 99999   99999 99999   99999 99999   99999 99999     99999 99999   99999 99999   99999 99999   99999 99999   99999 99999
4228:  99999 99999   99999 99999   99999 99999   99999 99999   99999 99999     99999 99999   99999 99999   99999 99999   99999 99999   99999 99999
4229:  99999 99999   99999 99999   99999 99999   99999 99999   99999 99999     99999 99999   99999 99999   99999 99999   99999 99999   99999 99999
4230:  99999 99999   99999 99999   99999 99999   99999 99999   99999 99999     99999 99999   99999 99999   99999 99999   99999 99999   99999 99999
4231:  99999 99999   99999 99999   99999 99999   99999 99999   99999 99999     99999 99999   99999 99999   99999 99999   99999 99999   99999 99999
4232:  99999 99999   99999 99999   99999 99999   99999 99999   99999 99999     99999 99999   99999 99999   99999 99999   99999 99999   99999 99999
4233:  99999 99999   99999 99999   99999 99999   99999 99999   99999 99999     99999 99999   99999 99999   99999 99999   99999 99999   99999 99999
4234:  99999 99999   99999 99999   99999 99999   99999 99999   99999 99999     99999 99999   99999 99999   99999 99999   99999 99999   99999 99999
4235:  99999 99999   99999 99999   99999 99999   99999 99999   99999 99999     99999 99999   99999 99999   99999 99999   99999 99999   99999 99999
4236:  99999 99999   99999 99999   99999 99999   99999 99999   99999 99999     99999 99999   99999 99999   99999 99999   99999 99999   99999 99999
4237:  99999 99999   99999 99999   99999 99999   99999 99999   99999 99999     99999 99999   99999 99999   99999 99999   99999 99999   99999 99999
4238:  99999 99999   99999 99999   99999 99999   99999 99999   99999 99999     99999 99999   99999 99999   99999 99999   99999 99999   99999 99999
4239:  99999 99999   99999 99999   99999 99999   99999 99999   99999 99999     99999 99999   99999 99999   99999 99999   99999 99999   99999 99999
4240:  99999 99999   99999 99999   99999 99999   99999 99999   99999 99999     99999 99999   99999 99999   99999 99999   99999 99999   99999 99999
4241:  99999 99999   99999 99999   99999 99999   99999 99999   99999 99999     99999 99999   99999 99999   99999 99999   99999 99999   99999 99999
4242:  99999 99999   99999 99999   99999 99999   99999 99999   99999 99999     99999 99999   99999 99999   99999 99999   99999 99999   99999 99999
4243:  99999 99999   99999 99999   99999 99999   99999 99999   99999 99999     99999 99999   99999 99999   99999 99999   99999 99999   99999 99999
4244:  99999 99999   99999 99999   99999 99999   99999 99999   99999 99999     99999 99999   99999 99999   99999 99999   99999 99999   99999 99999
4245:  99999 99999   99999 99999   99999 99999   99999 99999   99999 99999     99999 99999   99999 99999   99999 99999   99999 99999   99999 99999
4246:  99999 99999   99999 99999   99999 99999   99999 99999   99999 99999     99999 99999   99999 99999   99999 99999   99999 99999   99999 99999
4247:  99999 99999   99999 99999   99999 99999   99999 99999   99999 99999     99999 99999   99999 99999   99999 99999   99999 99999   99999 99999
4248:  99999 99999   99999 99999   99999 99999   99999 99999   99999 99999     99999 99999   99999 99999   99999 99999   99999 99999   99999 99999
4249:  99999 99999   99999 99999   99999 99999   99999 99999   99999 99999     99999 99999   99999 99999   99999 99999   99999 99999   99999 99999
```

```
4250:  99999 99999  99999 99999  99999 99999  99999 99999  99999 99999    99999 99999  99999 99999  99999 99999  99999 99999  99999 99999
4251:  99999 99999  99999 99999  99999 99999  99999 99999  99999 99999    99999 99999  99999 99999  99999 99999  99999 99999  99999 99999
4252:  99999 99999  99999 99999  99999 99999  99999 99999  99999 99999    99999 99999  99999 99999  99999 99999  99999 99999  99999 99999
4253:  99999 99999  99999 99999  99999 99999  99999 99999  99999 99999    99999 99999  99999 99999  99999 99999  99999 99999  99999 99999
4254:  99999 99999  99999 99999  99999 99999  99999 99999  99999 99999    99999 99999  99999 99999  99999 99999  99999 99999  99999 99999
4255:  99999 99999  99999 99999  99999 99999  99999 99999  99999 99999    99999 99999  99999 99999  99999 99999  99999 99999  99999 99999
4256:  99999 99999  99999 99999  99999 99999  99999 99999  99999 99999    99999 99999  99999 99999  99999 99999  99999 99999  99999 99999
4257:  99999 99999  99999 99999  99999 99999  99999 99999  99999 99999    99999 99999  99999 99999  99999 99999  99999 99999  99999 99999
4258:  99999 99999  99999 99999  99999 99999  99999 99999  99999 99999    99999 99999  99999 99999  99999 99999  99999 99999  99999 99999
4259:  99999 99999  99999 99999  99999 99999  99999 99999  99999 99999    99999 99999  99999 99999  99999 99999  99999 99999  99999 99999
4260:  99999 99999  99999 99999  99999 99999  99999 99999  99999 99999    99999 99999  99999 99999  99999 99999  99999 99999  99999 99999
4261:  99999 99999  99999 99999  99999 99999  99999 99999  99999 99999    99999 99999  99999 99999  99999 99999  99999 99999  99999 99999
4262:  99999 99999  99999 99999  99999 99999  99999 99999  99999 99999    99999 99999  99999 99999  99999 99999  99999 99999  99999 99999
4263:  99999 99999  99999 99999  99999 99999  99999 99999  99999 99999    99999 99999  99999 99999  99999 99999  99999 99999  99999 99999
4264:  99999 99999  99999 99999  99999 99999  99999 99999  99999 99999    99999 99999  99999 99999  99999 99999  99999 99999  99999 99999
4265:  99999 99999  99999 99999  99999 99999  99999 99999  99999 99999    99999 99999  99999 99999  99999 99999  99999 99999  99999 99999
4266:  99999 99999  99999 99999  99999 99999  99999 99999  99999 99999    99999 99999  99999 99999  99999 99999  99999 99999  99999 99999
4267:  99999 99999  99999 99999  99999 99999  99999 99999  99999 99999    99999 99999  99999 99999  99999 99999  99999 99999  99999 99999
4268:  99999 99999  99999 99999  99999 99999  99999 99999  99999 99999    99999 99999  99999 99999  99999 99999  99999 99999  99999 99999
4269:  99999 99999  99999 99999  99999 99999  99999 99999  99999 99999    99999 99999  99999 99999  99999 99999  99999 99999  99999 99999
4270:  99999 99999  99999 99999  99999 99999  99999 99999  99999 99999    99999 99999  99999 99999  99999 99999  99999 99999  99999 99999
4271:  99999 99999  99999 99999  99999 99999  99999 99999  99999 99999    99999 99999  99999 99999  99999 99999  99999 99999  99999 99999
4272:  99999 99999  99999 99999  99999 99999  99999 99999  99999 99999    99999 99999  99999 99999  99999 99999  99999 99999  99999 99999
4273:  99999 99999  99999 99999  99999 99999  99999 99999  99999 99999    99999 99999  99999 99999  99999 99999  99999 99999  99999 99999
4274:  99999 99999  99999 99999  99999 99999  99999 99999  99999 99999    99999 99999  99999 99999  99999 99999  99999 99999  99999 99999
4275:  99999 99999  99999 99999  99999 99999  99999 99999  99999 99999    99999 99999  99999 99999  99999 99999  99999 99999  99999 99999
4276:  99999 99999  99999 99999  99999 99999  99999 99999  99999 99999    99999 99999  99999 99999  99999 99999  99999 99999  99999 99999
4277:  99999 99999  99999 99999  99999 99999  99999 99999  99999 99999    99999 99999  99999 99999  99999 99999  99999 99999  99999 99999
4278:  99999 99999  99999 99999  99999 99999  99999 99999  99999 99999    99999 99999  99999 99999  99999 99999  99999 99999  99999 99999
4279:  99999 99999  99999 99999  99999 99999  99999 99999  99999 99999    99999 99999  99999 99999  99999 99999  99999 99999  99999 99999
4280:  99999 99999  99999 99999  99999 99999  99999 99999  99999 99999    99999 99999  99999 99999  99999 99999  99999 99999  99999 99999
4281:  99999 99999  99999 99999  99999 99999  99999 99999  99999 99999    99999 99999  99999 99999  99999 99999  99999 99999  99999 99999
4282:  99999 99999  99999 99999  99999 99999  99999 99999  99999 99999    99999 99999  99999 99999  99999 99999  99999 99999  99999 99999
4283:  99999 99999  99999 99999  99999 99999  99999 99999  99999 99999    99999 99999  99999 99999  99999 99999  99999 99999  99999 99999
4284:  99999 99999  99999 99999  99999 99999  99999 99999  99999 99999    99999 99999  99999 99999  99999 99999  99999 99999  99999 99999
4285:  99999 99999  99999 99999  99999 99999  99999 99999  99999 99999    99999 99999  99999 99999  99999 99999  99999 99999  99999 99999
4286:  99999 99999  99999 99999  99999 99999  99999 99999  99999 99999    99999 99999  99999 99999  99999 99999  99999 99999  99999 99999
4287:  99999 99999  99999 99999  99999 99999  99999 99999  99999 99999    99999 99999  99999 99999  99999 99999  99999 99999  99999 99999
4288:  99999 99999  99999 99999  99999 99999  99999 99999  99999 99999    99999 99999  99999 99999  99999 99999  99999 99999  99999 99999
4289:  99999 99999  99999 99999  99999 99999  99999 99999  99999 99999    99999 99999  99999 99999  99999 99999  99999 99999  99999 99999
4290:  99999 99999  99999 99999  99999 99999  99999 99999  99999 99999    99999 99999  99999 99999  99999 99999  99999 99999  99999 99999
4291:  99999 99999  99999 99999  99999 99999  99999 99999  99999 99999    99999 99999  99999 99999  99999 99999  99999 99999  99999 99999
4292:  99999 99999  99999 99999  99999 99999  99999 99999  99999 99999    99999 99999  99999 99999  99999 99999  99999 99999  99999 99999
4293:  99999 99999  99999 99999  99999 99999  99999 99999  99999 99999    99999 99999  99999 99999  99999 99999  99999 99999  99999 99999
4294:  99999 99999  99999 99999  99999 99999  99999 99999  99999 99999    99999 99999  99999 99999  99999 99999  99999 99999  99999 99999
4295:  99999 99999  99999 99999  99999 99999  99999 99999  99999 99999    99999 99999  99999 99999  99999 99999  99999 99999  99999 99999
4296:  99999 99999  99999 99999  99999 99999  99999 99999  99999 99999    99999 99999  99999 99999  99999 99999  99999 99999  99999 99999
4297:  99999 99999  99999 99999  99999 99999  99999 99999  99999 99999    99999 99999  99999 99999  99999 99999  99999 99999  99999 99999
4298:  99999 99999  99999 99999  99999 99999  99999 99999  99999 99999    99999 99999  99999 99999  99999 99999  99999 99999  99999 99999
4299:  99999 99999  99999 99999  99999 99999  99999 99999  99999 99999    99999 99999  99999 99999  99999 99999  99999 99999  99999 99999
```

```
4300:  99999 99999  99999 99999  99999 99999  99999 99999  99999 99999    99999 99999  99999 99999  99999 99999  99999 99999  99999 99999
4301:  99999 99999  99999 99999  99999 99999  99999 99999  99999 99999    99999 99999  99999 99999  99999 99999  99999 99999  99999 99999
4302:  99999 99999  99999 99999  99999 99999  99999 99999  99999 99999    99999 99999  99999 99999  99999 99999  99999 99999  99999 99999
4303:  99999 99999  99999 99999  99999 99999  99999 99999  99999 99999    99999 99999  99999 99999  99999 99999  99999 99999  99999 99999
4304:  99999 99999  99999 99999  99999 99999  99999 99999  99999 99999    99999 99999  99999 99999  99999 99999  99999 99999  99999 99999
4305:  99999 99999  99999 99999  99999 99999  99999 99999  99999 99999    99999 99999  99999 99999  99999 99999  99999 99999  99999 99999
4306:  99999 99999  99999 99999  99999 99999  99999 99999  99999 99999    99999 99999  99999 99999  99999 99999  99999 99999  99999 99999
4307:  99999 99999  99999 99999  99999 99999  99999 99999  99999 99999    99999 99999  99999 99999  99999 99999  99999 99999  99999 99999
4308:  99999 99999  99999 99999  99999 99999  99999 99999  99999 99999    99999 99999  99999 99999  99999 99999  99999 99999  99999 99999
4309:  99999 99999  99999 99999  99999 99999  99999 99999  99999 99999    99999 99999  99999 99999  99999 99999  99999 99999  99999 99999
4310:  99999 99999  99999 99999  99999 99999  99999 99999  99999 99999    99999 99999  99999 99999  99999 99999  99999 99999  99999 99999
4311:  99999 99999  99999 99999  99999 99999  99999 99999  99999 99999    99999 99999  99999 99999  99999 99999  99999 99999  99999 99999
4312:  99999 99999  99999 99999  99999 99999  99999 99999  99999 99999    99999 99999  99999 99999  99999 99999  99999 99999  99999 99999
4313:  99999 99999  99999 99999  99999 99999  99999 99999  99999 99999    99999 99999  99999 99999  99999 99999  99999 99999  99999 99999
4314:  99999 99999  99999 99999  99999 99999  99999 99999  99999 99999    99999 99999  99999 99999  99999 99999  99999 99999  99999 99999
4315:  99999 99999  99999 99999  99999 99999  99999 99999  99999 99999    99999 99999  99999 99999  99999 99999  99999 99999  99999 99999
4316:  99999 99999  99999 99999  99999 99999  99999 99999  99999 99999    99999 99999  99999 99999  99999 99999  99999 99999  99999 99999
4317:  99999 99999  99999 99999  99999 99999  99999 99999  99999 99999    99999 99999  99999 99999  99999 99999  99999 99999  99999 99999
4318:  99999 99999  99999 99999  99999 99999  99999 99999  99999 99999    99999 99999  99999 99999  99999 99999  99999 99999  99999 99999
4319:  99999 99999  99999 99999  99999 99999  99999 99999  99999 99999    99999 99999  99999 99999  99999 99999  99999 99999  99999 99999
4320:  99999 99999  99999 99999  99999 99999  99999 99999  99999 99999    99999 99999  99999 99999  99999 99999  99999 99999  99999 99999
4321:  99999 99999  99999 99999  99999 99999  99999 99999  99999 99999    99999 99999  99999 99999  99999 99999  99999 99999  99999 99999
4322:  99999 99999  99999 99999  99999 99999  99999 99999  99999 99999    99999 99999  99999 99999  99999 99999  99999 99999  99999 99999
4323:  99999 99999  99999 99999  99999 99999  99999 99999  99999 99999    99999 99999  99999 99999  99999 99999  99999 99999  99999 99999
4324:  99999 99999  99999 99999  99999 99999  99999 99999  99999 99999    99999 99999  99999 99999  99999 99999  99999 99999  99999 99999
4325:  99999 99999  99999 99999  99999 99999  99999 99999  99999 99999    99999 99999  99999 99999  99999 99999  99999 99999  99999 99999
4326:  99999 99999  99999 99999  99999 99999  99999 99999  99999 99999    99999 99999  99999 99999  99999 99999  99999 99999  99999 99999
4327:  99999 99999  99999 99999  99999 99999  99999 99999  99999 99999    99999 99999  99999 99999  99999 99999  99999 99999  99999 99999
4328:  99999 99999  99999 99999  99999 99999  99999 99999  99999 99999    99999 99999  99999 99999  99999 99999  99999 99999  99999 99999
4329:  99999 99999  99999 99999  99999 99999  99999 99999  99999 99999    99999 99999  99999 99999  99999 99999  99999 99999  99999 99999
4330:  99999 99999  99999 99999  99999 99999  99999 99999  99999 99999    99999 99999  99999 99999  99999 99999  99999 99999  99999 99999
4331:  99999 99999  99999 99999  99999 99999  99999 99999  99999 99999    99999 99999  99999 99999  99999 99999  99999 99999  99999 99999
4332:  99999 99999  99999 99999  99999 99999  99999 99999  99999 99999    99999 99999  99999 99999  99999 99999  99999 99999  99999 99999
4333:  99999 99999  99999 99999  99999 99999  99999 99999  99999 99999    99999 99999  99999 99999  99999 99999  99999 99999  99999 99999
4334:  99999 99999  99999 99999  99999 99999  99999 99999  99999 99999    99999 99999  99999 99999  99999 99999  99999 99999  99999 99999
4335:  99999 99999  99999 99999  99999 99999  99999 99999  99999 99999    99999 99999  99999 99999  99999 99999  99999 99999  99999 99999
4336:  99999 99999  99999 99999  99999 99999  99999 99999  99999 99999    99999 99999  99999 99999  99999 99999  99999 99999  99999 99999
4337:  99999 99999  99999 99999  99999 99999  99999 99999  99999 99999    99999 99999  99999 99999  99999 99999  99999 99999  99999 99999
4338:  99999 99999  99999 99999  99999 99999  99999 99999  99999 99999    99999 99999  99999 99999  99999 99999  99999 99999  99999 99999
4339:  99999 99999  99999 99999  99999 99999  99999 99999  99999 99999    99999 99999  99999 99999  99999 99999  99999 99999  99999 99999
4340:  99999 99999  99999 99999  99999 99999  99999 99999  99999 99999    99999 99999  99999 99999  99999 99999  99999 99999  99999 99999
4341:  99999 99999  99999 99999  99999 99999  99999 99999  99999 99999    99999 99999  99999 99999  99999 99999  99999 99999  99999 99999
4342:  99999 99999  99999 99999  99999 99999  99999 99999  99999 99999    99999 99999  99999 99999  99999 99999  99999 99999  99999 99999
4343:  99999 99999  99999 99999  99999 99999  99999 99999  99999 99999    99999 99999  99999 99999  99999 99999  99999 99999  99999 99999
4344:  99999 99999  99999 99999  99999 99999  99999 99999  99999 99999    99999 99999  99999 99999  99999 99999  99999 99999  99999 99999
4345:  99999 99999  99999 99999  99999 99999  99999 99999  99999 99999    99999 99999  99999 99999  99999 99999  99999 99999  99999 99999
4346:  99999 99999  99999 99999  99999 99999  99999 99999  99999 99999    99999 99999  99999 99999  99999 99999  99999 99999  99999 99999
4347:  99999 99999  99999 99999  99999 99999  99999 99999  99999 99999    99999 99999  99999 99999  99999 99999  99999 99999  99999 99999
4348:  99999 99999  99999 99999  99999 99999  99999 99999  99999 99999    99999 99999  99999 99999  99999 99999  99999 99999  99999 99999
4349:  99999 99999  99999 99999  99999 99999  99999 99999  99999 99999    99999 99999  99999 99999  99999 99999  99999 99999  99999 99999
```

```
4350:  99999 99999  99999 99999  99999 99999  99999 99999  99999 99999   99999 99999  99999 99999  99999 99999  99999 99999  99999 99999
4351:  99999 99999  99999 99999  99999 99999  99999 99999  99999 99999   99999 99999  99999 99999  99999 99999  99999 99999  99999 99999
4352:  99999 99999  99999 99999  99999 99999  99999 99999  99999 99999   99999 99999  99999 99999  99999 99999  99999 99999  99999 99999
4353:  99999 99999  99999 99999  99999 99999  99999 99999  99999 99999   99999 99999  99999 99999  99999 99999  99999 99999  99999 99999
4354:  99999 99999  99999 99999  99999 99999  99999 99999  99999 99999   99999 99999  99999 99999  99999 99999  99999 99999  99999 99999
4355:  99999 99999  99999 99999  99999 99999  99999 99999  99999 99999   99999 99999  99999 99999  99999 99999  99999 99999  99999 99999
4356:  99999 99999  99999 99999  99999 99999  99999 99999  99999 99999   99999 99999  99999 99999  99999 99999  99999 99999  99999 99999
4357:  99999 99999  99999 99999  99999 99999  99999 99999  99999 99999   99999 99999  99999 99999  99999 99999  99999 99999  99999 99999
4358:  99999 99999  99999 99999  99999 99999  99999 99999  99999 99999   99999 99999  99999 99999  99999 99999  99999 99999  99999 99999
4359:  99999 99999  99999 99999  99999 99999  99999 99999  99999 99999   99999 99999  99999 99999  99999 99999  99999 99999  99999 99999
4360:  99999 99999  99999 99999  99999 99999  99999 99999  99999 99999   99999 99999  99999 99999  99999 99999  99999 99999  99999 99999
4361:  99999 99999  99999 99999  99999 99999  99999 99999  99999 99999   99999 99999  99999 99999  99999 99999  99999 99999  99999 99999
4362:  99999 99999  99999 99999  99999 99999  99999 99999  99999 99999   99999 99999  99999 99999  99999 99999  99999 99999  99999 99999
4363:  99999 99999  99999 99999  99999 99999  99999 99999  99999 99999   99999 99999  99999 99999  99999 99999  99999 99999  99999 99999
4364:  99999 99999  99999 99999  99999 99999  99999 99999  99999 99999   99999 99999  99999 99999  99999 99999  99999 99999  99999 99999
4365:  99999 99999  99999 99999  99999 99999  99999 99999  99999 99999   99999 99999  99999 99999  99999 99999  99999 99999  99999 99999
4366:  99999 99999  99999 99999  99999 99999  99999 99999  99999 99999   99999 99999  99999 99999  99999 99999  99999 99999  99999 99999
4367:  99999 99999  99999 99999  99999 99999  99999 99999  99999 99999   99999 99999  99999 99999  99999 99999  99999 99999  99999 99999
4368:  99999 99999  99999 99999  99999 99999  99999 99999  99999 99999   99999 99999  99999 99999  99999 99999  99999 99999  99999 99999
4369:  99999 99999  99999 99999  99999 99999  99999 99999  99999 99999   99999 99999  99999 99999  99999 99999  99999 99999  99999 99999
4370:  99999 99999  99999 99999  99999 99999  99999 99999  99999 99999   99999 99999  99999 99999  99999 99999  99999 99999  99999 99999
4371:  99999 99999  99999 99999  99999 99999  99999 99999  99999 99999   99999 99999  99999 99999  99999 99999  99999 99999  99999 99999
4372:  99999 99999  99999 99999  99999 99999  99999 99999  99999 99999   99999 99999  99999 99999  99999 99999  99999 99999  99999 99999
4373:  99999 99999  99999 99999  99999 99999  99999 99999  99999 99999   99999 99999  99999 99999  99999 99999  99999 99999  99999 99999
4374:  99999 99999  99999 99999  99999 99999  99999 99999  99999 99999   99999 99999  99999 99999  99999 99999  99999 99999  99999 99999
4375:  99999 99999  99999 99999  99999 99999  99999 99999  99999 99999   99999 99999  99999 99999  99999 99999  99999 99999  99999 99999
4376:  99999 99999  99999 99999  99999 99999  99999 99999  99999 99999   99999 99999  99999 99999  99999 99999  99999 99999  99999 99999
4377:  99999 99999  99999 99999  99999 99999  99999 99999  99999 99999   99999 99999  99999 99999  99999 99999  99999 99999  99999 99999
4378:  99999 99999  99999 99999  99999 99999  99999 99999  99999 99999   99999 99999  99999 99999  99999 99999  99999 99999  99999 99999
4379:  99999 99999  99999 99999  99999 99999  99999 99999  99999 99999   99999 99999  99999 99999  99999 99999  99999 99999  99999 99999
4380:  99999 99999  99999 99999  99999 99999  99999 99999  99999 99999   99999 99999  99999 99999  99999 99999  99999 99999  99999 99999
4381:  99999 99999  99999 99999  99999 99999  99999 99999  99999 99999   99999 99999  99999 99999  99999 99999  99999 99999  99999 99999
4382:  99999 99999  99999 99999  99999 99999  99999 99999  99999 99999   99999 99999  99999 99999  99999 99999  99999 99999  99999 99999
4383:  99999 99999  99999 99999  99999 99999  99999 99999  99999 99999   99999 99999  99999 99999  99999 99999  99999 99999  99999 99999
4384:  99999 99999  99999 99999  99999 99999  99999 99999  99999 99999   99999 99999  99999 99999  99999 99999  99999 99999  99999 99999
4385:  99999 99999  99999 99999  99999 99999  99999 99999  99999 99999   99999 99999  99999 99999  99999 99999  99999 99999  99999 99999
4386:  99999 99999  99999 99999  99999 99999  99999 99999  99999 99999   99999 99999  99999 99999  99999 99999  99999 99999  99999 99999
4387:  99999 99999  99999 99999  99999 99999  99999 99999  99999 99999   99999 99999  99999 99999  99999 99999  99999 99999  99999 99999
4388:  99999 99999  99999 99999  99999 99999  99999 99999  99999 99999   99999 99999  99999 99999  99999 99999  99999 99999  99999 99999
4389:  99999 99999  99999 99999  99999 99999  99999 99999  99999 99999   99999 99999  99999 99999  99999 99999  99999 99999  99999 99999
4390:  99999 99999  99999 99999  99999 99999  99999 99999  99999 99999   99999 99999  99999 99999  99999 99999  99999 99999  99999 99999
4391:  99999 99999  99999 99999  99999 99999  99999 99999  99999 99999   99999 99999  99999 99999  99999 99999  99999 99999  99999 99999
4392:  99999 99999  99999 99999  99999 99999  99999 99999  99999 99999   99999 99999  99999 99999  99999 99999  99999 99999  99999 99999
4393:  99999 99999  99999 99999  99999 99999  99999 99999  99999 99999   99999 99999  99999 99999  99999 99999  99999 99999  99999 99999
4394:  99999 99999  99999 99999  99999 99999  99999 99999  99999 99999   99999 99999  99999 99999  99999 99999  99999 99999  99999 99999
4395:  99999 99999  99999 99999  99999 99999  99999 99999  99999 99999   99999 99999  99999 99999  99999 99999  99999 99999  99999 99999
4396:  99999 99999  99999 99999  99999 99999  99999 99999  99999 99999   99999 99999  99999 99999  99999 99999  99999 99999  99999 99999
4397:  99999 99999  99999 99999  99999 99999  99999 99999  99999 99999   99999 99999  99999 99999  99999 99999  99999 99999  99999 99999
4398:  99999 99999  99999 99999  99999 99999  99999 99999  99999 99999   99999 99999  99999 99999  99999 99999  99999 99999  99999 99999
4399:  99999 99999  99999 99999  99999 99999  99999 99999  99999 99999   99999 99999  99999 99999  99999 99999  99999 99999  99999 99999
```

```
4400:  99999 99999   99999 99999   99999 99999   99999 99999   99999 99999    99999 99999   99999 99999   99999 99999   99999 99999   99999 99999
4401:  99999 99999   99999 99999   99999 99999   99999 99999   99999 99999    99999 99999   99999 99999   99999 99999   99999 99999   99999 99999
4402:  99999 99999   99999 99999   99999 99999   99999 99999   99999 99999    99999 99999   99999 99999   99999 99999   99999 99999   99999 99999
4403:  99999 99999   99999 99999   99999 99999   99999 99999   99999 99999    99999 99999   99999 99999   99999 99999   99999 99999   99999 99999
4404:  99999 99999   99999 99999   99999 99999   99999 99999   99999 99999    99999 99999   99999 99999   99999 99999   99999 99999   99999 99999
4405:  99999 99999   99999 99999   99999 99999   99999 99999   99999 99999    99999 99999   99999 99999   99999 99999   99999 99999   99999 99999
4406:  99999 99999   99999 99999   99999 99999   99999 99999   99999 99999    99999 99999   99999 99999   99999 99999   99999 99999   99999 99999
4407:  99999 99999   99999 99999   99999 99999   99999 99999   99999 99999    99999 99999   99999 99999   99999 99999   99999 99999   99999 99999
4408:  99999 99999   99999 99999   99999 99999   99999 99999   99999 99999    99999 99999   99999 99999   99999 99999   99999 99999   99999 99999
4409:  99999 99999   99999 99999   99999 99999   99999 99999   99999 99999    99999 99999   99999 99999   99999 99999   99999 99999   99999 99999
4410:  99999 99999   99999 99999   99999 99999   99999 99999   99999 99999    99999 99999   99999 99999   99999 99999   99999 99999   99999 99999
4411:  99999 99999   99999 99999   99999 99999   99999 99999   99999 99999    99999 99999   99999 99999   99999 99999   99999 99999   99999 99999
4412:  99999 99999   99999 99999   99999 99999   99999 99999   99999 99999    99999 99999   99999 99999   99999 99999   99999 99999   99999 99999
4413:  99999 99999   99999 99999   99999 99999   99999 99999   99999 99999    99999 99999   99999 99999   99999 99999   99999 99999   99999 99999
4414:  99999 99999   99999 99999   99999 99999   99999 99999   99999 99999    99999 99999   99999 99999   99999 99999   99999 99999   99999 99999
4415:  99999 99999   99999 99999   99999 99999   99999 99999   99999 99999    99999 99999   99999 99999   99999 99999   99999 99999   99999 99999
4416:  99999 99999   99999 99999   99999 99999   99999 99999   99999 99999    99999 99999   99999 99999   99999 99999   99999 99999   99999 99999
4417:  99999 99999   99999 99999   99999 99999   99999 99999   99999 99999    99999 99999   99999 99999   99999 99999   99999 99999   99999 99999
4418:  99999 99999   99999 99999   99999 99999   99999 99999   99999 99999    99999 99999   99999 99999   99999 99999   99999 99999   99999 99999
4419:  99999 99999   99999 99999   99999 99999   99999 99999   99999 99999    99999 99999   99999 99999   99999 99999   99999 99999   99999 99999
4420:  99999 99999   99999 99999   99999 99999   99999 99999   99999 99999    99999 99999   99999 99999   99999 99999   99999 99999   99999 99999
4421:  99999 99999   99999 99999   99999 99999   99999 99999   99999 99999    99999 99999   99999 99999   99999 99999   99999 99999   99999 99999
4422:  99999 99999   99999 99999   99999 99999   99999 99999   99999 99999    99999 99999   99999 99999   99999 99999   99999 99999   99999 99999
4423:  99999 99999   99999 99999   99999 99999   99999 99999   99999 99999    99999 99999   99999 99999   99999 99999   99999 99999   99999 99999
4424:  99999 99999   99999 99999   99999 99999   99999 99999   99999 99999    99999 99999   99999 99999   99999 99999   99999 99999   99999 99999
4425:  99999 99999   99999 99999   99999 99999   99999 99999   99999 99999    99999 99999   99999 99999   99999 99999   99999 99999   99999 99999
4426:  99999 99999   99999 99999   99999 99999   99999 99999   99999 99999    99999 99999   99999 99999   99999 99999   99999 99999   99999 99999
4427:  99999 99999   99999 99999   99999 99999   99999 99999   99999 99999    99999 99999   99999 99999   99999 99999   99999 99999   99999 99999
4428:  99999 99999   99999 99999   99999 99999   99999 99999   99999 99999    99999 99999   99999 99999   99999 99999   99999 99999   99999 99999
4429:  99999 99999   99999 99999   99999 99999   99999 99999   99999 99999    99999 99999   99999 99999   99999 99999   99999 99999   99999 99999
4430:  99999 99999   99999 99999   99999 99999   99999 99999   99999 99999    99999 99999   99999 99999   99999 99999   99999 99999   99999 99999
4431:  99999 99999   99999 99999   99999 99999   99999 99999   99999 99999    99999 99999   99999 99999   99999 99999   99999 99999   99999 99999
4432:  99999 99999   99999 99999   99999 99999   99999 99999   99999 99999    99999 99999   99999 99999   99999 99999   99999 99999   99999 99999
4433:  99999 99999   99999 99999   99999 99999   99999 99999   99999 99999    99999 99999   99999 99999   99999 99999   99999 99999   99999 99999
4434:  99999 99999   99999 99999   99999 99999   99999 99999   99999 99999    99999 99999   99999 99999   99999 99999   99999 99999   99999 99999
4435:  99999 99999   99999 99999   99999 99999   99999 99999   99999 99999    99999 99999   99999 99999   99999 99999   99999 99999   99999 99999
4436:  99999 99999   99999 99999   99999 99999   99999 99999   99999 99999    99999 99999   99999 99999   99999 99999   99999 99999   99999 99999
4437:  99999 99999   99999 99999   99999 99999   99999 99999   99999 99999    99999 99999   99999 99999   99999 99999   99999 99999   99999 99999
4438:  99999 99999   99999 99999   99999 99999   99999 99999   99999 99999    99999 99999   99999 99999   99999 99999   99999 99999   99999 99999
4439:  99999 99999   99999 99999   99999 99999   99999 99999   99999 99999    99999 99999   99999 99999   99999 99999   99999 99999   99999 99999
4440:  99999 99999   99999 99999   99999 99999   99999 99999   99999 99999    99999 99999   99999 99999   99999 99999   99999 99999   99999 99999
4441:  99999 99999   99999 99999   99999 99999   99999 99999   99999 99999    99999 99999   99999 99999   99999 99999   99999 99999   99999 99999
4442:  99999 99999   99999 99999   99999 99999   99999 99999   99999 99999    99999 99999   99999 99999   99999 99999   99999 99999   99999 99999
4443:  99999 99999   99999 99999   99999 99999   99999 99999   99999 99999    99999 99999   99999 99999   99999 99999   99999 99999   99999 99999
4444:  99999 99999   99999 99999   99999 99999   99999 99999   99999 99999    99999 99999   99999 99999   99999 99999   99999 99999   99999 99999
4445:  99999 99999   99999 99999   99999 99999   99999 99999   99999 99999    99999 99999   99999 99999   99999 99999   99999 99999   99999 99999
4446:  99999 99999   99999 99999   99999 99999   99999 99999   99999 99999    99999 99999   99999 99999   99999 99999   99999 99999   99999 99999
4447:  99999 99999   99999 99999   99999 99999   99999 99999   99999 99999    99999 99999   99999 99999   99999 99999   99999 99999   99999 99999
4448:  99999 99999   99999 99999   99999 99999   99999 99999   99999 99999    99999 99999   99999 99999   99999 99999   99999 99999   99999 99999
4449:  99999 99999   99999 99999   99999 99999   99999 99999   99999 99999    99999 99999   99999 99999   99999 99999   99999 99999   99999 99999
```

```
4450:  99999 99999  99999 99999  99999 99999  99999 99999  99999 99999    99999 99999  99999 99999  99999 99999  99999 99999  99999 99999
4451:  99999 99999  99999 99999  99999 99999  99999 99999  99999 99999    99999 99999  99999 99999  99999 99999  99999 99999  99999 99999
4452:  99999 99999  99999 99999  99999 99999  99999 99999  99999 99999    99999 99999  99999 99999  99999 99999  99999 99999  99999 99999
4453:  99999 99999  99999 99999  99999 99999  99999 99999  99999 99999    99999 99999  99999 99999  99999 99999  99999 99999  99999 99999
4454:  99999 99999  99999 99999  99999 99999  99999 99999  99999 99999    99999 99999  99999 99999  99999 99999  99999 99999  99999 99999
4455:  99999 99999  99999 99999  99999 99999  99999 99999  99999 99999    99999 99999  99999 99999  99999 99999  99999 99999  99999 99999
4456:  99999 99999  99999 99999  99999 99999  99999 99999  99999 99999    99999 99999  99999 99999  99999 99999  99999 99999  99999 99999
4457:  99999 99999  99999 99999  99999 99999  99999 99999  99999 99999    99999 99999  99999 99999  99999 99999  99999 99999  99999 99999
4458:  99999 99999  99999 99999  99999 99999  99999 99999  99999 99999    99999 99999  99999 99999  99999 99999  99999 99999  99999 99999
4459:  99999 99999  99999 99999  99999 99999  99999 99999  99999 99999    99999 99999  99999 99999  99999 99999  99999 99999  99999 99999
4460:  99999 99999  99999 99999  99999 99999  99999 99999  99999 99999    99999 99999  99999 99999  99999 99999  99999 99999  99999 99999
4461:  99999 99999  99999 99999  99999 99999  99999 99999  99999 99999    99999 99999  99999 99999  99999 99999  99999 99999  99999 99999
4462:  99999 99999  99999 99999  99999 99999  99999 99999  99999 99999    99999 99999  99999 99999  99999 99999  99999 99999  99999 99999
4463:  99999 99999  99999 99999  99999 99999  99999 99999  99999 99999    99999 99999  99999 99999  99999 99999  99999 99999  99999 99999
4464:  99999 99999  99999 99999  99999 99999  99999 99999  99999 99999    99999 99999  99999 99999  99999 99999  99999 99999  99999 99999
4465:  99999 99999  99999 99999  99999 99999  99999 99999  99999 99999    99999 99999  99999 99999  99999 99999  99999 99999  99999 99999
4466:  99999 99999  99999 99999  99999 99999  99999 99999  99999 99999    99999 99999  99999 99999  99999 99999  99999 99999  99999 99999
4467:  99999 99999  99999 99999  99999 99999  99999 99999  99999 99999    99999 99999  99999 99999  99999 99999  99999 99999  99999 99999
4468:  99999 99999  99999 99999  99999 99999  99999 99999  99999 99999    99999 99999  99999 99999  99999 99999  99999 99999  99999 99999
4469:  99999 99999  99999 99999  99999 99999  99999 99999  99999 99999    99999 99999  99999 99999  99999 99999  99999 99999  99999 99999
4470:  99999 99999  99999 99999  99999 99999  99999 99999  99999 99999    99999 99999  99999 99999  99999 99999  99999 99999  99999 99999
4471:  99999 99999  99999 99999  99999 99999  99999 99999  99999 99999    99999 99999  99999 99999  99999 99999  99999 99999  99999 99999
4472:  99999 99999  99999 99999  99999 99999  99999 99999  99999 99999    99999 99999  99999 99999  99999 99999  99999 99999  99999 99999
4473:  99999 99999  99999 99999  99999 99999  99999 99999  99999 99999    99999 99999  99999 99999  99999 99999  99999 99999  99999 99999
4474:  99999 99999  99999 99999  99999 99999  99999 99999  99999 99999    99999 99999  99999 99999  99999 99999  99999 99999  99999 99999
4475:  99999 99999  99999 99999  99999 99999  99999 99999  99999 99999    99999 99999  99999 99999  99999 99999  99999 99999  99999 99999
4476:  99999 99999  99999 99999  99999 99999  99999 99999  99999 99999    99999 99999  99999 99999  99999 99999  99999 99999  99999 99999
4477:  99999 99999  99999 99999  99999 99999  99999 99999  99999 99999    99999 99999  99999 99999  99999 99999  99999 99999  99999 99999
4478:  99999 99999  99999 99999  99999 99999  99999 99999  99999 99999    99999 99999  99999 99999  99999 99999  99999 99999  99999 99999
4479:  99999 99999  99999 99999  99999 99999  99999 99999  99999 99999    99999 99999  99999 99999  99999 99999  99999 99999  99999 99999
4480:  99999 99999  99999 99999  99999 99999  99999 99999  99999 99999    99999 99999  99999 99999  99999 99999  99999 99999  99999 99999
4481:  99999 99999  99999 99999  99999 99999  99999 99999  99999 99999    99999 99999  99999 99999  99999 99999  99999 99999  99999 99999
4482:  99999 99999  99999 99999  99999 99999  99999 99999  99999 99999    99999 99999  99999 99999  99999 99999  99999 99999  99999 99999
4483:  99999 99999  99999 99999  99999 99999  99999 99999  99999 99999    99999 99999  99999 99999  99999 99999  99999 99999  99999 99999
4484:  99999 99999  99999 99999  99999 99999  99999 99999  99999 99999    99999 99999  99999 99999  99999 99999  99999 99999  99999 99999
4485:  99999 99999  99999 99999  99999 99999  99999 99999  99999 99999    99999 99999  99999 99999  99999 99999  99999 99999  99999 99999
4486:  99999 99999  99999 99999  99999 99999  99999 99999  99999 99999    99999 99999  99999 99999  99999 99999  99999 99999  99999 99999
4487:  99999 99999  99999 99999  99999 99999  99999 99999  99999 99999    99999 99999  99999 99999  99999 99999  99999 99999  99999 99999
4488:  99999 99999  99999 99999  99999 99999  99999 99999  99999 99999    99999 99999  99999 99999  99999 99999  99999 99999  99999 99999
4489:  99999 99999  99999 99999  99999 99999  99999 99999  99999 99999    99999 99999  99999 99999  99999 99999  99999 99999  99999 99999
4490:  99999 99999  99999 99999  99999 99999  99999 99999  99999 99999    99999 99999  99999 99999  99999 99999  99999 99999  99999 99999
4491:  99999 99999  99999 99999  99999 99999  99999 99999  99999 99999    99999 99999  99999 99999  99999 99999  99999 99999  99999 99999
4492:  99999 99999  99999 99999  99999 99999  99999 99999  99999 99999    99999 99999  99999 99999  99999 99999  99999 99999  99999 99999
4493:  99999 99999  99999 99999  99999 99999  99999 99999  99999 99999    99999 99999  99999 99999  99999 99999  99999 99999  99999 99999
4494:  99999 99999  99999 99999  99999 99999  99999 99999  99999 99999    99999 99999  99999 99999  99999 99999  99999 99999  99999 99999
4495:  99999 99999  99999 99999  99999 99999  99999 99999  99999 99999    99999 99999  99999 99999  99999 99999  99999 99999  99999 99999
4496:  99999 99999  99999 99999  99999 99999  99999 99999  99999 99999    99999 99999  99999 99999  99999 99999  99999 99999  99999 99999
4497:  99999 99999  99999 99999  99999 99999  99999 99999  99999 99999    99999 99999  99999 99999  99999 99999  99999 99999  99999 99999
4498:  99999 99999  99999 99999  99999 99999  99999 99999  99999 99999    99999 99999  99999 99999  99999 99999  99999 99999  99999 99999
4499:  99999 99999  99999 99999  99999 99999  99999 99999  99999 99999    99999 99999  99999 99999  99999 99999  99999 99999  99999 99999
```

```
4500:   99999 99999   99999 99999   99999 99999   99999 99999   99999 99999     99999 99999   99999 99999   99999 99999   99999 99999   99999 99999
4501:   99999 99999   99999 99999   99999 99999   99999 99999   99999 99999     99999 99999   99999 99999   99999 99999   99999 99999   99999 99999
4502:   99999 99999   99999 99999   99999 99999   99999 99999   99999 99999     99999 99999   99999 99999   99999 99999   99999 99999   99999 99999
4503:   99999 99999   99999 99999   99999 99999   99999 99999   99999 99999     99999 99999   99999 99999   99999 99999   99999 99999   99999 99999
4504:   99999 99999   99999 99999   99999 99999   99999 99999   99999 99999     99999 99999   99999 99999   99999 99999   99999 99999   99999 99999
4505:   99999 99999   99999 99999   99999 99999   99999 99999   99999 99999     99999 99999   99999 99999   99999 99999   99999 99999   99999 99999
4506:   99999 99999   99999 99999   99999 99999   99999 99999   99999 99999     99999 99999   99999 99999   99999 99999   99999 99999   99999 99999
4507:   99999 99999   99999 99999   99999 99999   99999 99999   99999 99999     99999 99999   99999 99999   99999 99999   99999 99999   99999 99999
4508:   99999 99999   99999 99999   99999 99999   99999 99999   99999 99999     99999 99999   99999 99999   99999 99999   99999 99999   99999 99999
4509:   99999 99999   99999 99999   99999 99999   99999 99999   99999 99999     99999 99999   99999 99999   99999 99999   99999 99999   99999 99999
4510:   99999 99999   99999 99999   99999 99999   99999 99999   99999 99999     99999 99999   99999 99999   99999 99999   99999 99999   99999 99999
4511:   99999 99999   99999 99999   99999 99999   99999 99999   99999 99999     99999 99999   99999 99999   99999 99999   99999 99999   99999 99999
4512:   99999 99999   99999 99999   99999 99999   99999 99999   99999 99999     99999 99999   99999 99999   99999 99999   99999 99999   99999 99999
4513:   99999 99999   99999 99999   99999 99999   99999 99999   99999 99999     99999 99999   99999 99999   99999 99999   99999 99999   99999 99999
4514:   99999 99999   99999 99999   99999 99999   99999 99999   99999 99999     99999 99999   99999 99999   99999 99999   99999 99999   99999 99999
4515:   99999 99999   99999 99999   99999 99999   99999 99999   99999 99999     99999 99999   99999 99999   99999 99999   99999 99999   99999 99999
4516:   99999 99999   99999 99999   99999 99999   99999 99999   99999 99999     99999 99999   99999 99999   99999 99999   99999 99999   99999 99999
4517:   99999 99999   99999 99999   99999 99999   99999 99999   99999 99999     99999 99999   99999 99999   99999 99999   99999 99999   99999 99999
4518:   99999 99999   99999 99999   99999 99999   99999 99999   99999 99999     99999 99999   99999 99999   99999 99999   99999 99999   99999 99999
4519:   99999 99999   99999 99999   99999 99999   99999 99999   99999 99999     99999 99999   99999 99999   99999 99999   99999 99999   99999 99999
4520:   99999 99999   99999 99999   99999 99999   99999 99999   99999 99999     99999 99999   99999 99999   99999 99999   99999 99999   99999 99999
4521:   99999 99999   99999 99999   99999 99999   99999 99999   99999 99999     99999 99999   99999 99999   99999 99999   99999 99999   99999 99999
4522:   99999 99999   99999 99999   99999 99999   99999 99999   99999 99999     99999 99999   99999 99999   99999 99999   99999 99999   99999 99999
4523:   99999 99999   99999 99999   99999 99999   99999 99999   99999 99999     99999 99999   99999 99999   99999 99999   99999 99999   99999 99999
4524:   99999 99999   99999 99999   99999 99999   99999 99999   99999 99999     99999 99999   99999 99999   99999 99999   99999 99999   99999 99999
4525:   99999 99999   99999 99999   99999 99999   99999 99999   99999 99999     99999 99999   99999 99999   99999 99999   99999 99999   99999 99999
4526:   99999 99999   99999 99999   99999 99999   99999 99999   99999 99999     99999 99999   99999 99999   99999 99999   99999 99999   99999 99999
4527:   99999 99999   99999 99999   99999 99999   99999 99999   99999 99999     99999 99999   99999 99999   99999 99999   99999 99999   99999 99999
4528:   99999 99999   99999 99999   99999 99999   99999 99999   99999 99999     99999 99999   99999 99999   99999 99999   99999 99999   99999 99999
4529:   99999 99999   99999 99999   99999 99999   99999 99999   99999 99999     99999 99999   99999 99999   99999 99999   99999 99999   99999 99999
4530:   99999 99999   99999 99999   99999 99999   99999 99999   99999 99999     99999 99999   99999 99999   99999 99999   99999 99999   99999 99999
4531:   99999 99999   99999 99999   99999 99999   99999 99999   99999 99999     99999 99999   99999 99999   99999 99999   99999 99999   99999 99999
4532:   99999 99999   99999 99999   99999 99999   99999 99999   99999 99999     99999 99999   99999 99999   99999 99999   99999 99999   99999 99999
4533:   99999 99999   99999 99999   99999 99999   99999 99999   99999 99999     99999 99999   99999 99999   99999 99999   99999 99999   99999 99999
4534:   99999 99999   99999 99999   99999 99999   99999 99999   99999 99999     99999 99999   99999 99999   99999 99999   99999 99999   99999 99999
4535:   99999 99999   99999 99999   99999 99999   99999 99999   99999 99999     99999 99999   99999 99999   99999 99999   99999 99999   99999 99999
4536:   99999 99999   99999 99999   99999 99999   99999 99999   99999 99999     99999 99999   99999 99999   99999 99999   99999 99999   99999 99999
4537:   99999 99999   99999 99999   99999 99999   99999 99999   99999 99999     99999 99999   99999 99999   99999 99999   99999 99999   99999 99999
4538:   99999 99999   99999 99999   99999 99999   99999 99999   99999 99999     99999 99999   99999 99999   99999 99999   99999 99999   99999 99999
4539:   99999 99999   99999 99999   99999 99999   99999 99999   99999 99999     99999 99999   99999 99999   99999 99999   99999 99999   99999 99999
4540:   99999 99999   99999 99999   99999 99999   99999 99999   99999 99999     99999 99999   99999 99999   99999 99999   99999 99999   99999 99999
4541:   99999 99999   99999 99999   99999 99999   99999 99999   99999 99999     99999 99999   99999 99999   99999 99999   99999 99999   99999 99999
4542:   99999 99999   99999 99999   99999 99999   99999 99999   99999 99999     99999 99999   99999 99999   99999 99999   99999 99999   99999 99999
4543:   99999 99999   99999 99999   99999 99999   99999 99999   99999 99999     99999 99999   99999 99999   99999 99999   99999 99999   99999 99999
4544:   99999 99999   99999 99999   99999 99999   99999 99999   99999 99999     99999 99999   99999 99999   99999 99999   99999 99999   99999 99999
4545:   99999 99999   99999 99999   99999 99999   99999 99999   99999 99999     99999 99999   99999 99999   99999 99999   99999 99999   99999 99999
4546:   99999 99999   99999 99999   99999 99999   99999 99999   99999 99999     99999 99999   99999 99999   99999 99999   99999 99999   99999 99999
4547:   99999 99999   99999 99999   99999 99999   99999 99999   99999 99999     99999 99999   99999 99999   99999 99999   99999 99999   99999 99999
4548:   99999 99999   99999 99999   99999 99999   99999 99999   99999 99999     99999 99999   99999 99999   99999 99999   99999 99999   99999 99999
4549:   99999 99999   99999 99999   99999 99999   99999 99999   99999 99999     99999 99999   99999 99999   99999 99999   99999 99999   99999 99999
```

```
4550:  99999 99999  99999 99999  99999 99999  99999 99999  99999 99999     99999 99999  99999 99999  99999 99999  99999 99999  99999 99999
4551:  99999 99999  99999 99999  99999 99999  99999 99999  99999 99999     99999 99999  99999 99999  99999 99999  99999 99999  99999 99999
4552:  99999 99999  99999 99999  99999 99999  99999 99999  99999 99999     99999 99999  99999 99999  99999 99999  99999 99999  99999 99999
4553:  99999 99999  99999 99999  99999 99999  99999 99999  99999 99999     99999 99999  99999 99999  99999 99999  99999 99999  99999 99999
4554:  99999 99999  99999 99999  99999 99999  99999 99999  99999 99999     99999 99999  99999 99999  99999 99999  99999 99999  99999 99999
4555:  99999 99999  99999 99999  99999 99999  99999 99999  99999 99999     99999 99999  99999 99999  99999 99999  99999 99999  99999 99999
4556:  99999 99999  99999 99999  99999 99999  99999 99999  99999 99999     99999 99999  99999 99999  99999 99999  99999 99999  99999 99999
4557:  99999 99999  99999 99999  99999 99999  99999 99999  99999 99999     99999 99999  99999 99999  99999 99999  99999 99999  99999 99999
4558:  99999 99999  99999 99999  99999 99999  99999 99999  99999 99999     99999 99999  99999 99999  99999 99999  99999 99999  99999 99999
4559:  99999 99999  99999 99999  99999 99999  99999 99999  99999 99999     99999 99999  99999 99999  99999 99999  99999 99999  99999 99999
4560:  99999 99999  99999 99999  99999 99999  99999 99999  99999 99999     99999 99999  99999 99999  99999 99999  99999 99999  99999 99999
4561:  99999 99999  99999 99999  99999 99999  99999 99999  99999 99999     99999 99999  99999 99999  99999 99999  99999 99999  99999 99999
4562:  99999 99999  99999 99999  99999 99999  99999 99999  99999 99999     99999 99999  99999 99999  99999 99999  99999 99999  99999 99999
4563:  99999 99999  99999 99999  99999 99999  99999 99999  99999 99999     99999 99999  99999 99999  99999 99999  99999 99999  99999 99999
4564:  99999 99999  99999 99999  99999 99999  99999 99999  99999 99999     99999 99999  99999 99999  99999 99999  99999 99999  99999 99999
4565:  99999 99999  99999 99999  99999 99999  99999 99999  99999 99999     99999 99999  99999 99999  99999 99999  99999 99999  99999 99999
4566:  99999 99999  99999 99999  99999 99999  99999 99999  99999 99999     99999 99999  99999 99999  99999 99999  99999 99999  99999 99999
4567:  99999 99999  99999 99999  99999 99999  99999 99999  99999 99999     99999 99999  99999 99999  99999 99999  99999 99999  99999 99999
4568:  99999 99999  99999 99999  99999 99999  99999 99999  99999 99999     99999 99999  99999 99999  99999 99999  99999 99999  99999 99999
4569:  99999 99999  99999 99999  99999 99999  99999 99999  99999 99999     99999 99999  99999 99999  99999 99999  99999 99999  99999 99999
4570:  99999 99999  99999 99999  99999 99999  99999 99999  99999 99999     99999 99999  99999 99999  99999 99999  99999 99999  99999 99999
4571:  99999 99999  99999 99999  99999 99999  99999 99999  99999 99999     99999 99999  99999 99999  99999 99999  99999 99999  99999 99999
4572:  99999 99999  99999 99999  99999 99999  99999 99999  99999 99999     99999 99999  99999 99999  99999 99999  99999 99999  99999 99999
4573:  99999 99999  99999 99999  99999 99999  99999 99999  99999 99999     99999 99999  99999 99999  99999 99999  99999 99999  99999 99999
4574:  99999 99999  99999 99999  99999 99999  99999 99999  99999 99999     99999 99999  99999 99999  99999 99999  99999 99999  99999 99999
4575:  99999 99999  99999 99999  99999 99999  99999 99999  99999 99999     99999 99999  99999 99999  99999 99999  99999 99999  99999 99999
4576:  99999 99999  99999 99999  99999 99999  99999 99999  99999 99999     99999 99999  99999 99999  99999 99999  99999 99999  99999 99999
4577:  99999 99999  99999 99999  99999 99999  99999 99999  99999 99999     99999 99999  99999 99999  99999 99999  99999 99999  99999 99999
4578:  99999 99999  99999 99999  99999 99999  99999 99999  99999 99999     99999 99999  99999 99999  99999 99999  99999 99999  99999 99999
4579:  99999 99999  99999 99999  99999 99999  99999 99999  99999 99999     99999 99999  99999 99999  99999 99999  99999 99999  99999 99999
4580:  99999 99999  99999 99999  99999 99999  99999 99999  99999 99999     99999 99999  99999 99999  99999 99999  99999 99999  99999 99999
4581:  99999 99999  99999 99999  99999 99999  99999 99999  99999 99999     99999 99999  99999 99999  99999 99999  99999 99999  99999 99999
4582:  99999 99999  99999 99999  99999 99999  99999 99999  99999 99999     99999 99999  99999 99999  99999 99999  99999 99999  99999 99999
4583:  99999 99999  99999 99999  99999 99999  99999 99999  99999 99999     99999 99999  99999 99999  99999 99999  99999 99999  99999 99999
4584:  99999 99999  99999 99999  99999 99999  99999 99999  99999 99999     99999 99999  99999 99999  99999 99999  99999 99999  99999 99999
4585:  99999 99999  99999 99999  99999 99999  99999 99999  99999 99999     99999 99999  99999 99999  99999 99999  99999 99999  99999 99999
4586:  99999 99999  99999 99999  99999 99999  99999 99999  99999 99999     99999 99999  99999 99999  99999 99999  99999 99999  99999 99999
4587:  99999 99999  99999 99999  99999 99999  99999 99999  99999 99999     99999 99999  99999 99999  99999 99999  99999 99999  99999 99999
4588:  99999 99999  99999 99999  99999 99999  99999 99999  99999 99999     99999 99999  99999 99999  99999 99999  99999 99999  99999 99999
4589:  99999 99999  99999 99999  99999 99999  99999 99999  99999 99999     99999 99999  99999 99999  99999 99999  99999 99999  99999 99999
4590:  99999 99999  99999 99999  99999 99999  99999 99999  99999 99999     99999 99999  99999 99999  99999 99999  99999 99999  99999 99999
4591:  99999 99999  99999 99999  99999 99999  99999 99999  99999 99999     99999 99999  99999 99999  99999 99999  99999 99999  99999 99999
4592:  99999 99999  99999 99999  99999 99999  99999 99999  99999 99999     99999 99999  99999 99999  99999 99999  99999 99999  99999 99999
4593:  99999 99999  99999 99999  99999 99999  99999 99999  99999 99999     99999 99999  99999 99999  99999 99999  99999 99999  99999 99999
4594:  99999 99999  99999 99999  99999 99999  99999 99999  99999 99999     99999 99999  99999 99999  99999 99999  99999 99999  99999 99999
4595:  99999 99999  99999 99999  99999 99999  99999 99999  99999 99999     99999 99999  99999 99999  99999 99999  99999 99999  99999 99999
4596:  99999 99999  99999 99999  99999 99999  99999 99999  99999 99999     99999 99999  99999 99999  99999 99999  99999 99999  99999 99999
4597:  99999 99999  99999 99999  99999 99999  99999 99999  99999 99999     99999 99999  99999 99999  99999 99999  99999 99999  99999 99999
4598:  99999 99999  99999 99999  99999 99999  99999 99999  99999 99999     99999 99999  99999 99999  99999 99999  99999 99999  99999 99999
4599:  99999 99999  99999 99999  99999 99999  99999 99999  99999 99999     99999 99999  99999 99999  99999 99999  99999 99999  99999 99999
```

```
4600:  99999 99999  99999 99999  99999 99999  99999 99999  99999 99999    99999 99999  99999 99999  99999 99999  99999 99999  99999 99999
4601:  99999 99999  99999 99999  99999 99999  99999 99999  99999 99999    99999 99999  99999 99999  99999 99999  99999 99999  99999 99999
4602:  99999 99999  99999 99999  99999 99999  99999 99999  99999 99999    99999 99999  99999 99999  99999 99999  99999 99999  99999 99999
4603:  99999 99999  99999 99999  99999 99999  99999 99999  99999 99999    99999 99999  99999 99999  99999 99999  99999 99999  99999 99999
4604:  99999 99999  99999 99999  99999 99999  99999 99999  99999 99999    99999 99999  99999 99999  99999 99999  99999 99999  99999 99999
4605:  99999 99999  99999 99999  99999 99999  99999 99999  99999 99999    99999 99999  99999 99999  99999 99999  99999 99999  99999 99999
4606:  99999 99999  99999 99999  99999 99999  99999 99999  99999 99999    99999 99999  99999 99999  99999 99999  99999 99999  99999 99999
4607:  99999 99999  99999 99999  99999 99999  99999 99999  99999 99999    99999 99999  99999 99999  99999 99999  99999 99999  99999 99999
4608:  99999 99999  99999 99999  99999 99999  99999 99999  99999 99999    99999 99999  99999 99999  99999 99999  99999 99999  99999 99999
4609:  99999 99999  99999 99999  99999 99999  99999 99999  99999 99999    99999 99999  99999 99999  99999 99999  99999 99999  99999 99999
4610:  99999 99999  99999 99999  99999 99999  99999 99999  99999 99999    99999 99999  99999 99999  99999 99999  99999 99999  99999 99999
4611:  99999 99999  99999 99999  99999 99999  99999 99999  99999 99999    99999 99999  99999 99999  99999 99999  99999 99999  99999 99999
4612:  99999 99999  99999 99999  99999 99999  99999 99999  99999 99999    99999 99999  99999 99999  99999 99999  99999 99999  99999 99999
4613:  99999 99999  99999 99999  99999 99999  99999 99999  99999 99999    99999 99999  99999 99999  99999 99999  99999 99999  99999 99999
4614:  99999 99999  99999 99999  99999 99999  99999 99999  99999 99999    99999 99999  99999 99999  99999 99999  99999 99999  99999 99999
4615:  99999 99999  99999 99999  99999 99999  99999 99999  99999 99999    99999 99999  99999 99999  99999 99999  99999 99999  99999 99999
4616:  99999 99999  99999 99999  99999 99999  99999 99999  99999 99999    99999 99999  99999 99999  99999 99999  99999 99999  99999 99999
4617:  99999 99999  99999 99999  99999 99999  99999 99999  99999 99999    99999 99999  99999 99999  99999 99999  99999 99999  99999 99999
4618:  99999 99999  99999 99999  99999 99999  99999 99999  99999 99999    99999 99999  99999 99999  99999 99999  99999 99999  99999 99999
4619:  99999 99999  99999 99999  99999 99999  99999 99999  99999 99999    99999 99999  99999 99999  99999 99999  99999 99999  99999 99999
4620:  99999 99999  99999 99999  99999 99999  99999 99999  99999 99999    99999 99999  99999 99999  99999 99999  99999 99999  99999 99999
4621:  99999 99999  99999 99999  99999 99999  99999 99999  99999 99999    99999 99999  99999 99999  99999 99999  99999 99999  99999 99999
4622:  99999 99999  99999 99999  99999 99999  99999 99999  99999 99999    99999 99999  99999 99999  99999 99999  99999 99999  99999 99999
4623:  99999 99999  99999 99999  99999 99999  99999 99999  99999 99999    99999 99999  99999 99999  99999 99999  99999 99999  99999 99999
4624:  99999 99999  99999 99999  99999 99999  99999 99999  99999 99999    99999 99999  99999 99999  99999 99999  99999 99999  99999 99999
4625:  99999 99999  99999 99999  99999 99999  99999 99999  99999 99999    99999 99999  99999 99999  99999 99999  99999 99999  99999 99999
4626:  99999 99999  99999 99999  99999 99999  99999 99999  99999 99999    99999 99999  99999 99999  99999 99999  99999 99999  99999 99999
4627:  99999 99999  99999 99999  99999 99999  99999 99999  99999 99999    99999 99999  99999 99999  99999 99999  99999 99999  99999 99999
4628:  99999 99999  99999 99999  99999 99999  99999 99999  99999 99999    99999 99999  99999 99999  99999 99999  99999 99999  99999 99999
4629:  99999 99999  99999 99999  99999 99999  99999 99999  99999 99999    99999 99999  99999 99999  99999 99999  99999 99999  99999 99999
4630:  99999 99999  99999 99999  99999 99999  99999 99999  99999 99999    99999 99999  99999 99999  99999 99999  99999 99999  99999 99999
4631:  99999 99999  99999 99999  99999 99999  99999 99999  99999 99999    99999 99999  99999 99999  99999 99999  99999 99999  99999 99999
4632:  99999 99999  99999 99999  99999 99999  99999 99999  99999 99999    99999 99999  99999 99999  99999 99999  99999 99999  99999 99999
4633:  99999 99999  99999 99999  99999 99999  99999 99999  99999 99999    99999 99999  99999 99999  99999 99999  99999 99999  99999 99999
4634:  99999 99999  99999 99999  99999 99999  99999 99999  99999 99999    99999 99999  99999 99999  99999 99999  99999 99999  99999 99999
4635:  99999 99999  99999 99999  99999 99999  99999 99999  99999 99999    99999 99999  99999 99999  99999 99999  99999 99999  99999 99999
4636:  99999 99999  99999 99999  99999 99999  99999 99999  99999 99999    99999 99999  99999 99999  99999 99999  99999 99999  99999 99999
4637:  99999 99999  99999 99999  99999 99999  99999 99999  99999 99999    99999 99999  99999 99999  99999 99999  99999 99999  99999 99999
4638:  99999 99999  99999 99999  99999 99999  99999 99999  99999 99999    99999 99999  99999 99999  99999 99999  99999 99999  99999 99999
4639:  99999 99999  99999 99999  99999 99999  99999 99999  99999 99999    99999 99999  99999 99999  99999 99999  99999 99999  99999 99999
4640:  99999 99999  99999 99999  99999 99999  99999 99999  99999 99999    99999 99999  99999 99999  99999 99999  99999 99999  99999 99999
4641:  99999 99999  99999 99999  99999 99999  99999 99999  99999 99999    99999 99999  99999 99999  99999 99999  99999 99999  99999 99999
4642:  99999 99999  99999 99999  99999 99999  99999 99999  99999 99999    99999 99999  99999 99999  99999 99999  99999 99999  99999 99999
4643:  99999 99999  99999 99999  99999 99999  99999 99999  99999 99999    99999 99999  99999 99999  99999 99999  99999 99999  99999 99999
4644:  99999 99999  99999 99999  99999 99999  99999 99999  99999 99999    99999 99999  99999 99999  99999 99999  99999 99999  99999 99999
4645:  99999 99999  99999 99999  99999 99999  99999 99999  99999 99999    99999 99999  99999 99999  99999 99999  99999 99999  99999 99999
4646:  99999 99999  99999 99999  99999 99999  99999 99999  99999 99999    99999 99999  99999 99999  99999 99999  99999 99999  99999 99999
4647:  99999 99999  99999 99999  99999 99999  99999 99999  99999 99999    99999 99999  99999 99999  99999 99999  99999 99999  99999 99999
4648:  99999 99999  99999 99999  99999 99999  99999 99999  99999 99999    99999 99999  99999 99999  99999 99999  99999 99999  99999 99999
4649:  99999 99999  99999 99999  99999 99999  99999 99999  99999 99999    99999 99999  99999 99999  99999 99999  99999 99999  99999 99999
```

```
4650:  99999 99999  99999 99999  99999 99999  99999 99999  99999 99999    99999 99999  99999 99999  99999 99999  99999 99999  99999 99999
4651:  99999 99999  99999 99999  99999 99999  99999 99999  99999 99999    99999 99999  99999 99999  99999 99999  99999 99999  99999 99999
4652:  99999 99999  99999 99999  99999 99999  99999 99999  99999 99999    99999 99999  99999 99999  99999 99999  99999 99999  99999 99999
4653:  99999 99999  99999 99999  99999 99999  99999 99999  99999 99999    99999 99999  99999 99999  99999 99999  99999 99999  99999 99999
4654:  99999 99999  99999 99999  99999 99999  99999 99999  99999 99999    99999 99999  99999 99999  99999 99999  99999 99999  99999 99999
4655:  99999 99999  99999 99999  99999 99999  99999 99999  99999 99999    99999 99999  99999 99999  99999 99999  99999 99999  99999 99999
4656:  99999 99999  99999 99999  99999 99999  99999 99999  99999 99999    99999 99999  99999 99999  99999 99999  99999 99999  99999 99999
4657:  99999 99999  99999 99999  99999 99999  99999 99999  99999 99999    99999 99999  99999 99999  99999 99999  99999 99999  99999 99999
4658:  99999 99999  99999 99999  99999 99999  99999 99999  99999 99999    99999 99999  99999 99999  99999 99999  99999 99999  99999 99999
4659:  99999 99999  99999 99999  99999 99999  99999 99999  99999 99999    99999 99999  99999 99999  99999 99999  99999 99999  99999 99999
4660:  99999 99999  99999 99999  99999 99999  99999 99999  99999 99999    99999 99999  99999 99999  99999 99999  99999 99999  99999 99999
4661:  99999 99999  99999 99999  99999 99999  99999 99999  99999 99999    99999 99999  99999 99999  99999 99999  99999 99999  99999 99999
4662:  99999 99999  99999 99999  99999 99999  99999 99999  99999 99999    99999 99999  99999 99999  99999 99999  99999 99999  99999 99999
4663:  99999 99999  99999 99999  99999 99999  99999 99999  99999 99999    99999 99999  99999 99999  99999 99999  99999 99999  99999 99999
4664:  99999 99999  99999 99999  99999 99999  99999 99999  99999 99999    99999 99999  99999 99999  99999 99999  99999 99999  99999 99999
4665:  99999 99999  99999 99999  99999 99999  99999 99999  99999 99999    99999 99999  99999 99999  99999 99999  99999 99999  99999 99999
4666:  99999 99999  99999 99999  99999 99999  99999 99999  99999 99999    99999 99999  99999 99999  99999 99999  99999 99999  99999 99999
4667:  99999 99999  99999 99999  99999 99999  99999 99999  99999 99999    99999 99999  99999 99999  99999 99999  99999 99999  99999 99999
4668:  99999 99999  99999 99999  99999 99999  99999 99999  99999 99999    99999 99999  99999 99999  99999 99999  99999 99999  99999 99999
4669:  99999 99999  99999 99999  99999 99999  99999 99999  99999 99999    99999 99999  99999 99999  99999 99999  99999 99999  99999 99999
4670:  99999 99999  99999 99999  99999 99999  99999 99999  99999 99999    99999 99999  99999 99999  99999 99999  99999 99999  99999 99999
4671:  99999 99999  99999 99999  99999 99999  99999 99999  99999 99999    99999 99999  99999 99999  99999 99999  99999 99999  99999 99999
4672:  99999 99999  99999 99999  99999 99999  99999 99999  99999 99999    99999 99999  99999 99999  99999 99999  99999 99999  99999 99999
4673:  99999 99999  99999 99999  99999 99999  99999 99999  99999 99999    99999 99999  99999 99999  99999 99999  99999 99999  99999 99999
4674:  99999 99999  99999 99999  99999 99999  99999 99999  99999 99999    99999 99999  99999 99999  99999 99999  99999 99999  99999 99999
4675:  99999 99999  99999 99999  99999 99999  99999 99999  99999 99999    99999 99999  99999 99999  99999 99999  99999 99999  99999 99999
4676:  99999 99999  99999 99999  99999 99999  99999 99999  99999 99999    99999 99999  99999 99999  99999 99999  99999 99999  99999 99999
4677:  99999 99999  99999 99999  99999 99999  99999 99999  99999 99999    99999 99999  99999 99999  99999 99999  99999 99999  99999 99999
4678:  99999 99999  99999 99999  99999 99999  99999 99999  99999 99999    99999 99999  99999 99999  99999 99999  99999 99999  99999 99999
4679:  99999 99999  99999 99999  99999 99999  99999 99999  99999 99999    99999 99999  99999 99999  99999 99999  99999 99999  99999 99999
4680:  99999 99999  99999 99999  99999 99999  99999 99999  99999 99999    99999 99999  99999 99999  99999 99999  99999 99999  99999 99999
4681:  99999 99999  99999 99999  99999 99999  99999 99999  99999 99999    99999 99999  99999 99999  99999 99999  99999 99999  99999 99999
4682:  99999 99999  99999 99999  99999 99999  99999 99999  99999 99999    99999 99999  99999 99999  99999 99999  99999 99999  99999 99999
4683:  99999 99999  99999 99999  99999 99999  99999 99999  99999 99999    99999 99999  99999 99999  99999 99999  99999 99999  99999 99999
4684:  99999 99999  99999 99999  99999 99999  99999 99999  99999 99999    99999 99999  99999 99999  99999 99999  99999 99999  99999 99999
4685:  99999 99999  99999 99999  99999 99999  99999 99999  99999 99999    99999 99999  99999 99999  99999 99999  99999 99999  99999 99999
4686:  99999 99999  99999 99999  99999 99999  99999 99999  99999 99999    99999 99999  99999 99999  99999 99999  99999 99999  99999 99999
4687:  99999 99999  99999 99999  99999 99999  99999 99999  99999 99999    99999 99999  99999 99999  99999 99999  99999 99999  99999 99999
4688:  99999 99999  99999 99999  99999 99999  99999 99999  99999 99999    99999 99999  99999 99999  99999 99999  99999 99999  99999 99999
4689:  99999 99999  99999 99999  99999 99999  99999 99999  99999 99999    99999 99999  99999 99999  99999 99999  99999 99999  99999 99999
4690:  99999 99999  99999 99999  99999 99999  99999 99999  99999 99999    99999 99999  99999 99999  99999 99999  99999 99999  99999 99999
4691:  99999 99999  99999 99999  99999 99999  99999 99999  99999 99999    99999 99999  99999 99999  99999 99999  99999 99999  99999 99999
4692:  99999 99999  99999 99999  99999 99999  99999 99999  99999 99999    99999 99999  99999 99999  99999 99999  99999 99999  99999 99999
4693:  99999 99999  99999 99999  99999 99999  99999 99999  99999 99999    99999 99999  99999 99999  99999 99999  99999 99999  99999 99999
4694:  99999 99999  99999 99999  99999 99999  99999 99999  99999 99999    99999 99999  99999 99999  99999 99999  99999 99999  99999 99999
4695:  99999 99999  99999 99999  99999 99999  99999 99999  99999 99999    99999 99999  99999 99999  99999 99999  99999 99999  99999 99999
4696:  99999 99999  99999 99999  99999 99999  99999 99999  99999 99999    99999 99999  99999 99999  99999 99999  99999 99999  99999 99999
4697:  99999 99999  99999 99999  99999 99999  99999 99999  99999 99999    99999 99999  99999 99999  99999 99999  99999 99999  99999 99999
4698:  99999 99999  99999 99999  99999 99999  99999 99999  99999 99999    99999 99999  99999 99999  99999 99999  99999 99999  99999 99999
4699:  99999 99999  99999 99999  99999 99999  99999 99999  99999 99999    99999 99999  99999 99999  99999 99999  99999 99999  99999 99999
```

```
4700:  99999 99999  99999 99999  99999 99999  99999 99999  99999 99999    99999 99999  99999 99999  99999 99999  99999 99999  99999 99999
4701:  99999 99999  99999 99999  99999 99999  99999 99999  99999 99999    99999 99999  99999 99999  99999 99999  99999 99999  99999 99999
4702:  99999 99999  99999 99999  99999 99999  99999 99999  99999 99999    99999 99999  99999 99999  99999 99999  99999 99999  99999 99999
4703:  99999 99999  99999 99999  99999 99999  99999 99999  99999 99999    99999 99999  99999 99999  99999 99999  99999 99999  99999 99999
4704:  99999 99999  99999 99999  99999 99999  99999 99999  99999 99999    99999 99999  99999 99999  99999 99999  99999 99999  99999 99999
4705:  99999 99999  99999 99999  99999 99999  99999 99999  99999 99999    99999 99999  99999 99999  99999 99999  99999 99999  99999 99999
4706:  99999 99999  99999 99999  99999 99999  99999 99999  99999 99999    99999 99999  99999 99999  99999 99999  99999 99999  99999 99999
4707:  99999 99999  99999 99999  99999 99999  99999 99999  99999 99999    99999 99999  99999 99999  99999 99999  99999 99999  99999 99999
4708:  99999 99999  99999 99999  99999 99999  99999 99999  99999 99999    99999 99999  99999 99999  99999 99999  99999 99999  99999 99999
4709:  99999 99999  99999 99999  99999 99999  99999 99999  99999 99999    99999 99999  99999 99999  99999 99999  99999 99999  99999 99999
4710:  99999 99999  99999 99999  99999 99999  99999 99999  99999 99999    99999 99999  99999 99999  99999 99999  99999 99999  99999 99999
4711:  99999 99999  99999 99999  99999 99999  99999 99999  99999 99999    99999 99999  99999 99999  99999 99999  99999 99999  99999 99999
4712:  99999 99999  99999 99999  99999 99999  99999 99999  99999 99999    99999 99999  99999 99999  99999 99999  99999 99999  99999 99999
4713:  99999 99999  99999 99999  99999 99999  99999 99999  99999 99999    99999 99999  99999 99999  99999 99999  99999 99999  99999 99999
4714:  99999 99999  99999 99999  99999 99999  99999 99999  99999 99999    99999 99999  99999 99999  99999 99999  99999 99999  99999 99999
4715:  99999 99999  99999 99999  99999 99999  99999 99999  99999 99999    99999 99999  99999 99999  99999 99999  99999 99999  99999 99999
4716:  99999 99999  99999 99999  99999 99999  99999 99999  99999 99999    99999 99999  99999 99999  99999 99999  99999 99999  99999 99999
4717:  99999 99999  99999 99999  99999 99999  99999 99999  99999 99999    99999 99999  99999 99999  99999 99999  99999 99999  99999 99999
4718:  99999 99999  99999 99999  99999 99999  99999 99999  99999 99999    99999 99999  99999 99999  99999 99999  99999 99999  99999 99999
4719:  99999 99999  99999 99999  99999 99999  99999 99999  99999 99999    99999 99999  99999 99999  99999 99999  99999 99999  99999 99999
4720:  99999 99999  99999 99999  99999 99999  99999 99999  99999 99999    99999 99999  99999 99999  99999 99999  99999 99999  99999 99999
4721:  99999 99999  99999 99999  99999 99999  99999 99999  99999 99999    99999 99999  99999 99999  99999 99999  99999 99999  99999 99999
4722:  99999 99999  99999 99999  99999 99999  99999 99999  99999 99999    99999 99999  99999 99999  99999 99999  99999 99999  99999 99999
4723:  99999 99999  99999 99999  99999 99999  99999 99999  99999 99999    99999 99999  99999 99999  99999 99999  99999 99999  99999 99999
4724:  99999 99999  99999 99999  99999 99999  99999 99999  99999 99999    99999 99999  99999 99999  99999 99999  99999 99999  99999 99999
4725:  99999 99999  99999 99999  99999 99999  99999 99999  99999 99999    99999 99999  99999 99999  99999 99999  99999 99999  99999 99999
4726:  99999 99999  99999 99999  99999 99999  99999 99999  99999 99999    99999 99999  99999 99999  99999 99999  99999 99999  99999 99999
4727:  99999 99999  99999 99999  99999 99999  99999 99999  99999 99999    99999 99999  99999 99999  99999 99999  99999 99999  99999 99999
4728:  99999 99999  99999 99999  99999 99999  99999 99999  99999 99999    99999 99999  99999 99999  99999 99999  99999 99999  99999 99999
4729:  99999 99999  99999 99999  99999 99999  99999 99999  99999 99999    99999 99999  99999 99999  99999 99999  99999 99999  99999 99999
4730:  99999 99999  99999 99999  99999 99999  99999 99999  99999 99999    99999 99999  99999 99999  99999 99999  99999 99999  99999 99999
4731:  99999 99999  99999 99999  99999 99999  99999 99999  99999 99999    99999 99999  99999 99999  99999 99999  99999 99999  99999 99999
4732:  99999 99999  99999 99999  99999 99999  99999 99999  99999 99999    99999 99999  99999 99999  99999 99999  99999 99999  99999 99999
4733:  99999 99999  99999 99999  99999 99999  99999 99999  99999 99999    99999 99999  99999 99999  99999 99999  99999 99999  99999 99999
4734:  99999 99999  99999 99999  99999 99999  99999 99999  99999 99999    99999 99999  99999 99999  99999 99999  99999 99999  99999 99999
4735:  99999 99999  99999 99999  99999 99999  99999 99999  99999 99999    99999 99999  99999 99999  99999 99999  99999 99999  99999 99999
4736:  99999 99999  99999 99999  99999 99999  99999 99999  99999 99999    99999 99999  99999 99999  99999 99999  99999 99999  99999 99999
4737:  99999 99999  99999 99999  99999 99999  99999 99999  99999 99999    99999 99999  99999 99999  99999 99999  99999 99999  99999 99999
4738:  99999 99999  99999 99999  99999 99999  99999 99999  99999 99999    99999 99999  99999 99999  99999 99999  99999 99999  99999 99999
4739:  99999 99999  99999 99999  99999 99999  99999 99999  99999 99999    99999 99999  99999 99999  99999 99999  99999 99999  99999 99999
4740:  99999 99999  99999 99999  99999 99999  99999 99999  99999 99999    99999 99999  99999 99999  99999 99999  99999 99999  99999 99999
4741:  99999 99999  99999 99999  99999 99999  99999 99999  99999 99999    99999 99999  99999 99999  99999 99999  99999 99999  99999 99999
4742:  99999 99999  99999 99999  99999 99999  99999 99999  99999 99999    99999 99999  99999 99999  99999 99999  99999 99999  99999 99999
4743:  99999 99999  99999 99999  99999 99999  99999 99999  99999 99999    99999 99999  99999 99999  99999 99999  99999 99999  99999 99999
4744:  99999 99999  99999 99999  99999 99999  99999 99999  99999 99999    99999 99999  99999 99999  99999 99999  99999 99999  99999 99999
4745:  99999 99999  99999 99999  99999 99999  99999 99999  99999 99999    99999 99999  99999 99999  99999 99999  99999 99999  99999 99999
4746:  99999 99999  99999 99999  99999 99999  99999 99999  99999 99999    99999 99999  99999 99999  99999 99999  99999 99999  99999 99999
4747:  99999 99999  99999 99999  99999 99999  99999 99999  99999 99999    99999 99999  99999 99999  99999 99999  99999 99999  99999 99999
4748:  99999 99999  99999 99999  99999 99999  99999 99999  99999 99999    99999 99999  99999 99999  99999 99999  99999 99999  99999 99999
4749:  99999 99999  99999 99999  99999 99999  99999 99999  99999 99999    99999 99999  99999 99999  99999 99999  99999 99999  99999 99999
```

```
4750:  99999 99999  99999 99999  99999 99999  99999 99999  99999 99999    99999 99999  99999 99999  99999 99999  99999 99999  99999 99999
4751:  99999 99999  99999 99999  99999 99999  99999 99999  99999 99999    99999 99999  99999 99999  99999 99999  99999 99999  99999 99999
4752:  99999 99999  99999 99999  99999 99999  99999 99999  99999 99999    99999 99999  99999 99999  99999 99999  99999 99999  99999 99999
4753:  99999 99999  99999 99999  99999 99999  99999 99999  99999 99999    99999 99999  99999 99999  99999 99999  99999 99999  99999 99999
4754:  99999 99999  99999 99999  99999 99999  99999 99999  99999 99999    99999 99999  99999 99999  99999 99999  99999 99999  99999 99999
4755:  99999 99999  99999 99999  99999 99999  99999 99999  99999 99999    99999 99999  99999 99999  99999 99999  99999 99999  99999 99999
4756:  99999 99999  99999 99999  99999 99999  99999 99999  99999 99999    99999 99999  99999 99999  99999 99999  99999 99999  99999 99999
4757:  99999 99999  99999 99999  99999 99999  99999 99999  99999 99999    99999 99999  99999 99999  99999 99999  99999 99999  99999 99999
4758:  99999 99999  99999 99999  99999 99999  99999 99999  99999 99999    99999 99999  99999 99999  99999 99999  99999 99999  99999 99999
4759:  99999 99999  99999 99999  99999 99999  99999 99999  99999 99999    99999 99999  99999 99999  99999 99999  99999 99999  99999 99999
4760:  99999 99999  99999 99999  99999 99999  99999 99999  99999 99999    99999 99999  99999 99999  99999 99999  99999 99999  99999 99999
4761:  99999 99999  99999 99999  99999 99999  99999 99999  99999 99999    99999 99999  99999 99999  99999 99999  99999 99999  99999 99999
4762:  99999 99999  99999 99999  99999 99999  99999 99999  99999 99999    99999 99999  99999 99999  99999 99999  99999 99999  99999 99999
4763:  99999 99999  99999 99999  99999 99999  99999 99999  99999 99999    99999 99999  99999 99999  99999 99999  99999 99999  99999 99999
4764:  99999 99999  99999 99999  99999 99999  99999 99999  99999 99999    99999 99999  99999 99999  99999 99999  99999 99999  99999 99999
4765:  99999 99999  99999 99999  99999 99999  99999 99999  99999 99999    99999 99999  99999 99999  99999 99999  99999 99999  99999 99999
4766:  99999 99999  99999 99999  99999 99999  99999 99999  99999 99999    99999 99999  99999 99999  99999 99999  99999 99999  99999 99999
4767:  99999 99999  99999 99999  99999 99999  99999 99999  99999 99999    99999 99999  99999 99999  99999 99999  99999 99999  99999 99999
4768:  99999 99999  99999 99999  99999 99999  99999 99999  99999 99999    99999 99999  99999 99999  99999 99999  99999 99999  99999 99999
4769:  99999 99999  99999 99999  99999 99999  99999 99999  99999 99999    99999 99999  99999 99999  99999 99999  99999 99999  99999 99999
4770:  99999 99999  99999 99999  99999 99999  99999 99999  99999 99999    99999 99999  99999 99999  99999 99999  99999 99999  99999 99999
4771:  99999 99999  99999 99999  99999 99999  99999 99999  99999 99999    99999 99999  99999 99999  99999 99999  99999 99999  99999 99999
4772:  99999 99999  99999 99999  99999 99999  99999 99999  99999 99999    99999 99999  99999 99999  99999 99999  99999 99999  99999 99999
4773:  99999 99999  99999 99999  99999 99999  99999 99999  99999 99999    99999 99999  99999 99999  99999 99999  99999 99999  99999 99999
4774:  99999 99999  99999 99999  99999 99999  99999 99999  99999 99999    99999 99999  99999 99999  99999 99999  99999 99999  99999 99999
4775:  99999 99999  99999 99999  99999 99999  99999 99999  99999 99999    99999 99999  99999 99999  99999 99999  99999 99999  99999 99999
4776:  99999 99999  99999 99999  99999 99999  99999 99999  99999 99999    99999 99999  99999 99999  99999 99999  99999 99999  99999 99999
4777:  99999 99999  99999 99999  99999 99999  99999 99999  99999 99999    99999 99999  99999 99999  99999 99999  99999 99999  99999 99999
4778:  99999 99999  99999 99999  99999 99999  99999 99999  99999 99999    99999 99999  99999 99999  99999 99999  99999 99999  99999 99999
4779:  99999 99999  99999 99999  99999 99999  99999 99999  99999 99999    99999 99999  99999 99999  99999 99999  99999 99999  99999 99999
4780:  99999 99999  99999 99999  99999 99999  99999 99999  99999 99999    99999 99999  99999 99999  99999 99999  99999 99999  99999 99999
4781:  99999 99999  99999 99999  99999 99999  99999 99999  99999 99999    99999 99999  99999 99999  99999 99999  99999 99999  99999 99999
4782:  99999 99999  99999 99999  99999 99999  99999 99999  99999 99999    99999 99999  99999 99999  99999 99999  99999 99999  99999 99999
4783:  99999 99999  99999 99999  99999 99999  99999 99999  99999 99999    99999 99999  99999 99999  99999 99999  99999 99999  99999 99999
4784:  99999 99999  99999 99999  99999 99999  99999 99999  99999 99999    99999 99999  99999 99999  99999 99999  99999 99999  99999 99999
4785:  99999 99999  99999 99999  99999 99999  99999 99999  99999 99999    99999 99999  99999 99999  99999 99999  99999 99999  99999 99999
4786:  99999 99999  99999 99999  99999 99999  99999 99999  99999 99999    99999 99999  99999 99999  99999 99999  99999 99999  99999 99999
4787:  99999 99999  99999 99999  99999 99999  99999 99999  99999 99999    99999 99999  99999 99999  99999 99999  99999 99999  99999 99999
4788:  99999 99999  99999 99999  99999 99999  99999 99999  99999 99999    99999 99999  99999 99999  99999 99999  99999 99999  99999 99999
4789:  99999 99999  99999 99999  99999 99999  99999 99999  99999 99999    99999 99999  99999 99999  99999 99999  99999 99999  99999 99999
4790:  99999 99999  99999 99999  99999 99999  99999 99999  99999 99999    99999 99999  99999 99999  99999 99999  99999 99999  99999 99999
4791:  99999 99999  99999 99999  99999 99999  99999 99999  99999 99999    99999 99999  99999 99999  99999 99999  99999 99999  99999 99999
4792:  99999 99999  99999 99999  99999 99999  99999 99999  99999 99999    99999 99999  99999 99999  99999 99999  99999 99999  99999 99999
4793:  99999 99999  99999 99999  99999 99999  99999 99999  99999 99999    99999 99999  99999 99999  99999 99999  99999 99999  99999 99999
4794:  99999 99999  99999 99999  99999 99999  99999 99999  99999 99999    99999 99999  99999 99999  99999 99999  99999 99999  99999 99999
4795:  99999 99999  99999 99999  99999 99999  99999 99999  99999 99999    99999 99999  99999 99999  99999 99999  99999 99999  99999 99999
4796:  99999 99999  99999 99999  99999 99999  99999 99999  99999 99999    99999 99999  99999 99999  99999 99999  99999 99999  99999 99999
4797:  99999 99999  99999 99999  99999 99999  99999 99999  99999 99999    99999 99999  99999 99999  99999 99999  99999 99999  99999 99999
4798:  99999 99999  99999 99999  99999 99999  99999 99999  99999 99999    99999 99999  99999 99999  99999 99999  99999 99999  99999 99999
4799:  99999 99999  99999 99999  99999 99999  99999 99999  99999 99999    99999 99999  99999 99999  99999 99999  99999 99999  99999 99999
```

```
4800:  99999 99999  99999 99999  99999 99999  99999 99999  99999 99999    99999 99999  99999 99999  99999 99999  99999 99999  99999 99999
4801:  99999 99999  99999 99999  99999 99999  99999 99999  99999 99999    99999 99999  99999 99999  99999 99999  99999 99999  99999 99999
4802:  99999 99999  99999 99999  99999 99999  99999 99999  99999 99999    99999 99999  99999 99999  99999 99999  99999 99999  99999 99999
4803:  99999 99999  99999 99999  99999 99999  99999 99999  99999 99999    99999 99999  99999 99999  99999 99999  99999 99999  99999 99999
4804:  99999 99999  99999 99999  99999 99999  99999 99999  99999 99999    99999 99999  99999 99999  99999 99999  99999 99999  99999 99999
4805:  99999 99999  99999 99999  99999 99999  99999 99999  99999 99999    99999 99999  99999 99999  99999 99999  99999 99999  99999 99999
4806:  99999 99999  99999 99999  99999 99999  99999 99999  99999 99999    99999 99999  99999 99999  99999 99999  99999 99999  99999 99999
4807:  99999 99999  99999 99999  99999 99999  99999 99999  99999 99999    99999 99999  99999 99999  99999 99999  99999 99999  99999 99999
4808:  99999 99999  99999 99999  99999 99999  99999 99999  99999 99999    99999 99999  99999 99999  99999 99999  99999 99999  99999 99999
4809:  99999 99999  99999 99999  99999 99999  99999 99999  99999 99999    99999 99999  99999 99999  99999 99999  99999 99999  99999 99999
4810:  99999 99999  99999 99999  99999 99999  99999 99999  99999 99999    99999 99999  99999 99999  99999 99999  99999 99999  99999 99999
4811:  99999 99999  99999 99999  99999 99999  99999 99999  99999 99999    99999 99999  99999 99999  99999 99999  99999 99999  99999 99999
4812:  99999 99999  99999 99999  99999 99999  99999 99999  99999 99999    99999 99999  99999 99999  99999 99999  99999 99999  99999 99999
4813:  99999 99999  99999 99999  99999 99999  99999 99999  99999 99999    99999 99999  99999 99999  99999 99999  99999 99999  99999 99999
4814:  99999 99999  99999 99999  99999 99999  99999 99999  99999 99999    99999 99999  99999 99999  99999 99999  99999 99999  99999 99999
4815:  99999 99999  99999 99999  99999 99999  99999 99999  99999 99999    99999 99999  99999 99999  99999 99999  99999 99999  99999 99999
4816:  99999 99999  99999 99999  99999 99999  99999 99999  99999 99999    99999 99999  99999 99999  99999 99999  99999 99999  99999 99999
4817:  99999 99999  99999 99999  99999 99999  99999 99999  99999 99999    99999 99999  99999 99999  99999 99999  99999 99999  99999 99999
4818:  99999 99999  99999 99999  99999 99999  99999 99999  99999 99999    99999 99999  99999 99999  99999 99999  99999 99999  99999 99999
4819:  99999 99999  99999 99999  99999 99999  99999 99999  99999 99999    99999 99999  99999 99999  99999 99999  99999 99999  99999 99999
4820:  99999 99999  99999 99999  99999 99999  99999 99999  99999 99999    99999 99999  99999 99999  99999 99999  99999 99999  99999 99999
4821:  99999 99999  99999 99999  99999 99999  99999 99999  99999 99999    99999 99999  99999 99999  99999 99999  99999 99999  99999 99999
4822:  99999 99999  99999 99999  99999 99999  99999 99999  99999 99999    99999 99999  99999 99999  99999 99999  99999 99999  99999 99999
4823:  99999 99999  99999 99999  99999 99999  99999 99999  99999 99999    99999 99999  99999 99999  99999 99999  99999 99999  99999 99999
4824:  99999 99999  99999 99999  99999 99999  99999 99999  99999 99999    99999 99999  99999 99999  99999 99999  99999 99999  99999 99999
4825:  99999 99999  99999 99999  99999 99999  99999 99999  99999 99999    99999 99999  99999 99999  99999 99999  99999 99999  99999 99999
4826:  99999 99999  99999 99999  99999 99999  99999 99999  99999 99999    99999 99999  99999 99999  99999 99999  99999 99999  99999 99999
4827:  99999 99999  99999 99999  99999 99999  99999 99999  99999 99999    99999 99999  99999 99999  99999 99999  99999 99999  99999 99999
4828:  99999 99999  99999 99999  99999 99999  99999 99999  99999 99999    99999 99999  99999 99999  99999 99999  99999 99999  99999 99999
4829:  99999 99999  99999 99999  99999 99999  99999 99999  99999 99999    99999 99999  99999 99999  99999 99999  99999 99999  99999 99999
4830:  99999 99999  99999 99999  99999 99999  99999 99999  99999 99999    99999 99999  99999 99999  99999 99999  99999 99999  99999 99999
4831:  99999 99999  99999 99999  99999 99999  99999 99999  99999 99999    99999 99999  99999 99999  99999 99999  99999 99999  99999 99999
4832:  99999 99999  99999 99999  99999 99999  99999 99999  99999 99999    99999 99999  99999 99999  99999 99999  99999 99999  99999 99999
4833:  99999 99999  99999 99999  99999 99999  99999 99999  99999 99999    99999 99999  99999 99999  99999 99999  99999 99999  99999 99999
4834:  99999 99999  99999 99999  99999 99999  99999 99999  99999 99999    99999 99999  99999 99999  99999 99999  99999 99999  99999 99999
4835:  99999 99999  99999 99999  99999 99999  99999 99999  99999 99999    99999 99999  99999 99999  99999 99999  99999 99999  99999 99999
4836:  99999 99999  99999 99999  99999 99999  99999 99999  99999 99999    99999 99999  99999 99999  99999 99999  99999 99999  99999 99999
4837:  99999 99999  99999 99999  99999 99999  99999 99999  99999 99999    99999 99999  99999 99999  99999 99999  99999 99999  99999 99999
4838:  99999 99999  99999 99999  99999 99999  99999 99999  99999 99999    99999 99999  99999 99999  99999 99999  99999 99999  99999 99999
4839:  99999 99999  99999 99999  99999 99999  99999 99999  99999 99999    99999 99999  99999 99999  99999 99999  99999 99999  99999 99999
4840:  99999 99999  99999 99999  99999 99999  99999 99999  99999 99999    99999 99999  99999 99999  99999 99999  99999 99999  99999 99999
4841:  99999 99999  99999 99999  99999 99999  99999 99999  99999 99999    99999 99999  99999 99999  99999 99999  99999 99999  99999 99999
4842:  99999 99999  99999 99999  99999 99999  99999 99999  99999 99999    99999 99999  99999 99999  99999 99999  99999 99999  99999 99999
4843:  99999 99999  99999 99999  99999 99999  99999 99999  99999 99999    99999 99999  99999 99999  99999 99999  99999 99999  99999 99999
4844:  99999 99999  99999 99999  99999 99999  99999 99999  99999 99999    99999 99999  99999 99999  99999 99999  99999 99999  99999 99999
4845:  99999 99999  99999 99999  99999 99999  99999 99999  99999 99999    99999 99999  99999 99999  99999 99999  99999 99999  99999 99999
4846:  99999 99999  99999 99999  99999 99999  99999 99999  99999 99999    99999 99999  99999 99999  99999 99999  99999 99999  99999 99999
4847:  99999 99999  99999 99999  99999 99999  99999 99999  99999 99999    99999 99999  99999 99999  99999 99999  99999 99999  99999 99999
4848:  99999 99999  99999 99999  99999 99999  99999 99999  99999 99999    99999 99999  99999 99999  99999 99999  99999 99999  99999 99999
4849:  99999 99999  99999 99999  99999 99999  99999 99999  99999 99999    99999 99999  99999 99999  99999 99999  99999 99999  99999 99999
```

```
4850:   99999 99999   99999 99999   99999 99999   99999 99999   99999 99999     99999 99999   99999 99999   99999 99999   99999 99999   99999 99999
4851:   99999 99999   99999 99999   99999 99999   99999 99999   99999 99999     99999 99999   99999 99999   99999 99999   99999 99999   99999 99999
4852:   99999 99999   99999 99999   99999 99999   99999 99999   99999 99999     99999 99999   99999 99999   99999 99999   99999 99999   99999 99999
4853:   99999 99999   99999 99999   99999 99999   99999 99999   99999 99999     99999 99999   99999 99999   99999 99999   99999 99999   99999 99999
4854:   99999 99999   99999 99999   99999 99999   99999 99999   99999 99999     99999 99999   99999 99999   99999 99999   99999 99999   99999 99999
4855:   99999 99999   99999 99999   99999 99999   99999 99999   99999 99999     99999 99999   99999 99999   99999 99999   99999 99999   99999 99999
4856:   99999 99999   99999 99999   99999 99999   99999 99999   99999 99999     99999 99999   99999 99999   99999 99999   99999 99999   99999 99999
4857:   99999 99999   99999 99999   99999 99999   99999 99999   99999 99999     99999 99999   99999 99999   99999 99999   99999 99999   99999 99999
4858:   99999 99999   99999 99999   99999 99999   99999 99999   99999 99999     99999 99999   99999 99999   99999 99999   99999 99999   99999 99999
4859:   99999 99999   99999 99999   99999 99999   99999 99999   99999 99999     99999 99999   99999 99999   99999 99999   99999 99999   99999 99999
4860:   99999 99999   99999 99999   99999 99999   99999 99999   99999 99999     99999 99999   99999 99999   99999 99999   99999 99999   99999 99999
4861:   99999 99999   99999 99999   99999 99999   99999 99999   99999 99999     99999 99999   99999 99999   99999 99999   99999 99999   99999 99999
4862:   99999 99999   99999 99999   99999 99999   99999 99999   99999 99999     99999 99999   99999 99999   99999 99999   99999 99999   99999 99999
4863:   99999 99999   99999 99999   99999 99999   99999 99999   99999 99999     99999 99999   99999 99999   99999 99999   99999 99999   99999 99999
4864:   99999 99999   99999 99999   99999 99999   99999 99999   99999 99999     99999 99999   99999 99999   99999 99999   99999 99999   99999 99999
4865:   99999 99999   99999 99999   99999 99999   99999 99999   99999 99999     99999 99999   99999 99999   99999 99999   99999 99999   99999 99999
4866:   99999 99999   99999 99999   99999 99999   99999 99999   99999 99999     99999 99999   99999 99999   99999 99999   99999 99999   99999 99999
4867:   99999 99999   99999 99999   99999 99999   99999 99999   99999 99999     99999 99999   99999 99999   99999 99999   99999 99999   99999 99999
4868:   99999 99999   99999 99999   99999 99999   99999 99999   99999 99999     99999 99999   99999 99999   99999 99999   99999 99999   99999 99999
4869:   99999 99999   99999 99999   99999 99999   99999 99999   99999 99999     99999 99999   99999 99999   99999 99999   99999 99999   99999 99999
4870:   99999 99999   99999 99999   99999 99999   99999 99999   99999 99999     99999 99999   99999 99999   99999 99999   99999 99999   99999 99999
4871:   99999 99999   99999 99999   99999 99999   99999 99999   99999 99999     99999 99999   99999 99999   99999 99999   99999 99999   99999 99999
4872:   99999 99999   99999 99999   99999 99999   99999 99999   99999 99999     99999 99999   99999 99999   99999 99999   99999 99999   99999 99999
4873:   99999 99999   99999 99999   99999 99999   99999 99999   99999 99999     99999 99999   99999 99999   99999 99999   99999 99999   99999 99999
4874:   99999 99999   99999 99999   99999 99999   99999 99999   99999 99999     99999 99999   99999 99999   99999 99999   99999 99999   99999 99999
4875:   99999 99999   99999 99999   99999 99999   99999 99999   99999 99999     99999 99999   99999 99999   99999 99999   99999 99999   99999 99999
4876:   99999 99999   99999 99999   99999 99999   99999 99999   99999 99999     99999 99999   99999 99999   99999 99999   99999 99999   99999 99999
4877:   99999 99999   99999 99999   99999 99999   99999 99999   99999 99999     99999 99999   99999 99999   99999 99999   99999 99999   99999 99999
4878:   99999 99999   99999 99999   99999 99999   99999 99999   99999 99999     99999 99999   99999 99999   99999 99999   99999 99999   99999 99999
4879:   99999 99999   99999 99999   99999 99999   99999 99999   99999 99999     99999 99999   99999 99999   99999 99999   99999 99999   99999 99999
4880:   99999 99999   99999 99999   99999 99999   99999 99999   99999 99999     99999 99999   99999 99999   99999 99999   99999 99999   99999 99999
4881:   99999 99999   99999 99999   99999 99999   99999 99999   99999 99999     99999 99999   99999 99999   99999 99999   99999 99999   99999 99999
4882:   99999 99999   99999 99999   99999 99999   99999 99999   99999 99999     99999 99999   99999 99999   99999 99999   99999 99999   99999 99999
4883:   99999 99999   99999 99999   99999 99999   99999 99999   99999 99999     99999 99999   99999 99999   99999 99999   99999 99999   99999 99999
4884:   99999 99999   99999 99999   99999 99999   99999 99999   99999 99999     99999 99999   99999 99999   99999 99999   99999 99999   99999 99999
4885:   99999 99999   99999 99999   99999 99999   99999 99999   99999 99999     99999 99999   99999 99999   99999 99999   99999 99999   99999 99999
4886:   99999 99999   99999 99999   99999 99999   99999 99999   99999 99999     99999 99999   99999 99999   99999 99999   99999 99999   99999 99999
4887:   99999 99999   99999 99999   99999 99999   99999 99999   99999 99999     99999 99999   99999 99999   99999 99999   99999 99999   99999 99999
4888:   99999 99999   99999 99999   99999 99999   99999 99999   99999 99999     99999 99999   99999 99999   99999 99999   99999 99999   99999 99999
4889:   99999 99999   99999 99999   99999 99999   99999 99999   99999 99999     99999 99999   99999 99999   99999 99999   99999 99999   99999 99999
4890:   99999 99999   99999 99999   99999 99999   99999 99999   99999 99999     99999 99999   99999 99999   99999 99999   99999 99999   99999 99999
4891:   99999 99999   99999 99999   99999 99999   99999 99999   99999 99999     99999 99999   99999 99999   99999 99999   99999 99999   99999 99999
4892:   99999 99999   99999 99999   99999 99999   99999 99999   99999 99999     99999 99999   99999 99999   99999 99999   99999 99999   99999 99999
4893:   99999 99999   99999 99999   99999 99999   99999 99999   99999 99999     99999 99999   99999 99999   99999 99999   99999 99999   99999 99999
4894:   99999 99999   99999 99999   99999 99999   99999 99999   99999 99999     99999 99999   99999 99999   99999 99999   99999 99999   99999 99999
4895:   99999 99999   99999 99999   99999 99999   99999 99999   99999 99999     99999 99999   99999 99999   99999 99999   99999 99999   99999 99999
4896:   99999 99999   99999 99999   99999 99999   99999 99999   99999 99999     99999 99999   99999 99999   99999 99999   99999 99999   99999 99999
4897:   99999 99999   99999 99999   99999 99999   99999 99999   99999 99999     99999 99999   99999 99999   99999 99999   99999 99999   99999 99999
4898:   99999 99999   99999 99999   99999 99999   99999 99999   99999 99999     99999 99999   99999 99999   99999 99999   99999 99999   99999 99999
4899:   99999 99999   99999 99999   99999 99999   99999 99999   99999 99999     99999 99999   99999 99999   99999 99999   99999 99999   99999 99999
```

```
4900:   99999 99999   99999 99999   99999 99999   99999 99999   99999 99999     99999 99999   99999 99999   99999 99999   99999 99999   99999 99999
4901:   99999 99999   99999 99999   99999 99999   99999 99999   99999 99999     99999 99999   99999 99999   99999 99999   99999 99999   99999 99999
4902:   99999 99999   99999 99999   99999 99999   99999 99999   99999 99999     99999 99999   99999 99999   99999 99999   99999 99999   99999 99999
4903:   99999 99999   99999 99999   99999 99999   99999 99999   99999 99999     99999 99999   99999 99999   99999 99999   99999 99999   99999 99999
4904:   99999 99999   99999 99999   99999 99999   99999 99999   99999 99999     99999 99999   99999 99999   99999 99999   99999 99999   99999 99999
4905:   99999 99999   99999 99999   99999 99999   99999 99999   99999 99999     99999 99999   99999 99999   99999 99999   99999 99999   99999 99999
4906:   99999 99999   99999 99999   99999 99999   99999 99999   99999 99999     99999 99999   99999 99999   99999 99999   99999 99999   99999 99999
4907:   99999 99999   99999 99999   99999 99999   99999 99999   99999 99999     99999 99999   99999 99999   99999 99999   99999 99999   99999 99999
4908:   99999 99999   99999 99999   99999 99999   99999 99999   99999 99999     99999 99999   99999 99999   99999 99999   99999 99999   99999 99999
4909:   99999 99999   99999 99999   99999 99999   99999 99999   99999 99999     99999 99999   99999 99999   99999 99999   99999 99999   99999 99999
4910:   99999 99999   99999 99999   99999 99999   99999 99999   99999 99999     99999 99999   99999 99999   99999 99999   99999 99999   99999 99999
4911:   99999 99999   99999 99999   99999 99999   99999 99999   99999 99999     99999 99999   99999 99999   99999 99999   99999 99999   99999 99999
4912:   99999 99999   99999 99999   99999 99999   99999 99999   99999 99999     99999 99999   99999 99999   99999 99999   99999 99999   99999 99999
4913:   99999 99999   99999 99999   99999 99999   99999 99999   99999 99999     99999 99999   99999 99999   99999 99999   99999 99999   99999 99999
4914:   99999 99999   99999 99999   99999 99999   99999 99999   99999 99999     99999 99999   99999 99999   99999 99999   99999 99999   99999 99999
4915:   99999 99999   99999 99999   99999 99999   99999 99999   99999 99999     99999 99999   99999 99999   99999 99999   99999 99999   99999 99999
4916:   99999 99999   99999 99999   99999 99999   99999 99999   99999 99999     99999 99999   99999 99999   99999 99999   99999 99999   99999 99999
4917:   99999 99999   99999 99999   99999 99999   99999 99999   99999 99999     99999 99999   99999 99999   99999 99999   99999 99999   99999 99999
4918:   99999 99999   99999 99999   99999 99999   99999 99999   99999 99999     99999 99999   99999 99999   99999 99999   99999 99999   99999 99999
4919:   99999 99999   99999 99999   99999 99999   99999 99999   99999 99999     99999 99999   99999 99999   99999 99999   99999 99999   99999 99999
4920:   99999 99999   99999 99999   99999 99999   99999 99999   99999 99999     99999 99999   99999 99999   99999 99999   99999 99999   99999 99999
4921:   99999 99999   99999 99999   99999 99999   99999 99999   99999 99999     99999 99999   99999 99999   99999 99999   99999 99999   99999 99999
4922:   99999 99999   99999 99999   99999 99999   99999 99999   99999 99999     99999 99999   99999 99999   99999 99999   99999 99999   99999 99999
4923:   99999 99999   99999 99999   99999 99999   99999 99999   99999 99999     99999 99999   99999 99999   99999 99999   99999 99999   99999 99999
4924:   99999 99999   99999 99999   99999 99999   99999 99999   99999 99999     99999 99999   99999 99999   99999 99999   99999 99999   99999 99999
4925:   99999 99999   99999 99999   99999 99999   99999 99999   99999 99999     99999 99999   99999 99999   99999 99999   99999 99999   99999 99999
4926:   99999 99999   99999 99999   99999 99999   99999 99999   99999 99999     99999 99999   99999 99999   99999 99999   99999 99999   99999 99999
4927:   99999 99999   99999 99999   99999 99999   99999 99999   99999 99999     99999 99999   99999 99999   99999 99999   99999 99999   99999 99999
4928:   99999 99999   99999 99999   99999 99999   99999 99999   99999 99999     99999 99999   99999 99999   99999 99999   99999 99999   99999 99999
4929:   99999 99999   99999 99999   99999 99999   99999 99999   99999 99999     99999 99999   99999 99999   99999 99999   99999 99999   99999 99999
4930:   99999 99999   99999 99999   99999 99999   99999 99999   99999 99999     99999 99999   99999 99999   99999 99999   99999 99999   99999 99999
4931:   99999 99999   99999 99999   99999 99999   99999 99999   99999 99999     99999 99999   99999 99999   99999 99999   99999 99999   99999 99999
4932:   99999 99999   99999 99999   99999 99999   99999 99999   99999 99999     99999 99999   99999 99999   99999 99999   99999 99999   99999 99999
4933:   99999 99999   99999 99999   99999 99999   99999 99999   99999 99999     99999 99999   99999 99999   99999 99999   99999 99999   99999 99999
4934:   99999 99999   99999 99999   99999 99999   99999 99999   99999 99999     99999 99999   99999 99999   99999 99999   99999 99999   99999 99999
4935:   99999 99999   99999 99999   99999 99999   99999 99999   99999 99999     99999 99999   99999 99999   99999 99999   99999 99999   99999 99999
4936:   99999 99999   99999 99999   99999 99999   99999 99999   99999 99999     99999 99999   99999 99999   99999 99999   99999 99999   99999 99999
4937:   99999 99999   99999 99999   99999 99999   99999 99999   99999 99999     99999 99999   99999 99999   99999 99999   99999 99999   99999 99999
4938:   99999 99999   99999 99999   99999 99999   99999 99999   99999 99999     99999 99999   99999 99999   99999 99999   99999 99999   99999 99999
4939:   99999 99999   99999 99999   99999 99999   99999 99999   99999 99999     99999 99999   99999 99999   99999 99999   99999 99999   99999 99999
4940:   99999 99999   99999 99999   99999 99999   99999 99999   99999 99999     99999 99999   99999 99999   99999 99999   99999 99999   99999 99999
4941:   99999 99999   99999 99999   99999 99999   99999 99999   99999 99999     99999 99999   99999 99999   99999 99999   99999 99999   99999 99999
4942:   99999 99999   99999 99999   99999 99999   99999 99999   99999 99999     99999 99999   99999 99999   99999 99999   99999 99999   99999 99999
4943:   99999 99999   99999 99999   99999 99999   99999 99999   99999 99999     99999 99999   99999 99999   99999 99999   99999 99999   99999 99999
4944:   99999 99999   99999 99999   99999 99999   99999 99999   99999 99999     99999 99999   99999 99999   99999 99999   99999 99999   99999 99999
4945:   99999 99999   99999 99999   99999 99999   99999 99999   99999 99999     99999 99999   99999 99999   99999 99999   99999 99999   99999 99999
4946:   99999 99999   99999 99999   99999 99999   99999 99999   99999 99999     99999 99999   99999 99999   99999 99999   99999 99999   99999 99999
4947:   99999 99999   99999 99999   99999 99999   99999 99999   99999 99999     99999 99999   99999 99999   99999 99999   99999 99999   99999 99999
4948:   99999 99999   99999 99999   99999 99999   99999 99999   99999 99999     99999 99999   99999 99999   99999 99999   99999 99999   99999 99999
4949:   99999 99999   99999 99999   99999 99999   99999 99999   99999 99999     99999 99999   99999 99999   99999 99999   99999 99999   99999 99999
```

```
4950:  99999 99999  99999 99999  99999 99999  99999 99999  99999 99999    99999 99999  99999 99999  99999 99999  99999 99999  99999 99999
4951:  99999 99999  99999 99999  99999 99999  99999 99999  99999 99999    99999 99999  99999 99999  99999 99999  99999 99999  99999 99999
4952:  99999 99999  99999 99999  99999 99999  99999 99999  99999 99999    99999 99999  99999 99999  99999 99999  99999 99999  99999 99999
4953:  99999 99999  99999 99999  99999 99999  99999 99999  99999 99999    99999 99999  99999 99999  99999 99999  99999 99999  99999 99999
4954:  99999 99999  99999 99999  99999 99999  99999 99999  99999 99999    99999 99999  99999 99999  99999 99999  99999 99999  99999 99999
4955:  99999 99999  99999 99999  99999 99999  99999 99999  99999 99999    99999 99999  99999 99999  99999 99999  99999 99999  99999 99999
4956:  99999 99999  99999 99999  99999 99999  99999 99999  99999 99999    99999 99999  99999 99999  99999 99999  99999 99999  99999 99999
4957:  99999 99999  99999 99999  99999 99999  99999 99999  99999 99999    99999 99999  99999 99999  99999 99999  99999 99999  99999 99999
4958:  99999 99999  99999 99999  99999 99999  99999 99999  99999 99999    99999 99999  99999 99999  99999 99999  99999 99999  99999 99999
4959:  99999 99999  99999 99999  99999 99999  99999 99999  99999 99999    99999 99999  99999 99999  99999 99999  99999 99999  99999 99999
4960:  99999 99999  99999 99999  99999 99999  99999 99999  99999 99999    99999 99999  99999 99999  99999 99999  99999 99999  99999 99999
4961:  99999 99999  99999 99999  99999 99999  99999 99999  99999 99999    99999 99999  99999 99999  99999 99999  99999 99999  99999 99999
4962:  99999 99999  99999 99999  99999 99999  99999 99999  99999 99999    99999 99999  99999 99999  99999 99999  99999 99999  99999 99999
4963:  99999 99999  99999 99999  99999 99999  99999 99999  99999 99999    99999 99999  99999 99999  99999 99999  99999 99999  99999 99999
4964:  99999 99999  99999 99999  99999 99999  99999 99999  99999 99999    99999 99999  99999 99999  99999 99999  99999 99999  99999 99999
4965:  99999 99999  99999 99999  99999 99999  99999 99999  99999 99999    99999 99999  99999 99999  99999 99999  99999 99999  99999 99999
4966:  99999 99999  99999 99999  99999 99999  99999 99999  99999 99999    99999 99999  99999 99999  99999 99999  99999 99999  99999 99999
4967:  99999 99999  99999 99999  99999 99999  99999 99999  99999 99999    99999 99999  99999 99999  99999 99999  99999 99999  99999 99999
4968:  99999 99999  99999 99999  99999 99999  99999 99999  99999 99999    99999 99999  99999 99999  99999 99999  99999 99999  99999 99999
4969:  99999 99999  99999 99999  99999 99999  99999 99999  99999 99999    99999 99999  99999 99999  99999 99999  99999 99999  99999 99999
4970:  99999 99999  99999 99999  99999 99999  99999 99999  99999 99999    99999 99999  99999 99999  99999 99999  99999 99999  99999 99999
4971:  99999 99999  99999 99999  99999 99999  99999 99999  99999 99999    99999 99999  99999 99999  99999 99999  99999 99999  99999 99999
4972:  99999 99999  99999 99999  99999 99999  99999 99999  99999 99999    99999 99999  99999 99999  99999 99999  99999 99999  99999 99999
4973:  99999 99999  99999 99999  99999 99999  99999 99999  99999 99999    99999 99999  99999 99999  99999 99999  99999 99999  99999 99999
4974:  99999 99999  99999 99999  99999 99999  99999 99999  99999 99999    99999 99999  99999 99999  99999 99999  99999 99999  99999 99999
4975:  99999 99999  99999 99999  99999 99999  99999 99999  99999 99999    99999 99999  99999 99999  99999 99999  99999 99999  99999 99999
4976:  99999 99999  99999 99999  99999 99999  99999 99999  99999 99999    99999 99999  99999 99999  99999 99999  99999 99999  99999 99999
4977:  99999 99999  99999 99999  99999 99999  99999 99999  99999 99999    99999 99999  99999 99999  99999 99999  99999 99999  99999 99999
4978:  99999 99999  99999 99999  99999 99999  99999 99999  99999 99999    99999 99999  99999 99999  99999 99999  99999 99999  99999 99999
4979:  99999 99999  99999 99999  99999 99999  99999 99999  99999 99999    99999 99999  99999 99999  99999 99999  99999 99999  99999 99999
4980:  99999 99999  99999 99999  99999 99999  99999 99999  99999 99999    99999 99999  99999 99999  99999 99999  99999 99999  99999 99999
4981:  99999 99999  99999 99999  99999 99999  99999 99999  99999 99999    99999 99999  99999 99999  99999 99999  99999 99999  99999 99999
4982:  99999 99999  99999 99999  99999 99999  99999 99999  99999 99999    99999 99999  99999 99999  99999 99999  99999 99999  99999 99999
4983:  99999 99999  99999 99999  99999 99999  99999 99999  99999 99999    99999 99999  99999 99999  99999 99999  99999 99999  99999 99999
4984:  99999 99999  99999 99999  99999 99999  99999 99999  99999 99999    99999 99999  99999 99999  99999 99999  99999 99999  99999 99999
4985:  99999 99999  99999 99999  99999 99999  99999 99999  99999 99999    99999 99999  99999 99999  99999 99999  99999 99999  99999 99999
4986:  99999 99999  99999 99999  99999 99999  99999 99999  99999 99999    99999 99999  99999 99999  99999 99999  99999 99999  99999 99999
4987:  99999 99999  99999 99999  99999 99999  99999 99999  99999 99999    99999 99999  99999 99999  99999 99999  99999 99999  99999 99999
4988:  99999 99999  99999 99999  99999 99999  99999 99999  99999 99999    99999 99999  99999 99999  99999 99999  99999 99999  99999 99999
4989:  99999 99999  99999 99999  99999 99999  99999 99999  99999 99999    99999 99999  99999 99999  99999 99999  99999 99999  99999 99999
4990:  99999 99999  99999 99999  99999 99999  99999 99999  99999 99999    99999 99999  99999 99999  99999 99999  99999 99999  99999 99999
4991:  99999 99999  99999 99999  99999 99999  99999 99999  99999 99999    99999 99999  99999 99999  99999 99999  99999 99999  99999 99999
4992:  99999 99999  99999 99999  99999 99999  99999 99999  99999 99999    99999 99999  99999 99999  99999 99999  99999 99999  99999 99999
4993:  99999 99999  99999 99999  99999 99999  99999 99999  99999 99999    99999 99999  99999 99999  99999 99999  99999 99999  99999 99999
4994:  99999 99999  99999 99999  99999 99999  99999 99999  99999 99999    99999 99999  99999 99999  99999 99999  99999 99999  99999 99999
4995:  99999 99999  99999 99999  99999 99999  99999 99999  99999 99999    99999 99999  99999 99999  99999 99999  99999 99999  99999 99999
4996:  99999 99999  99999 99999  99999 99999  99999 99999  99999 99999    99999 99999  99999 99999  99999 99999  99999 99999  99999 99999
4997:  99999 99999  99999 99999  99999 99999  99999 99999  99999 99999    99999 99999  99999 99999  99999 99999  99999 99999  99999 99999
4998:  99999 99999  99999 99999  99999 99999  99999 99999  99999 99999    99999 99999  99999 99999  99999 99999  99999 99999  99999 99999
4999:  99999 99999  99999 99999  99999 99999  99999 99999  99999 99999    99999 99999  99999 99999  99999 99999  99999 99999  99999 99999
```

```
5000:  99999 99999  99999 99999  99999 99999  99999 99999  99999 99999   99999 99999  99999 99999  99999 99999  99999 99999  99999 99999
5001:  99999 99999  99999 99999  99999 99999  99999 99999  99999 99999   99999 99999  99999 99999  99999 99999  99999 99999  99999 99999
5002:  99999 99999  99999 99999  99999 99999  99999 99999  99999 99999   99999 99999  99999 99999  99999 99999  99999 99999  99999 99999
5003:  99999 99999  99999 99999  99999 99999  99999 99999  99999 99999   99999 99999  99999 99999  99999 99999  99999 99999  99999 99999
5004:  99999 99999  99999 99999  99999 99999  99999 99999  99999 99999   99999 99999  99999 99999  99999 99999  99999 99999  99999 99999
5005:  99999 99999  99999 99999  99999 99999  99999 99999  99999 99999   99999 99999  99999 99999  99999 99999  99999 99999  99999 99999
5006:  99999 99999  99999 99999  99999 99999  99999 99999  99999 99999   99999 99999  99999 99999  99999 99999  99999 99999  99999 99999
5007:  99999 99999  99999 99999  99999 99999  99999 99999  99999 99999   99999 99999  99999 99999  99999 99999  99999 99999  99999 99999
5008:  99999 99999  99999 99999  99999 99999  99999 99999  99999 99999   99999 99999  99999 99999  99999 99999  99999 99999  99999 99999
5009:  99999 99999  99999 99999  99999 99999  99999 99999  99999 99999   99999 99999  99999 99999  99999 99999  99999 99999  99999 99999
5010:  99999 99999  99999 99999  99999 99999  99999 99999  99999 99999   99999 99999  99999 99999  99999 99999  99999 99999  99999 99999
5011:  99999 99999  99999 99999  99999 99999  99999 99999  99999 99999   99999 99999  99999 99999  99999 99999  99999 99999  99999 99999
5012:  99999 99999  99999 99999  99999 99999  99999 99999  99999 99999   99999 99999  99999 99999  99999 99999  99999 99999  99999 99999
5013:  99999 99999  99999 99999  99999 99999  99999 99999  99999 99999   99999 99999  99999 99999  99999 99999  99999 99999  99999 99999
5014:  99999 99999  99999 99999  99999 99999  99999 99999  99999 99999   99999 99999  99999 99999  99999 99999  99999 99999  99999 99999
5015:  99999 99999  99999 99999  99999 99999  99999 99999  99999 99999   99999 99999  99999 99999  99999 99999  99999 99999  99999 99999
5016:  99999 99999  99999 99999  99999 99999  99999 99999  99999 99999   99999 99999  99999 99999  99999 99999  99999 99999  99999 99999
5017:  99999 99999  99999 99999  99999 99999  99999 99999  99999 99999   99999 99999  99999 99999  99999 99999  99999 99999  99999 99999
5018:  99999 99999  99999 99999  99999 99999  99999 99999  99999 99999   99999 99999  99999 99999  99999 99999  99999 99999  99999 99999
5019:  99999 99999  99999 99999  99999 99999  99999 99999  99999 99999   99999 99999  99999 99999  99999 99999  99999 99999  99999 99999
5020:  99999 99999  99999 99999  99999 99999  99999 99999  99999 99999   99999 99999  99999 99999  99999 99999  99999 99999  99999 99999
5021:  99999 99999  99999 99999  99999 99999  99999 99999  99999 99999   99999 99999  99999 99999  99999 99999  99999 99999  99999 99999
5022:  99999 99999  99999 99999  99999 99999  99999 99999  99999 99999   99999 99999  99999 99999  99999 99999  99999 99999  99999 99999
5023:  99999 99999  99999 99999  99999 99999  99999 99999  99999 99999   99999 99999  99999 99999  99999 99999  99999 99999  99999 99999
5024:  99999 99999  99999 99999  99999 99999  99999 99999  99999 99999   99999 99999  99999 99999  99999 99999  99999 99999  99999 99999
5025:  99999 99999  99999 99999  99999 99999  99999 99999  99999 99999   99999 99999  99999 99999  99999 99999  99999 99999  99999 99999
5026:  99999 99999  99999 99999  99999 99999  99999 99999  99999 99999   99999 99999  99999 99999  99999 99999  99999 99999  99999 99999
5027:  99999 99999  99999 99999  99999 99999  99999 99999  99999 99999   99999 99999  99999 99999  99999 99999  99999 99999  99999 99999
5028:  99999 99999  99999 99999  99999 99999  99999 99999  99999 99999   99999 99999  99999 99999  99999 99999  99999 99999  99999 99999
5029:  99999 99999  99999 99999  99999 99999  99999 99999  99999 99999   99999 99999  99999 99999  99999 99999  99999 99999  99999 99999
5030:  99999 99999  99999 99999  99999 99999  99999 99999  99999 99999   99999 99999  99999 99999  99999 99999  99999 99999  99999 99999
5031:  99999 99999  99999 99999  99999 99999  99999 99999  99999 99999   99999 99999  99999 99999  99999 99999  99999 99999  99999 99999
5032:  99999 99999  99999 99999  99999 99999  99999 99999  99999 99999   99999 99999  99999 99999  99999 99999  99999 99999  99999 99999
5033:  99999 99999  99999 99999  99999 99999  99999 99999  99999 99999   99999 99999  99999 99999  99999 99999  99999 99999  99999 99999
5034:  99999 99999  99999 99999  99999 99999  99999 99999  99999 99999   99999 99999  99999 99999  99999 99999  99999 99999  99999 99999
5035:  99999 99999  99999 99999  99999 99999  99999 99999  99999 99999   99999 99999  99999 99999  99999 99999  99999 99999  99999 99999
5036:  99999 99999  99999 99999  99999 99999  99999 99999  99999 99999   99999 99999  99999 99999  99999 99999  99999 99999  99999 99999
5037:  99999 99999  99999 99999  99999 99999  99999 99999  99999 99999   99999 99999  99999 99999  99999 99999  99999 99999  99999 99999
5038:  99999 99999  99999 99999  99999 99999  99999 99999  99999 99999   99999 99999  99999 99999  99999 99999  99999 99999  99999 99999
5039:  99999 99999  99999 99999  99999 99999  99999 99999  99999 99999   99999 99999  99999 99999  99999 99999  99999 99999  99999 99999
5040:  99999 99999  99999 99999  99999 99999  99999 99999  99999 99999   99999 99999  99999 99999  99999 99999  99999 99999  99999 99999
5041:  99999 99999  99999 99999  99999 99999  99999 99999  99999 99999   99999 99999  99999 99999  99999 99999  99999 99999  99999 99999
5042:  99999 99999  99999 99999  99999 99999  99999 99999  99999 99999   99999 99999  99999 99999  99999 99999  99999 99999  99999 99999
5043:  99999 99999  99999 99999  99999 99999  99999 99999  99999 99999   99999 99999  99999 99999  99999 99999  99999 99999  99999 99999
5044:  99999 99999  99999 99999  99999 99999  99999 99999  99999 99999   99999 99999  99999 99999  99999 99999  99999 99999  99999 99999
5045:  99999 99999  99999 99999  99999 99999  99999 99999  99999 99999   99999 99999  99999 99999  99999 99999  99999 99999  99999 99999
5046:  99999 99999  99999 99999  99999 99999  99999 99999  99999 99999   99999 99999  99999 99999  99999 99999  99999 99999  99999 99999
5047:  99999 99999  99999 99999  99999 99999  99999 99999  99999 99999   99999 99999  99999 99999  99999 99999  99999 99999  99999 99999
5048:  99999 99999  99999 99999  99999 99999  99999 99999  99999 99999   99999 99999  99999 99999  99999 99999  99999 99999  99999 99999
5049:  99999 99999  99999 99999  99999 99999  99999 99999  99999 99999   99999 99999  99999 99999  99999 99999  99999 99999  99999 99999
```

```
5050:  99999 99999  99999 99999  99999 99999  99999 99999  99999 99999    99999 99999  99999 99999  99999 99999  99999 99999  99999 99999
5051:  99999 99999  99999 99999  99999 99999  99999 99999  99999 99999    99999 99999  99999 99999  99999 99999  99999 99999  99999 99999
5052:  99999 99999  99999 99999  99999 99999  99999 99999  99999 99999    99999 99999  99999 99999  99999 99999  99999 99999  99999 99999
5053:  99999 99999  99999 99999  99999 99999  99999 99999  99999 99999    99999 99999  99999 99999  99999 99999  99999 99999  99999 99999
5054:  99999 99999  99999 99999  99999 99999  99999 99999  99999 99999    99999 99999  99999 99999  99999 99999  99999 99999  99999 99999
5055:  99999 99999  99999 99999  99999 99999  99999 99999  99999 99999    99999 99999  99999 99999  99999 99999  99999 99999  99999 99999
5056:  99999 99999  99999 99999  99999 99999  99999 99999  99999 99999    99999 99999  99999 99999  99999 99999  99999 99999  99999 99999
5057:  99999 99999  99999 99999  99999 99999  99999 99999  99999 99999    99999 99999  99999 99999  99999 99999  99999 99999  99999 99999
5058:  99999 99999  99999 99999  99999 99999  99999 99999  99999 99999    99999 99999  99999 99999  99999 99999  99999 99999  99999 99999
5059:  99999 99999  99999 99999  99999 99999  99999 99999  99999 99999    99999 99999  99999 99999  99999 99999  99999 99999  99999 99999
5060:  99999 99999  99999 99999  99999 99999  99999 99999  99999 99999    99999 99999  99999 99999  99999 99999  99999 99999  99999 99999
5061:  99999 99999  99999 99999  99999 99999  99999 99999  99999 99999    99999 99999  99999 99999  99999 99999  99999 99999  99999 99999
5062:  99999 99999  99999 99999  99999 99999  99999 99999  99999 99999    99999 99999  99999 99999  99999 99999  99999 99999  99999 99999
5063:  99999 99999  99999 99999  99999 99999  99999 99999  99999 99999    99999 99999  99999 99999  99999 99999  99999 99999  99999 99999
5064:  99999 99999  99999 99999  99999 99999  99999 99999  99999 99999    99999 99999  99999 99999  99999 99999  99999 99999  99999 99999
5065:  99999 99999  99999 99999  99999 99999  99999 99999  99999 99999    99999 99999  99999 99999  99999 99999  99999 99999  99999 99999
5066:  99999 99999  99999 99999  99999 99999  99999 99999  99999 99999    99999 99999  99999 99999  99999 99999  99999 99999  99999 99999
5067:  99999 99999  99999 99999  99999 99999  99999 99999  99999 99999    99999 99999  99999 99999  99999 99999  99999 99999  99999 99999
5068:  99999 99999  99999 99999  99999 99999  99999 99999  99999 99999    99999 99999  99999 99999  99999 99999  99999 99999  99999 99999
5069:  99999 99999  99999 99999  99999 99999  99999 99999  99999 99999    99999 99999  99999 99999  99999 99999  99999 99999  99999 99999
5070:  99999 99999  99999 99999  99999 99999  99999 99999  99999 99999    99999 99999  99999 99999  99999 99999  99999 99999  99999 99999
5071:  99999 99999  99999 99999  99999 99999  99999 99999  99999 99999    99999 99999  99999 99999  99999 99999  99999 99999  99999 99999
5072:  99999 99999  99999 99999  99999 99999  99999 99999  99999 99999    99999 99999  99999 99999  99999 99999  99999 99999  99999 99999
5073:  99999 99999  99999 99999  99999 99999  99999 99999  99999 99999    99999 99999  99999 99999  99999 99999  99999 99999  99999 99999
5074:  99999 99999  99999 99999  99999 99999  99999 99999  99999 99999    99999 99999  99999 99999  99999 99999  99999 99999  99999 99999
5075:  99999 99999  99999 99999  99999 99999  99999 99999  99999 99999    99999 99999  99999 99999  99999 99999  99999 99999  99999 99999
5076:  99999 99999  99999 99999  99999 99999  99999 99999  99999 99999    99999 99999  99999 99999  99999 99999  99999 99999  99999 99999
5077:  99999 99999  99999 99999  99999 99999  99999 99999  99999 99999    99999 99999  99999 99999  99999 99999  99999 99999  99999 99999
5078:  99999 99999  99999 99999  99999 99999  99999 99999  99999 99999    99999 99999  99999 99999  99999 99999  99999 99999  99999 99999
5079:  99999 99999  99999 99999  99999 99999  99999 99999  99999 99999    99999 99999  99999 99999  99999 99999  99999 99999  99999 99999
5080:  99999 99999  99999 99999  99999 99999  99999 99999  99999 99999    99999 99999  99999 99999  99999 99999  99999 99999  99999 99999
5081:  99999 99999  99999 99999  99999 99999  99999 99999  99999 99999    99999 99999  99999 99999  99999 99999  99999 99999  99999 99999
5082:  99999 99999  99999 99999  99999 99999  99999 99999  99999 99999    99999 99999  99999 99999  99999 99999  99999 99999  99999 99999
5083:  99999 99999  99999 99999  99999 99999  99999 99999  99999 99999    99999 99999  99999 99999  99999 99999  99999 99999  99999 99999
5084:  99999 99999  99999 99999  99999 99999  99999 99999  99999 99999    99999 99999  99999 99999  99999 99999  99999 99999  99999 99999
5085:  99999 99999  99999 99999  99999 99999  99999 99999  99999 99999    99999 99999  99999 99999  99999 99999  99999 99999  99999 99999
5086:  99999 99999  99999 99999  99999 99999  99999 99999  99999 99999    99999 99999  99999 99999  99999 99999  99999 99999  99999 99999
5087:  99999 99999  99999 99999  99999 99999  99999 99999  99999 99999    99999 99999  99999 99999  99999 99999  99999 99999  99999 99999
5088:  99999 99999  99999 99999  99999 99999  99999 99999  99999 99999    99999 99999  99999 99999  99999 99999  99999 99999  99999 99999
5089:  99999 99999  99999 99999  99999 99999  99999 99999  99999 99999    99999 99999  99999 99999  99999 99999  99999 99999  99999 99999
5090:  99999 99999  99999 99999  99999 99999  99999 99999  99999 99999    99999 99999  99999 99999  99999 99999  99999 99999  99999 99999
5091:  99999 99999  99999 99999  99999 99999  99999 99999  99999 99999    99999 99999  99999 99999  99999 99999  99999 99999  99999 99999
5092:  99999 99999  99999 99999  99999 99999  99999 99999  99999 99999    99999 99999  99999 99999  99999 99999  99999 99999  99999 99999
5093:  99999 99999  99999 99999  99999 99999  99999 99999  99999 99999    99999 99999  99999 99999  99999 99999  99999 99999  99999 99999
5094:  99999 99999  99999 99999  99999 99999  99999 99999  99999 99999    99999 99999  99999 99999  99999 99999  99999 99999  99999 99999
5095:  99999 99999  99999 99999  99999 99999  99999 99999  99999 99999    99999 99999  99999 99999  99999 99999  99999 99999  99999 99999
5096:  99999 99999  99999 99999  99999 99999  99999 99999  99999 99999    99999 99999  99999 99999  99999 99999  99999 99999  99999 99999
5097:  99999 99999  99999 99999  99999 99999  99999 99999  99999 99999    99999 99999  99999 99999  99999 99999  99999 99999  99999 99999
5098:  99999 99999  99999 99999  99999 99999  99999 99999  99999 99999    99999 99999  99999 99999  99999 99999  99999 99999  99999 99999
5099:  99999 99999  99999 99999  99999 99999  99999 99999  99999 99999    99999 99999  99999 99999  99999 99999  99999 99999  99999 99999
```

```
5100:  99999 99999  99999 99999  99999 99999  99999 99999  99999 99999    99999 99999  99999 99999  99999 99999  99999 99999  99999 99999
5101:  99999 99999  99999 99999  99999 99999  99999 99999  99999 99999    99999 99999  99999 99999  99999 99999  99999 99999  99999 99999
5102:  99999 99999  99999 99999  99999 99999  99999 99999  99999 99999    99999 99999  99999 99999  99999 99999  99999 99999  99999 99999
5103:  99999 99999  99999 99999  99999 99999  99999 99999  99999 99999    99999 99999  99999 99999  99999 99999  99999 99999  99999 99999
5104:  99999 99999  99999 99999  99999 99999  99999 99999  99999 99999    99999 99999  99999 99999  99999 99999  99999 99999  99999 99999
5105:  99999 99999  99999 99999  99999 99999  99999 99999  99999 99999    99999 99999  99999 99999  99999 99999  99999 99999  99999 99999
5106:  99999 99999  99999 99999  99999 99999  99999 99999  99999 99999    99999 99999  99999 99999  99999 99999  99999 99999  99999 99999
5107:  99999 99999  99999 99999  99999 99999  99999 99999  99999 99999    99999 99999  99999 99999  99999 99999  99999 99999  99999 99999
5108:  99999 99999  99999 99999  99999 99999  99999 99999  99999 99999    99999 99999  99999 99999  99999 99999  99999 99999  99999 99999
5109:  99999 99999  99999 99999  99999 99999  99999 99999  99999 99999    99999 99999  99999 99999  99999 99999  99999 99999  99999 99999
5110:  99999 99999  99999 99999  99999 99999  99999 99999  99999 99999    99999 99999  99999 99999  99999 99999  99999 99999  99999 99999
5111:  99999 99999  99999 99999  99999 99999  99999 99999  99999 99999    99999 99999  99999 99999  99999 99999  99999 99999  99999 99999
5112:  99999 99999  99999 99999  99999 99999  99999 99999  99999 99999    99999 99999  99999 99999  99999 99999  99999 99999  99999 99999
5113:  99999 99999  99999 99999  99999 99999  99999 99999  99999 99999    99999 99999  99999 99999  99999 99999  99999 99999  99999 99999
5114:  99999 99999  99999 99999  99999 99999  99999 99999  99999 99999    99999 99999  99999 99999  99999 99999  99999 99999  99999 99999
5115:  99999 99999  99999 99999  99999 99999  99999 99999  99999 99999    99999 99999  99999 99999  99999 99999  99999 99999  99999 99999
5116:  99999 99999  99999 99999  99999 99999  99999 99999  99999 99999    99999 99999  99999 99999  99999 99999  99999 99999  99999 99999
5117:  99999 99999  99999 99999  99999 99999  99999 99999  99999 99999    99999 99999  99999 99999  99999 99999  99999 99999  99999 99999
5118:  99999 99999  99999 99999  99999 99999  99999 99999  99999 99999    99999 99999  99999 99999  99999 99999  99999 99999  99999 99999
5119:  99999 99999  99999 99999  99999 99999  99999 99999  99999 99999    99999 99999  99999 99999  99999 99999  99999 99999  99999 99999
5120:  99999 99999  99999 99999  99999 99999  99999 99999  99999 99999    99999 99999  99999 99999  99999 99999  99999 99999  99999 99999
5121:  99999 99999  99999 99999  99999 99999  99999 99999  99999 99999    99999 99999  99999 99999  99999 99999  99999 99999  99999 99999
5122:  99999 99999  99999 99999  99999 99999  99999 99999  99999 99999    99999 99999  99999 99999  99999 99999  99999 99999  99999 99999
5123:  99999 99999  99999 99999  99999 99999  99999 99999  99999 99999    99999 99999  99999 99999  99999 99999  99999 99999  99999 99999
5124:  99999 99999  99999 99999  99999 99999  99999 99999  99999 99999    99999 99999  99999 99999  99999 99999  99999 99999  99999 99999
5125:  99999 99999  99999 99999  99999 99999  99999 99999  99999 99999    99999 99999  99999 99999  99999 99999  99999 99999  99999 99999
5126:  99999 99999  99999 99999  99999 99999  99999 99999  99999 99999    99999 99999  99999 99999  99999 99999  99999 99999  99999 99999
5127:  99999 99999  99999 99999  99999 99999  99999 99999  99999 99999    99999 99999  99999 99999  99999 99999  99999 99999  99999 99999
5128:  99999 99999  99999 99999  99999 99999  99999 99999  99999 99999    99999 99999  99999 99999  99999 99999  99999 99999  99999 99999
5129:  99999 99999  99999 99999  99999 99999  99999 99999  99999 99999    99999 99999  99999 99999  99999 99999  99999 99999  99999 99999
5130:  99999 99999  99999 99999  99999 99999  99999 99999  99999 99999    99999 99999  99999 99999  99999 99999  99999 99999  99999 99999
5131:  99999 99999  99999 99999  99999 99999  99999 99999  99999 99999    99999 99999  99999 99999  99999 99999  99999 99999  99999 99999
5132:  99999 99999  99999 99999  99999 99999  99999 99999  99999 99999    99999 99999  99999 99999  99999 99999  99999 99999  99999 99999
5133:  99999 99999  99999 99999  99999 99999  99999 99999  99999 99999    99999 99999  99999 99999  99999 99999  99999 99999  99999 99999
5134:  99999 99999  99999 99999  99999 99999  99999 99999  99999 99999    99999 99999  99999 99999  99999 99999  99999 99999  99999 99999
5135:  99999 99999  99999 99999  99999 99999  99999 99999  99999 99999    99999 99999  99999 99999  99999 99999  99999 99999  99999 99999
5136:  99999 99999  99999 99999  99999 99999  99999 99999  99999 99999    99999 99999  99999 99999  99999 99999  99999 99999  99999 99999
5137:  99999 99999  99999 99999  99999 99999  99999 99999  99999 99999    99999 99999  99999 99999  99999 99999  99999 99999  99999 99999
5138:  99999 99999  99999 99999  99999 99999  99999 99999  99999 99999    99999 99999  99999 99999  99999 99999  99999 99999  99999 99999
5139:  99999 99999  99999 99999  99999 99999  99999 99999  99999 99999    99999 99999  99999 99999  99999 99999  99999 99999  99999 99999
5140:  99999 99999  99999 99999  99999 99999  99999 99999  99999 99999    99999 99999  99999 99999  99999 99999  99999 99999  99999 99999
5141:  99999 99999  99999 99999  99999 99999  99999 99999  99999 99999    99999 99999  99999 99999  99999 99999  99999 99999  99999 99999
5142:  99999 99999  99999 99999  99999 99999  99999 99999  99999 99999    99999 99999  99999 99999  99999 99999  99999 99999  99999 99999
5143:  99999 99999  99999 99999  99999 99999  99999 99999  99999 99999    99999 99999  99999 99999  99999 99999  99999 99999  99999 99999
5144:  99999 99999  99999 99999  99999 99999  99999 99999  99999 99999    99999 99999  99999 99999  99999 99999  99999 99999  99999 99999
5145:  99999 99999  99999 99999  99999 99999  99999 99999  99999 99999    99999 99999  99999 99999  99999 99999  99999 99999  99999 99999
5146:  99999 99999  99999 99999  99999 99999  99999 99999  99999 99999    99999 99999  99999 99999  99999 99999  99999 99999  99999 99999
5147:  99999 99999  99999 99999  99999 99999  99999 99999  99999 99999    99999 99999  99999 99999  99999 99999  99999 99999  99999 99999
5148:  99999 99999  99999 99999  99999 99999  99999 99999  99999 99999    99999 99999  99999 99999  99999 99999  99999 99999  99999 99999
5149:  99999 99999  99999 99999  99999 99999  99999 99999  99999 99999    99999 99999  99999 99999  99999 99999  99999 99999  99999 99999
```

```
5150:  99999 99999  99999 99999  99999 99999  99999 99999  99999 99999    99999 99999  99999 99999  99999 99999  99999 99999  99999 99999
5151:  99999 99999  99999 99999  99999 99999  99999 99999  99999 99999    99999 99999  99999 99999  99999 99999  99999 99999  99999 99999
5152:  99999 99999  99999 99999  99999 99999  99999 99999  99999 99999    99999 99999  99999 99999  99999 99999  99999 99999  99999 99999
5153:  99999 99999  99999 99999  99999 99999  99999 99999  99999 99999    99999 99999  99999 99999  99999 99999  99999 99999  99999 99999
5154:  99999 99999  99999 99999  99999 99999  99999 99999  99999 99999    99999 99999  99999 99999  99999 99999  99999 99999  99999 99999
5155:  99999 99999  99999 99999  99999 99999  99999 99999  99999 99999    99999 99999  99999 99999  99999 99999  99999 99999  99999 99999
5156:  99999 99999  99999 99999  99999 99999  99999 99999  99999 99999    99999 99999  99999 99999  99999 99999  99999 99999  99999 99999
5157:  99999 99999  99999 99999  99999 99999  99999 99999  99999 99999    99999 99999  99999 99999  99999 99999  99999 99999  99999 99999
5158:  99999 99999  99999 99999  99999 99999  99999 99999  99999 99999    99999 99999  99999 99999  99999 99999  99999 99999  99999 99999
5159:  99999 99999  99999 99999  99999 99999  99999 99999  99999 99999    99999 99999  99999 99999  99999 99999  99999 99999  99999 99999
5160:  99999 99999  99999 99999  99999 99999  99999 99999  99999 99999    99999 99999  99999 99999  99999 99999  99999 99999  99999 99999
5161:  99999 99999  99999 99999  99999 99999  99999 99999  99999 99999    99999 99999  99999 99999  99999 99999  99999 99999  99999 99999
5162:  99999 99999  99999 99999  99999 99999  99999 99999  99999 99999    99999 99999  99999 99999  99999 99999  99999 99999  99999 99999
5163:  99999 99999  99999 99999  99999 99999  99999 99999  99999 99999    99999 99999  99999 99999  99999 99999  99999 99999  99999 99999
5164:  99999 99999  99999 99999  99999 99999  99999 99999  99999 99999    99999 99999  99999 99999  99999 99999  99999 99999  99999 99999
5165:  99999 99999  99999 99999  99999 99999  99999 99999  99999 99999    99999 99999  99999 99999  99999 99999  99999 99999  99999 99999
5166:  99999 99999  99999 99999  99999 99999  99999 99999  99999 99999    99999 99999  99999 99999  99999 99999  99999 99999  99999 99999
5167:  99999 99999  99999 99999  99999 99999  99999 99999  99999 99999    99999 99999  99999 99999  99999 99999  99999 99999  99999 99999
5168:  99999 99999  99999 99999  99999 99999  99999 99999  99999 99999    99999 99999  99999 99999  99999 99999  99999 99999  99999 99999
5169:  99999 99999  99999 99999  99999 99999  99999 99999  99999 99999    99999 99999  99999 99999  99999 99999  99999 99999  99999 99999
5170:  99999 99999  99999 99999  99999 99999  99999 99999  99999 99999    99999 99999  99999 99999  99999 99999  99999 99999  99999 99999
5171:  99999 99999  99999 99999  99999 99999  99999 99999  99999 99999    99999 99999  99999 99999  99999 99999  99999 99999  99999 99999
5172:  99999 99999  99999 99999  99999 99999  99999 99999  99999 99999    99999 99999  99999 99999  99999 99999  99999 99999  99999 99999
5173:  99999 99999  99999 99999  99999 99999  99999 99999  99999 99999    99999 99999  99999 99999  99999 99999  99999 99999  99999 99999
5174:  99999 99999  99999 99999  99999 99999  99999 99999  99999 99999    99999 99999  99999 99999  99999 99999  99999 99999  99999 99999
5175:  99999 99999  99999 99999  99999 99999  99999 99999  99999 99999    99999 99999  99999 99999  99999 99999  99999 99999  99999 99999
5176:  99999 99999  99999 99999  99999 99999  99999 99999  99999 99999    99999 99999  99999 99999  99999 99999  99999 99999  99999 99999
5177:  99999 99999  99999 99999  99999 99999  99999 99999  99999 99999    99999 99999  99999 99999  99999 99999  99999 99999  99999 99999
5178:  99999 99999  99999 99999  99999 99999  99999 99999  99999 99999    99999 99999  99999 99999  99999 99999  99999 99999  99999 99999
5179:  99999 99999  99999 99999  99999 99999  99999 99999  99999 99999    99999 99999  99999 99999  99999 99999  99999 99999  99999 99999
5180:  99999 99999  99999 99999  99999 99999  99999 99999  99999 99999    99999 99999  99999 99999  99999 99999  99999 99999  99999 99999
5181:  99999 99999  99999 99999  99999 99999  99999 99999  99999 99999    99999 99999  99999 99999  99999 99999  99999 99999  99999 99999
5182:  99999 99999  99999 99999  99999 99999  99999 99999  99999 99999    99999 99999  99999 99999  99999 99999  99999 99999  99999 99999
5183:  99999 99999  99999 99999  99999 99999  99999 99999  99999 99999    99999 99999  99999 99999  99999 99999  99999 99999  99999 99999
5184:  99999 99999  99999 99999  99999 99999  99999 99999  99999 99999    99999 99999  99999 99999  99999 99999  99999 99999  99999 99999
5185:  99999 99999  99999 99999  99999 99999  99999 99999  99999 99999    99999 99999  99999 99999  99999 99999  99999 99999  99999 99999
5186:  99999 99999  99999 99999  99999 99999  99999 99999  99999 99999    99999 99999  99999 99999  99999 99999  99999 99999  99999 99999
5187:  99999 99999  99999 99999  99999 99999  99999 99999  99999 99999    99999 99999  99999 99999  99999 99999  99999 99999  99999 99999
5188:  99999 99999  99999 99999  99999 99999  99999 99999  99999 99999    99999 99999  99999 99999  99999 99999  99999 99999  99999 99999
5189:  99999 99999  99999 99999  99999 99999  99999 99999  99999 99999    99999 99999  99999 99999  99999 99999  99999 99999  99999 99999
5190:  99999 99999  99999 99999  99999 99999  99999 99999  99999 99999    99999 99999  99999 99999  99999 99999  99999 99999  99999 99999
5191:  99999 99999  99999 99999  99999 99999  99999 99999  99999 99999    99999 99999  99999 99999  99999 99999  99999 99999  99999 99999
5192:  99999 99999  99999 99999  99999 99999  99999 99999  99999 99999    99999 99999  99999 99999  99999 99999  99999 99999  99999 99999
5193:  99999 99999  99999 99999  99999 99999  99999 99999  99999 99999    99999 99999  99999 99999  99999 99999  99999 99999  99999 99999
5194:  99999 99999  99999 99999  99999 99999  99999 99999  99999 99999    99999 99999  99999 99999  99999 99999  99999 99999  99999 99999
5195:  99999 99999  99999 99999  99999 99999  99999 99999  99999 99999    99999 99999  99999 99999  99999 99999  99999 99999  99999 99999
5196:  99999 99999  99999 99999  99999 99999  99999 99999  99999 99999    99999 99999  99999 99999  99999 99999  99999 99999  99999 99999
5197:  99999 99999  99999 99999  99999 99999  99999 99999  99999 99999    99999 99999  99999 99999  99999 99999  99999 99999  99999 99999
5198:  99999 99999  99999 99999  99999 99999  99999 99999  99999 99999    99999 99999  99999 99999  99999 99999  99999 99999  99999 99999
5199:  99999 99999  99999 99999  99999 99999  99999 99999  99999 99999    99999 99999  99999 99999  99999 99999  99999 99999  99999 99999
```

```
5200:  99999 99999  99999 99999  99999 99999  99999 99999  99999 99999    99999 99999  99999 99999  99999 99999  99999 99999  99999 99999
5201:  99999 99999  99999 99999  99999 99999  99999 99999  99999 99999    99999 99999  99999 99999  99999 99999  99999 99999  99999 99999
5202:  99999 99999  99999 99999  99999 99999  99999 99999  99999 99999    99999 99999  99999 99999  99999 99999  99999 99999  99999 99999
5203:  99999 99999  99999 99999  99999 99999  99999 99999  99999 99999    99999 99999  99999 99999  99999 99999  99999 99999  99999 99999
5204:  99999 99999  99999 99999  99999 99999  99999 99999  99999 99999    99999 99999  99999 99999  99999 99999  99999 99999  99999 99999
5205:  99999 99999  99999 99999  99999 99999  99999 99999  99999 99999    99999 99999  99999 99999  99999 99999  99999 99999  99999 99999
5206:  99999 99999  99999 99999  99999 99999  99999 99999  99999 99999    99999 99999  99999 99999  99999 99999  99999 99999  99999 99999
5207:  99999 99999  99999 99999  99999 99999  99999 99999  99999 99999    99999 99999  99999 99999  99999 99999  99999 99999  99999 99999
5208:  99999 99999  99999 99999  99999 99999  99999 99999  99999 99999    99999 99999  99999 99999  99999 99999  99999 99999  99999 99999
5209:  99999 99999  99999 99999  99999 99999  99999 99999  99999 99999    99999 99999  99999 99999  99999 99999  99999 99999  99999 99999
5210:  99999 99999  99999 99999  99999 99999  99999 99999  99999 99999    99999 99999  99999 99999  99999 99999  99999 99999  99999 99999
5211:  99999 99999  99999 99999  99999 99999  99999 99999  99999 99999    99999 99999  99999 99999  99999 99999  99999 99999  99999 99999
5212:  99999 99999  99999 99999  99999 99999  99999 99999  99999 99999    99999 99999  99999 99999  99999 99999  99999 99999  99999 99999
5213:  99999 99999  99999 99999  99999 99999  99999 99999  99999 99999    99999 99999  99999 99999  99999 99999  99999 99999  99999 99999
5214:  99999 99999  99999 99999  99999 99999  99999 99999  99999 99999    99999 99999  99999 99999  99999 99999  99999 99999  99999 99999
5215:  99999 99999  99999 99999  99999 99999  99999 99999  99999 99999    99999 99999  99999 99999  99999 99999  99999 99999  99999 99999
5216:  99999 99999  99999 99999  99999 99999  99999 99999  99999 99999    99999 99999  99999 99999  99999 99999  99999 99999  99999 99999
5217:  99999 99999  99999 99999  99999 99999  99999 99999  99999 99999    99999 99999  99999 99999  99999 99999  99999 99999  99999 99999
5218:  99999 99999  99999 99999  99999 99999  99999 99999  99999 99999    99999 99999  99999 99999  99999 99999  99999 99999  99999 99999
5219:  99999 99999  99999 99999  99999 99999  99999 99999  99999 99999    99999 99999  99999 99999  99999 99999  99999 99999  99999 99999
5220:  99999 99999  99999 99999  99999 99999  99999 99999  99999 99999    99999 99999  99999 99999  99999 99999  99999 99999  99999 99999
5221:  99999 99999  99999 99999  99999 99999  99999 99999  99999 99999    99999 99999  99999 99999  99999 99999  99999 99999  99999 99999
5222:  99999 99999  99999 99999  99999 99999  99999 99999  99999 99999    99999 99999  99999 99999  99999 99999  99999 99999  99999 99999
5223:  99999 99999  99999 99999  99999 99999  99999 99999  99999 99999    99999 99999  99999 99999  99999 99999  99999 99999  99999 99999
5224:  99999 99999  99999 99999  99999 99999  99999 99999  99999 99999    99999 99999  99999 99999  99999 99999  99999 99999  99999 99999
5225:  99999 99999  99999 99999  99999 99999  99999 99999  99999 99999    99999 99999  99999 99999  99999 99999  99999 99999  99999 99999
5226:  99999 99999  99999 99999  99999 99999  99999 99999  99999 99999    99999 99999  99999 99999  99999 99999  99999 99999  99999 99999
5227:  99999 99999  99999 99999  99999 99999  99999 99999  99999 99999    99999 99999  99999 99999  99999 99999  99999 99999  99999 99999
5228:  99999 99999  99999 99999  99999 99999  99999 99999  99999 99999    99999 99999  99999 99999  99999 99999  99999 99999  99999 99999
5229:  99999 99999  99999 99999  99999 99999  99999 99999  99999 99999    99999 99999  99999 99999  99999 99999  99999 99999  99999 99999
5230:  99999 99999  99999 99999  99999 99999  99999 99999  99999 99999    99999 99999  99999 99999  99999 99999  99999 99999  99999 99999
5231:  99999 99999  99999 99999  99999 99999  99999 99999  99999 99999    99999 99999  99999 99999  99999 99999  99999 99999  99999 99999
5232:  99999 99999  99999 99999  99999 99999  99999 99999  99999 99999    99999 99999  99999 99999  99999 99999  99999 99999  99999 99999
5233:  99999 99999  99999 99999  99999 99999  99999 99999  99999 99999    99999 99999  99999 99999  99999 99999  99999 99999  99999 99999
5234:  99999 99999  99999 99999  99999 99999  99999 99999  99999 99999    99999 99999  99999 99999  99999 99999  99999 99999  99999 99999
5235:  99999 99999  99999 99999  99999 99999  99999 99999  99999 99999    99999 99999  99999 99999  99999 99999  99999 99999  99999 99999
5236:  99999 99999  99999 99999  99999 99999  99999 99999  99999 99999    99999 99999  99999 99999  99999 99999  99999 99999  99999 99999
5237:  99999 99999  99999 99999  99999 99999  99999 99999  99999 99999    99999 99999  99999 99999  99999 99999  99999 99999  99999 99999
5238:  99999 99999  99999 99999  99999 99999  99999 99999  99999 99999    99999 99999  99999 99999  99999 99999  99999 99999  99999 99999
5239:  99999 99999  99999 99999  99999 99999  99999 99999  99999 99999    99999 99999  99999 99999  99999 99999  99999 99999  99999 99999
5240:  99999 99999  99999 99999  99999 99999  99999 99999  99999 99999    99999 99999  99999 99999  99999 99999  99999 99999  99999 99999
5241:  99999 99999  99999 99999  99999 99999  99999 99999  99999 99999    99999 99999  99999 99999  99999 99999  99999 99999  99999 99999
5242:  99999 99999  99999 99999  99999 99999  99999 99999  99999 99999    99999 99999  99999 99999  99999 99999  99999 99999  99999 99999
5243:  99999 99999  99999 99999  99999 99999  99999 99999  99999 99999    99999 99999  99999 99999  99999 99999  99999 99999  99999 99999
5244:  99999 99999  99999 99999  99999 99999  99999 99999  99999 99999    99999 99999  99999 99999  99999 99999  99999 99999  99999 99999
5245:  99999 99999  99999 99999  99999 99999  99999 99999  99999 99999    99999 99999  99999 99999  99999 99999  99999 99999  99999 99999
5246:  99999 99999  99999 99999  99999 99999  99999 99999  99999 99999    99999 99999  99999 99999  99999 99999  99999 99999  99999 99999
5247:  99999 99999  99999 99999  99999 99999  99999 99999  99999 99999    99999 99999  99999 99999  99999 99999  99999 99999  99999 99999
5248:  99999 99999  99999 99999  99999 99999  99999 99999  99999 99999    99999 99999  99999 99999  99999 99999  99999 99999  99999 99999
5249:  99999 99999  99999 99999  99999 99999  99999 99999  99999 99999    99999 99999  99999 99999  99999 99999  99999 99999  99999 99999
```

```
5250:   99999 99999   99999 99999   99999 99999   99999 99999   99999 99999     99999 99999   99999 99999   99999 99999   99999 99999   99999 99999
5251:   99999 99999   99999 99999   99999 99999   99999 99999   99999 99999     99999 99999   99999 99999   99999 99999   99999 99999   99999 99999
5252:   99999 99999   99999 99999   99999 99999   99999 99999   99999 99999     99999 99999   99999 99999   99999 99999   99999 99999   99999 99999
5253:   99999 99999   99999 99999   99999 99999   99999 99999   99999 99999     99999 99999   99999 99999   99999 99999   99999 99999   99999 99999
5254:   99999 99999   99999 99999   99999 99999   99999 99999   99999 99999     99999 99999   99999 99999   99999 99999   99999 99999   99999 99999
5255:   99999 99999   99999 99999   99999 99999   99999 99999   99999 99999     99999 99999   99999 99999   99999 99999   99999 99999   99999 99999
5256:   99999 99999   99999 99999   99999 99999   99999 99999   99999 99999     99999 99999   99999 99999   99999 99999   99999 99999   99999 99999
5257:   99999 99999   99999 99999   99999 99999   99999 99999   99999 99999     99999 99999   99999 99999   99999 99999   99999 99999   99999 99999
5258:   99999 99999   99999 99999   99999 99999   99999 99999   99999 99999     99999 99999   99999 99999   99999 99999   99999 99999   99999 99999
5259:   99999 99999   99999 99999   99999 99999   99999 99999   99999 99999     99999 99999   99999 99999   99999 99999   99999 99999   99999 99999
5260:   99999 99999   99999 99999   99999 99999   99999 99999   99999 99999     99999 99999   99999 99999   99999 99999   99999 99999   99999 99999
5261:   99999 99999   99999 99999   99999 99999   99999 99999   99999 99999     99999 99999   99999 99999   99999 99999   99999 99999   99999 99999
5262:   99999 99999   99999 99999   99999 99999   99999 99999   99999 99999     99999 99999   99999 99999   99999 99999   99999 99999   99999 99999
5263:   99999 99999   99999 99999   99999 99999   99999 99999   99999 99999     99999 99999   99999 99999   99999 99999   99999 99999   99999 99999
5264:   99999 99999   99999 99999   99999 99999   99999 99999   99999 99999     99999 99999   99999 99999   99999 99999   99999 99999   99999 99999
5265:   99999 99999   99999 99999   99999 99999   99999 99999   99999 99999     99999 99999   99999 99999   99999 99999   99999 99999   99999 99999
5266:   99999 99999   99999 99999   99999 99999   99999 99999   99999 99999     99999 99999   99999 99999   99999 99999   99999 99999   99999 99999
5267:   99999 99999   99999 99999   99999 99999   99999 99999   99999 99999     99999 99999   99999 99999   99999 99999   99999 99999   99999 99999
5268:   99999 99999   99999 99999   99999 99999   99999 99999   99999 99999     99999 99999   99999 99999   99999 99999   99999 99999   99999 99999
5269:   99999 99999   99999 99999   99999 99999   99999 99999   99999 99999     99999 99999   99999 99999   99999 99999   99999 99999   99999 99999
5270:   99999 99999   99999 99999   99999 99999   99999 99999   99999 99999     99999 99999   99999 99999   99999 99999   99999 99999   99999 99999
5271:   99999 99999   99999 99999   99999 99999   99999 99999   99999 99999     99999 99999   99999 99999   99999 99999   99999 99999   99999 99999
5272:   99999 99999   99999 99999   99999 99999   99999 99999   99999 99999     99999 99999   99999 99999   99999 99999   99999 99999   99999 99999
5273:   99999 99999   99999 99999   99999 99999   99999 99999   99999 99999     99999 99999   99999 99999   99999 99999   99999 99999   99999 99999
5274:   99999 99999   99999 99999   99999 99999   99999 99999   99999 99999     99999 99999   99999 99999   99999 99999   99999 99999   99999 99999
5275:   99999 99999   99999 99999   99999 99999   99999 99999   99999 99999     99999 99999   99999 99999   99999 99999   99999 99999   99999 99999
5276:   99999 99999   99999 99999   99999 99999   99999 99999   99999 99999     99999 99999   99999 99999   99999 99999   99999 99999   99999 99999
5277:   99999 99999   99999 99999   99999 99999   99999 99999   99999 99999     99999 99999   99999 99999   99999 99999   99999 99999   99999 99999
5278:   99999 99999   99999 99999   99999 99999   99999 99999   99999 99999     99999 99999   99999 99999   99999 99999   99999 99999   99999 99999
5279:   99999 99999   99999 99999   99999 99999   99999 99999   99999 99999     99999 99999   99999 99999   99999 99999   99999 99999   99999 99999
5280:   99999 99999   99999 99999   99999 99999   99999 99999   99999 99999     99999 99999   99999 99999   99999 99999   99999 99999   99999 99999
5281:   99999 99999   99999 99999   99999 99999   99999 99999   99999 99999     99999 99999   99999 99999   99999 99999   99999 99999   99999 99999
5282:   99999 99999   99999 99999   99999 99999   99999 99999   99999 99999     99999 99999   99999 99999   99999 99999   99999 99999   99999 99999
5283:   99999 99999   99999 99999   99999 99999   99999 99999   99999 99999     99999 99999   99999 99999   99999 99999   99999 99999   99999 99999
5284:   99999 99999   99999 99999   99999 99999   99999 99999   99999 99999     99999 99999   99999 99999   99999 99999   99999 99999   99999 99999
5285:   99999 99999   99999 99999   99999 99999   99999 99999   99999 99999     99999 99999   99999 99999   99999 99999   99999 99999   99999 99999
5286:   99999 99999   99999 99999   99999 99999   99999 99999   99999 99999     99999 99999   99999 99999   99999 99999   99999 99999   99999 99999
5287:   99999 99999   99999 99999   99999 99999   99999 99999   99999 99999     99999 99999   99999 99999   99999 99999   99999 99999   99999 99999
5288:   99999 99999   99999 99999   99999 99999   99999 99999   99999 99999     99999 99999   99999 99999   99999 99999   99999 99999   99999 99999
5289:   99999 99999   99999 99999   99999 99999   99999 99999   99999 99999     99999 99999   99999 99999   99999 99999   99999 99999   99999 99999
5290:   99999 99999   99999 99999   99999 99999   99999 99999   99999 99999     99999 99999   99999 99999   99999 99999   99999 99999   99999 99999
5291:   99999 99999   99999 99999   99999 99999   99999 99999   99999 99999     99999 99999   99999 99999   99999 99999   99999 99999   99999 99999
5292:   99999 99999   99999 99999   99999 99999   99999 99999   99999 99999     99999 99999   99999 99999   99999 99999   99999 99999   99999 99999
5293:   99999 99999   99999 99999   99999 99999   99999 99999   99999 99999     99999 99999   99999 99999   99999 99999   99999 99999   99999 99999
5294:   99999 99999   99999 99999   99999 99999   99999 99999   99999 99999     99999 99999   99999 99999   99999 99999   99999 99999   99999 99999
5295:   99999 99999   99999 99999   99999 99999   99999 99999   99999 99999     99999 99999   99999 99999   99999 99999   99999 99999   99999 99999
5296:   99999 99999   99999 99999   99999 99999   99999 99999   99999 99999     99999 99999   99999 99999   99999 99999   99999 99999   99999 99999
5297:   99999 99999   99999 99999   99999 99999   99999 99999   99999 99999     99999 99999   99999 99999   99999 99999   99999 99999   99999 99999
5298:   99999 99999   99999 99999   99999 99999   99999 99999   99999 99999     99999 99999   99999 99999   99999 99999   99999 99999   99999 99999
5299:   99999 99999   99999 99999   99999 99999   99999 99999   99999 99999     99999 99999   99999 99999   99999 99999   99999 99999   99999 99999
```

```
5300:  99999 99999  99999 99999  99999 99999  99999 99999  99999 99999    99999 99999  99999 99999  99999 99999  99999 99999  99999 99999
5301:  99999 99999  99999 99999  99999 99999  99999 99999  99999 99999    99999 99999  99999 99999  99999 99999  99999 99999  99999 99999
5302:  99999 99999  99999 99999  99999 99999  99999 99999  99999 99999    99999 99999  99999 99999  99999 99999  99999 99999  99999 99999
5303:  99999 99999  99999 99999  99999 99999  99999 99999  99999 99999    99999 99999  99999 99999  99999 99999  99999 99999  99999 99999
5304:  99999 99999  99999 99999  99999 99999  99999 99999  99999 99999    99999 99999  99999 99999  99999 99999  99999 99999  99999 99999
5305:  99999 99999  99999 99999  99999 99999  99999 99999  99999 99999    99999 99999  99999 99999  99999 99999  99999 99999  99999 99999
5306:  99999 99999  99999 99999  99999 99999  99999 99999  99999 99999    99999 99999  99999 99999  99999 99999  99999 99999  99999 99999
5307:  99999 99999  99999 99999  99999 99999  99999 99999  99999 99999    99999 99999  99999 99999  99999 99999  99999 99999  99999 99999
5308:  99999 99999  99999 99999  99999 99999  99999 99999  99999 99999    99999 99999  99999 99999  99999 99999  99999 99999  99999 99999
5309:  99999 99999  99999 99999  99999 99999  99999 99999  99999 99999    99999 99999  99999 99999  99999 99999  99999 99999  99999 99999
5310:  99999 99999  99999 99999  99999 99999  99999 99999  99999 99999    99999 99999  99999 99999  99999 99999  99999 99999  99999 99999
5311:  99999 99999  99999 99999  99999 99999  99999 99999  99999 99999    99999 99999  99999 99999  99999 99999  99999 99999  99999 99999
5312:  99999 99999  99999 99999  99999 99999  99999 99999  99999 99999    99999 99999  99999 99999  99999 99999  99999 99999  99999 99999
5313:  99999 99999  99999 99999  99999 99999  99999 99999  99999 99999    99999 99999  99999 99999  99999 99999  99999 99999  99999 99999
5314:  99999 99999  99999 99999  99999 99999  99999 99999  99999 99999    99999 99999  99999 99999  99999 99999  99999 99999  99999 99999
5315:  99999 99999  99999 99999  99999 99999  99999 99999  99999 99999    99999 99999  99999 99999  99999 99999  99999 99999  99999 99999
5316:  99999 99999  99999 99999  99999 99999  99999 99999  99999 99999    99999 99999  99999 99999  99999 99999  99999 99999  99999 99999
5317:  99999 99999  99999 99999  99999 99999  99999 99999  99999 99999    99999 99999  99999 99999  99999 99999  99999 99999  99999 99999
5318:  99999 99999  99999 99999  99999 99999  99999 99999  99999 99999    99999 99999  99999 99999  99999 99999  99999 99999  99999 99999
5319:  99999 99999  99999 99999  99999 99999  99999 99999  99999 99999    99999 99999  99999 99999  99999 99999  99999 99999  99999 99999
5320:  99999 99999  99999 99999  99999 99999  99999 99999  99999 99999    99999 99999  99999 99999  99999 99999  99999 99999  99999 99999
5321:  99999 99999  99999 99999  99999 99999  99999 99999  99999 99999    99999 99999  99999 99999  99999 99999  99999 99999  99999 99999
5322:  99999 99999  99999 99999  99999 99999  99999 99999  99999 99999    99999 99999  99999 99999  99999 99999  99999 99999  99999 99999
5323:  99999 99999  99999 99999  99999 99999  99999 99999  99999 99999    99999 99999  99999 99999  99999 99999  99999 99999  99999 99999
5324:  99999 99999  99999 99999  99999 99999  99999 99999  99999 99999    99999 99999  99999 99999  99999 99999  99999 99999  99999 99999
5325:  99999 99999  99999 99999  99999 99999  99999 99999  99999 99999    99999 99999  99999 99999  99999 99999  99999 99999  99999 99999
5326:  99999 99999  99999 99999  99999 99999  99999 99999  99999 99999    99999 99999  99999 99999  99999 99999  99999 99999  99999 99999
5327:  99999 99999  99999 99999  99999 99999  99999 99999  99999 99999    99999 99999  99999 99999  99999 99999  99999 99999  99999 99999
5328:  99999 99999  99999 99999  99999 99999  99999 99999  99999 99999    99999 99999  99999 99999  99999 99999  99999 99999  99999 99999
5329:  99999 99999  99999 99999  99999 99999  99999 99999  99999 99999    99999 99999  99999 99999  99999 99999  99999 99999  99999 99999
5330:  99999 99999  99999 99999  99999 99999  99999 99999  99999 99999    99999 99999  99999 99999  99999 99999  99999 99999  99999 99999
5331:  99999 99999  99999 99999  99999 99999  99999 99999  99999 99999    99999 99999  99999 99999  99999 99999  99999 99999  99999 99999
5332:  99999 99999  99999 99999  99999 99999  99999 99999  99999 99999    99999 99999  99999 99999  99999 99999  99999 99999  99999 99999
5333:  99999 99999  99999 99999  99999 99999  99999 99999  99999 99999    99999 99999  99999 99999  99999 99999  99999 99999  99999 99999
5334:  99999 99999  99999 99999  99999 99999  99999 99999  99999 99999    99999 99999  99999 99999  99999 99999  99999 99999  99999 99999
5335:  99999 99999  99999 99999  99999 99999  99999 99999  99999 99999    99999 99999  99999 99999  99999 99999  99999 99999  99999 99999
5336:  99999 99999  99999 99999  99999 99999  99999 99999  99999 99999    99999 99999  99999 99999  99999 99999  99999 99999  99999 99999
5337:  99999 99999  99999 99999  99999 99999  99999 99999  99999 99999    99999 99999  99999 99999  99999 99999  99999 99999  99999 99999
5338:  99999 99999  99999 99999  99999 99999  99999 99999  99999 99999    99999 99999  99999 99999  99999 99999  99999 99999  99999 99999
5339:  99999 99999  99999 99999  99999 99999  99999 99999  99999 99999    99999 99999  99999 99999  99999 99999  99999 99999  99999 99999
5340:  99999 99999  99999 99999  99999 99999  99999 99999  99999 99999    99999 99999  99999 99999  99999 99999  99999 99999  99999 99999
5341:  99999 99999  99999 99999  99999 99999  99999 99999  99999 99999    99999 99999  99999 99999  99999 99999  99999 99999  99999 99999
5342:  99999 99999  99999 99999  99999 99999  99999 99999  99999 99999    99999 99999  99999 99999  99999 99999  99999 99999  99999 99999
5343:  99999 99999  99999 99999  99999 99999  99999 99999  99999 99999    99999 99999  99999 99999  99999 99999  99999 99999  99999 99999
5344:  99999 99999  99999 99999  99999 99999  99999 99999  99999 99999    99999 99999  99999 99999  99999 99999  99999 99999  99999 99999
5345:  99999 99999  99999 99999  99999 99999  99999 99999  99999 99999    99999 99999  99999 99999  99999 99999  99999 99999  99999 99999
5346:  99999 99999  99999 99999  99999 99999  99999 99999  99999 99999    99999 99999  99999 99999  99999 99999  99999 99999  99999 99999
5347:  99999 99999  99999 99999  99999 99999  99999 99999  99999 99999    99999 99999  99999 99999  99999 99999  99999 99999  99999 99999
5348:  99999 99999  99999 99999  99999 99999  99999 99999  99999 99999    99999 99999  99999 99999  99999 99999  99999 99999  99999 99999
5349:  99999 99999  99999 99999  99999 99999  99999 99999  99999 99999    99999 99999  99999 99999  99999 99999  99999 99999  99999 99999
```

```
5350: 99999 99999  99999 99999  99999 99999  99999 99999  99999 99999   99999 99999  99999 99999  99999 99999  99999 99999  99999 99999
5351: 99999 99999  99999 99999  99999 99999  99999 99999  99999 99999   99999 99999  99999 99999  99999 99999  99999 99999  99999 99999
5352: 99999 99999  99999 99999  99999 99999  99999 99999  99999 99999   99999 99999  99999 99999  99999 99999  99999 99999  99999 99999
5353: 99999 99999  99999 99999  99999 99999  99999 99999  99999 99999   99999 99999  99999 99999  99999 99999  99999 99999  99999 99999
5354: 99999 99999  99999 99999  99999 99999  99999 99999  99999 99999   99999 99999  99999 99999  99999 99999  99999 99999  99999 99999
5355: 99999 99999  99999 99999  99999 99999  99999 99999  99999 99999   99999 99999  99999 99999  99999 99999  99999 99999  99999 99999
5356: 99999 99999  99999 99999  99999 99999  99999 99999  99999 99999   99999 99999  99999 99999  99999 99999  99999 99999  99999 99999
5357: 99999 99999  99999 99999  99999 99999  99999 99999  99999 99999   99999 99999  99999 99999  99999 99999  99999 99999  99999 99999
5358: 99999 99999  99999 99999  99999 99999  99999 99999  99999 99999   99999 99999  99999 99999  99999 99999  99999 99999  99999 99999
5359: 99999 99999  99999 99999  99999 99999  99999 99999  99999 99999   99999 99999  99999 99999  99999 99999  99999 99999  99999 99999
5360: 99999 99999  99999 99999  99999 99999  99999 99999  99999 99999   99999 99999  99999 99999  99999 99999  99999 99999  99999 99999
5361: 99999 99999  99999 99999  99999 99999  99999 99999  99999 99999   99999 99999  99999 99999  99999 99999  99999 99999  99999 99999
5362: 99999 99999  99999 99999  99999 99999  99999 99999  99999 99999   99999 99999  99999 99999  99999 99999  99999 99999  99999 99999
5363: 99999 99999  99999 99999  99999 99999  99999 99999  99999 99999   99999 99999  99999 99999  99999 99999  99999 99999  99999 99999
5364: 99999 99999  99999 99999  99999 99999  99999 99999  99999 99999   99999 99999  99999 99999  99999 99999  99999 99999  99999 99999
5365: 99999 99999  99999 99999  99999 99999  99999 99999  99999 99999   99999 99999  99999 99999  99999 99999  99999 99999  99999 99999
5366: 99999 99999  99999 99999  99999 99999  99999 99999  99999 99999   99999 99999  99999 99999  99999 99999  99999 99999  99999 99999
5367: 99999 99999  99999 99999  99999 99999  99999 99999  99999 99999   99999 99999  99999 99999  99999 99999  99999 99999  99999 99999
5368: 99999 99999  99999 99999  99999 99999  99999 99999  99999 99999   99999 99999  99999 99999  99999 99999  99999 99999  99999 99999
5369: 99999 99999  99999 99999  99999 99999  99999 99999  99999 99999   99999 99999  99999 99999  99999 99999  99999 99999  99999 99999
5370: 99999 99999  99999 99999  99999 99999  99999 99999  99999 99999   99999 99999  99999 99999  99999 99999  99999 99999  99999 99999
5371: 99999 99999  99999 99999  99999 99999  99999 99999  99999 99999   99999 99999  99999 99999  99999 99999  99999 99999  99999 99999
5372: 99999 99999  99999 99999  99999 99999  99999 99999  99999 99999   99999 99999  99999 99999  99999 99999  99999 99999  99999 99999
5373: 99999 99999  99999 99999  99999 99999  99999 99999  99999 99999   99999 99999  99999 99999  99999 99999  99999 99999  99999 99999
5374: 99999 99999  99999 99999  99999 99999  99999 99999  99999 99999   99999 99999  99999 99999  99999 99999  99999 99999  99999 99999
5375: 99999 99999  99999 99999  99999 99999  99999 99999  99999 99999   99999 99999  99999 99999  99999 99999  99999 99999  99999 99999
5376: 99999 99999  99999 99999  99999 99999  99999 99999  99999 99999   99999 99999  99999 99999  99999 99999  99999 99999  99999 99999
5377: 99999 99999  99999 99999  99999 99999  99999 99999  99999 99999   99999 99999  99999 99999  99999 99999  99999 99999  99999 99999
5378: 99999 99999  99999 99999  99999 99999  99999 99999  99999 99999   99999 99999  99999 99999  99999 99999  99999 99999  99999 99999
5379: 99999 99999  99999 99999  99999 99999  99999 99999  99999 99999   99999 99999  99999 99999  99999 99999  99999 99999  99999 99999
5380: 99999 99999  99999 99999  99999 99999  99999 99999  99999 99999   99999 99999  99999 99999  99999 99999  99999 99999  99999 99999
5381: 99999 99999  99999 99999  99999 99999  99999 99999  99999 99999   99999 99999  99999 99999  99999 99999  99999 99999  99999 99999
5382: 99999 99999  99999 99999  99999 99999  99999 99999  99999 99999   99999 99999  99999 99999  99999 99999  99999 99999  99999 99999
5383: 99999 99999  99999 99999  99999 99999  99999 99999  99999 99999   99999 99999  99999 99999  99999 99999  99999 99999  99999 99999
5384: 99999 99999  99999 99999  99999 99999  99999 99999  99999 99999   99999 99999  99999 99999  99999 99999  99999 99999  99999 99999
5385: 99999 99999  99999 99999  99999 99999  99999 99999  99999 99999   99999 99999  99999 99999  99999 99999  99999 99999  99999 99999
5386: 99999 99999  99999 99999  99999 99999  99999 99999  99999 99999   99999 99999  99999 99999  99999 99999  99999 99999  99999 99999
5387: 99999 99999  99999 99999  99999 99999  99999 99999  99999 99999   99999 99999  99999 99999  99999 99999  99999 99999  99999 99999
5388: 99999 99999  99999 99999  99999 99999  99999 99999  99999 99999   99999 99999  99999 99999  99999 99999  99999 99999  99999 99999
5389: 99999 99999  99999 99999  99999 99999  99999 99999  99999 99999   99999 99999  99999 99999  99999 99999  99999 99999  99999 99999
5390: 99999 99999  99999 99999  99999 99999  99999 99999  99999 99999   99999 99999  99999 99999  99999 99999  99999 99999  99999 99999
5391: 99999 99999  99999 99999  99999 99999  99999 99999  99999 99999   99999 99999  99999 99999  99999 99999  99999 99999  99999 99999
5392: 99999 99999  99999 99999  99999 99999  99999 99999  99999 99999   99999 99999  99999 99999  99999 99999  99999 99999  99999 99999
5393: 99999 99999  99999 99999  99999 99999  99999 99999  99999 99999   99999 99999  99999 99999  99999 99999  99999 99999  99999 99999
5394: 99999 99999  99999 99999  99999 99999  99999 99999  99999 99999   99999 99999  99999 99999  99999 99999  99999 99999  99999 99999
5395: 99999 99999  99999 99999  99999 99999  99999 99999  99999 99999   99999 99999  99999 99999  99999 99999  99999 99999  99999 99999
5396: 99999 99999  99999 99999  99999 99999  99999 99999  99999 99999   99999 99999  99999 99999  99999 99999  99999 99999  99999 99999
5397: 99999 99999  99999 99999  99999 99999  99999 99999  99999 99999   99999 99999  99999 99999  99999 99999  99999 99999  99999 99999
5398: 99999 99999  99999 99999  99999 99999  99999 99999  99999 99999   99999 99999  99999 99999  99999 99999  99999 99999  99999 99999
5399: 99999 99999  99999 99999  99999 99999  99999 99999  99999 99999   99999 99999  99999 99999  99999 99999  99999 99999  99999 99999
```

```
5400:  99999 99999  99999 99999  99999 99999  99999 99999  99999 99999    99999 99999  99999 99999  99999 99999  99999 99999  99999 99999
5401:  99999 99999  99999 99999  99999 99999  99999 99999  99999 99999    99999 99999  99999 99999  99999 99999  99999 99999  99999 99999
5402:  99999 99999  99999 99999  99999 99999  99999 99999  99999 99999    99999 99999  99999 99999  99999 99999  99999 99999  99999 99999
5403:  99999 99999  99999 99999  99999 99999  99999 99999  99999 99999    99999 99999  99999 99999  99999 99999  99999 99999  99999 99999
5404:  99999 99999  99999 99999  99999 99999  99999 99999  99999 99999    99999 99999  99999 99999  99999 99999  99999 99999  99999 99999
5405:  99999 99999  99999 99999  99999 99999  99999 99999  99999 99999    99999 99999  99999 99999  99999 99999  99999 99999  99999 99999
5406:  99999 99999  99999 99999  99999 99999  99999 99999  99999 99999    99999 99999  99999 99999  99999 99999  99999 99999  99999 99999
5407:  99999 99999  99999 99999  99999 99999  99999 99999  99999 99999    99999 99999  99999 99999  99999 99999  99999 99999  99999 99999
5408:  99999 99999  99999 99999  99999 99999  99999 99999  99999 99999    99999 99999  99999 99999  99999 99999  99999 99999  99999 99999
5409:  99999 99999  99999 99999  99999 99999  99999 99999  99999 99999    99999 99999  99999 99999  99999 99999  99999 99999  99999 99999
5410:  99999 99999  99999 99999  99999 99999  99999 99999  99999 99999    99999 99999  99999 99999  99999 99999  99999 99999  99999 99999
5411:  99999 99999  99999 99999  99999 99999  99999 99999  99999 99999    99999 99999  99999 99999  99999 99999  99999 99999  99999 99999
5412:  99999 99999  99999 99999  99999 99999  99999 99999  99999 99999    99999 99999  99999 99999  99999 99999  99999 99999  99999 99999
5413:  99999 99999  99999 99999  99999 99999  99999 99999  99999 99999    99999 99999  99999 99999  99999 99999  99999 99999  99999 99999
5414:  99999 99999  99999 99999  99999 99999  99999 99999  99999 99999    99999 99999  99999 99999  99999 99999  99999 99999  99999 99999
5415:  99999 99999  99999 99999  99999 99999  99999 99999  99999 99999    99999 99999  99999 99999  99999 99999  99999 99999  99999 99999
5416:  99999 99999  99999 99999  99999 99999  99999 99999  99999 99999    99999 99999  99999 99999  99999 99999  99999 99999  99999 99999
5417:  99999 99999  99999 99999  99999 99999  99999 99999  99999 99999    99999 99999  99999 99999  99999 99999  99999 99999  99999 99999
5418:  99999 99999  99999 99999  99999 99999  99999 99999  99999 99999    99999 99999  99999 99999  99999 99999  99999 99999  99999 99999
5419:  99999 99999  99999 99999  99999 99999  99999 99999  99999 99999    99999 99999  99999 99999  99999 99999  99999 99999  99999 99999
5420:  99999 99999  99999 99999  99999 99999  99999 99999  99999 99999    99999 99999  99999 99999  99999 99999  99999 99999  99999 99999
5421:  99999 99999  99999 99999  99999 99999  99999 99999  99999 99999    99999 99999  99999 99999  99999 99999  99999 99999  99999 99999
5422:  99999 99999  99999 99999  99999 99999  99999 99999  99999 99999    99999 99999  99999 99999  99999 99999  99999 99999  99999 99999
5423:  99999 99999  99999 99999  99999 99999  99999 99999  99999 99999    99999 99999  99999 99999  99999 99999  99999 99999  99999 99999
5424:  99999 99999  99999 99999  99999 99999  99999 99999  99999 99999    99999 99999  99999 99999  99999 99999  99999 99999  99999 99999
5425:  99999 99999  99999 99999  99999 99999  99999 99999  99999 99999    99999 99999  99999 99999  99999 99999  99999 99999  99999 99999
5426:  99999 99999  99999 99999  99999 99999  99999 99999  99999 99999    99999 99999  99999 99999  99999 99999  99999 99999  99999 99999
5427:  99999 99999  99999 99999  99999 99999  99999 99999  99999 99999    99999 99999  99999 99999  99999 99999  99999 99999  99999 99999
5428:  99999 99999  99999 99999  99999 99999  99999 99999  99999 99999    99999 99999  99999 99999  99999 99999  99999 99999  99999 99999
5429:  99999 99999  99999 99999  99999 99999  99999 99999  99999 99999    99999 99999  99999 99999  99999 99999  99999 99999  99999 99999
5430:  99999 99999  99999 99999  99999 99999  99999 99999  99999 99999    99999 99999  99999 99999  99999 99999  99999 99999  99999 99999
5431:  99999 99999  99999 99999  99999 99999  99999 99999  99999 99999    99999 99999  99999 99999  99999 99999  99999 99999  99999 99999
5432:  99999 99999  99999 99999  99999 99999  99999 99999  99999 99999    99999 99999  99999 99999  99999 99999  99999 99999  99999 99999
5433:  99999 99999  99999 99999  99999 99999  99999 99999  99999 99999    99999 99999  99999 99999  99999 99999  99999 99999  99999 99999
5434:  99999 99999  99999 99999  99999 99999  99999 99999  99999 99999    99999 99999  99999 99999  99999 99999  99999 99999  99999 99999
5435:  99999 99999  99999 99999  99999 99999  99999 99999  99999 99999    99999 99999  99999 99999  99999 99999  99999 99999  99999 99999
5436:  99999 99999  99999 99999  99999 99999  99999 99999  99999 99999    99999 99999  99999 99999  99999 99999  99999 99999  99999 99999
5437:  99999 99999  99999 99999  99999 99999  99999 99999  99999 99999    99999 99999  99999 99999  99999 99999  99999 99999  99999 99999
5438:  99999 99999  99999 99999  99999 99999  99999 99999  99999 99999    99999 99999  99999 99999  99999 99999  99999 99999  99999 99999
5439:  99999 99999  99999 99999  99999 99999  99999 99999  99999 99999    99999 99999  99999 99999  99999 99999  99999 99999  99999 99999
5440:  99999 99999  99999 99999  99999 99999  99999 99999  99999 99999    99999 99999  99999 99999  99999 99999  99999 99999  99999 99999
5441:  99999 99999  99999 99999  99999 99999  99999 99999  99999 99999    99999 99999  99999 99999  99999 99999  99999 99999  99999 99999
5442:  99999 99999  99999 99999  99999 99999  99999 99999  99999 99999    99999 99999  99999 99999  99999 99999  99999 99999  99999 99999
5443:  99999 99999  99999 99999  99999 99999  99999 99999  99999 99999    99999 99999  99999 99999  99999 99999  99999 99999  99999 99999
5444:  99999 99999  99999 99999  99999 99999  99999 99999  99999 99999    99999 99999  99999 99999  99999 99999  99999 99999  99999 99999
5445:  99999 99999  99999 99999  99999 99999  99999 99999  99999 99999    99999 99999  99999 99999  99999 99999  99999 99999  99999 99999
5446:  99999 99999  99999 99999  99999 99999  99999 99999  99999 99999    99999 99999  99999 99999  99999 99999  99999 99999  99999 99999
5447:  99999 99999  99999 99999  99999 99999  99999 99999  99999 99999    99999 99999  99999 99999  99999 99999  99999 99999  99999 99999
5448:  99999 99999  99999 99999  99999 99999  99999 99999  99999 99999    99999 99999  99999 99999  99999 99999  99999 99999  99999 99999
5449:  99999 99999  99999 99999  99999 99999  99999 99999  99999 99999    99999 99999  99999 99999  99999 99999  99999 99999  99999 99999
```

```
5450:  99999 99999  99999 99999  99999 99999  99999 99999  99999 99999    99999 99999  99999 99999  99999 99999  99999 99999  99999 99999
5451:  99999 99999  99999 99999  99999 99999  99999 99999  99999 99999    99999 99999  99999 99999  99999 99999  99999 99999  99999 99999
5452:  99999 99999  99999 99999  99999 99999  99999 99999  99999 99999    99999 99999  99999 99999  99999 99999  99999 99999  99999 99999
5453:  99999 99999  99999 99999  99999 99999  99999 99999  99999 99999    99999 99999  99999 99999  99999 99999  99999 99999  99999 99999
5454:  99999 99999  99999 99999  99999 99999  99999 99999  99999 99999    99999 99999  99999 99999  99999 99999  99999 99999  99999 99999
5455:  99999 99999  99999 99999  99999 99999  99999 99999  99999 99999    99999 99999  99999 99999  99999 99999  99999 99999  99999 99999
5456:  99999 99999  99999 99999  99999 99999  99999 99999  99999 99999    99999 99999  99999 99999  99999 99999  99999 99999  99999 99999
5457:  99999 99999  99999 99999  99999 99999  99999 99999  99999 99999    99999 99999  99999 99999  99999 99999  99999 99999  99999 99999
5458:  99999 99999  99999 99999  99999 99999  99999 99999  99999 99999    99999 99999  99999 99999  99999 99999  99999 99999  99999 99999
5459:  99999 99999  99999 99999  99999 99999  99999 99999  99999 99999    99999 99999  99999 99999  99999 99999  99999 99999  99999 99999
5460:  99999 99999  99999 99999  99999 99999  99999 99999  99999 99999    99999 99999  99999 99999  99999 99999  99999 99999  99999 99999
5461:  99999 99999  99999 99999  99999 99999  99999 99999  99999 99999    99999 99999  99999 99999  99999 99999  99999 99999  99999 99999
5462:  99999 99999  99999 99999  99999 99999  99999 99999  99999 99999    99999 99999  99999 99999  99999 99999  99999 99999  99999 99999
5463:  99999 99999  99999 99999  99999 99999  99999 99999  99999 99999    99999 99999  99999 99999  99999 99999  99999 99999  99999 99999
5464:  99999 99999  99999 99999  99999 99999  99999 99999  99999 99999    99999 99999  99999 99999  99999 99999  99999 99999  99999 99999
5465:  99999 99999  99999 99999  99999 99999  99999 99999  99999 99999    99999 99999  99999 99999  99999 99999  99999 99999  99999 99999
5466:  99999 99999  99999 99999  99999 99999  99999 99999  99999 99999    99999 99999  99999 99999  99999 99999  99999 99999  99999 99999
5467:  99999 99999  99999 99999  99999 99999  99999 99999  99999 99999    99999 99999  99999 99999  99999 99999  99999 99999  99999 99999
5468:  99999 99999  99999 99999  99999 99999  99999 99999  99999 99999    99999 99999  99999 99999  99999 99999  99999 99999  99999 99999
5469:  99999 99999  99999 99999  99999 99999  99999 99999  99999 99999    99999 99999  99999 99999  99999 99999  99999 99999  99999 99999
5470:  99999 99999  99999 99999  99999 99999  99999 99999  99999 99999    99999 99999  99999 99999  99999 99999  99999 99999  99999 99999
5471:  99999 99999  99999 99999  99999 99999  99999 99999  99999 99999    99999 99999  99999 99999  99999 99999  99999 99999  99999 99999
5472:  99999 99999  99999 99999  99999 99999  99999 99999  99999 99999    99999 99999  99999 99999  99999 99999  99999 99999  99999 99999
5473:  99999 99999  99999 99999  99999 99999  99999 99999  99999 99999    99999 99999  99999 99999  99999 99999  99999 99999  99999 99999
5474:  99999 99999  99999 99999  99999 99999  99999 99999  99999 99999    99999 99999  99999 99999  99999 99999  99999 99999  99999 99999
5475:  99999 99999  99999 99999  99999 99999  99999 99999  99999 99999    99999 99999  99999 99999  99999 99999  99999 99999  99999 99999
5476:  99999 99999  99999 99999  99999 99999  99999 99999  99999 99999    99999 99999  99999 99999  99999 99999  99999 99999  99999 99999
5477:  99999 99999  99999 99999  99999 99999  99999 99999  99999 99999    99999 99999  99999 99999  99999 99999  99999 99999  99999 99999
5478:  99999 99999  99999 99999  99999 99999  99999 99999  99999 99999    99999 99999  99999 99999  99999 99999  99999 99999  99999 99999
5479:  99999 99999  99999 99999  99999 99999  99999 99999  99999 99999    99999 99999  99999 99999  99999 99999  99999 99999  99999 99999
5480:  99999 99999  99999 99999  99999 99999  99999 99999  99999 99999    99999 99999  99999 99999  99999 99999  99999 99999  99999 99999
5481:  99999 99999  99999 99999  99999 99999  99999 99999  99999 99999    99999 99999  99999 99999  99999 99999  99999 99999  99999 99999
5482:  99999 99999  99999 99999  99999 99999  99999 99999  99999 99999    99999 99999  99999 99999  99999 99999  99999 99999  99999 99999
5483:  99999 99999  99999 99999  99999 99999  99999 99999  99999 99999    99999 99999  99999 99999  99999 99999  99999 99999  99999 99999
5484:  99999 99999  99999 99999  99999 99999  99999 99999  99999 99999    99999 99999  99999 99999  99999 99999  99999 99999  99999 99999
5485:  99999 99999  99999 99999  99999 99999  99999 99999  99999 99999    99999 99999  99999 99999  99999 99999  99999 99999  99999 99999
5486:  99999 99999  99999 99999  99999 99999  99999 99999  99999 99999    99999 99999  99999 99999  99999 99999  99999 99999  99999 99999
5487:  99999 99999  99999 99999  99999 99999  99999 99999  99999 99999    99999 99999  99999 99999  99999 99999  99999 99999  99999 99999
5488:  99999 99999  99999 99999  99999 99999  99999 99999  99999 99999    99999 99999  99999 99999  99999 99999  99999 99999  99999 99999
5489:  99999 99999  99999 99999  99999 99999  99999 99999  99999 99999    99999 99999  99999 99999  99999 99999  99999 99999  99999 99999
5490:  99999 99999  99999 99999  99999 99999  99999 99999  99999 99999    99999 99999  99999 99999  99999 99999  99999 99999  99999 99999
5491:  99999 99999  99999 99999  99999 99999  99999 99999  99999 99999    99999 99999  99999 99999  99999 99999  99999 99999  99999 99999
5492:  99999 99999  99999 99999  99999 99999  99999 99999  99999 99999    99999 99999  99999 99999  99999 99999  99999 99999  99999 99999
5493:  99999 99999  99999 99999  99999 99999  99999 99999  99999 99999    99999 99999  99999 99999  99999 99999  99999 99999  99999 99999
5494:  99999 99999  99999 99999  99999 99999  99999 99999  99999 99999    99999 99999  99999 99999  99999 99999  99999 99999  99999 99999
5495:  99999 99999  99999 99999  99999 99999  99999 99999  99999 99999    99999 99999  99999 99999  99999 99999  99999 99999  99999 99999
5496:  99999 99999  99999 99999  99999 99999  99999 99999  99999 99999    99999 99999  99999 99999  99999 99999  99999 99999  99999 99999
5497:  99999 99999  99999 99999  99999 99999  99999 99999  99999 99999    99999 99999  99999 99999  99999 99999  99999 99999  99999 99999
5498:  99999 99999  99999 99999  99999 99999  99999 99999  99999 99999    99999 99999  99999 99999  99999 99999  99999 99999  99999 99999
5499:  99999 99999  99999 99999  99999 99999  99999 99999  99999 99999    99999 99999  99999 99999  99999 99999  99999 99999  99999 99999
```

```
5500:   99999 99999   99999 99999   99999 99999   99999 99999   99999 99999     99999 99999   99999 99999   99999 99999   99999 99999   99999 99999
5501:   99999 99999   99999 99999   99999 99999   99999 99999   99999 99999     99999 99999   99999 99999   99999 99999   99999 99999   99999 99999
5502:   99999 99999   99999 99999   99999 99999   99999 99999   99999 99999     99999 99999   99999 99999   99999 99999   99999 99999   99999 99999
5503:   99999 99999   99999 99999   99999 99999   99999 99999   99999 99999     99999 99999   99999 99999   99999 99999   99999 99999   99999 99999
5504:   99999 99999   99999 99999   99999 99999   99999 99999   99999 99999     99999 99999   99999 99999   99999 99999   99999 99999   99999 99999
5505:   99999 99999   99999 99999   99999 99999   99999 99999   99999 99999     99999 99999   99999 99999   99999 99999   99999 99999   99999 99999
5506:   99999 99999   99999 99999   99999 99999   99999 99999   99999 99999     99999 99999   99999 99999   99999 99999   99999 99999   99999 99999
5507:   99999 99999   99999 99999   99999 99999   99999 99999   99999 99999     99999 99999   99999 99999   99999 99999   99999 99999   99999 99999
5508:   99999 99999   99999 99999   99999 99999   99999 99999   99999 99999     99999 99999   99999 99999   99999 99999   99999 99999   99999 99999
5509:   99999 99999   99999 99999   99999 99999   99999 99999   99999 99999     99999 99999   99999 99999   99999 99999   99999 99999   99999 99999
5510:   99999 99999   99999 99999   99999 99999   99999 99999   99999 99999     99999 99999   99999 99999   99999 99999   99999 99999   99999 99999
5511:   99999 99999   99999 99999   99999 99999   99999 99999   99999 99999     99999 99999   99999 99999   99999 99999   99999 99999   99999 99999
5512:   99999 99999   99999 99999   99999 99999   99999 99999   99999 99999     99999 99999   99999 99999   99999 99999   99999 99999   99999 99999
5513:   99999 99999   99999 99999   99999 99999   99999 99999   99999 99999     99999 99999   99999 99999   99999 99999   99999 99999   99999 99999
5514:   99999 99999   99999 99999   99999 99999   99999 99999   99999 99999     99999 99999   99999 99999   99999 99999   99999 99999   99999 99999
5515:   99999 99999   99999 99999   99999 99999   99999 99999   99999 99999     99999 99999   99999 99999   99999 99999   99999 99999   99999 99999
5516:   99999 99999   99999 99999   99999 99999   99999 99999   99999 99999     99999 99999   99999 99999   99999 99999   99999 99999   99999 99999
5517:   99999 99999   99999 99999   99999 99999   99999 99999   99999 99999     99999 99999   99999 99999   99999 99999   99999 99999   99999 99999
5518:   99999 99999   99999 99999   99999 99999   99999 99999   99999 99999     99999 99999   99999 99999   99999 99999   99999 99999   99999 99999
5519:   99999 99999   99999 99999   99999 99999   99999 99999   99999 99999     99999 99999   99999 99999   99999 99999   99999 99999   99999 99999
5520:   99999 99999   99999 99999   99999 99999   99999 99999   99999 99999     99999 99999   99999 99999   99999 99999   99999 99999   99999 99999
5521:   99999 99999   99999 99999   99999 99999   99999 99999   99999 99999     99999 99999   99999 99999   99999 99999   99999 99999   99999 99999
5522:   99999 99999   99999 99999   99999 99999   99999 99999   99999 99999     99999 99999   99999 99999   99999 99999   99999 99999   99999 99999
5523:   99999 99999   99999 99999   99999 99999   99999 99999   99999 99999     99999 99999   99999 99999   99999 99999   99999 99999   99999 99999
5524:   99999 99999   99999 99999   99999 99999   99999 99999   99999 99999     99999 99999   99999 99999   99999 99999   99999 99999   99999 99999
5525:   99999 99999   99999 99999   99999 99999   99999 99999   99999 99999     99999 99999   99999 99999   99999 99999   99999 99999   99999 99999
5526:   99999 99999   99999 99999   99999 99999   99999 99999   99999 99999     99999 99999   99999 99999   99999 99999   99999 99999   99999 99999
5527:   99999 99999   99999 99999   99999 99999   99999 99999   99999 99999     99999 99999   99999 99999   99999 99999   99999 99999   99999 99999
5528:   99999 99999   99999 99999   99999 99999   99999 99999   99999 99999     99999 99999   99999 99999   99999 99999   99999 99999   99999 99999
5529:   99999 99999   99999 99999   99999 99999   99999 99999   99999 99999     99999 99999   99999 99999   99999 99999   99999 99999   99999 99999
5530:   99999 99999   99999 99999   99999 99999   99999 99999   99999 99999     99999 99999   99999 99999   99999 99999   99999 99999   99999 99999
5531:   99999 99999   99999 99999   99999 99999   99999 99999   99999 99999     99999 99999   99999 99999   99999 99999   99999 99999   99999 99999
5532:   99999 99999   99999 99999   99999 99999   99999 99999   99999 99999     99999 99999   99999 99999   99999 99999   99999 99999   99999 99999
5533:   99999 99999   99999 99999   99999 99999   99999 99999   99999 99999     99999 99999   99999 99999   99999 99999   99999 99999   99999 99999
5534:   99999 99999   99999 99999   99999 99999   99999 99999   99999 99999     99999 99999   99999 99999   99999 99999   99999 99999   99999 99999
5535:   99999 99999   99999 99999   99999 99999   99999 99999   99999 99999     99999 99999   99999 99999   99999 99999   99999 99999   99999 99999
5536:   99999 99999   99999 99999   99999 99999   99999 99999   99999 99999     99999 99999   99999 99999   99999 99999   99999 99999   99999 99999
5537:   99999 99999   99999 99999   99999 99999   99999 99999   99999 99999     99999 99999   99999 99999   99999 99999   99999 99999   99999 99999
5538:   99999 99999   99999 99999   99999 99999   99999 99999   99999 99999     99999 99999   99999 99999   99999 99999   99999 99999   99999 99999
5539:   99999 99999   99999 99999   99999 99999   99999 99999   99999 99999     99999 99999   99999 99999   99999 99999   99999 99999   99999 99999
5540:   99999 99999   99999 99999   99999 99999   99999 99999   99999 99999     99999 99999   99999 99999   99999 99999   99999 99999   99999 99999
5541:   99999 99999   99999 99999   99999 99999   99999 99999   99999 99999     99999 99999   99999 99999   99999 99999   99999 99999   99999 99999
5542:   99999 99999   99999 99999   99999 99999   99999 99999   99999 99999     99999 99999   99999 99999   99999 99999   99999 99999   99999 99999
5543:   99999 99999   99999 99999   99999 99999   99999 99999   99999 99999     99999 99999   99999 99999   99999 99999   99999 99999   99999 99999
5544:   99999 99999   99999 99999   99999 99999   99999 99999   99999 99999     99999 99999   99999 99999   99999 99999   99999 99999   99999 99999
5545:   99999 99999   99999 99999   99999 99999   99999 99999   99999 99999     99999 99999   99999 99999   99999 99999   99999 99999   99999 99999
5546:   99999 99999   99999 99999   99999 99999   99999 99999   99999 99999     99999 99999   99999 99999   99999 99999   99999 99999   99999 99999
5547:   99999 99999   99999 99999   99999 99999   99999 99999   99999 99999     99999 99999   99999 99999   99999 99999   99999 99999   99999 99999
5548:   99999 99999   99999 99999   99999 99999   99999 99999   99999 99999     99999 99999   99999 99999   99999 99999   99999 99999   99999 99999
5549:   99999 99999   99999 99999   99999 99999   99999 99999   99999 99999     99999 99999   99999 99999   99999 99999   99999 99999   99999 99999
```

```
5550:  99999 99999  99999 99999  99999 99999  99999 99999  99999 99999   99999 99999  99999 99999  99999 99999  99999 99999  99999 99999
5551:  99999 99999  99999 99999  99999 99999  99999 99999  99999 99999   99999 99999  99999 99999  99999 99999  99999 99999  99999 99999
5552:  99999 99999  99999 99999  99999 99999  99999 99999  99999 99999   99999 99999  99999 99999  99999 99999  99999 99999  99999 99999
5553:  99999 99999  99999 99999  99999 99999  99999 99999  99999 99999   99999 99999  99999 99999  99999 99999  99999 99999  99999 99999
5554:  99999 99999  99999 99999  99999 99999  99999 99999  99999 99999   99999 99999  99999 99999  99999 99999  99999 99999  99999 99999
5555:  99999 99999  99999 99999  99999 99999  99999 99999  99999 99999   99999 99999  99999 99999  99999 99999  99999 99999  99999 99999
5556:  99999 99999  99999 99999  99999 99999  99999 99999  99999 99999   99999 99999  99999 99999  99999 99999  99999 99999  99999 99999
5557:  99999 99999  99999 99999  99999 99999  99999 99999  99999 99999   99999 99999  99999 99999  99999 99999  99999 99999  99999 99999
5558:  99999 99999  99999 99999  99999 99999  99999 99999  99999 99999   99999 99999  99999 99999  99999 99999  99999 99999  99999 99999
5559:  99999 99999  99999 99999  99999 99999  99999 99999  99999 99999   99999 99999  99999 99999  99999 99999  99999 99999  99999 99999
5560:  99999 99999  99999 99999  99999 99999  99999 99999  99999 99999   99999 99999  99999 99999  99999 99999  99999 99999  99999 99999
5561:  99999 99999  99999 99999  99999 99999  99999 99999  99999 99999   99999 99999  99999 99999  99999 99999  99999 99999  99999 99999
5562:  99999 99999  99999 99999  99999 99999  99999 99999  99999 99999   99999 99999  99999 99999  99999 99999  99999 99999  99999 99999
5563:  99999 99999  99999 99999  99999 99999  99999 99999  99999 99999   99999 99999  99999 99999  99999 99999  99999 99999  99999 99999
5564:  99999 99999  99999 99999  99999 99999  99999 99999  99999 99999   99999 99999  99999 99999  99999 99999  99999 99999  99999 99999
5565:  99999 99999  99999 99999  99999 99999  99999 99999  99999 99999   99999 99999  99999 99999  99999 99999  99999 99999  99999 99999
5566:  99999 99999  99999 99999  99999 99999  99999 99999  99999 99999   99999 99999  99999 99999  99999 99999  99999 99999  99999 99999
5567:  99999 99999  99999 99999  99999 99999  99999 99999  99999 99999   99999 99999  99999 99999  99999 99999  99999 99999  99999 99999
5568:  99999 99999  99999 99999  99999 99999  99999 99999  99999 99999   99999 99999  99999 99999  99999 99999  99999 99999  99999 99999
5569:  99999 99999  99999 99999  99999 99999  99999 99999  99999 99999   99999 99999  99999 99999  99999 99999  99999 99999  99999 99999
5570:  99999 99999  99999 99999  99999 99999  99999 99999  99999 99999   99999 99999  99999 99999  99999 99999  99999 99999  99999 99999
5571:  99999 99999  99999 99999  99999 99999  99999 99999  99999 99999   99999 99999  99999 99999  99999 99999  99999 99999  99999 99999
5572:  99999 99999  99999 99999  99999 99999  99999 99999  99999 99999   99999 99999  99999 99999  99999 99999  99999 99999  99999 99999
5573:  99999 99999  99999 99999  99999 99999  99999 99999  99999 99999   99999 99999  99999 99999  99999 99999  99999 99999  99999 99999
5574:  99999 99999  99999 99999  99999 99999  99999 99999  99999 99999   99999 99999  99999 99999  99999 99999  99999 99999  99999 99999
5575:  99999 99999  99999 99999  99999 99999  99999 99999  99999 99999   99999 99999  99999 99999  99999 99999  99999 99999  99999 99999
5576:  99999 99999  99999 99999  99999 99999  99999 99999  99999 99999   99999 99999  99999 99999  99999 99999  99999 99999  99999 99999
5577:  99999 99999  99999 99999  99999 99999  99999 99999  99999 99999   99999 99999  99999 99999  99999 99999  99999 99999  99999 99999
5578:  99999 99999  99999 99999  99999 99999  99999 99999  99999 99999   99999 99999  99999 99999  99999 99999  99999 99999  99999 99999
5579:  99999 99999  99999 99999  99999 99999  99999 99999  99999 99999   99999 99999  99999 99999  99999 99999  99999 99999  99999 99999
5580:  99999 99999  99999 99999  99999 99999  99999 99999  99999 99999   99999 99999  99999 99999  99999 99999  99999 99999  99999 99999
5581:  99999 99999  99999 99999  99999 99999  99999 99999  99999 99999   99999 99999  99999 99999  99999 99999  99999 99999  99999 99999
5582:  99999 99999  99999 99999  99999 99999  99999 99999  99999 99999   99999 99999  99999 99999  99999 99999  99999 99999  99999 99999
5583:  99999 99999  99999 99999  99999 99999  99999 99999  99999 99999   99999 99999  99999 99999  99999 99999  99999 99999  99999 99999
5584:  99999 99999  99999 99999  99999 99999  99999 99999  99999 99999   99999 99999  99999 99999  99999 99999  99999 99999  99999 99999
5585:  99999 99999  99999 99999  99999 99999  99999 99999  99999 99999   99999 99999  99999 99999  99999 99999  99999 99999  99999 99999
5586:  99999 99999  99999 99999  99999 99999  99999 99999  99999 99999   99999 99999  99999 99999  99999 99999  99999 99999  99999 99999
5587:  99999 99999  99999 99999  99999 99999  99999 99999  99999 99999   99999 99999  99999 99999  99999 99999  99999 99999  99999 99999
5588:  99999 99999  99999 99999  99999 99999  99999 99999  99999 99999   99999 99999  99999 99999  99999 99999  99999 99999  99999 99999
5589:  99999 99999  99999 99999  99999 99999  99999 99999  99999 99999   99999 99999  99999 99999  99999 99999  99999 99999  99999 99999
5590:  99999 99999  99999 99999  99999 99999  99999 99999  99999 99999   99999 99999  99999 99999  99999 99999  99999 99999  99999 99999
5591:  99999 99999  99999 99999  99999 99999  99999 99999  99999 99999   99999 99999  99999 99999  99999 99999  99999 99999  99999 99999
5592:  99999 99999  99999 99999  99999 99999  99999 99999  99999 99999   99999 99999  99999 99999  99999 99999  99999 99999  99999 99999
5593:  99999 99999  99999 99999  99999 99999  99999 99999  99999 99999   99999 99999  99999 99999  99999 99999  99999 99999  99999 99999
5594:  99999 99999  99999 99999  99999 99999  99999 99999  99999 99999   99999 99999  99999 99999  99999 99999  99999 99999  99999 99999
5595:  99999 99999  99999 99999  99999 99999  99999 99999  99999 99999   99999 99999  99999 99999  99999 99999  99999 99999  99999 99999
5596:  99999 99999  99999 99999  99999 99999  99999 99999  99999 99999   99999 99999  99999 99999  99999 99999  99999 99999  99999 99999
5597:  99999 99999  99999 99999  99999 99999  99999 99999  99999 99999   99999 99999  99999 99999  99999 99999  99999 99999  99999 99999
5598:  99999 99999  99999 99999  99999 99999  99999 99999  99999 99999   99999 99999  99999 99999  99999 99999  99999 99999  99999 99999
5599:  99999 99999  99999 99999  99999 99999  99999 99999  99999 99999   99999 99999  99999 99999  99999 99999  99999 99999  99999 99999
```

```
5600:  99999 99999   99999 99999   99999 99999   99999 99999   99999 99999      99999 99999   99999 99999   99999 99999   99999 99999   99999 99999
5601:  99999 99999   99999 99999   99999 99999   99999 99999   99999 99999      99999 99999   99999 99999   99999 99999   99999 99999   99999 99999
5602:  99999 99999   99999 99999   99999 99999   99999 99999   99999 99999      99999 99999   99999 99999   99999 99999   99999 99999   99999 99999
5603:  99999 99999   99999 99999   99999 99999   99999 99999   99999 99999      99999 99999   99999 99999   99999 99999   99999 99999   99999 99999
5604:  99999 99999   99999 99999   99999 99999   99999 99999   99999 99999      99999 99999   99999 99999   99999 99999   99999 99999   99999 99999
5605:  99999 99999   99999 99999   99999 99999   99999 99999   99999 99999      99999 99999   99999 99999   99999 99999   99999 99999   99999 99999
5606:  99999 99999   99999 99999   99999 99999   99999 99999   99999 99999      99999 99999   99999 99999   99999 99999   99999 99999   99999 99999
5607:  99999 99999   99999 99999   99999 99999   99999 99999   99999 99999      99999 99999   99999 99999   99999 99999   99999 99999   99999 99999
5608:  99999 99999   99999 99999   99999 99999   99999 99999   99999 99999      99999 99999   99999 99999   99999 99999   99999 99999   99999 99999
5609:  99999 99999   99999 99999   99999 99999   99999 99999   99999 99999      99999 99999   99999 99999   99999 99999   99999 99999   99999 99999
5610:  99999 99999   99999 99999   99999 99999   99999 99999   99999 99999      99999 99999   99999 99999   99999 99999   99999 99999   99999 99999
5611:  99999 99999   99999 99999   99999 99999   99999 99999   99999 99999      99999 99999   99999 99999   99999 99999   99999 99999   99999 99999
5612:  99999 99999   99999 99999   99999 99999   99999 99999   99999 99999      99999 99999   99999 99999   99999 99999   99999 99999   99999 99999
5613:  99999 99999   99999 99999   99999 99999   99999 99999   99999 99999      99999 99999   99999 99999   99999 99999   99999 99999   99999 99999
5614:  99999 99999   99999 99999   99999 99999   99999 99999   99999 99999      99999 99999   99999 99999   99999 99999   99999 99999   99999 99999
5615:  99999 99999   99999 99999   99999 99999   99999 99999   99999 99999      99999 99999   99999 99999   99999 99999   99999 99999   99999 99999
5616:  99999 99999   99999 99999   99999 99999   99999 99999   99999 99999      99999 99999   99999 99999   99999 99999   99999 99999   99999 99999
5617:  99999 99999   99999 99999   99999 99999   99999 99999   99999 99999      99999 99999   99999 99999   99999 99999   99999 99999   99999 99999
5618:  99999 99999   99999 99999   99999 99999   99999 99999   99999 99999      99999 99999   99999 99999   99999 99999   99999 99999   99999 99999
5619:  99999 99999   99999 99999   99999 99999   99999 99999   99999 99999      99999 99999   99999 99999   99999 99999   99999 99999   99999 99999
5620:  99999 99999   99999 99999   99999 99999   99999 99999   99999 99999      99999 99999   99999 99999   99999 99999   99999 99999   99999 99999
5621:  99999 99999   99999 99999   99999 99999   99999 99999   99999 99999      99999 99999   99999 99999   99999 99999   99999 99999   99999 99999
5622:  99999 99999   99999 99999   99999 99999   99999 99999   99999 99999      99999 99999   99999 99999   99999 99999   99999 99999   99999 99999
5623:  99999 99999   99999 99999   99999 99999   99999 99999   99999 99999      99999 99999   99999 99999   99999 99999   99999 99999   99999 99999
5624:  99999 99999   99999 99999   99999 99999   99999 99999   99999 99999      99999 99999   99999 99999   99999 99999   99999 99999   99999 99999
5625:  99999 99999   99999 99999   99999 99999   99999 99999   99999 99999      99999 99999   99999 99999   99999 99999   99999 99999   99999 99999
5626:  99999 99999   99999 99999   99999 99999   99999 99999   99999 99999      99999 99999   99999 99999   99999 99999   99999 99999   99999 99999
5627:  99999 99999   99999 99999   99999 99999   99999 99999   99999 99999      99999 99999   99999 99999   99999 99999   99999 99999   99999 99999
5628:  99999 99999   99999 99999   99999 99999   99999 99999   99999 99999      99999 99999   99999 99999   99999 99999   99999 99999   99999 99999
5629:  99999 99999   99999 99999   99999 99999   99999 99999   99999 99999      99999 99999   99999 99999   99999 99999   99999 99999   99999 99999
5630:  99999 99999   99999 99999   99999 99999   99999 99999   99999 99999      99999 99999   99999 99999   99999 99999   99999 99999   99999 99999
5631:  99999 99999   99999 99999   99999 99999   99999 99999   99999 99999      99999 99999   99999 99999   99999 99999   99999 99999   99999 99999
5632:  99999 99999   99999 99999   99999 99999   99999 99999   99999 99999      99999 99999   99999 99999   99999 99999   99999 99999   99999 99999
5633:  99999 99999   99999 99999   99999 99999   99999 99999   99999 99999      99999 99999   99999 99999   99999 99999   99999 99999   99999 99999
5634:  99999 99999   99999 99999   99999 99999   99999 99999   99999 99999      99999 99999   99999 99999   99999 99999   99999 99999   99999 99999
5635:  99999 99999   99999 99999   99999 99999   99999 99999   99999 99999      99999 99999   99999 99999   99999 99999   99999 99999   99999 99999
5636:  99999 99999   99999 99999   99999 99999   99999 99999   99999 99999      99999 99999   99999 99999   99999 99999   99999 99999   99999 99999
5637:  99999 99999   99999 99999   99999 99999   99999 99999   99999 99999      99999 99999   99999 99999   99999 99999   99999 99999   99999 99999
5638:  99999 99999   99999 99999   99999 99999   99999 99999   99999 99999      99999 99999   99999 99999   99999 99999   99999 99999   99999 99999
5639:  99999 99999   99999 99999   99999 99999   99999 99999   99999 99999      99999 99999   99999 99999   99999 99999   99999 99999   99999 99999
5640:  99999 99999   99999 99999   99999 99999   99999 99999   99999 99999      99999 99999   99999 99999   99999 99999   99999 99999   99999 99999
5641:  99999 99999   99999 99999   99999 99999   99999 99999   99999 99999      99999 99999   99999 99999   99999 99999   99999 99999   99999 99999
5642:  99999 99999   99999 99999   99999 99999   99999 99999   99999 99999      99999 99999   99999 99999   99999 99999   99999 99999   99999 99999
5643:  99999 99999   99999 99999   99999 99999   99999 99999   99999 99999      99999 99999   99999 99999   99999 99999   99999 99999   99999 99999
5644:  99999 99999   99999 99999   99999 99999   99999 99999   99999 99999      99999 99999   99999 99999   99999 99999   99999 99999   99999 99999
5645:  99999 99999   99999 99999   99999 99999   99999 99999   99999 99999      99999 99999   99999 99999   99999 99999   99999 99999   99999 99999
5646:  99999 99999   99999 99999   99999 99999   99999 99999   99999 99999      99999 99999   99999 99999   99999 99999   99999 99999   99999 99999
5647:  99999 99999   99999 99999   99999 99999   99999 99999   99999 99999      99999 99999   99999 99999   99999 99999   99999 99999   99999 99999
5648:  99999 99999   99999 99999   99999 99999   99999 99999   99999 99999      99999 99999   99999 99999   99999 99999   99999 99999   99999 99999
5649:  99999 99999   99999 99999   99999 99999   99999 99999   99999 99999      99999 99999   99999 99999   99999 99999   99999 99999   99999 99999
```

```
5650:   99999 99999   99999 99999   99999 99999   99999 99999   99999 99999     99999 99999   99999 99999   99999 99999   99999 99999   99999 99999
5651:   99999 99999   99999 99999   99999 99999   99999 99999   99999 99999     99999 99999   99999 99999   99999 99999   99999 99999   99999 99999
5652:   99999 99999   99999 99999   99999 99999   99999 99999   99999 99999     99999 99999   99999 99999   99999 99999   99999 99999   99999 99999
5653:   99999 99999   99999 99999   99999 99999   99999 99999   99999 99999     99999 99999   99999 99999   99999 99999   99999 99999   99999 99999
5654:   99999 99999   99999 99999   99999 99999   99999 99999   99999 99999     99999 99999   99999 99999   99999 99999   99999 99999   99999 99999
5655:   99999 99999   99999 99999   99999 99999   99999 99999   99999 99999     99999 99999   99999 99999   99999 99999   99999 99999   99999 99999
5656:   99999 99999   99999 99999   99999 99999   99999 99999   99999 99999     99999 99999   99999 99999   99999 99999   99999 99999   99999 99999
5657:   99999 99999   99999 99999   99999 99999   99999 99999   99999 99999     99999 99999   99999 99999   99999 99999   99999 99999   99999 99999
5658:   99999 99999   99999 99999   99999 99999   99999 99999   99999 99999     99999 99999   99999 99999   99999 99999   99999 99999   99999 99999
5659:   99999 99999   99999 99999   99999 99999   99999 99999   99999 99999     99999 99999   99999 99999   99999 99999   99999 99999   99999 99999
5660:   99999 99999   99999 99999   99999 99999   99999 99999   99999 99999     99999 99999   99999 99999   99999 99999   99999 99999   99999 99999
5661:   99999 99999   99999 99999   99999 99999   99999 99999   99999 99999     99999 99999   99999 99999   99999 99999   99999 99999   99999 99999
5662:   99999 99999   99999 99999   99999 99999   99999 99999   99999 99999     99999 99999   99999 99999   99999 99999   99999 99999   99999 99999
5663:   99999 99999   99999 99999   99999 99999   99999 99999   99999 99999     99999 99999   99999 99999   99999 99999   99999 99999   99999 99999
5664:   99999 99999   99999 99999   99999 99999   99999 99999   99999 99999     99999 99999   99999 99999   99999 99999   99999 99999   99999 99999
5665:   99999 99999   99999 99999   99999 99999   99999 99999   99999 99999     99999 99999   99999 99999   99999 99999   99999 99999   99999 99999
5666:   99999 99999   99999 99999   99999 99999   99999 99999   99999 99999     99999 99999   99999 99999   99999 99999   99999 99999   99999 99999
5667:   99999 99999   99999 99999   99999 99999   99999 99999   99999 99999     99999 99999   99999 99999   99999 99999   99999 99999   99999 99999
5668:   99999 99999   99999 99999   99999 99999   99999 99999   99999 99999     99999 99999   99999 99999   99999 99999   99999 99999   99999 99999
5669:   99999 99999   99999 99999   99999 99999   99999 99999   99999 99999     99999 99999   99999 99999   99999 99999   99999 99999   99999 99999
5670:   99999 99999   99999 99999   99999 99999   99999 99999   99999 99999     99999 99999   99999 99999   99999 99999   99999 99999   99999 99999
5671:   99999 99999   99999 99999   99999 99999   99999 99999   99999 99999     99999 99999   99999 99999   99999 99999   99999 99999   99999 99999
5672:   99999 99999   99999 99999   99999 99999   99999 99999   99999 99999     99999 99999   99999 99999   99999 99999   99999 99999   99999 99999
5673:   99999 99999   99999 99999   99999 99999   99999 99999   99999 99999     99999 99999   99999 99999   99999 99999   99999 99999   99999 99999
5674:   99999 99999   99999 99999   99999 99999   99999 99999   99999 99999     99999 99999   99999 99999   99999 99999   99999 99999   99999 99999
5675:   99999 99999   99999 99999   99999 99999   99999 99999   99999 99999     99999 99999   99999 99999   99999 99999   99999 99999   99999 99999
5676:   99999 99999   99999 99999   99999 99999   99999 99999   99999 99999     99999 99999   99999 99999   99999 99999   99999 99999   99999 99999
5677:   99999 99999   99999 99999   99999 99999   99999 99999   99999 99999     99999 99999   99999 99999   99999 99999   99999 99999   99999 99999
5678:   99999 99999   99999 99999   99999 99999   99999 99999   99999 99999     99999 99999   99999 99999   99999 99999   99999 99999   99999 99999
5679:   99999 99999   99999 99999   99999 99999   99999 99999   99999 99999     99999 99999   99999 99999   99999 99999   99999 99999   99999 99999
5680:   99999 99999   99999 99999   99999 99999   99999 99999   99999 99999     99999 99999   99999 99999   99999 99999   99999 99999   99999 99999
5681:   99999 99999   99999 99999   99999 99999   99999 99999   99999 99999     99999 99999   99999 99999   99999 99999   99999 99999   99999 99999
5682:   99999 99999   99999 99999   99999 99999   99999 99999   99999 99999     99999 99999   99999 99999   99999 99999   99999 99999   99999 99999
5683:   99999 99999   99999 99999   99999 99999   99999 99999   99999 99999     99999 99999   99999 99999   99999 99999   99999 99999   99999 99999
5684:   99999 99999   99999 99999   99999 99999   99999 99999   99999 99999     99999 99999   99999 99999   99999 99999   99999 99999   99999 99999
5685:   99999 99999   99999 99999   99999 99999   99999 99999   99999 99999     99999 99999   99999 99999   99999 99999   99999 99999   99999 99999
5686:   99999 99999   99999 99999   99999 99999   99999 99999   99999 99999     99999 99999   99999 99999   99999 99999   99999 99999   99999 99999
5687:   99999 99999   99999 99999   99999 99999   99999 99999   99999 99999     99999 99999   99999 99999   99999 99999   99999 99999   99999 99999
5688:   99999 99999   99999 99999   99999 99999   99999 99999   99999 99999     99999 99999   99999 99999   99999 99999   99999 99999   99999 99999
5689:   99999 99999   99999 99999   99999 99999   99999 99999   99999 99999     99999 99999   99999 99999   99999 99999   99999 99999   99999 99999
5690:   99999 99999   99999 99999   99999 99999   99999 99999   99999 99999     99999 99999   99999 99999   99999 99999   99999 99999   99999 99999
5691:   99999 99999   99999 99999   99999 99999   99999 99999   99999 99999     99999 99999   99999 99999   99999 99999   99999 99999   99999 99999
5692:   99999 99999   99999 99999   99999 99999   99999 99999   99999 99999     99999 99999   99999 99999   99999 99999   99999 99999   99999 99999
5693:   99999 99999   99999 99999   99999 99999   99999 99999   99999 99999     99999 99999   99999 99999   99999 99999   99999 99999   99999 99999
5694:   99999 99999   99999 99999   99999 99999   99999 99999   99999 99999     99999 99999   99999 99999   99999 99999   99999 99999   99999 99999
5695:   99999 99999   99999 99999   99999 99999   99999 99999   99999 99999     99999 99999   99999 99999   99999 99999   99999 99999   99999 99999
5696:   99999 99999   99999 99999   99999 99999   99999 99999   99999 99999     99999 99999   99999 99999   99999 99999   99999 99999   99999 99999
5697:   99999 99999   99999 99999   99999 99999   99999 99999   99999 99999     99999 99999   99999 99999   99999 99999   99999 99999   99999 99999
5698:   99999 99999   99999 99999   99999 99999   99999 99999   99999 99999     99999 99999   99999 99999   99999 99999   99999 99999   99999 99999
5699:   99999 99999   99999 99999   99999 99999   99999 99999   99999 99999     99999 99999   99999 99999   99999 99999   99999 99999   99999 99999
```

```
5700:  99999 99999  99999 99999  99999 99999  99999 99999  99999 99999   99999 99999  99999 99999  99999 99999  99999 99999  99999 99999
5701:  99999 99999  99999 99999  99999 99999  99999 99999  99999 99999   99999 99999  99999 99999  99999 99999  99999 99999  99999 99999
5702:  99999 99999  99999 99999  99999 99999  99999 99999  99999 99999   99999 99999  99999 99999  99999 99999  99999 99999  99999 99999
5703:  99999 99999  99999 99999  99999 99999  99999 99999  99999 99999   99999 99999  99999 99999  99999 99999  99999 99999  99999 99999
5704:  99999 99999  99999 99999  99999 99999  99999 99999  99999 99999   99999 99999  99999 99999  99999 99999  99999 99999  99999 99999
5705:  99999 99999  99999 99999  99999 99999  99999 99999  99999 99999   99999 99999  99999 99999  99999 99999  99999 99999  99999 99999
5706:  99999 99999  99999 99999  99999 99999  99999 99999  99999 99999   99999 99999  99999 99999  99999 99999  99999 99999  99999 99999
5707:  99999 99999  99999 99999  99999 99999  99999 99999  99999 99999   99999 99999  99999 99999  99999 99999  99999 99999  99999 99999
5708:  99999 99999  99999 99999  99999 99999  99999 99999  99999 99999   99999 99999  99999 99999  99999 99999  99999 99999  99999 99999
5709:  99999 99999  99999 99999  99999 99999  99999 99999  99999 99999   99999 99999  99999 99999  99999 99999  99999 99999  99999 99999
5710:  99999 99999  99999 99999  99999 99999  99999 99999  99999 99999   99999 99999  99999 99999  99999 99999  99999 99999  99999 99999
5711:  99999 99999  99999 99999  99999 99999  99999 99999  99999 99999   99999 99999  99999 99999  99999 99999  99999 99999  99999 99999
5712:  99999 99999  99999 99999  99999 99999  99999 99999  99999 99999   99999 99999  99999 99999  99999 99999  99999 99999  99999 99999
5713:  99999 99999  99999 99999  99999 99999  99999 99999  99999 99999   99999 99999  99999 99999  99999 99999  99999 99999  99999 99999
5714:  99999 99999  99999 99999  99999 99999  99999 99999  99999 99999   99999 99999  99999 99999  99999 99999  99999 99999  99999 99999
5715:  99999 99999  99999 99999  99999 99999  99999 99999  99999 99999   99999 99999  99999 99999  99999 99999  99999 99999  99999 99999
5716:  99999 99999  99999 99999  99999 99999  99999 99999  99999 99999   99999 99999  99999 99999  99999 99999  99999 99999  99999 99999
5717:  99999 99999  99999 99999  99999 99999  99999 99999  99999 99999   99999 99999  99999 99999  99999 99999  99999 99999  99999 99999
5718:  99999 99999  99999 99999  99999 99999  99999 99999  99999 99999.  99999 99999  99999 99999  99999 99999  99999 99999  99999 99999
5719:  99999 99999  99999 99999  99999 99999  99999 99999  99999 99999   99999 99999  99999 99999  99999 99999  99999 99999  99999 99999
5720:  99999 99999  99999 99999  99999 99999  99999 99999  99999 99999   99999 99999  99999 99999  99999 99999  99999 99999  99999 99999
5721:  99999 99999  99999 99999  99999 99999  99999 99999  99999 99999   99999 99999  99999 99999  99999 99999  99999 99999  99999 99999
5722:  99999 99999  99999 99999  99999 99999  99999 99999  99999 99999   99999 99999  99999 99999  99999 99999  99999 99999  99999 99999
5723:  99999 99999  99999 99999  99999 99999  99999 99999  99999 99999   99999 99999  99999 99999  99999 99999  99999 99999  99999 99999
5724:  99999 99999  99999 99999  99999 99999  99999 99999  99999 99999   99999 99999  99999 99999  99999 99999  99999 99999  99999 99999
5725:  99999 99999  99999 99999  99999 99999  99999 99999  99999 99999   99999 99999  99999 99999  99999 99999  99999 99999  99999 99999
5726:  99999 99999  99999 99999  99999 99999  99999 99999  99999 99999   99999 99999  99999 99999  99999 99999  99999 99999  99999 99999
5727:  99999 99999  99999 99999  99999 99999  99999 99999  99999 99999   99999 99999  99999 99999  99999 99999  99999 99999  99999 99999
5728:  99999 99999  99999 99999  99999 99999  99999 99999  99999 99999   99999 99999  99999 99999  99999 99999  99999 99999  99999 99999
5729:  99999 99999  99999 99999  99999 99999  99999 99999  99999 99999   99999 99999  99999 99999  99999 99999  99999 99999  99999 99999
5730:  99999 99999  99999 99999  99999 99999  99999 99999  99999 99999   99999 99999  99999 99999  99999 99999  99999 99999  99999 99999
5731:  99999 99999  99999 99999  99999 99999  99999 99999  99999 99999   99999 99999  99999 99999  99999 99999  99999 99999  99999 99999
5732:  99999 99999  99999 99999  99999 99999  99999 99999  99999 99999   99999 99999  99999 99999  99999 99999  99999 99999  99999 99999
5733:  99999 99999  99999 99999  99999 99999  99999 99999  99999 99999   99999 99999  99999 99999  99999 99999  99999 99999  99999 99999
5734:  99999 99999  99999 99999  99999 99999  99999 99999  99999 99999   99999 99999  99999 99999  99999 99999  99999 99999  99999 99999
5735:  99999 99999  99999 99999  99999 99999  99999 99999  99999 99999   99999 99999  99999 99999  99999 99999  99999 99999  99999 99999
5736:  99999 99999  99999 99999  99999 99999  99999 99999  99999 99999   99999 99999  99999 99999  99999 99999  99999 99999  99999 99999
5737:  99999 99999  99999 99999  99999 99999  99999 99999  99999 99999   99999 99999  99999 99999  99999 99999  99999 99999  99999 99999
5738:  99999 99999  99999 99999  99999 99999  99999 99999  99999 99999   99999 99999  99999 99999  99999 99999  99999 99999  99999 99999
5739:  99999 99999  99999 99999  99999 99999  99999 99999  99999 99999   99999 99999  99999 99999  99999 99999  99999 99999  99999 99999
5740:  99999 99999  99999 99999  99999 99999  99999 99999  99999 99999   99999 99999  99999 99999  99999 99999  99999 99999  99999 99999
5741:  99999 99999  99999 99999  99999 99999  99999 99999  99999 99999   99999 99999  99999 99999  99999 99999  99999 99999  99999 99999
5742:  99999 99999  99999 99999  99999 99999  99999 99999  99999 99999   99999 99999  99999 99999  99999 99999  99999 99999  99999 99999
5743:  99999 99999  99999 99999  99999 99999  99999 99999  99999 99999   99999 99999  99999 99999  99999 99999  99999 99999  99999 99999
5744:  99999 99999  99999 99999  99999 99999  99999 99999  99999 99999   99999 99999  99999 99999  99999 99999  99999 99999  99999 99999
5745:  99999 99999  99999 99999  99999 99999  99999 99999  99999 99999   99999 99999  99999 99999  99999 99999  99999 99999  99999 99999
5746:  99999 99999  99999 99999  99999 99999  99999 99999  99999 99999   99999 99999  99999 99999  99999 99999  99999 99999  99999 99999
5747:  99999 99999  99999 99999  99999 99999  99999 99999  99999 99999   99999 99999  99999 99999  99999 99999  99999 99999  99999 99999
5748:  99999 99999  99999 99999  99999 99999  99999 99999  99999 99999   99999 99999  99999 99999  99999 99999  99999 99999  99999 99999
5749:  99999 99999  99999 99999  99999 99999  99999 99999  99999 99999   99999 99999  99999 99999  99999 99999  99999 99999  99999 99999
```

```
5750:  99999 99999  99999 99999  99999 99999  99999 99999  99999 99999    99999 99999  99999 99999  99999 99999  99999 99999  99999 99999
5751:  99999 99999  99999 99999  99999 99999  99999 99999  99999 99999    99999 99999  99999 99999  99999 99999  99999 99999  99999 99999
5752:  99999 99999  99999 99999  99999 99999  99999 99999  99999 99999    99999 99999  99999 99999  99999 99999  99999 99999  99999 99999
5753:  99999 99999  99999 99999  99999 99999  99999 99999  99999 99999    99999 99999  99999 99999  99999 99999  99999 99999  99999 99999
5754:  99999 99999  99999 99999  99999 99999  99999 99999  99999 99999    99999 99999  99999 99999  99999 99999  99999 99999  99999 99999
5755:  99999 99999  99999 99999  99999 99999  99999 99999  99999 99999    99999 99999  99999 99999  99999 99999  99999 99999  99999 99999
5756:  99999 99999  99999 99999  99999 99999  99999 99999  99999 99999    99999 99999  99999 99999  99999 99999  99999 99999  99999 99999
5757:  99999 99999  99999 99999  99999 99999  99999 99999  99999 99999    99999 99999  99999 99999  99999 99999  99999 99999  99999 99999
5758:  99999 99999  99999 99999  99999 99999  99999 99999  99999 99999    99999 99999  99999 99999  99999 99999  99999 99999  99999 99999
5759:  99999 99999  99999 99999  99999 99999  99999 99999  99999 99999    99999 99999  99999 99999  99999 99999  99999 99999  99999 99999
5760:  99999 99999  99999 99999  99999 99999  99999 99999  99999 99999    99999 99999  99999 99999  99999 99999  99999 99999  99999 99999
5761:  99999 99999  99999 99999  99999 99999  99999 99999  99999 99999    99999 99999  99999 99999  99999 99999  99999 99999  99999 99999
5762:  99999 99999  99999 99999  99999 99999  99999 99999  99999 99999    99999 99999  99999 99999  99999 99999  99999 99999  99999 99999
5763:  99999 99999  99999 99999  99999 99999  99999 99999  99999 99999    99999 99999  99999 99999  99999 99999  99999 99999  99999 99999
5764:  99999 99999  99999 99999  99999 99999  99999 99999  99999 99999    99999 99999  99999 99999  99999 99999  99999 99999  99999 99999
5765:  99999 99999  99999 99999  99999 99999  99999 99999  99999 99999    99999 99999  99999 99999  99999 99999  99999 99999  99999 99999
5766:  99999 99999  99999 99999  99999 99999  99999 99999  99999 99999    99999 99999  99999 99999  99999 99999  99999 99999  99999 99999
5767:  99999 99999  99999 99999  99999 99999  99999 99999  99999 99999    99999 99999  99999 99999  99999 99999  99999 99999  99999 99999
5768:  99999 99999  99999 99999  99999 99999  99999 99999  99999 99999    99999 99999  99999 99999  99999 99999  99999 99999  99999 99999
5769:  99999 99999  99999 99999  99999 99999  99999 99999  99999 99999    99999 99999  99999 99999  99999 99999  99999 99999  99999 99999
5770:  99999 99999  99999 99999  99999 99999  99999 99999  99999 99999    99999 99999  99999 99999  99999 99999  99999 99999  99999 99999
5771:  99999 99999  99999 99999  99999 99999  99999 99999  99999 99999    99999 99999  99999 99999  99999 99999  99999 99999  99999 99999
5772:  99999 99999  99999 99999  99999 99999  99999 99999  99999 99999    99999 99999  99999 99999  99999 99999  99999 99999  99999 99999
5773:  99999 99999  99999 99999  99999 99999  99999 99999  99999 99999    99999 99999  99999 99999  99999 99999  99999 99999  99999 99999
5774:  99999 99999  99999 99999  99999 99999  99999 99999  99999 99999    99999 99999  99999 99999  99999 99999  99999 99999  99999 99999
5775:  99999 99999  99999 99999  99999 99999  99999 99999  99999 99999    99999 99999  99999 99999  99999 99999  99999 99999  99999 99999
5776:  99999 99999  99999 99999  99999 99999  99999 99999  99999 99999    99999 99999  99999 99999  99999 99999  99999 99999  99999 99999
5777:  99999 99999  99999 99999  99999 99999  99999 99999  99999 99999    99999 99999  99999 99999  99999 99999  99999 99999  99999 99999
5778:  99999 99999  99999 99999  99999 99999  99999 99999  99999 99999    99999 99999  99999 99999  99999 99999  99999 99999  99999 99999
5779:  99999 99999  99999 99999  99999 99999  99999 99999  99999 99999    99999 99999  99999 99999  99999 99999  99999 99999  99999 99999
5780:  99999 99999  99999 99999  99999 99999  99999 99999  99999 99999    99999 99999  99999 99999  99999 99999  99999 99999  99999 99999
5781:  99999 99999  99999 99999  99999 99999  99999 99999  99999 99999    99999 99999  99999 99999  99999 99999  99999 99999  99999 99999
5782:  99999 99999  99999 99999  99999 99999  99999 99999  99999 99999    99999 99999  99999 99999  99999 99999  99999 99999  99999 99999
5783:  99999 99999  99999 99999  99999 99999  99999 99999  99999 99999    99999 99999  99999 99999  99999 99999  99999 99999  99999 99999
5784:  99999 99999  99999 99999  99999 99999  99999 99999  99999 99999    99999 99999  99999 99999  99999 99999  99999 99999  99999 99999
5785:  99999 99999  99999 99999  99999 99999  99999 99999  99999 99999    99999 99999  99999 99999  99999 99999  99999 99999  99999 99999
5786:  99999 99999  99999 99999  99999 99999  99999 99999  99999 99999    99999 99999  99999 99999  99999 99999  99999 99999  99999 99999
5787:  99999 99999  99999 99999  99999 99999  99999 99999  99999 99999    99999 99999  99999 99999  99999 99999  99999 99999  99999 99999
5788:  99999 99999  99999 99999  99999 99999  99999 99999  99999 99999    99999 99999  99999 99999  99999 99999  99999 99999  99999 99999
5789:  99999 99999  99999 99999  99999 99999  99999 99999  99999 99999    99999 99999  99999 99999  99999 99999  99999 99999  99999 99999
5790:  99999 99999  99999 99999  99999 99999  99999 99999  99999 99999    99999 99999  99999 99999  99999 99999  99999 99999  99999 99999
5791:  99999 99999  99999 99999  99999 99999  99999 99999  99999 99999    99999 99999  99999 99999  99999 99999  99999 99999  99999 99999
5792:  99999 99999  99999 99999  99999 99999  99999 99999  99999 99999    99999 99999  99999 99999  99999 99999  99999 99999  99999 99999
5793:  99999 99999  99999 99999  99999 99999  99999 99999  99999 99999    99999 99999  99999 99999  99999 99999  99999 99999  99999 99999
5794:  99999 99999  99999 99999  99999 99999  99999 99999  99999 99999    99999 99999  99999 99999  99999 99999  99999 99999  99999 99999
5795:  99999 99999  99999 99999  99999 99999  99999 99999  99999 99999    99999 99999  99999 99999  99999 99999  99999 99999  99999 99999
5796:  99999 99999  99999 99999  99999 99999  99999 99999  99999 99999    99999 99999  99999 99999  99999 99999  99999 99999  99999 99999
5797:  99999 99999  99999 99999  99999 99999  99999 99999  99999 99999    99999 99999  99999 99999  99999 99999  99999 99999  99999 99999
5798:  99999 99999  99999 99999  99999 99999  99999 99999  99999 99999    99999 99999  99999 99999  99999 99999  99999 99999  99999 99999
5799:  99999 99999  99999 99999  99999 99999  99999 99999  99999 99999    99999 99999  99999 99999  99999 99999  99999 99999  99999 99999
```

```
5800:  99999 99999  99999 99999  99999 99999  99999 99999  99999 99999    99999 99999  99999 99999  99999 99999  99999 99999  99999 99999
5801:  99999 99999  99999 99999  99999 99999  99999 99999  99999 99999    99999 99999  99999 99999  99999 99999  99999 99999  99999 99999
5802:  99999 99999  99999 99999  99999 99999  99999 99999  99999 99999    99999 99999  99999 99999  99999 99999  99999 99999  99999 99999
5803:  99999 99999  99999 99999  99999 99999  99999 99999  99999 99999    99999 99999  99999 99999  99999 99999  99999 99999  99999 99999
5804:  99999 99999  99999 99999  99999 99999  99999 99999  99999 99999    99999 99999  99999 99999  99999 99999  99999 99999  99999 99999
5805:  99999 99999  99999 99999  99999 99999  99999 99999  99999 99999    99999 99999  99999 99999  99999 99999  99999 99999  99999 99999
5806:  99999 99999  99999 99999  99999 99999  99999 99999  99999 99999    99999 99999  99999 99999  99999 99999  99999 99999  99999 99999
5807:  99999 99999  99999 99999  99999 99999  99999 99999  99999 99999    99999 99999  99999 99999  99999 99999  99999 99999  99999 99999
5808:  99999 99999  99999 99999  99999 99999  99999 99999  99999 99999    99999 99999  99999 99999  99999 99999  99999 99999  99999 99999
5809:  99999 99999  99999 99999  99999 99999  99999 99999  99999 99999    99999 99999  99999 99999  99999 99999  99999 99999  99999 99999
5810:  99999 99999  99999 99999  99999 99999  99999 99999  99999 99999    99999 99999  99999 99999  99999 99999  99999 99999  99999 99999
5811:  99999 99999  99999 99999  99999 99999  99999 99999  99999 99999    99999 99999  99999 99999  99999 99999  99999 99999  99999 99999
5812:  99999 99999  99999 99999  99999 99999  99999 99999  99999 99999    99999 99999  99999 99999  99999 99999  99999 99999  99999 99999
5813:  99999 99999  99999 99999  99999 99999  99999 99999  99999 99999    99999 99999  99999 99999  99999 99999  99999 99999  99999 99999
5814:  99999 99999  99999 99999  99999 99999  99999 99999  99999 99999    99999 99999  99999 99999  99999 99999  99999 99999  99999 99999
5815:  99999 99999  99999 99999  99999 99999  99999 99999  99999 99999    99999 99999  99999 99999  99999 99999  99999 99999  99999 99999
5816:  99999 99999  99999 99999  99999 99999  99999 99999  99999 99999    99999 99999  99999 99999  99999 99999  99999 99999  99999 99999
5817:  99999 99999  99999 99999  99999 99999  99999 99999  99999 99999    99999 99999  99999 99999  99999 99999  99999 99999  99999 99999
5818:  99999 99999  99999 99999  99999 99999  99999 99999  99999 99999    99999 99999  99999 99999  99999 99999  99999 99999  99999 99999
5819:  99999 99999  99999 99999  99999 99999  99999 99999  99999 99999    99999 99999  99999 99999  99999 99999  99999 99999  99999 99999
5820:  99999 99999  99999 99999  99999 99999  99999 99999  99999 99999    99999 99999  99999 99999  99999 99999  99999 99999  99999 99999
5821:  99999 99999  99999 99999  99999 99999  99999 99999  99999 99999    99999 99999  99999 99999  99999 99999  99999 99999  99999 99999
5822:  99999 99999  99999 99999  99999 99999  99999 99999  99999 99999    99999 99999  99999 99999  99999 99999  99999 99999  99999 99999
5823:  99999 99999  99999 99999  99999 99999  99999 99999  99999 99999    99999 99999  99999 99999  99999 99999  99999 99999  99999 99999
5824:  99999 99999  99999 99999  99999 99999  99999 99999  99999 99999    99999 99999  99999 99999  99999 99999  99999 99999  99999 99999
5825:  99999 99999  99999 99999  99999 99999  99999 99999  99999 99999    99999 99999  99999 99999  99999 99999  99999 99999  99999 99999
5826:  99999 99999  99999 99999  99999 99999  99999 99999  99999 99999    99999 99999  99999 99999  99999 99999  99999 99999  99999 99999
5827:  99999 99999  99999 99999  99999 99999  99999 99999  99999 99999    99999 99999  99999 99999  99999 99999  99999 99999  99999 99999
5828:  99999 99999  99999 99999  99999 99999  99999 99999  99999 99999    99999 99999  99999 99999  99999 99999  99999 99999  99999 99999
5829:  99999 99999  99999 99999  99999 99999  99999 99999  99999 99999    99999 99999  99999 99999  99999 99999  99999 99999  99999 99999
5830:  99999 99999  99999 99999  99999 99999  99999 99999  99999 99999    99999 99999  99999 99999  99999 99999  99999 99999  99999 99999
5831:  99999 99999  99999 99999  99999 99999  99999 99999  99999 99999    99999 99999  99999 99999  99999 99999  99999 99999  99999 99999
5832:  99999 99999  99999 99999  99999 99999  99999 99999  99999 99999    99999 99999  99999 99999  99999 99999  99999 99999  99999 99999
5833:  99999 99999  99999 99999  99999 99999  99999 99999  99999 99999    99999 99999  99999 99999  99999 99999  99999 99999  99999 99999
5834:  99999 99999  99999 99999  99999 99999  99999 99999  99999 99999    99999 99999  99999 99999  99999 99999  99999 99999  99999 99999
5835:  99999 99999  99999 99999  99999 99999  99999 99999  99999 99999    99999 99999  99999 99999  99999 99999  99999 99999  99999 99999
5836:  99999 99999  99999 99999  99999 99999  99999 99999  99999 99999    99999 99999  99999 99999  99999 99999  99999 99999  99999 99999
5837:  99999 99999  99999 99999  99999 99999  99999 99999  99999 99999    99999 99999  99999 99999  99999 99999  99999 99999  99999 99999
5838:  99999 99999  99999 99999  99999 99999  99999 99999  99999 99999    99999 99999  99999 99999  99999 99999  99999 99999  99999 99999
5839:  99999 99999  99999 99999  99999 99999  99999 99999  99999 99999    99999 99999  99999 99999  99999 99999  99999 99999  99999 99999
5840:  99999 99999  99999 99999  99999 99999  99999 99999  99999 99999    99999 99999  99999 99999  99999 99999  99999 99999  99999 99999
5841:  99999 99999  99999 99999  99999 99999  99999 99999  99999 99999    99999 99999  99999 99999  99999 99999  99999 99999  99999 99999
5842:  99999 99999  99999 99999  99999 99999  99999 99999  99999 99999    99999 99999  99999 99999  99999 99999  99999 99999  99999 99999
5843:  99999 99999  99999 99999  99999 99999  99999 99999  99999 99999    99999 99999  99999 99999  99999 99999  99999 99999  99999 99999
5844:  99999 99999  99999 99999  99999 99999  99999 99999  99999 99999    99999 99999  99999 99999  99999 99999  99999 99999  99999 99999
5845:  99999 99999  99999 99999  99999 99999  99999 99999  99999 99999    99999 99999  99999 99999  99999 99999  99999 99999  99999 99999
5846:  99999 99999  99999 99999  99999 99999  99999 99999  99999 99999    99999 99999  99999 99999  99999 99999  99999 99999  99999 99999
5847:  99999 99999  99999 99999  99999 99999  99999 99999  99999 99999    99999 99999  99999 99999  99999 99999  99999 99999  99999 99999
5848:  99999 99999  99999 99999  99999 99999  99999 99999  99999 99999    99999 99999  99999 99999  99999 99999  99999 99999  99999 99999
5849:  99999 99999  99999 99999  99999 99999  99999 99999  99999 99999    99999 99999  99999 99999  99999 99999  99999 99999  99999 99999
```

```
5850:  99999 99999  99999 99999  99999 99999  99999 99999  99999 99999    99999 99999  99999 99999  99999 99999  99999 99999  99999 99999
5851:  99999 99999  99999 99999  99999 99999  99999 99999  99999 99999    99999 99999  99999 99999  99999 99999  99999 99999  99999 99999
5852:  99999 99999  99999 99999  99999 99999  99999 99999  99999 99999    99999 99999  99999 99999  99999 99999  99999 99999  99999 99999
5853:  99999 99999  99999 99999  99999 99999  99999 99999  99999 99999    99999 99999  99999 99999  99999 99999  99999 99999  99999 99999
5854:  99999 99999  99999 99999  99999 99999  99999 99999  99999 99999    99999 99999  99999 99999  99999 99999  99999 99999  99999 99999
5855:  99999 99999  99999 99999  99999 99999  99999 99999  99999 99999    99999 99999  99999 99999  99999 99999  99999 99999  99999 99999
5856:  99999 99999  99999 99999  99999 99999  99999 99999  99999 99999    99999 99999  99999 99999  99999 99999  99999 99999  99999 99999
5857:  99999 99999  99999 99999  99999 99999  99999 99999  99999 99999    99999 99999  99999 99999  99999 99999  99999 99999  99999 99999
5858:  99999 99999  99999 99999  99999 99999  99999 99999  99999 99999    99999 99999  99999 99999  99999 99999  99999 99999  99999 99999
5859:  99999 99999  99999 99999  99999 99999  99999 99999  99999 99999    99999 99999  99999 99999  99999 99999  99999 99999  99999 99999
5860:  99999 99999  99999 99999  99999 99999  99999 99999  99999 99999    99999 99999  99999 99999  99999 99999  99999 99999  99999 99999
5861:  99999 99999  99999 99999  99999 99999  99999 99999  99999 99999    99999 99999  99999 99999  99999 99999  99999 99999  99999 99999
5862:  99999 99999  99999 99999  99999 99999  99999 99999  99999 99999    99999 99999  99999 99999  99999 99999  99999 99999  99999 99999
5863:  99999 99999  99999 99999  99999 99999  99999 99999  99999 99999    99999 99999  99999 99999  99999 99999  99999 99999  99999 99999
5864:  99999 99999  99999 99999  99999 99999  99999 99999  99999 99999    99999 99999  99999 99999  99999 99999  99999 99999  99999 99999
5865:  99999 99999  99999 99999  99999 99999  99999 99999  99999 99999    99999 99999  99999 99999  99999 99999  99999 99999  99999 99999
5866:  99999 99999  99999 99999  99999 99999  99999 99999  99999 99999    99999 99999  99999 99999  99999 99999  99999 99999  99999 99999
5867:  99999 99999  99999 99999  99999 99999  99999 99999  99999 99999    99999 99999  99999 99999  99999 99999  99999 99999  99999 99999
5868:  99999 99999  99999 99999  99999 99999  99999 99999  99999 99999    99999 99999  99999 99999  99999 99999  99999 99999  99999 99999
5869:  99999 99999  99999 99999  99999 99999  99999 99999  99999 99999    99999 99999  99999 99999  99999 99999  99999 99999  99999 99999
5870:  99999 99999  99999 99999  99999 99999  99999 99999  99999 99999    99999 99999  99999 99999  99999 99999  99999 99999  99999 99999
5871:  99999 99999  99999 99999  99999 99999  99999 99999  99999 99999    99999 99999  99999 99999  99999 99999  99999 99999  99999 99999
5872:  99999 99999  99999 99999  99999 99999  99999 99999  99999 99999    99999 99999  99999 99999  99999 99999  99999 99999  99999 99999
5873:  99999 99999  99999 99999  99999 99999  99999 99999  99999 99999    99999 99999  99999 99999  99999 99999  99999 99999  99999 99999
5874:  99999 99999  99999 99999  99999 99999  99999 99999  99999 99999    99999 99999  99999 99999  99999 99999  99999 99999  99999 99999
5875:  99999 99999  99999 99999  99999 99999  99999 99999  99999 99999    99999 99999  99999 99999  99999 99999  99999 99999  99999 99999
5876:  99999 99999  99999 99999  99999 99999  99999 99999  99999 99999    99999 99999  99999 99999  99999 99999  99999 99999  99999 99999
5877:  99999 99999  99999 99999  99999 99999  99999 99999  99999 99999    99999 99999  99999 99999  99999 99999  99999 99999  99999 99999
5878:  99999 99999  99999 99999  99999 99999  99999 99999  99999 99999    99999 99999  99999 99999  99999 99999  99999 99999  99999 99999
5879:  99999 99999  99999 99999  99999 99999  99999 99999  99999 99999    99999 99999  99999 99999  99999 99999  99999 99999  99999 99999
5880:  99999 99999  99999 99999  99999 99999  99999 99999  99999 99999    99999 99999  99999 99999  99999 99999  99999 99999  99999 99999
5881:  99999 99999  99999 99999  99999 99999  99999 99999  99999 99999    99999 99999  99999 99999  99999 99999  99999 99999  99999 99999
5882:  99999 99999  99999 99999  99999 99999  99999 99999  99999 99999    99999 99999  99999 99999  99999 99999  99999 99999  99999 99999
5883:  99999 99999  99999 99999  99999 99999  99999 99999  99999 99999    99999 99999  99999 99999  99999 99999  99999 99999  99999 99999
5884:  99999 99999  99999 99999  99999 99999  99999 99999  99999 99999    99999 99999  99999 99999  99999 99999  99999 99999  99999 99999
5885:  99999 99999  99999 99999  99999 99999  99999 99999  99999 99999    99999 99999  99999 99999  99999 99999  99999 99999  99999 99999
5886:  99999 99999  99999 99999  99999 99999  99999 99999  99999 99999    99999 99999  99999 99999  99999 99999  99999 99999  99999 99999
5887:  99999 99999  99999 99999  99999 99999  99999 99999  99999 99999    99999 99999  99999 99999  99999 99999  99999 99999  99999 99999
5888:  99999 99999  99999 99999  99999 99999  99999 99999  99999 99999    99999 99999  99999 99999  99999 99999  99999 99999  99999 99999
5889:  99999 99999  99999 99999  99999 99999  99999 99999  99999 99999    99999 99999  99999 99999  99999 99999  99999 99999  99999 99999
5890:  99999 99999  99999 99999  99999 99999  99999 99999  99999 99999    99999 99999  99999 99999  99999 99999  99999 99999  99999 99999
5891:  99999 99999  99999 99999  99999 99999  99999 99999  99999 99999    99999 99999  99999 99999  99999 99999  99999 99999  99999 99999
5892:  99999 99999  99999 99999  99999 99999  99999 99999  99999 99999    99999 99999  99999 99999  99999 99999  99999 99999  99999 99999
5893:  99999 99999  99999 99999  99999 99999  99999 99999  99999 99999    99999 99999  99999 99999  99999 99999  99999 99999  99999 99999
5894:  99999 99999  99999 99999  99999 99999  99999 99999  99999 99999    99999 99999  99999 99999  99999 99999  99999 99999  99999 99999
5895:  99999 99999  99999 99999  99999 99999  99999 99999  99999 99999    99999 99999  99999 99999  99999 99999  99999 99999  99999 99999
5896:  99999 99999  99999 99999  99999 99999  99999 99999  99999 99999    99999 99999  99999 99999  99999 99999  99999 99999  99999 99999
5897:  99999 99999  99999 99999  99999 99999  99999 99999  99999 99999    99999 99999  99999 99999  99999 99999  99999 99999  99999 99999
5898:  99999 99999  99999 99999  99999 99999  99999 99999  99999 99999    99999 99999  99999 99999  99999 99999  99999 99999  99999 99999
5899:  99999 99999  99999 99999  99999 99999  99999 99999  99999 99999    99999 99999  99999 99999  99999 99999  99999 99999  99999 99999
```

```
5900:  99999 99999  99999 99999  99999 99999  99999 99999  99999 99999    99999 99999  99999 99999  99999 99999  99999 99999  99999 99999
5901:  99999 99999  99999 99999  99999 99999  99999 99999  99999 99999    99999 99999  99999 99999  99999 99999  99999 99999  99999 99999
5902:  99999 99999  99999 99999  99999 99999  99999 99999  99999 99999    99999 99999  99999 99999  99999 99999  99999 99999  99999 99999
5903:  99999 99999  99999 99999  99999 99999  99999 99999  99999 99999    99999 99999  99999 99999  99999 99999  99999 99999  99999 99999
5904:  99999 99999  99999 99999  99999 99999  99999 99999  99999 99999    99999 99999  99999 99999  99999 99999  99999 99999  99999 99999
5905:  99999 99999  99999 99999  99999 99999  99999 99999  99999 99999    99999 99999  99999 99999  99999 99999  99999 99999  99999 99999
5906:  99999 99999  99999 99999  99999 99999  99999 99999  99999 99999    99999 99999  99999 99999  99999 99999  99999 99999  99999 99999
5907:  99999 99999  99999 99999  99999 99999  99999 99999  99999 99999    99999 99999  99999 99999  99999 99999  99999 99999  99999 99999
5908:  99999 99999  99999 99999  99999 99999  99999 99999  99999 99999    99999 99999  99999 99999  99999 99999  99999 99999  99999 99999
5909:  99999 99999  99999 99999  99999 99999  99999 99999  99999 99999    99999 99999  99999 99999  99999 99999  99999 99999  99999 99999
5910:  99999 99999  99999 99999  99999 99999  99999 99999  99999 99999    99999 99999  99999 99999  99999 99999  99999 99999  99999 99999
5911:  99999 99999  99999 99999  99999 99999  99999 99999  99999 99999    99999 99999  99999 99999  99999 99999  99999 99999  99999 99999
5912:  99999 99999  99999 99999  99999 99999  99999 99999  99999 99999    99999 99999  99999 99999  99999 99999  99999 99999  99999 99999
5913:  99999 99999  99999 99999  99999 99999  99999 99999  99999 99999    99999 99999  99999 99999  99999 99999  99999 99999  99999 99999
5914:  99999 99999  99999 99999  99999 99999  99999 99999  99999 99999    99999 99999  99999 99999  99999 99999  99999 99999  99999 99999
5915:  99999 99999  99999 99999  99999 99999  99999 99999  99999 99999    99999 99999  99999 99999  99999 99999  99999 99999  99999 99999
5916:  99999 99999  99999 99999  99999 99999  99999 99999  99999 99999    99999 99999  99999 99999  99999 99999  99999 99999  99999 99999
5917:  99999 99999  99999 99999  99999 99999  99999 99999  99999 99999    99999 99999  99999 99999  99999 99999  99999 99999  99999 99999
5918:  99999 99999  99999 99999  99999 99999  99999 99999  99999 99999    99999 99999  99999 99999  99999 99999  99999 99999  99999 99999
5919:  99999 99999  99999 99999  99999 99999  99999 99999  99999 99999    99999 99999  99999 99999  99999 99999  99999 99999  99999 99999
5920:  99999 99999  99999 99999  99999 99999  99999 99999  99999 99999    99999 99999  99999 99999  99999 99999  99999 99999  99999 99999
5921:  99999 99999  99999 99999  99999 99999  99999 99999  99999 99999    99999 99999  99999 99999  99999 99999  99999 99999  99999 99999
5922:  99999 99999  99999 99999  99999 99999  99999 99999  99999 99999    99999 99999  99999 99999  99999 99999  99999 99999  99999 99999
5923:  99999 99999  99999 99999  99999 99999  99999 99999  99999 99999    99999 99999  99999 99999  99999 99999  99999 99999  99999 99999
5924:  99999 99999  99999 99999  99999 99999  99999 99999  99999 99999    99999 99999  99999 99999  99999 99999  99999 99999  99999 99999
5925:  99999 99999  99999 99999  99999 99999  99999 99999  99999 99999    99999 99999  99999 99999  99999 99999  99999 99999  99999 99999
5926:  99999 99999  99999 99999  99999 99999  99999 99999  99999 99999    99999 99999  99999 99999  99999 99999  99999 99999  99999 99999
5927:  99999 99999  99999 99999  99999 99999  99999 99999  99999 99999    99999 99999  99999 99999  99999 99999  99999 99999  99999 99999
5928:  99999 99999  99999 99999  99999 99999  99999 99999  99999 99999    99999 99999  99999 99999  99999 99999  99999 99999  99999 99999
5929:  99999 99999  99999 99999  99999 99999  99999 99999  99999 99999    99999 99999  99999 99999  99999 99999  99999 99999  99999 99999
5930:  99999 99999  99999 99999  99999 99999  99999 99999  99999 99999    99999 99999  99999 99999  99999 99999  99999 99999  99999 99999
5931:  99999 99999  99999 99999  99999 99999  99999 99999  99999 99999    99999 99999  99999 99999  99999 99999  99999 99999  99999 99999
5932:  99999 99999  99999 99999  99999 99999  99999 99999  99999 99999    99999 99999  99999 99999  99999 99999  99999 99999  99999 99999
5933:  99999 99999  99999 99999  99999 99999  99999 99999  99999 99999    99999 99999  99999 99999  99999 99999  99999 99999  99999 99999
5934:  99999 99999  99999 99999  99999 99999  99999 99999  99999 99999    99999 99999  99999 99999  99999 99999  99999 99999  99999 99999
5935:  99999 99999  99999 99999  99999 99999  99999 99999  99999 99999    99999 99999  99999 99999  99999 99999  99999 99999  99999 99999
5936:  99999 99999  99999 99999  99999 99999  99999 99999  99999 99999    99999 99999  99999 99999  99999 99999  99999 99999  99999 99999
5937:  99999 99999  99999 99999  99999 99999  99999 99999  99999 99999    99999 99999  99999 99999  99999 99999  99999 99999  99999 99999
5938:  99999 99999  99999 99999  99999 99999  99999 99999  99999 99999    99999 99999  99999 99999  99999 99999  99999 99999  99999 99999
5939:  99999 99999  99999 99999  99999 99999  99999 99999  99999 99999    99999 99999  99999 99999  99999 99999  99999 99999  99999 99999
5940:  99999 99999  99999 99999  99999 99999  99999 99999  99999 99999    99999 99999  99999 99999  99999 99999  99999 99999  99999 99999
5941:  99999 99999  99999 99999  99999 99999  99999 99999  99999 99999    99999 99999  99999 99999  99999 99999  99999 99999  99999 99999
5942:  99999 99999  99999 99999  99999 99999  99999 99999  99999 99999    99999 99999  99999 99999  99999 99999  99999 99999  99999 99999
5943:  99999 99999  99999 99999  99999 99999  99999 99999  99999 99999    99999 99999  99999 99999  99999 99999  99999 99999  99999 99999
5944:  99999 99999  99999 99999  99999 99999  99999 99999  99999 99999    99999 99999  99999 99999  99999 99999  99999 99999  99999 99999
5945:  99999 99999  99999 99999  99999 99999  99999 99999  99999 99999    99999 99999  99999 99999  99999 99999  99999 99999  99999 99999
5946:  99999 99999  99999 99999  99999 99999  99999 99999  99999 99999    99999 99999  99999 99999  99999 99999  99999 99999  99999 99999
5947:  99999 99999  99999 99999  99999 99999  99999 99999  99999 99999    99999 99999  99999 99999  99999 99999  99999 99999  99999 99999
5948:  99999 99999  99999 99999  99999 99999  99999 99999  99999 99999    99999 99999  99999 99999  99999 99999  99999 99999  99999 99999
5949:  99999 99999  99999 99999  99999 99999  99999 99999  99999 99999    99999 99999  99999 99999  99999 99999  99999 99999  99999 99999
```

```
5950:  99999 99999  99999 99999  99999 99999  99999 99999  99999 99999   99999 99999  99999 99999  99999 99999  99999 99999  99999 99999
5951:  99999 99999  99999 99999  99999 99999  99999 99999  99999 99999   99999 99999  99999 99999  99999 99999  99999 99999  99999 99999
5952:  99999 99999  99999 99999  99999 99999  99999 99999  99999 99999   99999 99999  99999 99999  99999 99999  99999 99999  99999 99999
5953:  99999 99999  99999 99999  99999 99999  99999 99999  99999 99999   99999 99999  99999 99999  99999 99999  99999 99999  99999 99999
5954:  99999 99999  99999 99999  99999 99999  99999 99999  99999 99999   99999 99999  99999 99999  99999 99999  99999 99999  99999 99999
5955:  99999 99999  99999 99999  99999 99999  99999 99999  99999 99999   99999 99999  99999 99999  99999 99999  99999 99999  99999 99999
5956:  99999 99999  99999 99999  99999 99999  99999 99999  99999 99999   99999 99999  99999 99999  99999 99999  99999 99999  99999 99999
5957:  99999 99999  99999 99999  99999 99999  99999 99999  99999 99999   99999 99999  99999 99999  99999 99999  99999 99999  99999 99999
5958:  99999 99999  99999 99999  99999 99999  99999 99999  99999 99999   99999 99999  99999 99999  99999 99999  99999 99999  99999 99999
5959:  99999 99999  99999 99999  99999 99999  99999 99999  99999 99999   99999 99999  99999 99999  99999 99999  99999 99999  99999 99999
5960:  99999 99999  99999 99999  99999 99999  99999 99999  99999 99999   99999 99999  99999 99999  99999 99999  99999 99999  99999 99999
5961:  99999 99999  99999 99999  99999 99999  99999 99999  99999 99999   99999 99999  99999 99999  99999 99999  99999 99999  99999 99999
5962:  99999 99999  99999 99999  99999 99999  99999 99999  99999 99999   99999 99999  99999 99999  99999 99999  99999 99999  99999 99999
5963:  99999 99999  99999 99999  99999 99999  99999 99999  99999 99999   99999 99999  99999 99999  99999 99999  99999 99999  99999 99999
5964:  99999 99999  99999 99999  99999 99999  99999 99999  99999 99999   99999 99999  99999 99999  99999 99999  99999 99999  99999 99999
5965:  99999 99999  99999 99999  99999 99999  99999 99999  99999 99999   99999 99999  99999 99999  99999 99999  99999 99999  99999 99999
5966:  99999 99999  99999 99999  99999 99999  99999 99999  99999 99999   99999 99999  99999 99999  99999 99999  99999 99999  99999 99999
5967:  99999 99999  99999 99999  99999 99999  99999 99999  99999 99999   99999 99999  99999 99999  99999 99999  99999 99999  99999 99999
5968:  99999 99999  99999 99999  99999 99999  99999 99999  99999 99999   99999 99999  99999 99999  99999 99999  99999 99999  99999 99999
5969:  99999 99999  99999 99999  99999 99999  99999 99999  99999 99999   99999 99999  99999 99999  99999 99999  99999 99999  99999 99999
5970:  99999 99999  99999 99999  99999 99999  99999 99999  99999 99999   99999 99999  99999 99999  99999 99999  99999 99999  99999 99999
5971:  99999 99999  99999 99999  99999 99999  99999 99999  99999 99999   99999 99999  99999 99999  99999 99999  99999 99999  99999 99999
5972:  99999 99999  99999 99999  99999 99999  99999 99999  99999 99999   99999 99999  99999 99999  99999 99999  99999 99999  99999 99999
5973:  99999 99999  99999 99999  99999 99999  99999 99999  99999 99999   99999 99999  99999 99999  99999 99999  99999 99999  99999 99999
5974:  99999 99999  99999 99999  99999 99999  99999 99999  99999 99999   99999 99999  99999 99999  99999 99999  99999 99999  99999 99999
5975:  99999 99999  99999 99999  99999 99999  99999 99999  99999 99999   99999 99999  99999 99999  99999 99999  99999 99999  99999 99999
5976:  99999 99999  99999 99999  99999 99999  99999 99999  99999 99999   99999 99999  99999 99999  99999 99999  99999 99999  99999 99999
5977:  99999 99999  99999 99999  99999 99999  99999 99999  99999 99999   99999 99999  99999 99999  99999 99999  99999 99999  99999 99999
5978:  99999 99999  99999 99999  99999 99999  99999 99999  99999 99999   99999 99999  99999 99999  99999 99999  99999 99999  99999 99999
5979:  99999 99999  99999 99999  99999 99999  99999 99999  99999 99999   99999 99999  99999 99999  99999 99999  99999 99999  99999 99999
5980:  99999 99999  99999 99999  99999 99999  99999 99999  99999 99999   99999 99999  99999 99999  99999 99999  99999 99999  99999 99999
5981:  99999 99999  99999 99999  99999 99999  99999 99999  99999 99999   99999 99999  99999 99999  99999 99999  99999 99999  99999 99999
5982:  99999 99999  99999 99999  99999 99999  99999 99999  99999 99999   99999 99999  99999 99999  99999 99999  99999 99999  99999 99999
5983:  99999 99999  99999 99999  99999 99999  99999 99999  99999 99999   99999 99999  99999 99999  99999 99999  99999 99999  99999 99999
5984:  99999 99999  99999 99999  99999 99999  99999 99999  99999 99999   99999 99999  99999 99999  99999 99999  99999 99999  99999 99999
5985:  99999 99999  99999 99999  99999 99999  99999 99999  99999 99999   99999 99999  99999 99999  99999 99999  99999 99999  99999 99999
5986:  99999 99999  99999 99999  99999 99999  99999 99999  99999 99999   99999 99999  99999 99999  99999 99999  99999 99999  99999 99999
5987:  99999 99999  99999 99999  99999 99999  99999 99999  99999 99999   99999 99999  99999 99999  99999 99999  99999 99999  99999 99999
5988:  99999 99999  99999 99999  99999 99999  99999 99999  99999 99999   99999 99999  99999 99999  99999 99999  99999 99999  99999 99999
5989:  99999 99999  99999 99999  99999 99999  99999 99999  99999 99999   99999 99999  99999 99999  99999 99999  99999 99999  99999 99999
5990:  99999 99999  99999 99999  99999 99999  99999 99999  99999 99999   99999 99999  99999 99999  99999 99999  99999 99999  99999 99999
5991:  99999 99999  99999 99999  99999 99999  99999 99999  99999 99999   99999 99999  99999 99999  99999 99999  99999 99999  99999 99999
5992:  99999 99999  99999 99999  99999 99999  99999 99999  99999 99999   99999 99999  99999 99999  99999 99999  99999 99999  99999 99999
5993:  99999 99999  99999 99999  99999 99999  99999 99999  99999 99999   99999 99999  99999 99999  99999 99999  99999 99999  99999 99999
5994:  99999 99999  99999 99999  99999 99999  99999 99999  99999 99999   99999 99999  99999 99999  99999 99999  99999 99999  99999 99999
5995:  99999 99999  99999 99999  99999 99999  99999 99999  99999 99999   99999 99999  99999 99999  99999 99999  99999 99999  99999 99999
5996:  99999 99999  99999 99999  99999 99999  99999 99999  99999 99999   99999 99999  99999 99999  99999 99999  99999 99999  99999 99999
5997:  99999 99999  99999 99999  99999 99999  99999 99999  99999 99999   99999 99999  99999 99999  99999 99999  99999 99999  99999 99999
5998:  99999 99999  99999 99999  99999 99999  99999 99999  99999 99999   99999 99999  99999 99999  99999 99999  99999 99999  99999 99999
5999:  99999 99999  99999 99999  99999 99999  99999 99999  99999 99999   99999 99999  99999 99999  99999 99999  99999 99999  99999 99999
```

```
6000:  99999 99999   99999 99999   99999 99999   99999 99999   99999 99999     99999 99999   99999 99999   99999 99999   99999 99999   99999 99999
6001:  99999 99999   99999 99999   99999 99999   99999 99999   99999 99999     99999 99999   99999 99999   99999 99999   99999 99999   99999 99999
6002:  99999 99999   99999 99999   99999 99999   99999 99999   99999 99999     99999 99999   99999 99999   99999 99999   99999 99999   99999 99999
6003:  99999 99999   99999 99999   99999 99999   99999 99999   99999 99999     99999 99999   99999 99999   99999 99999   99999 99999   99999 99999
6004:  99999 99999   99999 99999   99999 99999   99999 99999   99999 99999     99999 99999   99999 99999   99999 99999   99999 99999   99999 99999
6005:  99999 99999   99999 99999   99999 99999   99999 99999   99999 99999     99999 99999   99999 99999   99999 99999   99999 99999   99999 99999
6006:  99999 99999   99999 99999   99999 99999   99999 99999   99999 99999     99999 99999   99999 99999   99999 99999   99999 99999   99999 99999
6007:  99999 99999   99999 99999   99999 99999   99999 99999   99999 99999     99999 99999   99999 99999   99999 99999   99999 99999   99999 99999
6008:  99999 99999   99999 99999   99999 99999   99999 99999   99999 99999     99999 99999   99999 99999   99999 99999   99999 99999   99999 99999
6009:  99999 99999   99999 99999   99999 99999   99999 99999   99999 99999     99999 99999   99999 99999   99999 99999   99999 99999   99999 99999
6010:  99999 99999   99999 99999   99999 99999   99999 99999   99999 99999     99999 99999   99999 99999   99999 99999   99999 99999   99999 99999
6011:  99999 99999   99999 99999   99999 99999   99999 99999   99999 99999     99999 99999   99999 99999   99999 99999   99999 99999   99999 99999
6012:  99999 99999   99999 99999   99999 99999   99999 99999   99999 99999     99999 99999   99999 99999   99999 99999   99999 99999   99999 99999
6013:  99999 99999   99999 99999   99999 99999   99999 99999   99999 99999     99999 99999   99999 99999   99999 99999   99999 99999   99999 99999
6014:  99999 99999   99999 99999   99999 99999   99999 99999   99999 99999     99999 99999   99999 99999   99999 99999   99999 99999   99999 99999
6015:  99999 99999   99999 99999   99999 99999   99999 99999   99999 99999     99999 99999   99999 99999   99999 99999   99999 99999   99999 99999
6016:  99999 99999   99999 99999   99999 99999   99999 99999   99999 99999     99999 99999   99999 99999   99999 99999   99999 99999   99999 99999
6017:  99999 99999   99999 99999   99999 99999   99999 99999   99999 99999     99999 99999   99999 99999   99999 99999   99999 99999   99999 99999
6018:  99999 99999   99999 99999   99999 99999   99999 99999   99999 99999     99999 99999   99999 99999   99999 99999   99999 99999   99999 99999
6019:  99999 99999   99999 99999   99999 99999   99999 99999   99999 99999     99999 99999   99999 99999   99999 99999   99999 99999   99999 99999
6020:  99999 99999   99999 99999   99999 99999   99999 99999   99999 99999     99999 99999   99999 99999   99999 99999   99999 99999   99999 99999
6021:  99999 99999   99999 99999   99999 99999   99999 99999   99999 99999     99999 99999   99999 99999   99999 99999   99999 99999   99999 99999
6022:  99999 99999   99999 99999   99999 99999   99999 99999   99999 99999     99999 99999   99999 99999   99999 99999   99999 99999   99999 99999
6023:  99999 99999   99999 99999   99999 99999   99999 99999   99999 99999     99999 99999   99999 99999   99999 99999   99999 99999   99999 99999
6024:  99999 99999   99999 99999   99999 99999   99999 99999   99999 99999     99999 99999   99999 99999   99999 99999   99999 99999   99999 99999
6025:  99999 99999   99999 99999   99999 99999   99999 99999   99999 99999     99999 99999   99999 99999   99999 99999   99999 99999   99999 99999
6026:  99999 99999   99999 99999   99999 99999   99999 99999   99999 99999     99999 99999   99999 99999   99999 99999   99999 99999   99999 99999
6027:  99999 99999   99999 99999   99999 99999   99999 99999   99999 99999     99999 99999   99999 99999   99999 99999   99999 99999   99999 99999
6028:  99999 99999   99999 99999   99999 99999   99999 99999   99999 99999     99999 99999   99999 99999   99999 99999   99999 99999   99999 99999
6029:  99999 99999   99999 99999   99999 99999   99999 99999   99999 99999     99999 99999   99999 99999   99999 99999   99999 99999   99999 99999
6030:  99999 99999   99999 99999   99999 99999   99999 99999   99999 99999     99999 99999   99999 99999   99999 99999   99999 99999   99999 99999
6031:  99999 99999   99999 99999   99999 99999   99999 99999   99999 99999     99999 99999   99999 99999   99999 99999   99999 99999   99999 99999
6032:  99999 99999   99999 99999   99999 99999   99999 99999   99999 99999     99999 99999   99999 99999   99999 99999   99999 99999   99999 99999
6033:  99999 99999   99999 99999   99999 99999   99999 99999   99999 99999     99999 99999   99999 99999   99999 99999   99999 99999   99999 99999
6034:  99999 99999   99999 99999   99999 99999   99999 99999   99999 99999     99999 99999   99999 99999   99999 99999   99999 99999   99999 99999
6035:  99999 99999   99999 99999   99999 99999   99999 99999   99999 99999     99999 99999   99999 99999   99999 99999   99999 99999   99999 99999
6036:  99999 99999   99999 99999   99999 99999   99999 99999   99999 99999     99999 99999   99999 99999   99999 99999   99999 99999   99999 99999
6037:  99999 99999   99999 99999   99999 99999   99999 99999   99999 99999     99999 99999   99999 99999   99999 99999   99999 99999   99999 99999
6038:  99999 99999   99999 99999   99999 99999   99999 99999   99999 99999     99999 99999   99999 99999   99999 99999   99999 99999   99999 99999
6039:  99999 99999   99999 99999   99999 99999   99999 99999   99999 99999     99999 99999   99999 99999   99999 99999   99999 99999   99999 99999
6040:  99999 99999   99999 99999   99999 99999   99999 99999   99999 99999     99999 99999   99999 99999   99999 99999   99999 99999   99999 99999
6041:  99999 99999   99999 99999   99999 99999   99999 99999   99999 99999     99999 99999   99999 99999   99999 99999   99999 99999   99999 99999
6042:  99999 99999   99999 99999   99999 99999   99999 99999   99999 99999     99999 99999   99999 99999   99999 99999   99999 99999   99999 99999
6043:  99999 99999   99999 99999   99999 99999   99999 99999   99999 99999     99999 99999   99999 99999   99999 99999   99999 99999   99999 99999
6044:  99999 99999   99999 99999   99999 99999   99999 99999   99999 99999     99999 99999   99999 99999   99999 99999   99999 99999   99999 99999
6045:  99999 99999   99999 99999   99999 99999   99999 99999   99999 99999     99999 99999   99999 99999   99999 99999   99999 99999   99999 99999
6046:  99999 99999   99999 99999   99999 99999   99999 99999   99999 99999     99999 99999   99999 99999   99999 99999   99999 99999   99999 99999
6047:  99999 99999   99999 99999   99999 99999   99999 99999   99999 99999     99999 99999   99999 99999   99999 99999   99999 99999   99999 99999
6048:  99999 99999   99999 99999   99999 99999   99999 99999   99999 99999     99999 99999   99999 99999   99999 99999   99999 99999   99999 99999
6049:  99999 99999   99999 99999   99999 99999   99999 99999   99999 99999     99999 99999   99999 99999   99999 99999   99999 99999   99999 99999
```

```
6050:   99999 99999   99999 99999   99999 99999   99999 99999   99999 99999     99999 99999   99999 99999   99999 99999   99999 99999   99999 99999
6051:   99999 99999   99999 99999   99999 99999   99999 99999   99999 99999     99999 99999   99999 99999   99999 99999   99999 99999   99999 99999
6052:   99999 99999   99999 99999   99999 99999   99999 99999   99999 99999     99999 99999   99999 99999   99999 99999   99999 99999   99999 99999
6053:   99999 99999   99999 99999   99999 99999   99999 99999   99999 99999     99999 99999   99999 99999   99999 99999   99999 99999   99999 99999
6054:   99999 99999   99999 99999   99999 99999   99999 99999   99999 99999     99999 99999   99999 99999   99999 99999   99999 99999   99999 99999
6055:   99999 99999   99999 99999   99999 99999   99999 99999   99999 99999     99999 99999   99999 99999   99999 99999   99999 99999   99999 99999
6056:   99999 99999   99999 99999   99999 99999   99999 99999   99999 99999     99999 99999   99999 99999   99999 99999   99999 99999   99999 99999
6057:   99999 99999   99999 99999   99999 99999   99999 99999   99999 99999     99999 99999   99999 99999   99999 99999   99999 99999   99999 99999
6058:   99999 99999   99999 99999   99999 99999   99999 99999   99999 99999     99999 99999   99999 99999   99999 99999   99999 99999   99999 99999
6059:   99999 99999   99999 99999   99999 99999   99999 99999   99999 99999     99999 99999   99999 99999   99999 99999   99999 99999   99999 99999
6060:   99999 99999   99999 99999   99999 99999   99999 99999   99999 99999     99999 99999   99999 99999   99999 99999   99999 99999   99999 99999
6061:   99999 99999   99999 99999   99999 99999   99999 99999   99999 99999     99999 99999   99999 99999   99999 99999   99999 99999   99999 99999
6062:   99999 99999   99999 99999   99999 99999   99999 99999   99999 99999     99999 99999   99999 99999   99999 99999   99999 99999   99999 99999
6063:   99999 99999   99999 99999   99999 99999   99999 99999   99999 99999     99999 99999   99999 99999   99999 99999   99999 99999   99999 99999
6064:   99999 99999   99999 99999   99999 99999   99999 99999   99999 99999     99999 99999   99999 99999   99999 99999   99999 99999   99999 99999
6065:   99999 99999   99999 99999   99999 99999   99999 99999   99999 99999     99999 99999   99999 99999   99999 99999   99999 99999   99999 99999
6066:   99999 99999   99999 99999   99999 99999   99999 99999   99999 99999     99999 99999   99999 99999   99999 99999   99999 99999   99999 99999
6067:   99999 99999   99999 99999   99999 99999   99999 99999   99999 99999     99999 99999   99999 99999   99999 99999   99999 99999   99999 99999
6068:   99999 99999   99999 99999   99999 99999   99999 99999   99999 99999     99999 99999   99999 99999   99999 99999   99999 99999   99999 99999
6069:   99999 99999   99999 99999   99999 99999   99999 99999   99999 99999     99999 99999   99999 99999   99999 99999   99999 99999   99999 99999
6070:   99999 99999   99999 99999   99999 99999   99999 99999   99999 99999     99999 99999   99999 99999   99999 99999   99999 99999   99999 99999
6071:   99999 99999   99999 99999   99999 99999   99999 99999   99999 99999     99999 99999   99999 99999   99999 99999   99999 99999   99999 99999
6072:   99999 99999   99999 99999   99999 99999   99999 99999   99999 99999     99999 99999   99999 99999   99999 99999   99999 99999   99999 99999
6073:   99999 99999   99999 99999   99999 99999   99999 99999   99999 99999     99999 99999   99999 99999   99999 99999   99999 99999   99999 99999
6074:   99999 99999   99999 99999   99999 99999   99999 99999   99999 99999     99999 99999   99999 99999   99999 99999   99999 99999   99999 99999
6075:   99999 99999   99999 99999   99999 99999   99999 99999   99999 99999     99999 99999   99999 99999   99999 99999   99999 99999   99999 99999
6076:   99999 99999   99999 99999   99999 99999   99999 99999   99999 99999     99999 99999   99999 99999   99999 99999   99999 99999   99999 99999
6077:   99999 99999   99999 99999   99999 99999   99999 99999   99999 99999     99999 99999   99999 99999   99999 99999   99999 99999   99999 99999
6078:   99999 99999   99999 99999   99999 99999   99999 99999   99999 99999     99999 99999   99999 99999   99999 99999   99999 99999   99999 99999
6079:   99999 99999   99999 99999   99999 99999   99999 99999   99999 99999     99999 99999   99999 99999   99999 99999   99999 99999   99999 99999
6080:   99999 99999   99999 99999   99999 99999   99999 99999   99999 99999     99999 99999   99999 99999   99999 99999   99999 99999   99999 99999
6081:   99999 99999   99999 99999   99999 99999   99999 99999   99999 99999     99999 99999   99999 99999   99999 99999   99999 99999   99999 99999
6082:   99999 99999   99999 99999   99999 99999   99999 99999   99999 99999     99999 99999   99999 99999   99999 99999   99999 99999   99999 99999
6083:   99999 99999   99999 99999   99999 99999   99999 99999   99999 99999     99999 99999   99999 99999   99999 99999   99999 99999   99999 99999
6084:   99999 99999   99999 99999   99999 99999   99999 99999   99999 99999     99999 99999   99999 99999   99999 99999   99999 99999   99999 99999
6085:   99999 99999   99999 99999   99999 99999   99999 99999   99999 99999     99999 99999   99999 99999   99999 99999   99999 99999   99999 99999
6086:   99999 99999   99999 99999   99999 99999   99999 99999   99999 99999     99999 99999   99999 99999   99999 99999   99999 99999   99999 99999
6087:   99999 99999   99999 99999   99999 99999   99999 99999   99999 99999     99999 99999   99999 99999   99999 99999   99999 99999   99999 99999
6088:   99999 99999   99999 99999   99999 99999   99999 99999   99999 99999     99999 99999   99999 99999   99999 99999   99999 99999   99999 99999
6089:   99999 99999   99999 99999   99999 99999   99999 99999   99999 99999     99999 99999   99999 99999   99999 99999   99999 99999   99999 99999
6090:   99999 99999   99999 99999   99999 99999   99999 99999   99999 99999     99999 99999   99999 99999   99999 99999   99999 99999   99999 99999
6091:   99999 99999   99999 99999   99999 99999   99999 99999   99999 99999     99999 99999   99999 99999   99999 99999   99999 99999   99999 99999
6092:   99999 99999   99999 99999   99999 99999   99999 99999   99999 99999     99999 99999   99999 99999   99999 99999   99999 99999   99999 99999
6093:   99999 99999   99999 99999   99999 99999   99999 99999   99999 99999     99999 99999   99999 99999   99999 99999   99999 99999   99999 99999
6094:   99999 99999   99999 99999   99999 99999   99999 99999   99999 99999     99999 99999   99999 99999   99999 99999   99999 99999   99999 99999
6095:   99999 99999   99999 99999   99999 99999   99999 99999   99999 99999     99999 99999   99999 99999   99999 99999   99999 99999   99999 99999
6096:   99999 99999   99999 99999   99999 99999   99999 99999   99999 99999     99999 99999   99999 99999   99999 99999   99999 99999   99999 99999
6097:   99999 99999   99999 99999   99999 99999   99999 99999   99999 99999     99999 99999   99999 99999   99999 99999   99999 99999   99999 99999
6098:   99999 99999   99999 99999   99999 99999   99999 99999   99999 99999     99999 99999   99999 99999   99999 99999   99999 99999   99999 99999
6099:   99999 99999   99999 99999   99999 99999   99999 99999   99999 99999     99999 99999   99999 99999   99999 99999   99999 99999   99999 99999
```

```
6100:  99999 99999  99999 99999  99999 99999  99999 99999  99999 99999    99999 99999  99999 99999  99999 99999  99999 99999  99999 99999
6101:  99999 99999  99999 99999  99999 99999  99999 99999  99999 99999    99999 99999  99999 99999  99999 99999  99999 99999  99999 99999
6102:  99999 99999  99999 99999  99999 99999  99999 99999  99999 99999    99999 99999  99999 99999  99999 99999  99999 99999  99999 99999
6103:  99999 99999  99999 99999  99999 99999  99999 99999  99999 99999    99999 99999  99999 99999  99999 99999  99999 99999  99999 99999
6104:  99999 99999  99999 99999  99999 99999  99999 99999  99999 99999    99999 99999  99999 99999  99999 99999  99999 99999  99999 99999
6105:  99999 99999  99999 99999  99999 99999  99999 99999  99999 99999    99999 99999  99999 99999  99999 99999  99999 99999  99999 99999
6106:  99999 99999  99999 99999  99999 99999  99999 99999  99999 99999    99999 99999  99999 99999  99999 99999  99999 99999  99999 99999
6107:  99999 99999  99999 99999  99999 99999  99999 99999  99999 99999    99999 99999  99999 99999  99999 99999  99999 99999  99999 99999
6108:  99999 99999  99999 99999  99999 99999  99999 99999  99999 99999    99999 99999  99999 99999  99999 99999  99999 99999  99999 99999
6109:  99999 99999  99999 99999  99999 99999  99999 99999  99999 99999    99999 99999  99999 99999  99999 99999  99999 99999  99999 99999
6110:  99999 99999  99999 99999  99999 99999  99999 99999  99999 99999    99999 99999  99999 99999  99999 99999  99999 99999  99999 99999
6111:  99999 99999  99999 99999  99999 99999  99999 99999  99999 99999    99999 99999  99999 99999  99999 99999  99999 99999  99999 99999
6112:  99999 99999  99999 99999  99999 99999  99999 99999  99999 99999    99999 99999  99999 99999  99999 99999  99999 99999  99999 99999
6113:  99999 99999  99999 99999  99999 99999  99999 99999  99999 99999    99999 99999  99999 99999  99999 99999  99999 99999  99999 99999
6114:  99999 99999  99999 99999  99999 99999  99999 99999  99999 99999    99999 99999  99999 99999  99999 99999  99999 99999  99999 99999
6115:  99999 99999  99999 99999  99999 99999  99999 99999  99999 99999    99999 99999  99999 99999  99999 99999  99999 99999  99999 99999
6116:  99999 99999  99999 99999  99999 99999  99999 99999  99999 99999    99999 99999  99999 99999  99999 99999  99999 99999  99999 99999
6117:  99999 99999  99999 99999  99999 99999  99999 99999  99999 99999    99999 99999  99999 99999  99999 99999  99999 99999  99999 99999
6118:  99999 99999  99999 99999  99999 99999  99999 99999  99999 99999    99999 99999  99999 99999  99999 99999  99999 99999  99999 99999
6119:  99999 99999  99999 99999  99999 99999  99999 99999  99999 99999    99999 99999  99999 99999  99999 99999  99999 99999  99999 99999
6120:  99999 99999  99999 99999  99999 99999  99999 99999  99999 99999    99999 99999  99999 99999  99999 99999  99999 99999  99999 99999
6121:  99999 99999  99999 99999  99999 99999  99999 99999  99999 99999    99999 99999  99999 99999  99999 99999  99999 99999  99999 99999
6122:  99999 99999  99999 99999  99999 99999  99999 99999  99999 99999    99999 99999  99999 99999  99999 99999  99999 99999  99999 99999
6123:  99999 99999  99999 99999  99999 99999  99999 99999  99999 99999    99999 99999  99999 99999  99999 99999  99999 99999  99999 99999
6124:  99999 99999  99999 99999  99999 99999  99999 99999  99999 99999    99999 99999  99999 99999  99999 99999  99999 99999  99999 99999
6125:  99999 99999  99999 99999  99999 99999  99999 99999  99999 99999    99999 99999  99999 99999  99999 99999  99999 99999  99999 99999
6126:  99999 99999  99999 99999  99999 99999  99999 99999  99999 99999    99999 99999  99999 99999  99999 99999  99999 99999  99999 99999
6127:  99999 99999  99999 99999  99999 99999  99999 99999  99999 99999    99999 99999  99999 99999  99999 99999  99999 99999  99999 99999
6128:  99999 99999  99999 99999  99999 99999  99999 99999  99999 99999    99999 99999  99999 99999  99999 99999  99999 99999  99999 99999
6129:  99999 99999  99999 99999  99999 99999  99999 99999  99999 99999    99999 99999  99999 99999  99999 99999  99999 99999  99999 99999
6130:  99999 99999  99999 99999  99999 99999  99999 99999  99999 99999    99999 99999  99999 99999  99999 99999  99999 99999  99999 99999
6131:  99999 99999  99999 99999  99999 99999  99999 99999  99999 99999    99999 99999  99999 99999  99999 99999  99999 99999  99999 99999
6132:  99999 99999  99999 99999  99999 99999  99999 99999  99999 99999    99999 99999  99999 99999  99999 99999  99999 99999  99999 99999
6133:  99999 99999  99999 99999  99999 99999  99999 99999  99999 99999    99999 99999  99999 99999  99999 99999  99999 99999  99999 99999
6134:  99999 99999  99999 99999  99999 99999  99999 99999  99999 99999    99999 99999  99999 99999  99999 99999  99999 99999  99999 99999
6135:  99999 99999  99999 99999  99999 99999  99999 99999  99999 99999    99999 99999  99999 99999  99999 99999  99999 99999  99999 99999
6136:  99999 99999  99999 99999  99999 99999  99999 99999  99999 99999    99999 99999  99999 99999  99999 99999  99999 99999  99999 99999
6137:  99999 99999  99999 99999  99999 99999  99999 99999  99999 99999    99999 99999  99999 99999  99999 99999  99999 99999  99999 99999
6138:  99999 99999  99999 99999  99999 99999  99999 99999  99999 99999    99999 99999  99999 99999  99999 99999  99999 99999  99999 99999
6139:  99999 99999  99999 99999  99999 99999  99999 99999  99999 99999    99999 99999  99999 99999  99999 99999  99999 99999  99999 99999
6140:  99999 99999  99999 99999  99999 99999  99999 99999  99999 99999    99999 99999  99999 99999  99999 99999  99999 99999  99999 99999
6141:  99999 99999  99999 99999  99999 99999  99999 99999  99999 99999    99999 99999  99999 99999  99999 99999  99999 99999  99999 99999
6142:  99999 99999  99999 99999  99999 99999  99999 99999  99999 99999    99999 99999  99999 99999  99999 99999  99999 99999  99999 99999
6143:  99999 99999  99999 99999  99999 99999  99999 99999  99999 99999    99999 99999  99999 99999  99999 99999  99999 99999  99999 99999
6144:  99999 99999  99999 99999  99999 99999  99999 99999  99999 99999    99999 99999  99999 99999  99999 99999  99999 99999  99999 99999
6145:  99999 99999  99999 99999  99999 99999  99999 99999  99999 99999    99999 99999  99999 99999  99999 99999  99999 99999  99999 99999
6146:  99999 99999  99999 99999  99999 99999  99999 99999  99999 99999    99999 99999  99999 99999  99999 99999  99999 99999  99999 99999
6147:  99999 99999  99999 99999  99999 99999  99999 99999  99999 99999    99999 99999  99999 99999  99999 99999  99999 99999  99999 99999
6148:  99999 99999  99999 99999  99999 99999  99999 99999  99999 99999    99999 99999  99999 99999  99999 99999  99999 99999  99999 99999
6149:  99999 99999  99999 99999  99999 99999  99999 99999  99999 99999    99999 99999  99999 99999  99999 99999  99999 99999  99999 99999
```

```
6150:   99999 99999   99999 99999   99999 99999   99999 99999   99999 99999     99999 99999   99999 99999   99999 99999   99999 99999   99999 99999
6151:   99999 99999   99999 99999   99999 99999   99999 99999   99999 99999     99999 99999   99999 99999   99999 99999   99999 99999   99999 99999
6152:   99999 99999   99999 99999   99999 99999   99999 99999   99999 99999     99999 99999   99999 99999   99999 99999   99999 99999   99999 99999
6153:   99999 99999   99999 99999   99999 99999   99999 99999   99999 99999     99999 99999   99999 99999   99999 99999   99999 99999   99999 99999
6154:   99999 99999   99999 99999   99999 99999   99999 99999   99999 99999     99999 99999   99999 99999   99999 99999   99999 99999   99999 99999
6155:   99999 99999   99999 99999   99999 99999   99999 99999   99999 99999     99999 99999   99999 99999   99999 99999   99999 99999   99999 99999
6156:   99999 99999   99999 99999   99999 99999   99999 99999   99999 99999     99999 99999   99999 99999   99999 99999   99999 99999   99999 99999
6157:   99999 99999   99999 99999   99999 99999   99999 99999   99999 99999     99999 99999   99999 99999   99999 99999   99999 99999   99999 99999
6158:   99999 99999   99999 99999   99999 99999   99999 99999   99999 99999     99999 99999   99999 99999   99999 99999   99999 99999   99999 99999
6159:   99999 99999   99999 99999   99999 99999   99999 99999   99999 99999     99999 99999   99999 99999   99999 99999   99999 99999   99999 99999
6160:   99999 99999   99999 99999   99999 99999   99999 99999   99999 99999     99999 99999   99999 99999   99999 99999   99999 99999   99999 99999
6161:   99999 99999   99999 99999   99999 99999   99999 99999   99999 99999     99999 99999   99999 99999   99999 99999   99999 99999   99999 99999
6162:   99999 99999   99999 99999   99999 99999   99999 99999   99999 99999     99999 99999   99999 99999   99999 99999   99999 99999   99999 99999
6163:   99999 99999   99999 99999   99999 99999   99999 99999   99999 99999     99999 99999   99999 99999   99999 99999   99999 99999   99999 99999
6164:   99999 99999   99999 99999   99999 99999   99999 99999   99999 99999     99999 99999   99999 99999   99999 99999   99999 99999   99999 99999
6165:   99999 99999   99999 99999   99999 99999   99999 99999   99999 99999     99999 99999   99999 99999   99999 99999   99999 99999   99999 99999
6166:   99999 99999   99999 99999   99999 99999   99999 99999   99999 99999     99999 99999   99999 99999   99999 99999   99999 99999   99999 99999
6167:   99999 99999   99999 99999   99999 99999   99999 99999   99999 99999     99999 99999   99999 99999   99999 99999   99999 99999   99999 99999
6168:   99999 99999   99999 99999   99999 99999   99999 99999   99999 99999     99999 99999   99999 99999   99999 99999   99999 99999   99999 99999
6169:   99999 99999   99999 99999   99999 99999   99999 99999   99999 99999     99999 99999   99999 99999   99999 99999   99999 99999   99999 99999
6170:   99999 99999   99999 99999   99999 99999   99999 99999   99999 99999     99999 99999   99999 99999   99999 99999   99999 99999   99999 99999
6171:   99999 99999   99999 99999   99999 99999   99999 99999   99999 99999     99999 99999   99999 99999   99999 99999   99999 99999   99999 99999
6172:   99999 99999   99999 99999   99999 99999   99999 99999   99999 99999     99999 99999   99999 99999   99999 99999   99999 99999   99999 99999
6173:   99999 99999   99999 99999   99999 99999   99999 99999   99999 99999     99999 99999   99999 99999   99999 99999   99999 99999   99999 99999
6174:   99999 99999   99999 99999   99999 99999   99999 99999   99999 99999     99999 99999   99999 99999   99999 99999   99999 99999   99999 99999
6175:   99999 99999   99999 99999   99999 99999   99999 99999   99999 99999     99999 99999   99999 99999   99999 99999   99999 99999   99999 99999
6176:   99999 99999   99999 99999   99999 99999   99999 99999   99999 99999     99999 99999   99999 99999   99999 99999   99999 99999   99999 99999
6177:   99999 99999   99999 99999   99999 99999   99999 99999   99999 99999     99999 99999   99999 99999   99999 99999   99999 99999   99999 99999
6178:   99999 99999   99999 99999   99999 99999   99999 99999   99999 99999     99999 99999   99999 99999   99999 99999   99999 99999   99999 99999
6179:   99999 99999   99999 99999   99999 99999   99999 99999   99999 99999     99999 99999   99999 99999   99999 99999   99999 99999   99999 99999
6180:   99999 99999   99999 99999   99999 99999   99999 99999   99999 99999     99999 99999   99999 99999   99999 99999   99999 99999   99999 99999
6181:   99999 99999   99999 99999   99999 99999   99999 99999   99999 99999     99999 99999   99999 99999   99999 99999   99999 99999   99999 99999
6182:   99999 99999   99999 99999   99999 99999   99999 99999   99999 99999     99999 99999   99999 99999   99999 99999   99999 99999   99999 99999
6183:   99999 99999   99999 99999   99999 99999   99999 99999   99999 99999     99999 99999   99999 99999   99999 99999   99999 99999   99999 99999
6184:   99999 99999   99999 99999   99999 99999   99999 99999   99999 99999     99999 99999   99999 99999   99999 99999   99999 99999   99999 99999
6185:   99999 99999   99999 99999   99999 99999   99999 99999   99999 99999     99999 99999   99999 99999   99999 99999   99999 99999   99999 99999
6186:   99999 99999   99999 99999   99999 99999   99999 99999   99999 99999     99999 99999   99999 99999   99999 99999   99999 99999   99999 99999
6187:   99999 99999   99999 99999   99999 99999   99999 99999   99999 99999     99999 99999   99999 99999   99999 99999   99999 99999   99999 99999
6188:   99999 99999   99999 99999   99999 99999   99999 99999   99999 99999     99999 99999   99999 99999   99999 99999   99999 99999   99999 99999
6189:   99999 99999   99999 99999   99999 99999   99999 99999   99999 99999     99999 99999   99999 99999   99999 99999   99999 99999   99999 99999
6190:   99999 99999   99999 99999   99999 99999   99999 99999   99999 99999     99999 99999   99999 99999   99999 99999   99999 99999   99999 99999
6191:   99999 99999   99999 99999   99999 99999   99999 99999   99999 99999     99999 99999   99999 99999   99999 99999   99999 99999   99999 99999
6192:   99999 99999   99999 99999   99999 99999   99999 99999   99999 99999     99999 99999   99999 99999   99999 99999   99999 99999   99999 99999
6193:   99999 99999   99999 99999   99999 99999   99999 99999   99999 99999     99999 99999   99999 99999   99999 99999   99999 99999   99999 99999
6194:   99999 99999   99999 99999   99999 99999   99999 99999   99999 99999     99999 99999   99999 99999   99999 99999   99999 99999   99999 99999
6195:   99999 99999   99999 99999   99999 99999   99999 99999   99999 99999     99999 99999   99999 99999   99999 99999   99999 99999   99999 99999
6196:   99999 99999   99999 99999   99999 99999   99999 99999   99999 99999     99999 99999   99999 99999   99999 99999   99999 99999   99999 99999
6197:   99999 99999   99999 99999   99999 99999   99999 99999   99999 99999     99999 99999   99999 99999   99999 99999   99999 99999   99999 99999
6198:   99999 99999   99999 99999   99999 99999   99999 99999   99999 99999     99999 99999   99999 99999   99999 99999   99999 99999   99999 99999
6199:   99999 99999   99999 99999   99999 99999   99999 99999   99999 99999     99999 99999   99999 99999   99999 99999   99999 99999   99999 99999
```

```
6200:  99999 99999  99999 99999  99999 99999  99999 99999  99999 99999    99999 99999  99999 99999  99999 99999  99999 99999  99999 99999
6201:  99999 99999  99999 99999  99999 99999  99999 99999  99999 99999    99999 99999  99999 99999  99999 99999  99999 99999  99999 99999
6202:  99999 99999  99999 99999  99999 99999  99999 99999  99999 99999    99999 99999  99999 99999  99999 99999  99999 99999  99999 99999
6203:  99999 99999  99999 99999  99999 99999  99999 99999  99999 99999    99999 99999  99999 99999  99999 99999  99999 99999  99999 99999
6204:  99999 99999  99999 99999  99999 99999  99999 99999  99999 99999    99999 99999  99999 99999  99999 99999  99999 99999  99999 99999
6205:  99999 99999  99999 99999  99999 99999  99999 99999  99999 99999    99999 99999  99999 99999  99999 99999  99999 99999  99999 99999
6206:  99999 99999  99999 99999  99999 99999  99999 99999  99999 99999    99999 99999  99999 99999  99999 99999  99999 99999  99999 99999
6207:  99999 99999  99999 99999  99999 99999  99999 99999  99999 99999    99999 99999  99999 99999  99999 99999  99999 99999  99999 99999
6208:  99999 99999  99999 99999  99999 99999  99999 99999  99999 99999    99999 99999  99999 99999  99999 99999  99999 99999  99999 99999
6209:  99999 99999  99999 99999  99999 99999  99999 99999  99999 99999    99999 99999  99999 99999  99999 99999  99999 99999  99999 99999
6210:  99999 99999  99999 99999  99999 99999  99999 99999  99999 99999    99999 99999  99999 99999  99999 99999  99999 99999  99999 99999
6211:  99999 99999  99999 99999  99999 99999  99999 99999  99999 99999    99999 99999  99999 99999  99999 99999  99999 99999  99999 99999
6212:  99999 99999  99999 99999  99999 99999  99999 99999  99999 99999    99999 99999  99999 99999  99999 99999  99999 99999  99999 99999
6213:  99999 99999  99999 99999  99999 99999  99999 99999  99999 99999    99999 99999  99999 99999  99999 99999  99999 99999  99999 99999
6214:  99999 99999  99999 99999  99999 99999  99999 99999  99999 99999    99999 99999  99999 99999  99999 99999  99999 99999  99999 99999
6215:  99999 99999  99999 99999  99999 99999  99999 99999  99999 99999    99999 99999  99999 99999  99999 99999  99999 99999  99999 99999
6216:  99999 99999  99999 99999  99999 99999  99999 99999  99999 99999    99999 99999  99999 99999  99999 99999  99999 99999  99999 99999
6217:  99999 99999  99999 99999  99999 99999  99999 99999  99999 99999    99999 99999  99999 99999  99999 99999  99999 99999  99999 99999
6218:  99999 99999  99999 99999  99999 99999  99999 99999  99999 99999    99999 99999  99999 99999  99999 99999  99999 99999  99999 99999
6219:  99999 99999  99999 99999  99999 99999  99999 99999  99999 99999    99999 99999  99999 99999  99999 99999  99999 99999  99999 99999
6220:  99999 99999  99999 99999  99999 99999  99999 99999  99999 99999    99999 99999  99999 99999  99999 99999  99999 99999  99999 99999
6221:  99999 99999  99999 99999  99999 99999  99999 99999  99999 99999    99999 99999  99999 99999  99999 99999  99999 99999  99999 99999
6222:  99999 99999  99999 99999  99999 99999  99999 99999  99999 99999    99999 99999  99999 99999  99999 99999  99999 99999  99999 99999
6223:  99999 99999  99999 99999  99999 99999  99999 99999  99999 99999    99999 99999  99999 99999  99999 99999  99999 99999  99999 99999
6224:  99999 99999  99999 99999  99999 99999  99999 99999  99999 99999    99999 99999  99999 99999  99999 99999  99999 99999  99999 99999
6225:  99999 99999  99999 99999  99999 99999  99999 99999  99999 99999    99999 99999  99999 99999  99999 99999  99999 99999  99999 99999
6226:  99999 99999  99999 99999  99999 99999  99999 99999  99999 99999    99999 99999  99999 99999  99999 99999  99999 99999  99999 99999
6227:  99999 99999  99999 99999  99999 99999  99999 99999  99999 99999    99999 99999  99999 99999  99999 99999  99999 99999  99999 99999
6228:  99999 99999  99999 99999  99999 99999  99999 99999  99999 99999    99999 99999  99999 99999  99999 99999  99999 99999  99999 99999
6229:  99999 99999  99999 99999  99999 99999  99999 99999  99999 99999    99999 99999  99999 99999  99999 99999  99999 99999  99999 99999
6230:  99999 99999  99999 99999  99999 99999  99999 99999  99999 99999    99999 99999  99999 99999  99999 99999  99999 99999  99999 99999
6231:  99999 99999  99999 99999  99999 99999  99999 99999  99999 99999    99999 99999  99999 99999  99999 99999  99999 99999  99999 99999
6232:  99999 99999  99999 99999  99999 99999  99999 99999  99999 99999    99999 99999  99999 99999  99999 99999  99999 99999  99999 99999
6233:  99999 99999  99999 99999  99999 99999  99999 99999  99999 99999    99999 99999  99999 99999  99999 99999  99999 99999  99999 99999
6234:  99999 99999  99999 99999  99999 99999  99999 99999  99999 99999    99999 99999  99999 99999  99999 99999  99999 99999  99999 99999
6235:  99999 99999  99999 99999  99999 99999  99999 99999  99999 99999    99999 99999  99999 99999  99999 99999  99999 99999  99999 99999
6236:  99999 99999  99999 99999  99999 99999  99999 99999  99999 99999    99999 99999  99999 99999  99999 99999  99999 99999  99999 99999
6237:  99999 99999  99999 99999  99999 99999  99999 99999  99999 99999    99999 99999  99999 99999  99999 99999  99999 99999  99999 99999
6238:  99999 99999  99999 99999  99999 99999  99999 99999  99999 99999    99999 99999  99999 99999  99999 99999  99999 99999  99999 99999
6239:  99999 99999  99999 99999  99999 99999  99999 99999  99999 99999    99999 99999  99999 99999  99999 99999  99999 99999  99999 99999
6240:  99999 99999  99999 99999  99999 99999  99999 99999  99999 99999    99999 99999  99999 99999  99999 99999  99999 99999  99999 99999
6241:  99999 99999  99999 99999  99999 99999  99999 99999  99999 99999    99999 99999  99999 99999  99999 99999  99999 99999  99999 99999
6242:  99999 99999  99999 99999  99999 99999  99999 99999  99999 99999    99999 99999  99999 99999  99999 99999  99999 99999  99999 99999
6243:  99999 99999  99999 99999  99999 99999  99999 99999  99999 99999    99999 99999  99999 99999  99999 99999  99999 99999  99999 99999
6244:  99999 99999  99999 99999  99999 99999  99999 99999  99999 99999    99999 99999  99999 99999  99999 99999  99999 99999  99999 99999
6245:  99999 99999  99999 99999  99999 99999  99999 99999  99999 99999    99999 99999  99999 99999  99999 99999  99999 99999  99999 99999
6246:  99999 99999  99999 99999  99999 99999  99999 99999  99999 99999    99999 99999  99999 99999  99999 99999  99999 99999  99999 99999
6247:  99999 99999  99999 99999  99999 99999  99999 99999  99999 99999    99999 99999  99999 99999  99999 99999  99999 99999  99999 99999
6248:  99999 99999  99999 99999  99999 99999  99999 99999  99999 99999    99999 99999  99999 99999  99999 99999  99999 99999  99999 99999
6249:  99999 99999  99999 99999  99999 99999  99999 99999  99999 99999    99999 99999  99999 99999  99999 99999  99999 99999  99999 99999
```

```
6250:   99999 99999   99999 99999   99999 99999   99999 99999   99999 99999     99999 99999   99999 99999   99999 99999   99999 99999   99999 99999
6251:   99999 99999   99999 99999   99999 99999   99999 99999   99999 99999     99999 99999   99999 99999   99999 99999   99999 99999   99999 99999
6252:   99999 99999   99999 99999   99999 99999   99999 99999   99999 99999     99999 99999   99999 99999   99999 99999   99999 99999   99999 99999
6253:   99999 99999   99999 99999   99999 99999   99999 99999   99999 99999     99999 99999   99999 99999   99999 99999   99999 99999   99999 99999
6254:   99999 99999   99999 99999   99999 99999   99999 99999   99999 99999     99999 99999   99999 99999   99999 99999   99999 99999   99999 99999
6255:   99999 99999   99999 99999   99999 99999   99999 99999   99999 99999     99999 99999   99999 99999   99999 99999   99999 99999   99999 99999
6256:   99999 99999   99999 99999   99999 99999   99999 99999   99999 99999     99999 99999   99999 99999   99999 99999   99999 99999   99999 99999
6257:   99999 99999   99999 99999   99999 99999   99999 99999   99999 99999     99999 99999   99999 99999   99999 99999   99999 99999   99999 99999
6258:   99999 99999   99999 99999   99999 99999   99999 99999   99999 99999     99999 99999   99999 99999   99999 99999   99999 99999   99999 99999
6259:   99999 99999   99999 99999   99999 99999   99999 99999   99999 99999     99999 99999   99999 99999   99999 99999   99999 99999   99999 99999
6260:   99999 99999   99999 99999   99999 99999   99999 99999   99999 99999     99999 99999   99999 99999   99999 99999   99999 99999   99999 99999
6261:   99999 99999   99999 99999   99999 99999   99999 99999   99999 99999     99999 99999   99999 99999   99999 99999   99999 99999   99999 99999
6262:   99999 99999   99999 99999   99999 99999   99999 99999   99999 99999     99999 99999   99999 99999   99999 99999   99999 99999   99999 99999
6263:   99999 99999   99999 99999   99999 99999   99999 99999   99999 99999     99999 99999   99999 99999   99999 99999   99999 99999   99999 99999
6264:   99999 99999   99999 99999   99999 99999   99999 99999   99999 99999     99999 99999   99999 99999   99999 99999   99999 99999   99999 99999
6265:   99999 99999   99999 99999   99999 99999   99999 99999   99999 99999     99999 99999   99999 99999   99999 99999   99999 99999   99999 99999
6266:   99999 99999   99999 99999   99999 99999   99999 99999   99999 99999     99999 99999   99999 99999   99999 99999   99999 99999   99999 99999
6267:   99999 99999   99999 99999   99999 99999   99999 99999   99999 99999     99999 99999   99999 99999   99999 99999   99999 99999   99999 99999
6268:   99999 99999   99999 99999   99999 99999   99999 99999   99999 99999     99999 99999   99999 99999   99999 99999   99999 99999   99999 99999
6269:   99999 99999   99999 99999   99999 99999   99999 99999   99999 99999     99999 99999   99999 99999   99999 99999   99999 99999   99999 99999
6270:   99999 99999   99999 99999   99999 99999   99999 99999   99999 99999     99999 99999   99999 99999   99999 99999   99999 99999   99999 99999
6271:   99999 99999   99999 99999   99999 99999   99999 99999   99999 99999     99999 99999   99999 99999   99999 99999   99999 99999   99999 99999
6272:   99999 99999   99999 99999   99999 99999   99999 99999   99999 99999     99999 99999   99999 99999   99999 99999   99999 99999   99999 99999
6273:   99999 99999   99999 99999   99999 99999   99999 99999   99999 99999     99999 99999   99999 99999   99999 99999   99999 99999   99999 99999
6274:   99999 99999   99999 99999   99999 99999   99999 99999   99999 99999     99999 99999   99999 99999   99999 99999   99999 99999   99999 99999
6275:   99999 99999   99999 99999   99999 99999   99999 99999   99999 99999     99999 99999   99999 99999   99999 99999   99999 99999   99999 99999
6276:   99999 99999   99999 99999   99999 99999   99999 99999   99999 99999     99999 99999   99999 99999   99999 99999   99999 99999   99999 99999
6277:   99999 99999   99999 99999   99999 99999   99999 99999   99999 99999     99999 99999   99999 99999   99999 99999   99999 99999   99999 99999
6278:   99999 99999   99999 99999   99999 99999   99999 99999   99999 99999     99999 99999   99999 99999   99999 99999   99999 99999   99999 99999
6279:   99999 99999   99999 99999   99999 99999   99999 99999   99999 99999     99999 99999   99999 99999   99999 99999   99999 99999   99999 99999
6280:   99999 99999   99999 99999   99999 99999   99999 99999   99999 99999     99999 99999   99999 99999   99999 99999   99999 99999   99999 99999
6281:   99999 99999   99999 99999   99999 99999   99999 99999   99999 99999     99999 99999   99999 99999   99999 99999   99999 99999   99999 99999
6282:   99999 99999   99999 99999   99999 99999   99999 99999   99999 99999     99999 99999   99999 99999   99999 99999   99999 99999   99999 99999
6283:   99999 99999   99999 99999   99999 99999   99999 99999   99999 99999     99999 99999   99999 99999   99999 99999   99999 99999   99999 99999
6284:   99999 99999   99999 99999   99999 99999   99999 99999   99999 99999     99999 99999   99999 99999   99999 99999   99999 99999   99999 99999
6285:   99999 99999   99999 99999   99999 99999   99999 99999   99999 99999     99999 99999   99999 99999   99999 99999   99999 99999   99999 99999
6286:   99999 99999   99999 99999   99999 99999   99999 99999   99999 99999     99999 99999   99999 99999   99999 99999   99999 99999   99999 99999
6287:   99999 99999   99999 99999   99999 99999   99999 99999   99999 99999     99999 99999   99999 99999   99999 99999   99999 99999   99999 99999
6288:   99999 99999   99999 99999   99999 99999   99999 99999   99999 99999     99999 99999   99999 99999   99999 99999   99999 99999   99999 99999
6289:   99999 99999   99999 99999   99999 99999   99999 99999   99999 99999     99999 99999   99999 99999   99999 99999   99999 99999   99999 99999
6290:   99999 99999   99999 99999   99999 99999   99999 99999   99999 99999     99999 99999   99999 99999   99999 99999   99999 99999   99999 99999
6291:   99999 99999   99999 99999   99999 99999   99999 99999   99999 99999     99999 99999   99999 99999   99999 99999   99999 99999   99999 99999
6292:   99999 99999   99999 99999   99999 99999   99999 99999   99999 99999     99999 99999   99999 99999   99999 99999   99999 99999   99999 99999
6293:   99999 99999   99999 99999   99999 99999   99999 99999   99999 99999     99999 99999   99999 99999   99999 99999   99999 99999   99999 99999
6294:   99999 99999   99999 99999   99999 99999   99999 99999   99999 99999     99999 99999   99999 99999   99999 99999   99999 99999   99999 99999
6295:   99999 99999   99999 99999   99999 99999   99999 99999   99999 99999     99999 99999   99999 99999   99999 99999   99999 99999   99999 99999
6296:   99999 99999   99999 99999   99999 99999   99999 99999   99999 99999     99999 99999   99999 99999   99999 99999   99999 99999   99999 99999
6297:   99999 99999   99999 99999   99999 99999   99999 99999   99999 99999     99999 99999   99999 99999   99999 99999   99999 99999   99999 99999
6298:   99999 99999   99999 99999   99999 99999   99999 99999   99999 99999     99999 99999   99999 99999   99999 99999   99999 99999   99999 99999
6299:   99999 99999   99999 99999   99999 99999   99999 99999   99999 99999     99999 99999   99999 99999   99999 99999   99999 99999   99999 99999
```

```
6300:  99999 99999  99999 99999  99999 99999  99999 99999  99999 99999   99999 99999  99999 99999  99999 99999  99999 99999  99999 99999
6301:  99999 99999  99999 99999  99999 99999  99999 99999  99999 99999   99999 99999  99999 99999  99999 99999  99999 99999  99999 99999
6302:  99999 99999  99999 99999  99999 99999  99999 99999  99999 99999   99999 99999  99999 99999  99999 99999  99999 99999  99999 99999
6303:  99999 99999  99999 99999  99999 99999  99999 99999  99999 99999   99999 99999  99999 99999  99999 99999  99999 99999  99999 99999
6304:  99999 99999  99999 99999  99999 99999  99999 99999  99999 99999   99999 99999  99999 99999  99999 99999  99999 99999  99999 99999
6305:  99999 99999  99999 99999  99999 99999  99999 99999  99999 99999   99999 99999  99999 99999  99999 99999  99999 99999  99999 99999
6306:  99999 99999  99999 99999  99999 99999  99999 99999  99999 99999   99999 99999  99999 99999  99999 99999  99999 99999  99999 99999
6307:  99999 99999  99999 99999  99999 99999  99999 99999  99999 99999   99999 99999  99999 99999  99999 99999  99999 99999  99999 99999
6308:  99999 99999  99999 99999  99999 99999  99999 99999  99999 99999   99999 99999  99999 99999  99999 99999  99999 99999  99999 99999
6309:  99999 99999  99999 99999  99999 99999  99999 99999  99999 99999   99999 99999  99999 99999  99999 99999  99999 99999  99999 99999
6310:  99999 99999  99999 99999  99999 99999  99999 99999  99999 99999   99999 99999  99999 99999  99999 99999  99999 99999  99999 99999
6311:  99999 99999  99999 99999  99999 99999  99999 99999  99999 99999   99999 99999  99999 99999  99999 99999  99999 99999  99999 99999
6312:  99999 99999  99999 99999  99999 99999  99999 99999  99999 99999   99999 99999  99999 99999  99999 99999  99999 99999  99999 99999
6313:  99999 99999  99999 99999  99999 99999  99999 99999  99999 99999   99999 99999  99999 99999  99999 99999  99999 99999  99999 99999
6314:  99999 99999  99999 99999  99999 99999  99999 99999  99999 99999   99999 99999  99999 99999  99999 99999  99999 99999  99999 99999
6315:  99999 99999  99999 99999  99999 99999  99999 99999  99999 99999   99999 99999  99999 99999  99999 99999  99999 99999  99999 99999
6316:  99999 99999  99999 99999  99999 99999  99999 99999  99999 99999   99999 99999  99999 99999  99999 99999  99999 99999  99999 99999
6317:  99999 99999  99999 99999  99999 99999  99999 99999  99999 99999   99999 99999  99999 99999  99999 99999  99999 99999  99999 99999
6318:  99999 99999  99999 99999  99999 99999  99999 99999  99999 99999   99999 99999  99999 99999  99999 99999  99999 99999  99999 99999
6319:  99999 99999  99999 99999  99999 99999  99999 99999  99999 99999   99999 99999  99999 99999  99999 99999  99999 99999  99999 99999
6320:  99999 99999  99999 99999  99999 99999  99999 99999  99999 99999   99999 99999  99999 99999  99999 99999  99999 99999  99999 99999
6321:  99999 99999  99999 99999  99999 99999  99999 99999  99999 99999   99999 99999  99999 99999  99999 99999  99999 99999  99999 99999
6322:  99999 99999  99999 99999  99999 99999  99999 99999  99999 99999   99999 99999  99999 99999  99999 99999  99999 99999  99999 99999
6323:  99999 99999  99999 99999  99999 99999  99999 99999  99999 99999   99999 99999  99999 99999  99999 99999  99999 99999  99999 99999
6324:  99999 99999  99999 99999  99999 99999  99999 99999  99999 99999   99999 99999  99999 99999  99999 99999  99999 99999  99999 99999
6325:  99999 99999  99999 99999  99999 99999  99999 99999  99999 99999   99999 99999  99999 99999  99999 99999  99999 99999  99999 99999
6326:  99999 99999  99999 99999  99999 99999  99999 99999  99999 99999   99999 99999  99999 99999  99999 99999  99999 99999  99999 99999
6327:  99999 99999  99999 99999  99999 99999  99999 99999  99999 99999   99999 99999  99999 99999  99999 99999  99999 99999  99999 99999
6328:  99999 99999  99999 99999  99999 99999  99999 99999  99999 99999   99999 99999  99999 99999  99999 99999  99999 99999  99999 99999
6329:  99999 99999  99999 99999  99999 99999  99999 99999  99999 99999   99999 99999  99999 99999  99999 99999  99999 99999  99999 99999
6330:  99999 99999  99999 99999  99999 99999  99999 99999  99999 99999   99999 99999  99999 99999  99999 99999  99999 99999  99999 99999
6331:  99999 99999  99999 99999  99999 99999  99999 99999  99999 99999   99999 99999  99999 99999  99999 99999  99999 99999  99999 99999
6332:  99999 99999  99999 99999  99999 99999  99999 99999  99999 99999   99999 99999  99999 99999  99999 99999  99999 99999  99999 99999
6333:  99999 99999  99999 99999  99999 99999  99999 99999  99999 99999   99999 99999  99999 99999  99999 99999  99999 99999  99999 99999
6334:  99999 99999  99999 99999  99999 99999  99999 99999  99999 99999   99999 99999  99999 99999  99999 99999  99999 99999  99999 99999
6335:  99999 99999  99999 99999  99999 99999  99999 99999  99999 99999   99999 99999  99999 99999  99999 99999  99999 99999  99999 99999
6336:  99999 99999  99999 99999  99999 99999  99999 99999  99999 99999   99999 99999  99999 99999  99999 99999  99999 99999  99999 99999
6337:  99999 99999  99999 99999  99999 99999  99999 99999  99999 99999   99999 99999  99999 99999  99999 99999  99999 99999  99999 99999
6338:  99999 99999  99999 99999  99999 99999  99999 99999  99999 99999   99999 99999  99999 99999  99999 99999  99999 99999  99999 99999
6339:  99999 99999  99999 99999  99999 99999  99999 99999  99999 99999   99999 99999  99999 99999  99999 99999  99999 99999  99999 99999
6340:  99999 99999  99999 99999  99999 99999  99999 99999  99999 99999   99999 99999  99999 99999  99999 99999  99999 99999  99999 99999
6341:  99999 99999  99999 99999  99999 99999  99999 99999  99999 99999   99999 99999  99999 99999  99999 99999  99999 99999  99999 99999
6342:  99999 99999  99999 99999  99999 99999  99999 99999  99999 99999   99999 99999  99999 99999  99999 99999  99999 99999  99999 99999
6343:  99999 99999  99999 99999  99999 99999  99999 99999  99999 99999   99999 99999  99999 99999  99999 99999  99999 99999  99999 99999
6344:  99999 99999  99999 99999  99999 99999  99999 99999  99999 99999   99999 99999  99999 99999  99999 99999  99999 99999  99999 99999
6345:  99999 99999  99999 99999  99999 99999  99999 99999  99999 99999   99999 99999  99999 99999  99999 99999  99999 99999  99999 99999
6346:  99999 99999  99999 99999  99999 99999  99999 99999  99999 99999   99999 99999  99999 99999  99999 99999  99999 99999  99999 99999
6347:  99999 99999  99999 99999  99999 99999  99999 99999  99999 99999   99999 99999  99999 99999  99999 99999  99999 99999  99999 99999
6348:  99999 99999  99999 99999  99999 99999  99999 99999  99999 99999   99999 99999  99999 99999  99999 99999  99999 99999  99999 99999
6349:  99999 99999  99999 99999  99999 99999  99999 99999  99999 99999   99999 99999  99999 99999  99999 99999  99999 99999  99999 99999
```

```
6350:  99999 99999   99999 99999   99999 99999   99999 99999   99999 99999     99999 99999   99999 99999   99999 99999   99999 99999   99999 99999
6351:  99999 99999   99999 99999   99999 99999   99999 99999   99999 99999     99999 99999   99999 99999   99999 99999   99999 99999   99999 99999
6352:  99999 99999   99999 99999   99999 99999   99999 99999   99999 99999     99999 99999   99999 99999   99999 99999   99999 99999   99999 99999
6353:  99999 99999   99999 99999   99999 99999   99999 99999   99999 99999     99999 99999   99999 99999   99999 99999   99999 99999   99999 99999
6354:  99999 99999   99999 99999   99999 99999   99999 99999   99999 99999     99999 99999   99999 99999   99999 99999   99999 99999   99999 99999
6355:  99999 99999   99999 99999   99999 99999   99999 99999   99999 99999     99999 99999   99999 99999   99999 99999   99999 99999   99999 99999
6356:  99999 99999   99999 99999   99999 99999   99999 99999   99999 99999     99999 99999   99999 99999   99999 99999   99999 99999   99999 99999
6357:  99999 99999   99999 99999   99999 99999   99999 99999   99999 99999     99999 99999   99999 99999   99999 99999   99999 99999   99999 99999
6358:  99999 99999   99999 99999   99999 99999   99999 99999   99999 99999     99999 99999   99999 99999   99999 99999   99999 99999   99999 99999
6359:  99999 99999   99999 99999   99999 99999   99999 99999   99999 99999     99999 99999   99999 99999   99999 99999   99999 99999   99999 99999
6360:  99999 99999   99999 99999   99999 99999   99999 99999   99999 99999     99999 99999   99999 99999   99999 99999   99999 99999   99999 99999
6361:  99999 99999   99999 99999   99999 99999   99999 99999   99999 99999     99999 99999   99999 99999   99999 99999   99999 99999   99999 99999
6362:  99999 99999   99999 99999   99999 99999   99999 99999   99999 99999     99999 99999   99999 99999   99999 99999   99999 99999   99999 99999
6363:  99999 99999   99999 99999   99999 99999   99999 99999   99999 99999     99999 99999   99999 99999   99999 99999   99999 99999   99999 99999
6364:  99999 99999   99999 99999   99999 99999   99999 99999   99999 99999     99999 99999   99999 99999   99999 99999   99999 99999   99999 99999
6365:  99999 99999   99999 99999   99999 99999   99999 99999   99999 99999     99999 99999   99999 99999   99999 99999   99999 99999   99999 99999
6366:  99999 99999   99999 99999   99999 99999   99999 99999   99999 99999     99999 99999   99999 99999   99999 99999   99999 99999   99999 99999
6367:  99999 99999   99999 99999   99999 99999   99999 99999   99999 99999     99999 99999   99999 99999   99999 99999   99999 99999   99999 99999
6368:  99999 99999   99999 99999   99999 99999   99999 99999   99999 99999     99999 99999   99999 99999   99999 99999   99999 99999   99999 99999
6369:  99999 99999   99999 99999   99999 99999   99999 99999   99999 99999     99999 99999   99999 99999   99999 99999   99999 99999   99999 99999
6370:  99999 99999   99999 99999   99999 99999   99999 99999   99999 99999     99999 99999   99999 99999   99999 99999   99999 99999   99999 99999
6371:  99999 99999   99999 99999   99999 99999   99999 99999   99999 99999     99999 99999   99999 99999   99999 99999   99999 99999   99999 99999
6372:  99999 99999   99999 99999   99999 99999   99999 99999   99999 99999     99999 99999   99999 99999   99999 99999   99999 99999   99999 99999
6373:  99999 99999   99999 99999   99999 99999   99999 99999   99999 99999     99999 99999   99999 99999   99999 99999   99999 99999   99999 99999
6374:  99999 99999   99999 99999   99999 99999   99999 99999   99999 99999     99999 99999   99999 99999   99999 99999   99999 99999   99999 99999
6375:  99999 99999   99999 99999   99999 99999   99999 99999   99999 99999     99999 99999   99999 99999   99999 99999   99999 99999   99999 99999
6376:  99999 99999   99999 99999   99999 99999   99999 99999   99999 99999     99999 99999   99999 99999   99999 99999   99999 99999   99999 99999
6377:  99999 99999   99999 99999   99999 99999   99999 99999   99999 99999     99999 99999   99999 99999   99999 99999   99999 99999   99999 99999
6378:  99999 99999   99999 99999   99999 99999   99999 99999   99999 99999     99999 99999   99999 99999   99999 99999   99999 99999   99999 99999
6379:  99999 99999   99999 99999   99999 99999   99999 99999   99999 99999     99999 99999   99999 99999   99999 99999   99999 99999   99999 99999
6380:  99999 99999   99999 99999   99999 99999   99999 99999   99999 99999     99999 99999   99999 99999   99999 99999   99999 99999   99999 99999
6381:  99999 99999   99999 99999   99999 99999   99999 99999   99999 99999     99999 99999   99999 99999   99999 99999   99999 99999   99999 99999
6382:  99999 99999   99999 99999   99999 99999   99999 99999   99999 99999     99999 99999   99999 99999   99999 99999   99999 99999   99999 99999
6383:  99999 99999   99999 99999   99999 99999   99999 99999   99999 99999     99999 99999   99999 99999   99999 99999   99999 99999   99999 99999
6384:  99999 99999   99999 99999   99999 99999   99999 99999   99999 99999     99999 99999   99999 99999   99999 99999   99999 99999   99999 99999
6385:  99999 99999   99999 99999   99999 99999   99999 99999   99999 99999     99999 99999   99999 99999   99999 99999   99999 99999   99999 99999
6386:  99999 99999   99999 99999   99999 99999   99999 99999   99999 99999     99999 99999   99999 99999   99999 99999   99999 99999   99999 99999
6387:  99999 99999   99999 99999   99999 99999   99999 99999   99999 99999     99999 99999   99999 99999   99999 99999   99999 99999   99999 99999
6388:  99999 99999   99999 99999   99999 99999   99999 99999   99999 99999     99999 99999   99999 99999   99999 99999   99999 99999   99999 99999
6389:  99999 99999   99999 99999   99999 99999   99999 99999   99999 99999     99999 99999   99999 99999   99999 99999   99999 99999   99999 99999
6390:  99999 99999   99999 99999   99999 99999   99999 99999   99999 99999     99999 99999   99999 99999   99999 99999   99999 99999   99999 99999
6391:  99999 99999   99999 99999   99999 99999   99999 99999   99999 99999     99999 99999   99999 99999   99999 99999   99999 99999   99999 99999
6392:  99999 99999   99999 99999   99999 99999   99999 99999   99999 99999     99999 99999   99999 99999   99999 99999   99999 99999   99999 99999
6393:  99999 99999   99999 99999   99999 99999   99999 99999   99999 99999     99999 99999   99999 99999   99999 99999   99999 99999   99999 99999
6394:  99999 99999   99999 99999   99999 99999   99999 99999   99999 99999     99999 99999   99999 99999   99999 99999   99999 99999   99999 99999
6395:  99999 99999   99999 99999   99999 99999   99999 99999   99999 99999     99999 99999   99999 99999   99999 99999   99999 99999   99999 99999
6396:  99999 99999   99999 99999   99999 99999   99999 99999   99999 99999     99999 99999   99999 99999   99999 99999   99999 99999   99999 99999
6397:  99999 99999   99999 99999   99999 99999   99999 99999   99999 99999     99999 99999   99999 99999   99999 99999   99999 99999   99999 99999
6398:  99999 99999   99999 99999   99999 99999   99999 99999   99999 99999     99999 99999   99999 99999   99999 99999   99999 99999   99999 99999
6399:  99999 99999   99999 99999   99999 99999   99999 99999   99999 99999     99999 99999   99999 99999   99999 99999   99999 99999   99999 99999
```

```
6400:  99999 99999  99999 99999  99999 99999  99999 99999  99999 99999   99999 99999  99999 99999  99999 99999  99999 99999  99999 99999
6401:  99999 99999  99999 99999  99999 99999  99999 99999  99999 99999   99999 99999  99999 99999  99999 99999  99999 99999  99999 99999
6402:  99999 99999  99999 99999  99999 99999  99999 99999  99999 99999   99999 99999  99999 99999  99999 99999  99999 99999  99999 99999
6403:  99999 99999  99999 99999  99999 99999  99999 99999  99999 99999   99999 99999  99999 99999  99999 99999  99999 99999  99999 99999
6404:  99999 99999  99999 99999  99999 99999  99999 99999  99999 99999   99999 99999  99999 99999  99999 99999  99999 99999  99999 99999
6405:  99999 99999  99999 99999  99999 99999  99999 99999  99999 99999   99999 99999  99999 99999  99999 99999  99999 99999  99999 99999
6406:  99999 99999  99999 99999  99999 99999  99999 99999  99999 99999   99999 99999  99999 99999  99999 99999  99999 99999  99999 99999
6407:  99999 99999  99999 99999  99999 99999  99999 99999  99999 99999   99999 99999  99999 99999  99999 99999  99999 99999  99999 99999
6408:  99999 99999  99999 99999  99999 99999  99999 99999  99999 99999   99999 99999  99999 99999  99999 99999  99999 99999  99999 99999
6409:  99999 99999  99999 99999  99999 99999  99999 99999  99999 99999   99999 99999  99999 99999  99999 99999  99999 99999  99999 99999
6410:  99999 99999  99999 99999  99999 99999  99999 99999  99999 99999   99999 99999  99999 99999  99999 99999  99999 99999  99999 99999
6411:  99999 99999  99999 99999  99999 99999  99999 99999  99999 99999   99999 99999  99999 99999  99999 99999  99999 99999  99999 99999
6412:  99999 99999  99999 99999  99999 99999  99999 99999  99999 99999   99999 99999  99999 99999  99999 99999  99999 99999  99999 99999
6413:  99999 99999  99999 99999  99999 99999  99999 99999  99999 99999   99999 99999  99999 99999  99999 99999  99999 99999  99999 99999
6414:  99999 99999  99999 99999  99999 99999  99999 99999  99999 99999   99999 99999  99999 99999  99999 99999  99999 99999  99999 99999
6415:  99999 99999  99999 99999  99999 99999  99999 99999  99999 99999   99999 99999  99999 99999  99999 99999  99999 99999  99999 99999
6416:  99999 99999  99999 99999  99999 99999  99999 99999  99999 99999   99999 99999  99999 99999  99999 99999  99999 99999  99999 99999
6417:  99999 99999  99999 99999  99999 99999  99999 99999  99999 99999   99999 99999  99999 99999  99999 99999  99999 99999  99999 99999
6418:  99999 99999  99999 99999  99999 99999  99999 99999  99999 99999   99999 99999  99999 99999  99999 99999  99999 99999  99999 99999
6419:  99999 99999  99999 99999  99999 99999  99999 99999  99999 99999   99999 99999  99999 99999  99999 99999  99999 99999  99999 99999
6420:  99999 99999  99999 99999  99999 99999  99999 99999  99999 99999   99999 99999  99999 99999  99999 99999  99999 99999  99999 99999
6421:  99999 99999  99999 99999  99999 99999  99999 99999  99999 99999   99999 99999  99999 99999  99999 99999  99999 99999  99999 99999
6422:  99999 99999  99999 99999  99999 99999  99999 99999  99999 99999   99999 99999  99999 99999  99999 99999  99999 99999  99999 99999
6423:  99999 99999  99999 99999  99999 99999  99999 99999  99999 99999   99999 99999  99999 99999  99999 99999  99999 99999  99999 99999
6424:  99999 99999  99999 99999  99999 99999  99999 99999  99999 99999   99999 99999  99999 99999  99999 99999  99999 99999  99999 99999
6425:  99999 99999  99999 99999  99999 99999  99999 99999  99999 99999   99999 99999  99999 99999  99999 99999  99999 99999  99999 99999
6426:  99999 99999  99999 99999  99999 99999  99999 99999  99999 99999   99999 99999  99999 99999  99999 99999  99999 99999  99999 99999
6427:  99999 99999  99999 99999  99999 99999  99999 99999  99999 99999   99999 99999  99999 99999  99999 99999  99999 99999  99999 99999
6428:  99999 99999  99999 99999  99999 99999  99999 99999  99999 99999   99999 99999  99999 99999  99999 99999  99999 99999  99999 99999
6429:  99999 99999  99999 99999  99999 99999  99999 99999  99999 99999   99999 99999  99999 99999  99999 99999  99999 99999  99999 99999
6430:  99999 99999  99999 99999  99999 99999  99999 99999  99999 99999   99999 99999  99999 99999  99999 99999  99999 99999  99999 99999
6431:  99999 99999  99999 99999  99999 99999  99999 99999  99999 99999   99999 99999  99999 99999  99999 99999  99999 99999  99999 99999
6432:  99999 99999  99999 99999  99999 99999  99999 99999  99999 99999   99999 99999  99999 99999  99999 99999  99999 99999  99999 99999
6433:  99999 99999  99999 99999  99999 99999  99999 99999  99999 99999   99999 99999  99999 99999  99999 99999  99999 99999  99999 99999
6434:  99999 99999  99999 99999  99999 99999  99999 99999  99999 99999   99999 99999  99999 99999  99999 99999  99999 99999  99999 99999
6435:  99999 99999  99999 99999  99999 99999  99999 99999  99999 99999   99999 99999  99999 99999  99999 99999  99999 99999  99999 99999
6436:  99999 99999  99999 99999  99999 99999  99999 99999  99999 99999   99999 99999  99999 99999  99999 99999  99999 99999  99999 99999
6437:  99999 99999  99999 99999  99999 99999  99999 99999  99999 99999   99999 99999  99999 99999  99999 99999  99999 99999  99999 99999
6438:  99999 99999  99999 99999  99999 99999  99999 99999  99999 99999   99999 99999  99999 99999  99999 99999  99999 99999  99999 99999
6439:  99999 99999  99999 99999  99999 99999  99999 99999  99999 99999   99999 99999  99999 99999  99999 99999  99999 99999  99999 99999
6440:  99999 99999  99999 99999  99999 99999  99999 99999  99999 99999   99999 99999  99999 99999  99999 99999  99999 99999  99999 99999
6441:  99999 99999  99999 99999  99999 99999  99999 99999  99999 99999   99999 99999  99999 99999  99999 99999  99999 99999  99999 99999
6442:  99999 99999  99999 99999  99999 99999  99999 99999  99999 99999   99999 99999  99999 99999  99999 99999  99999 99999  99999 99999
6443:  99999 99999  99999 99999  99999 99999  99999 99999  99999 99999   99999 99999  99999 99999  99999 99999  99999 99999  99999 99999
6444:  99999 99999  99999 99999  99999 99999  99999 99999  99999 99999   99999 99999  99999 99999  99999 99999  99999 99999  99999 99999
6445:  99999 99999  99999 99999  99999 99999  99999 99999  99999 99999   99999 99999  99999 99999  99999 99999  99999 99999  99999 99999
6446:  99999 99999  99999 99999  99999 99999  99999 99999  99999 99999   99999 99999  99999 99999  99999 99999  99999 99999  99999 99999
6447:  99999 99999  99999 99999  99999 99999  99999 99999  99999 99999   99999 99999  99999 99999  99999 99999  99999 99999  99999 99999
6448:  99999 99999  99999 99999  99999 99999  99999 99999  99999 99999   99999 99999  99999 99999  99999 99999  99999 99999  99999 99999
6449:  99999 99999  99999 99999  99999 99999  99999 99999  99999 99999   99999 99999  99999 99999  99999 99999  99999 99999  99999 99999
```

```
6450:  99999 99999  99999 99999  99999 99999  99999 99999  99999 99999    99999 99999  99999 99999  99999 99999  99999 99999  99999 99999
6451:  99999 99999  99999 99999  99999 99999  99999 99999  99999 99999    99999 99999  99999 99999  99999 99999  99999 99999  99999 99999
6452:  99999 99999  99999 99999  99999 99999  99999 99999  99999 99999    99999 99999  99999 99999  99999 99999  99999 99999  99999 99999
6453:  99999 99999  99999 99999  99999 99999  99999 99999  99999 99999    99999 99999  99999 99999  99999 99999  99999 99999  99999 99999
6454:  99999 99999  99999 99999  99999 99999  99999 99999  99999 99999    99999 99999  99999 99999  99999 99999  99999 99999  99999 99999
6455:  99999 99999  99999 99999  99999 99999  99999 99999  99999 99999    99999 99999  99999 99999  99999 99999  99999 99999  99999 99999
6456:  99999 99999  99999 99999  99999 99999  99999 99999  99999 99999    99999 99999  99999 99999  99999 99999  99999 99999  99999 99999
6457:  99999 99999  99999 99999  99999 99999  99999 99999  99999 99999    99999 99999  99999 99999  99999 99999  99999 99999  99999 99999
6458:  99999 99999  99999 99999  99999 99999  99999 99999  99999 99999    99999 99999  99999 99999  99999 99999  99999 99999  99999 99999
6459:  99999 99999  99999 99999  99999 99999  99999 99999  99999 99999    99999 99999  99999 99999  99999 99999  99999 99999  99999 99999
6460:  99999 99999  99999 99999  99999 99999  99999 99999  99999 99999    99999 99999  99999 99999  99999 99999  99999 99999  99999 99999
6461:  99999 99999  99999 99999  99999 99999  99999 99999  99999 99999    99999 99999  99999 99999  99999 99999  99999 99999  99999 99999
6462:  99999 99999  99999 99999  99999 99999  99999 99999  99999 99999    99999 99999  99999 99999  99999 99999  99999 99999  99999 99999
6463:  99999 99999  99999 99999  99999 99999  99999 99999  99999 99999    99999 99999  99999 99999  99999 99999  99999 99999  99999 99999
6464:  99999 99999  99999 99999  99999 99999  99999 99999  99999 99999    99999 99999  99999 99999  99999 99999  99999 99999  99999 99999
6465:  99999 99999  99999 99999  99999 99999  99999 99999  99999 99999    99999 99999  99999 99999  99999 99999  99999 99999  99999 99999
6466:  99999 99999  99999 99999  99999 99999  99999 99999  99999 99999    99999 99999  99999 99999  99999 99999  99999 99999  99999 99999
6467:  99999 99999  99999 99999  99999 99999  99999 99999  99999 99999    99999 99999  99999 99999  99999 99999  99999 99999  99999 99999
6468:  99999 99999  99999 99999  99999 99999  99999 99999  99999 99999    99999 99999  99999 99999  99999 99999  99999 99999  99999 99999
6469:  99999 99999  99999 99999  99999 99999  99999 99999  99999 99999    99999 99999  99999 99999  99999 99999  99999 99999  99999 99999
6470:  99999 99999  99999 99999  99999 99999  99999 99999  99999 99999    99999 99999  99999 99999  99999 99999  99999 99999  99999 99999
6471:  99999 99999  99999 99999  99999 99999  99999 99999  99999 99999    99999 99999  99999 99999  99999 99999  99999 99999  99999 99999
6472:  99999 99999  99999 99999  99999 99999  99999 99999  99999 99999    99999 99999  99999 99999  99999 99999  99999 99999  99999 99999
6473:  99999 99999  99999 99999  99999 99999  99999 99999  99999 99999    99999 99999  99999 99999  99999 99999  99999 99999  99999 99999
6474:  99999 99999  99999 99999  99999 99999  99999 99999  99999 99999    99999 99999  99999 99999  99999 99999  99999 99999  99999 99999
6475:  99999 99999  99999 99999  99999 99999  99999 99999  99999 99999    99999 99999  99999 99999  99999 99999  99999 99999  99999 99999
6476:  99999 99999  99999 99999  99999 99999  99999 99999  99999 99999    99999 99999  99999 99999  99999 99999  99999 99999  99999 99999
6477:  99999 99999  99999 99999  99999 99999  99999 99999  99999 99999    99999 99999  99999 99999  99999 99999  99999 99999  99999 99999
6478:  99999 99999  99999 99999  99999 99999  99999 99999  99999 99999    99999 99999  99999 99999  99999 99999  99999 99999  99999 99999
6479:  99999 99999  99999 99999  99999 99999  99999 99999  99999 99999    99999 99999  99999 99999  99999 99999  99999 99999  99999 99999
6480:  99999 99999  99999 99999  99999 99999  99999 99999  99999 99999    99999 99999  99999 99999  99999 99999  99999 99999  99999 99999
6481:  99999 99999  99999 99999  99999 99999  99999 99999  99999 99999    99999 99999  99999 99999  99999 99999  99999 99999  99999 99999
6482:  99999 99999  99999 99999  99999 99999  99999 99999  99999 99999    99999 99999  99999 99999  99999 99999  99999 99999  99999 99999
6483:  99999 99999  99999 99999  99999 99999  99999 99999  99999 99999    99999 99999  99999 99999  99999 99999  99999 99999  99999 99999
6484:  99999 99999  99999 99999  99999 99999  99999 99999  99999 99999    99999 99999  99999 99999  99999 99999  99999 99999  99999 99999
6485:  99999 99999  99999 99999  99999 99999  99999 99999  99999 99999    99999 99999  99999 99999  99999 99999  99999 99999  99999 99999
6486:  99999 99999  99999 99999  99999 99999  99999 99999  99999 99999    99999 99999  99999 99999  99999 99999  99999 99999  99999 99999
6487:  99999 99999  99999 99999  99999 99999  99999 99999  99999 99999    99999 99999  99999 99999  99999 99999  99999 99999  99999 99999
6488:  99999 99999  99999 99999  99999 99999  99999 99999  99999 99999    99999 99999  99999 99999  99999 99999  99999 99999  99999 99999
6489:  99999 99999  99999 99999  99999 99999  99999 99999  99999 99999    99999 99999  99999 99999  99999 99999  99999 99999  99999 99999
6490:  99999 99999  99999 99999  99999 99999  99999 99999  99999 99999    99999 99999  99999 99999  99999 99999  99999 99999  99999 99999
6491:  99999 99999  99999 99999  99999 99999  99999 99999  99999 99999    99999 99999  99999 99999  99999 99999  99999 99999  99999 99999
6492:  99999 99999  99999 99999  99999 99999  99999 99999  99999 99999    99999 99999  99999 99999  99999 99999  99999 99999  99999 99999
6493:  99999 99999  99999 99999  99999 99999  99999 99999  99999 99999    99999 99999  99999 99999  99999 99999  99999 99999  99999 99999
6494:  99999 99999  99999 99999  99999 99999  99999 99999  99999 99999    99999 99999  99999 99999  99999 99999  99999 99999  99999 99999
6495:  99999 99999  99999 99999  99999 99999  99999 99999  99999 99999    99999 99999  99999 99999  99999 99999  99999 99999  99999 99999
6496:  99999 99999  99999 99999  99999 99999  99999 99999  99999 99999    99999 99999  99999 99999  99999 99999  99999 99999  99999 99999
6497:  99999 99999  99999 99999  99999 99999  99999 99999  99999 99999    99999 99999  99999 99999  99999 99999  99999 99999  99999 99999
6498:  99999 99999  99999 99999  99999 99999  99999 99999  99999 99999    99999 99999  99999 99999  99999 99999  99999 99999  99999 99999
6499:  99999 99999  99999 99999  99999 99999  99999 99999  99999 99999    99999 99999  99999 99999  99999 99999  99999 99999  99999 99999
```

```
6500:  99999 99999  99999 99999  99999 99999  99999 99999  99999 99999    99999 99999  99999 99999  99999 99999  99999 99999  99999 99999
6501:  99999 99999  99999 99999  99999 99999  99999 99999  99999 99999    99999 99999  99999 99999  99999 99999  99999 99999  99999 99999
6502:  99999 99999  99999 99999  99999 99999  99999 99999  99999 99999    99999 99999  99999 99999  99999 99999  99999 99999  99999 99999
6503:  99999 99999  99999 99999  99999 99999  99999 99999  99999 99999    99999 99999  99999 99999  99999 99999  99999 99999  99999 99999
6504:  99999 99999  99999 99999  99999 99999  99999 99999  99999 99999    99999 99999  99999 99999  99999 99999  99999 99999  99999 99999
6505:  99999 99999  99999 99999  99999 99999  99999 99999  99999 99999    99999 99999  99999 99999  99999 99999  99999 99999  99999 99999
6506:  99999 99999  99999 99999  99999 99999  99999 99999  99999 99999    99999 99999  99999 99999  99999 99999  99999 99999  99999 99999
6507:  99999 99999  99999 99999  99999 99999  99999 99999  99999 99999    99999 99999  99999 99999  99999 99999  99999 99999  99999 99999
6508:  99999 99999  99999 99999  99999 99999  99999 99999  99999 99999    99999 99999  99999 99999  99999 99999  99999 99999  99999 99999
6509:  99999 99999  99999 99999  99999 99999  99999 99999  99999 99999    99999 99999  99999 99999  99999 99999  99999 99999  99999 99999
6510:  99999 99999  99999 99999  99999 99999  99999 99999  99999 99999    99999 99999  99999 99999  99999 99999  99999 99999  99999 99999
6511:  99999 99999  99999 99999  99999 99999  99999 99999  99999 99999    99999 99999  99999 99999  99999 99999  99999 99999  99999 99999
6512:  99999 99999  99999 99999  99999 99999  99999 99999  99999 99999    99999 99999  99999 99999  99999 99999  99999 99999  99999 99999
6513:  99999 99999  99999 99999  99999 99999  99999 99999  99999 99999    99999 99999  99999 99999  99999 99999  99999 99999  99999 99999
6514:  99999 99999  99999 99999  99999 99999  99999 99999  99999 99999    99999 99999  99999 99999  99999 99999  99999 99999  99999 99999
6515:  99999 99999  99999 99999  99999 99999  99999 99999  99999 99999    99999 99999  99999 99999  99999 99999  99999 99999  99999 99999
6516:  99999 99999  99999 99999  99999 99999  99999 99999  99999 99999    99999 99999  99999 99999  99999 99999  99999 99999  99999 99999
6517:  99999 99999  99999 99999  99999 99999  99999 99999  99999 99999    99999 99999  99999 99999  99999 99999  99999 99999  99999 99999
6518:  99999 99999  99999 99999  99999 99999  99999 99999  99999 99999    99999 99999  99999 99999  99999 99999  99999 99999  99999 99999
6519:  99999 99999  99999 99999  99999 99999  99999 99999  99999 99999    99999 99999  99999 99999  99999 99999  99999 99999  99999 99999
6520:  99999 99999  99999 99999  99999 99999  99999 99999  99999 99999    99999 99999  99999 99999  99999 99999  99999 99999  99999 99999
6521:  99999 99999  99999 99999  99999 99999  99999 99999  99999 99999    99999 99999  99999 99999  99999 99999  99999 99999  99999 99999
6522:  99999 99999  99999 99999  99999 99999  99999 99999  99999 99999    99999 99999  99999 99999  99999 99999  99999 99999  99999 99999
6523:  99999 99999  99999 99999  99999 99999  99999 99999  99999 99999    99999 99999  99999 99999  99999 99999  99999 99999  99999 99999
6524:  99999 99999  99999 99999  99999 99999  99999 99999  99999 99999    99999 99999  99999 99999  99999 99999  99999 99999  99999 99999
6525:  99999 99999  99999 99999  99999 99999  99999 99999  99999 99999    99999 99999  99999 99999  99999 99999  99999 99999  99999 99999
6526:  99999 99999  99999 99999  99999 99999  99999 99999  99999 99999    99999 99999  99999 99999  99999 99999  99999 99999  99999 99999
6527:  99999 99999  99999 99999  99999 99999  99999 99999  99999 99999    99999 99999  99999 99999  99999 99999  99999 99999  99999 99999
6528:  99999 99999  99999 99999  99999 99999  99999 99999  99999 99999    99999 99999  99999 99999  99999 99999  99999 99999  99999 99999
6529:  99999 99999  99999 99999  99999 99999  99999 99999  99999 99999    99999 99999  99999 99999  99999 99999  99999 99999  99999 99999
6530:  99999 99999  99999 99999  99999 99999  99999 99999  99999 99999    99999 99999  99999 99999  99999 99999  99999 99999  99999 99999
6531:  99999 99999  99999 99999  99999 99999  99999 99999  99999 99999    99999 99999  99999 99999  99999 99999  99999 99999  99999 99999
6532:  99999 99999  99999 99999  99999 99999  99999 99999  99999 99999    99999 99999  99999 99999  99999 99999  99999 99999  99999 99999
6533:  99999 99999  99999 99999  99999 99999  99999 99999  99999 99999    99999 99999  99999 99999  99999 99999  99999 99999  99999 99999
6534:  99999 99999  99999 99999  99999 99999  99999 99999  99999 99999    99999 99999  99999 99999  99999 99999  99999 99999  99999 99999
6535:  99999 99999  99999 99999  99999 99999  99999 99999  99999 99999    99999 99999  99999 99999  99999 99999  99999 99999  99999 99999
6536:  99999 99999  99999 99999  99999 99999  99999 99999  99999 99999    99999 99999  99999 99999  99999 99999  99999 99999  99999 99999
6537:  99999 99999  99999 99999  99999 99999  99999 99999  99999 99999    99999 99999  99999 99999  99999 99999  99999 99999  99999 99999
6538:  99999 99999  99999 99999  99999 99999  99999 99999  99999 99999    99999 99999  99999 99999  99999 99999  99999 99999  99999 99999
6539:  99999 99999  99999 99999  99999 99999  99999 99999  99999 99999    99999 99999  99999 99999  99999 99999  99999 99999  99999 99999
6540:  99999 99999  99999 99999  99999 99999  99999 99999  99999 99999    99999 99999  99999 99999  99999 99999  99999 99999  99999 99999
6541:  99999 99999  99999 99999  99999 99999  99999 99999  99999 99999    99999 99999  99999 99999  99999 99999  99999 99999  99999 99999
6542:  99999 99999  99999 99999  99999 99999  99999 99999  99999 99999    99999 99999  99999 99999  99999 99999  99999 99999  99999 99999
6543:  99999 99999  99999 99999  99999 99999  99999 99999  99999 99999    99999 99999  99999 99999  99999 99999  99999 99999  99999 99999
6544:  99999 99999  99999 99999  99999 99999  99999 99999  99999 99999    99999 99999  99999 99999  99999 99999  99999 99999  99999 99999
6545:  99999 99999  99999 99999  99999 99999  99999 99999  99999 99999    99999 99999  99999 99999  99999 99999  99999 99999  99999 99999
6546:  99999 99999  99999 99999  99999 99999  99999 99999  99999 99999    99999 99999  99999 99999  99999 99999  99999 99999  99999 99999
6547:  99999 99999  99999 99999  99999 99999  99999 99999  99999 99999    99999 99999  99999 99999  99999 99999  99999 99999  99999 99999
6548:  99999 99999  99999 99999  99999 99999  99999 99999  99999 99999    99999 99999  99999 99999  99999 99999  99999 99999  99999 99999
6549:  99999 99999  99999 99999  99999 99999  99999 99999  99999 99999    99999 99999  99999 99999  99999 99999  99999 99999  99999 99999
```

```
6550:  99999 99999  99999 99999  99999 99999  99999 99999  99999 99999    99999 99999  99999 99999  99999 99999  99999 99999  99999 99999
6551:  99999 99999  99999 99999  99999 99999  99999 99999  99999 99999    99999 99999  99999 99999  99999 99999  99999 99999  99999 99999
6552:  99999 99999  99999 99999  99999 99999  99999 99999  99999 99999    99999 99999  99999 99999  99999 99999  99999 99999  99999 99999
6553:  99999 99999  99999 99999  99999 99999  99999 99999  99999 99999    99999 99999  99999 99999  99999 99999  99999 99999  99999 99999
6554:  99999 99999  99999 99999  99999 99999  99999 99999  99999 99999    99999 99999  99999 99999  99999 99999  99999 99999  99999 99999
6555:  99999 99999  99999 99999  99999 99999  99999 99999  99999 99999    99999 99999  99999 99999  99999 99999  99999 99999  99999 99999
6556:  99999 99999  99999 99999  99999 99999  99999 99999  99999 99999    99999 99999  99999 99999  99999 99999  99999 99999  99999 99999
6557:  99999 99999  99999 99999  99999 99999  99999 99999  99999 99999    99999 99999  99999 99999  99999 99999  99999 99999  99999 99999
6558:  99999 99999  99999 99999  99999 99999  99999 99999  99999 99999    99999 99999  99999 99999  99999 99999  99999 99999  99999 99999
6559:  99999 99999  99999 99999  99999 99999  99999 99999  99999 99999    99999 99999  99999 99999  99999 99999  99999 99999  99999 99999
6560:  99999 99999  99999 99999  99999 99999  99999 99999  99999 99999    99999 99999  99999 99999  99999 99999  99999 99999  99999 99999
6561:  99999 99999  99999 99999  99999 99999  99999 99999  99999 99999    99999 99999  99999 99999  99999 99999  99999 99999  99999 99999
6562:  99999 99999  99999 99999  99999 99999  99999 99999  99999 99999    99999 99999  99999 99999  99999 99999  99999 99999  99999 99999
6563:  99999 99999  99999 99999  99999 99999  99999 99999  99999 99999    99999 99999  99999 99999  99999 99999  99999 99999  99999 99999
6564:  99999 99999  99999 99999  99999 99999  99999 99999  99999 99999    99999 99999  99999 99999  99999 99999  99999 99999  99999 99999
6565:  99999 99999  99999 99999  99999 99999  99999 99999  99999 99999    99999 99999  99999 99999  99999 99999  99999 99999  99999 99999
6566:  99999 99999  99999 99999  99999 99999  99999 99999  99999 99999    99999 99999  99999 99999  99999 99999  99999 99999  99999 99999
6567:  99999 99999  99999 99999  99999 99999  99999 99999  99999 99999    99999 99999  99999 99999  99999 99999  99999 99999  99999 99999
6568:  99999 99999  99999 99999  99999 99999  99999 99999  99999 99999    99999 99999  99999 99999  99999 99999  99999 99999  99999 99999
6569:  99999 99999  99999 99999  99999 99999  99999 99999  99999 99999    99999 99999  99999 99999  99999 99999  99999 99999  99999 99999
6570:  99999 99999  99999 99999  99999 99999  99999 99999  99999 99999    99999 99999  99999 99999  99999 99999  99999 99999  99999 99999
6571:  99999 99999  99999 99999  99999 99999  99999 99999  99999 99999    99999 99999  99999 99999  99999 99999  99999 99999  99999 99999
6572:  99999 99999  99999 99999  99999 99999  99999 99999  99999 99999    99999 99999  99999 99999  99999 99999  99999 99999  99999 99999
6573:  99999 99999  99999 99999  99999 99999  99999 99999  99999 99999    99999 99999  99999 99999  99999 99999  99999 99999  99999 99999
6574:  99999 99999  99999 99999  99999 99999  99999 99999  99999 99999    99999 99999  99999 99999  99999 99999  99999 99999  99999 99999
6575:  99999 99999  99999 99999  99999 99999  99999 99999  99999 99999    99999 99999  99999 99999  99999 99999  99999 99999  99999 99999
6576:  99999 99999  99999 99999  99999 99999  99999 99999  99999 99999    99999 99999  99999 99999  99999 99999  99999 99999  99999 99999
6577:  99999 99999  99999 99999  99999 99999  99999 99999  99999 99999    99999 99999  99999 99999  99999 99999  99999 99999  99999 99999
6578:  99999 99999  99999 99999  99999 99999  99999 99999  99999 99999    99999 99999  99999 99999  99999 99999  99999 99999  99999 99999
6579:  99999 99999  99999 99999  99999 99999  99999 99999  99999 99999    99999 99999  99999 99999  99999 99999  99999 99999  99999 99999
6580:  99999 99999  99999 99999  99999 99999  99999 99999  99999 99999    99999 99999  99999 99999  99999 99999  99999 99999  99999 99999
6581:  99999 99999  99999 99999  99999 99999  99999 99999  99999 99999    99999 99999  99999 99999  99999 99999  99999 99999  99999 99999
6582:  99999 99999  99999 99999  99999 99999  99999 99999  99999 99999    99999 99999  99999 99999  99999 99999  99999 99999  99999 99999
6583:  99999 99999  99999 99999  99999 99999  99999 99999  99999 99999    99999 99999  99999 99999  99999 99999  99999 99999  99999 99999
6584:  99999 99999  99999 99999  99999 99999  99999 99999  99999 99999    99999 99999  99999 99999  99999 99999  99999 99999  99999 99999
6585:  99999 99999  99999 99999  99999 99999  99999 99999  99999 99999    99999 99999  99999 99999  99999 99999  99999 99999  99999 99999
6586:  99999 99999  99999 99999  99999 99999  99999 99999  99999 99999    99999 99999  99999 99999  99999 99999  99999 99999  99999 99999
6587:  99999 99999  99999 99999  99999 99999  99999 99999  99999 99999    99999 99999  99999 99999  99999 99999  99999 99999  99999 99999
6588:  99999 99999  99999 99999  99999 99999  99999 99999  99999 99999    99999 99999  99999 99999  99999 99999  99999 99999  99999 99999
6589:  99999 99999  99999 99999  99999 99999  99999 99999  99999 99999    99999 99999  99999 99999  99999 99999  99999 99999  99999 99999
6590:  99999 99999  99999 99999  99999 99999  99999 99999  99999 99999    99999 99999  99999 99999  99999 99999  99999 99999  99999 99999
6591:  99999 99999  99999 99999  99999 99999  99999 99999  99999 99999    99999 99999  99999 99999  99999 99999  99999 99999  99999 99999
6592:  99999 99999  99999 99999  99999 99999  99999 99999  99999 99999    99999 99999  99999 99999  99999 99999  99999 99999  99999 99999
6593:  99999 99999  99999 99999  99999 99999  99999 99999  99999 99999    99999 99999  99999 99999  99999 99999  99999 99999  99999 99999
6594:  99999 99999  99999 99999  99999 99999  99999 99999  99999 99999    99999 99999  99999 99999  99999 99999  99999 99999  99999 99999
6595:  99999 99999  99999 99999  99999 99999  99999 99999  99999 99999    99999 99999  99999 99999  99999 99999  99999 99999  99999 99999
6596:  99999 99999  99999 99999  99999 99999  99999 99999  99999 99999    99999 99999  99999 99999  99999 99999  99999 99999  99999 99999
6597:  99999 99999  99999 99999  99999 99999  99999 99999  99999 99999    99999 99999  99999 99999  99999 99999  99999 99999  99999 99999
6598:  99999 99999  99999 99999  99999 99999  99999 99999  99999 99999    99999 99999  99999 99999  99999 99999  99999 99999  99999 99999
6599:  99999 99999  99999 99999  99999 99999  99999 99999  99999 99999    99999 99999  99999 99999  99999 99999  99999 99999  99999 99999
```

```
6600:  99999 99999  99999 99999  99999 99999  99999 99999  99999 99999    99999 99999  99999 99999  99999 99999  99999 99999  99999 99999
6601:  99999 99999  99999 99999  99999 99999  99999 99999  99999 99999    99999 99999  99999 99999  99999 99999  99999 99999  99999 99999
6602:  99999 99999  99999 99999  99999 99999  99999 99999  99999 99999    99999 99999  99999 99999  99999 99999  99999 99999  99999 99999
6603:  99999 99999  99999 99999  99999 99999  99999 99999  99999 99999    99999 99999  99999 99999  99999 99999  99999 99999  99999 99999
6604:  99999 99999  99999 99999  99999 99999  99999 99999  99999 99999    99999 99999  99999 99999  99999 99999  99999 99999  99999 99999
6605:  99999 99999  99999 99999  99999 99999  99999 99999  99999 99999    99999 99999  99999 99999  99999 99999  99999 99999  99999 99999
6606:  99999 99999  99999 99999  99999 99999  99999 99999  99999 99999    99999 99999  99999 99999  99999 99999  99999 99999  99999 99999
6607:  99999 99999  99999 99999  99999 99999  99999 99999  99999 99999    99999 99999  99999 99999  99999 99999  99999 99999  99999 99999
6608:  99999 99999  99999 99999  99999 99999  99999 99999  99999 99999    99999 99999  99999 99999  99999 99999  99999 99999  99999 99999
6609:  99999 99999  99999 99999  99999 99999  99999 99999  99999 99999    99999 99999  99999 99999  99999 99999  99999 99999  99999 99999
6610:  99999 99999  99999 99999  99999 99999  99999 99999  99999 99999    99999 99999  99999 99999  99999 99999  99999 99999  99999 99999
6611:  99999 99999  99999 99999  99999 99999  99999 99999  99999 99999    99999 99999  99999 99999  99999 99999  99999 99999  99999 99999
6612:  99999 99999  99999 99999  99999 99999  99999 99999  99999 99999    99999 99999  99999 99999  99999 99999  99999 99999  99999 99999
6613:  99999 99999  99999 99999  99999 99999  99999 99999  99999 99999    99999 99999  99999 99999  99999 99999  99999 99999  99999 99999
6614:  99999 99999  99999 99999  99999 99999  99999 99999  99999 99999    99999 99999  99999 99999  99999 99999  99999 99999  99999 99999
6615:  99999 99999  99999 99999  99999 99999  99999 99999  99999 99999    99999 99999  99999 99999  99999 99999  99999 99999  99999 99999
6616:  99999 99999  99999 99999  99999 99999  99999 99999  99999 99999    99999 99999  99999 99999  99999 99999  99999 99999  99999 99999
6617:  99999 99999  99999 99999  99999 99999  99999 99999  99999 99999    99999 99999  99999 99999  99999 99999  99999 99999  99999 99999
6618:  99999 99999  99999 99999  99999 99999  99999 99999  99999 99999    99999 99999  99999 99999  99999 99999  99999 99999  99999 99999
6619:  99999 99999  99999 99999  99999 99999  99999 99999  99999 99999    99999 99999  99999 99999  99999 99999  99999 99999  99999 99999
6620:  99999 99999  99999 99999  99999 99999  99999 99999  99999 99999    99999 99999  99999 99999  99999 99999  99999 99999  99999 99999
6621:  99999 99999  99999 99999  99999 99999  99999 99999  99999 99999    99999 99999  99999 99999  99999 99999  99999 99999  99999 99999
6622:  99999 99999  99999 99999  99999 99999  99999 99999  99999 99999    99999 99999  99999 99999  99999 99999  99999 99999  99999 99999
6623:  99999 99999  99999 99999  99999 99999  99999 99999  99999 99999    99999 99999  99999 99999  99999 99999  99999 99999  99999 99999
6624:  99999 99999  99999 99999  99999 99999  99999 99999  99999 99999    99999 99999  99999 99999  99999 99999  99999 99999  99999 99999
6625:  99999 99999  99999 99999  99999 99999  99999 99999  99999 99999    99999 99999  99999 99999  99999 99999  99999 99999  99999 99999
6626:  99999 99999  99999 99999  99999 99999  99999 99999  99999 99999    99999 99999  99999 99999  99999 99999  99999 99999  99999 99999
6627:  99999 99999  99999 99999  99999 99999  99999 99999  99999 99999    99999 99999  99999 99999  99999 99999  99999 99999  99999 99999
6628:  99999 99999  99999 99999  99999 99999  99999 99999  99999 99999    99999 99999  99999 99999  99999 99999  99999 99999  99999 99999
6629:  99999 99999  99999 99999  99999 99999  99999 99999  99999 99999    99999 99999  99999 99999  99999 99999  99999 99999  99999 99999
6630:  99999 99999  99999 99999  99999 99999  99999 99999  99999 99999    99999 99999  99999 99999  99999 99999  99999 99999  99999 99999
6631:  99999 99999  99999 99999  99999 99999  99999 99999  99999 99999    99999 99999  99999 99999  99999 99999  99999 99999  99999 99999
6632:  99999 99999  99999 99999  99999 99999  99999 99999  99999 99999    99999 99999  99999 99999  99999 99999  99999 99999  99999 99999
6633:  99999 99999  99999 99999  99999 99999  99999 99999  99999 99999    99999 99999  99999 99999  99999 99999  99999 99999  99999 99999
6634:  99999 99999  99999 99999  99999 99999  99999 99999  99999 99999    99999 99999  99999 99999  99999 99999  99999 99999  99999 99999
6635:  99999 99999  99999 99999  99999 99999  99999 99999  99999 99999    99999 99999  99999 99999  99999 99999  99999 99999  99999 99999
6636:  99999 99999  99999 99999  99999 99999  99999 99999  99999 99999    99999 99999  99999 99999  99999 99999  99999 99999  99999 99999
6637:  99999 99999  99999 99999  99999 99999  99999 99999  99999 99999    99999 99999  99999 99999  99999 99999  99999 99999  99999 99999
6638:  99999 99999  99999 99999  99999 99999  99999 99999  99999 99999    99999 99999  99999 99999  99999 99999  99999 99999  99999 99999
6639:  99999 99999  99999 99999  99999 99999  99999 99999  99999 99999    99999 99999  99999 99999  99999 99999  99999 99999  99999 99999
6640:  99999 99999  99999 99999  99999 99999  99999 99999  99999 99999    99999 99999  99999 99999  99999 99999  99999 99999  99999 99999
6641:  99999 99999  99999 99999  99999 99999  99999 99999  99999 99999    99999 99999  99999 99999  99999 99999  99999 99999  99999 99999
6642:  99999 99999  99999 99999  99999 99999  99999 99999  99999 99999    99999 99999  99999 99999  99999 99999  99999 99999  99999 99999
6643:  99999 99999  99999 99999  99999 99999  99999 99999  99999 99999    99999 99999  99999 99999  99999 99999  99999 99999  99999 99999
6644:  99999 99999  99999 99999  99999 99999  99999 99999  99999 99999    99999 99999  99999 99999  99999 99999  99999 99999  99999 99999
6645:  99999 99999  99999 99999  99999 99999  99999 99999  99999 99999    99999 99999  99999 99999  99999 99999  99999 99999  99999 99999
6646:  99999 99999  99999 99999  99999 99999  99999 99999  99999 99999    99999 99999  99999 99999  99999 99999  99999 99999  99999 99999
6647:  99999 99999  99999 99999  99999 99999  99999 99999  99999 99999    99999 99999  99999 99999  99999 99999  99999 99999  99999 99999
6648:  99999 99999  99999 99999  99999 99999  99999 99999  99999 99999    99999 99999  99999 99999  99999 99999  99999 99999  99999 99999
6649:  99999 99999  99999 99999  99999 99999  99999 99999  99999 99999    99999 99999  99999 99999  99999 99999  99999 99999  99999 99999
```

```
6650:   99999 99999   99999 99999   99999 99999   99999 99999   99999 99999     99999 99999   99999 99999   99999 99999   99999 99999   99999 99999
6651:   99999 99999   99999 99999   99999 99999   99999 99999   99999 99999     99999 99999   99999 99999   99999 99999   99999 99999   99999 99999
6652:   99999 99999   99999 99999   99999 99999   99999 99999   99999 99999     99999 99999   99999 99999   99999 99999   99999 99999   99999 99999
6653:   99999 99999   99999 99999   99999 99999   99999 99999   99999 99999     99999 99999   99999 99999   99999 99999   99999 99999   99999 99999
6654:   99999 99999   99999 99999   99999 99999   99999 99999   99999 99999     99999 99999   99999 99999   99999 99999   99999 99999   99999 99999
6655:   99999 99999   99999 99999   99999 99999   99999 99999   99999 99999     99999 99999   99999 99999   99999 99999   99999 99999   99999 99999
6656:   99999 99999   99999 99999   99999 99999   99999 99999   99999 99999     99999 99999   99999 99999   99999 99999   99999 99999   99999 99999
6657:   99999 99999   99999 99999   99999 99999   99999 99999   99999 99999     99999 99999   99999 99999   99999 99999   99999 99999   99999 99999
6658:   99999 99999   99999 99999   99999 99999   99999 99999   99999 99999     99999 99999   99999 99999   99999 99999   99999 99999   99999 99999
6659:   99999 99999   99999 99999   99999 99999   99999 99999   99999 99999     99999 99999   99999 99999   99999 99999   99999 99999   99999 99999
6660:   99999 99999   99999 99999   99999 99999   99999 99999   99999 99999     99999 99999   99999 99999   99999 99999   99999 99999   99999 99999
6661:   99999 99999   99999 99999   99999 99999   99999 99999   99999 99999     99999 99999   99999 99999   99999 99999   99999 99999   99999 99999
6662:   99999 99999   99999 99999   99999 99999   99999 99999   99999 99999     99999 99999   99999 99999   99999 99999   99999 99999   99999 99999
6663:   99999 99999   99999 99999   99999 99999   99999 99999   99999 99999     99999 99999   99999 99999   99999 99999   99999 99999   99999 99999
6664:   99999 99999   99999 99999   99999 99999   99999 99999   99999 99999     99999 99999   99999 99999   99999 99999   99999 99999   99999 99999
6665:   99999 99999   99999 99999   99999 99999   99999 99999   99999 99999     99999 99999   99999 99999   99999 99999   99999 99999   99999 99999
6666:   99999 99999   99999 99999   99999 99999   99999 99999   99999 99999     99999 99999   99999 99999   99999 99999   99999 99999   99999 99999
6667:   99999 99999   99999 99999   99999 99999   99999 99999   99999 99999     99999 99999   99999 99999   99999 99999   99999 99999   99999 99999
6668:   99999 99999   99999 99999   99999 99999   99999 99999   99999 99999     99999 99999   99999 99999   99999 99999   99999 99999   99999 99999
6669:   99999 99999   99999 99999   99999 99999   99999 99999   99999 99999     99999 99999   99999 99999   99999 99999   99999 99999   99999 99999
6670:   99999 99999   99999 99999   99999 99999   99999 99999   99999 99999     99999 99999   99999 99999   99999 99999   99999 99999   99999 99999
6671:   99999 99999   99999 99999   99999 99999   99999 99999   99999 99999     99999 99999   99999 99999   99999 99999   99999 99999   99999 99999
6672:   99999 99999   99999 99999   99999 99999   99999 99999   99999 99999     99999 99999   99999 99999   99999 99999   99999 99999   99999 99999
6673:   99999 99999   99999 99999   99999 99999   99999 99999   99999 99999     99999 99999   99999 99999   99999 99999   99999 99999   99999 99999
6674:   99999 99999   99999 99999   99999 99999   99999 99999   99999 99999     99999 99999   99999 99999   99999 99999   99999 99999   99999 99999
6675:   99999 99999   99999 99999   99999 99999   99999 99999   99999 99999     99999 99999   99999 99999   99999 99999   99999 99999   99999 99999
6676:   99999 99999   99999 99999   99999 99999   99999 99999   99999 99999     99999 99999   99999 99999   99999 99999   99999 99999   99999 99999
6677:   99999 99999   99999 99999   99999 99999   99999 99999   99999 99999     99999 99999   99999 99999   99999 99999   99999 99999   99999 99999
6678:   99999 99999   99999 99999   99999 99999   99999 99999   99999 99999     99999 99999   99999 99999   99999 99999   99999 99999   99999 99999
6679:   99999 99999   99999 99999   99999 99999   99999 99999   99999 99999     99999 99999   99999 99999   99999 99999   99999 99999   99999 99999
6680:   99999 99999   99999 99999   99999 99999   99999 99999   99999 99999     99999 99999   99999 99999   99999 99999   99999 99999   99999 99999
6681:   99999 99999   99999 99999   99999 99999   99999 99999   99999 99999     99999 99999   99999 99999   99999 99999   99999 99999   99999 99999
6682:   99999 99999   99999 99999   99999 99999   99999 99999   99999 99999     99999 99999   99999 99999   99999 99999   99999 99999   99999 99999
6683:   99999 99999   99999 99999   99999 99999   99999 99999   99999 99999     99999 99999   99999 99999   99999 99999   99999 99999   99999 99999
6684:   99999 99999   99999 99999   99999 99999   99999 99999   99999 99999     99999 99999   99999 99999   99999 99999   99999 99999   99999 99999
6685:   99999 99999   99999 99999   99999 99999   99999 99999   99999 99999     99999 99999   99999 99999   99999 99999   99999 99999   99999 99999
6686:   99999 99999   99999 99999   99999 99999   99999 99999   99999 99999     99999 99999   99999 99999   99999 99999   99999 99999   99999 99999
6687:   99999 99999   99999 99999   99999 99999   99999 99999   99999 99999     99999 99999   99999 99999   99999 99999   99999 99999   99999 99999
6688:   99999 99999   99999 99999   99999 99999   99999 99999   99999 99999     99999 99999   99999 99999   99999 99999   99999 99999   99999 99999
6689:   99999 99999   99999 99999   99999 99999   99999 99999   99999 99999     99999 99999   99999 99999   99999 99999   99999 99999   99999 99999
6690:   99999 99999   99999 99999   99999 99999   99999 99999   99999 99999     99999 99999   99999 99999   99999 99999   99999 99999   99999 99999
6691:   99999 99999   99999 99999   99999 99999   99999 99999   99999 99999     99999 99999   99999 99999   99999 99999   99999 99999   99999 99999
6692:   99999 99999   99999 99999   99999 99999   99999 99999   99999 99999     99999 99999   99999 99999   99999 99999   99999 99999   99999 99999
6693:   99999 99999   99999 99999   99999 99999   99999 99999   99999 99999     99999 99999   99999 99999   99999 99999   99999 99999   99999 99999
6694:   99999 99999   99999 99999   99999 99999   99999 99999   99999 99999     99999 99999   99999 99999   99999 99999   99999 99999   99999 99999
6695:   99999 99999   99999 99999   99999 99999   99999 99999   99999 99999     99999 99999   99999 99999   99999 99999   99999 99999   99999 99999
6696:   99999 99999   99999 99999   99999 99999   99999 99999   99999 99999     99999 99999   99999 99999   99999 99999   99999 99999   99999 99999
6697:   99999 99999   99999 99999   99999 99999   99999 99999   99999 99999     99999 99999   99999 99999   99999 99999   99999 99999   99999 99999
6698:   99999 99999   99999 99999   99999 99999   99999 99999   99999 99999     99999 99999   99999 99999   99999 99999   99999 99999   99999 99999
6699:   99999 99999   99999 99999   99999 99999   99999 99999   99999 99999     99999 99999   99999 99999   99999 99999   99999 99999   99999 99999
```

```
6700:  99999 99999  99999 99999  99999 99999  99999 99999  99999 99999    99999 99999  99999 99999  99999 99999  99999 99999  99999 99999
6701:  99999 99999  99999 99999  99999 99999  99999 99999  99999 99999    99999 99999  99999 99999  99999 99999  99999 99999  99999 99999
6702:  99999 99999  99999 99999  99999 99999  99999 99999  99999 99999    99999 99999  99999 99999  99999 99999  99999 99999  99999 99999
6703:  99999 99999  99999 99999  99999 99999  99999 99999  99999 99999    99999 99999  99999 99999  99999 99999  99999 99999  99999 99999
6704:  99999 99999  99999 99999  99999 99999  99999 99999  99999 99999    99999 99999  99999 99999  99999 99999  99999 99999  99999 99999
6705:  99999 99999  99999 99999  99999 99999  99999 99999  99999 99999    99999 99999  99999 99999  99999 99999  99999 99999  99999 99999
6706:  99999 99999  99999 99999  99999 99999  99999 99999  99999 99999    99999 99999  99999 99999  99999 99999  99999 99999  99999 99999
6707:  99999 99999  99999 99999  99999 99999  99999 99999  99999 99999    99999 99999  99999 99999  99999 99999  99999 99999  99999 99999
6708:  99999 99999  99999 99999  99999 99999  99999 99999  99999 99999    99999 99999  99999 99999  99999 99999  99999 99999  99999 99999
6709:  99999 99999  99999 99999  99999 99999  99999 99999  99999 99999    99999 99999  99999 99999  99999 99999  99999 99999  99999 99999
6710:  99999 99999  99999 99999  99999 99999  99999 99999  99999 99999    99999 99999  99999 99999  99999 99999  99999 99999  99999 99999
6711:  99999 99999  99999 99999  99999 99999  99999 99999  99999 99999    99999 99999  99999 99999  99999 99999  99999 99999  99999 99999
6712:  99999 99999  99999 99999  99999 99999  99999 99999  99999 99999    99999 99999  99999 99999  99999 99999  99999 99999  99999 99999
6713:  99999 99999  99999 99999  99999 99999  99999 99999  99999 99999    99999 99999  99999 99999  99999 99999  99999 99999  99999 99999
6714:  99999 99999  99999 99999  99999 99999  99999 99999  99999 99999    99999 99999  99999 99999  99999 99999  99999 99999  99999 99999
6715:  99999 99999  99999 99999  99999 99999  99999 99999  99999 99999    99999 99999  99999 99999  99999 99999  99999 99999  99999 99999
6716:  99999 99999  99999 99999  99999 99999  99999 99999  99999 99999    99999 99999  99999 99999  99999 99999  99999 99999  99999 99999
6717:  99999 99999  99999 99999  99999 99999  99999 99999  99999 99999    99999 99999  99999 99999  99999 99999  99999 99999  99999 99999
6718:  99999 99999  99999 99999  99999 99999  99999 99999  99999 99999    99999 99999  99999 99999  99999 99999  99999 99999  99999 99999
6719:  99999 99999  99999 99999  99999 99999  99999 99999  99999 99999    99999 99999  99999 99999  99999 99999  99999 99999  99999 99999
6720:  99999 99999  99999 99999  99999 99999  99999 99999  99999 99999    99999 99999  99999 99999  99999 99999  99999 99999  99999 99999
6721:  99999 99999  99999 99999  99999 99999  99999 99999  99999 99999    99999 99999  99999 99999  99999 99999  99999 99999  99999 99999
6722:  99999 99999  99999 99999  99999 99999  99999 99999  99999 99999    99999 99999  99999 99999  99999 99999  99999 99999  99999 99999
6723:  99999 99999  99999 99999  99999 99999  99999 99999  99999 99999    99999 99999  99999 99999  99999 99999  99999 99999  99999 99999
6724:  99999 99999  99999 99999  99999 99999  99999 99999  99999 99999    99999 99999  99999 99999  99999 99999  99999 99999  99999 99999
6725:  99999 99999  99999 99999  99999 99999  99999 99999  99999 99999    99999 99999  99999 99999  99999 99999  99999 99999  99999 99999
6726:  99999 99999  99999 99999  99999 99999  99999 99999  99999 99999    99999 99999  99999 99999  99999 99999  99999 99999  99999 99999
6727:  99999 99999  99999 99999  99999 99999  99999 99999  99999 99999    99999 99999  99999 99999  99999 99999  99999 99999  99999 99999
6728:  99999 99999  99999 99999  99999 99999  99999 99999  99999 99999    99999 99999  99999 99999  99999 99999  99999 99999  99999 99999
6729:  99999 99999  99999 99999  99999 99999  99999 99999  99999 99999    99999 99999  99999 99999  99999 99999  99999 99999  99999 99999
6730:  99999 99999  99999 99999  99999 99999  99999 99999  99999 99999    99999 99999  99999 99999  99999 99999  99999 99999  99999 99999
6731:  99999 99999  99999 99999  99999 99999  99999 99999  99999 99999    99999 99999  99999 99999  99999 99999  99999 99999  99999 99999
6732:  99999 99999  99999 99999  99999 99999  99999 99999  99999 99999    99999 99999  99999 99999  99999 99999  99999 99999  99999 99999
6733:  99999 99999  99999 99999  99999 99999  99999 99999  99999 99999    99999 99999  99999 99999  99999 99999  99999 99999  99999 99999
6734:  99999 99999  99999 99999  99999 99999  99999 99999  99999 99999    99999 99999  99999 99999  99999 99999  99999 99999  99999 99999
6735:  99999 99999  99999 99999  99999 99999  99999 99999  99999 99999    99999 99999  99999 99999  99999 99999  99999 99999  99999 99999
6736:  99999 99999  99999 99999  99999 99999  99999 99999  99999 99999    99999 99999  99999 99999  99999 99999  99999 99999  99999 99999
6737:  99999 99999  99999 99999  99999 99999  99999 99999  99999 99999    99999 99999  99999 99999  99999 99999  99999 99999  99999 99999
6738:  99999 99999  99999 99999  99999 99999  99999 99999  99999 99999    99999 99999  99999 99999  99999 99999  99999 99999  99999 99999
6739:  99999 99999  99999 99999  99999 99999  99999 99999  99999 99999    99999 99999  99999 99999  99999 99999  99999 99999  99999 99999
6740:  99999 99999  99999 99999  99999 99999  99999 99999  99999 99999    99999 99999  99999 99999  99999 99999  99999 99999  99999 99999
6741:  99999 99999  99999 99999  99999 99999  99999 99999  99999 99999    99999 99999  99999 99999  99999 99999  99999 99999  99999 99999
6742:  99999 99999  99999 99999  99999 99999  99999 99999  99999 99999    99999 99999  99999 99999  99999 99999  99999 99999  99999 99999
6743:  99999 99999  99999 99999  99999 99999  99999 99999  99999 99999    99999 99999  99999 99999  99999 99999  99999 99999  99999 99999
6744:  99999 99999  99999 99999  99999 99999  99999 99999  99999 99999    99999 99999  99999 99999  99999 99999  99999 99999  99999 99999
6745:  99999 99999  99999 99999  99999 99999  99999 99999  99999 99999    99999 99999  99999 99999  99999 99999  99999 99999  99999 99999
6746:  99999 99999  99999 99999  99999 99999  99999 99999  99999 99999    99999 99999  99999 99999  99999 99999  99999 99999  99999 99999
6747:  99999 99999  99999 99999  99999 99999  99999 99999  99999 99999    99999 99999  99999 99999  99999 99999  99999 99999  99999 99999
6748:  99999 99999  99999 99999  99999 99999  99999 99999  99999 99999    99999 99999  99999 99999  99999 99999  99999 99999  99999 99999
6749:  99999 99999  99999 99999  99999 99999  99999 99999  99999 99999    99999 99999  99999 99999  99999 99999  99999 99999  99999 99999
```

```
6750:  99999 99999  99999 99999  99999 99999  99999 99999  99999 99999    99999 99999  99999 99999  99999 99999  99999 99999  99999 99999
6751:  99999 99999  99999 99999  99999 99999  99999 99999  99999 99999    99999 99999  99999 99999  99999 99999  99999 99999  99999 99999
6752:  99999 99999  99999 99999  99999 99999  99999 99999  99999 99999    99999 99999  99999 99999  99999 99999  99999 99999  99999 99999
6753:  99999 99999  99999 99999  99999 99999  99999 99999  99999 99999    99999 99999  99999 99999  99999 99999  99999 99999  99999 99999
6754:  99999 99999  99999 99999  99999 99999  99999 99999  99999 99999    99999 99999  99999 99999  99999 99999  99999 99999  99999 99999
6755:  99999 99999  99999 99999  99999 99999  99999 99999  99999 99999    99999 99999  99999 99999  99999 99999  99999 99999  99999 99999
6756:  99999 99999  99999 99999  99999 99999  99999 99999  99999 99999    99999 99999  99999 99999  99999 99999  99999 99999  99999 99999
6757:  99999 99999  99999 99999  99999 99999  99999 99999  99999 99999    99999 99999  99999 99999  99999 99999  99999 99999  99999 99999
6758:  99999 99999  99999 99999  99999 99999  99999 99999  99999 99999    99999 99999  99999 99999  99999 99999  99999 99999  99999 99999
6759:  99999 99999  99999 99999  99999 99999  99999 99999  99999 99999    99999 99999  99999 99999  99999 99999  99999 99999  99999 99999
6760:  99999 99999  99999 99999  99999 99999  99999 99999  99999 99999    99999 99999  99999 99999  99999 99999  99999 99999  99999 99999
6761:  99999 99999  99999 99999  99999 99999  99999 99999  99999 99999    99999 99999  99999 99999  99999 99999  99999 99999  99999 99999
6762:  99999 99999  99999 99999  99999 99999  99999 99999  99999 99999    99999 99999  99999 99999  99999 99999  99999 99999  99999 99999
6763:  99999 99999  99999 99999  99999 99999  99999 99999  99999 99999    99999 99999  99999 99999  99999 99999  99999 99999  99999 99999
6764:  99999 99999  99999 99999  99999 99999  99999 99999  99999 99999    99999 99999  99999 99999  99999 99999  99999 99999  99999 99999
6765:  99999 99999  99999 99999  99999 99999  99999 99999  99999 99999    99999 99999  99999 99999  99999 99999  99999 99999  99999 99999
6766:  99999 99999  99999 99999  99999 99999  99999 99999  99999 99999    99999 99999  99999 99999  99999 99999  99999 99999  99999 99999
6767:  99999 99999  99999 99999  99999 99999  99999 99999  99999 99999    99999 99999  99999 99999  99999 99999  99999 99999  99999 99999
6768:  99999 99999  99999 99999  99999 99999  99999 99999  99999 99999    99999 99999  99999 99999  99999 99999  99999 99999  99999 99999
6769:  99999 99999  99999 99999  99999 99999  99999 99999  99999 99999    99999 99999  99999 99999  99999 99999  99999 99999  99999 99999
6770:  99999 99999  99999 99999  99999 99999  99999 99999  99999 99999    99999 99999  99999 99999  99999 99999  99999 99999  99999 99999
6771:  99999 99999  99999 99999  99999 99999  99999 99999  99999 99999    99999 99999  99999 99999  99999 99999  99999 99999  99999 99999
6772:  99999 99999  99999 99999  99999 99999  99999 99999  99999 99999    99999 99999  99999 99999  99999 99999  99999 99999  99999 99999
6773:  99999 99999  99999 99999  99999 99999  99999 99999  99999 99999    99999 99999  99999 99999  99999 99999  99999 99999  99999 99999
6774:  99999 99999  99999 99999  99999 99999  99999 99999  99999 99999    99999 99999  99999 99999  99999 99999  99999 99999  99999 99999
6775:  99999 99999  99999 99999  99999 99999  99999 99999  99999 99999    99999 99999  99999 99999  99999 99999  99999 99999  99999 99999
6776:  99999 99999  99999 99999  99999 99999  99999 99999  99999 99999    99999 99999  99999 99999  99999 99999  99999 99999  99999 99999
6777:  99999 99999  99999 99999  99999 99999  99999 99999  99999 99999    99999 99999  99999 99999  99999 99999  99999 99999  99999 99999
6778:  99999 99999  99999 99999  99999 99999  99999 99999  99999 99999    99999 99999  99999 99999  99999 99999  99999 99999  99999 99999
6779:  99999 99999  99999 99999  99999 99999  99999 99999  99999 99999    99999 99999  99999 99999  99999 99999  99999 99999  99999 99999
6780:  99999 99999  99999 99999  99999 99999  99999 99999  99999 99999    99999 99999  99999 99999  99999 99999  99999 99999  99999 99999
6781:  99999 99999  99999 99999  99999 99999  99999 99999  99999 99999    99999 99999  99999 99999  99999 99999  99999 99999  99999 99999
6782:  99999 99999  99999 99999  99999 99999  99999 99999  99999 99999    99999 99999  99999 99999  99999 99999  99999 99999  99999 99999
6783:  99999 99999  99999 99999  99999 99999  99999 99999  99999 99999    99999 99999  99999 99999  99999 99999  99999 99999  99999 99999
6784:  99999 99999  99999 99999  99999 99999  99999 99999  99999 99999    99999 99999  99999 99999  99999 99999  99999 99999  99999 99999
6785:  99999 99999  99999 99999  99999 99999  99999 99999  99999 99999    99999 99999  99999 99999  99999 99999  99999 99999  99999 99999
6786:  99999 99999  99999 99999  99999 99999  99999 99999  99999 99999    99999 99999  99999 99999  99999 99999  99999 99999  99999 99999
6787:  99999 99999  99999 99999  99999 99999  99999 99999  99999 99999    99999 99999  99999 99999  99999 99999  99999 99999  99999 99999
6788:  99999 99999  99999 99999  99999 99999  99999 99999  99999 99999    99999 99999  99999 99999  99999 99999  99999 99999  99999 99999
6789:  99999 99999  99999 99999  99999 99999  99999 99999  99999 99999    99999 99999  99999 99999  99999 99999  99999 99999  99999 99999
6790:  99999 99999  99999 99999  99999 99999  99999 99999  99999 99999    99999 99999  99999 99999  99999 99999  99999 99999  99999 99999
6791:  99999 99999  99999 99999  99999 99999  99999 99999  99999 99999    99999 99999  99999 99999  99999 99999  99999 99999  99999 99999
6792:  99999 99999  99999 99999  99999 99999  99999 99999  99999 99999    99999 99999  99999 99999  99999 99999  99999 99999  99999 99999
6793:  99999 99999  99999 99999  99999 99999  99999 99999  99999 99999    99999 99999  99999 99999  99999 99999  99999 99999  99999 99999
6794:  99999 99999  99999 99999  99999 99999  99999 99999  99999 99999    99999 99999  99999 99999  99999 99999  99999 99999  99999 99999
6795:  99999 99999  99999 99999  99999 99999  99999 99999  99999 99999    99999 99999  99999 99999  99999 99999  99999 99999  99999 99999
6796:  99999 99999  99999 99999  99999 99999  99999 99999  99999 99999    99999 99999  99999 99999  99999 99999  99999 99999  99999 99999
6797:  99999 99999  99999 99999  99999 99999  99999 99999  99999 99999    99999 99999  99999 99999  99999 99999  99999 99999  99999 99999
6798:  99999 99999  99999 99999  99999 99999  99999 99999  99999 99999    99999 99999  99999 99999  99999 99999  99999 99999  99999 99999
6799:  99999 99999  99999 99999  99999 99999  99999 99999  99999 99999    99999 99999  99999 99999  99999 99999  99999 99999  99999 99999
```

```
6800:  99999 99999  99999 99999  99999 99999  99999 99999  99999 99999    99999 99999  99999 99999  99999 99999  99999 99999  99999 99999
6801:  99999 99999  99999 99999  99999 99999  99999 99999  99999 99999    99999 99999  99999 99999  99999 99999  99999 99999  99999 99999
6802:  99999 99999  99999 99999  99999 99999  99999 99999  99999 99999    99999 99999  99999 99999  99999 99999  99999 99999  99999 99999
6803:  99999 99999  99999 99999  99999 99999  99999 99999  99999 99999    99999 99999  99999 99999  99999 99999  99999 99999  99999 99999
6804:  99999 99999  99999 99999  99999 99999  99999 99999  99999 99999    99999 99999  99999 99999  99999 99999  99999 99999  99999 99999
6805:  99999 99999  99999 99999  99999 99999  99999 99999  99999 99999    99999 99999  99999 99999  99999 99999  99999 99999  99999 99999
6806:  99999 99999  99999 99999  99999 99999  99999 99999  99999 99999    99999 99999  99999 99999  99999 99999  99999 99999  99999 99999
6807:  99999 99999  99999 99999  99999 99999  99999 99999  99999 99999    99999 99999  99999 99999  99999 99999  99999 99999  99999 99999
6808:  99999 99999  99999 99999  99999 99999  99999 99999  99999 99999    99999 99999  99999 99999  99999 99999  99999 99999  99999 99999
6809:  99999 99999  99999 99999  99999 99999  99999 99999  99999 99999    99999 99999  99999 99999  99999 99999  99999 99999  99999 99999
6810:  99999 99999  99999 99999  99999 99999  99999 99999  99999 99999    99999 99999  99999 99999  99999 99999  99999 99999  99999 99999
6811:  99999 99999  99999 99999  99999 99999  99999 99999  99999 99999    99999 99999  99999 99999  99999 99999  99999 99999  99999 99999
6812:  99999 99999  99999 99999  99999 99999  99999 99999  99999 99999    99999 99999  99999 99999  99999 99999  99999 99999  99999 99999
6813:  99999 99999  99999 99999  99999 99999  99999 99999  99999 99999    99999 99999  99999 99999  99999 99999  99999 99999  99999 99999
6814:  99999 99999  99999 99999  99999 99999  99999 99999  99999 99999    99999 99999  99999 99999  99999 99999  99999 99999  99999 99999
6815:  99999 99999  99999 99999  99999 99999  99999 99999  99999 99999    99999 99999  99999 99999  99999 99999  99999 99999  99999 99999
6816:  99999 99999  99999 99999  99999 99999  99999 99999  99999 99999    99999 99999  99999 99999  99999 99999  99999 99999  99999 99999
6817:  99999 99999  99999 99999  99999 99999  99999 99999  99999 99999    99999 99999  99999 99999  99999 99999  99999 99999  99999 99999
6818:  99999 99999  99999 99999  99999 99999  99999 99999  99999 99999    99999 99999  99999 99999  99999 99999  99999 99999  99999 99999
6819:  99999 99999  99999 99999  99999 99999  99999 99999  99999 99999    99999 99999  99999 99999  99999 99999  99999 99999  99999 99999
6820:  99999 99999  99999 99999  99999 99999  99999 99999  99999 99999    99999 99999  99999 99999  99999 99999  99999 99999  99999 99999
6821:  99999 99999  99999 99999  99999 99999  99999 99999  99999 99999    99999 99999  99999 99999  99999 99999  99999 99999  99999 99999
6822:  99999 99999  99999 99999  99999 99999  99999 99999  99999 99999    99999 99999  99999 99999  99999 99999  99999 99999  99999 99999
6823:  99999 99999  99999 99999  99999 99999  99999 99999  99999 99999    99999 99999  99999 99999  99999 99999  99999 99999  99999 99999
6824:  99999 99999  99999 99999  99999 99999  99999 99999  99999 99999    99999 99999  99999 99999  99999 99999  99999 99999  99999 99999
6825:  99999 99999  99999 99999  99999 99999  99999 99999  99999 99999    99999 99999  99999 99999  99999 99999  99999 99999  99999 99999
6826:  99999 99999  99999 99999  99999 99999  99999 99999  99999 99999    99999 99999  99999 99999  99999 99999  99999 99999  99999 99999
6827:  99999 99999  99999 99999  99999 99999  99999 99999  99999 99999    99999 99999  99999 99999  99999 99999  99999 99999  99999 99999
6828:  99999 99999  99999 99999  99999 99999  99999 99999  99999 99999    99999 99999  99999 99999  99999 99999  99999 99999  99999 99999
6829:  99999 99999  99999 99999  99999 99999  99999 99999  99999 99999    99999 99999  99999 99999  99999 99999  99999 99999  99999 99999
6830:  99999 99999  99999 99999  99999 99999  99999 99999  99999 99999    99999 99999  99999 99999  99999 99999  99999 99999  99999 99999
6831:  99999 99999  99999 99999  99999 99999  99999 99999  99999 99999    99999 99999  99999 99999  99999 99999  99999 99999  99999 99999
6832:  99999 99999  99999 99999  99999 99999  99999 99999  99999 99999    99999 99999  99999 99999  99999 99999  99999 99999  99999 99999
6833:  99999 99999  99999 99999  99999 99999  99999 99999  99999 99999    99999 99999  99999 99999  99999 99999  99999 99999  99999 99999
6834:  99999 99999  99999 99999  99999 99999  99999 99999  99999 99999    99999 99999  99999 99999  99999 99999  99999 99999  99999 99999
6835:  99999 99999  99999 99999  99999 99999  99999 99999  99999 99999    99999 99999  99999 99999  99999 99999  99999 99999  99999 99999
6836:  99999 99999  99999 99999  99999 99999  99999 99999  99999 99999    99999 99999  99999 99999  99999 99999  99999 99999  99999 99999
6837:  99999 99999  99999 99999  99999 99999  99999 99999  99999 99999    99999 99999  99999 99999  99999 99999  99999 99999  99999 99999
6838:  99999 99999  99999 99999  99999 99999  99999 99999  99999 99999    99999 99999  99999 99999  99999 99999  99999 99999  99999 99999
6839:  99999 99999  99999 99999  99999 99999  99999 99999  99999 99999    99999 99999  99999 99999  99999 99999  99999 99999  99999 99999
6840:  99999 99999  99999 99999  99999 99999  99999 99999  99999 99999    99999 99999  99999 99999  99999 99999  99999 99999  99999 99999
6841:  99999 99999  99999 99999  99999 99999  99999 99999  99999 99999    99999 99999  99999 99999  99999 99999  99999 99999  99999 99999
6842:  99999 99999  99999 99999  99999 99999  99999 99999  99999 99999    99999 99999  99999 99999  99999 99999  99999 99999  99999 99999
6843:  99999 99999  99999 99999  99999 99999  99999 99999  99999 99999    99999 99999  99999 99999  99999 99999  99999 99999  99999 99999
6844:  99999 99999  99999 99999  99999 99999  99999 99999  99999 99999    99999 99999  99999 99999  99999 99999  99999 99999  99999 99999
6845:  99999 99999  99999 99999  99999 99999  99999 99999  99999 99999    99999 99999  99999 99999  99999 99999  99999 99999  99999 99999
6846:  99999 99999  99999 99999  99999 99999  99999 99999  99999 99999    99999 99999  99999 99999  99999 99999  99999 99999  99999 99999
6847:  99999 99999  99999 99999  99999 99999  99999 99999  99999 99999    99999 99999  99999 99999  99999 99999  99999 99999  99999 99999
6848:  99999 99999  99999 99999  99999 99999  99999 99999  99999 99999    99999 99999  99999 99999  99999 99999  99999 99999  99999 99999
6849:  99999 99999  99999 99999  99999 99999  99999 99999  99999 99999    99999 99999  99999 99999  99999 99999  99999 99999  99999 99999
```

```
6850:  99999 99999   99999 99999   99999 99999   99999 99999   99999 99999     99999 99999   99999 99999   99999 99999   99999 99999   99999 99999
6851:  99999 99999   99999 99999   99999 99999   99999 99999   99999 99999     99999 99999   99999 99999   99999 99999   99999 99999   99999 99999
6852:  99999 99999   99999 99999   99999 99999   99999 99999   99999 99999     99999 99999   99999 99999   99999 99999   99999 99999   99999 99999
6853:  99999 99999   99999 99999   99999 99999   99999 99999   99999 99999     99999 99999   99999 99999   99999 99999   99999 99999   99999 99999
6854:  99999 99999   99999 99999   99999 99999   99999 99999   99999 99999     99999 99999   99999 99999   99999 99999   99999 99999   99999 99999
6855:  99999 99999   99999 99999   99999 99999   99999 99999   99999 99999     99999 99999   99999 99999   99999 99999   99999 99999   99999 99999
6856:  99999 99999   99999 99999   99999 99999   99999 99999   99999 99999     99999 99999   99999 99999   99999 99999   99999 99999   99999 99999
6857:  99999 99999   99999 99999   99999 99999   99999 99999   99999 99999     99999 99999   99999 99999   99999 99999   99999 99999   99999 99999
6858:  99999 99999   99999 99999   99999 99999   99999 99999   99999 99999     99999 99999   99999 99999   99999 99999   99999 99999   99999 99999
6859:  99999 99999   99999 99999   99999 99999   99999 99999   99999 99999     99999 99999   99999 99999   99999 99999   99999 99999   99999 99999
6860:  99999 99999   99999 99999   99999 99999   99999 99999   99999 99999     99999 99999   99999 99999   99999 99999   99999 99999   99999 99999
6861:  99999 99999   99999 99999   99999 99999   99999 99999   99999 99999     99999 99999   99999 99999   99999 99999   99999 99999   99999 99999
6862:  99999 99999   99999 99999   99999 99999   99999 99999   99999 99999     99999 99999   99999 99999   99999 99999   99999 99999   99999 99999
6863:  99999 99999   99999 99999   99999 99999   99999 99999   99999 99999     99999 99999   99999 99999   99999 99999   99999 99999   99999 99999
6864:  99999 99999   99999 99999   99999 99999   99999 99999   99999 99999     99999 99999   99999 99999   99999 99999   99999 99999   99999 99999
6865:  99999 99999   99999 99999   99999 99999   99999 99999   99999 99999     99999 99999   99999 99999   99999 99999   99999 99999   99999 99999
6866:  99999 99999   99999 99999   99999 99999   99999 99999   99999 99999     99999 99999   99999 99999   99999 99999   99999 99999   99999 99999
6867:  99999 99999   99999 99999   99999 99999   99999 99999   99999 99999     99999 99999   99999 99999   99999 99999   99999 99999   99999 99999
6868:  99999 99999   99999 99999   99999 99999   99999 99999   99999 99999     99999 99999   99999 99999   99999 99999   99999 99999   99999 99999
6869:  99999 99999   99999 99999   99999 99999   99999 99999   99999 99999     99999 99999   99999 99999   99999 99999   99999 99999   99999 99999
6870:  99999 99999   99999 99999   99999 99999   99999 99999   99999 99999     99999 99999   99999 99999   99999 99999   99999 99999   99999 99999
6871:  99999 99999   99999 99999   99999 99999   99999 99999   99999 99999     99999 99999   99999 99999   99999 99999   99999 99999   99999 99999
6872:  99999 99999   99999 99999   99999 99999   99999 99999   99999 99999     99999 99999   99999 99999   99999 99999   99999 99999   99999 99999
6873:  99999 99999   99999 99999   99999 99999   99999 99999   99999 99999     99999 99999   99999 99999   99999 99999   99999 99999   99999 99999
6874:  99999 99999   99999 99999   99999 99999   99999 99999   99999 99999     99999 99999   99999 99999   99999 99999   99999 99999   99999 99999
6875:  99999 99999   99999 99999   99999 99999   99999 99999   99999 99999     99999 99999   99999 99999   99999 99999   99999 99999   99999 99999
6876:  99999 99999   99999 99999   99999 99999   99999 99999   99999 99999     99999 99999   99999 99999   99999 99999   99999 99999   99999 99999
6877:  99999 99999   99999 99999   99999 99999   99999 99999   99999 99999     99999 99999   99999 99999   99999 99999   99999 99999   99999 99999
6878:  99999 99999   99999 99999   99999 99999   99999 99999   99999 99999     99999 99999   99999 99999   99999 99999   99999 99999   99999 99999
6879:  99999 99999   99999 99999   99999 99999   99999 99999   99999 99999     99999 99999   99999 99999   99999 99999   99999 99999   99999 99999
6880:  99999 99999   99999 99999   99999 99999   99999 99999   99999 99999     99999 99999   99999 99999   99999 99999   99999 99999   99999 99999
6881:  99999 99999   99999 99999   99999 99999   99999 99999   99999 99999     99999 99999   99999 99999   99999 99999   99999 99999   99999 99999
6882:  99999 99999   99999 99999   99999 99999   99999 99999   99999 99999     99999 99999   99999 99999   99999 99999   99999 99999   99999 99999
6883:  99999 99999   99999 99999   99999 99999   99999 99999   99999 99999     99999 99999   99999 99999   99999 99999   99999 99999   99999 99999
6884:  99999 99999   99999 99999   99999 99999   99999 99999   99999 99999     99999 99999   99999 99999   99999 99999   99999 99999   99999 99999
6885:  99999 99999   99999 99999   99999 99999   99999 99999   99999 99999     99999 99999   99999 99999   99999 99999   99999 99999   99999 99999
6886:  99999 99999   99999 99999   99999 99999   99999 99999   99999 99999     99999 99999   99999 99999   99999 99999   99999 99999   99999 99999
6887:  99999 99999   99999 99999   99999 99999   99999 99999   99999 99999     99999 99999   99999 99999   99999 99999   99999 99999   99999 99999
6888:  99999 99999   99999 99999   99999 99999   99999 99999   99999 99999     99999 99999   99999 99999   99999 99999   99999 99999   99999 99999
6889:  99999 99999   99999 99999   99999 99999   99999 99999   99999 99999     99999 99999   99999 99999   99999 99999   99999 99999   99999 99999
6890:  99999 99999   99999 99999   99999 99999   99999 99999   99999 99999     99999 99999   99999 99999   99999 99999   99999 99999   99999 99999
6891:  99999 99999   99999 99999   99999 99999   99999 99999   99999 99999     99999 99999   99999 99999   99999 99999   99999 99999   99999 99999
6892:  99999 99999   99999 99999   99999 99999   99999 99999   99999 99999     99999 99999   99999 99999   99999 99999   99999 99999   99999 99999
6893:  99999 99999   99999 99999   99999 99999   99999 99999   99999 99999     99999 99999   99999 99999   99999 99999   99999 99999   99999 99999
6894:  99999 99999   99999 99999   99999 99999   99999 99999   99999 99999     99999 99999   99999 99999   99999 99999   99999 99999   99999 99999
6895:  99999 99999   99999 99999   99999 99999   99999 99999   99999 99999     99999 99999   99999 99999   99999 99999   99999 99999   99999 99999
6896:  99999 99999   99999 99999   99999 99999   99999 99999   99999 99999     99999 99999   99999 99999   99999 99999   99999 99999   99999 99999
6897:  99999 99999   99999 99999   99999 99999   99999 99999   99999 99999     99999 99999   99999 99999   99999 99999   99999 99999   99999 99999
6898:  99999 99999   99999 99999   99999 99999   99999 99999   99999 99999     99999 99999   99999 99999   99999 99999   99999 99999   99999 99999
6899:  99999 99999   99999 99999   99999 99999   99999 99999   99999 99999     99999 99999   99999 99999   99999 99999   99999 99999   99999 99999
```

```
6900:   99999 99999   99999 99999   99999 99999   99999 99999   99999 99999      99999 99999   99999 99999   99999 99999   99999 99999   99999 99999
6901:   99999 99999   99999 99999   99999 99999   99999 99999   99999 99999      99999 99999   99999 99999   99999 99999   99999 99999   99999 99999
6902:   99999 99999   99999 99999   99999 99999   99999 99999   99999 99999      99999 99999   99999 99999   99999 99999   99999 99999   99999 99999
6903:   99999 99999   99999 99999   99999 99999   99999 99999   99999 99999      99999 99999   99999 99999   99999 99999   99999 99999   99999 99999
6904:   99999 99999   99999 99999   99999 99999   99999 99999   99999 99999      99999 99999   99999 99999   99999 99999   99999 99999   99999 99999
6905:   99999 99999   99999 99999   99999 99999   99999 99999   99999 99999      99999 99999   99999 99999   99999 99999   99999 99999   99999 99999
6906:   99999 99999   99999 99999   99999 99999   99999 99999   99999 99999      99999 99999   99999 99999   99999 99999   99999 99999   99999 99999
6907:   99999 99999   99999 99999   99999 99999   99999 99999   99999 99999      99999 99999   99999 99999   99999 99999   99999 99999   99999 99999
6908:   99999 99999   99999 99999   99999 99999   99999 99999   99999 99999      99999 99999   99999 99999   99999 99999   99999 99999   99999 99999
6909:   99999 99999   99999 99999   99999 99999   99999 99999   99999 99999      99999 99999   99999 99999   99999 99999   99999 99999   99999 99999
6910:   99999 99999   99999 99999   99999 99999   99999 99999   99999 99999      99999 99999   99999 99999   99999 99999   99999 99999   99999 99999
6911:   99999 99999   99999 99999   99999 99999   99999 99999   99999 99999      99999 99999   99999 99999   99999 99999   99999 99999   99999 99999
6912:   99999 99999   99999 99999   99999 99999   99999 99999   99999 99999      99999 99999   99999 99999   99999 99999   99999 99999   99999 99999
6913:   99999 99999   99999 99999   99999 99999   99999 99999   99999 99999      99999 99999   99999 99999   99999 99999   99999 99999   99999 99999
6914:   99999 99999   99999 99999   99999 99999   99999 99999   99999 99999      99999 99999   99999 99999   99999 99999   99999 99999   99999 99999
6915:   99999 99999   99999 99999   99999 99999   99999 99999   99999 99999      99999 99999   99999 99999   99999 99999   99999 99999   99999 99999
6916:   99999 99999   99999 99999   99999 99999   99999 99999   99999 99999      99999 99999   99999 99999   99999 99999   99999 99999   99999 99999
6917:   99999 99999   99999 99999   99999 99999   99999 99999   99999 99999      99999 99999   99999 99999   99999 99999   99999 99999   99999 99999
6918:   99999 99999   99999 99999   99999 99999   99999 99999   99999 99999      99999 99999   99999 99999   99999 99999   99999 99999   99999 99999
6919:   99999 99999   99999 99999   99999 99999   99999 99999   99999 99999      99999 99999   99999 99999   99999 99999   99999 99999   99999 99999
6920:   99999 99999   99999 99999   99999 99999   99999 99999   99999 99999      99999 99999   99999 99999   99999 99999   99999 99999   99999 99999
6921:   99999 99999   99999 99999   99999 99999   99999 99999   99999 99999      99999 99999   99999 99999   99999 99999   99999 99999   99999 99999
6922:   99999 99999   99999 99999   99999 99999   99999 99999   99999 99999      99999 99999   99999 99999   99999 99999   99999 99999   99999 99999
6923:   99999 99999   99999 99999   99999 99999   99999 99999   99999 99999      99999 99999   99999 99999   99999 99999   99999 99999   99999 99999
6924:   99999 99999   99999 99999   99999 99999   99999 99999   99999 99999      99999 99999   99999 99999   99999 99999   99999 99999   99999 99999
6925:   99999 99999   99999 99999   99999 99999   99999 99999   99999 99999      99999 99999   99999 99999   99999 99999   99999 99999   99999 99999
6926:   99999 99999   99999 99999   99999 99999   99999 99999   99999 99999      99999 99999   99999 99999   99999 99999   99999 99999   99999 99999
6927:   99999 99999   99999 99999   99999 99999   99999 99999   99999 99999      99999 99999   99999 99999   99999 99999   99999 99999   99999 99999
6928:   99999 99999   99999 99999   99999 99999   99999 99999   99999 99999      99999 99999   99999 99999   99999 99999   99999 99999   99999 99999
6929:   99999 99999   99999 99999   99999 99999   99999 99999   99999 99999      99999 99999   99999 99999   99999 99999   99999 99999   99999 99999
6930:   99999 99999   99999 99999   99999 99999   99999 99999   99999 99999      99999 99999   99999 99999   99999 99999   99999 99999   99999 99999
6931:   99999 99999   99999 99999   99999 99999   99999 99999   99999 99999      99999 99999   99999 99999   99999 99999   99999 99999   99999 99999
6932:   99999 99999   99999 99999   99999 99999   99999 99999   99999 99999      99999 99999   99999 99999   99999 99999   99999 99999   99999 99999
6933:   99999 99999   99999 99999   99999 99999   99999 99999   99999 99999      99999 99999   99999 99999   99999 99999   99999 99999   99999 99999
6934:   99999 99999   99999 99999   99999 99999   99999 99999   99999 99999      99999 99999   99999 99999   99999 99999   99999 99999   99999 99999
6935:   99999 99999   99999 99999   99999 99999   99999 99999   99999 99999      99999 99999   99999 99999   99999 99999   99999 99999   99999 99999
6936:   99999 99999   99999 99999   99999 99999   99999 99999   99999 99999      99999 99999   99999 99999   99999 99999   99999 99999   99999 99999
6937:   99999 99999   99999 99999   99999 99999   99999 99999   99999 99999      99999 99999   99999 99999   99999 99999   99999 99999   99999 99999
6938:   99999 99999   99999 99999   99999 99999   99999 99999   99999 99999      99999 99999   99999 99999   99999 99999   99999 99999   99999 99999
6939:   99999 99999   99999 99999   99999 99999   99999 99999   99999 99999      99999 99999   99999 99999   99999 99999   99999 99999   99999 99999
6940:   99999 99999   99999 99999   99999 99999   99999 99999   99999 99999      99999 99999   99999 99999   99999 99999   99999 99999   99999 99999
6941:   99999 99999   99999 99999   99999 99999   99999 99999   99999 99999      99999 99999   99999 99999   99999 99999   99999 99999   99999 99999
6942:   99999 99999   99999 99999   99999 99999   99999 99999   99999 99999      99999 99999   99999 99999   99999 99999   99999 99999   99999 99999
6943:   99999 99999   99999 99999   99999 99999   99999 99999   99999 99999      99999 99999   99999 99999   99999 99999   99999 99999   99999 99999
6944:   99999 99999   99999 99999   99999 99999   99999 99999   99999 99999      99999 99999   99999 99999   99999 99999   99999 99999   99999 99999
6945:   99999 99999   99999 99999   99999 99999   99999 99999   99999 99999      99999 99999   99999 99999   99999 99999   99999 99999   99999 99999
6946:   99999 99999   99999 99999   99999 99999   99999 99999   99999 99999      99999 99999   99999 99999   99999 99999   99999 99999   99999 99999
6947:   99999 99999   99999 99999   99999 99999   99999 99999   99999 99999      99999 99999   99999 99999   99999 99999   99999 99999   99999 99999
6948:   99999 99999   99999 99999   99999 99999   99999 99999   99999 99999      99999 99999   99999 99999   99999 99999   99999 99999   99999 99999
6949:   99999 99999   99999 99999   99999 99999   99999 99999   99999 99999      99999 99999   99999 99999   99999 99999   99999 99999   99999 99999
```

```
6950:  99999 99999  99999 99999  99999 99999  99999 99999  99999 99999   99999 99999  99999 99999  99999 99999  99999 99999  99999 99999
6951:  99999 99999  99999 99999  99999 99999  99999 99999  99999 99999   99999 99999  99999 99999  99999 99999  99999 99999  99999 99999
6952:  99999 99999  99999 99999  99999 99999  99999 99999  99999 99999   99999 99999  99999 99999  99999 99999  99999 99999  99999 99999
6953:  99999 99999  99999 99999  99999 99999  99999 99999  99999 99999   99999 99999  99999 99999  99999 99999  99999 99999  99999 99999
6954:  99999 99999  99999 99999  99999 99999  99999 99999  99999 99999   99999 99999  99999 99999  99999 99999  99999 99999  99999 99999
6955:  99999 99999  99999 99999  99999 99999  99999 99999  99999 99999   99999 99999  99999 99999  99999 99999  99999 99999  99999 99999
6956:  99999 99999  99999 99999  99999 99999  99999 99999  99999 99999   99999 99999  99999 99999  99999 99999  99999 99999  99999 99999
6957:  99999 99999  99999 99999  99999 99999  99999 99999  99999 99999   99999 99999  99999 99999  99999 99999  99999 99999  99999 99999
6958:  99999 99999  99999 99999  99999 99999  99999 99999  99999 99999   99999 99999  99999 99999  99999 99999  99999 99999  99999 99999
6959:  99999 99999  99999 99999  99999 99999  99999 99999  99999 99999   99999 99999  99999 99999  99999 99999  99999 99999  99999 99999
6960:  99999 99999  99999 99999  99999 99999  99999 99999  99999 99999   99999 99999  99999 99999  99999 99999  99999 99999  99999 99999
6961:  99999 99999  99999 99999  99999 99999  99999 99999  99999 99999   99999 99999  99999 99999  99999 99999  99999 99999  99999 99999
6962:  99999 99999  99999 99999  99999 99999  99999 99999  99999 99999   99999 99999  99999 99999  99999 99999  99999 99999  99999 99999
6963:  99999 99999  99999 99999  99999 99999  99999 99999  99999 99999   99999 99999  99999 99999  99999 99999  99999 99999  99999 99999
6964:  99999 99999  99999 99999  99999 99999  99999 99999  99999 99999   99999 99999  99999 99999  99999 99999  99999 99999  99999 99999
6965:  99999 99999  99999 99999  99999 99999  99999 99999  99999 99999   99999 99999  99999 99999  99999 99999  99999 99999  99999 99999
6966:  99999 99999  99999 99999  99999 99999  99999 99999  99999 99999   99999 99999  99999 99999  99999 99999  99999 99999  99999 99999
6967:  99999 99999  99999 99999  99999 99999  99999 99999  99999 99999   99999 99999  99999 99999  99999 99999  99999 99999  99999 99999
6968:  99999 99999  99999 99999  99999 99999  99999 99999  99999 99999   99999 99999  99999 99999  99999 99999  99999 99999  99999 99999
6969:  99999 99999  99999 99999  99999 99999  99999 99999  99999 99999   99999 99999  99999 99999  99999 99999  99999 99999  99999 99999
6970:  99999 99999  99999 99999  99999 99999  99999 99999  99999 99999   99999 99999  99999 99999  99999 99999  99999 99999  99999 99999
6971:  99999 99999  99999 99999  99999 99999  99999 99999  99999 99999   99999 99999  99999 99999  99999 99999  99999 99999  99999 99999
6972:  99999 99999  99999 99999  99999 99999  99999 99999  99999 99999   99999 99999  99999 99999  99999 99999  99999 99999  99999 99999
6973:  99999 99999  99999 99999  99999 99999  99999 99999  99999 99999   99999 99999  99999 99999  99999 99999  99999 99999  99999 99999
6974:  99999 99999  99999 99999  99999 99999  99999 99999  99999 99999   99999 99999  99999 99999  99999 99999  99999 99999  99999 99999
6975:  99999 99999  99999 99999  99999 99999  99999 99999  99999 99999   99999 99999  99999 99999  99999 99999  99999 99999  99999 99999
6976:  99999 99999  99999 99999  99999 99999  99999 99999  99999 99999   99999 99999  99999 99999  99999 99999  99999 99999  99999 99999
6977:  99999 99999  99999 99999  99999 99999  99999 99999  99999 99999   99999 99999  99999 99999  99999 99999  99999 99999  99999 99999
6978:  99999 99999  99999 99999  99999 99999  99999 99999  99999 99999   99999 99999  99999 99999  99999 99999  99999 99999  99999 99999
6979:  99999 99999  99999 99999  99999 99999  99999 99999  99999 99999   99999 99999  99999 99999  99999 99999  99999 99999  99999 99999
6980:  99999 99999  99999 99999  99999 99999  99999 99999  99999 99999   99999 99999  99999 99999  99999 99999  99999 99999  99999 99999
6981:  99999 99999  99999 99999  99999 99999  99999 99999  99999 99999   99999 99999  99999 99999  99999 99999  99999 99999  99999 99999
6982:  99999 99999  99999 99999  99999 99999  99999 99999  99999 99999   99999 99999  99999 99999  99999 99999  99999 99999  99999 99999
6983:  99999 99999  99999 99999  99999 99999  99999 99999  99999 99999   99999 99999  99999 99999  99999 99999  99999 99999  99999 99999
6984:  99999 99999  99999 99999  99999 99999  99999 99999  99999 99999   99999 99999  99999 99999  99999 99999  99999 99999  99999 99999
6985:  99999 99999  99999 99999  99999 99999  99999 99999  99999 99999   99999 99999  99999 99999  99999 99999  99999 99999  99999 99999
6986:  99999 99999  99999 99999  99999 99999  99999 99999  99999 99999   99999 99999  99999 99999  99999 99999  99999 99999  99999 99999
6987:  99999 99999  99999 99999  99999 99999  99999 99999  99999 99999   99999 99999  99999 99999  99999 99999  99999 99999  99999 99999
6988:  99999 99999  99999 99999  99999 99999  99999 99999  99999 99999   99999 99999  99999 99999  99999 99999  99999 99999  99999 99999
6989:  99999 99999  99999 99999  99999 99999  99999 99999  99999 99999   99999 99999  99999 99999  99999 99999  99999 99999  99999 99999
6990:  99999 99999  99999 99999  99999 99999  99999 99999  99999 99999   99999 99999  99999 99999  99999 99999  99999 99999  99999 99999
6991:  99999 99999  99999 99999  99999 99999  99999 99999  99999 99999   99999 99999  99999 99999  99999 99999  99999 99999  99999 99999
6992:  99999 99999  99999 99999  99999 99999  99999 99999  99999 99999   99999 99999  99999 99999  99999 99999  99999 99999  99999 99999
6993:  99999 99999  99999 99999  99999 99999  99999 99999  99999 99999   99999 99999  99999 99999  99999 99999  99999 99999  99999 99999
6994:  99999 99999  99999 99999  99999 99999  99999 99999  99999 99999   99999 99999  99999 99999  99999 99999  99999 99999  99999 99999
6995:  99999 99999  99999 99999  99999 99999  99999 99999  99999 99999   99999 99999  99999 99999  99999 99999  99999 99999  99999 99999
6996:  99999 99999  99999 99999  99999 99999  99999 99999  99999 99999   99999 99999  99999 99999  99999 99999  99999 99999  99999 99999
6997:  99999 99999  99999 99999  99999 99999  99999 99999  99999 99999   99999 99999  99999 99999  99999 99999  99999 99999  99999 99999
6998:  99999 99999  99999 99999  99999 99999  99999 99999  99999 99999   99999 99999  99999 99999  99999 99999  99999 99999  99999 99999
6999:  99999 99999  99999 99999  99999 99999  99999 99999  99999 99999   99999 99999  99999 99999  99999 99999  99999 99999  99999 99999
```

```
7000:  99999 99999   99999 99999   99999 99999   99999 99999   99999 99999    99999 99999   99999 99999   99999 99999   99999 99999   99999 99999
7001:  99999 99999   99999 99999   99999 99999   99999 99999   99999 99999    99999 99999   99999 99999   99999 99999   99999 99999   99999 99999
7002:  99999 99999   99999 99999   99999 99999   99999 99999   99999 99999    99999 99999   99999 99999   99999 99999   99999 99999   99999 99999
7003:  99999 99999   99999 99999   99999 99999   99999 99999   99999 99999    99999 99999   99999 99999   99999 99999   99999 99999   99999 99999
7004:  99999 99999   99999 99999   99999 99999   99999 99999   99999 99999    99999 99999   99999 99999   99999 99999   99999 99999   99999 99999
7005:  99999 99999   99999 99999   99999 99999   99999 99999   99999 99999    99999 99999   99999 99999   99999 99999   99999 99999   99999 99999
7006:  99999 99999   99999 99999   99999 99999   99999 99999   99999 99999    99999 99999   99999 99999   99999 99999   99999 99999   99999 99999
7007:  99999 99999   99999 99999   99999 99999   99999 99999   99999 99999    99999 99999   99999 99999   99999 99999   99999 99999   99999 99999
7008:  99999 99999   99999 99999   99999 99999   99999 99999   99999 99999    99999 99999   99999 99999   99999 99999   99999 99999   99999 99999
7009:  99999 99999   99999 99999   99999 99999   99999 99999   99999 99999    99999 99999   99999 99999   99999 99999   99999 99999   99999 99999
7010:  99999 99999   99999 99999   99999 99999   99999 99999   99999 99999    99999 99999   99999 99999   99999 99999   99999 99999   99999 99999
7011:  99999 99999   99999 99999   99999 99999   99999 99999   99999 99999    99999 99999   99999 99999   99999 99999   99999 99999   99999 99999
7012:  99999 99999   99999 99999   99999 99999   99999 99999   99999 99999    99999 99999   99999 99999   99999 99999   99999 99999   99999 99999
7013:  99999 99999   99999 99999   99999 99999   99999 99999   99999 99999    99999 99999   99999 99999   99999 99999   99999 99999   99999 99999
7014:  99999 99999   99999 99999   99999 99999   99999 99999   99999 99999    99999 99999   99999 99999   99999 99999   99999 99999   99999 99999
7015:  99999 99999   99999 99999   99999 99999   99999 99999   99999 99999    99999 99999   99999 99999   99999 99999   99999 99999   99999 99999
7016:  99999 99999   99999 99999   99999 99999   99999 99999   99999 99999    99999 99999   99999 99999   99999 99999   99999 99999   99999 99999
7017:  99999 99999   99999 99999   99999 99999   99999 99999   99999 99999    99999 99999   99999 99999   99999 99999   99999 99999   99999 99999
7018:  99999 99999   99999 99999   99999 99999   99999 99999   99999 99999    99999 99999   99999 99999   99999 99999   99999 99999   99999 99999
7019:  99999 99999   99999 99999   99999 99999   99999 99999   99999 99999    99999 99999   99999 99999   99999 99999   99999 99999   99999 99999
7020:  99999 99999   99999 99999   99999 99999   99999 99999   99999 99999    99999 99999   99999 99999   99999 99999   99999 99999   99999 99999
7021:  99999 99999   99999 99999   99999 99999   99999 99999   99999 99999    99999 99999   99999 99999   99999 99999   99999 99999   99999 99999
7022:  99999 99999   99999 99999   99999 99999   99999 99999   99999 99999    99999 99999   99999 99999   99999 99999   99999 99999   99999 99999
7023:  99999 99999   99999 99999   99999 99999   99999 99999   99999 99999    99999 99999   99999 99999   99999 99999   99999 99999   99999 99999
7024:  99999 99999   99999 99999   99999 99999   99999 99999   99999 99999    99999 99999   99999 99999   99999 99999   99999 99999   99999 99999
7025:  99999 99999   99999 99999   99999 99999   99999 99999   99999 99999    99999 99999   99999 99999   99999 99999   99999 99999   99999 99999
7026:  99999 99999   99999 99999   99999 99999   99999 99999   99999 99999    99999 99999   99999 99999   99999 99999   99999 99999   99999 99999
7027:  99999 99999   99999 99999   99999 99999   99999 99999   99999 99999    99999 99999   99999 99999   99999 99999   99999 99999   99999 99999
7028:  99999 99999   99999 99999   99999 99999   99999 99999   99999 99999    99999 99999   99999 99999   99999 99999   99999 99999   99999 99999
7029:  99999 99999   99999 99999   99999 99999   99999 99999   99999 99999    99999 99999   99999 99999   99999 99999   99999 99999   99999 99999
7030:  99999 99999   99999 99999   99999 99999   99999 99999   99999 99999    99999 99999   99999 99999   99999 99999   99999 99999   99999 99999
7031:  99999 99999   99999 99999   99999 99999   99999 99999   99999 99999    99999 99999   99999 99999   99999 99999   99999 99999   99999 99999
7032:  99999 99999   99999 99999   99999 99999   99999 99999   99999 99999    99999 99999   99999 99999   99999 99999   99999 99999   99999 99999
7033:  99999 99999   99999 99999   99999 99999   99999 99999   99999 99999    99999 99999   99999 99999   99999 99999   99999 99999   99999 99999
7034:  99999 99999   99999 99999   99999 99999   99999 99999   99999 99999    99999 99999   99999 99999   99999 99999   99999 99999   99999 99999
7035:  99999 99999   99999 99999   99999 99999   99999 99999   99999 99999    99999 99999   99999 99999   99999 99999   99999 99999   99999 99999
7036:  99999 99999   99999 99999   99999 99999   99999 99999   99999 99999    99999 99999   99999 99999   99999 99999   99999 99999   99999 99999
7037:  99999 99999   99999 99999   99999 99999   99999 99999   99999 99999    99999 99999   99999 99999   99999 99999   99999 99999   99999 99999
7038:  99999 99999   99999 99999   99999 99999   99999 99999   99999 99999    99999 99999   99999 99999   99999 99999   99999 99999   99999 99999
7039:  99999 99999   99999 99999   99999 99999   99999 99999   99999 99999    99999 99999   99999 99999   99999 99999   99999 99999   99999 99999
7040:  99999 99999   99999 99999   99999 99999   99999 99999   99999 99999    99999 99999   99999 99999   99999 99999   99999 99999   99999 99999
7041:  99999 99999   99999 99999   99999 99999   99999 99999   99999 99999    99999 99999   99999 99999   99999 99999   99999 99999   99999 99999
7042:  99999 99999   99999 99999   99999 99999   99999 99999   99999 99999    99999 99999   99999 99999   99999 99999   99999 99999   99999 99999
7043:  99999 99999   99999 99999   99999 99999   99999 99999   99999 99999    99999 99999   99999 99999   99999 99999   99999 99999   99999 99999
7044:  99999 99999   99999 99999   99999 99999   99999 99999   99999 99999    99999 99999   99999 99999   99999 99999   99999 99999   99999 99999
7045:  99999 99999   99999 99999   99999 99999   99999 99999   99999 99999    99999 99999   99999 99999   99999 99999   99999 99999   99999 99999
7046:  99999 99999   99999 99999   99999 99999   99999 99999   99999 99999    99999 99999   99999 99999   99999 99999   99999 99999   99999 99999
7047:  99999 99999   99999 99999   99999 99999   99999 99999   99999 99999    99999 99999   99999 99999   99999 99999   99999 99999   99999 99999
7048:  99999 99999   99999 99999   99999 99999   99999 99999   99999 99999    99999 99999   99999 99999   99999 99999   99999 99999   99999 99999
7049:  99999 99999   99999 99999   99999 99999   99999 99999   99999 99999    99999 99999   99999 99999   99999 99999   99999 99999   99999 99999
```

```
7050:  99999 99999  99999 99999  99999 99999  99999 99999  99999 99999    99999 99999  99999 99999  99999 99999  99999 99999  99999 99999
7051:  99999 99999  99999 99999  99999 99999  99999 99999  99999 99999    99999 99999  99999 99999  99999 99999  99999 99999  99999 99999
7052:  99999 99999  99999 99999  99999 99999  99999 99999  99999 99999    99999 99999  99999 99999  99999 99999  99999 99999  99999 99999
7053:  99999 99999  99999 99999  99999 99999  99999 99999  99999 99999    99999 99999  99999 99999  99999 99999  99999 99999  99999 99999
7054:  99999 99999  99999 99999  99999 99999  99999 99999  99999 99999    99999 99999  99999 99999  99999 99999  99999 99999  99999 99999
7055:  99999 99999  99999 99999  99999 99999  99999 99999  99999 99999    99999 99999  99999 99999  99999 99999  99999 99999  99999 99999
7056:  99999 99999  99999 99999  99999 99999  99999 99999  99999 99999    99999 99999  99999 99999  99999 99999  99999 99999  99999 99999
7057:  99999 99999  99999 99999  99999 99999  99999 99999  99999 99999    99999 99999  99999 99999  99999 99999  99999 99999  99999 99999
7058:  99999 99999  99999 99999  99999 99999  99999 99999  99999 99999    99999 99999  99999 99999  99999 99999  99999 99999  99999 99999
7059:  99999 99999  99999 99999  99999 99999  99999 99999  99999 99999    99999 99999  99999 99999  99999 99999  99999 99999  99999 99999
7060:  99999 99999  99999 99999  99999 99999  99999 99999  99999 99999    99999 99999  99999 99999  99999 99999  99999 99999  99999 99999
7061:  99999 99999  99999 99999  99999 99999  99999 99999  99999 99999    99999 99999  99999 99999  99999 99999  99999 99999  99999 99999
7062:  99999 99999  99999 99999  99999 99999  99999 99999  99999 99999    99999 99999  99999 99999  99999 99999  99999 99999  99999 99999
7063:  99999 99999  99999 99999  99999 99999  99999 99999  99999 99999    99999 99999  99999 99999  99999 99999  99999 99999  99999 99999
7064:  99999 99999  99999 99999  99999 99999  99999 99999  99999 99999    99999 99999  99999 99999  99999 99999  99999 99999  99999 99999
7065:  99999 99999  99999 99999  99999 99999  99999 99999  99999 99999    99999 99999  99999 99999  99999 99999  99999 99999  99999 99999
7066:  99999 99999  99999 99999  99999 99999  99999 99999  99999 99999    99999 99999  99999 99999  99999 99999  99999 99999  99999 99999
7067:  99999 99999  99999 99999  99999 99999  99999 99999  99999 99999    99999 99999  99999 99999  99999 99999  99999 99999  99999 99999
7068:  99999 99999  99999 99999  99999 99999  99999 99999  99999 99999    99999 99999  99999 99999  99999 99999  99999 99999  99999 99999
7069:  99999 99999  99999 99999  99999 99999  99999 99999  99999 99999    99999 99999  99999 99999  99999 99999  99999 99999  99999 99999
7070:  99999 99999  99999 99999  99999 99999  99999 99999  99999 99999    99999 99999  99999 99999  99999 99999  99999 99999  99999 99999
7071:  99999 99999  99999 99999  99999 99999  99999 99999  99999 99999    99999 99999  99999 99999  99999 99999  99999 99999  99999 99999
7072:  99999 99999  99999 99999  99999 99999  99999 99999  99999 99999    99999 99999  99999 99999  99999 99999  99999 99999  99999 99999
7073:  99999 99999  99999 99999  99999 99999  99999 99999  99999 99999    99999 99999  99999 99999  99999 99999  99999 99999  99999 99999
7074:  99999 99999  99999 99999  99999 99999  99999 99999  99999 99999    99999 99999  99999 99999  99999 99999  99999 99999  99999 99999
7075:  99999 99999  99999 99999  99999 99999  99999 99999  99999 99999    99999 99999  99999 99999  99999 99999  99999 99999  99999 99999
7076:  99999 99999  99999 99999  99999 99999  99999 99999  99999 99999    99999 99999  99999 99999  99999 99999  99999 99999  99999 99999
7077:  99999 99999  99999 99999  99999 99999  99999 99999  99999 99999    99999 99999  99999 99999  99999 99999  99999 99999  99999 99999
7078:  99999 99999  99999 99999  99999 99999  99999 99999  99999 99999    99999 99999  99999 99999  99999 99999  99999 99999  99999 99999
7079:  99999 99999  99999 99999  99999 99999  99999 99999  99999 99999    99999 99999  99999 99999  99999 99999  99999 99999  99999 99999
7080:  99999 99999  99999 99999  99999 99999  99999 99999  99999 99999    99999 99999  99999 99999  99999 99999  99999 99999  99999 99999
7081:  99999 99999  99999 99999  99999 99999  99999 99999  99999 99999    99999 99999  99999 99999  99999 99999  99999 99999  99999 99999
7082:  99999 99999  99999 99999  99999 99999  99999 99999  99999 99999    99999 99999  99999 99999  99999 99999  99999 99999  99999 99999
7083:  99999 99999  99999 99999  99999 99999  99999 99999  99999 99999    99999 99999  99999 99999  99999 99999  99999 99999  99999 99999
7084:  99999 99999  99999 99999  99999 99999  99999 99999  99999 99999    99999 99999  99999 99999  99999 99999  99999 99999  99999 99999
7085:  99999 99999  99999 99999  99999 99999  99999 99999  99999 99999    99999 99999  99999 99999  99999 99999  99999 99999  99999 99999
7086:  99999 99999  99999 99999  99999 99999  99999 99999  99999 99999    99999 99999  99999 99999  99999 99999  99999 99999  99999 99999
7087:  99999 99999  99999 99999  99999 99999  99999 99999  99999 99999    99999 99999  99999 99999  99999 99999  99999 99999  99999 99999
7088:  99999 99999  99999 99999  99999 99999  99999 99999  99999 99999    99999 99999  99999 99999  99999 99999  99999 99999  99999 99999
7089:  99999 99999  99999 99999  99999 99999  99999 99999  99999 99999    99999 99999  99999 99999  99999 99999  99999 99999  99999 99999
7090:  99999 99999  99999 99999  99999 99999  99999 99999  99999 99999    99999 99999  99999 99999  99999 99999  99999 99999  99999 99999
7091:  99999 99999  99999 99999  99999 99999  99999 99999  99999 99999    99999 99999  99999 99999  99999 99999  99999 99999  99999 99999
7092:  99999 99999  99999 99999  99999 99999  99999 99999  99999 99999    99999 99999  99999 99999  99999 99999  99999 99999  99999 99999
7093:  99999 99999  99999 99999  99999 99999  99999 99999  99999 99999    99999 99999  99999 99999  99999 99999  99999 99999  99999 99999
7094:  99999 99999  99999 99999  99999 99999  99999 99999  99999 99999    99999 99999  99999 99999  99999 99999  99999 99999  99999 99999
7095:  99999 99999  99999 99999  99999 99999  99999 99999  99999 99999    99999 99999  99999 99999  99999 99999  99999 99999  99999 99999
7096:  99999 99999  99999 99999  99999 99999  99999 99999  99999 99999    99999 99999  99999 99999  99999 99999  99999 99999  99999 99999
7097:  99999 99999  99999 99999  99999 99999  99999 99999  99999 99999    99999 99999  99999 99999  99999 99999  99999 99999  99999 99999
7098:  99999 99999  99999 99999  99999 99999  99999 99999  99999 99999    99999 99999  99999 99999  99999 99999  99999 99999  99999 99999
7099:  99999 99999  99999 99999  99999 99999  99999 99999  99999 99999    99999 99999  99999 99999  99999 99999  99999 99999  99999 99999
```

```
7100:   99999 99999   99999 99999   99999 99999   99999 99999   99999 99999     99999 99999   99999 99999   99999 99999   99999 99999   99999 99999
7101:   99999 99999   99999 99999   99999 99999   99999 99999   99999 99999     99999 99999   99999 99999   99999 99999   99999 99999   99999 99999
7102:   99999 99999   99999 99999   99999 99999   99999 99999   99999 99999     99999 99999   99999 99999   99999 99999   99999 99999   99999 99999
7103:   99999 99999   99999 99999   99999 99999   99999 99999   99999 99999     99999 99999   99999 99999   99999 99999   99999 99999   99999 99999
7104:   99999 99999   99999 99999   99999 99999   99999 99999   99999 99999     99999 99999   99999 99999   99999 99999   99999 99999   99999 99999
7105:   99999 99999   99999 99999   99999 99999   99999 99999   99999 99999     99999 99999   99999 99999   99999 99999   99999 99999   99999 99999
7106:   99999 99999   99999 99999   99999 99999   99999 99999   99999 99999     99999 99999   99999 99999   99999 99999   99999 99999   99999 99999
7107:   99999 99999   99999 99999   99999 99999   99999 99999   99999 99999     99999 99999   99999 99999   99999 99999   99999 99999   99999 99999
7108:   99999 99999   99999 99999   99999 99999   99999 99999   99999 99999     99999 99999   99999 99999   99999 99999   99999 99999   99999 99999
7109:   99999 99999   99999 99999   99999 99999   99999 99999   99999 99999     99999 99999   99999 99999   99999 99999   99999 99999   99999 99999
7110:   99999 99999   99999 99999   99999 99999   99999 99999   99999 99999     99999 99999   99999 99999   99999 99999   99999 99999   99999 99999
7111:   99999 99999   99999 99999   99999 99999   99999 99999   99999 99999     99999 99999   99999 99999   99999 99999   99999 99999   99999 99999
7112:   99999 99999   99999 99999   99999 99999   99999 99999   99999 99999     99999 99999   99999 99999   99999 99999   99999 99999   99999 99999
7113:   99999 99999   99999 99999   99999 99999   99999 99999   99999 99999     99999 99999   99999 99999   99999 99999   99999 99999   99999 99999
7114:   99999 99999   99999 99999   99999 99999   99999 99999   99999 99999     99999 99999   99999 99999   99999 99999   99999 99999   99999 99999
7115:   99999 99999   99999 99999   99999 99999   99999 99999   99999 99999     99999 99999   99999 99999   99999 99999   99999 99999   99999 99999
7116:   99999 99999   99999 99999   99999 99999   99999 99999   99999 99999     99999 99999   99999 99999   99999 99999   99999 99999   99999 99999
7117:   99999 99999   99999 99999   99999 99999   99999 99999   99999 99999     99999 99999   99999 99999   99999 99999   99999 99999   99999 99999
7118:   99999 99999   99999 99999   99999 99999   99999 99999   99999 99999     99999 99999   99999 99999   99999 99999   99999 99999   99999 99999
7119:   99999 99999   99999 99999   99999 99999   99999 99999   99999 99999     99999 99999   99999 99999   99999 99999   99999 99999   99999 99999
7120:   99999 99999   99999 99999   99999 99999   99999 99999   99999 99999     99999 99999   99999 99999   99999 99999   99999 99999   99999 99999
7121:   99999 99999   99999 99999   99999 99999   99999 99999   99999 99999     99999 99999   99999 99999   99999 99999   99999 99999   99999 99999
7122:   99999 99999   99999 99999   99999 99999   99999 99999   99999 99999     99999 99999   99999 99999   99999 99999   99999 99999   99999 99999
7123:   99999 99999   99999 99999   99999 99999   99999 99999   99999 99999     99999 99999   99999 99999   99999 99999   99999 99999   99999 99999
7124:   99999 99999   99999 99999   99999 99999   99999 99999   99999 99999     99999 99999   99999 99999   99999 99999   99999 99999   99999 99999
7125:   99999 99999   99999 99999   99999 99999   99999 99999   99999 99999     99999 99999   99999 99999   99999 99999   99999 99999   99999 99999
7126:   99999 99999   99999 99999   99999 99999   99999 99999   99999 99999     99999 99999   99999 99999   99999 99999   99999 99999   99999 99999
7127:   99999 99999   99999 99999   99999 99999   99999 99999   99999 99999     99999 99999   99999 99999   99999 99999   99999 99999   99999 99999
7128:   99999 99999   99999 99999   99999 99999   99999 99999   99999 99999     99999 99999   99999 99999   99999 99999   99999 99999   99999 99999
7129:   99999 99999   99999 99999   99999 99999   99999 99999   99999 99999     99999 99999   99999 99999   99999 99999   99999 99999   99999 99999
7130:   99999 99999   99999 99999   99999 99999   99999 99999   99999 99999     99999 99999   99999 99999   99999 99999   99999 99999   99999 99999
7131:   99999 99999   99999 99999   99999 99999   99999 99999   99999 99999     99999 99999   99999 99999   99999 99999   99999 99999   99999 99999
7132:   99999 99999   99999 99999   99999 99999   99999 99999   99999 99999     99999 99999   99999 99999   99999 99999   99999 99999   99999 99999
7133:   99999 99999   99999 99999   99999 99999   99999 99999   99999 99999     99999 99999   99999 99999   99999 99999   99999 99999   99999 99999
7134:   99999 99999   99999 99999   99999 99999   99999 99999   99999 99999     99999 99999   99999 99999   99999 99999   99999 99999   99999 99999
7135:   99999 99999   99999 99999   99999 99999   99999 99999   99999 99999     99999 99999   99999 99999   99999 99999   99999 99999   99999 99999
7136:   99999 99999   99999 99999   99999 99999   99999 99999   99999 99999     99999 99999   99999 99999   99999 99999   99999 99999   99999 99999
7137:   99999 99999   99999 99999   99999 99999   99999 99999   99999 99999     99999 99999   99999 99999   99999 99999   99999 99999   99999 99999
7138:   99999 99999   99999 99999   99999 99999   99999 99999   99999 99999     99999 99999   99999 99999   99999 99999   99999 99999   99999 99999
7139:   99999 99999   99999 99999   99999 99999   99999 99999   99999 99999     99999 99999   99999 99999   99999 99999   99999 99999   99999 99999
7140:   99999 99999   99999 99999   99999 99999   99999 99999   99999 99999     99999 99999   99999 99999   99999 99999   99999 99999   99999 99999
7141:   99999 99999   99999 99999   99999 99999   99999 99999   99999 99999     99999 99999   99999 99999   99999 99999   99999 99999   99999 99999
7142:   99999 99999   99999 99999   99999 99999   99999 99999   99999 99999     99999 99999   99999 99999   99999 99999   99999 99999   99999 99999
7143:   99999 99999   99999 99999   99999 99999   99999 99999   99999 99999     99999 99999   99999 99999   99999 99999   99999 99999   99999 99999
7144:   99999 99999   99999 99999   99999 99999   99999 99999   99999 99999     99999 99999   99999 99999   99999 99999   99999 99999   99999 99999
7145:   99999 99999   99999 99999   99999 99999   99999 99999   99999 99999     99999 99999   99999 99999   99999 99999   99999 99999   99999 99999
7146:   99999 99999   99999 99999   99999 99999   99999 99999   99999 99999     99999 99999   99999 99999   99999 99999   99999 99999   99999 99999
7147:   99999 99999   99999 99999   99999 99999   99999 99999   99999 99999     99999 99999   99999 99999   99999 99999   99999 99999   99999 99999
7148:   99999 99999   99999 99999   99999 99999   99999 99999   99999 99999     99999 99999   99999 99999   99999 99999   99999 99999   99999 99999
7149:   99999 99999   99999 99999   99999 99999   99999 99999   99999 99999     99999 99999   99999 99999   99999 99999   99999 99999   99999 99999
```

```
7150:   99999 99999   99999 99999   99999 99999   99999 99999   99999 99999     99999 99999   99999 99999   99999 99999   99999 99999   99999 99999
7151:   99999 99999   99999 99999   99999 99999   99999 99999   99999 99999     99999 99999   99999 99999   99999 99999   99999 99999   99999 99999
7152:   99999 99999   99999 99999   99999 99999   99999 99999   99999 99999     99999 99999   99999 99999   99999 99999   99999 99999   99999 99999
7153:   99999 99999   99999 99999   99999 99999   99999 99999   99999 99999     99999 99999   99999 99999   99999 99999   99999 99999   99999 99999
7154:   99999 99999   99999 99999   99999 99999   99999 99999   99999 99999     99999 99999   99999 99999   99999 99999   99999 99999   99999 99999
7155:   99999 99999   99999 99999   99999 99999   99999 99999   99999 99999     99999 99999   99999 99999   99999 99999   99999 99999   99999 99999
7156:   99999 99999   99999 99999   99999 99999   99999 99999   99999 99999     99999 99999   99999 99999   99999 99999   99999 99999   99999 99999
7157:   99999 99999   99999 99999   99999 99999   99999 99999   99999 99999     99999 99999   99999 99999   99999 99999   99999 99999   99999 99999
7158:   99999 99999   99999 99999   99999 99999   99999 99999   99999 99999     99999 99999   99999 99999   99999 99999   99999 99999   99999 99999
7159:   99999 99999   99999 99999   99999 99999   99999 99999   99999 99999     99999 99999   99999 99999   99999 99999   99999 99999   99999 99999
7160:   99999 99999   99999 99999   99999 99999   99999 99999   99999 99999     99999 99999   99999 99999   99999 99999   99999 99999   99999 99999
7161:   99999 99999   99999 99999   99999 99999   99999 99999   99999 99999     99999 99999   99999 99999   99999 99999   99999 99999   99999 99999
7162:   99999 99999   99999 99999   99999 99999   99999 99999   99999 99999     99999 99999   99999 99999   99999 99999   99999 99999   99999 99999
7163:   99999 99999   99999 99999   99999 99999   99999 99999   99999 99999     99999 99999   99999 99999   99999 99999   99999 99999   99999 99999
7164:   99999 99999   99999 99999   99999 99999   99999 99999   99999 99999     99999 99999   99999 99999   99999 99999   99999 99999   99999 99999
7165:   99999 99999   99999 99999   99999 99999   99999 99999   99999 99999     99999 99999   99999 99999   99999 99999   99999 99999   99999 99999
7166:   99999 99999   99999 99999   99999 99999   99999 99999   99999 99999     99999 99999   99999 99999   99999 99999   99999 99999   99999 99999
7167:   99999 99999   99999 99999   99999 99999   99999 99999   99999 99999     99999 99999   99999 99999   99999 99999   99999 99999   99999 99999
7168:   99999 99999   99999 99999   99999 99999   99999 99999   99999 99999     99999 99999   99999 99999   99999 99999   99999 99999   99999 99999
7169:   99999 99999   99999 99999   99999 99999   99999 99999   99999 99999     99999 99999   99999 99999   99999 99999   99999 99999   99999 99999
7170:   99999 99999   99999 99999   99999 99999   99999 99999   99999 99999     99999 99999   99999 99999   99999 99999   99999 99999   99999 99999
7171:   99999 99999   99999 99999   99999 99999   99999 99999   99999 99999     99999 99999   99999 99999   99999 99999   99999 99999   99999 99999
7172:   99999 99999   99999 99999   99999 99999   99999 99999   99999 99999     99999 99999   99999 99999   99999 99999   99999 99999   99999 99999
7173:   99999 99999   99999 99999   99999 99999   99999 99999   99999 99999     99999 99999   99999 99999   99999 99999   99999 99999   99999 99999
7174:   99999 99999   99999 99999   99999 99999   99999 99999   99999 99999     99999 99999   99999 99999   99999 99999   99999 99999   99999 99999
7175:   99999 99999   99999 99999   99999 99999   99999 99999   99999 99999     99999 99999   99999 99999   99999 99999   99999 99999   99999 99999
7176:   99999 99999   99999 99999   99999 99999   99999 99999   99999 99999     99999 99999   99999 99999   99999 99999   99999 99999   99999 99999
7177:   99999 99999   99999 99999   99999 99999   99999 99999   99999 99999     99999 99999   99999 99999   99999 99999   99999 99999   99999 99999
7178:   99999 99999   99999 99999   99999 99999   99999 99999   99999 99999     99999 99999   99999 99999   99999 99999   99999 99999   99999 99999
7179:   99999 99999   99999 99999   99999 99999   99999 99999   99999 99999     99999 99999   99999 99999   99999 99999   99999 99999   99999 99999
7180:   99999 99999   99999 99999   99999 99999   99999 99999   99999 99999     99999 99999   99999 99999   99999 99999   99999 99999   99999 99999
7181:   99999 99999   99999 99999   99999 99999   99999 99999   99999 99999     99999 99999   99999 99999   99999 99999   99999 99999   99999 99999
7182:   99999 99999   99999 99999   99999 99999   99999 99999   99999 99999     99999 99999   99999 99999   99999 99999   99999 99999   99999 99999
7183:   99999 99999   99999 99999   99999 99999   99999 99999   99999 99999     99999 99999   99999 99999   99999 99999   99999 99999   99999 99999
7184:   99999 99999   99999 99999   99999 99999   99999 99999   99999 99999     99999 99999   99999 99999   99999 99999   99999 99999   99999 99999
7185:   99999 99999   99999 99999   99999 99999   99999 99999   99999 99999     99999 99999   99999 99999   99999 99999   99999 99999   99999 99999
7186:   99999 99999   99999 99999   99999 99999   99999 99999   99999 99999     99999 99999   99999 99999   99999 99999   99999 99999   99999 99999
7187:   99999 99999   99999 99999   99999 99999   99999 99999   99999 99999     99999 99999   99999 99999   99999 99999   99999 99999   99999 99999
7188:   99999 99999   99999 99999   99999 99999   99999 99999   99999 99999     99999 99999   99999 99999   99999 99999   99999 99999   99999 99999
7189:   99999 99999   99999 99999   99999 99999   99999 99999   99999 99999     99999 99999   99999 99999   99999 99999   99999 99999   99999 99999
7190:   99999 99999   99999 99999   99999 99999   99999 99999   99999 99999     99999 99999   99999 99999   99999 99999   99999 99999   99999 99999
7191:   99999 99999   99999 99999   99999 99999   99999 99999   99999 99999     99999 99999   99999 99999   99999 99999   99999 99999   99999 99999
7192:   99999 99999   99999 99999   99999 99999   99999 99999   99999 99999     99999 99999   99999 99999   99999 99999   99999 99999   99999 99999
7193:   99999 99999   99999 99999   99999 99999   99999 99999   99999 99999     99999 99999   99999 99999   99999 99999   99999 99999   99999 99999
7194:   99999 99999   99999 99999   99999 99999   99999 99999   99999 99999     99999 99999   99999 99999   99999 99999   99999 99999   99999 99999
7195:   99999 99999   99999 99999   99999 99999   99999 99999   99999 99999     99999 99999   99999 99999   99999 99999   99999 99999   99999 99999
7196:   99999 99999   99999 99999   99999 99999   99999 99999   99999 99999     99999 99999   99999 99999   99999 99999   99999 99999   99999 99999
7197:   99999 99999   99999 99999   99999 99999   99999 99999   99999 99999     99999 99999   99999 99999   99999 99999   99999 99999   99999 99999
7198:   99999 99999   99999 99999   99999 99999   99999 99999   99999 99999     99999 99999   99999 99999   99999 99999   99999 99999   99999 99999
7199:   99999 99999   99999 99999   99999 99999   99999 99999   99999 99999     99999 99999   99999 99999   99999 99999   99999 99999   99999 99999
```

```
7200:  99999 99999  99999 99999  99999 99999  99999 99999  99999 99999    99999 99999  99999 99999  99999 99999  99999 99999  99999 99999
7201:  99999 99999  99999 99999  99999 99999  99999 99999  99999 99999    99999 99999  99999 99999  99999 99999  99999 99999  99999 99999
7202:  99999 99999  99999 99999  99999 99999  99999 99999  99999 99999    99999 99999  99999 99999  99999 99999  99999 99999  99999 99999
7203:  99999 99999  99999 99999  99999 99999  99999 99999  99999 99999    99999 99999  99999 99999  99999 99999  99999 99999  99999 99999
7204:  99999 99999  99999 99999  99999 99999  99999 99999  99999 99999    99999 99999  99999 99999  99999 99999  99999 99999  99999 99999
7205:  99999 99999  99999 99999  99999 99999  99999 99999  99999 99999    99999 99999  99999 99999  99999 99999  99999 99999  99999 99999
7206:  99999 99999  99999 99999  99999 99999  99999 99999  99999 99999    99999 99999  99999 99999  99999 99999  99999 99999  99999 99999
7207:  99999 99999  99999 99999  99999 99999  99999 99999  99999 99999    99999 99999  99999 99999  99999 99999  99999 99999  99999 99999
7208:  99999 99999  99999 99999  99999 99999  99999 99999  99999 99999    99999 99999  99999 99999  99999 99999  99999 99999  99999 99999
7209:  99999 99999  99999 99999  99999 99999  99999 99999  99999 99999    99999 99999  99999 99999  99999 99999  99999 99999  99999 99999
7210:  99999 99999  99999 99999  99999 99999  99999 99999  99999 99999    99999 99999  99999 99999  99999 99999  99999 99999  99999 99999
7211:  99999 99999  99999 99999  99999 99999  99999 99999  99999 99999    99999 99999  99999 99999  99999 99999  99999 99999  99999 99999
7212:  99999 99999  99999 99999  99999 99999  99999 99999  99999 99999    99999 99999  99999 99999  99999 99999  99999 99999  99999 99999
7213:  99999 99999  99999 99999  99999 99999  99999 99999  99999 99999    99999 99999  99999 99999  99999 99999  99999 99999  99999 99999
7214:  99999 99999  99999 99999  99999 99999  99999 99999  99999 99999    99999 99999  99999 99999  99999 99999  99999 99999  99999 99999
7215:  99999 99999  99999 99999  99999 99999  99999 99999  99999 99999    99999 99999  99999 99999  99999 99999  99999 99999  99999 99999
7216:  99999 99999  99999 99999  99999 99999  99999 99999  99999 99999    99999 99999  99999 99999  99999 99999  99999 99999  99999 99999
7217:  99999 99999  99999 99999  99999 99999  99999 99999  99999 99999    99999 99999  99999 99999  99999 99999  99999 99999  99999 99999
7218:  99999 99999  99999 99999  99999 99999  99999 99999  99999 99999    99999 99999  99999 99999  99999 99999  99999 99999  99999 99999
7219:  99999 99999  99999 99999  99999 99999  99999 99999  99999 99999    99999 99999  99999 99999  99999 99999  99999 99999  99999 99999
7220:  99999 99999  99999 99999  99999 99999  99999 99999  99999 99999    99999 99999  99999 99999  99999 99999  99999 99999  99999 99999
7221:  99999 99999  99999 99999  99999 99999  99999 99999  99999 99999    99999 99999  99999 99999  99999 99999  99999 99999  99999 99999
7222:  99999 99999  99999 99999  99999 99999  99999 99999  99999 99999    99999 99999  99999 99999  99999 99999  99999 99999  99999 99999
7223:  99999 99999  99999 99999  99999 99999  99999 99999  99999 99999    99999 99999  99999 99999  99999 99999  99999 99999  99999 99999
7224:  99999 99999  99999 99999  99999 99999  99999 99999  99999 99999    99999 99999  99999 99999  99999 99999  99999 99999  99999 99999
7225:  99999 99999  99999 99999  99999 99999  99999 99999  99999 99999    99999 99999  99999 99999  99999 99999  99999 99999  99999 99999
7226:  99999 99999  99999 99999  99999 99999  99999 99999  99999 99999    99999 99999  99999 99999  99999 99999  99999 99999  99999 99999
7227:  99999 99999  99999 99999  99999 99999  99999 99999  99999 99999    99999 99999  99999 99999  99999 99999  99999 99999  99999 99999
7228:  99999 99999  99999 99999  99999 99999  99999 99999  99999 99999    99999 99999  99999 99999  99999 99999  99999 99999  99999 99999
7229:  99999 99999  99999 99999  99999 99999  99999 99999  99999 99999    99999 99999  99999 99999  99999 99999  99999 99999  99999 99999
7230:  99999 99999  99999 99999  99999 99999  99999 99999  99999 99999    99999 99999  99999 99999  99999 99999  99999 99999  99999 99999
7231:  99999 99999  99999 99999  99999 99999  99999 99999  99999 99999    99999 99999  99999 99999  99999 99999  99999 99999  99999 99999
7232:  99999 99999  99999 99999  99999 99999  99999 99999  99999 99999    99999 99999  99999 99999  99999 99999  99999 99999  99999 99999
7233:  99999 99999  99999 99999  99999 99999  99999 99999  99999 99999    99999 99999  99999 99999  99999 99999  99999 99999  99999 99999
7234:  99999 99999  99999 99999  99999 99999  99999 99999  99999 99999    99999 99999  99999 99999  99999 99999  99999 99999  99999 99999
7235:  99999 99999  99999 99999  99999 99999  99999 99999  99999 99999    99999 99999  99999 99999  99999 99999  99999 99999  99999 99999
7236:  99999 99999  99999 99999  99999 99999  99999 99999  99999 99999    99999 99999  99999 99999  99999 99999  99999 99999  99999 99999
7237:  99999 99999  99999 99999  99999 99999  99999 99999  99999 99999    99999 99999  99999 99999  99999 99999  99999 99999  99999 99999
7238:  99999 99999  99999 99999  99999 99999  99999 99999  99999 99999    99999 99999  99999 99999  99999 99999  99999 99999  99999 99999
7239:  99999 99999  99999 99999  99999 99999  99999 99999  99999 99999    99999 99999  99999 99999  99999 99999  99999 99999  99999 99999
7240:  99999 99999  99999 99999  99999 99999  99999 99999  99999 99999    99999 99999  99999 99999  99999 99999  99999 99999  99999 99999
7241:  99999 99999  99999 99999  99999 99999  99999 99999  99999 99999    99999 99999  99999 99999  99999 99999  99999 99999  99999 99999
7242:  99999 99999  99999 99999  99999 99999  99999 99999  99999 99999    99999 99999  99999 99999  99999 99999  99999 99999  99999 99999
7243:  99999 99999  99999 99999  99999 99999  99999 99999  99999 99999    99999 99999  99999 99999  99999 99999  99999 99999  99999 99999
7244:  99999 99999  99999 99999  99999 99999  99999 99999  99999 99999    99999 99999  99999 99999  99999 99999  99999 99999  99999 99999
7245:  99999 99999  99999 99999  99999 99999  99999 99999  99999 99999    99999 99999  99999 99999  99999 99999  99999 99999  99999 99999
7246:  99999 99999  99999 99999  99999 99999  99999 99999  99999 99999    99999 99999  99999 99999  99999 99999  99999 99999  99999 99999
7247:  99999 99999  99999 99999  99999 99999  99999 99999  99999 99999    99999 99999  99999 99999  99999 99999  99999 99999  99999 99999
7248:  99999 99999  99999 99999  99999 99999  99999 99999  99999 99999    99999 99999  99999 99999  99999 99999  99999 99999  99999 99999
7249:  99999 99999  99999 99999  99999 99999  99999 99999  99999 99999    99999 99999  99999 99999  99999 99999  99999 99999  99999 99999
```

```
7250:   99999 99999   99999 99999   99999 99999   99999 99999   99999 99999      99999 99999   99999 99999   99999 99999   99999 99999   99999 99999
7251:   99999 99999   99999 99999   99999 99999   99999 99999   99999 99999      99999 99999   99999 99999   99999 99999   99999 99999   99999 99999
7252:   99999 99999   99999 99999   99999 99999   99999 99999   99999 99999      99999 99999   99999 99999   99999 99999   99999 99999   99999 99999
7253:   99999 99999   99999 99999   99999 99999   99999 99999   99999 99999      99999 99999   99999 99999   99999 99999   99999 99999   99999 99999
7254:   99999 99999   99999 99999   99999 99999   99999 99999   99999 99999      99999 99999   99999 99999   99999 99999   99999 99999   99999 99999
7255:   99999 99999   99999 99999   99999 99999   99999 99999   99999 99999      99999 99999   99999 99999   99999 99999   99999 99999   99999 99999
7256:   99999 99999   99999 99999   99999 99999   99999 99999   99999 99999      99999 99999   99999 99999   99999 99999   99999 99999   99999 99999
7257:   99999 99999   99999 99999   99999 99999   99999 99999   99999 99999      99999 99999   99999 99999   99999 99999   99999 99999   99999 99999
7258:   99999 99999   99999 99999   99999 99999   99999 99999   99999 99999      99999 99999   99999 99999   99999 99999   99999 99999   99999 99999
7259:   99999 99999   99999 99999   99999 99999   99999 99999   99999 99999      99999 99999   99999 99999   99999 99999   99999 99999   99999 99999
7260:   99999 99999   99999 99999   99999 99999   99999 99999   99999 99999      99999 99999   99999 99999   99999 99999   99999 99999   99999 99999
7261:   99999 99999   99999 99999   99999 99999   99999 99999   99999 99999      99999 99999   99999 99999   99999 99999   99999 99999   99999 99999
7262:   99999 99999   99999 99999   99999 99999   99999 99999   99999 99999      99999 99999   99999 99999   99999 99999   99999 99999   99999 99999
7263:   99999 99999   99999 99999   99999 99999   99999 99999   99999 99999      99999 99999   99999 99999   99999 99999   99999 99999   99999 99999
7264:   99999 99999   99999 99999   99999 99999   99999 99999   99999 99999      99999 99999   99999 99999   99999 99999   99999 99999   99999 99999
7265:   99999 99999   99999 99999   99999 99999   99999 99999   99999 99999      99999 99999   99999 99999   99999 99999   99999 99999   99999 99999
7266:   99999 99999   99999 99999   99999 99999   99999 99999   99999 99999      99999 99999   99999 99999   99999 99999   99999 99999   99999 99999
7267:   99999 99999   99999 99999   99999 99999   99999 99999   99999 99999      99999 99999   99999 99999   99999 99999   99999 99999   99999 99999
7268:   99999 99999   99999 99999   99999 99999   99999 99999   99999 99999      99999 99999   99999 99999   99999 99999   99999 99999   99999 99999
7269:   99999 99999   99999 99999   99999 99999   99999 99999   99999 99999      99999 99999   99999 99999   99999 99999   99999 99999   99999 99999
7270:   99999 99999   99999 99999   99999 99999   99999 99999   99999 99999      99999 99999   99999 99999   99999 99999   99999 99999   99999 99999
7271:   99999 99999   99999 99999   99999 99999   99999 99999   99999 99999      99999 99999   99999 99999   99999 99999   99999 99999   99999 99999
7272:   99999 99999   99999 99999   99999 99999   99999 99999   99999 99999      99999 99999   99999 99999   99999 99999   99999 99999   99999 99999
7273:   99999 99999   99999 99999   99999 99999   99999 99999   99999 99999      99999 99999   99999 99999   99999 99999   99999 99999   99999 99999
7274:   99999 99999   99999 99999   99999 99999   99999 99999   99999 99999      99999 99999   99999 99999   99999 99999   99999 99999   99999 99999
7275:   99999 99999   99999 99999   99999 99999   99999 99999   99999 99999      99999 99999   99999 99999   99999 99999   99999 99999   99999 99999
7276:   99999 99999   99999 99999   99999 99999   99999 99999   99999 99999      99999 99999   99999 99999   99999 99999   99999 99999   99999 99999
7277:   99999 99999   99999 99999   99999 99999   99999 99999   99999 99999      99999 99999   99999 99999   99999 99999   99999 99999   99999 99999
7278:   99999 99999   99999 99999   99999 99999   99999 99999   99999 99999      99999 99999   99999 99999   99999 99999   99999 99999   99999 99999
7279:   99999 99999   99999 99999   99999 99999   99999 99999   99999 99999      99999 99999   99999 99999   99999 99999   99999 99999   99999 99999
7280:   99999 99999   99999 99999   99999 99999   99999 99999   99999 99999      99999 99999   99999 99999   99999 99999   99999 99999   99999 99999
7281:   99999 99999   99999 99999   99999 99999   99999 99999   99999 99999      99999 99999   99999 99999   99999 99999   99999 99999   99999 99999
7282:   99999 99999   99999 99999   99999 99999   99999 99999   99999 99999      99999 99999   99999 99999   99999 99999   99999 99999   99999 99999
7283:   99999 99999   99999 99999   99999 99999   99999 99999   99999 99999      99999 99999   99999 99999   99999 99999   99999 99999   99999 99999
7284:   99999 99999   99999 99999   99999 99999   99999 99999   99999 99999      99999 99999   99999 99999   99999 99999   99999 99999   99999 99999
7285:   99999 99999   99999 99999   99999 99999   99999 99999   99999 99999      99999 99999   99999 99999   99999 99999   99999 99999   99999 99999
7286:   99999 99999   99999 99999   99999 99999   99999 99999   99999 99999      99999 99999   99999 99999   99999 99999   99999 99999   99999 99999
7287:   99999 99999   99999 99999   99999 99999   99999 99999   99999 99999      99999 99999   99999 99999   99999 99999   99999 99999   99999 99999
7288:   99999 99999   99999 99999   99999 99999   99999 99999   99999 99999      99999 99999   99999 99999   99999 99999   99999 99999   99999 99999
7289:   99999 99999   99999 99999   99999 99999   99999 99999   99999 99999      99999 99999   99999 99999   99999 99999   99999 99999   99999 99999
7290:   99999 99999   99999 99999   99999 99999   99999 99999   99999 99999      99999 99999   99999 99999   99999 99999   99999 99999   99999 99999
7291:   99999 99999   99999 99999   99999 99999   99999 99999   99999 99999      99999 99999   99999 99999   99999 99999   99999 99999   99999 99999
7292:   99999 99999   99999 99999   99999 99999   99999 99999   99999 99999      99999 99999   99999 99999   99999 99999   99999 99999   99999 99999
7293:   99999 99999   99999 99999   99999 99999   99999 99999   99999 99999      99999 99999   99999 99999   99999 99999   99999 99999   99999 99999
7294:   99999 99999   99999 99999   99999 99999   99999 99999   99999 99999      99999 99999   99999 99999   99999 99999   99999 99999   99999 99999
7295:   99999 99999   99999 99999   99999 99999   99999 99999   99999 99999      99999 99999   99999 99999   99999 99999   99999 99999   99999 99999
7296:   99999 99999   99999 99999   99999 99999   99999 99999   99999 99999      99999 99999   99999 99999   99999 99999   99999 99999   99999 99999
7297:   99999 99999   99999 99999   99999 99999   99999 99999   99999 99999      99999 99999   99999 99999   99999 99999   99999 99999   99999 99999
7298:   99999 99999   99999 99999   99999 99999   99999 99999   99999 99999      99999 99999   99999 99999   99999 99999   99999 99999   99999 99999
7299:   99999 99999   99999 99999   99999 99999   99999 99999   99999 99999      99999 99999   99999 99999   99999 99999   99999 99999   99999 99999
```

```
7300:   99999 99999   99999 99999   99999 99999   99999 99999   99999 99999      99999 99999   99999 99999   99999 99999   99999 99999   99999 99999
7301:   99999 99999   99999 99999   99999 99999   99999 99999   99999 99999      99999 99999   99999 99999   99999 99999   99999 99999   99999 99999
7302:   99999 99999   99999 99999   99999 99999   99999 99999   99999 99999      99999 99999   99999 99999   99999 99999   99999 99999   99999 99999
7303:   99999 99999   99999 99999   99999 99999   99999 99999   99999 99999      99999 99999   99999 99999   99999 99999   99999 99999   99999 99999
7304:   99999 99999   99999 99999   99999 99999   99999 99999   99999 99999      99999 99999   99999 99999   99999 99999   99999 99999   99999 99999
7305:   99999 99999   99999 99999   99999 99999   99999 99999   99999 99999      99999 99999   99999 99999   99999 99999   99999 99999   99999 99999
7306:   99999 99999   99999 99999   99999 99999   99999 99999   99999 99999      99999 99999   99999 99999   99999 99999   99999 99999   99999 99999
7307:   99999 99999   99999 99999   99999 99999   99999 99999   99999 99999      99999 99999   99999 99999   99999 99999   99999 99999   99999 99999
7308:   99999 99999   99999 99999   99999 99999   99999 99999   99999 99999      99999 99999   99999 99999   99999 99999   99999 99999   99999 99999
7309:   99999 99999   99999 99999   99999 99999   99999 99999   99999 99999      99999 99999   99999 99999   99999 99999   99999 99999   99999 99999
7310:   99999 99999   99999 99999   99999 99999   99999 99999   99999 99999      99999 99999   99999 99999   99999 99999   99999 99999   99999 99999
7311:   99999 99999   99999 99999   99999 99999   99999 99999   99999 99999      99999 99999   99999 99999   99999 99999   99999 99999   99999 99999
7312:   99999 99999   99999 99999   99999 99999   99999 99999   99999 99999      99999 99999   99999 99999   99999 99999   99999 99999   99999 99999
7313:   99999 99999   99999 99999   99999 99999   99999 99999   99999 99999      99999 99999   99999 99999   99999 99999   99999 99999   99999 99999
7314:   99999 99999   99999 99999   99999 99999   99999 99999   99999 99999      99999 99999   99999 99999   99999 99999   99999 99999   99999 99999
7315:   99999 99999   99999 99999   99999 99999   99999 99999   99999 99999      99999 99999   99999 99999   99999 99999   99999 99999   99999 99999
7316:   99999 99999   99999 99999   99999 99999   99999 99999   99999 99999      99999 99999   99999 99999   99999 99999   99999 99999   99999 99999
7317:   99999 99999   99999 99999   99999 99999   99999 99999   99999 99999      99999 99999   99999 99999   99999 99999   99999 99999   99999 99999
7318:   99999 99999   99999 99999   99999 99999   99999 99999   99999 99999      99999 99999   99999 99999   99999 99999   99999 99999   99999 99999
7319:   99999 99999   99999 99999   99999 99999   99999 99999   99999 99999      99999 99999   99999 99999   99999 99999   99999 99999   99999 99999
7320:   99999 99999   99999 99999   99999 99999   99999 99999   99999 99999      99999 99999   99999 99999   99999 99999   99999 99999   99999 99999
7321:   99999 99999   99999 99999   99999 99999   99999 99999   99999 99999      99999 99999   99999 99999   99999 99999   99999 99999   99999 99999
7322:   99999 99999   99999 99999   99999 99999   99999 99999   99999 99999      99999 99999   99999 99999   99999 99999   99999 99999   99999 99999
7323:   99999 99999   99999 99999   99999 99999   99999 99999   99999 99999      99999 99999   99999 99999   99999 99999   99999 99999   99999 99999
7324:   99999 99999   99999 99999   99999 99999   99999 99999   99999 99999      99999 99999   99999 99999   99999 99999   99999 99999   99999 99999
7325:   99999 99999   99999 99999   99999 99999   99999 99999   99999 99999      99999 99999   99999 99999   99999 99999   99999 99999   99999 99999
7326:   99999 99999   99999 99999   99999 99999   99999 99999   99999 99999      99999 99999   99999 99999   99999 99999   99999 99999   99999 99999
7327:   99999 99999   99999 99999   99999 99999   99999 99999   99999 99999      99999 99999   99999 99999   99999 99999   99999 99999   99999 99999
7328:   99999 99999   99999 99999   99999 99999   99999 99999   99999 99999      99999 99999   99999 99999   99999 99999   99999 99999   99999 99999
7329:   99999 99999   99999 99999   99999 99999   99999 99999   99999 99999      99999 99999   99999 99999   99999 99999   99999 99999   99999 99999
7330:   99999 99999   99999 99999   99999 99999   99999 99999   99999 99999      99999 99999   99999 99999   99999 99999   99999 99999   99999 99999
7331:   99999 99999   99999 99999   99999 99999   99999 99999   99999 99999      99999 99999   99999 99999   99999 99999   99999 99999   99999 99999
7332:   99999 99999   99999 99999   99999 99999   99999 99999   99999 99999      99999 99999   99999 99999   99999 99999   99999 99999   99999 99999
7333:   99999 99999   99999 99999   99999 99999   99999 99999   99999 99999      99999 99999   99999 99999   99999 99999   99999 99999   99999 99999
7334:   99999 99999   99999 99999   99999 99999   99999 99999   99999 99999      99999 99999   99999 99999   99999 99999   99999 99999   99999 99999
7335:   99999 99999   99999 99999   99999 99999   99999 99999   99999 99999      99999 99999   99999 99999   99999 99999   99999 99999   99999 99999
7336:   99999 99999   99999 99999   99999 99999   99999 99999   99999 99999      99999 99999   99999 99999   99999 99999   99999 99999   99999 99999
7337:   99999 99999   99999 99999   99999 99999   99999 99999   99999 99999      99999 99999   99999 99999   99999 99999   99999 99999   99999 99999
7338:   99999 99999   99999 99999   99999 99999   99999 99999   99999 99999      99999 99999   99999 99999   99999 99999   99999 99999   99999 99999
7339:   99999 99999   99999 99999   99999 99999   99999 99999   99999 99999      99999 99999   99999 99999   99999 99999   99999 99999   99999 99999
7340:   99999 99999   99999 99999   99999 99999   99999 99999   99999 99999      99999 99999   99999 99999   99999 99999   99999 99999   99999 99999
7341:   99999 99999   99999 99999   99999 99999   99999 99999   99999 99999      99999 99999   99999 99999   99999 99999   99999 99999   99999 99999
7342:   99999 99999   99999 99999   99999 99999   99999 99999   99999 99999      99999 99999   99999 99999   99999 99999   99999 99999   99999 99999
7343:   99999 99999   99999 99999   99999 99999   99999 99999   99999 99999      99999 99999   99999 99999   99999 99999   99999 99999   99999 99999
7344:   99999 99999   99999 99999   99999 99999   99999 99999   99999 99999      99999 99999   99999 99999   99999 99999   99999 99999   99999 99999
7345:   99999 99999   99999 99999   99999 99999   99999 99999   99999 99999      99999 99999   99999 99999   99999 99999   99999 99999   99999 99999
7346:   99999 99999   99999 99999   99999 99999   99999 99999   99999 99999      99999 99999   99999 99999   99999 99999   99999 99999   99999 99999
7347:   99999 99999   99999 99999   99999 99999   99999 99999   99999 99999      99999 99999   99999 99999   99999 99999   99999 99999   99999 99999
7348:   99999 99999   99999 99999   99999 99999   99999 99999   99999 99999      99999 99999   99999 99999   99999 99999   99999 99999   99999 99999
7349:   99999 99999   99999 99999   99999 99999   99999 99999   99999 99999      99999 99999   99999 99999   99999 99999   99999 99999   99999 99999
```

```
7350:   99999 99999   99999 99999   99999 99999   99999 99999   99999 99999     99999 99999   99999 99999   99999 99999   99999 99999   99999 99999
7351:   99999 99999   99999 99999   99999 99999   99999 99999   99999 99999     99999 99999   99999 99999   99999 99999   99999 99999   99999 99999
7352:   99999 99999   99999 99999   99999 99999   99999 99999   99999 99999     99999 99999   99999 99999   99999 99999   99999 99999   99999 99999
7353:   99999 99999   99999 99999   99999 99999   99999 99999   99999 99999     99999 99999   99999 99999   99999 99999   99999 99999   99999 99999
7354:   99999 99999   99999 99999   99999 99999   99999 99999   99999 99999     99999 99999   99999 99999   99999 99999   99999 99999   99999 99999
7355:   99999 99999   99999 99999   99999 99999   99999 99999   99999 99999     99999 99999   99999 99999   99999 99999   99999 99999   99999 99999
7356:   99999 99999   99999 99999   99999 99999   99999 99999   99999 99999     99999 99999   99999 99999   99999 99999   99999 99999   99999 99999
7357:   99999 99999   99999 99999   99999 99999   99999 99999   99999 99999     99999 99999   99999 99999   99999 99999   99999 99999   99999 99999
7358:   99999 99999   99999 99999   99999 99999   99999 99999   99999 99999     99999 99999   99999 99999   99999 99999   99999 99999   99999 99999
7359:   99999 99999   99999 99999   99999 99999   99999 99999   99999 99999     99999 99999   99999 99999   99999 99999   99999 99999   99999 99999
7360:   99999 99999   99999 99999   99999 99999   99999 99999   99999 99999     99999 99999   99999 99999   99999 99999   99999 99999   99999 99999
7361:   99999 99999   99999 99999   99999 99999   99999 99999   99999 99999     99999 99999   99999 99999   99999 99999   99999 99999   99999 99999
7362:   99999 99999   99999 99999   99999 99999   99999 99999   99999 99999     99999 99999   99999 99999   99999 99999   99999 99999   99999 99999
7363:   99999 99999   99999 99999   99999 99999   99999 99999   99999 99999     99999 99999   99999 99999   99999 99999   99999 99999   99999 99999
7364:   99999 99999   99999 99999   99999 99999   99999 99999   99999 99999     99999 99999   99999 99999   99999 99999   99999 99999   99999 99999
7365:   99999 99999   99999 99999   99999 99999   99999 99999   99999 99999     99999 99999   99999 99999   99999 99999   99999 99999   99999 99999
7366:   99999 99999   99999 99999   99999 99999   99999 99999   99999 99999     99999 99999   99999 99999   99999 99999   99999 99999   99999 99999
7367:   99999 99999   99999 99999   99999 99999   99999 99999   99999 99999     99999 99999   99999 99999   99999 99999   99999 99999   99999 99999
7368:   99999 99999   99999 99999   99999 99999   99999 99999   99999 99999     99999 99999   99999 99999   99999 99999   99999 99999   99999 99999
7369:   99999 99999   99999 99999   99999 99999   99999 99999   99999 99999     99999 99999   99999 99999   99999 99999   99999 99999   99999 99999
7370:   99999 99999   99999 99999   99999 99999   99999 99999   99999 99999     99999 99999   99999 99999   99999 99999   99999 99999   99999 99999
7371:   99999 99999   99999 99999   99999 99999   99999 99999   99999 99999     99999 99999   99999 99999   99999 99999   99999 99999   99999 99999
7372:   99999 99999   99999 99999   99999 99999   99999 99999   99999 99999     99999 99999   99999 99999   99999 99999   99999 99999   99999 99999
7373:   99999 99999   99999 99999   99999 99999   99999 99999   99999 99999     99999 99999   99999 99999   99999 99999   99999 99999   99999 99999
7374:   99999 99999   99999 99999   99999 99999   99999 99999   99999 99999     99999 99999   99999 99999   99999 99999   99999 99999   99999 99999
7375:   99999 99999   99999 99999   99999 99999   99999 99999   99999 99999     99999 99999   99999 99999   99999 99999   99999 99999   99999 99999
7376:   99999 99999   99999 99999   99999 99999   99999 99999   99999 99999     99999 99999   99999 99999   99999 99999   99999 99999   99999 99999
7377:   99999 99999   99999 99999   99999 99999   99999 99999   99999 99999     99999 99999   99999 99999   99999 99999   99999 99999   99999 99999
7378:   99999 99999   99999 99999   99999 99999   99999 99999   99999 99999     99999 99999   99999 99999   99999 99999   99999 99999   99999 99999
7379:   99999 99999   99999 99999   99999 99999   99999 99999   99999 99999     99999 99999   99999 99999   99999 99999   99999 99999   99999 99999
7380:   99999 99999   99999 99999   99999 99999   99999 99999   99999 99999     99999 99999   99999 99999   99999 99999   99999 99999   99999 99999
7381:   99999 99999   99999 99999   99999 99999   99999 99999   99999 99999     99999 99999   99999 99999   99999 99999   99999 99999   99999 99999
7382:   99999 99999   99999 99999   99999 99999   99999 99999   99999 99999     99999 99999   99999 99999   99999 99999   99999 99999   99999 99999
7383:   99999 99999   99999 99999   99999 99999   99999 99999   99999 99999     99999 99999   99999 99999   99999 99999   99999 99999   99999 99999
7384:   99999 99999   99999 99999   99999 99999   99999 99999   99999 99999     99999 99999   99999 99999   99999 99999   99999 99999   99999 99999
7385:   99999 99999   99999 99999   99999 99999   99999 99999   99999 99999     99999 99999   99999 99999   99999 99999   99999 99999   99999 99999
7386:   99999 99999   99999 99999   99999 99999   99999 99999   99999 99999     99999 99999   99999 99999   99999 99999   99999 99999   99999 99999
7387:   99999 99999   99999 99999   99999 99999   99999 99999   99999 99999     99999 99999   99999 99999   99999 99999   99999 99999   99999 99999
7388:   99999 99999   99999 99999   99999 99999   99999 99999   99999 99999     99999 99999   99999 99999   99999 99999   99999 99999   99999 99999
7389:   99999 99999   99999 99999   99999 99999   99999 99999   99999 99999     99999 99999   99999 99999   99999 99999   99999 99999   99999 99999
7390:   99999 99999   99999 99999   99999 99999   99999 99999   99999 99999     99999 99999   99999 99999   99999 99999   99999 99999   99999 99999
7391:   99999 99999   99999 99999   99999 99999   99999 99999   99999 99999     99999 99999   99999 99999   99999 99999   99999 99999   99999 99999
7392:   99999 99999   99999 99999   99999 99999   99999 99999   99999 99999     99999 99999   99999 99999   99999 99999   99999 99999   99999 99999
7393:   99999 99999   99999 99999   99999 99999   99999 99999   99999 99999     99999 99999   99999 99999   99999 99999   99999 99999   99999 99999
7394:   99999 99999   99999 99999   99999 99999   99999 99999   99999 99999     99999 99999   99999 99999   99999 99999   99999 99999   99999 99999
7395:   99999 99999   99999 99999   99999 99999   99999 99999   99999 99999     99999 99999   99999 99999   99999 99999   99999 99999   99999 99999
7396:   99999 99999   99999 99999   99999 99999   99999 99999   99999 99999     99999 99999   99999 99999   99999 99999   99999 99999   99999 99999
7397:   99999 99999   99999 99999   99999 99999   99999 99999   99999 99999     99999 99999   99999 99999   99999 99999   99999 99999   99999 99999
7398:   99999 99999   99999 99999   99999 99999   99999 99999   99999 99999     99999 99999   99999 99999   99999 99999   99999 99999   99999 99999
7399:   99999 99999   99999 99999   99999 99999   99999 99999   99999 99999     99999 99999   99999 99999   99999 99999   99999 99999   99999 99999
```

```
7400:  99999 99999  99999 99999   99999 99999   99999 99999   99999 99999    99999 99999   99999 99999   99999 99999   99999 99999   99999 99999
7401:  99999 99999  99999 99999   99999 99999   99999 99999   99999 99999    99999 99999   99999 99999   99999 99999   99999 99999   99999 99999
7402:  99999 99999  99999 99999   99999 99999   99999 99999   99999 99999    99999 99999   99999 99999   99999 99999   99999 99999   99999 99999
7403:  99999 99999  99999 99999   99999 99999   99999 99999   99999 99999    99999 99999   99999 99999   99999 99999   99999 99999   99999 99999
7404:  99999 99999  99999 99999   99999 99999   99999 99999   99999 99999    99999 99999   99999 99999   99999 99999   99999 99999   99999 99999
7405:  99999 99999  99999 99999   99999 99999   99999 99999   99999 99999    99999 99999   99999 99999   99999 99999   99999 99999   99999 99999
7406:  99999 99999  99999 99999   99999 99999   99999 99999   99999 99999    99999 99999   99999 99999   99999 99999   99999 99999   99999 99999
7407:  99999 99999  99999 99999   99999 99999   99999 99999   99999 99999    99999 99999   99999 99999   99999 99999   99999 99999   99999 99999
7408:  99999 99999  99999 99999   99999 99999   99999 99999   99999 99999    99999 99999   99999 99999   99999 99999   99999 99999   99999 99999
7409:  99999 99999  99999 99999   99999 99999   99999 99999   99999 99999    99999 99999   99999 99999   99999 99999   99999 99999   99999 99999
7410:  99999 99999  99999 99999   99999 99999   99999 99999   99999 99999    99999 99999   99999 99999   99999 99999   99999 99999   99999 99999
7411:  99999 99999  99999 99999   99999 99999   99999 99999   99999 99999    99999 99999   99999 99999   99999 99999   99999 99999   99999 99999
7412:  99999 99999  99999 99999   99999 99999   99999 99999   99999 99999    99999 99999   99999 99999   99999 99999   99999 99999   99999 99999
7413:  99999 99999  99999 99999   99999 99999   99999 99999   99999 99999    99999 99999   99999 99999   99999 99999   99999 99999   99999 99999
7414:  99999 99999  99999 99999   99999 99999   99999 99999   99999 99999    99999 99999   99999 99999   99999 99999   99999 99999   99999 99999
7415:  99999 99999  99999 99999   99999 99999   99999 99999   99999 99999    99999 99999   99999 99999   99999 99999   99999 99999   99999 99999
7416:  99999 99999  99999 99999   99999 99999   99999 99999   99999 99999    99999 99999   99999 99999   99999 99999   99999 99999   99999 99999
7417:  99999 99999  99999 99999   99999 99999   99999 99999   99999 99999    99999 99999   99999 99999   99999 99999   99999 99999   99999 99999
7418:  99999 99999  99999 99999   99999 99999   99999 99999   99999 99999    99999 99999   99999 99999   99999 99999   99999 99999   99999 99999
7419:  99999 99999  99999 99999   99999 99999   99999 99999   99999 99999    99999 99999   99999 99999   99999 99999   99999 99999   99999 99999
7420:  99999 99999  99999 99999   99999 99999   99999 99999   99999 99999    99999 99999   99999 99999   99999 99999   99999 99999   99999 99999
7421:  99999 99999  99999 99999   99999 99999   99999 99999   99999 99999    99999 99999   99999 99999   99999 99999   99999 99999   99999 99999
7422:  99999 99999  99999 99999   99999 99999   99999 99999   99999 99999    99999 99999   99999 99999   99999 99999   99999 99999   99999 99999
7423:  99999 99999  99999 99999   99999 99999   99999 99999   99999 99999    99999 99999   99999 99999   99999 99999   99999 99999   99999 99999
7424:  99999 99999  99999 99999   99999 99999   99999 99999   99999 99999    99999 99999   99999 99999   99999 99999   99999 99999   99999 99999
7425:  99999 99999  99999 99999   99999 99999   99999 99999   99999 99999    99999 99999   99999 99999   99999 99999   99999 99999   99999 99999
7426:  99999 99999  99999 99999   99999 99999   99999 99999   99999 99999    99999 99999   99999 99999   99999 99999   99999 99999   99999 99999
7427:  99999 99999  99999 99999   99999 99999   99999 99999   99999 99999    99999 99999   99999 99999   99999 99999   99999 99999   99999 99999
7428:  99999 99999  99999 99999   99999 99999   99999 99999   99999 99999    99999 99999   99999 99999   99999 99999   99999 99999   99999 99999
7429:  99999 99999  99999 99999   99999 99999   99999 99999   99999 99999    99999 99999   99999 99999   99999 99999   99999 99999   99999 99999
7430:  99999 99999  99999 99999   99999 99999   99999 99999   99999 99999    99999 99999   99999 99999   99999 99999   99999 99999   99999 99999
7431:  99999 99999  99999 99999   99999 99999   99999 99999   99999 99999    99999 99999   99999 99999   99999 99999   99999 99999   99999 99999
7432:  99999 99999  99999 99999   99999 99999   99999 99999   99999 99999    99999 99999   99999 99999   99999 99999   99999 99999   99999 99999
7433:  99999 99999  99999 99999   99999 99999   99999 99999   99999 99999    99999 99999   99999 99999   99999 99999   99999 99999   99999 99999
7434:  99999 99999  99999 99999   99999 99999   99999 99999   99999 99999    99999 99999   99999 99999   99999 99999   99999 99999   99999 99999
7435:  99999 99999  99999 99999   99999 99999   99999 99999   99999 99999    99999 99999   99999 99999   99999 99999   99999 99999   99999 99999
7436:  99999 99999  99999 99999   99999 99999   99999 99999   99999 99999    99999 99999   99999 99999   99999 99999   99999 99999   99999 99999
7437:  99999 99999  99999 99999   99999 99999   99999 99999   99999 99999    99999 99999   99999 99999   99999 99999   99999 99999   99999 99999
7438:  99999 99999  99999 99999   99999 99999   99999 99999   99999 99999    99999 99999   99999 99999   99999 99999   99999 99999   99999 99999
7439:  99999 99999  99999 99999   99999 99999   99999 99999   99999 99999    99999 99999   99999 99999   99999 99999   99999 99999   99999 99999
7440:  99999 99999  99999 99999   99999 99999   99999 99999   99999 99999    99999 99999   99999 99999   99999 99999   99999 99999   99999 99999
7441:  99999 99999  99999 99999   99999 99999   99999 99999   99999 99999    99999 99999   99999 99999   99999 99999   99999 99999   99999 99999
7442:  99999 99999  99999 99999   99999 99999   99999 99999   99999 99999    99999 99999   99999 99999   99999 99999   99999 99999   99999 99999
7443:  99999 99999  99999 99999   99999 99999   99999 99999   99999 99999    99999 99999   99999 99999   99999 99999   99999 99999   99999 99999
7444:  99999 99999  99999 99999   99999 99999   99999 99999   99999 99999    99999 99999   99999 99999   99999 99999   99999 99999   99999 99999
7445:  99999 99999  99999 99999   99999 99999   99999 99999   99999 99999    99999 99999   99999 99999   99999 99999   99999 99999   99999 99999
7446:  99999 99999  99999 99999   99999 99999   99999 99999   99999 99999    99999 99999   99999 99999   99999 99999   99999 99999   99999 99999
7447:  99999 99999  99999 99999   99999 99999   99999 99999   99999 99999    99999 99999   99999 99999   99999 99999   99999 99999   99999 99999
7448:  99999 99999  99999 99999   99999 99999   99999 99999   99999 99999    99999 99999   99999 99999   99999 99999   99999 99999   99999 99999
7449:  99999 99999  99999 99999   99999 99999   99999 99999   99999 99999    99999 99999   99999 99999   99999 99999   99999 99999   99999 99999
```

```
7450:  99999 99999  99999 99999  99999 99999  99999 99999  99999 99999   99999 99999  99999 99999  99999 99999  99999 99999  99999 99999
7451:  99999 99999  99999 99999  99999 99999  99999 99999  99999 99999   99999 99999  99999 99999  99999 99999  99999 99999  99999 99999
7452:  99999 99999  99999 99999  99999 99999  99999 99999  99999 99999   99999 99999  99999 99999  99999 99999  99999 99999  99999 99999
7453:  99999 99999  99999 99999  99999 99999  99999 99999  99999 99999   99999 99999  99999 99999  99999 99999  99999 99999  99999 99999
7454:  99999 99999  99999 99999  99999 99999  99999 99999  99999 99999   99999 99999  99999 99999  99999 99999  99999 99999  99999 99999
7455:  99999 99999  99999 99999  99999 99999  99999 99999  99999 99999   99999 99999  99999 99999  99999 99999  99999 99999  99999 99999
7456:  99999 99999  99999 99999  99999 99999  99999 99999  99999 99999   99999 99999  99999 99999  99999 99999  99999 99999  99999 99999
7457:  99999 99999  99999 99999  99999 99999  99999 99999  99999 99999   99999 99999  99999 99999  99999 99999  99999 99999  99999 99999
7458:  99999 99999  99999 99999  99999 99999  99999 99999  99999 99999   99999 99999  99999 99999  99999 99999  99999 99999  99999 99999
7459:  99999 99999  99999 99999  99999 99999  99999 99999  99999 99999   99999 99999  99999 99999  99999 99999  99999 99999  99999 99999
7460:  99999 99999  99999 99999  99999 99999  99999 99999  99999 99999   99999 99999  99999 99999  99999 99999  99999 99999  99999 99999
7461:  99999 99999  99999 99999  99999 99999  99999 99999  99999 99999   99999 99999  99999 99999  99999 99999  99999 99999  99999 99999
7462:  99999 99999  99999 99999  99999 99999  99999 99999  99999 99999   99999 99999  99999 99999  99999 99999  99999 99999  99999 99999
7463:  99999 99999  99999 99999  99999 99999  99999 99999  99999 99999   99999 99999  99999 99999  99999 99999  99999 99999  99999 99999
7464:  99999 99999  99999 99999  99999 99999  99999 99999  99999 99999   99999 99999  99999 99999  99999 99999  99999 99999  99999 99999
7465:  99999 99999  99999 99999  99999 99999  99999 99999  99999 99999   99999 99999  99999 99999  99999 99999  99999 99999  99999 99999
7466:  99999 99999  99999 99999  99999 99999  99999 99999  99999 99999   99999 99999  99999 99999  99999 99999  99999 99999  99999 99999
7467:  99999 99999  99999 99999  99999 99999  99999 99999  99999 99999   99999 99999  99999 99999  99999 99999  99999 99999  99999 99999
7468:  99999 99999  99999 99999  99999 99999  99999 99999  99999 99999   99999 99999  99999 99999  99999 99999  99999 99999  99999 99999
7469:  99999 99999  99999 99999  99999 99999  99999 99999  99999 99999   99999 99999  99999 99999  99999 99999  99999 99999  99999 99999
7470:  99999 99999  99999 99999  99999 99999  99999 99999  99999 99999   99999 99999  99999 99999  99999 99999  99999 99999  99999 99999
7471:  99999 99999  99999 99999  99999 99999  99999 99999  99999 99999   99999 99999  99999 99999  99999 99999  99999 99999  99999 99999
7472:  99999 99999  99999 99999  99999 99999  99999 99999  99999 99999   99999 99999  99999 99999  99999 99999  99999 99999  99999 99999
7473:  99999 99999  99999 99999  99999 99999  99999 99999  99999 99999   99999 99999  99999 99999  99999 99999  99999 99999  99999 99999
7474:  99999 99999  99999 99999  99999 99999  99999 99999  99999 99999   99999 99999  99999 99999  99999 99999  99999 99999  99999 99999
7475:  99999 99999  99999 99999  99999 99999  99999 99999  99999 99999   99999 99999  99999 99999  99999 99999  99999 99999  99999 99999
7476:  99999 99999  99999 99999  99999 99999  99999 99999  99999 99999   99999 99999  99999 99999  99999 99999  99999 99999  99999 99999
7477:  99999 99999  99999 99999  99999 99999  99999 99999  99999 99999   99999 99999  99999 99999  99999 99999  99999 99999  99999 99999
7478:  99999 99999  99999 99999  99999 99999  99999 99999  99999 99999   99999 99999  99999 99999  99999 99999  99999 99999  99999 99999
7479:  99999 99999  99999 99999  99999 99999  99999 99999  99999 99999   99999 99999  99999 99999  99999 99999  99999 99999  99999 99999
7480:  99999 99999  99999 99999  99999 99999  99999 99999  99999 99999   99999 99999  99999 99999  99999 99999  99999 99999  99999 99999
7481:  99999 99999  99999 99999  99999 99999  99999 99999  99999 99999   99999 99999  99999 99999  99999 99999  99999 99999  99999 99999
7482:  99999 99999  99999 99999  99999 99999  99999 99999  99999 99999   99999 99999  99999 99999  99999 99999  99999 99999  99999 99999
7483:  99999 99999  99999 99999  99999 99999  99999 99999  99999 99999   99999 99999  99999 99999  99999 99999  99999 99999  99999 99999
7484:  99999 99999  99999 99999  99999 99999  99999 99999  99999 99999   99999 99999  99999 99999  99999 99999  99999 99999  99999 99999
7485:  99999 99999  99999 99999  99999 99999  99999 99999  99999 99999   99999 99999  99999 99999  99999 99999  99999 99999  99999 99999
7486:  99999 99999  99999 99999  99999 99999  99999 99999  99999 99999   99999 99999  99999 99999  99999 99999  99999 99999  99999 99999
7487:  99999 99999  99999 99999  99999 99999  99999 99999  99999 99999   99999 99999  99999 99999  99999 99999  99999 99999  99999 99999
7488:  99999 99999  99999 99999  99999 99999  99999 99999  99999 99999   99999 99999  99999 99999  99999 99999  99999 99999  99999 99999
7489:  99999 99999  99999 99999  99999 99999  99999 99999  99999 99999   99999 99999  99999 99999  99999 99999  99999 99999  99999 99999
7490:  99999 99999  99999 99999  99999 99999  99999 99999  99999 99999   99999 99999  99999 99999  99999 99999  99999 99999  99999 99999
7491:  99999 99999  99999 99999  99999 99999  99999 99999  99999 99999   99999 99999  99999 99999  99999 99999  99999 99999  99999 99999
7492:  99999 99999  99999 99999  99999 99999  99999 99999  99999 99999   99999 99999  99999 99999  99999 99999  99999 99999  99999 99999
7493:  99999 99999  99999 99999  99999 99999  99999 99999  99999 99999   99999 99999  99999 99999  99999 99999  99999 99999  99999 99999
7494:  99999 99999  99999 99999  99999 99999  99999 99999  99999 99999   99999 99999  99999 99999  99999 99999  99999 99999  99999 99999
7495:  99999 99999  99999 99999  99999 99999  99999 99999  99999 99999   99999 99999  99999 99999  99999 99999  99999 99999  99999 99999
7496:  99999 99999  99999 99999  99999 99999  99999 99999  99999 99999   99999 99999  99999 99999  99999 99999  99999 99999  99999 99999
7497:  99999 99999  99999 99999  99999 99999  99999 99999  99999 99999   99999 99999  99999 99999  99999 99999  99999 99999  99999 99999
7498:  99999 99999  99999 99999  99999 99999  99999 99999  99999 99999   99999 99999  99999 99999  99999 99999  99999 99999  99999 99999
7499:  99999 99999  99999 99999  99999 99999  99999 99999  99999 99999   99999 99999  99999 99999  99999 99999  99999 99999  99999 99999
```

```
7500:   99999 99999   99999 99999   99999 99999   99999 99999   99999 99999     99999 99999   99999 99999   99999 99999   99999 99999   99999 99999
7501:   99999 99999   99999 99999   99999 99999   99999 99999   99999 99999     99999 99999   99999 99999   99999 99999   99999 99999   99999 99999
7502:   99999 99999   99999 99999   99999 99999   99999 99999   99999 99999     99999 99999   99999 99999   99999 99999   99999 99999   99999 99999
7503:   99999 99999   99999 99999   99999 99999   99999 99999   99999 99999     99999 99999   99999 99999   99999 99999   99999 99999   99999 99999
7504:   99999 99999   99999 99999   99999 99999   99999 99999   99999 99999     99999 99999   99999 99999   99999 99999   99999 99999   99999 99999
7505:   99999 99999   99999 99999   99999 99999   99999 99999   99999 99999     99999 99999   99999 99999   99999 99999   99999 99999   99999 99999
7506:   99999 99999   99999 99999   99999 99999   99999 99999   99999 99999     99999 99999   99999 99999   99999 99999   99999 99999   99999 99999
7507:   99999 99999   99999 99999   99999 99999   99999 99999   99999 99999     99999 99999   99999 99999   99999 99999   99999 99999   99999 99999
7508:   99999 99999   99999 99999   99999 99999   99999 99999   99999 99999     99999 99999   99999 99999   99999 99999   99999 99999   99999 99999
7509:   99999 99999   99999 99999   99999 99999   99999 99999   99999 99999     99999 99999   99999 99999   99999 99999   99999 99999   99999 99999
7510:   99999 99999   99999 99999   99999 99999   99999 99999   99999 99999     99999 99999   99999 99999   99999 99999   99999 99999   99999 99999
7511:   99999 99999   99999 99999   99999 99999   99999 99999   99999 99999     99999 99999   99999 99999   99999 99999   99999 99999   99999 99999
7512:   99999 99999   99999 99999   99999 99999   99999 99999   99999 99999     99999 99999   99999 99999   99999 99999   99999 99999   99999 99999
7513:   99999 99999   99999 99999   99999 99999   99999 99999   99999 99999     99999 99999   99999 99999   99999 99999   99999 99999   99999 99999
7514:   99999 99999   99999 99999   99999 99999   99999 99999   99999 99999     99999 99999   99999 99999   99999 99999   99999 99999   99999 99999
7515:   99999 99999   99999 99999   99999 99999   99999 99999   99999 99999     99999 99999   99999 99999   99999 99999   99999 99999   99999 99999
7516:   99999 99999   99999 99999   99999 99999   99999 99999   99999 99999     99999 99999   99999 99999   99999 99999   99999 99999   99999 99999
7517:   99999 99999   99999 99999   99999 99999   99999 99999   99999 99999     99999 99999   99999 99999   99999 99999   99999 99999   99999 99999
7518:   99999 99999   99999 99999   99999 99999   99999 99999   99999 99999     99999 99999   99999 99999   99999 99999   99999 99999   99999 99999
7519:   99999 99999   99999 99999   99999 99999   99999 99999   99999 99999     99999 99999   99999 99999   99999 99999   99999 99999   99999 99999
7520:   99999 99999   99999 99999   99999 99999   99999 99999   99999 99999     99999 99999   99999 99999   99999 99999   99999 99999   99999 99999
7521:   99999 99999   99999 99999   99999 99999   99999 99999   99999 99999     99999 99999   99999 99999   99999 99999   99999 99999   99999 99999
7522:   99999 99999   99999 99999   99999 99999   99999 99999   99999 99999     99999 99999   99999 99999   99999 99999   99999 99999   99999 99999
7523:   99999 99999   99999 99999   99999 99999   99999 99999   99999 99999     99999 99999   99999 99999   99999 99999   99999 99999   99999 99999
7524:   99999 99999   99999 99999   99999 99999   99999 99999   99999 99999     99999 99999   99999 99999   99999 99999   99999 99999   99999 99999
7525:   99999 99999   99999 99999   99999 99999   99999 99999   99999 99999     99999 99999   99999 99999   99999 99999   99999 99999   99999 99999
7526:   99999 99999   99999 99999   99999 99999   99999 99999   99999 99999     99999 99999   99999 99999   99999 99999   99999 99999   99999 99999
7527:   99999 99999   99999 99999   99999 99999   99999 99999   99999 99999     99999 99999   99999 99999   99999 99999   99999 99999   99999 99999
7528:   99999 99999   99999 99999   99999 99999   99999 99999   99999 99999     99999 99999   99999 99999   99999 99999   99999 99999   99999 99999
7529:   99999 99999   99999 99999   99999 99999   99999 99999   99999 99999     99999 99999   99999 99999   99999 99999   99999 99999   99999 99999
7530:   99999 99999   99999 99999   99999 99999   99999 99999   99999 99999     99999 99999   99999 99999   99999 99999   99999 99999   99999 99999
7531:   99999 99999   99999 99999   99999 99999   99999 99999   99999 99999     99999 99999   99999 99999   99999 99999   99999 99999   99999 99999
7532:   99999 99999   99999 99999   99999 99999   99999 99999   99999 99999     99999 99999   99999 99999   99999 99999   99999 99999   99999 99999
7533:   99999 99999   99999 99999   99999 99999   99999 99999   99999 99999     99999 99999   99999 99999   99999 99999   99999 99999   99999 99999
7534:   99999 99999   99999 99999   99999 99999   99999 99999   99999 99999     99999 99999   99999 99999   99999 99999   99999 99999   99999 99999
7535:   99999 99999   99999 99999   99999 99999   99999 99999   99999 99999     99999 99999   99999 99999   99999 99999   99999 99999   99999 99999
7536:   99999 99999   99999 99999   99999 99999   99999 99999   99999 99999     99999 99999   99999 99999   99999 99999   99999 99999   99999 99999
7537:   99999 99999   99999 99999   99999 99999   99999 99999   99999 99999     99999 99999   99999 99999   99999 99999   99999 99999   99999 99999
7538:   99999 99999   99999 99999   99999 99999   99999 99999   99999 99999     99999 99999   99999 99999   99999 99999   99999 99999   99999 99999
7539:   99999 99999   99999 99999   99999 99999   99999 99999   99999 99999     99999 99999   99999 99999   99999 99999   99999 99999   99999 99999
7540:   99999 99999   99999 99999   99999 99999   99999 99999   99999 99999     99999 99999   99999 99999   99999 99999   99999 99999   99999 99999
7541:   99999 99999   99999 99999   99999 99999   99999 99999   99999 99999     99999 99999   99999 99999   99999 99999   99999 99999   99999 99999
7542:   99999 99999   99999 99999   99999 99999   99999 99999   99999 99999     99999 99999   99999 99999   99999 99999   99999 99999   99999 99999
7543:   99999 99999   99999 99999   99999 99999   99999 99999   99999 99999     99999 99999   99999 99999   99999 99999   99999 99999   99999 99999
7544:   99999 99999   99999 99999   99999 99999   99999 99999   99999 99999     99999 99999   99999 99999   99999 99999   99999 99999   99999 99999
7545:   99999 99999   99999 99999   99999 99999   99999 99999   99999 99999     99999 99999   99999 99999   99999 99999   99999 99999   99999 99999
7546:   99999 99999   99999 99999   99999 99999   99999 99999   99999 99999     99999 99999   99999 99999   99999 99999   99999 99999   99999 99999
7547:   99999 99999   99999 99999   99999 99999   99999 99999   99999 99999     99999 99999   99999 99999   99999 99999   99999 99999   99999 99999
7548:   99999 99999   99999 99999   99999 99999   99999 99999   99999 99999     99999 99999   99999 99999   99999 99999   99999 99999   99999 99999
7549:   99999 99999   99999 99999   99999 99999   99999 99999   99999 99999     99999 99999   99999 99999   99999 99999   99999 99999   99999 99999
```

```
7550:  99999 99999  99999 99999  99999 99999  99999 99999  99999 99999    99999 99999  99999 99999  99999 99999  99999 99999  99999 99999
7551:  99999 99999  99999 99999  99999 99999  99999 99999  99999 99999    99999 99999  99999 99999  99999 99999  99999 99999  99999 99999
7552:  99999 99999  99999 99999  99999 99999  99999 99999  99999 99999    99999 99999  99999 99999  99999 99999  99999 99999  99999 99999
7553:  99999 99999  99999 99999  99999 99999  99999 99999  99999 99999    99999 99999  99999 99999  99999 99999  99999 99999  99999 99999
7554:  99999 99999  99999 99999  99999 99999  99999 99999  99999 99999    99999 99999  99999 99999  99999 99999  99999 99999  99999 99999
7555:  99999 99999  99999 99999  99999 99999  99999 99999  99999 99999    99999 99999  99999 99999  99999 99999  99999 99999  99999 99999
7556:  99999 99999  99999 99999  99999 99999  99999 99999  99999 99999    99999 99999  99999 99999  99999 99999  99999 99999  99999 99999
7557:  99999 99999  99999 99999  99999 99999  99999 99999  99999 99999    99999 99999  99999 99999  99999 99999  99999 99999  99999 99999
7558:  99999 99999  99999 99999  99999 99999  99999 99999  99999 99999    99999 99999  99999 99999  99999 99999  99999 99999  99999 99999
7559:  99999 99999  99999 99999  99999 99999  99999 99999  99999 99999    99999 99999  99999 99999  99999 99999  99999 99999  99999 99999
7560:  99999 99999  99999 99999  99999 99999  99999 99999  99999 99999    99999 99999  99999 99999  99999 99999  99999 99999  99999 99999
7561:  99999 99999  99999 99999  99999 99999  99999 99999  99999 99999    99999 99999  99999 99999  99999 99999  99999 99999  99999 99999
7562:  99999 99999  99999 99999  99999 99999  99999 99999  99999 99999    99999 99999  99999 99999  99999 99999  99999 99999  99999 99999
7563:  99999 99999  99999 99999  99999 99999  99999 99999  99999 99999    99999 99999  99999 99999  99999 99999  99999 99999  99999 99999
7564:  99999 99999  99999 99999  99999 99999  99999 99999  99999 99999    99999 99999  99999 99999  99999 99999  99999 99999  99999 99999
7565:  99999 99999  99999 99999  99999 99999  99999 99999  99999 99999    99999 99999  99999 99999  99999 99999  99999 99999  99999 99999
7566:  99999 99999  99999 99999  99999 99999  99999 99999  99999 99999    99999 99999  99999 99999  99999 99999  99999 99999  99999 99999
7567:  99999 99999  99999 99999  99999 99999  99999 99999  99999 99999    99999 99999  99999 99999  99999 99999  99999 99999  99999 99999
7568:  99999 99999  99999 99999  99999 99999  99999 99999  99999 99999    99999 99999  99999 99999  99999 99999  99999 99999  99999 99999
7569:  99999 99999  99999 99999  99999 99999  99999 99999  99999 99999    99999 99999  99999 99999  99999 99999  99999 99999  99999 99999
7570:  99999 99999  99999 99999  99999 99999  99999 99999  99999 99999    99999 99999  99999 99999  99999 99999  99999 99999  99999 99999
7571:  99999 99999  99999 99999  99999 99999  99999 99999  99999 99999    99999 99999  99999 99999  99999 99999  99999 99999  99999 99999
7572:  99999 99999  99999 99999  99999 99999  99999 99999  99999 99999    99999 99999  99999 99999  99999 99999  99999 99999  99999 99999
7573:  99999 99999  99999 99999  99999 99999  99999 99999  99999 99999    99999 99999  99999 99999  99999 99999  99999 99999  99999 99999
7574:  99999 99999  99999 99999  99999 99999  99999 99999  99999 99999    99999 99999  99999 99999  99999 99999  99999 99999  99999 99999
7575:  99999 99999  99999 99999  99999 99999  99999 99999  99999 99999    99999 99999  99999 99999  99999 99999  99999 99999  99999 99999
7576:  99999 99999  99999 99999  99999 99999  99999 99999  99999 99999    99999 99999  99999 99999  99999 99999  99999 99999  99999 99999
7577:  99999 99999  99999 99999  99999 99999  99999 99999  99999 99999    99999 99999  99999 99999  99999 99999  99999 99999  99999 99999
7578:  99999 99999  99999 99999  99999 99999  99999 99999  99999 99999    99999 99999  99999 99999  99999 99999  99999 99999  99999 99999
7579:  99999 99999  99999 99999  99999 99999  99999 99999  99999 99999    99999 99999  99999 99999  99999 99999  99999 99999  99999 99999
7580:  99999 99999  99999 99999  99999 99999  99999 99999  99999 99999    99999 99999  99999 99999  99999 99999  99999 99999  99999 99999
7581:  99999 99999  99999 99999  99999 99999  99999 99999  99999 99999    99999 99999  99999 99999  99999 99999  99999 99999  99999 99999
7582:  99999 99999  99999 99999  99999 99999  99999 99999  99999 99999    99999 99999  99999 99999  99999 99999  99999 99999  99999 99999
7583:  99999 99999  99999 99999  99999 99999  99999 99999  99999 99999    99999 99999  99999 99999  99999 99999  99999 99999  99999 99999
7584:  99999 99999  99999 99999  99999 99999  99999 99999  99999 99999    99999 99999  99999 99999  99999 99999  99999 99999  99999 99999
7585:  99999 99999  99999 99999  99999 99999  99999 99999  99999 99999    99999 99999  99999 99999  99999 99999  99999 99999  99999 99999
7586:  99999 99999  99999 99999  99999 99999  99999 99999  99999 99999    99999 99999  99999 99999  99999 99999  99999 99999  99999 99999
7587:  99999 99999  99999 99999  99999 99999  99999 99999  99999 99999    99999 99999  99999 99999  99999 99999  99999 99999  99999 99999
7588:  99999 99999  99999 99999  99999 99999  99999 99999  99999 99999    99999 99999  99999 99999  99999 99999  99999 99999  99999 99999
7589:  99999 99999  99999 99999  99999 99999  99999 99999  99999 99999    99999 99999  99999 99999  99999 99999  99999 99999  99999 99999
7590:  99999 99999  99999 99999  99999 99999  99999 99999  99999 99999    99999 99999  99999 99999  99999 99999  99999 99999  99999 99999
7591:  99999 99999  99999 99999  99999 99999  99999 99999  99999 99999    99999 99999  99999 99999  99999 99999  99999 99999  99999 99999
7592:  99999 99999  99999 99999  99999 99999  99999 99999  99999 99999    99999 99999  99999 99999  99999 99999  99999 99999  99999 99999
7593:  99999 99999  99999 99999  99999 99999  99999 99999  99999 99999    99999 99999  99999 99999  99999 99999  99999 99999  99999 99999
7594:  99999 99999  99999 99999  99999 99999  99999 99999  99999 99999    99999 99999  99999 99999  99999 99999  99999 99999  99999 99999
7595:  99999 99999  99999 99999  99999 99999  99999 99999  99999 99999    99999 99999  99999 99999  99999 99999  99999 99999  99999 99999
7596:  99999 99999  99999 99999  99999 99999  99999 99999  99999 99999    99999 99999  99999 99999  99999 99999  99999 99999  99999 99999
7597:  99999 99999  99999 99999  99999 99999  99999 99999  99999 99999    99999 99999  99999 99999  99999 99999  99999 99999  99999 99999
7598:  99999 99999  99999 99999  99999 99999  99999 99999  99999 99999    99999 99999  99999 99999  99999 99999  99999 99999  99999 99999
7599:  99999 99999  99999 99999  99999 99999  99999 99999  99999 99999    99999 99999  99999 99999  99999 99999  99999 99999  99999 99999
```

```
7600:  99999 99999  99999 99999  99999 99999  99999 99999  99999 99999    99999 99999  99999 99999  99999 99999  99999 99999  99999 99999
7601:  99999 99999  99999 99999  99999 99999  99999 99999  99999 99999    99999 99999  99999 99999  99999 99999  99999 99999  99999 99999
7602:  99999 99999  99999 99999  99999 99999  99999 99999  99999 99999    99999 99999  99999 99999  99999 99999  99999 99999  99999 99999
7603:  99999 99999  99999 99999  99999 99999  99999 99999  99999 99999    99999 99999  99999 99999  99999 99999  99999 99999  99999 99999
7604:  99999 99999  99999 99999  99999 99999  99999 99999  99999 99999    99999 99999  99999 99999  99999 99999  99999 99999  99999 99999
7605:  99999 99999  99999 99999  99999 99999  99999 99999  99999 99999    99999 99999  99999 99999  99999 99999  99999 99999  99999 99999
7606:  99999 99999  99999 99999  99999 99999  99999 99999  99999 99999    99999 99999  99999 99999  99999 99999  99999 99999  99999 99999
7607:  99999 99999  99999 99999  99999 99999  99999 99999  99999 99999    99999 99999  99999 99999  99999 99999  99999 99999  99999 99999
7608:  99999 99999  99999 99999  99999 99999  99999 99999  99999 99999    99999 99999  99999 99999  99999 99999  99999 99999  99999 99999
7609:  99999 99999  99999 99999  99999 99999  99999 99999  99999 99999    99999 99999  99999 99999  99999 99999  99999 99999  99999 99999
7610:  99999 99999  99999 99999  99999 99999  99999 99999  99999 99999    99999 99999  99999 99999  99999 99999  99999 99999  99999 99999
7611:  99999 99999  99999 99999  99999 99999  99999 99999  99999 99999    99999 99999  99999 99999  99999 99999  99999 99999  99999 99999
7612:  99999 99999  99999 99999  99999 99999  99999 99999  99999 99999    99999 99999  99999 99999  99999 99999  99999 99999  99999 99999
7613:  99999 99999  99999 99999  99999 99999  99999 99999  99999 99999    99999 99999  99999 99999  99999 99999  99999 99999  99999 99999
7614:  99999 99999  99999 99999  99999 99999  99999 99999  99999 99999    99999 99999  99999 99999  99999 99999  99999 99999  99999 99999
7615:  99999 99999  99999 99999  99999 99999  99999 99999  99999 99999    99999 99999  99999 99999  99999 99999  99999 99999  99999 99999
7616:  99999 99999  99999 99999  99999 99999  99999 99999  99999 99999    99999 99999  99999 99999  99999 99999  99999 99999  99999 99999
7617:  99999 99999  99999 99999  99999 99999  99999 99999  99999 99999    99999 99999  99999 99999  99999 99999  99999 99999  99999 99999
7618:  99999 99999  99999 99999  99999 99999  99999 99999  99999 99999    99999 99999  99999 99999  99999 99999  99999 99999  99999 99999
7619:  99999 99999  99999 99999  99999 99999  99999 99999  99999 99999    99999 99999  99999 99999  99999 99999  99999 99999  99999 99999
7620:  99999 99999  99999 99999  99999 99999  99999 99999  99999 99999    99999 99999  99999 99999  99999 99999  99999 99999  99999 99999
7621:  99999 99999  99999 99999  99999 99999  99999 99999  99999 99999    99999 99999  99999 99999  99999 99999  99999 99999  99999 99999
7622:  99999 99999  99999 99999  99999 99999  99999 99999  99999 99999    99999 99999  99999 99999  99999 99999  99999 99999  99999 99999
7623:  99999 99999  99999 99999  99999 99999  99999 99999  99999 99999    99999 99999  99999 99999  99999 99999  99999 99999  99999 99999
7624:  99999 99999  99999 99999  99999 99999  99999 99999  99999 99999    99999 99999  99999 99999  99999 99999  99999 99999  99999 99999
7625:  99999 99999  99999 99999  99999 99999  99999 99999  99999 99999    99999 99999  99999 99999  99999 99999  99999 99999  99999 99999
7626:  99999 99999  99999 99999  99999 99999  99999 99999  99999 99999    99999 99999  99999 99999  99999 99999  99999 99999  99999 99999
7627:  99999 99999  99999 99999  99999 99999  99999 99999  99999 99999    99999 99999  99999 99999  99999 99999  99999 99999  99999 99999
7628:  99999 99999  99999 99999  99999 99999  99999 99999  99999 99999    99999 99999  99999 99999  99999 99999  99999 99999  99999 99999
7629:  99999 99999  99999 99999  99999 99999  99999 99999  99999 99999    99999 99999  99999 99999  99999 99999  99999 99999  99999 99999
7630:  99999 99999  99999 99999  99999 99999  99999 99999  99999 99999    99999 99999  99999 99999  99999 99999  99999 99999  99999 99999
7631:  99999 99999  99999 99999  99999 99999  99999 99999  99999 99999    99999 99999  99999 99999  99999 99999  99999 99999  99999 99999
7632:  99999 99999  99999 99999  99999 99999  99999 99999  99999 99999    99999 99999  99999 99999  99999 99999  99999 99999  99999 99999
7633:  99999 99999  99999 99999  99999 99999  99999 99999  99999 99999    99999 99999  99999 99999  99999 99999  99999 99999  99999 99999
7634:  99999 99999  99999 99999  99999 99999  99999 99999  99999 99999    99999 99999  99999 99999  99999 99999  99999 99999  99999 99999
7635:  99999 99999  99999 99999  99999 99999  99999 99999  99999 99999    99999 99999  99999 99999  99999 99999  99999 99999  99999 99999
7636:  99999 99999  99999 99999  99999 99999  99999 99999  99999 99999    99999 99999  99999 99999  99999 99999  99999 99999  99999 99999
7637:  99999 99999  99999 99999  99999 99999  99999 99999  99999 99999    99999 99999  99999 99999  99999 99999  99999 99999  99999 99999
7638:  99999 99999  99999 99999  99999 99999  99999 99999  99999 99999    99999 99999  99999 99999  99999 99999  99999 99999  99999 99999
7639:  99999 99999  99999 99999  99999 99999  99999 99999  99999 99999    99999 99999  99999 99999  99999 99999  99999 99999  99999 99999
7640:  99999 99999  99999 99999  99999 99999  99999 99999  99999 99999    99999 99999  99999 99999  99999 99999  99999 99999  99999 99999
7641:  99999 99999  99999 99999  99999 99999  99999 99999  99999 99999    99999 99999  99999 99999  99999 99999  99999 99999  99999 99999
7642:  99999 99999  99999 99999  99999 99999  99999 99999  99999 99999    99999 99999  99999 99999  99999 99999  99999 99999  99999 99999
7643:  99999 99999  99999 99999  99999 99999  99999 99999  99999 99999    99999 99999  99999 99999  99999 99999  99999 99999  99999 99999
7644:  99999 99999  99999 99999  99999 99999  99999 99999  99999 99999    99999 99999  99999 99999  99999 99999  99999 99999  99999 99999
7645:  99999 99999  99999 99999  99999 99999  99999 99999  99999 99999    99999 99999  99999 99999  99999 99999  99999 99999  99999 99999
7646:  99999 99999  99999 99999  99999 99999  99999 99999  99999 99999    99999 99999  99999 99999  99999 99999  99999 99999  99999 99999
7647:  99999 99999  99999 99999  99999 99999  99999 99999  99999 99999    99999 99999  99999 99999  99999 99999  99999 99999  99999 99999
7648:  99999 99999  99999 99999  99999 99999  99999 99999  99999 99999    99999 99999  99999 99999  99999 99999  99999 99999  99999 99999
7649:  99999 99999  99999 99999  99999 99999  99999 99999  99999 99999    99999 99999  99999 99999  99999 99999  99999 99999  99999 99999
```

```
7650:   99999 99999   99999 99999   99999 99999   99999 99999   99999 99999     99999 99999   99999 99999   99999 99999   99999 99999   99999 99999
7651:   99999 99999   99999 99999   99999 99999   99999 99999   99999 99999     99999 99999   99999 99999   99999 99999   99999 99999   99999 99999
7652:   99999 99999   99999 99999   99999 99999   99999 99999   99999 99999     99999 99999   99999 99999   99999 99999   99999 99999   99999 99999
7653:   99999 99999   99999 99999   99999 99999   99999 99999   99999 99999     99999 99999   99999 99999   99999 99999   99999 99999   99999 99999
7654:   99999 99999   99999 99999   99999 99999   99999 99999   99999 99999     99999 99999   99999 99999   99999 99999   99999 99999   99999 99999
7655:   99999 99999   99999 99999   99999 99999   99999 99999   99999 99999     99999 99999   99999 99999   99999 99999   99999 99999   99999 99999
7656:   99999 99999   99999 99999   99999 99999   99999 99999   99999 99999     99999 99999   99999 99999   99999 99999   99999 99999   99999 99999
7657:   99999 99999   99999 99999   99999 99999   99999 99999   99999 99999     99999 99999   99999 99999   99999 99999   99999 99999   99999 99999
7658:   99999 99999   99999 99999   99999 99999   99999 99999   99999 99999     99999 99999   99999 99999   99999 99999   99999 99999   99999 99999
7659:   99999 99999   99999 99999   99999 99999   99999 99999   99999 99999     99999 99999   99999 99999   99999 99999   99999 99999   99999 99999
7660:   99999 99999   99999 99999   99999 99999   99999 99999   99999 99999     99999 99999   99999 99999   99999 99999   99999 99999   99999 99999
7661:   99999 99999   99999 99999   99999 99999   99999 99999   99999 99999     99999 99999   99999 99999   99999 99999   99999 99999   99999 99999
7662:   99999 99999   99999 99999   99999 99999   99999 99999   99999 99999     99999 99999   99999 99999   99999 99999   99999 99999   99999 99999
7663:   99999 99999   99999 99999   99999 99999   99999 99999   99999 99999     99999 99999   99999 99999   99999 99999   99999 99999   99999 99999
7664:   99999 99999   99999 99999   99999 99999   99999 99999   99999 99999     99999 99999   99999 99999   99999 99999   99999 99999   99999 99999
7665:   99999 99999   99999 99999   99999 99999   99999 99999   99999 99999     99999 99999   99999 99999   99999 99999   99999 99999   99999 99999
7666:   99999 99999   99999 99999   99999 99999   99999 99999   99999 99999     99999 99999   99999 99999   99999 99999   99999 99999   99999 99999
7667:   99999 99999   99999 99999   99999 99999   99999 99999   99999 99999     99999 99999   99999 99999   99999 99999   99999 99999   99999 99999
7668:   99999 99999   99999 99999   99999 99999   99999 99999   99999 99999     99999 99999   99999 99999   99999 99999   99999 99999   99999 99999
7669:   99999 99999   99999 99999   99999 99999   99999 99999   99999 99999     99999 99999   99999 99999   99999 99999   99999 99999   99999 99999
7670:   99999 99999   99999 99999   99999 99999   99999 99999   99999 99999     99999 99999   99999 99999   99999 99999   99999 99999   99999 99999
7671:   99999 99999   99999 99999   99999 99999   99999 99999   99999 99999     99999 99999   99999 99999   99999 99999   99999 99999   99999 99999
7672:   99999 99999   99999 99999   99999 99999   99999 99999   99999 99999     99999 99999   99999 99999   99999 99999   99999 99999   99999 99999
7673:   99999 99999   99999 99999   99999 99999   99999 99999   99999 99999     99999 99999   99999 99999   99999 99999   99999 99999   99999 99999
7674:   99999 99999   99999 99999   99999 99999   99999 99999   99999 99999     99999 99999   99999 99999   99999 99999   99999 99999   99999 99999
7675:   99999 99999   99999 99999   99999 99999   99999 99999   99999 99999     99999 99999   99999 99999   99999 99999   99999 99999   99999 99999
7676:   99999 99999   99999 99999   99999 99999   99999 99999   99999 99999     99999 99999   99999 99999   99999 99999   99999 99999   99999 99999
7677:   99999 99999   99999 99999   99999 99999   99999 99999   99999 99999     99999 99999   99999 99999   99999 99999   99999 99999   99999 99999
7678:   99999 99999   99999 99999   99999 99999   99999 99999   99999 99999     99999 99999   99999 99999   99999 99999   99999 99999   99999 99999
7679:   99999 99999   99999 99999   99999 99999   99999 99999   99999 99999     99999 99999   99999 99999   99999 99999   99999 99999   99999 99999
7680:   99999 99999   99999 99999   99999 99999   99999 99999   99999 99999     99999 99999   99999 99999   99999 99999   99999 99999   99999 99999
7681:   99999 99999   99999 99999   99999 99999   99999 99999   99999 99999     99999 99999   99999 99999   99999 99999   99999 99999   99999 99999
7682:   99999 99999   99999 99999   99999 99999   99999 99999   99999 99999     99999 99999   99999 99999   99999 99999   99999 99999   99999 99999
7683:   99999 99999   99999 99999   99999 99999   99999 99999   99999 99999     99999 99999   99999 99999   99999 99999   99999 99999   99999 99999
7684:   99999 99999   99999 99999   99999 99999   99999 99999   99999 99999     99999 99999   99999 99999   99999 99999   99999 99999   99999 99999
7685:   99999 99999   99999 99999   99999 99999   99999 99999   99999 99999     99999 99999   99999 99999   99999 99999   99999 99999   99999 99999
7686:   99999 99999   99999 99999   99999 99999   99999 99999   99999 99999     99999 99999   99999 99999   99999 99999   99999 99999   99999 99999
7687:   99999 99999   99999 99999   99999 99999   99999 99999   99999 99999     99999 99999   99999 99999   99999 99999   99999 99999   99999 99999
7688:   99999 99999   99999 99999   99999 99999   99999 99999   99999 99999     99999 99999   99999 99999   99999 99999   99999 99999   99999 99999
7689:   99999 99999   99999 99999   99999 99999   99999 99999   99999 99999     99999 99999   99999 99999   99999 99999   99999 99999   99999 99999
7690:   99999 99999   99999 99999   99999 99999   99999 99999   99999 99999     99999 99999   99999 99999   99999 99999   99999 99999   99999 99999
7691:   99999 99999   99999 99999   99999 99999   99999 99999   99999 99999     99999 99999   99999 99999   99999 99999   99999 99999   99999 99999
7692:   99999 99999   99999 99999   99999 99999   99999 99999   99999 99999     99999 99999   99999 99999   99999 99999   99999 99999   99999 99999
7693:   99999 99999   99999 99999   99999 99999   99999 99999   99999 99999     99999 99999   99999 99999   99999 99999   99999 99999   99999 99999
7694:   99999 99999   99999 99999   99999 99999   99999 99999   99999 99999     99999 99999   99999 99999   99999 99999   99999 99999   99999 99999
7695:   99999 99999   99999 99999   99999 99999   99999 99999   99999 99999     99999 99999   99999 99999   99999 99999   99999 99999   99999 99999
7696:   99999 99999   99999 99999   99999 99999   99999 99999   99999 99999     99999 99999   99999 99999   99999 99999   99999 99999   99999 99999
7697:   99999 99999   99999 99999   99999 99999   99999 99999   99999 99999     99999 99999   99999 99999   99999 99999   99999 99999   99999 99999
7698:   99999 99999   99999 99999   99999 99999   99999 99999   99999 99999     99999 99999   99999 99999   99999 99999   99999 99999   99999 99999
7699:   99999 99999   99999 99999   99999 99999   99999 99999   99999 99999     99999 99999   99999 99999   99999 99999   99999 99999   99999 99999
```

```
7700:  99999 99999  99999 99999  99999 99999  99999 99999  99999 99999    99999 99999  99999 99999  99999 99999  99999 99999  99999 99999
7701:  99999 99999  99999 99999  99999 99999  99999 99999  99999 99999    99999 99999  99999 99999  99999 99999  99999 99999  99999 99999
7702:  99999 99999  99999 99999  99999 99999  99999 99999  99999 99999    99999 99999  99999 99999  99999 99999  99999 99999  99999 99999
7703:  99999 99999  99999 99999  99999 99999  99999 99999  99999 99999    99999 99999  99999 99999  99999 99999  99999 99999  99999 99999
7704:  99999 99999  99999 99999  99999 99999  99999 99999  99999 99999    99999 99999  99999 99999  99999 99999  99999 99999  99999 99999
7705:  99999 99999  99999 99999  99999 99999  99999 99999  99999 99999    99999 99999  99999 99999  99999 99999  99999 99999  99999 99999
7706:  99999 99999  99999 99999  99999 99999  99999 99999  99999 99999    99999 99999  99999 99999  99999 99999  99999 99999  99999 99999
7707:  99999 99999  99999 99999  99999 99999  99999 99999  99999 99999    99999 99999  99999 99999  99999 99999  99999 99999  99999 99999
7708:  99999 99999  99999 99999  99999 99999  99999 99999  99999 99999    99999 99999  99999 99999  99999 99999  99999 99999  99999 99999
7709:  99999 99999  99999 99999  99999 99999  99999 99999  99999 99999    99999 99999  99999 99999  99999 99999  99999 99999  99999 99999
7710:  99999 99999  99999 99999  99999 99999  99999 99999  99999 99999    99999 99999  99999 99999  99999 99999  99999 99999  99999 99999
7711:  99999 99999  99999 99999  99999 99999  99999 99999  99999 99999    99999 99999  99999 99999  99999 99999  99999 99999  99999 99999
7712:  99999 99999  99999 99999  99999 99999  99999 99999  99999 99999    99999 99999  99999 99999  99999 99999  99999 99999  99999 99999
7713:  99999 99999  99999 99999  99999 99999  99999 99999  99999 99999    99999 99999  99999 99999  99999 99999  99999 99999  99999 99999
7714:  99999 99999  99999 99999  99999 99999  99999 99999  99999 99999    99999 99999  99999 99999  99999 99999  99999 99999  99999 99999
7715:  99999 99999  99999 99999  99999 99999  99999 99999  99999 99999    99999 99999  99999 99999  99999 99999  99999 99999  99999 99999
7716:  99999 99999  99999 99999  99999 99999  99999 99999  99999 99999    99999 99999  99999 99999  99999 99999  99999 99999  99999 99999
7717:  99999 99999  99999 99999  99999 99999  99999 99999  99999 99999    99999 99999  99999 99999  99999 99999  99999 99999  99999 99999
7718:  99999 99999  99999 99999  99999 99999  99999 99999  99999 99999    99999 99999  99999 99999  99999 99999  99999 99999  99999 99999
7719:  99999 99999  99999 99999  99999 99999  99999 99999  99999 99999    99999 99999  99999 99999  99999 99999  99999 99999  99999 99999
7720:  99999 99999  99999 99999  99999 99999  99999 99999  99999 99999    99999 99999  99999 99999  99999 99999  99999 99999  99999 99999
7721:  99999 99999  99999 99999  99999 99999  99999 99999  99999 99999    99999 99999  99999 99999  99999 99999  99999 99999  99999 99999
7722:  99999 99999  99999 99999  99999 99999  99999 99999  99999 99999    99999 99999  99999 99999  99999 99999  99999 99999  99999 99999
7723:  99999 99999  99999 99999  99999 99999  99999 99999  99999 99999    99999 99999  99999 99999  99999 99999  99999 99999  99999 99999
7724:  99999 99999  99999 99999  99999 99999  99999 99999  99999 99999    99999 99999  99999 99999  99999 99999  99999 99999  99999 99999
7725:  99999 99999  99999 99999  99999 99999  99999 99999  99999 99999    99999 99999  99999 99999  99999 99999  99999 99999  99999 99999
7726:  99999 99999  99999 99999  99999 99999  99999 99999  99999 99999    99999 99999  99999 99999  99999 99999  99999 99999  99999 99999
7727:  99999 99999  99999 99999  99999 99999  99999 99999  99999 99999    99999 99999  99999 99999  99999 99999  99999 99999  99999 99999
7728:  99999 99999  99999 99999  99999 99999  99999 99999  99999 99999    99999 99999  99999 99999  99999 99999  99999 99999  99999 99999
7729:  99999 99999  99999 99999  99999 99999  99999 99999  99999 99999    99999 99999  99999 99999  99999 99999  99999 99999  99999 99999
7730:  99999 99999  99999 99999  99999 99999  99999 99999  99999 99999    99999 99999  99999 99999  99999 99999  99999 99999  99999 99999
7731:  99999 99999  99999 99999  99999 99999  99999 99999  99999 99999    99999 99999  99999 99999  99999 99999  99999 99999  99999 99999
7732:  99999 99999  99999 99999  99999 99999  99999 99999  99999 99999    99999 99999  99999 99999  99999 99999  99999 99999  99999 99999
7733:  99999 99999  99999 99999  99999 99999  99999 99999  99999 99999    99999 99999  99999 99999  99999 99999  99999 99999  99999 99999
7734:  99999 99999  99999 99999  99999 99999  99999 99999  99999 99999    99999 99999  99999 99999  99999 99999  99999 99999  99999 99999
7735:  99999 99999  99999 99999  99999 99999  99999 99999  99999 99999    99999 99999  99999 99999  99999 99999  99999 99999  99999 99999
7736:  99999 99999  99999 99999  99999 99999  99999 99999  99999 99999    99999 99999  99999 99999  99999 99999  99999 99999  99999 99999
7737:  99999 99999  99999 99999  99999 99999  99999 99999  99999 99999    99999 99999  99999 99999  99999 99999  99999 99999  99999 99999
7738:  99999 99999  99999 99999  99999 99999  99999 99999  99999 99999    99999 99999  99999 99999  99999 99999  99999 99999  99999 99999
7739:  99999 99999  99999 99999  99999 99999  99999 99999  99999 99999    99999 99999  99999 99999  99999 99999  99999 99999  99999 99999
7740:  99999 99999  99999 99999  99999 99999  99999 99999  99999 99999    99999 99999  99999 99999  99999 99999  99999 99999  99999 99999
7741:  99999 99999  99999 99999  99999 99999  99999 99999  99999 99999    99999 99999  99999 99999  99999 99999  99999 99999  99999 99999
7742:  99999 99999  99999 99999  99999 99999  99999 99999  99999 99999    99999 99999  99999 99999  99999 99999  99999 99999  99999 99999
7743:  99999 99999  99999 99999  99999 99999  99999 99999  99999 99999    99999 99999  99999 99999  99999 99999  99999 99999  99999 99999
7744:  99999 99999  99999 99999  99999 99999  99999 99999  99999 99999    99999 99999  99999 99999  99999 99999  99999 99999  99999 99999
7745:  99999 99999  99999 99999  99999 99999  99999 99999  99999 99999    99999 99999  99999 99999  99999 99999  99999 99999  99999 99999
7746:  99999 99999  99999 99999  99999 99999  99999 99999  99999 99999    99999 99999  99999 99999  99999 99999  99999 99999  99999 99999
7747:  99999 99999  99999 99999  99999 99999  99999 99999  99999 99999    99999 99999  99999 99999  99999 99999  99999 99999  99999 99999
7748:  99999 99999  99999 99999  99999 99999  99999 99999  99999 99999    99999 99999  99999 99999  99999 99999  99999 99999  99999 99999
7749:  99999 99999  99999 99999  99999 99999  99999 99999  99999 99999    99999 99999  99999 99999  99999 99999  99999 99999  99999 99999
```

```
7750:  99999 99999  99999 99999  99999 99999  99999 99999  99999 99999    99999 99999  99999 99999  99999 99999  99999 99999  99999 99999
7751:  99999 99999  99999 99999  99999 99999  99999 99999  99999 99999    99999 99999  99999 99999  99999 99999  99999 99999  99999 99999
7752:  99999 99999  99999 99999  99999 99999  99999 99999  99999 99999    99999 99999  99999 99999  99999 99999  99999 99999  99999 99999
7753:  99999 99999  99999 99999  99999 99999  99999 99999  99999 99999    99999 99999  99999 99999  99999 99999  99999 99999  99999 99999
7754:  99999 99999  99999 99999  99999 99999  99999 99999  99999 99999    99999 99999  99999 99999  99999 99999  99999 99999  99999 99999
7755:  99999 99999  99999 99999  99999 99999  99999 99999  99999 99999    99999 99999  99999 99999  99999 99999  99999 99999  99999 99999
7756:  99999 99999  99999 99999  99999 99999  99999 99999  99999 99999    99999 99999  99999 99999  99999 99999  99999 99999  99999 99999
7757:  99999 99999  99999 99999  99999 99999  99999 99999  99999 99999    99999 99999  99999 99999  99999 99999  99999 99999  99999 99999
7758:  99999 99999  99999 99999  99999 99999  99999 99999  99999 99999    99999 99999  99999 99999  99999 99999  99999 99999  99999 99999
7759:  99999 99999  99999 99999  99999 99999  99999 99999  99999 99999    99999 99999  99999 99999  99999 99999  99999 99999  99999 99999
7760:  99999 99999  99999 99999  99999 99999  99999 99999  99999 99999    99999 99999  99999 99999  99999 99999  99999 99999  99999 99999
7761:  99999 99999  99999 99999  99999 99999  99999 99999  99999 99999    99999 99999  99999 99999  99999 99999  99999 99999  99999 99999
7762:  99999 99999  99999 99999  99999 99999  99999 99999  99999 99999    99999 99999  99999 99999  99999 99999  99999 99999  99999 99999
7763:  99999 99999  99999 99999  99999 99999  99999 99999  99999 99999    99999 99999  99999 99999  99999 99999  99999 99999  99999 99999
7764:  99999 99999  99999 99999  99999 99999  99999 99999  99999 99999    99999 99999  99999 99999  99999 99999  99999 99999  99999 99999
7765:  99999 99999  99999 99999  99999 99999  99999 99999  99999 99999    99999 99999  99999 99999  99999 99999  99999 99999  99999 99999
7766:  99999 99999  99999 99999  99999 99999  99999 99999  99999 99999    99999 99999  99999 99999  99999 99999  99999 99999  99999 99999
7767:  99999 99999  99999 99999  99999 99999  99999 99999  99999 99999    99999 99999  99999 99999  99999 99999  99999 99999  99999 99999
7768:  99999 99999  99999 99999  99999 99999  99999 99999  99999 99999    99999 99999  99999 99999  99999 99999  99999 99999  99999 99999
7769:  99999 99999  99999 99999  99999 99999  99999 99999  99999 99999    99999 99999  99999 99999  99999 99999  99999 99999  99999 99999
7770:  99999 99999  99999 99999  99999 99999  99999 99999  99999 99999    99999 99999  99999 99999  99999 99999  99999 99999  99999 99999
7771:  99999 99999  99999 99999  99999 99999  99999 99999  99999 99999    99999 99999  99999 99999  99999 99999  99999 99999  99999 99999
7772:  99999 99999  99999 99999  99999 99999  99999 99999  99999 99999    99999 99999  99999 99999  99999 99999  99999 99999  99999 99999
7773:  99999 99999  99999 99999  99999 99999  99999 99999  99999 99999    99999 99999  99999 99999  99999 99999  99999 99999  99999 99999
7774:  99999 99999  99999 99999  99999 99999  99999 99999  99999 99999    99999 99999  99999 99999  99999 99999  99999 99999  99999 99999
7775:  99999 99999  99999 99999  99999 99999  99999 99999  99999 99999    99999 99999  99999 99999  99999 99999  99999 99999  99999 99999
7776:  99999 99999  99999 99999  99999 99999  99999 99999  99999 99999    99999 99999  99999 99999  99999 99999  99999 99999  99999 99999
7777:  99999 99999  99999 99999  99999 99999  99999 99999  99999 99999    99999 99999  99999 99999  99999 99999  99999 99999  99999 99999
7778:  99999 99999  99999 99999  99999 99999  99999 99999  99999 99999    99999 99999  99999 99999  99999 99999  99999 99999  99999 99999
7779:  99999 99999  99999 99999  99999 99999  99999 99999  99999 99999    99999 99999  99999 99999  99999 99999  99999 99999  99999 99999
7780:  99999 99999  99999 99999  99999 99999  99999 99999  99999 99999    99999 99999  99999 99999  99999 99999  99999 99999  99999 99999
7781:  99999 99999  99999 99999  99999 99999  99999 99999  99999 99999    99999 99999  99999 99999  99999 99999  99999 99999  99999 99999
7782:  99999 99999  99999 99999  99999 99999  99999 99999  99999 99999    99999 99999  99999 99999  99999 99999  99999 99999  99999 99999
7783:  99999 99999  99999 99999  99999 99999  99999 99999  99999 99999    99999 99999  99999 99999  99999 99999  99999 99999  99999 99999
7784:  99999 99999  99999 99999  99999 99999  99999 99999  99999 99999    99999 99999  99999 99999  99999 99999  99999 99999  99999 99999
7785:  99999 99999  99999 99999  99999 99999  99999 99999  99999 99999    99999 99999  99999 99999  99999 99999  99999 99999  99999 99999
7786:  99999 99999  99999 99999  99999 99999  99999 99999  99999 99999    99999 99999  99999 99999  99999 99999  99999 99999  99999 99999
7787:  99999 99999  99999 99999  99999 99999  99999 99999  99999 99999    99999 99999  99999 99999  99999 99999  99999 99999  99999 99999
7788:  99999 99999  99999 99999  99999 99999  99999 99999  99999 99999    99999 99999  99999 99999  99999 99999  99999 99999  99999 99999
7789:  99999 99999  99999 99999  99999 99999  99999 99999  99999 99999    99999 99999  99999 99999  99999 99999  99999 99999  99999 99999
7790:  99999 99999  99999 99999  99999 99999  99999 99999  99999 99999    99999 99999  99999 99999  99999 99999  99999 99999  99999 99999
7791:  99999 99999  99999 99999  99999 99999  99999 99999  99999 99999    99999 99999  99999 99999  99999 99999  99999 99999  99999 99999
7792:  99999 99999  99999 99999  99999 99999  99999 99999  99999 99999    99999 99999  99999 99999  99999 99999  99999 99999  99999 99999
7793:  99999 99999  99999 99999  99999 99999  99999 99999  99999 99999    99999 99999  99999 99999  99999 99999  99999 99999  99999 99999
7794:  99999 99999  99999 99999  99999 99999  99999 99999  99999 99999    99999 99999  99999 99999  99999 99999  99999 99999  99999 99999
7795:  99999 99999  99999 99999  99999 99999  99999 99999  99999 99999    99999 99999  99999 99999  99999 99999  99999 99999  99999 99999
7796:  99999 99999  99999 99999  99999 99999  99999 99999  99999 99999    99999 99999  99999 99999  99999 99999  99999 99999  99999 99999
7797:  99999 99999  99999 99999  99999 99999  99999 99999  99999 99999    99999 99999  99999 99999  99999 99999  99999 99999  99999 99999
7798:  99999 99999  99999 99999  99999 99999  99999 99999  99999 99999    99999 99999  99999 99999  99999 99999  99999 99999  99999 99999
7799:  99999 99999  99999 99999  99999 99999  99999 99999  99999 99999    99999 99999  99999 99999  99999 99999  99999 99999  99999 99999
```

```
7800:  99999 99999   99999 99999   99999 99999   99999 99999   99999 99999    99999 99999   99999 99999   99999 99999   99999 99999   99999 99999
7801:  99999 99999   99999 99999   99999 99999   99999 99999   99999 99999    99999 99999   99999 99999   99999 99999   99999 99999   99999 99999
7802:  99999 99999   99999 99999   99999 99999   99999 99999   99999 99999    99999 99999   99999 99999   99999 99999   99999 99999   99999 99999
7803:  99999 99999   99999 99999   99999 99999   99999 99999   99999 99999    99999 99999   99999 99999   99999 99999   99999 99999   99999 99999
7804:  99999 99999   99999 99999   99999 99999   99999 99999   99999 99999    99999 99999   99999 99999   99999 99999   99999 99999   99999 99999
7805:  99999 99999   99999 99999   99999 99999   99999 99999   99999 99999    99999 99999   99999 99999   99999 99999   99999 99999   99999 99999
7806:  99999 99999   99999 99999   99999 99999   99999 99999   99999 99999    99999 99999   99999 99999   99999 99999   99999 99999   99999 99999
7807:  99999 99999   99999 99999   99999 99999   99999 99999   99999 99999    99999 99999   99999 99999   99999 99999   99999 99999   99999 99999
7808:  99999 99999   99999 99999   99999 99999   99999 99999   99999 99999    99999 99999   99999 99999   99999 99999   99999 99999   99999 99999
7809:  99999 99999   99999 99999   99999 99999   99999 99999   99999 99999    99999 99999   99999 99999   99999 99999   99999 99999   99999 99999
7810:  99999 99999   99999 99999   99999 99999   99999 99999   99999 99999    99999 99999   99999 99999   99999 99999   99999 99999   99999 99999
7811:  99999 99999   99999 99999   99999 99999   99999 99999   99999 99999    99999 99999   99999 99999   99999 99999   99999 99999   99999 99999
7812:  99999 99999   99999 99999   99999 99999   99999 99999   99999 99999    99999 99999   99999 99999   99999 99999   99999 99999   99999 99999
7813:  99999 99999   99999 99999   99999 99999   99999 99999   99999 99999    99999 99999   99999 99999   99999 99999   99999 99999   99999 99999
7814:  99999 99999   99999 99999   99999 99999   99999 99999   99999 99999    99999 99999   99999 99999   99999 99999   99999 99999   99999 99999
7815:  99999 99999   99999 99999   99999 99999   99999 99999   99999 99999    99999 99999   99999 99999   99999 99999   99999 99999   99999 99999
7816:  99999 99999   99999 99999   99999 99999   99999 99999   99999 99999    99999 99999   99999 99999   99999 99999   99999 99999   99999 99999
7817:  99999 99999   99999 99999   99999 99999   99999 99999   99999 99999    99999 99999   99999 99999   99999 99999   99999 99999   99999 99999
7818:  99999 99999   99999 99999   99999 99999   99999 99999   99999 99999    99999 99999   99999 99999   99999 99999   99999 99999   99999 99999
7819:  99999 99999   99999 99999   99999 99999   99999 99999   99999 99999    99999 99999   99999 99999   99999 99999   99999 99999   99999 99999
7820:  99999 99999   99999 99999   99999 99999   99999 99999   99999 99999    99999 99999   99999 99999   99999 99999   99999 99999   99999 99999
7821:  99999 99999   99999 99999   99999 99999   99999 99999   99999 99999    99999 99999   99999 99999   99999 99999   99999 99999   99999 99999
7822:  99999 99999   99999 99999   99999 99999   99999 99999   99999 99999    99999 99999   99999 99999   99999 99999   99999 99999   99999 99999
7823:  99999 99999   99999 99999   99999 99999   99999 99999   99999 99999    99999 99999   99999 99999   99999 99999   99999 99999   99999 99999
7824:  99999 99999   99999 99999   99999 99999   99999 99999   99999 99999    99999 99999   99999 99999   99999 99999   99999 99999   99999 99999
7825:  99999 99999   99999 99999   99999 99999   99999 99999   99999 99999    99999 99999   99999 99999   99999 99999   99999 99999   99999 99999
7826:  99999 99999   99999 99999   99999 99999   99999 99999   99999 99999    99999 99999   99999 99999   99999 99999   99999 99999   99999 99999
7827:  99999 99999   99999 99999   99999 99999   99999 99999   99999 99999    99999 99999   99999 99999   99999 99999   99999 99999   99999 99999
7828:  99999 99999   99999 99999   99999 99999   99999 99999   99999 99999    99999 99999   99999 99999   99999 99999   99999 99999   99999 99999
7829:  99999 99999   99999 99999   99999 99999   99999 99999   99999 99999    99999 99999   99999 99999   99999 99999   99999 99999   99999 99999
7830:  99999 99999   99999 99999   99999 99999   99999 99999   99999 99999    99999 99999   99999 99999   99999 99999   99999 99999   99999 99999
7831:  99999 99999   99999 99999   99999 99999   99999 99999   99999 99999    99999 99999   99999 99999   99999 99999   99999 99999   99999 99999
7832:  99999 99999   99999 99999   99999 99999   99999 99999   99999 99999    99999 99999   99999 99999   99999 99999   99999 99999   99999 99999
7833:  99999 99999   99999 99999   99999 99999   99999 99999   99999 99999    99999 99999   99999 99999   99999 99999   99999 99999   99999 99999
7834:  99999 99999   99999 99999   99999 99999   99999 99999   99999 99999    99999 99999   99999 99999   99999 99999   99999 99999   99999 99999
7835:  99999 99999   99999 99999   99999 99999   99999 99999   99999 99999    99999 99999   99999 99999   99999 99999   99999 99999   99999 99999
7836:  99999 99999   99999 99999   99999 99999   99999 99999   99999 99999    99999 99999   99999 99999   99999 99999   99999 99999   99999 99999
7837:  99999 99999   99999 99999   99999 99999   99999 99999   99999 99999    99999 99999   99999 99999   99999 99999   99999 99999   99999 99999
7838:  99999 99999   99999 99999   99999 99999   99999 99999   99999 99999    99999 99999   99999 99999   99999 99999   99999 99999   99999 99999
7839:  99999 99999   99999 99999   99999 99999   99999 99999   99999 99999    99999 99999   99999 99999   99999 99999   99999 99999   99999 99999
7840:  99999 99999   99999 99999   99999 99999   99999 99999   99999 99999    99999 99999   99999 99999   99999 99999   99999 99999   99999 99999
7841:  99999 99999   99999 99999   99999 99999   99999 99999   99999 99999    99999 99999   99999 99999   99999 99999   99999 99999   99999 99999
7842:  99999 99999   99999 99999   99999 99999   99999 99999   99999 99999    99999 99999   99999 99999   99999 99999   99999 99999   99999 99999
7843:  99999 99999   99999 99999   99999 99999   99999 99999   99999 99999    99999 99999   99999 99999   99999 99999   99999 99999   99999 99999
7844:  99999 99999   99999 99999   99999 99999   99999 99999   99999 99999    99999 99999   99999 99999   99999 99999   99999 99999   99999 99999
7845:  99999 99999   99999 99999   99999 99999   99999 99999   99999 99999    99999 99999   99999 99999   99999 99999   99999 99999   99999 99999
7846:  99999 99999   99999 99999   99999 99999   99999 99999   99999 99999    99999 99999   99999 99999   99999 99999   99999 99999   99999 99999
7847:  99999 99999   99999 99999   99999 99999   99999 99999   99999 99999    99999 99999   99999 99999   99999 99999   99999 99999   99999 99999
7848:  99999 99999   99999 99999   99999 99999   99999 99999   99999 99999    99999 99999   99999 99999   99999 99999   99999 99999   99999 99999
7849:  99999 99999   99999 99999   99999 99999   99999 99999   99999 99999    99999 99999   99999 99999   99999 99999   99999 99999   99999 99999
```

```
7850:   99999 99999   99999 99999   99999 99999   99999 99999   99999 99999      99999 99999   99999 99999   99999 99999   99999 99999   99999 99999
7851:   99999 99999   99999 99999   99999 99999   99999 99999   99999 99999      99999 99999   99999 99999   99999 99999   99999 99999   99999 99999
7852:   99999 99999   99999 99999   99999 99999   99999 99999   99999 99999      99999 99999   99999 99999   99999 99999   99999 99999   99999 99999
7853:   99999 99999   99999 99999   99999 99999   99999 99999   99999 99999      99999 99999   99999 99999   99999 99999   99999 99999   99999 99999
7854:   99999 99999   99999 99999   99999 99999   99999 99999   99999 99999      99999 99999   99999 99999   99999 99999   99999 99999   99999 99999
7855:   99999 99999   99999 99999   99999 99999   99999 99999   99999 99999      99999 99999   99999 99999   99999 99999   99999 99999   99999 99999
7856:   99999 99999   99999 99999   99999 99999   99999 99999   99999 99999      99999 99999   99999 99999   99999 99999   99999 99999   99999 99999
7857:   99999 99999   99999 99999   99999 99999   99999 99999   99999 99999      99999 99999   99999 99999   99999 99999   99999 99999   99999 99999
7858:   99999 99999   99999 99999   99999 99999   99999 99999   99999 99999      99999 99999   99999 99999   99999 99999   99999 99999   99999 99999
7859:   99999 99999   99999 99999   99999 99999   99999 99999   99999 99999      99999 99999   99999 99999   99999 99999   99999 99999   99999 99999
7860:   99999 99999   99999 99999   99999 99999   99999 99999   99999 99999      99999 99999   99999 99999   99999 99999   99999 99999   99999 99999
7861:   99999 99999   99999 99999   99999 99999   99999 99999   99999 99999      99999 99999   99999 99999   99999 99999   99999 99999   99999 99999
7862:   99999 99999   99999 99999   99999 99999   99999 99999   99999 99999      99999 99999   99999 99999   99999 99999   99999 99999   99999 99999
7863:   99999 99999   99999 99999   99999 99999   99999 99999   99999 99999      99999 99999   99999 99999   99999 99999   99999 99999   99999 99999
7864:   99999 99999   99999 99999   99999 99999   99999 99999   99999 99999      99999 99999   99999 99999   99999 99999   99999 99999   99999 99999
7865:   99999 99999   99999 99999   99999 99999   99999 99999   99999 99999      99999 99999   99999 99999   99999 99999   99999 99999   99999 99999
7866:   99999 99999   99999 99999   99999 99999   99999 99999   99999 99999      99999 99999   99999 99999   99999 99999   99999 99999   99999 99999
7867:   99999 99999   99999 99999   99999 99999   99999 99999   99999 99999      99999 99999   99999 99999   99999 99999   99999 99999   99999 99999
7868:   99999 99999   99999 99999   99999 99999   99999 99999   99999 99999      99999 99999   99999 99999   99999 99999   99999 99999   99999 99999
7869:   99999 99999   99999 99999   99999 99999   99999 99999   99999 99999      99999 99999   99999 99999   99999 99999   99999 99999   99999 99999
7870:   99999 99999   99999 99999   99999 99999   99999 99999   99999 99999      99999 99999   99999 99999   99999 99999   99999 99999   99999 99999
7871:   99999 99999   99999 99999   99999 99999   99999 99999   99999 99999      99999 99999   99999 99999   99999 99999   99999 99999   99999 99999
7872:   99999 99999   99999 99999   99999 99999   99999 99999   99999 99999      99999 99999   99999 99999   99999 99999   99999 99999   99999 99999
7873:   99999 99999   99999 99999   99999 99999   99999 99999   99999 99999      99999 99999   99999 99999   99999 99999   99999 99999   99999 99999
7874:   99999 99999   99999 99999   99999 99999   99999 99999   99999 99999      99999 99999   99999 99999   99999 99999   99999 99999   99999 99999
7875:   99999 99999   99999 99999   99999 99999   99999 99999   99999 99999      99999 99999   99999 99999   99999 99999   99999 99999   99999 99999
7876:   99999 99999   99999 99999   99999 99999   99999 99999   99999 99999      99999 99999   99999 99999   99999 99999   99999 99999   99999 99999
7877:   99999 99999   99999 99999   99999 99999   99999 99999   99999 99999      99999 99999   99999 99999   99999 99999   99999 99999   99999 99999
7878:   99999 99999   99999 99999   99999 99999   99999 99999   99999 99999      99999 99999   99999 99999   99999 99999   99999 99999   99999 99999
7879:   99999 99999   99999 99999   99999 99999   99999 99999   99999 99999      99999 99999   99999 99999   99999 99999   99999 99999   99999 99999
7880:   99999 99999   99999 99999   99999 99999   99999 99999   99999 99999      99999 99999   99999 99999   99999 99999   99999 99999   99999 99999
7881:   99999 99999   99999 99999   99999 99999   99999 99999   99999 99999      99999 99999   99999 99999   99999 99999   99999 99999   99999 99999
7882:   99999 99999   99999 99999   99999 99999   99999 99999   99999 99999      99999 99999   99999 99999   99999 99999   99999 99999   99999 99999
7883:   99999 99999   99999 99999   99999 99999   99999 99999   99999 99999      99999 99999   99999 99999   99999 99999   99999 99999   99999 99999
7884:   99999 99999   99999 99999   99999 99999   99999 99999   99999 99999      99999 99999   99999 99999   99999 99999   99999 99999   99999 99999
7885:   99999 99999   99999 99999   99999 99999   99999 99999   99999 99999      99999 99999   99999 99999   99999 99999   99999 99999   99999 99999
7886:   99999 99999   99999 99999   99999 99999   99999 99999   99999 99999      99999 99999   99999 99999   99999 99999   99999 99999   99999 99999
7887:   99999 99999   99999 99999   99999 99999   99999 99999   99999 99999      99999 99999   99999 99999   99999 99999   99999 99999   99999 99999
7888:   99999 99999   99999 99999   99999 99999   99999 99999   99999 99999      99999 99999   99999 99999   99999 99999   99999 99999   99999 99999
7889:   99999 99999   99999 99999   99999 99999   99999 99999   99999 99999      99999 99999   99999 99999   99999 99999   99999 99999   99999 99999
7890:   99999 99999   99999 99999   99999 99999   99999 99999   99999 99999      99999 99999   99999 99999   99999 99999   99999 99999   99999 99999
7891:   99999 99999   99999 99999   99999 99999   99999 99999   99999 99999      99999 99999   99999 99999   99999 99999   99999 99999   99999 99999
7892:   99999 99999   99999 99999   99999 99999   99999 99999   99999 99999      99999 99999   99999 99999   99999 99999   99999 99999   99999 99999
7893:   99999 99999   99999 99999   99999 99999   99999 99999   99999 99999      99999 99999   99999 99999   99999 99999   99999 99999   99999 99999
7894:   99999 99999   99999 99999   99999 99999   99999 99999   99999 99999      99999 99999   99999 99999   99999 99999   99999 99999   99999 99999
7895:   99999 99999   99999 99999   99999 99999   99999 99999   99999 99999      99999 99999   99999 99999   99999 99999   99999 99999   99999 99999
7896:   99999 99999   99999 99999   99999 99999   99999 99999   99999 99999      99999 99999   99999 99999   99999 99999   99999 99999   99999 99999
7897:   99999 99999   99999 99999   99999 99999   99999 99999   99999 99999      99999 99999   99999 99999   99999 99999   99999 99999   99999 99999
7898:   99999 99999   99999 99999   99999 99999   99999 99999   99999 99999      99999 99999   99999 99999   99999 99999   99999 99999   99999 99999
7899:   99999 99999   99999 99999   99999 99999   99999 99999   99999 99999      99999 99999   99999 99999   99999 99999   99999 99999   99999 99999
```

```
7900:  99999 99999  99999 99999  99999 99999  99999 99999  99999 99999    99999 99999  99999 99999  99999 99999  99999 99999  99999 99999
7901:  99999 99999  99999 99999  99999 99999  99999 99999  99999 99999    99999 99999  99999 99999  99999 99999  99999 99999  99999 99999
7902:  99999 99999  99999 99999  99999 99999  99999 99999  99999 99999    99999 99999  99999 99999  99999 99999  99999 99999  99999 99999
7903:  99999 99999  99999 99999  99999 99999  99999 99999  99999 99999    99999 99999  99999 99999  99999 99999  99999 99999  99999 99999
7904:  99999 99999  99999 99999  99999 99999  99999 99999  99999 99999    99999 99999  99999 99999  99999 99999  99999 99999  99999 99999
7905:  99999 99999  99999 99999  99999 99999  99999 99999  99999 99999    99999 99999  99999 99999  99999 99999  99999 99999  99999 99999
7906:  99999 99999  99999 99999  99999 99999  99999 99999  99999 99999    99999 99999  99999 99999  99999 99999  99999 99999  99999 99999
7907:  99999 99999  99999 99999  99999 99999  99999 99999  99999 99999    99999 99999  99999 99999  99999 99999  99999 99999  99999 99999
7908:  99999 99999  99999 99999  99999 99999  99999 99999  99999 99999    99999 99999  99999 99999  99999 99999  99999 99999  99999 99999
7909:  99999 99999  99999 99999  99999 99999  99999 99999  99999 99999    99999 99999  99999 99999  99999 99999  99999 99999  99999 99999
7910:  99999 99999  99999 99999  99999 99999  99999 99999  99999 99999    99999 99999  99999 99999  99999 99999  99999 99999  99999 99999
7911:  99999 99999  99999 99999  99999 99999  99999 99999  99999 99999    99999 99999  99999 99999  99999 99999  99999 99999  99999 99999
7912:  99999 99999  99999 99999  99999 99999  99999 99999  99999 99999    99999 99999  99999 99999  99999 99999  99999 99999  99999 99999
7913:  99999 99999  99999 99999  99999 99999  99999 99999  99999 99999    99999 99999  99999 99999  99999 99999  99999 99999  99999 99999
7914:  99999 99999  99999 99999  99999 99999  99999 99999  99999 99999    99999 99999  99999 99999  99999 99999  99999 99999  99999 99999
7915:  99999 99999  99999 99999  99999 99999  99999 99999  99999 99999    99999 99999  99999 99999  99999 99999  99999 99999  99999 99999
7916:  99999 99999  99999 99999  99999 99999  99999 99999  99999 99999    99999 99999  99999 99999  99999 99999  99999 99999  99999 99999
7917:  99999 99999  99999 99999  99999 99999  99999 99999  99999 99999    99999 99999  99999 99999  99999 99999  99999 99999  99999 99999
7918:  99999 99999  99999 99999  99999 99999  99999 99999  99999 99999    99999 99999  99999 99999  99999 99999  99999 99999  99999 99999
7919:  99999 99999  99999 99999  99999 99999  99999 99999  99999 99999    99999 99999  99999 99999  99999 99999  99999 99999  99999 99999
7920:  99999 99999  99999 99999  99999 99999  99999 99999  99999 99999    99999 99999  99999 99999  99999 99999  99999 99999  99999 99999
7921:  99999 99999  99999 99999  99999 99999  99999 99999  99999 99999    99999 99999  99999 99999  99999 99999  99999 99999  99999 99999
7922:  99999 99999  99999 99999  99999 99999  99999 99999  99999 99999    99999 99999  99999 99999  99999 99999  99999 99999  99999 99999
7923:  99999 99999  99999 99999  99999 99999  99999 99999  99999 99999    99999 99999  99999 99999  99999 99999  99999 99999  99999 99999
7924:  99999 99999  99999 99999  99999 99999  99999 99999  99999 99999    99999 99999  99999 99999  99999 99999  99999 99999  99999 99999
7925:  99999 99999  99999 99999  99999 99999  99999 99999  99999 99999    99999 99999  99999 99999  99999 99999  99999 99999  99999 99999
7926:  99999 99999  99999 99999  99999 99999  99999 99999  99999 99999    99999 99999  99999 99999  99999 99999  99999 99999  99999 99999
7927:  99999 99999  99999 99999  99999 99999  99999 99999  99999 99999    99999 99999  99999 99999  99999 99999  99999 99999  99999 99999
7928:  99999 99999  99999 99999  99999 99999  99999 99999  99999 99999    99999 99999  99999 99999  99999 99999  99999 99999  99999 99999
7929:  99999 99999  99999 99999  99999 99999  99999 99999  99999 99999    99999 99999  99999 99999  99999 99999  99999 99999  99999 99999
7930:  99999 99999  99999 99999  99999 99999  99999 99999  99999 99999    99999 99999  99999 99999  99999 99999  99999 99999  99999 99999
7931:  99999 99999  99999 99999  99999 99999  99999 99999  99999 99999    99999 99999  99999 99999  99999 99999  99999 99999  99999 99999
7932:  99999 99999  99999 99999  99999 99999  99999 99999  99999 99999    99999 99999  99999 99999  99999 99999  99999 99999  99999 99999
7933:  99999 99999  99999 99999  99999 99999  99999 99999  99999 99999    99999 99999  99999 99999  99999 99999  99999 99999  99999 99999
7934:  99999 99999  99999 99999  99999 99999  99999 99999  99999 99999    99999 99999  99999 99999  99999 99999  99999 99999  99999 99999
7935:  99999 99999  99999 99999  99999 99999  99999 99999  99999 99999    99999 99999  99999 99999  99999 99999  99999 99999  99999 99999
7936:  99999 99999  99999 99999  99999 99999  99999 99999  99999 99999    99999 99999  99999 99999  99999 99999  99999 99999  99999 99999
7937:  99999 99999  99999 99999  99999 99999  99999 99999  99999 99999    99999 99999  99999 99999  99999 99999  99999 99999  99999 99999
7938:  99999 99999  99999 99999  99999 99999  99999 99999  99999 99999    99999 99999  99999 99999  99999 99999  99999 99999  99999 99999
7939:  99999 99999  99999 99999  99999 99999  99999 99999  99999 99999    99999 99999  99999 99999  99999 99999  99999 99999  99999 99999
7940:  99999 99999  99999 99999  99999 99999  99999 99999  99999 99999    99999 99999  99999 99999  99999 99999  99999 99999  99999 99999
7941:  99999 99999  99999 99999  99999 99999  99999 99999  99999 99999    99999 99999  99999 99999  99999 99999  99999 99999  99999 99999
7942:  99999 99999  99999 99999  99999 99999  99999 99999  99999 99999    99999 99999  99999 99999  99999 99999  99999 99999  99999 99999
7943:  99999 99999  99999 99999  99999 99999  99999 99999  99999 99999    99999 99999  99999 99999  99999 99999  99999 99999  99999 99999
7944:  99999 99999  99999 99999  99999 99999  99999 99999  99999 99999    99999 99999  99999 99999  99999 99999  99999 99999  99999 99999
7945:  99999 99999  99999 99999  99999 99999  99999 99999  99999 99999    99999 99999  99999 99999  99999 99999  99999 99999  99999 99999
7946:  99999 99999  99999 99999  99999 99999  99999 99999  99999 99999    99999 99999  99999 99999  99999 99999  99999 99999  99999 99999
7947:  99999 99999  99999 99999  99999 99999  99999 99999  99999 99999    99999 99999  99999 99999  99999 99999  99999 99999  99999 99999
7948:  99999 99999  99999 99999  99999 99999  99999 99999  99999 99999    99999 99999  99999 99999  99999 99999  99999 99999  99999 99999
7949:  99999 99999  99999 99999  99999 99999  99999 99999  99999 99999    99999 99999  99999 99999  99999 99999  99999 99999  99999 99999
```

```
7950: 99999 99999  99999 99999  99999 99999  99999 99999  99999 99999    99999 99999  99999 99999  99999 99999  99999 99999  99999 99999
7951: 99999 99999  99999 99999  99999 99999  99999 99999  99999 99999    99999 99999  99999 99999  99999 99999  99999 99999  99999 99999
7952: 99999 99999  99999 99999  99999 99999  99999 99999  99999 99999    99999 99999  99999 99999  99999 99999  99999 99999  99999 99999
7953: 99999 99999  99999 99999  99999 99999  99999 99999  99999 99999    99999 99999  99999 99999  99999 99999  99999 99999  99999 99999
7954: 99999 99999  99999 99999  99999 99999  99999 99999  99999 99999    99999 99999  99999 99999  99999 99999  99999 99999  99999 99999
7955: 99999 99999  99999 99999  99999 99999  99999 99999  99999 99999    99999 99999  99999 99999  99999 99999  99999 99999  99999 99999
7956: 99999 99999  99999 99999  99999 99999  99999 99999  99999 99999    99999 99999  99999 99999  99999 99999  99999 99999  99999 99999
7957: 99999 99999  99999 99999  99999 99999  99999 99999  99999 99999    99999 99999  99999 99999  99999 99999  99999 99999  99999 99999
7958: 99999 99999  99999 99999  99999 99999  99999 99999  99999 99999    99999 99999  99999 99999  99999 99999  99999 99999  99999 99999
7959: 99999 99999  99999 99999  99999 99999  99999 99999  99999 99999    99999 99999  99999 99999  99999 99999  99999 99999  99999 99999
7960: 99999 99999  99999 99999  99999 99999  99999 99999  99999 99999    99999 99999  99999 99999  99999 99999  99999 99999  99999 99999
7961: 99999 99999  99999 99999  99999 99999  99999 99999  99999 99999    99999 99999  99999 99999  99999 99999  99999 99999  99999 99999
7962: 99999 99999  99999 99999  99999 99999  99999 99999  99999 99999    99999 99999  99999 99999  99999 99999  99999 99999  99999 99999
7963: 99999 99999  99999 99999  99999 99999  99999 99999  99999 99999    99999 99999  99999 99999  99999 99999  99999 99999  99999 99999
7964: 99999 99999  99999 99999  99999 99999  99999 99999  99999 99999    99999 99999  99999 99999  99999 99999  99999 99999  99999 99999
7965: 99999 99999  99999 99999  99999 99999  99999 99999  99999 99999    99999 99999  99999 99999  99999 99999  99999 99999  99999 99999
7966: 99999 99999  99999 99999  99999 99999  99999 99999  99999 99999    99999 99999  99999 99999  99999 99999  99999 99999  99999 99999
7967: 99999 99999  99999 99999  99999 99999  99999 99999  99999 99999    99999 99999  99999 99999  99999 99999  99999 99999  99999 99999
7968: 99999 99999  99999 99999  99999 99999  99999 99999  99999 99999    99999 99999  99999 99999  99999 99999  99999 99999  99999 99999
7969: 99999 99999  99999 99999  99999 99999  99999 99999  99999 99999    99999 99999  99999 99999  99999 99999  99999 99999  99999 99999
7970: 99999 99999  99999 99999  99999 99999  99999 99999  99999 99999    99999 99999  99999 99999  99999 99999  99999 99999  99999 99999
7971: 99999 99999  99999 99999  99999 99999  99999 99999  99999 99999    99999 99999  99999 99999  99999 99999  99999 99999  99999 99999
7972: 99999 99999  99999 99999  99999 99999  99999 99999  99999 99999    99999 99999  99999 99999  99999 99999  99999 99999  99999 99999
7973: 99999 99999  99999 99999  99999 99999  99999 99999  99999 99999    99999 99999  99999 99999  99999 99999  99999 99999  99999 99999
7974: 99999 99999  99999 99999  99999 99999  99999 99999  99999 99999    99999 99999  99999 99999  99999 99999  99999 99999  99999 99999
7975: 99999 99999  99999 99999  99999 99999  99999 99999  99999 99999    99999 99999  99999 99999  99999 99999  99999 99999  99999 99999
7976: 99999 99999  99999 99999  99999 99999  99999 99999  99999 99999    99999 99999  99999 99999  99999 99999  99999 99999  99999 99999
7977: 99999 99999  99999 99999  99999 99999  99999 99999  99999 99999    99999 99999  99999 99999  99999 99999  99999 99999  99999 99999
7978: 99999 99999  99999 99999  99999 99999  99999 99999  99999 99999    99999 99999  99999 99999  99999 99999  99999 99999  99999 99999
7979: 99999 99999  99999 99999  99999 99999  99999 99999  99999 99999    99999 99999  99999 99999  99999 99999  99999 99999  99999 99999
7980: 99999 99999  99999 99999  99999 99999  99999 99999  99999 99999    99999 99999  99999 99999  99999 99999  99999 99999  99999 99999
7981: 99999 99999  99999 99999  99999 99999  99999 99999  99999 99999    99999 99999  99999 99999  99999 99999  99999 99999  99999 99999
7982: 99999 99999  99999 99999  99999 99999  99999 99999  99999 99999    99999 99999  99999 99999  99999 99999  99999 99999  99999 99999
7983: 99999 99999  99999 99999  99999 99999  99999 99999  99999 99999    99999 99999  99999 99999  99999 99999  99999 99999  99999 99999
7984: 99999 99999  99999 99999  99999 99999  99999 99999  99999 99999    99999 99999  99999 99999  99999 99999  99999 99999  99999 99999
7985: 99999 99999  99999 99999  99999 99999  99999 99999  99999 99999    99999 99999  99999 99999  99999 99999  99999 99999  99999 99999
7986: 99999 99999  99999 99999  99999 99999  99999 99999  99999 99999    99999 99999  99999 99999  99999 99999  99999 99999  99999 99999
7987: 99999 99999  99999 99999  99999 99999  99999 99999  99999 99999    99999 99999  99999 99999  99999 99999  99999 99999  99999 99999
7988: 99999 99999  99999 99999  99999 99999  99999 99999  99999 99999    99999 99999  99999 99999  99999 99999  99999 99999  99999 99999
7989: 99999 99999  99999 99999  99999 99999  99999 99999  99999 99999    99999 99999  99999 99999  99999 99999  99999 99999  99999 99999
7990: 99999 99999  99999 99999  99999 99999  99999 99999  99999 99999    99999 99999  99999 99999  99999 99999  99999 99999  99999 99999
7991: 99999 99999  99999 99999  99999 99999  99999 99999  99999 99999    99999 99999  99999 99999  99999 99999  99999 99999  99999 99999
7992: 99999 99999  99999 99999  99999 99999  99999 99999  99999 99999    99999 99999  99999 99999  99999 99999  99999 99999  99999 99999
7993: 99999 99999  99999 99999  99999 99999  99999 99999  99999 99999    99999 99999  99999 99999  99999 99999  99999 99999  99999 99999
7994: 99999 99999  99999 99999  99999 99999  99999 99999  99999 99999    99999 99999  99999 99999  99999 99999  99999 99999  99999 99999
7995: 99999 99999  99999 99999  99999 99999  99999 99999  99999 99999    99999 99999  99999 99999  99999 99999  99999 99999  99999 99999
7996: 99999 99999  99999 99999  99999 99999  99999 99999  99999 99999    99999 99999  99999 99999  99999 99999  99999 99999  99999 99999
7997: 99999 99999  99999 99999  99999 99999  99999 99999  99999 99999    99999 99999  99999 99999  99999 99999  99999 99999  99999 99999
7998: 99999 99999  99999 99999  99999 99999  99999 99999  99999 99999    99999 99999  99999 99999  99999 99999  99999 99999  99999 99999
7999: 99999 99999  99999 99999  99999 99999  99999 99999  99999 99999    99999 99999  99999 99999  99999 99999  99999 99999  99999 99999
```

```
8000:  99999 99999  99999 99999  99999 99999  99999 99999  99999 99999  99999 99999  99999 99999  99999 99999  99999 99999  99999 99999
8001:  99999 99999  99999 99999  99999 99999  99999 99999  99999 99999  99999 99999  99999 99999  99999 99999  99999 99999  99999 99999
8002:  99999 99999  99999 99999  99999 99999  99999 99999  99999 99999  99999 99999  99999 99999  99999 99999  99999 99999  99999 99999
8003:  99999 99999  99999 99999  99999 99999  99999 99999  99999 99999  99999 99999  99999 99999  99999 99999  99999 99999  99999 99999
8004:  99999 99999  99999 99999  99999 99999  99999 99999  99999 99999  99999 99999  99999 99999  99999 99999  99999 99999  99999 99999
8005:  99999 99999  99999 99999  99999 99999  99999 99999  99999 99999  99999 99999  99999 99999  99999 99999  99999 99999  99999 99999
8006:  99999 99999  99999 99999  99999 99999  99999 99999  99999 99999  99999 99999  99999 99999  99999 99999  99999 99999  99999 99999
8007:  99999 99999  99999 99999  99999 99999  99999 99999  99999 99999  99999 99999  99999 99999  99999 99999  99999 99999  99999 99999
8008:  99999 99999  99999 99999  99999 99999  99999 99999  99999 99999  99999 99999  99999 99999  99999 99999  99999 99999  99999 99999
8009:  99999 99999  99999 99999  99999 99999  99999 99999  99999 99999  99999 99999  99999 99999  99999 99999  99999 99999  99999 99999
8010:  99999 99999  99999 99999  99999 99999  99999 99999  99999 99999  99999 99999  99999 99999  99999 99999  99999 99999  99999 99999
8011:  99999 99999  99999 99999  99999 99999  99999 99999  99999 99999  99999 99999  99999 99999  99999 99999  99999 99999  99999 99999
8012:  99999 99999  99999 99999  99999 99999  99999 99999  99999 99999  99999 99999  99999 99999  99999 99999  99999 99999  99999 99999
8013:  99999 99999  99999 99999  99999 99999  99999 99999  99999 99999  99999 99999  99999 99999  99999 99999  99999 99999  99999 99999
8014:  99999 99999  99999 99999  99999 99999  99999 99999  99999 99999  99999 99999  99999 99999  99999 99999  99999 99999  99999 99999
8015:  99999 99999  99999 99999  99999 99999  99999 99999  99999 99999  99999 99999  99999 99999  99999 99999  99999 99999  99999 99999
8016:  99999 99999  99999 99999  99999 99999  99999 99999  99999 99999  99999 99999  99999 99999  99999 99999  99999 99999  99999 99999
8017:  99999 99999  99999 99999  99999 99999  99999 99999  99999 99999  99999 99999  99999 99999  99999 99999  99999 99999  99999 99999
8018:  99999 99999  99999 99999  99999 99999  99999 99999  99999 99999  99999 99999  99999 99999  99999 99999  99999 99999  99999 99999
8019:  99999 99999  99999 99999  99999 99999  99999 99999  99999 99999  99999 99999  99999 99999  99999 99999  99999 99999  99999 99999
8020:  99999 99999  99999 99999  99999 99999  99999 99999  99999 99999  99999 99999  99999 99999  99999 99999  99999 99999  99999 99999
8021:  99999 99999  99999 99999  99999 99999  99999 99999  99999 99999  99999 99999  99999 99999  99999 99999  99999 99999  99999 99999
8022:  99999 99999  99999 99999  99999 99999  99999 99999  99999 99999  99999 99999  99999 99999  99999 99999  99999 99999  99999 99999
8023:  99999 99999  99999 99999  99999 99999  99999 99999  99999 99999  99999 99999  99999 99999  99999 99999  99999 99999  99999 99999
8024:  99999 99999  99999 99999  99999 99999  99999 99999  99999 99999  99999 99999  99999 99999  99999 99999  99999 99999  99999 99999
8025:  99999 99999  99999 99999  99999 99999  99999 99999  99999 99999  99999 99999  99999 99999  99999 99999  99999 99999  99999 99999
8026:  99999 99999  99999 99999  99999 99999  99999 99999  99999 99999  99999 99999  99999 99999  99999 99999  99999 99999  99999 99999
8027:  99999 99999  99999 99999  99999 99999  99999 99999  99999 99999  99999 99999  99999 99999  99999 99999  99999 99999  99999 99999
8028:  99999 99999  99999 99999  99999 99999  99999 99999  99999 99999  99999 99999  99999 99999  99999 99999  99999 99999  99999 99999
8029:  99999 99999  99999 99999  99999 99999  99999 99999  99999 99999  99999 99999  99999 99999  99999 99999  99999 99999  99999 99999
8030:  99999 99999  99999 99999  99999 99999  99999 99999  99999 99999  99999 99999  99999 99999  99999 99999  99999 99999  99999 99999
8031:  99999 99999  99999 99999  99999 99999  99999 99999  99999 99999  99999 99999  99999 99999  99999 99999  99999 99999  99999 99999
8032:  99999 99999  99999 99999  99999 99999  99999 99999  99999 99999  99999 99999  99999 99999  99999 99999  99999 99999  99999 99999
8033:  99999 99999  99999 99999  99999 99999  99999 99999  99999 99999  99999 99999  99999 99999  99999 99999  99999 99999  99999 99999
8034:  99999 99999  99999 99999  99999 99999  99999 99999  99999 99999  99999 99999  99999 99999  99999 99999  99999 99999  99999 99999
8035:  99999 99999  99999 99999  99999 99999  99999 99999  99999 99999  99999 99999  99999 99999  99999 99999  99999 99999  99999 99999
8036:  99999 99999  99999 99999  99999 99999  99999 99999  99999 99999  99999 99999  99999 99999  99999 99999  99999 99999  99999 99999
8037:  99999 99999  99999 99999  99999 99999  99999 99999  99999 99999  99999 99999  99999 99999  99999 99999  99999 99999  99999 99999
8038:  99999 99999  99999 99999  99999 99999  99999 99999  99999 99999  99999 99999  99999 99999  99999 99999  99999 99999  99999 99999
8039:  99999 99999  99999 99999  99999 99999  99999 99999  99999 99999  99999 99999  99999 99999  99999 99999  99999 99999  99999 99999
8040:  99999 99999  99999 99999  99999 99999  99999 99999  99999 99999  99999 99999  99999 99999  99999 99999  99999 99999  99999 99999
8041:  99999 99999  99999 99999  99999 99999  99999 99999  99999 99999  99999 99999  99999 99999  99999 99999  99999 99999  99999 99999
8042:  99999 99999  99999 99999  99999 99999  99999 99999  99999 99999  99999 99999  99999 99999  99999 99999  99999 99999  99999 99999
8043:  99999 99999  99999 99999  99999 99999  99999 99999  99999 99999  99999 99999  99999 99999  99999 99999  99999 99999  99999 99999
8044:  99999 99999  99999 99999  99999 99999  99999 99999  99999 99999  99999 99999  99999 99999  99999 99999  99999 99999  99999 99999
8045:  99999 99999  99999 99999  99999 99999  99999 99999  99999 99999  99999 99999  99999 99999  99999 99999  99999 99999  99999 99999
8046:  99999 99999  99999 99999  99999 99999  99999 99999  99999 99999  99999 99999  99999 99999  99999 99999  99999 99999  99999 99999
8047:  99999 99999  99999 99999  99999 99999  99999 99999  99999 99999  99999 99999  99999 99999  99999 99999  99999 99999  99999 99999
8048:  99999 99999  99999 99999  99999 99999  99999 99999  99999 99999  99999 99999  99999 99999  99999 99999  99999 99999  99999 99999
8049:  99999 99999  99999 99999  99999 99999  99999 99999  99999 99999  99999 99999  99999 99999  99999 99999  99999 99999  99999 99999
```

```
8050:   99999 99999   99999 99999   99999 99999   99999 99999   99999 99999     99999 99999   99999 99999   99999 99999   99999 99999   99999 99999
8051:   99999 99999   99999 99999   99999 99999   99999 99999   99999 99999     99999 99999   99999 99999   99999 99999   99999 99999   99999 99999
8052:   99999 99999   99999 99999   99999 99999   99999 99999   99999 99999     99999 99999   99999 99999   99999 99999   99999 99999   99999 99999
8053:   99999 99999   99999 99999   99999 99999   99999 99999   99999 99999     99999 99999   99999 99999   99999 99999   99999 99999   99999 99999
8054:   99999 99999   99999 99999   99999 99999   99999 99999   99999 99999     99999 99999   99999 99999   99999 99999   99999 99999   99999 99999
8055:   99999 99999   99999 99999   99999 99999   99999 99999   99999 99999     99999 99999   99999 99999   99999 99999   99999 99999   99999 99999
8056:   99999 99999   99999 99999   99999 99999   99999 99999   99999 99999     99999 99999   99999 99999   99999 99999   99999 99999   99999 99999
8057:   99999 99999   99999 99999   99999 99999   99999 99999   99999 99999     99999 99999   99999 99999   99999 99999   99999 99999   99999 99999
8058:   99999 99999   99999 99999   99999 99999   99999 99999   99999 99999     99999 99999   99999 99999   99999 99999   99999 99999   99999 99999
8059:   99999 99999   99999 99999   99999 99999   99999 99999   99999 99999     99999 99999   99999 99999   99999 99999   99999 99999   99999 99999
8060:   99999 99999   99999 99999   99999 99999   99999 99999   99999 99999     99999 99999   99999 99999   99999 99999   99999 99999   99999 99999
8061:   99999 99999   99999 99999   99999 99999   99999 99999   99999 99999     99999 99999   99999 99999   99999 99999   99999 99999   99999 99999
8062:   99999 99999   99999 99999   99999 99999   99999 99999   99999 99999     99999 99999   99999 99999   99999 99999   99999 99999   99999 99999
8063:   99999 99999   99999 99999   99999 99999   99999 99999   99999 99999     99999 99999   99999 99999   99999 99999   99999 99999   99999 99999
8064:   99999 99999   99999 99999   99999 99999   99999 99999   99999 99999     99999 99999   99999 99999   99999 99999   99999 99999   99999 99999
8065:   99999 99999   99999 99999   99999 99999   99999 99999   99999 99999     99999 99999   99999 99999   99999 99999   99999 99999   99999 99999
8066:   99999 99999   99999 99999   99999 99999   99999 99999   99999 99999     99999 99999   99999 99999   99999 99999   99999 99999   99999 99999
8067:   99999 99999   99999 99999   99999 99999   99999 99999   99999 99999     99999 99999   99999 99999   99999 99999   99999 99999   99999 99999
8068:   99999 99999   99999 99999   99999 99999   99999 99999   99999 99999     99999 99999   99999 99999   99999 99999   99999 99999   99999 99999
8069:   99999 99999   99999 99999   99999 99999   99999 99999   99999 99999     99999 99999   99999 99999   99999 99999   99999 99999   99999 99999
8070:   99999 99999   99999 99999   99999 99999   99999 99999   99999 99999     99999 99999   99999 99999   99999 99999   99999 99999   99999 99999
8071:   99999 99999   99999 99999   99999 99999   99999 99999   99999 99999     99999 99999   99999 99999   99999 99999   99999 99999   99999 99999
8072:   99999 99999   99999 99999   99999 99999   99999 99999   99999 99999     99999 99999   99999 99999   99999 99999   99999 99999   99999 99999
8073:   99999 99999   99999 99999   99999 99999   99999 99999   99999 99999     99999 99999   99999 99999   99999 99999   99999 99999   99999 99999
8074:   99999 99999   99999 99999   99999 99999   99999 99999   99999 99999     99999 99999   99999 99999   99999 99999   99999 99999   99999 99999
8075:   99999 99999   99999 99999   99999 99999   99999 99999   99999 99999     99999 99999   99999 99999   99999 99999   99999 99999   99999 99999
8076:   99999 99999   99999 99999   99999 99999   99999 99999   99999 99999     99999 99999   99999 99999   99999 99999   99999 99999   99999 99999
8077:   99999 99999   99999 99999   99999 99999   99999 99999   99999 99999     99999 99999   99999 99999   99999 99999   99999 99999   99999 99999
8078:   99999 99999   99999 99999   99999 99999   99999 99999   99999 99999     99999 99999   99999 99999   99999 99999   99999 99999   99999 99999
8079:   99999 99999   99999 99999   99999 99999   99999 99999   99999 99999     99999 99999   99999 99999   99999 99999   99999 99999   99999 99999
8080:   99999 99999   99999 99999   99999 99999   99999 99999   99999 99999     99999 99999   99999 99999   99999 99999   99999 99999   99999 99999
8081:   99999 99999   99999 99999   99999 99999   99999 99999   99999 99999     99999 99999   99999 99999   99999 99999   99999 99999   99999 99999
8082:   99999 99999   99999 99999   99999 99999   99999 99999   99999 99999     99999 99999   99999 99999   99999 99999   99999 99999   99999 99999
8083:   99999 99999   99999 99999   99999 99999   99999 99999   99999 99999     99999 99999   99999 99999   99999 99999   99999 99999   99999 99999
8084:   99999 99999   99999 99999   99999 99999   99999 99999   99999 99999     99999 99999   99999 99999   99999 99999   99999 99999   99999 99999
8085:   99999 99999   99999 99999   99999 99999   99999 99999   99999 99999     99999 99999   99999 99999   99999 99999   99999 99999   99999 99999
8086:   99999 99999   99999 99999   99999 99999   99999 99999   99999 99999     99999 99999   99999 99999   99999 99999   99999 99999   99999 99999
8087:   99999 99999   99999 99999   99999 99999   99999 99999   99999 99999     99999 99999   99999 99999   99999 99999   99999 99999   99999 99999
8088:   99999 99999   99999 99999   99999 99999   99999 99999   99999 99999     99999 99999   99999 99999   99999 99999   99999 99999   99999 99999
8089:   99999 99999   99999 99999   99999 99999   99999 99999   99999 99999     99999 99999   99999 99999   99999 99999   99999 99999   99999 99999
8090:   99999 99999   99999 99999   99999 99999   99999 99999   99999 99999     99999 99999   99999 99999   99999 99999   99999 99999   99999 99999
8091:   99999 99999   99999 99999   99999 99999   99999 99999   99999 99999     99999 99999   99999 99999   99999 99999   99999 99999   99999 99999
8092:   99999 99999   99999 99999   99999 99999   99999 99999   99999 99999     99999 99999   99999 99999   99999 99999   99999 99999   99999 99999
8093:   99999 99999   99999 99999   99999 99999   99999 99999   99999 99999     99999 99999   99999 99999   99999 99999   99999 99999   99999 99999
8094:   99999 99999   99999 99999   99999 99999   99999 99999   99999 99999     99999 99999   99999 99999   99999 99999   99999 99999   99999 99999
8095:   99999 99999   99999 99999   99999 99999   99999 99999   99999 99999     99999 99999   99999 99999   99999 99999   99999 99999   99999 99999
8096:   99999 99999   99999 99999   99999 99999   99999 99999   99999 99999     99999 99999   99999 99999   99999 99999   99999 99999   99999 99999
8097:   99999 99999   99999 99999   99999 99999   99999 99999   99999 99999     99999 99999   99999 99999   99999 99999   99999 99999   99999 99999
8098:   99999 99999   99999 99999   99999 99999   99999 99999   99999 99999     99999 99999   99999 99999   99999 99999   99999 99999   99999 99999
8099:   99999 99999   99999 99999   99999 99999   99999 99999   99999 99999     99999 99999   99999 99999   99999 99999   99999 99999   99999 99999
```

```
8100:   99999 99999   99999 99999   99999 99999   99999 99999   99999 99999     99999 99999   99999 99999   99999 99999   99999 99999   99999 99999
8101:   99999 99999   99999 99999   99999 99999   99999 99999   99999 99999     99999 99999   99999 99999   99999 99999   99999 99999   99999 99999
8102:   99999 99999   99999 99999   99999 99999   99999 99999   99999 99999     99999 99999   99999 99999   99999 99999   99999 99999   99999 99999
8103:   99999 99999   99999 99999   99999 99999   99999 99999   99999 99999     99999 99999   99999 99999   99999 99999   99999 99999   99999 99999
8104:   99999 99999   99999 99999   99999 99999   99999 99999   99999 99999     99999 99999   99999 99999   99999 99999   99999 99999   99999 99999
8105:   99999 99999   99999 99999   99999 99999   99999 99999   99999 99999     99999 99999   99999 99999   99999 99999   99999 99999   99999 99999
8106:   99999 99999   99999 99999   99999 99999   99999 99999   99999 99999     99999 99999   99999 99999   99999 99999   99999 99999   99999 99999
8107:   99999 99999   99999 99999   99999 99999   99999 99999   99999 99999     99999 99999   99999 99999   99999 99999   99999 99999   99999 99999
8108:   99999 99999   99999 99999   99999 99999   99999 99999   99999 99999     99999 99999   99999 99999   99999 99999   99999 99999   99999 99999
8109:   99999 99999   99999 99999   99999 99999   99999 99999   99999 99999     99999 99999   99999 99999   99999 99999   99999 99999   99999 99999
8110:   99999 99999   99999 99999   99999 99999   99999 99999   99999 99999     99999 99999   99999 99999   99999 99999   99999 99999   99999 99999
8111:   99999 99999   99999 99999   99999 99999   99999 99999   99999 99999     99999 99999   99999 99999   99999 99999   99999 99999   99999 99999
8112:   99999 99999   99999 99999   99999 99999   99999 99999   99999 99999     99999 99999   99999 99999   99999 99999   99999 99999   99999 99999
8113:   99999 99999   99999 99999   99999 99999   99999 99999   99999 99999     99999 99999   99999 99999   99999 99999   99999 99999   99999 99999
8114:   99999 99999   99999 99999   99999 99999   99999 99999   99999 99999     99999 99999   99999 99999   99999 99999   99999 99999   99999 99999
8115:   99999 99999   99999 99999   99999 99999   99999 99999   99999 99999     99999 99999   99999 99999   99999 99999   99999 99999   99999 99999
8116:   99999 99999   99999 99999   99999 99999   99999 99999   99999 99999     99999 99999   99999 99999   99999 99999   99999 99999   99999 99999
8117:   99999 99999   99999 99999   99999 99999   99999 99999   99999 99999     99999 99999   99999 99999   99999 99999   99999 99999   99999 99999
8118:   99999 99999   99999 99999   99999 99999   99999 99999   99999 99999     99999 99999   99999 99999   99999 99999   99999 99999   99999 99999
8119:   99999 99999   99999 99999   99999 99999   99999 99999   99999 99999     99999 99999   99999 99999   99999 99999   99999 99999   99999 99999
8120:   99999 99999   99999 99999   99999 99999   99999 99999   99999 99999     99999 99999   99999 99999   99999 99999   99999 99999   99999 99999
8121:   99999 99999   99999 99999   99999 99999   99999 99999   99999 99999     99999 99999   99999 99999   99999 99999   99999 99999   99999 99999
8122:   99999 99999   99999 99999   99999 99999   99999 99999   99999 99999     99999 99999   99999 99999   99999 99999   99999 99999   99999 99999
8123:   99999 99999   99999 99999   99999 99999   99999 99999   99999 99999     99999 99999   99999 99999   99999 99999   99999 99999   99999 99999
8124:   99999 99999   99999 99999   99999 99999   99999 99999   99999 99999     99999 99999   99999 99999   99999 99999   99999 99999   99999 99999
8125:   99999 99999   99999 99999   99999 99999   99999 99999   99999 99999     99999 99999   99999 99999   99999 99999   99999 99999   99999 99999
8126:   99999 99999   99999 99999   99999 99999   99999 99999   99999 99999     99999 99999   99999 99999   99999 99999   99999 99999   99999 99999
8127:   99999 99999   99999 99999   99999 99999   99999 99999   99999 99999     99999 99999   99999 99999   99999 99999   99999 99999   99999 99999
8128:   99999 99999   99999 99999   99999 99999   99999 99999   99999 99999     99999 99999   99999 99999   99999 99999   99999 99999   99999 99999
8129:   99999 99999   99999 99999   99999 99999   99999 99999   99999 99999     99999 99999   99999 99999   99999 99999   99999 99999   99999 99999
8130:   99999 99999   99999 99999   99999 99999   99999 99999   99999 99999     99999 99999   99999 99999   99999 99999   99999 99999   99999 99999
8131:   99999 99999   99999 99999   99999 99999   99999 99999   99999 99999     99999 99999   99999 99999   99999 99999   99999 99999   99999 99999
8132:   99999 99999   99999 99999   99999 99999   99999 99999   99999 99999     99999 99999   99999 99999   99999 99999   99999 99999   99999 99999
8133:   99999 99999   99999 99999   99999 99999   99999 99999   99999 99999     99999 99999   99999 99999   99999 99999   99999 99999   99999 99999
8134:   99999 99999   99999 99999   99999 99999   99999 99999   99999 99999     99999 99999   99999 99999   99999 99999   99999 99999   99999 99999
8135:   99999 99999   99999 99999   99999 99999   99999 99999   99999 99999     99999 99999   99999 99999   99999 99999   99999 99999   99999 99999
8136:   99999 99999   99999 99999   99999 99999   99999 99999   99999 99999     99999 99999   99999 99999   99999 99999   99999 99999   99999 99999
8137:   99999 99999   99999 99999   99999 99999   99999 99999   99999 99999     99999 99999   99999 99999   99999 99999   99999 99999   99999 99999
8138:   99999 99999   99999 99999   99999 99999   99999 99999   99999 99999     99999 99999   99999 99999   99999 99999   99999 99999   99999 99999
8139:   99999 99999   99999 99999   99999 99999   99999 99999   99999 99999     99999 99999   99999 99999   99999 99999   99999 99999   99999 99999
8140:   99999 99999   99999 99999   99999 99999   99999 99999   99999 99999     99999 99999   99999 99999   99999 99999   99999 99999   99999 99999
8141:   99999 99999   99999 99999   99999 99999   99999 99999   99999 99999     99999 99999   99999 99999   99999 99999   99999 99999   99999 99999
8142:   99999 99999   99999 99999   99999 99999   99999 99999   99999 99999     99999 99999   99999 99999   99999 99999   99999 99999   99999 99999
8143:   99999 99999   99999 99999   99999 99999   99999 99999   99999 99999     99999 99999   99999 99999   99999 99999   99999 99999   99999 99999
8144:   99999 99999   99999 99999   99999 99999   99999 99999   99999 99999     99999 99999   99999 99999   99999 99999   99999 99999   99999 99999
8145:   99999 99999   99999 99999   99999 99999   99999 99999   99999 99999     99999 99999   99999 99999   99999 99999   99999 99999   99999 99999
8146:   99999 99999   99999 99999   99999 99999   99999 99999   99999 99999     99999 99999   99999 99999   99999 99999   99999 99999   99999 99999
8147:   99999 99999   99999 99999   99999 99999   99999 99999   99999 99999     99999 99999   99999 99999   99999 99999   99999 99999   99999 99999
8148:   99999 99999   99999 99999   99999 99999   99999 99999   99999 99999     99999 99999   99999 99999   99999 99999   99999 99999   99999 99999
8149:   99999 99999   99999 99999   99999 99999   99999 99999   99999 99999     99999 99999   99999 99999   99999 99999   99999 99999   99999 99999
```

```
8150:  99999 99999  99999 99999  99999 99999  99999 99999  99999 99999    99999 99999  99999 99999  99999 99999  99999 99999  99999 99999
8151:  99999 99999  99999 99999  99999 99999  99999 99999  99999 99999    99999 99999  99999 99999  99999 99999  99999 99999  99999 99999
8152:  99999 99999  99999 99999  99999 99999  99999 99999  99999 99999    99999 99999  99999 99999  99999 99999  99999 99999  99999 99999
8153:  99999 99999  99999 99999  99999 99999  99999 99999  99999 99999    99999 99999  99999 99999  99999 99999  99999 99999  99999 99999
8154:  99999 99999  99999 99999  99999 99999  99999 99999  99999 99999    99999 99999  99999 99999  99999 99999  99999 99999  99999 99999
8155:  99999 99999  99999 99999  99999 99999  99999 99999  99999 99999    99999 99999  99999 99999  99999 99999  99999 99999  99999 99999
8156:  99999 99999  99999 99999  99999 99999  99999 99999  99999 99999    99999 99999  99999 99999  99999 99999  99999 99999  99999 99999
8157:  99999 99999  99999 99999  99999 99999  99999 99999  99999 99999    99999 99999  99999 99999  99999 99999  99999 99999  99999 99999
8158:  99999 99999  99999 99999  99999 99999  99999 99999  99999 99999    99999 99999  99999 99999  99999 99999  99999 99999  99999 99999
8159:  99999 99999  99999 99999  99999 99999  99999 99999  99999 99999    99999 99999  99999 99999  99999 99999  99999 99999  99999 99999
8160:  99999 99999  99999 99999  99999 99999  99999 99999  99999 99999    99999 99999  99999 99999  99999 99999  99999 99999  99999 99999
8161:  99999 99999  99999 99999  99999 99999  99999 99999  99999 99999    99999 99999  99999 99999  99999 99999  99999 99999  99999 99999
8162:  99999 99999  99999 99999  99999 99999  99999 99999  99999 99999    99999 99999  99999 99999  99999 99999  99999 99999  99999 99999
8163:  99999 99999  99999 99999  99999 99999  99999 99999  99999 99999    99999 99999  99999 99999  99999 99999  99999 99999  99999 99999
8164:  99999 99999  99999 99999  99999 99999  99999 99999  99999 99999    99999 99999  99999 99999  99999 99999  99999 99999  99999 99999
8165:  99999 99999  99999 99999  99999 99999  99999 99999  99999 99999    99999 99999  99999 99999  99999 99999  99999 99999  99999 99999
8166:  99999 99999  99999 99999  99999 99999  99999 99999  99999 99999    99999 99999  99999 99999  99999 99999  99999 99999  99999 99999
8167:  99999 99999  99999 99999  99999 99999  99999 99999  99999 99999    99999 99999  99999 99999  99999 99999  99999 99999  99999 99999
8168:  99999 99999  99999 99999  99999 99999  99999 99999  99999 99999    99999 99999  99999 99999  99999 99999  99999 99999  99999 99999
8169:  99999 99999  99999 99999  99999 99999  99999 99999  99999 99999    99999 99999  99999 99999  99999 99999  99999 99999  99999 99999
8170:  99999 99999  99999 99999  99999 99999  99999 99999  99999 99999    99999 99999  99999 99999  99999 99999  99999 99999  99999 99999
8171:  99999 99999  99999 99999  99999 99999  99999 99999  99999 99999    99999 99999  99999 99999  99999 99999  99999 99999  99999 99999
8172:  99999 99999  99999 99999  99999 99999  99999 99999  99999 99999    99999 99999  99999 99999  99999 99999  99999 99999  99999 99999
8173:  99999 99999  99999 99999  99999 99999  99999 99999  99999 99999    99999 99999  99999 99999  99999 99999  99999 99999  99999 99999
8174:  99999 99999  99999 99999  99999 99999  99999 99999  99999 99999    99999 99999  99999 99999  99999 99999  99999 99999  99999 99999
8175:  99999 99999  99999 99999  99999 99999  99999 99999  99999 99999    99999 99999  99999 99999  99999 99999  99999 99999  99999 99999
8176:  99999 99999  99999 99999  99999 99999  99999 99999  99999 99999    99999 99999  99999 99999  99999 99999  99999 99999  99999 99999
8177:  99999 99999  99999 99999  99999 99999  99999 99999  99999 99999    99999 99999  99999 99999  99999 99999  99999 99999  99999 99999
8178:  99999 99999  99999 99999  99999 99999  99999 99999  99999 99999    99999 99999  99999 99999  99999 99999  99999 99999  99999 99999
8179:  99999 99999  99999 99999  99999 99999  99999 99999  99999 99999    99999 99999  99999 99999  99999 99999  99999 99999  99999 99999
8180:  99999 99999  99999 99999  99999 99999  99999 99999  99999 99999    99999 99999  99999 99999  99999 99999  99999 99999  99999 99999
8181:  99999 99999  99999 99999  99999 99999  99999 99999  99999 99999    99999 99999  99999 99999  99999 99999  99999 99999  99999 99999
8182:  99999 99999  99999 99999  99999 99999  99999 99999  99999 99999    99999 99999  99999 99999  99999 99999  99999 99999  99999 99999
8183:  99999 99999  99999 99999  99999 99999  99999 99999  99999 99999    99999 99999  99999 99999  99999 99999  99999 99999  99999 99999
8184:  99999 99999  99999 99999  99999 99999  99999 99999  99999 99999    99999 99999  99999 99999  99999 99999  99999 99999  99999 99999
8185:  99999 99999  99999 99999  99999 99999  99999 99999  99999 99999    99999 99999  99999 99999  99999 99999  99999 99999  99999 99999
8186:  99999 99999  99999 99999  99999 99999  99999 99999  99999 99999    99999 99999  99999 99999  99999 99999  99999 99999  99999 99999
8187:  99999 99999  99999 99999  99999 99999  99999 99999  99999 99999    99999 99999  99999 99999  99999 99999  99999 99999  99999 99999
8188:  99999 99999  99999 99999  99999 99999  99999 99999  99999 99999    99999 99999  99999 99999  99999 99999  99999 99999  99999 99999
8189:  99999 99999  99999 99999  99999 99999  99999 99999  99999 99999    99999 99999  99999 99999  99999 99999  99999 99999  99999 99999
8190:  99999 99999  99999 99999  99999 99999  99999 99999  99999 99999    99999 99999  99999 99999  99999 99999  99999 99999  99999 99999
8191:  99999 99999  99999 99999  99999 99999  99999 99999  99999 99999    99999 99999  99999 99999  99999 99999  99999 99999  99999 99999
8192:  99999 99999  99999 99999  99999 99999  99999 99999  99999 99999    99999 99999  99999 99999  99999 99999  99999 99999  99999 99999
8193:  99999 99999  99999 99999  99999 99999  99999 99999  99999 99999    99999 99999  99999 99999  99999 99999  99999 99999  99999 99999
8194:  99999 99999  99999 99999  99999 99999  99999 99999  99999 99999    99999 99999  99999 99999  99999 99999  99999 99999  99999 99999
8195:  99999 99999  99999 99999  99999 99999  99999 99999  99999 99999    99999 99999  99999 99999  99999 99999  99999 99999  99999 99999
8196:  99999 99999  99999 99999  99999 99999  99999 99999  99999 99999    99999 99999  99999 99999  99999 99999  99999 99999  99999 99999
8197:  99999 99999  99999 99999  99999 99999  99999 99999  99999 99999    99999 99999  99999 99999  99999 99999  99999 99999  99999 99999
8198:  99999 99999  99999 99999  99999 99999  99999 99999  99999 99999    99999 99999  99999 99999  99999 99999  99999 99999  99999 99999
8199:  99999 99999  99999 99999  99999 99999  99999 99999  99999 99999    99999 99999  99999 99999  99999 99999  99999 99999  99999 99999
```

```
8200:  99999 99999  99999 99999  99999 99999  99999 99999  99999 99999   99999 99999  99999 99999  99999 99999  99999 99999  99999 99999
8201:  99999 99999  99999 99999  99999 99999  99999 99999  99999 99999   99999 99999  99999 99999  99999 99999  99999 99999  99999 99999
8202:  99999 99999  99999 99999  99999 99999  99999 99999  99999 99999   99999 99999  99999 99999  99999 99999  99999 99999  99999 99999
8203:  99999 99999  99999 99999  99999 99999  99999 99999  99999 99999   99999 99999  99999 99999  99999 99999  99999 99999  99999 99999
8204:  99999 99999  99999 99999  99999 99999  99999 99999  99999 99999   99999 99999  99999 99999  99999 99999  99999 99999  99999 99999
8205:  99999 99999  99999 99999  99999 99999  99999 99999  99999 99999   99999 99999  99999 99999  99999 99999  99999 99999  99999 99999
8206:  99999 99999  99999 99999  99999 99999  99999 99999  99999 99999   99999 99999  99999 99999  99999 99999  99999 99999  99999 99999
8207:  99999 99999  99999 99999  99999 99999  99999 99999  99999 99999   99999 99999  99999 99999  99999 99999  99999 99999  99999 99999
8208:  99999 99999  99999 99999  99999 99999  99999 99999  99999 99999   99999 99999  99999 99999  99999 99999  99999 99999  99999 99999
8209:  99999 99999  99999 99999  99999 99999  99999 99999  99999 99999   99999 99999  99999 99999  99999 99999  99999 99999  99999 99999
8210:  99999 99999  99999 99999  99999 99999  99999 99999  99999 99999   99999 99999  99999 99999  99999 99999  99999 99999  99999 99999
8211:  99999 99999  99999 99999  99999 99999  99999 99999  99999 99999   99999 99999  99999 99999  99999 99999  99999 99999  99999 99999
8212:  99999 99999  99999 99999  99999 99999  99999 99999  99999 99999   99999 99999  99999 99999  99999 99999  99999 99999  99999 99999
8213:  99999 99999  99999 99999  99999 99999  99999 99999  99999 99999   99999 99999  99999 99999  99999 99999  99999 99999  99999 99999
8214:  99999 99999  99999 99999  99999 99999  99999 99999  99999 99999   99999 99999  99999 99999  99999 99999  99999 99999  99999 99999
8215:  99999 99999  99999 99999  99999 99999  99999 99999  99999 99999   99999 99999  99999 99999  99999 99999  99999 99999  99999 99999
8216:  99999 99999  99999 99999  99999 99999  99999 99999  99999 99999   99999 99999  99999 99999  99999 99999  99999 99999  99999 99999
8217:  99999 99999  99999 99999  99999 99999  99999 99999  99999 99999   99999 99999  99999 99999  99999 99999  99999 99999  99999 99999
8218:  99999 99999  99999 99999  99999 99999  99999 99999  99999 99999   99999 99999  99999 99999  99999 99999  99999 99999  99999 99999
8219:  99999 99999  99999 99999  99999 99999  99999 99999  99999 99999   99999 99999  99999 99999  99999 99999  99999 99999  99999 99999
8220:  99999 99999  99999 99999  99999 99999  99999 99999  99999 99999   99999 99999  99999 99999  99999 99999  99999 99999  99999 99999
8221:  99999 99999  99999 99999  99999 99999  99999 99999  99999 99999   99999 99999  99999 99999  99999 99999  99999 99999  99999 99999
8222:  99999 99999  99999 99999  99999 99999  99999 99999  99999 99999   99999 99999  99999 99999  99999 99999  99999 99999  99999 99999
8223:  99999 99999  99999 99999  99999 99999  99999 99999  99999 99999   99999 99999  99999 99999  99999 99999  99999 99999  99999 99999
8224:  99999 99999  99999 99999  99999 99999  99999 99999  99999 99999   99999 99999  99999 99999  99999 99999  99999 99999  99999 99999
8225:  99999 99999  99999 99999  99999 99999  99999 99999  99999 99999   99999 99999  99999 99999  99999 99999  99999 99999  99999 99999
8226:  99999 99999  99999 99999  99999 99999  99999 99999  99999 99999   99999 99999  99999 99999  99999 99999  99999 99999  99999 99999
8227:  99999 99999  99999 99999  99999 99999  99999 99999  99999 99999   99999 99999  99999 99999  99999 99999  99999 99999  99999 99999
8228:  99999 99999  99999 99999  99999 99999  99999 99999  99999 99999   99999 99999  99999 99999  99999 99999  99999 99999  99999 99999
8229:  99999 99999  99999 99999  99999 99999  99999 99999  99999 99999   99999 99999  99999 99999  99999 99999  99999 99999  99999 99999
8230:  99999 99999  99999 99999  99999 99999  99999 99999  99999 99999   99999 99999  99999 99999  99999 99999  99999 99999  99999 99999
8231:  99999 99999  99999 99999  99999 99999  99999 99999  99999 99999   99999 99999  99999 99999  99999 99999  99999 99999  99999 99999
8232:  99999 99999  99999 99999  99999 99999  99999 99999  99999 99999   99999 99999  99999 99999  99999 99999  99999 99999  99999 99999
8233:  99999 99999  99999 99999  99999 99999  99999 99999  99999 99999   99999 99999  99999 99999  99999 99999  99999 99999  99999 99999
8234:  99999 99999  99999 99999  99999 99999  99999 99999  99999 99999   99999 99999  99999 99999  99999 99999  99999 99999  99999 99999
8235:  99999 99999  99999 99999  99999 99999  99999 99999  99999 99999   99999 99999  99999 99999  99999 99999  99999 99999  99999 99999
8236:  99999 99999  99999 99999  99999 99999  99999 99999  99999 99999   99999 99999  99999 99999  99999 99999  99999 99999  99999 99999
8237:  99999 99999  99999 99999  99999 99999  99999 99999  99999 99999   99999 99999  99999 99999  99999 99999  99999 99999  99999 99999
8238:  99999 99999  99999 99999  99999 99999  99999 99999  99999 99999   99999 99999  99999 99999  99999 99999  99999 99999  99999 99999
8239:  99999 99999  99999 99999  99999 99999  99999 99999  99999 99999   99999 99999  99999 99999  99999 99999  99999 99999  99999 99999
8240:  99999 99999  99999 99999  99999 99999  99999 99999  99999 99999   99999 99999  99999 99999  99999 99999  99999 99999  99999 99999
8241:  99999 99999  99999 99999  99999 99999  99999 99999  99999 99999   99999 99999  99999 99999  99999 99999  99999 99999  99999 99999
8242:  99999 99999  99999 99999  99999 99999  99999 99999  99999 99999   99999 99999  99999 99999  99999 99999  99999 99999  99999 99999
8243:  99999 99999  99999 99999  99999 99999  99999 99999  99999 99999   99999 99999  99999 99999  99999 99999  99999 99999  99999 99999
8244:  99999 99999  99999 99999  99999 99999  99999 99999  99999 99999   99999 99999  99999 99999  99999 99999  99999 99999  99999 99999
8245:  99999 99999  99999 99999  99999 99999  99999 99999  99999 99999   99999 99999  99999 99999  99999 99999  99999 99999  99999 99999
8246:  99999 99999  99999 99999  99999 99999  99999 99999  99999 99999   99999 99999  99999 99999  99999 99999  99999 99999  99999 99999
8247:  99999 99999  99999 99999  99999 99999  99999 99999  99999 99999   99999 99999  99999 99999  99999 99999  99999 99999  99999 99999
8248:  99999 99999  99999 99999  99999 99999  99999 99999  99999 99999   99999 99999  99999 99999  99999 99999  99999 99999  99999 99999
8249:  99999 99999  99999 99999  99999 99999  99999 99999  99999 99999   99999 99999  99999 99999  99999 99999  99999 99999  99999 99999
```

```
8250:   99999 99999   99999 99999   99999 99999   99999 99999   99999 99999     99999 99999   99999 99999   99999 99999   99999 99999   99999 99999
8251:   99999 99999   99999 99999   99999 99999   99999 99999   99999 99999     99999 99999   99999 99999   99999 99999   99999 99999   99999 99999
8252:   99999 99999   99999 99999   99999 99999   99999 99999   99999 99999     99999 99999   99999 99999   99999 99999   99999 99999   99999 99999
8253:   99999 99999   99999 99999   99999 99999   99999 99999   99999 99999     99999 99999   99999 99999   99999 99999   99999 99999   99999 99999
8254:   99999 99999   99999 99999   99999 99999   99999 99999   99999 99999     99999 99999   99999 99999   99999 99999   99999 99999   99999 99999
8255:   99999 99999   99999 99999   99999 99999   99999 99999   99999 99999     99999 99999   99999 99999   99999 99999   99999 99999   99999 99999
8256:   99999 99999   99999 99999   99999 99999   99999 99999   99999 99999     99999 99999   99999 99999   99999 99999   99999 99999   99999 99999
8257:   99999 99999   99999 99999   99999 99999   99999 99999   99999 99999     99999 99999   99999 99999   99999 99999   99999 99999   99999 99999
8258:   99999 99999   99999 99999   99999 99999   99999 99999   99999 99999     99999 99999   99999 99999   99999 99999   99999 99999   99999 99999
8259:   99999 99999   99999 99999   99999 99999   99999 99999   99999 99999     99999 99999   99999 99999   99999 99999   99999 99999   99999 99999
8260:   99999 99999   99999 99999   99999 99999   99999 99999   99999 99999     99999 99999   99999 99999   99999 99999   99999 99999   99999 99999
8261:   99999 99999   99999 99999   99999 99999   99999 99999   99999 99999     99999 99999   99999 99999   99999 99999   99999 99999   99999 99999
8262:   99999 99999   99999 99999   99999 99999   99999 99999   99999 99999     99999 99999   99999 99999   99999 99999   99999 99999   99999 99999
8263:   99999 99999   99999 99999   99999 99999   99999 99999   99999 99999     99999 99999   99999 99999   99999 99999   99999 99999   99999 99999
8264:   99999 99999   99999 99999   99999 99999   99999 99999   99999 99999     99999 99999   99999 99999   99999 99999   99999 99999   99999 99999
8265:   99999 99999   99999 99999   99999 99999   99999 99999   99999 99999     99999 99999   99999 99999   99999 99999   99999 99999   99999 99999
8266:   99999 99999   99999 99999   99999 99999   99999 99999   99999 99999     99999 99999   99999 99999   99999 99999   99999 99999   99999 99999
8267:   99999 99999   99999 99999   99999 99999   99999 99999   99999 99999     99999 99999   99999 99999   99999 99999   99999 99999   99999 99999
8268:   99999 99999   99999 99999   99999 99999   99999 99999   99999 99999     99999 99999   99999 99999   99999 99999   99999 99999   99999 99999
8269:   99999 99999   99999 99999   99999 99999   99999 99999   99999 99999     99999 99999   99999 99999   99999 99999   99999 99999   99999 99999
8270:   99999 99999   99999 99999   99999 99999   99999 99999   99999 99999     99999 99999   99999 99999   99999 99999   99999 99999   99999 99999
8271:   99999 99999   99999 99999   99999 99999   99999 99999   99999 99999     99999 99999   99999 99999   99999 99999   99999 99999   99999 99999
8272:   99999 99999   99999 99999   99999 99999   99999 99999   99999 99999     99999 99999   99999 99999   99999 99999   99999 99999   99999 99999
8273:   99999 99999   99999 99999   99999 99999   99999 99999   99999 99999     99999 99999   99999 99999   99999 99999   99999 99999   99999 99999
8274:   99999 99999   99999 99999   99999 99999   99999 99999   99999 99999     99999 99999   99999 99999   99999 99999   99999 99999   99999 99999
8275:   99999 99999   99999 99999   99999 99999   99999 99999   99999 99999     99999 99999   99999 99999   99999 99999   99999 99999   99999 99999
8276:   99999 99999   99999 99999   99999 99999   99999 99999   99999 99999     99999 99999   99999 99999   99999 99999   99999 99999   99999 99999
8277:   99999 99999   99999 99999   99999 99999   99999 99999   99999 99999     99999 99999   99999 99999   99999 99999   99999 99999   99999 99999
8278:   99999 99999   99999 99999   99999 99999   99999 99999   99999 99999     99999 99999   99999 99999   99999 99999   99999 99999   99999 99999
8279:   99999 99999   99999 99999   99999 99999   99999 99999   99999 99999     99999 99999   99999 99999   99999 99999   99999 99999   99999 99999
8280:   99999 99999   99999 99999   99999 99999   99999 99999   99999 99999     99999 99999   99999 99999   99999 99999   99999 99999   99999 99999
8281:   99999 99999   99999 99999   99999 99999   99999 99999   99999 99999     99999 99999   99999 99999   99999 99999   99999 99999   99999 99999
8282:   99999 99999   99999 99999   99999 99999   99999 99999   99999 99999     99999 99999   99999 99999   99999 99999   99999 99999   99999 99999
8283:   99999 99999   99999 99999   99999 99999   99999 99999   99999 99999     99999 99999   99999 99999   99999 99999   99999 99999   99999 99999
8284:   99999 99999   99999 99999   99999 99999   99999 99999   99999 99999     99999 99999   99999 99999   99999 99999   99999 99999   99999 99999
8285:   99999 99999   99999 99999   99999 99999   99999 99999   99999 99999     99999 99999   99999 99999   99999 99999   99999 99999   99999 99999
8286:   99999 99999   99999 99999   99999 99999   99999 99999   99999 99999     99999 99999   99999 99999   99999 99999   99999 99999   99999 99999
8287:   99999 99999   99999 99999   99999 99999   99999 99999   99999 99999     99999 99999   99999 99999   99999 99999   99999 99999   99999 99999
8288:   99999 99999   99999 99999   99999 99999   99999 99999   99999 99999     99999 99999   99999 99999   99999 99999   99999 99999   99999 99999
8289:   99999 99999   99999 99999   99999 99999   99999 99999   99999 99999     99999 99999   99999 99999   99999 99999   99999 99999   99999 99999
8290:   99999 99999   99999 99999   99999 99999   99999 99999   99999 99999     99999 99999   99999 99999   99999 99999   99999 99999   99999 99999
8291:   99999 99999   99999 99999   99999 99999   99999 99999   99999 99999     99999 99999   99999 99999   99999 99999   99999 99999   99999 99999
8292:   99999 99999   99999 99999   99999 99999   99999 99999   99999 99999     99999 99999   99999 99999   99999 99999   99999 99999   99999 99999
8293:   99999 99999   99999 99999   99999 99999   99999 99999   99999 99999     99999 99999   99999 99999   99999 99999   99999 99999   99999 99999
8294:   99999 99999   99999 99999   99999 99999   99999 99999   99999 99999     99999 99999   99999 99999   99999 99999   99999 99999   99999 99999
8295:   99999 99999   99999 99999   99999 99999   99999 99999   99999 99999     99999 99999   99999 99999   99999 99999   99999 99999   99999 99999
8296:   99999 99999   99999 99999   99999 99999   99999 99999   99999 99999     99999 99999   99999 99999   99999 99999   99999 99999   99999 99999
8297:   99999 99999   99999 99999   99999 99999   99999 99999   99999 99999     99999 99999   99999 99999   99999 99999   99999 99999   99999 99999
8298:   99999 99999   99999 99999   99999 99999   99999 99999   99999 99999     99999 99999   99999 99999   99999 99999   99999 99999   99999 99999
8299:   99999 99999   99999 99999   99999 99999   99999 99999   99999 99999     99999 99999   99999 99999   99999 99999   99999 99999   99999 99999
```

```
8300:   99999 99999   99999 99999   99999 99999   99999 99999   99999 99999     99999 99999   99999 99999   99999 99999   99999 99999   99999 99999
8301:   99999 99999   99999 99999   99999 99999   99999 99999   99999 99999     99999 99999   99999 99999   99999 99999   99999 99999   99999 99999
8302:   99999 99999   99999 99999   99999 99999   99999 99999   99999 99999     99999 99999   99999 99999   99999 99999   99999 99999   99999 99999
8303:   99999 99999   99999 99999   99999 99999   99999 99999   99999 99999     99999 99999   99999 99999   99999 99999   99999 99999   99999 99999
8304:   99999 99999   99999 99999   99999 99999   99999 99999   99999 99999     99999 99999   99999 99999   99999 99999   99999 99999   99999 99999
8305:   99999 99999   99999 99999   99999 99999   99999 99999   99999 99999     99999 99999   99999 99999   99999 99999   99999 99999   99999 99999
8306:   99999 99999   99999 99999   99999 99999   99999 99999   99999 99999     99999 99999   99999 99999   99999 99999   99999 99999   99999 99999
8307:   99999 99999   99999 99999   99999 99999   99999 99999   99999 99999     99999 99999   99999 99999   99999 99999   99999 99999   99999 99999
8308:   99999 99999   99999 99999   99999 99999   99999 99999   99999 99999     99999 99999   99999 99999   99999 99999   99999 99999   99999 99999
8309:   99999 99999   99999 99999   99999 99999   99999 99999   99999 99999     99999 99999   99999 99999   99999 99999   99999 99999   99999 99999
8310:   99999 99999   99999 99999   99999 99999   99999 99999   99999 99999     99999 99999   99999 99999   99999 99999   99999 99999   99999 99999
8311:   99999 99999   99999 99999   99999 99999   99999 99999   99999 99999     99999 99999   99999 99999   99999 99999   99999 99999   99999 99999
8312:   99999 99999   99999 99999   99999 99999   99999 99999   99999 99999     99999 99999   99999 99999   99999 99999   99999 99999   99999 99999
8313:   99999 99999   99999 99999   99999 99999   99999 99999   99999 99999     99999 99999   99999 99999   99999 99999   99999 99999   99999 99999
8314:   99999 99999   99999 99999   99999 99999   99999 99999   99999 99999     99999 99999   99999 99999   99999 99999   99999 99999   99999 99999
8315:   99999 99999   99999 99999   99999 99999   99999 99999   99999 99999     99999 99999   99999 99999   99999 99999   99999 99999   99999 99999
8316:   99999 99999   99999 99999   99999 99999   99999 99999   99999 99999     99999 99999   99999 99999   99999 99999   99999 99999   99999 99999
8317:   99999 99999   99999 99999   99999 99999   99999 99999   99999 99999     99999 99999   99999 99999   99999 99999   99999 99999   99999 99999
8318:   99999 99999   99999 99999   99999 99999   99999 99999   99999 99999     99999 99999   99999 99999   99999 99999   99999 99999   99999 99999
8319:   99999 99999   99999 99999   99999 99999   99999 99999   99999 99999     99999 99999   99999 99999   99999 99999   99999 99999   99999 99999
8320:   99999 99999   99999 99999   99999 99999   99999 99999   99999 99999     99999 99999   99999 99999   99999 99999   99999 99999   99999 99999
8321:   99999 99999   99999 99999   99999 99999   99999 99999   99999 99999     99999 99999   99999 99999   99999 99999   99999 99999   99999 99999
8322:   99999 99999   99999 99999   99999 99999   99999 99999   99999 99999     99999 99999   99999 99999   99999 99999   99999 99999   99999 99999
8323:   99999 99999   99999 99999   99999 99999   99999 99999   99999 99999     99999 99999   99999 99999   99999 99999   99999 99999   99999 99999
8324:   99999 99999   99999 99999   99999 99999   99999 99999   99999 99999     99999 99999   99999 99999   99999 99999   99999 99999   99999 99999
8325:   99999 99999   99999 99999   99999 99999   99999 99999   99999 99999     99999 99999   99999 99999   99999 99999   99999 99999   99999 99999
8326:   99999 99999   99999 99999   99999 99999   99999 99999   99999 99999     99999 99999   99999 99999   99999 99999   99999 99999   99999 99999
8327:   99999 99999   99999 99999   99999 99999   99999 99999   99999 99999     99999 99999   99999 99999   99999 99999   99999 99999   99999 99999
8328:   99999 99999   99999 99999   99999 99999   99999 99999   99999 99999     99999 99999   99999 99999   99999 99999   99999 99999   99999 99999
8329:   99999 99999   99999 99999   99999 99999   99999 99999   99999 99999     99999 99999   99999 99999   99999 99999   99999 99999   99999 99999
8330:   99999 99999   99999 99999   99999 99999   99999 99999   99999 99999     99999 99999   99999 99999   99999 99999   99999 99999   99999 99999
8331:   99999 99999   99999 99999   99999 99999   99999 99999   99999 99999     99999 99999   99999 99999   99999 99999   99999 99999   99999 99999
8332:   99999 99999   99999 99999   99999 99999   99999 99999   99999 99999     99999 99999   99999 99999   99999 99999   99999 99999   99999 99999
8333:   99999 99999   99999 99999   99999 99999   99999 99999   99999 99999     99999 99999   99999 99999   99999 99999   99999 99999   99999 99999
8334:   99999 99999   99999 99999   99999 99999   99999 99999   99999 99999     99999 99999   99999 99999   99999 99999   99999 99999   99999 99999
8335:   99999 99999   99999 99999   99999 99999   99999 99999   99999 99999     99999 99999   99999 99999   99999 99999   99999 99999   99999 99999
8336:   99999 99999   99999 99999   99999 99999   99999 99999   99999 99999     99999 99999   99999 99999   99999 99999   99999 99999   99999 99999
8337:   99999 99999   99999 99999   99999 99999   99999 99999   99999 99999     99999 99999   99999 99999   99999 99999   99999 99999   99999 99999
8338:   99999 99999   99999 99999   99999 99999   99999 99999   99999 99999     99999 99999   99999 99999   99999 99999   99999 99999   99999 99999
8339:   99999 99999   99999 99999   99999 99999   99999 99999   99999 99999     99999 99999   99999 99999   99999 99999   99999 99999   99999 99999
8340:   99999 99999   99999 99999   99999 99999   99999 99999   99999 99999     99999 99999   99999 99999   99999 99999   99999 99999   99999 99999
8341:   99999 99999   99999 99999   99999 99999   99999 99999   99999 99999     99999 99999   99999 99999   99999 99999   99999 99999   99999 99999
8342:   99999 99999   99999 99999   99999 99999   99999 99999   99999 99999     99999 99999   99999 99999   99999 99999   99999 99999   99999 99999
8343:   99999 99999   99999 99999   99999 99999   99999 99999   99999 99999     99999 99999   99999 99999   99999 99999   99999 99999   99999 99999
8344:   99999 99999   99999 99999   99999 99999   99999 99999   99999 99999     99999 99999   99999 99999   99999 99999   99999 99999   99999 99999
8345:   99999 99999   99999 99999   99999 99999   99999 99999   99999 99999     99999 99999   99999 99999   99999 99999   99999 99999   99999 99999
8346:   99999 99999   99999 99999   99999 99999   99999 99999   99999 99999     99999 99999   99999 99999   99999 99999   99999 99999   99999 99999
8347:   99999 99999   99999 99999   99999 99999   99999 99999   99999 99999     99999 99999   99999 99999   99999 99999   99999 99999   99999 99999
8348:   99999 99999   99999 99999   99999 99999   99999 99999   99999 99999     99999 99999   99999 99999   99999 99999   99999 99999   99999 99999
8349:   99999 99999   99999 99999   99999 99999   99999 99999   99999 99999     99999 99999   99999 99999   99999 99999   99999 99999   99999 99999
```

```
8350:  99999 99999  99999 99999  99999 99999  99999 99999  99999 99999   99999 99999  99999 99999  99999 99999  99999 99999  99999 99999
8351:  99999 99999  99999 99999  99999 99999  99999 99999  99999 99999   99999 99999  99999 99999  99999 99999  99999 99999  99999 99999
8352:  99999 99999  99999 99999  99999 99999  99999 99999  99999 99999   99999 99999  99999 99999  99999 99999  99999 99999  99999 99999
8353:  99999 99999  99999 99999  99999 99999  99999 99999  99999 99999   99999 99999  99999 99999  99999 99999  99999 99999  99999 99999
8354:  99999 99999  99999 99999  99999 99999  99999 99999  99999 99999   99999 99999  99999 99999  99999 99999  99999 99999  99999 99999
8355:  99999 99999  99999 99999  99999 99999  99999 99999  99999 99999   99999 99999  99999 99999  99999 99999  99999 99999  99999 99999
8356:  99999 99999  99999 99999  99999 99999  99999 99999  99999 99999   99999 99999  99999 99999  99999 99999  99999 99999  99999 99999
8357:  99999 99999  99999 99999  99999 99999  99999 99999  99999 99999   99999 99999  99999 99999  99999 99999  99999 99999  99999 99999
8358:  99999 99999  99999 99999  99999 99999  99999 99999  99999 99999   99999 99999  99999 99999  99999 99999  99999 99999  99999 99999
8359:  99999 99999  99999 99999  99999 99999  99999 99999  99999 99999   99999 99999  99999 99999  99999 99999  99999 99999  99999 99999
8360:  99999 99999  99999 99999  99999 99999  99999 99999  99999 99999   99999 99999  99999 99999  99999 99999  99999 99999  99999 99999
8361:  99999 99999  99999 99999  99999 99999  99999 99999  99999 99999   99999 99999  99999 99999  99999 99999  99999 99999  99999 99999
8362:  99999 99999  99999 99999  99999 99999  99999 99999  99999 99999   99999 99999  99999 99999  99999 99999  99999 99999  99999 99999
8363:  99999 99999  99999 99999  99999 99999  99999 99999  99999 99999   99999 99999  99999 99999  99999 99999  99999 99999  99999 99999
8364:  99999 99999  99999 99999  99999 99999  99999 99999  99999 99999   99999 99999  99999 99999  99999 99999  99999 99999  99999 99999
8365:  99999 99999  99999 99999  99999 99999  99999 99999  99999 99999   99999 99999  99999 99999  99999 99999  99999 99999  99999 99999
8366:  99999 99999  99999 99999  99999 99999  99999 99999  99999 99999   99999 99999  99999 99999  99999 99999  99999 99999  99999 99999
8367:  99999 99999  99999 99999  99999 99999  99999 99999  99999 99999   99999 99999  99999 99999  99999 99999  99999 99999  99999 99999
8368:  99999 99999  99999 99999  99999 99999  99999 99999  99999 99999   99999 99999  99999 99999  99999 99999  99999 99999  99999 99999
8369:  99999 99999  99999 99999  99999 99999  99999 99999  99999 99999   99999 99999  99999 99999  99999 99999  99999 99999  99999 99999
8370:  99999 99999  99999 99999  99999 99999  99999 99999  99999 99999   99999 99999  99999 99999  99999 99999  99999 99999  99999 99999
8371:  99999 99999  99999 99999  99999 99999  99999 99999  99999 99999   99999 99999  99999 99999  99999 99999  99999 99999  99999 99999
8372:  99999 99999  99999 99999  99999 99999  99999 99999  99999 99999   99999 99999  99999 99999  99999 99999  99999 99999  99999 99999
8373:  99999 99999  99999 99999  99999 99999  99999 99999  99999 99999   99999 99999  99999 99999  99999 99999  99999 99999  99999 99999
8374:  99999 99999  99999 99999  99999 99999  99999 99999  99999 99999   99999 99999  99999 99999  99999 99999  99999 99999  99999 99999
8375:  99999 99999  99999 99999  99999 99999  99999 99999  99999 99999   99999 99999  99999 99999  99999 99999  99999 99999  99999 99999
8376:  99999 99999  99999 99999  99999 99999  99999 99999  99999 99999   99999 99999  99999 99999  99999 99999  99999 99999  99999 99999
8377:  99999 99999  99999 99999  99999 99999  99999 99999  99999 99999   99999 99999  99999 99999  99999 99999  99999 99999  99999 99999
8378:  99999 99999  99999 99999  99999 99999  99999 99999  99999 99999   99999 99999  99999 99999  99999 99999  99999 99999  99999 99999
8379:  99999 99999  99999 99999  99999 99999  99999 99999  99999 99999   99999 99999  99999 99999  99999 99999  99999 99999  99999 99999
8380:  99999 99999  99999 99999  99999 99999  99999 99999  99999 99999   99999 99999  99999 99999  99999 99999  99999 99999  99999 99999
8381:  99999 99999  99999 99999  99999 99999  99999 99999  99999 99999   99999 99999  99999 99999  99999 99999  99999 99999  99999 99999
8382:  99999 99999  99999 99999  99999 99999  99999 99999  99999 99999   99999 99999  99999 99999  99999 99999  99999 99999  99999 99999
8383:  99999 99999  99999 99999  99999 99999  99999 99999  99999 99999   99999 99999  99999 99999  99999 99999  99999 99999  99999 99999
8384:  99999 99999  99999 99999  99999 99999  99999 99999  99999 99999   99999 99999  99999 99999  99999 99999  99999 99999  99999 99999
8385:  99999 99999  99999 99999  99999 99999  99999 99999  99999 99999   99999 99999  99999 99999  99999 99999  99999 99999  99999 99999
8386:  99999 99999  99999 99999  99999 99999  99999 99999  99999 99999   99999 99999  99999 99999  99999 99999  99999 99999  99999 99999
8387:  99999 99999  99999 99999  99999 99999  99999 99999  99999 99999   99999 99999  99999 99999  99999 99999  99999 99999  99999 99999
8388:  99999 99999  99999 99999  99999 99999  99999 99999  99999 99999   99999 99999  99999 99999  99999 99999  99999 99999  99999 99999
8389:  99999 99999  99999 99999  99999 99999  99999 99999  99999 99999   99999 99999  99999 99999  99999 99999  99999 99999  99999 99999
8390:  99999 99999  99999 99999  99999 99999  99999 99999  99999 99999   99999 99999  99999 99999  99999 99999  99999 99999  99999 99999
8391:  99999 99999  99999 99999  99999 99999  99999 99999  99999 99999   99999 99999  99999 99999  99999 99999  99999 99999  99999 99999
8392:  99999 99999  99999 99999  99999 99999  99999 99999  99999 99999   99999 99999  99999 99999  99999 99999  99999 99999  99999 99999
8393:  99999 99999  99999 99999  99999 99999  99999 99999  99999 99999   99999 99999  99999 99999  99999 99999  99999 99999  99999 99999
8394:  99999 99999  99999 99999  99999 99999  99999 99999  99999 99999   99999 99999  99999 99999  99999 99999  99999 99999  99999 99999
8395:  99999 99999  99999 99999  99999 99999  99999 99999  99999 99999   99999 99999  99999 99999  99999 99999  99999 99999  99999 99999
8396:  99999 99999  99999 99999  99999 99999  99999 99999  99999 99999   99999 99999  99999 99999  99999 99999  99999 99999  99999 99999
8397:  99999 99999  99999 99999  99999 99999  99999 99999  99999 99999   99999 99999  99999 99999  99999 99999  99999 99999  99999 99999
8398:  99999 99999  99999 99999  99999 99999  99999 99999  99999 99999   99999 99999  99999 99999  99999 99999  99999 99999  99999 99999
8399:  99999 99999  99999 99999  99999 99999  99999 99999  99999 99999   99999 99999  99999 99999  99999 99999  99999 99999  99999 99999
```

```
8400:   99999 99999   99999 99999   99999 99999   99999 99999   99999 99999     99999 99999   99999 99999   99999 99999   99999 99999   99999 99999
8401:   99999 99999   99999 99999   99999 99999   99999 99999   99999 99999     99999 99999   99999 99999   99999 99999   99999 99999   99999 99999
8402:   99999 99999   99999 99999   99999 99999   99999 99999   99999 99999     99999 99999   99999 99999   99999 99999   99999 99999   99999 99999
8403:   99999 99999   99999 99999   99999 99999   99999 99999   99999 99999     99999 99999   99999 99999   99999 99999   99999 99999   99999 99999
8404:   99999 99999   99999 99999   99999 99999   99999 99999   99999 99999     99999 99999   99999 99999   99999 99999   99999 99999   99999 99999
8405:   99999 99999   99999 99999   99999 99999   99999 99999   99999 99999     99999 99999   99999 99999   99999 99999   99999 99999   99999 99999
8406:   99999 99999   99999 99999   99999 99999   99999 99999   99999 99999     99999 99999   99999 99999   99999 99999   99999 99999   99999 99999
8407:   99999 99999   99999 99999   99999 99999   99999 99999   99999 99999     99999 99999   99999 99999   99999 99999   99999 99999   99999 99999
8408:   99999 99999   99999 99999   99999 99999   99999 99999   99999 99999     99999 99999   99999 99999   99999 99999   99999 99999   99999 99999
8409:   99999 99999   99999 99999   99999 99999   99999 99999   99999 99999     99999 99999   99999 99999   99999 99999   99999 99999   99999 99999
8410:   99999 99999   99999 99999   99999 99999   99999 99999   99999 99999     99999 99999   99999 99999   99999 99999   99999 99999   99999 99999
8411:   99999 99999   99999 99999   99999 99999   99999 99999   99999 99999     99999 99999   99999 99999   99999 99999   99999 99999   99999 99999
8412:   99999 99999   99999 99999   99999 99999   99999 99999   99999 99999     99999 99999   99999 99999   99999 99999   99999 99999   99999 99999
8413:   99999 99999   99999 99999   99999 99999   99999 99999   99999 99999     99999 99999   99999 99999   99999 99999   99999 99999   99999 99999
8414:   99999 99999   99999 99999   99999 99999   99999 99999   99999 99999     99999 99999   99999 99999   99999 99999   99999 99999   99999 99999
8415:   99999 99999   99999 99999   99999 99999   99999 99999   99999 99999     99999 99999   99999 99999   99999 99999   99999 99999   99999 99999
8416:   99999 99999   99999 99999   99999 99999   99999 99999   99999 99999     99999 99999   99999 99999   99999 99999   99999 99999   99999 99999
8417:   99999 99999   99999 99999   99999 99999   99999 99999   99999 99999     99999 99999   99999 99999   99999 99999   99999 99999   99999 99999
8418:   99999 99999   99999 99999   99999 99999   99999 99999   99999 99999     99999 99999   99999 99999   99999 99999   99999 99999   99999 99999
8419:   99999 99999   99999 99999   99999 99999   99999 99999   99999 99999     99999 99999   99999 99999   99999 99999   99999 99999   99999 99999
8420:   99999 99999   99999 99999   99999 99999   99999 99999   99999 99999     99999 99999   99999 99999   99999 99999   99999 99999   99999 99999
8421:   99999 99999   99999 99999   99999 99999   99999 99999   99999 99999     99999 99999   99999 99999   99999 99999   99999 99999   99999 99999
8422:   99999 99999   99999 99999   99999 99999   99999 99999   99999 99999     99999 99999   99999 99999   99999 99999   99999 99999   99999 99999
8423:   99999 99999   99999 99999   99999 99999   99999 99999   99999 99999     99999 99999   99999 99999   99999 99999   99999 99999   99999 99999
8424:   99999 99999   99999 99999   99999 99999   99999 99999   99999 99999     99999 99999   99999 99999   99999 99999   99999 99999   99999 99999
8425:   99999 99999   99999 99999   99999 99999   99999 99999   99999 99999     99999 99999   99999 99999   99999 99999   99999 99999   99999 99999
8426:   99999 99999   99999 99999   99999 99999   99999 99999   99999 99999     99999 99999   99999 99999   99999 99999   99999 99999   99999 99999
8427:   99999 99999   99999 99999   99999 99999   99999 99999   99999 99999     99999 99999   99999 99999   99999 99999   99999 99999   99999 99999
8428:   99999 99999   99999 99999   99999 99999   99999 99999   99999 99999     99999 99999   99999 99999   99999 99999   99999 99999   99999 99999
8429:   99999 99999   99999 99999   99999 99999   99999 99999   99999 99999     99999 99999   99999 99999   99999 99999   99999 99999   99999 99999
8430:   99999 99999   99999 99999   99999 99999   99999 99999   99999 99999     99999 99999   99999 99999   99999 99999   99999 99999   99999 99999
8431:   99999 99999   99999 99999   99999 99999   99999 99999   99999 99999     99999 99999   99999 99999   99999 99999   99999 99999   99999 99999
8432:   99999 99999   99999 99999   99999 99999   99999 99999   99999 99999     99999 99999   99999 99999   99999 99999   99999 99999   99999 99999
8433:   99999 99999   99999 99999   99999 99999   99999 99999   99999 99999     99999 99999   99999 99999   99999 99999   99999 99999   99999 99999
8434:   99999 99999   99999 99999   99999 99999   99999 99999   99999 99999     99999 99999   99999 99999   99999 99999   99999 99999   99999 99999
8435:   99999 99999   99999 99999   99999 99999   99999 99999   99999 99999     99999 99999   99999 99999   99999 99999   99999 99999   99999 99999
8436:   99999 99999   99999 99999   99999 99999   99999 99999   99999 99999     99999 99999   99999 99999   99999 99999   99999 99999   99999 99999
8437:   99999 99999   99999 99999   99999 99999   99999 99999   99999 99999     99999 99999   99999 99999   99999 99999   99999 99999   99999 99999
8438:   99999 99999   99999 99999   99999 99999   99999 99999   99999 99999     99999 99999   99999 99999   99999 99999   99999 99999   99999 99999
8439:   99999 99999   99999 99999   99999 99999   99999 99999   99999 99999     99999 99999   99999 99999   99999 99999   99999 99999   99999 99999
8440:   99999 99999   99999 99999   99999 99999   99999 99999   99999 99999     99999 99999   99999 99999   99999 99999   99999 99999   99999 99999
8441:   99999 99999   99999 99999   99999 99999   99999 99999   99999 99999     99999 99999   99999 99999   99999 99999   99999 99999   99999 99999
8442:   99999 99999   99999 99999   99999 99999   99999 99999   99999 99999     99999 99999   99999 99999   99999 99999   99999 99999   99999 99999
8443:   99999 99999   99999 99999   99999 99999   99999 99999   99999 99999     99999 99999   99999 99999   99999 99999   99999 99999   99999 99999
8444:   99999 99999   99999 99999   99999 99999   99999 99999   99999 99999     99999 99999   99999 99999   99999 99999   99999 99999   99999 99999
8445:   99999 99999   99999 99999   99999 99999   99999 99999   99999 99999     99999 99999   99999 99999   99999 99999   99999 99999   99999 99999
8446:   99999 99999   99999 99999   99999 99999   99999 99999   99999 99999     99999 99999   99999 99999   99999 99999   99999 99999   99999 99999
8447:   99999 99999   99999 99999   99999 99999   99999 99999   99999 99999     99999 99999   99999 99999   99999 99999   99999 99999   99999 99999
8448:   99999 99999   99999 99999   99999 99999   99999 99999   99999 99999     99999 99999   99999 99999   99999 99999   99999 99999   99999 99999
8449:   99999 99999   99999 99999   99999 99999   99999 99999   99999 99999     99999 99999   99999 99999   99999 99999   99999 99999   99999 99999
```

```
8450:   99999 99999   99999 99999   99999 99999   99999 99999   99999 99999     99999 99999   99999 99999   99999 99999   99999 99999   99999 99999
8451:   99999 99999   99999 99999   99999 99999   99999 99999   99999 99999     99999 99999   99999 99999   99999 99999   99999 99999   99999 99999
8452:   99999 99999   99999 99999   99999 99999   99999 99999   99999 99999     99999 99999   99999 99999   99999 99999   99999 99999   99999 99999
8453:   99999 99999   99999 99999   99999 99999   99999 99999   99999 99999     99999 99999   99999 99999   99999 99999   99999 99999   99999 99999
8454:   99999 99999   99999 99999   99999 99999   99999 99999   99999 99999     99999 99999   99999 99999   99999 99999   99999 99999   99999 99999
8455:   99999 99999   99999 99999   99999 99999   99999 99999   99999 99999     99999 99999   99999 99999   99999 99999   99999 99999   99999 99999
8456:   99999 99999   99999 99999   99999 99999   99999 99999   99999 99999     99999 99999   99999 99999   99999 99999   99999 99999   99999 99999
8457:   99999 99999   99999 99999   99999 99999   99999 99999   99999 99999     99999 99999   99999 99999   99999 99999   99999 99999   99999 99999
8458:   99999 99999   99999 99999   99999 99999   99999 99999   99999 99999     99999 99999   99999 99999   99999 99999   99999 99999   99999 99999
8459:   99999 99999   99999 99999   99999 99999   99999 99999   99999 99999     99999 99999   99999 99999   99999 99999   99999 99999   99999 99999
8460:   99999 99999   99999 99999   99999 99999   99999 99999   99999 99999     99999 99999   99999 99999   99999 99999   99999 99999   99999 99999
8461:   99999 99999   99999 99999   99999 99999   99999 99999   99999 99999     99999 99999   99999 99999   99999 99999   99999 99999   99999 99999
8462:   99999 99999   99999 99999   99999 99999   99999 99999   99999 99999     99999 99999   99999 99999   99999 99999   99999 99999   99999 99999
8463:   99999 99999   99999 99999   99999 99999   99999 99999   99999 99999     99999 99999   99999 99999   99999 99999   99999 99999   99999 99999
8464:   99999 99999   99999 99999   99999 99999   99999 99999   99999 99999     99999 99999   99999 99999   99999 99999   99999 99999   99999 99999
8465:   99999 99999   99999 99999   99999 99999   99999 99999   99999 99999     99999 99999   99999 99999   99999 99999   99999 99999   99999 99999
8466:   99999 99999   99999 99999   99999 99999   99999 99999   99999 99999     99999 99999   99999 99999   99999 99999   99999 99999   99999 99999
8467:   99999 99999   99999 99999   99999 99999   99999 99999   99999 99999     99999 99999   99999 99999   99999 99999   99999 99999   99999 99999
8468:   99999 99999   99999 99999   99999 99999   99999 99999   99999 99999     99999 99999   99999 99999   99999 99999   99999 99999   99999 99999
8469:   99999 99999   99999 99999   99999 99999   99999 99999   99999 99999     99999 99999   99999 99999   99999 99999   99999 99999   99999 99999
8470:   99999 99999   99999 99999   99999 99999   99999 99999   99999 99999     99999 99999   99999 99999   99999 99999   99999 99999   99999 99999
8471:   99999 99999   99999 99999   99999 99999   99999 99999   99999 99999     99999 99999   99999 99999   99999 99999   99999 99999   99999 99999
8472:   99999 99999   99999 99999   99999 99999   99999 99999   99999 99999     99999 99999   99999 99999   99999 99999   99999 99999   99999 99999
8473:   99999 99999   99999 99999   99999 99999   99999 99999   99999 99999     99999 99999   99999 99999   99999 99999   99999 99999   99999 99999
8474:   99999 99999   99999 99999   99999 99999   99999 99999   99999 99999     99999 99999   99999 99999   99999 99999   99999 99999   99999 99999
8475:   99999 99999   99999 99999   99999 99999   99999 99999   99999 99999     99999 99999   99999 99999   99999 99999   99999 99999   99999 99999
8476:   99999 99999   99999 99999   99999 99999   99999 99999   99999 99999     99999 99999   99999 99999   99999 99999   99999 99999   99999 99999
8477:   99999 99999   99999 99999   99999 99999   99999 99999   99999 99999     99999 99999   99999 99999   99999 99999   99999 99999   99999 99999
8478:   99999 99999   99999 99999   99999 99999   99999 99999   99999 99999     99999 99999   99999 99999   99999 99999   99999 99999   99999 99999
8479:   99999 99999   99999 99999   99999 99999   99999 99999   99999 99999     99999 99999   99999 99999   99999 99999   99999 99999   99999 99999
8480:   99999 99999   99999 99999   99999 99999   99999 99999   99999 99999     99999 99999   99999 99999   99999 99999   99999 99999   99999 99999
8481:   99999 99999   99999 99999   99999 99999   99999 99999   99999 99999     99999 99999   99999 99999   99999 99999   99999 99999   99999 99999
8482:   99999 99999   99999 99999   99999 99999   99999 99999   99999 99999     99999 99999   99999 99999   99999 99999   99999 99999   99999 99999
8483:   99999 99999   99999 99999   99999 99999   99999 99999   99999 99999     99999 99999   99999 99999   99999 99999   99999 99999   99999 99999
8484:   99999 99999   99999 99999   99999 99999   99999 99999   99999 99999     99999 99999   99999 99999   99999 99999   99999 99999   99999 99999
8485:   99999 99999   99999 99999   99999 99999   99999 99999   99999 99999     99999 99999   99999 99999   99999 99999   99999 99999   99999 99999
8486:   99999 99999   99999 99999   99999 99999   99999 99999   99999 99999     99999 99999   99999 99999   99999 99999   99999 99999   99999 99999
8487:   99999 99999   99999 99999   99999 99999   99999 99999   99999 99999     99999 99999   99999 99999   99999 99999   99999 99999   99999 99999
8488:   99999 99999   99999 99999   99999 99999   99999 99999   99999 99999     99999 99999   99999 99999   99999 99999   99999 99999   99999 99999
8489:   99999 99999   99999 99999   99999 99999   99999 99999   99999 99999     99999 99999   99999 99999   99999 99999   99999 99999   99999 99999
8490:   99999 99999   99999 99999   99999 99999   99999 99999   99999 99999     99999 99999   99999 99999   99999 99999   99999 99999   99999 99999
8491:   99999 99999   99999 99999   99999 99999   99999 99999   99999 99999     99999 99999   99999 99999   99999 99999   99999 99999   99999 99999
8492:   99999 99999   99999 99999   99999 99999   99999 99999   99999 99999     99999 99999   99999 99999   99999 99999   99999 99999   99999 99999
8493:   99999 99999   99999 99999   99999 99999   99999 99999   99999 99999     99999 99999   99999 99999   99999 99999   99999 99999   99999 99999
8494:   99999 99999   99999 99999   99999 99999   99999 99999   99999 99999     99999 99999   99999 99999   99999 99999   99999 99999   99999 99999
8495:   99999 99999   99999 99999   99999 99999   99999 99999   99999 99999     99999 99999   99999 99999   99999 99999   99999 99999   99999 99999
8496:   99999 99999   99999 99999   99999 99999   99999 99999   99999 99999     99999 99999   99999 99999   99999 99999   99999 99999   99999 99999
8497:   99999 99999   99999 99999   99999 99999   99999 99999   99999 99999     99999 99999   99999 99999   99999 99999   99999 99999   99999 99999
8498:   99999 99999   99999 99999   99999 99999   99999 99999   99999 99999     99999 99999   99999 99999   99999 99999   99999 99999   99999 99999
8499:   99999 99999   99999 99999   99999 99999   99999 99999   99999 99999     99999 99999   99999 99999   99999 99999   99999 99999   99999 99999
```

```
8500:  99999 99999  99999 99999  99999 99999  99999 99999  99999 99999    99999 99999  99999 99999  99999 99999  99999 99999  99999 99999
8501:  99999 99999  99999 99999  99999 99999  99999 99999  99999 99999    99999 99999  99999 99999  99999 99999  99999 99999  99999 99999
8502:  99999 99999  99999 99999  99999 99999  99999 99999  99999 99999    99999 99999  99999 99999  99999 99999  99999 99999  99999 99999
8503:  99999 99999  99999 99999  99999 99999  99999 99999  99999 99999    99999 99999  99999 99999  99999 99999  99999 99999  99999 99999
8504:  99999 99999  99999 99999  99999 99999  99999 99999  99999 99999    99999 99999  99999 99999  99999 99999  99999 99999  99999 99999
8505:  99999 99999  99999 99999  99999 99999  99999 99999  99999 99999    99999 99999  99999 99999  99999 99999  99999 99999  99999 99999
8506:  99999 99999  99999 99999  99999 99999  99999 99999  99999 99999    99999 99999  99999 99999  99999 99999  99999 99999  99999 99999
8507:  99999 99999  99999 99999  99999 99999  99999 99999  99999 99999    99999 99999  99999 99999  99999 99999  99999 99999  99999 99999
8508:  99999 99999  99999 99999  99999 99999  99999 99999  99999 99999    99999 99999  99999 99999  99999 99999  99999 99999  99999 99999
8509:  99999 99999  99999 99999  99999 99999  99999 99999  99999 99999    99999 99999  99999 99999  99999 99999  99999 99999  99999 99999
8510:  99999 99999  99999 99999  99999 99999  99999 99999  99999 99999    99999 99999  99999 99999  99999 99999  99999 99999  99999 99999
8511:  99999 99999  99999 99999  99999 99999  99999 99999  99999 99999    99999 99999  99999 99999  99999 99999  99999 99999  99999 99999
8512:  99999 99999  99999 99999  99999 99999  99999 99999  99999 99999    99999 99999  99999 99999  99999 99999  99999 99999  99999 99999
8513:  99999 99999  99999 99999  99999 99999  99999 99999  99999 99999    99999 99999  99999 99999  99999 99999  99999 99999  99999 99999
8514:  99999 99999  99999 99999  99999 99999  99999 99999  99999 99999    99999 99999  99999 99999  99999 99999  99999 99999  99999 99999
8515:  99999 99999  99999 99999  99999 99999  99999 99999  99999 99999    99999 99999  99999 99999  99999 99999  99999 99999  99999 99999
8516:  99999 99999  99999 99999  99999 99999  99999 99999  99999 99999    99999 99999  99999 99999  99999 99999  99999 99999  99999 99999
8517:  99999 99999  99999 99999  99999 99999  99999 99999  99999 99999    99999 99999  99999 99999  99999 99999  99999 99999  99999 99999
8518:  99999 99999  99999 99999  99999 99999  99999 99999  99999 99999    99999 99999  99999 99999  99999 99999  99999 99999  99999 99999
8519:  99999 99999  99999 99999  99999 99999  99999 99999  99999 99999    99999 99999  99999 99999  99999 99999  99999 99999  99999 99999
8520:  99999 99999  99999 99999  99999 99999  99999 99999  99999 99999    99999 99999  99999 99999  99999 99999  99999 99999  99999 99999
8521:  99999 99999  99999 99999  99999 99999  99999 99999  99999 99999    99999 99999  99999 99999  99999 99999  99999 99999  99999 99999
8522:  99999 99999  99999 99999  99999 99999  99999 99999  99999 99999    99999 99999  99999 99999  99999 99999  99999 99999  99999 99999
8523:  99999 99999  99999 99999  99999 99999  99999 99999  99999 99999    99999 99999  99999 99999  99999 99999  99999 99999  99999 99999
8524:  99999 99999  99999 99999  99999 99999  99999 99999  99999 99999    99999 99999  99999 99999  99999 99999  99999 99999  99999 99999
8525:  99999 99999  99999 99999  99999 99999  99999 99999  99999 99999    99999 99999  99999 99999  99999 99999  99999 99999  99999 99999
8526:  99999 99999  99999 99999  99999 99999  99999 99999  99999 99999    99999 99999  99999 99999  99999 99999  99999 99999  99999 99999
8527:  99999 99999  99999 99999  99999 99999  99999 99999  99999 99999    99999 99999  99999 99999  99999 99999  99999 99999  99999 99999
8528:  99999 99999  99999 99999  99999 99999  99999 99999  99999 99999    99999 99999  99999 99999  99999 99999  99999 99999  99999 99999
8529:  99999 99999  99999 99999  99999 99999  99999 99999  99999 99999    99999 99999  99999 99999  99999 99999  99999 99999  99999 99999
8530:  99999 99999  99999 99999  99999 99999  99999 99999  99999 99999    99999 99999  99999 99999  99999 99999  99999 99999  99999 99999
8531:  99999 99999  99999 99999  99999 99999  99999 99999  99999 99999    99999 99999  99999 99999  99999 99999  99999 99999  99999 99999
8532:  99999 99999  99999 99999  99999 99999  99999 99999  99999 99999    99999 99999  99999 99999  99999 99999  99999 99999  99999 99999
8533:  99999 99999  99999 99999  99999 99999  99999 99999  99999 99999    99999 99999  99999 99999  99999 99999  99999 99999  99999 99999
8534:  99999 99999  99999 99999  99999 99999  99999 99999  99999 99999    99999 99999  99999 99999  99999 99999  99999 99999  99999 99999
8535:  99999 99999  99999 99999  99999 99999  99999 99999  99999 99999    99999 99999  99999 99999  99999 99999  99999 99999  99999 99999
8536:  99999 99999  99999 99999  99999 99999  99999 99999  99999 99999    99999 99999  99999 99999  99999 99999  99999 99999  99999 99999
8537:  99999 99999  99999 99999  99999 99999  99999 99999  99999 99999    99999 99999  99999 99999  99999 99999  99999 99999  99999 99999
8538:  99999 99999  99999 99999  99999 99999  99999 99999  99999 99999    99999 99999  99999 99999  99999 99999  99999 99999  99999 99999
8539:  99999 99999  99999 99999  99999 99999  99999 99999  99999 99999    99999 99999  99999 99999  99999 99999  99999 99999  99999 99999
8540:  99999 99999  99999 99999  99999 99999  99999 99999  99999 99999    99999 99999  99999 99999  99999 99999  99999 99999  99999 99999
8541:  99999 99999  99999 99999  99999 99999  99999 99999  99999 99999    99999 99999  99999 99999  99999 99999  99999 99999  99999 99999
8542:  99999 99999  99999 99999  99999 99999  99999 99999  99999 99999    99999 99999  99999 99999  99999 99999  99999 99999  99999 99999
8543:  99999 99999  99999 99999  99999 99999  99999 99999  99999 99999    99999 99999  99999 99999  99999 99999  99999 99999  99999 99999
8544:  99999 99999  99999 99999  99999 99999  99999 99999  99999 99999    99999 99999  99999 99999  99999 99999  99999 99999  99999 99999
8545:  99999 99999  99999 99999  99999 99999  99999 99999  99999 99999    99999 99999  99999 99999  99999 99999  99999 99999  99999 99999
8546:  99999 99999  99999 99999  99999 99999  99999 99999  99999 99999    99999 99999  99999 99999  99999 99999  99999 99999  99999 99999
8547:  99999 99999  99999 99999  99999 99999  99999 99999  99999 99999    99999 99999  99999 99999  99999 99999  99999 99999  99999 99999
8548:  99999 99999  99999 99999  99999 99999  99999 99999  99999 99999    99999 99999  99999 99999  99999 99999  99999 99999  99999 99999
8549:  99999 99999  99999 99999  99999 99999  99999 99999  99999 99999    99999 99999  99999 99999  99999 99999  99999 99999  99999 99999
```

```
8550:  99999 99999  99999 99999  99999 99999  99999 99999  99999 99999    99999 99999  99999 99999  99999 99999  99999 99999  99999 99999
8551:  99999 99999  99999 99999  99999 99999  99999 99999  99999 99999    99999 99999  99999 99999  99999 99999  99999 99999  99999 99999
8552:  99999 99999  99999 99999  99999 99999  99999 99999  99999 99999    99999 99999  99999 99999  99999 99999  99999 99999  99999 99999
8553:  99999 99999  99999 99999  99999 99999  99999 99999  99999 99999    99999 99999  99999 99999  99999 99999  99999 99999  99999 99999
8554:  99999 99999  99999 99999  99999 99999  99999 99999  99999 99999    99999 99999  99999 99999  99999 99999  99999 99999  99999 99999
8555:  99999 99999  99999 99999  99999 99999  99999 99999  99999 99999    99999 99999  99999 99999  99999 99999  99999 99999  99999 99999
8556:  99999 99999  99999 99999  99999 99999  99999 99999  99999 99999    99999 99999  99999 99999  99999 99999  99999 99999  99999 99999
8557:  99999 99999  99999 99999  99999 99999  99999 99999  99999 99999    99999 99999  99999 99999  99999 99999  99999 99999  99999 99999
8558:  99999 99999  99999 99999  99999 99999  99999 99999  99999 99999    99999 99999  99999 99999  99999 99999  99999 99999  99999 99999
8559:  99999 99999  99999 99999  99999 99999  99999 99999  99999 99999    99999 99999  99999 99999  99999 99999  99999 99999  99999 99999
8560:  99999 99999  99999 99999  99999 99999  99999 99999  99999 99999    99999 99999  99999 99999  99999 99999  99999 99999  99999 99999
8561:  99999 99999  99999 99999  99999 99999  99999 99999  99999 99999    99999 99999  99999 99999  99999 99999  99999 99999  99999 99999
8562:  99999 99999  99999 99999  99999 99999  99999 99999  99999 99999    99999 99999  99999 99999  99999 99999  99999 99999  99999 99999
8563:  99999 99999  99999 99999  99999 99999  99999 99999  99999 99999    99999 99999  99999 99999  99999 99999  99999 99999  99999 99999
8564:  99999 99999  99999 99999  99999 99999  99999 99999  99999 99999    99999 99999  99999 99999  99999 99999  99999 99999  99999 99999
8565:  99999 99999  99999 99999  99999 99999  99999 99999  99999 99999    99999 99999  99999 99999  99999 99999  99999 99999  99999 99999
8566:  99999 99999  99999 99999  99999 99999  99999 99999  99999 99999    99999 99999  99999 99999  99999 99999  99999 99999  99999 99999
8567:  99999 99999  99999 99999  99999 99999  99999 99999  99999 99999    99999 99999  99999 99999  99999 99999  99999 99999  99999 99999
8568:  99999 99999  99999 99999  99999 99999  99999 99999  99999 99999    99999 99999  99999 99999  99999 99999  99999 99999  99999 99999
8569:  99999 99999  99999 99999  99999 99999  99999 99999  99999 99999    99999 99999  99999 99999  99999 99999  99999 99999  99999 99999
8570:  99999 99999  99999 99999  99999 99999  99999 99999  99999 99999    99999 99999  99999 99999  99999 99999  99999 99999  99999 99999
8571:  99999 99999  99999 99999  99999 99999  99999 99999  99999 99999    99999 99999  99999 99999  99999 99999  99999 99999  99999 99999
8572:  99999 99999  99999 99999  99999 99999  99999 99999  99999 99999    99999 99999  99999 99999  99999 99999  99999 99999  99999 99999
8573:  99999 99999  99999 99999  99999 99999  99999 99999  99999 99999    99999 99999  99999 99999  99999 99999  99999 99999  99999 99999
8574:  99999 99999  99999 99999  99999 99999  99999 99999  99999 99999    99999 99999  99999 99999  99999 99999  99999 99999  99999 99999
8575:  99999 99999  99999 99999  99999 99999  99999 99999  99999 99999    99999 99999  99999 99999  99999 99999  99999 99999  99999 99999
8576:  99999 99999  99999 99999  99999 99999  99999 99999  99999 99999    99999 99999  99999 99999  99999 99999  99999 99999  99999 99999
8577:  99999 99999  99999 99999  99999 99999  99999 99999  99999 99999    99999 99999  99999 99999  99999 99999  99999 99999  99999 99999
8578:  99999 99999  99999 99999  99999 99999  99999 99999  99999 99999    99999 99999  99999 99999  99999 99999  99999 99999  99999 99999
8579:  99999 99999  99999 99999  99999 99999  99999 99999  99999 99999    99999 99999  99999 99999  99999 99999  99999 99999  99999 99999
8580:  99999 99999  99999 99999  99999 99999  99999 99999  99999 99999    99999 99999  99999 99999  99999 99999  99999 99999  99999 99999
8581:  99999 99999  99999 99999  99999 99999  99999 99999  99999 99999    99999 99999  99999 99999  99999 99999  99999 99999  99999 99999
8582:  99999 99999  99999 99999  99999 99999  99999 99999  99999 99999    99999 99999  99999 99999  99999 99999  99999 99999  99999 99999
8583:  99999 99999  99999 99999  99999 99999  99999 99999  99999 99999    99999 99999  99999 99999  99999 99999  99999 99999  99999 99999
8584:  99999 99999  99999 99999  99999 99999  99999 99999  99999 99999    99999 99999  99999 99999  99999 99999  99999 99999  99999 99999
8585:  99999 99999  99999 99999  99999 99999  99999 99999  99999 99999    99999 99999  99999 99999  99999 99999  99999 99999  99999 99999
8586:  99999 99999  99999 99999  99999 99999  99999 99999  99999 99999    99999 99999  99999 99999  99999 99999  99999 99999  99999 99999
8587:  99999 99999  99999 99999  99999 99999  99999 99999  99999 99999    99999 99999  99999 99999  99999 99999  99999 99999  99999 99999
8588:  99999 99999  99999 99999  99999 99999  99999 99999  99999 99999    99999 99999  99999 99999  99999 99999  99999 99999  99999 99999
8589:  99999 99999  99999 99999  99999 99999  99999 99999  99999 99999    99999 99999  99999 99999  99999 99999  99999 99999  99999 99999
8590:  99999 99999  99999 99999  99999 99999  99999 99999  99999 99999    99999 99999  99999 99999  99999 99999  99999 99999  99999 99999
8591:  99999 99999  99999 99999  99999 99999  99999 99999  99999 99999    99999 99999  99999 99999  99999 99999  99999 99999  99999 99999
8592:  99999 99999  99999 99999  99999 99999  99999 99999  99999 99999    99999 99999  99999 99999  99999 99999  99999 99999  99999 99999
8593:  99999 99999  99999 99999  99999 99999  99999 99999  99999 99999    99999 99999  99999 99999  99999 99999  99999 99999  99999 99999
8594:  99999 99999  99999 99999  99999 99999  99999 99999  99999 99999    99999 99999  99999 99999  99999 99999  99999 99999  99999 99999
8595:  99999 99999  99999 99999  99999 99999  99999 99999  99999 99999    99999 99999  99999 99999  99999 99999  99999 99999  99999 99999
8596:  99999 99999  99999 99999  99999 99999  99999 99999  99999 99999    99999 99999  99999 99999  99999 99999  99999 99999  99999 99999
8597:  99999 99999  99999 99999  99999 99999  99999 99999  99999 99999    99999 99999  99999 99999  99999 99999  99999 99999  99999 99999
8598:  99999 99999  99999 99999  99999 99999  99999 99999  99999 99999    99999 99999  99999 99999  99999 99999  99999 99999  99999 99999
8599:  99999 99999  99999 99999  99999 99999  99999 99999  99999 99999    99999 99999  99999 99999  99999 99999  99999 99999  99999 99999
```

```
8600:   99999 99999   99999 99999   99999 99999   99999 99999   99999 99999     99999 99999   99999 99999   99999 99999   99999 99999   99999 99999
8601:   99999 99999   99999 99999   99999 99999   99999 99999   99999 99999     99999 99999   99999 99999   99999 99999   99999 99999   99999 99999
8602:   99999 99999   99999 99999   99999 99999   99999 99999   99999 99999     99999 99999   99999 99999   99999 99999   99999 99999   99999 99999
8603:   99999 99999   99999 99999   99999 99999   99999 99999   99999 99999     99999 99999   99999 99999   99999 99999   99999 99999   99999 99999
8604:   99999 99999   99999 99999   99999 99999   99999 99999   99999 99999     99999 99999   99999 99999   99999 99999   99999 99999   99999 99999
8605:   99999 99999   99999 99999   99999 99999   99999 99999   99999 99999     99999 99999   99999 99999   99999 99999   99999 99999   99999 99999
8606:   99999 99999   99999 99999   99999 99999   99999 99999   99999 99999     99999 99999   99999 99999   99999 99999   99999 99999   99999 99999
8607:   99999 99999   99999 99999   99999 99999   99999 99999   99999 99999     99999 99999   99999 99999   99999 99999   99999 99999   99999 99999
8608:   99999 99999   99999 99999   99999 99999   99999 99999   99999 99999     99999 99999   99999 99999   99999 99999   99999 99999   99999 99999
8609:   99999 99999   99999 99999   99999 99999   99999 99999   99999 99999     99999 99999   99999 99999   99999 99999   99999 99999   99999 99999
8610:   99999 99999   99999 99999   99999 99999   99999 99999   99999 99999     99999 99999   99999 99999   99999 99999   99999 99999   99999 99999
8611:   99999 99999   99999 99999   99999 99999   99999 99999   99999 99999     99999 99999   99999 99999   99999 99999   99999 99999   99999 99999
8612:   99999 99999   99999 99999   99999 99999   99999 99999   99999 99999     99999 99999   99999 99999   99999 99999   99999 99999   99999 99999
8613:   99999 99999   99999 99999   99999 99999   99999 99999   99999 99999     99999 99999   99999 99999   99999 99999   99999 99999   99999 99999
8614:   99999 99999   99999 99999   99999 99999   99999 99999   99999 99999     99999 99999   99999 99999   99999 99999   99999 99999   99999 99999
8615:   99999 99999   99999 99999   99999 99999   99999 99999   99999 99999     99999 99999   99999 99999   99999 99999   99999 99999   99999 99999
8616:   99999 99999   99999 99999   99999 99999   99999 99999   99999 99999     99999 99999   99999 99999   99999 99999   99999 99999   99999 99999
8617:   99999 99999   99999 99999   99999 99999   99999 99999   99999 99999     99999 99999   99999 99999   99999 99999   99999 99999   99999 99999
8618:   99999 99999   99999 99999   99999 99999   99999 99999   99999 99999     99999 99999   99999 99999   99999 99999   99999 99999   99999 99999
8619:   99999 99999   99999 99999   99999 99999   99999 99999   99999 99999     99999 99999   99999 99999   99999 99999   99999 99999   99999 99999
8620:   99999 99999   99999 99999   99999 99999   99999 99999   99999 99999     99999 99999   99999 99999   99999 99999   99999 99999   99999 99999
8621:   99999 99999   99999 99999   99999 99999   99999 99999   99999 99999     99999 99999   99999 99999   99999 99999   99999 99999   99999 99999
8622:   99999 99999   99999 99999   99999 99999   99999 99999   99999 99999     99999 99999   99999 99999   99999 99999   99999 99999   99999 99999
8623:   99999 99999   99999 99999   99999 99999   99999 99999   99999 99999     99999 99999   99999 99999   99999 99999   99999 99999   99999 99999
8624:   99999 99999   99999 99999   99999 99999   99999 99999   99999 99999     99999 99999   99999 99999   99999 99999   99999 99999   99999 99999
8625:   99999 99999   99999 99999   99999 99999   99999 99999   99999 99999     99999 99999   99999 99999   99999 99999   99999 99999   99999 99999
8626:   99999 99999   99999 99999   99999 99999   99999 99999   99999 99999     99999 99999   99999 99999   99999 99999   99999 99999   99999 99999
8627:   99999 99999   99999 99999   99999 99999   99999 99999   99999 99999     99999 99999   99999 99999   99999 99999   99999 99999   99999 99999
8628:   99999 99999   99999 99999   99999 99999   99999 99999   99999 99999     99999 99999   99999 99999   99999 99999   99999 99999   99999 99999
8629:   99999 99999   99999 99999   99999 99999   99999 99999   99999 99999     99999 99999   99999 99999   99999 99999   99999 99999   99999 99999
8630:   99999 99999   99999 99999   99999 99999   99999 99999   99999 99999     99999 99999   99999 99999   99999 99999   99999 99999   99999 99999
8631:   99999 99999   99999 99999   99999 99999   99999 99999   99999 99999     99999 99999   99999 99999   99999 99999   99999 99999   99999 99999
8632:   99999 99999   99999 99999   99999 99999   99999 99999   99999 99999     99999 99999   99999 99999   99999 99999   99999 99999   99999 99999
8633:   99999 99999   99999 99999   99999 99999   99999 99999   99999 99999     99999 99999   99999 99999   99999 99999   99999 99999   99999 99999
8634:   99999 99999   99999 99999   99999 99999   99999 99999   99999 99999     99999 99999   99999 99999   99999 99999   99999 99999   99999 99999
8635:   99999 99999   99999 99999   99999 99999   99999 99999   99999 99999     99999 99999   99999 99999   99999 99999   99999 99999   99999 99999
8636:   99999 99999   99999 99999   99999 99999   99999 99999   99999 99999     99999 99999   99999 99999   99999 99999   99999 99999   99999 99999
8637:   99999 99999   99999 99999   99999 99999   99999 99999   99999 99999     99999 99999   99999 99999   99999 99999   99999 99999   99999 99999
8638:   99999 99999   99999 99999   99999 99999   99999 99999   99999 99999     99999 99999   99999 99999   99999 99999   99999 99999   99999 99999
8639:   99999 99999   99999 99999   99999 99999   99999 99999   99999 99999     99999 99999   99999 99999   99999 99999   99999 99999   99999 99999
8640:   99999 99999   99999 99999   99999 99999   99999 99999   99999 99999     99999 99999   99999 99999   99999 99999   99999 99999   99999 99999
8641:   99999 99999   99999 99999   99999 99999   99999 99999   99999 99999     99999 99999   99999 99999   99999 99999   99999 99999   99999 99999
8642:   99999 99999   99999 99999   99999 99999   99999 99999   99999 99999     99999 99999   99999 99999   99999 99999   99999 99999   99999 99999
8643:   99999 99999   99999 99999   99999 99999   99999 99999   99999 99999     99999 99999   99999 99999   99999 99999   99999 99999   99999 99999
8644:   99999 99999   99999 99999   99999 99999   99999 99999   99999 99999     99999 99999   99999 99999   99999 99999   99999 99999   99999 99999
8645:   99999 99999   99999 99999   99999 99999   99999 99999   99999 99999     99999 99999   99999 99999   99999 99999   99999 99999   99999 99999
8646:   99999 99999   99999 99999   99999 99999   99999 99999   99999 99999     99999 99999   99999 99999   99999 99999   99999 99999   99999 99999
8647:   99999 99999   99999 99999   99999 99999   99999 99999   99999 99999     99999 99999   99999 99999   99999 99999   99999 99999   99999 99999
8648:   99999 99999   99999 99999   99999 99999   99999 99999   99999 99999     99999 99999   99999 99999   99999 99999   99999 99999   99999 99999
8649:   99999 99999   99999 99999   99999 99999   99999 99999   99999 99999     99999 99999   99999 99999   99999 99999   99999 99999   99999 99999
```

```
8650:  99999 99999   99999 99999   99999 99999   99999 99999   99999 99999     99999 99999   99999 99999   99999 99999   99999 99999   99999 99999
8651:  99999 99999   99999 99999   99999 99999   99999 99999   99999 99999     99999 99999   99999 99999   99999 99999   99999 99999   99999 99999
8652:  99999 99999   99999 99999   99999 99999   99999 99999   99999 99999     99999 99999   99999 99999   99999 99999   99999 99999   99999 99999
8653:  99999 99999   99999 99999   99999 99999   99999 99999   99999 99999     99999 99999   99999 99999   99999 99999   99999 99999   99999 99999
8654:  99999 99999   99999 99999   99999 99999   99999 99999   99999 99999     99999 99999   99999 99999   99999 99999   99999 99999   99999 99999
8655:  99999 99999   99999 99999   99999 99999   99999 99999   99999 99999     99999 99999   99999 99999   99999 99999   99999 99999   99999 99999
8656:  99999 99999   99999 99999   99999 99999   99999 99999   99999 99999     99999 99999   99999 99999   99999 99999   99999 99999   99999 99999
8657:  99999 99999   99999 99999   99999 99999   99999 99999   99999 99999     99999 99999   99999 99999   99999 99999   99999 99999   99999 99999
8658:  99999 99999   99999 99999   99999 99999   99999 99999   99999 99999     99999 99999   99999 99999   99999 99999   99999 99999   99999 99999
8659:  99999 99999   99999 99999   99999 99999   99999 99999   99999 99999     99999 99999   99999 99999   99999 99999   99999 99999   99999 99999
8660:  99999 99999   99999 99999   99999 99999   99999 99999   99999 99999     99999 99999   99999 99999   99999 99999   99999 99999   99999 99999
8661:  99999 99999   99999 99999   99999 99999   99999 99999   99999 99999     99999 99999   99999 99999   99999 99999   99999 99999   99999 99999
8662:  99999 99999   99999 99999   99999 99999   99999 99999   99999 99999     99999 99999   99999 99999   99999 99999   99999 99999   99999 99999
8663:  99999 99999   99999 99999   99999 99999   99999 99999   99999 99999     99999 99999   99999 99999   99999 99999   99999 99999   99999 99999
8664:  99999 99999   99999 99999   99999 99999   99999 99999   99999 99999     99999 99999   99999 99999   99999 99999   99999 99999   99999 99999
8665:  99999 99999   99999 99999   99999 99999   99999 99999   99999 99999     99999 99999   99999 99999   99999 99999   99999 99999   99999 99999
8666:  99999 99999   99999 99999   99999 99999   99999 99999   99999 99999     99999 99999   99999 99999   99999 99999   99999 99999   99999 99999
8667:  99999 99999   99999 99999   99999 99999   99999 99999   99999 99999     99999 99999   99999 99999   99999 99999   99999 99999   99999 99999
8668:  99999 99999   99999 99999   99999 99999   99999 99999   99999 99999     99999 99999   99999 99999   99999 99999   99999 99999   99999 99999
8669:  99999 99999   99999 99999   99999 99999   99999 99999   99999 99999     99999 99999   99999 99999   99999 99999   99999 99999   99999 99999
8670:  99999 99999   99999 99999   99999 99999   99999 99999   99999 99999     99999 99999   99999 99999   99999 99999   99999 99999   99999 99999
8671:  99999 99999   99999 99999   99999 99999   99999 99999   99999 99999     99999 99999   99999 99999   99999 99999   99999 99999   99999 99999
8672:  99999 99999   99999 99999   99999 99999   99999 99999   99999 99999     99999 99999   99999 99999   99999 99999   99999 99999   99999 99999
8673:  99999 99999   99999 99999   99999 99999   99999 99999   99999 99999     99999 99999   99999 99999   99999 99999   99999 99999   99999 99999
8674:  99999 99999   99999 99999   99999 99999   99999 99999   99999 99999     99999 99999   99999 99999   99999 99999   99999 99999   99999 99999
8675:  99999 99999   99999 99999   99999 99999   99999 99999   99999 99999     99999 99999   99999 99999   99999 99999   99999 99999   99999 99999
8676:  99999 99999   99999 99999   99999 99999   99999 99999   99999 99999     99999 99999   99999 99999   99999 99999   99999 99999   99999 99999
8677:  99999 99999   99999 99999   99999 99999   99999 99999   99999 99999     99999 99999   99999 99999   99999 99999   99999 99999   99999 99999
8678:  99999 99999   99999 99999   99999 99999   99999 99999   99999 99999     99999 99999   99999 99999   99999 99999   99999 99999   99999 99999
8679:  99999 99999   99999 99999   99999 99999   99999 99999   99999 99999     99999 99999   99999 99999   99999 99999   99999 99999   99999 99999
8680:  99999 99999   99999 99999   99999 99999   99999 99999   99999 99999     99999 99999   99999 99999   99999 99999   99999 99999   99999 99999
8681:  99999 99999   99999 99999   99999 99999   99999 99999   99999 99999     99999 99999   99999 99999   99999 99999   99999 99999   99999 99999
8682:  99999 99999   99999 99999   99999 99999   99999 99999   99999 99999     99999 99999   99999 99999   99999 99999   99999 99999   99999 99999
8683:  99999 99999   99999 99999   99999 99999   99999 99999   99999 99999     99999 99999   99999 99999   99999 99999   99999 99999   99999 99999
8684:  99999 99999   99999 99999   99999 99999   99999 99999   99999 99999     99999 99999   99999 99999   99999 99999   99999 99999   99999 99999
8685:  99999 99999   99999 99999   99999 99999   99999 99999   99999 99999     99999 99999   99999 99999   99999 99999   99999 99999   99999 99999
8686:  99999 99999   99999 99999   99999 99999   99999 99999   99999 99999     99999 99999   99999 99999   99999 99999   99999 99999   99999 99999
8687:  99999 99999   99999 99999   99999 99999   99999 99999   99999 99999     99999 99999   99999 99999   99999 99999   99999 99999   99999 99999
8688:  99999 99999   99999 99999   99999 99999   99999 99999   99999 99999     99999 99999   99999 99999   99999 99999   99999 99999   99999 99999
8689:  99999 99999   99999 99999   99999 99999   99999 99999   99999 99999     99999 99999   99999 99999   99999 99999   99999 99999   99999 99999
8690:  99999 99999   99999 99999   99999 99999   99999 99999   99999 99999     99999 99999   99999 99999   99999 99999   99999 99999   99999 99999
8691:  99999 99999   99999 99999   99999 99999   99999 99999   99999 99999     99999 99999   99999 99999   99999 99999   99999 99999   99999 99999
8692:  99999 99999   99999 99999   99999 99999   99999 99999   99999 99999     99999 99999   99999 99999   99999 99999   99999 99999   99999 99999
8693:  99999 99999   99999 99999   99999 99999   99999 99999   99999 99999     99999 99999   99999 99999   99999 99999   99999 99999   99999 99999
8694:  99999 99999   99999 99999   99999 99999   99999 99999   99999 99999     99999 99999   99999 99999   99999 99999   99999 99999   99999 99999
8695:  99999 99999   99999 99999   99999 99999   99999 99999   99999 99999     99999 99999   99999 99999   99999 99999   99999 99999   99999 99999
8696:  99999 99999   99999 99999   99999 99999   99999 99999   99999 99999     99999 99999   99999 99999   99999 99999   99999 99999   99999 99999
8697:  99999 99999   99999 99999   99999 99999   99999 99999   99999 99999     99999 99999   99999 99999   99999 99999   99999 99999   99999 99999
8698:  99999 99999   99999 99999   99999 99999   99999 99999   99999 99999     99999 99999   99999 99999   99999 99999   99999 99999   99999 99999
8699:  99999 99999   99999 99999   99999 99999   99999 99999   99999 99999     99999 99999   99999 99999   99999 99999   99999 99999   99999 99999
```

```
8700:   99999 99999   99999 99999   99999 99999   99999 99999   99999 99999      99999 99999   99999 99999   99999 99999   99999 99999   99999 99999
8701:   99999 99999   99999 99999   99999 99999   99999 99999   99999 99999      99999 99999   99999 99999   99999 99999   99999 99999   99999 99999
8702:   99999 99999   99999 99999   99999 99999   99999 99999   99999 99999      99999 99999   99999 99999   99999 99999   99999 99999   99999 99999
8703:   99999 99999   99999 99999   99999 99999   99999 99999   99999 99999      99999 99999   99999 99999   99999 99999   99999 99999   99999 99999
8704:   99999 99999   99999 99999   99999 99999   99999 99999   99999 99999      99999 99999   99999 99999   99999 99999   99999 99999   99999 99999
8705:   99999 99999   99999 99999   99999 99999   99999 99999   99999 99999      99999 99999   99999 99999   99999 99999   99999 99999   99999 99999
8706:   99999 99999   99999 99999   99999 99999   99999 99999   99999 99999      99999 99999   99999 99999   99999 99999   99999 99999   99999 99999
8707:   99999 99999   99999 99999   99999 99999   99999 99999   99999 99999      99999 99999   99999 99999   99999 99999   99999 99999   99999 99999
8708:   99999 99999   99999 99999   99999 99999   99999 99999   99999 99999      99999 99999   99999 99999   99999 99999   99999 99999   99999 99999
8709:   99999 99999   99999 99999   99999 99999   99999 99999   99999 99999      99999 99999   99999 99999   99999 99999   99999 99999   99999 99999
8710:   99999 99999   99999 99999   99999 99999   99999 99999   99999 99999      99999 99999   99999 99999   99999 99999   99999 99999   99999 99999
8711:   99999 99999   99999 99999   99999 99999   99999 99999   99999 99999      99999 99999   99999 99999   99999 99999   99999 99999   99999 99999
8712:   99999 99999   99999 99999   99999 99999   99999 99999   99999 99999      99999 99999   99999 99999   99999 99999   99999 99999   99999 99999
8713:   99999 99999   99999 99999   99999 99999   99999 99999   99999 99999      99999 99999   99999 99999   99999 99999   99999 99999   99999 99999
8714:   99999 99999   99999 99999   99999 99999   99999 99999   99999 99999      99999 99999   99999 99999   99999 99999   99999 99999   99999 99999
8715:   99999 99999   99999 99999   99999 99999   99999 99999   99999 99999      99999 99999   99999 99999   99999 99999   99999 99999   99999 99999
8716:   99999 99999   99999 99999   99999 99999   99999 99999   99999 99999      99999 99999   99999 99999   99999 99999   99999 99999   99999 99999
8717:   99999 99999   99999 99999   99999 99999   99999 99999   99999 99999      99999 99999   99999 99999   99999 99999   99999 99999   99999 99999
8718:   99999 99999   99999 99999   99999 99999   99999 99999   99999 99999      99999 99999   99999 99999   99999 99999   99999 99999   99999 99999
8719:   99999 99999   99999 99999   99999 99999   99999 99999   99999 99999      99999 99999   99999 99999   99999 99999   99999 99999   99999 99999
8720:   99999 99999   99999 99999   99999 99999   99999 99999   99999 99999      99999 99999   99999 99999   99999 99999   99999 99999   99999 99999
8721:   99999 99999   99999 99999   99999 99999   99999 99999   99999 99999      99999 99999   99999 99999   99999 99999   99999 99999   99999 99999
8722:   99999 99999   99999 99999   99999 99999   99999 99999   99999 99999      99999 99999   99999 99999   99999 99999   99999 99999   99999 99999
8723:   99999 99999   99999 99999   99999 99999   99999 99999   99999 99999      99999 99999   99999 99999   99999 99999   99999 99999   99999 99999
8724:   99999 99999   99999 99999   99999 99999   99999 99999   99999 99999      99999 99999   99999 99999   99999 99999   99999 99999   99999 99999
8725:   99999 99999   99999 99999   99999 99999   99999 99999   99999 99999      99999 99999   99999 99999   99999 99999   99999 99999   99999 99999
8726:   99999 99999   99999 99999   99999 99999   99999 99999   99999 99999      99999 99999   99999 99999   99999 99999   99999 99999   99999 99999
8727:   99999 99999   99999 99999   99999 99999   99999 99999   99999 99999      99999 99999   99999 99999   99999 99999   99999 99999   99999 99999
8728:   99999 99999   99999 99999   99999 99999   99999 99999   99999 99999      99999 99999   99999 99999   99999 99999   99999 99999   99999 99999
8729:   99999 99999   99999 99999   99999 99999   99999 99999   99999 99999      99999 99999   99999 99999   99999 99999   99999 99999   99999 99999
8730:   99999 99999   99999 99999   99999 99999   99999 99999   99999 99999      99999 99999   99999 99999   99999 99999   99999 99999   99999 99999
8731:   99999 99999   99999 99999   99999 99999   99999 99999   99999 99999      99999 99999   99999 99999   99999 99999   99999 99999   99999 99999
8732:   99999 99999   99999 99999   99999 99999   99999 99999   99999 99999      99999 99999   99999 99999   99999 99999   99999 99999   99999 99999
8733:   99999 99999   99999 99999   99999 99999   99999 99999   99999 99999      99999 99999   99999 99999   99999 99999   99999 99999   99999 99999
8734:   99999 99999   99999 99999   99999 99999   99999 99999   99999 99999      99999 99999   99999 99999   99999 99999   99999 99999   99999 99999
8735:   99999 99999   99999 99999   99999 99999   99999 99999   99999 99999      99999 99999   99999 99999   99999 99999   99999 99999   99999 99999
8736:   99999 99999   99999 99999   99999 99999   99999 99999   99999 99999      99999 99999   99999 99999   99999 99999   99999 99999   99999 99999
8737:   99999 99999   99999 99999   99999 99999   99999 99999   99999 99999      99999 99999   99999 99999   99999 99999   99999 99999   99999 99999
8738:   99999 99999   99999 99999   99999 99999   99999 99999   99999 99999      99999 99999   99999 99999   99999 99999   99999 99999   99999 99999
8739:   99999 99999   99999 99999   99999 99999   99999 99999   99999 99999      99999 99999   99999 99999   99999 99999   99999 99999   99999 99999
8740:   99999 99999   99999 99999   99999 99999   99999 99999   99999 99999      99999 99999   99999 99999   99999 99999   99999 99999   99999 99999
8741:   99999 99999   99999 99999   99999 99999   99999 99999   99999 99999      99999 99999   99999 99999   99999 99999   99999 99999   99999 99999
8742:   99999 99999   99999 99999   99999 99999   99999 99999   99999 99999      99999 99999   99999 99999   99999 99999   99999 99999   99999 99999
8743:   99999 99999   99999 99999   99999 99999   99999 99999   99999 99999      99999 99999   99999 99999   99999 99999   99999 99999   99999 99999
8744:   99999 99999   99999 99999   99999 99999   99999 99999   99999 99999      99999 99999   99999 99999   99999 99999   99999 99999   99999 99999
8745:   99999 99999   99999 99999   99999 99999   99999 99999   99999 99999      99999 99999   99999 99999   99999 99999   99999 99999   99999 99999
8746:   99999 99999   99999 99999   99999 99999   99999 99999   99999 99999      99999 99999   99999 99999   99999 99999   99999 99999   99999 99999
8747:   99999 99999   99999 99999   99999 99999   99999 99999   99999 99999      99999 99999   99999 99999   99999 99999   99999 99999   99999 99999
8748:   99999 99999   99999 99999   99999 99999   99999 99999   99999 99999      99999 99999   99999 99999   99999 99999   99999 99999   99999 99999
8749:   99999 99999   99999 99999   99999 99999   99999 99999   99999 99999      99999 99999   99999 99999   99999 99999   99999 99999   99999 99999
```

8750: 99999
8751: 99999
8752: 99999
8753: 99999
8754: 99999
8755: 99999
8756: 99999
8757: 99999
8758: 99999
8759: 99999
8760: 99999
8761: 99999
8762: 99999
8763: 99999
8764: 99999
8765: 99999
8766: 99999
8767: 99999
8768: 99999
8769: 99999
8770: 99999
8771: 99999
8772: 99999
8773: 99999
8774: 99999
8775: 99999
8776: 99999
8777: 99999
8778: 99999
8779: 99999
8780: 99999
8781: 99999
8782: 99999
8783: 99999
8784: 99999
8785: 99999
8786: 99999
8787: 99999
8788: 99999
8789: 99999
8790: 99999
8791: 99999
8792: 99999
8793: 99999
8794: 99999
8795: 99999
8796: 99999
8797: 99999
8798: 99999
8799: 99999

```
8800:   99999 99999   99999 99999   99999 99999   99999 99999   99999 99999     99999 99999   99999 99999   99999 99999   99999 99999   99999 99999
8801:   99999 99999   99999 99999   99999 99999   99999 99999   99999 99999     99999 99999   99999 99999   99999 99999   99999 99999   99999 99999
8802:   99999 99999   99999 99999   99999 99999   99999 99999   99999 99999     99999 99999   99999 99999   99999 99999   99999 99999   99999 99999
8803:   99999 99999   99999 99999   99999 99999   99999 99999   99999 99999     99999 99999   99999 99999   99999 99999   99999 99999   99999 99999
8804:   99999 99999   99999 99999   99999 99999   99999 99999   99999 99999     99999 99999   99999 99999   99999 99999   99999 99999   99999 99999
8805:   99999 99999   99999 99999   99999 99999   99999 99999   99999 99999     99999 99999   99999 99999   99999 99999   99999 99999   99999 99999
8806:   99999 99999   99999 99999   99999 99999   99999 99999   99999 99999     99999 99999   99999 99999   99999 99999   99999 99999   99999 99999
8807:   99999 99999   99999 99999   99999 99999   99999 99999   99999 99999     99999 99999   99999 99999   99999 99999   99999 99999   99999 99999
8808:   99999 99999   99999 99999   99999 99999   99999 99999   99999 99999     99999 99999   99999 99999   99999 99999   99999 99999   99999 99999
8809:   99999 99999   99999 99999   99999 99999   99999 99999   99999 99999     99999 99999   99999 99999   99999 99999   99999 99999   99999 99999
8810:   99999 99999   99999 99999   99999 99999   99999 99999   99999 99999     99999 99999   99999 99999   99999 99999   99999 99999   99999 99999
8811:   99999 99999   99999 99999   99999 99999   99999 99999   99999 99999     99999 99999   99999 99999   99999 99999   99999 99999   99999 99999
8812:   99999 99999   99999 99999   99999 99999   99999 99999   99999 99999     99999 99999   99999 99999   99999 99999   99999 99999   99999 99999
8813:   99999 99999   99999 99999   99999 99999   99999 99999   99999 99999     99999 99999   99999 99999   99999 99999   99999 99999   99999 99999
8814:   99999 99999   99999 99999   99999 99999   99999 99999   99999 99999     99999 99999   99999 99999   99999 99999   99999 99999   99999 99999
8815:   99999 99999   99999 99999   99999 99999   99999 99999   99999 99999     99999 99999   99999 99999   99999 99999   99999 99999   99999 99999
8816:   99999 99999   99999 99999   99999 99999   99999 99999   99999 99999     99999 99999   99999 99999   99999 99999   99999 99999   99999 99999
8817:   99999 99999   99999 99999   99999 99999   99999 99999   99999 99999     99999 99999   99999 99999   99999 99999   99999 99999   99999 99999
8818:   99999 99999   99999 99999   99999 99999   99999 99999   99999 99999     99999 99999   99999 99999   99999 99999   99999 99999   99999 99999
8819:   99999 99999   99999 99999   99999 99999   99999 99999   99999 99999     99999 99999   99999 99999   99999 99999   99999 99999   99999 99999
8820:   99999 99999   99999 99999   99999 99999   99999 99999   99999 99999     99999 99999   99999 99999   99999 99999   99999 99999   99999 99999
8821:   99999 99999   99999 99999   99999 99999   99999 99999   99999 99999     99999 99999   99999 99999   99999 99999   99999 99999   99999 99999
8822:   99999 99999   99999 99999   99999 99999   99999 99999   99999 99999     99999 99999   99999 99999   99999 99999   99999 99999   99999 99999
8823:   99999 99999   99999 99999   99999 99999   99999 99999   99999 99999     99999 99999   99999 99999   99999 99999   99999 99999   99999 99999
8824:   99999 99999   99999 99999   99999 99999   99999 99999   99999 99999     99999 99999   99999 99999   99999 99999   99999 99999   99999 99999
8825:   99999 99999   99999 99999   99999 99999   99999 99999   99999 99999     99999 99999   99999 99999   99999 99999   99999 99999   99999 99999
8826:   99999 99999   99999 99999   99999 99999   99999 99999   99999 99999     99999 99999   99999 99999   99999 99999   99999 99999   99999 99999
8827:   99999 99999   99999 99999   99999 99999   99999 99999   99999 99999     99999 99999   99999 99999   99999 99999   99999 99999   99999 99999
8828:   99999 99999   99999 99999   99999 99999   99999 99999   99999 99999     99999 99999   99999 99999   99999 99999   99999 99999   99999 99999
8829:   99999 99999   99999 99999   99999 99999   99999 99999   99999 99999     99999 99999   99999 99999   99999 99999   99999 99999   99999 99999
8830:   99999 99999   99999 99999   99999 99999   99999 99999   99999 99999     99999 99999   99999 99999   99999 99999   99999 99999   99999 99999
8831:   99999 99999   99999 99999   99999 99999   99999 99999   99999 99999     99999 99999   99999 99999   99999 99999   99999 99999   99999 99999
8832:   99999 99999   99999 99999   99999 99999   99999 99999   99999 99999     99999 99999   99999 99999   99999 99999   99999 99999   99999 99999
8833:   99999 99999   99999 99999   99999 99999   99999 99999   99999 99999     99999 99999   99999 99999   99999 99999   99999 99999   99999 99999
8834:   99999 99999   99999 99999   99999 99999   99999 99999   99999 99999     99999 99999   99999 99999   99999 99999   99999 99999   99999 99999
8835:   99999 99999   99999 99999   99999 99999   99999 99999   99999 99999     99999 99999   99999 99999   99999 99999   99999 99999   99999 99999
8836:   99999 99999   99999 99999   99999 99999   99999 99999   99999 99999     99999 99999   99999 99999   99999 99999   99999 99999   99999 99999
8837:   99999 99999   99999 99999   99999 99999   99999 99999   99999 99999     99999 99999   99999 99999   99999 99999   99999 99999   99999 99999
8838:   99999 99999   99999 99999   99999 99999   99999 99999   99999 99999     99999 99999   99999 99999   99999 99999   99999 99999   99999 99999
8839:   99999 99999   99999 99999   99999 99999   99999 99999   99999 99999     99999 99999   99999 99999   99999 99999   99999 99999   99999 99999
8840:   99999 99999   99999 99999   99999 99999   99999 99999   99999 99999     99999 99999   99999 99999   99999 99999   99999 99999   99999 99999
8841:   99999 99999   99999 99999   99999 99999   99999 99999   99999 99999     99999 99999   99999 99999   99999 99999   99999 99999   99999 99999
8842:   99999 99999   99999 99999   99999 99999   99999 99999   99999 99999     99999 99999   99999 99999   99999 99999   99999 99999   99999 99999
8843:   99999 99999   99999 99999   99999 99999   99999 99999   99999 99999     99999 99999   99999 99999   99999 99999   99999 99999   99999 99999
8844:   99999 99999   99999 99999   99999 99999   99999 99999   99999 99999     99999 99999   99999 99999   99999 99999   99999 99999   99999 99999
8845:   99999 99999   99999 99999   99999 99999   99999 99999   99999 99999     99999 99999   99999 99999   99999 99999   99999 99999   99999 99999
8846:   99999 99999   99999 99999   99999 99999   99999 99999   99999 99999     99999 99999   99999 99999   99999 99999   99999 99999   99999 99999
8847:   99999 99999   99999 99999   99999 99999   99999 99999   99999 99999     99999 99999   99999 99999   99999 99999   99999 99999   99999 99999
8848:   99999 99999   99999 99999   99999 99999   99999 99999   99999 99999     99999 99999   99999 99999   99999 99999   99999 99999   99999 99999
8849:   99999 99999   99999 99999   99999 99999   99999 99999   99999 99999     99999 99999   99999 99999   99999 99999   99999 99999   99999 99999
```

```
8850:  99999 99999  99999 99999  99999 99999  99999 99999  99999 99999    99999 99999  99999 99999  99999 99999  99999 99999  99999 99999
8851:  99999 99999  99999 99999  99999 99999  99999 99999  99999 99999    99999 99999  99999 99999  99999 99999  99999 99999  99999 99999
8852:  99999 99999  99999 99999  99999 99999  99999 99999  99999 99999    99999 99999  99999 99999  99999 99999  99999 99999  99999 99999
8853:  99999 99999  99999 99999  99999 99999  99999 99999  99999 99999    99999 99999  99999 99999  99999 99999  99999 99999  99999 99999
8854:  99999 99999  99999 99999  99999 99999  99999 99999  99999 99999    99999 99999  99999 99999  99999 99999  99999 99999  99999 99999
8855:  99999 99999  99999 99999  99999 99999  99999 99999  99999 99999    99999 99999  99999 99999  99999 99999  99999 99999  99999 99999
8856:  99999 99999  99999 99999  99999 99999  99999 99999  99999 99999    99999 99999  99999 99999  99999 99999  99999 99999  99999 99999
8857:  99999 99999  99999 99999  99999 99999  99999 99999  99999 99999    99999 99999  99999 99999  99999 99999  99999 99999  99999 99999
8858:  99999 99999  99999 99999  99999 99999  99999 99999  99999 99999    99999 99999  99999 99999  99999 99999  99999 99999  99999 99999
8859:  99999 99999  99999 99999  99999 99999  99999 99999  99999 99999    99999 99999  99999 99999  99999 99999  99999 99999  99999 99999
8860:  99999 99999  99999 99999  99999 99999  99999 99999  99999 99999    99999 99999  99999 99999  99999 99999  99999 99999  99999 99999
8861:  99999 99999  99999 99999  99999 99999  99999 99999  99999 99999    99999 99999  99999 99999  99999 99999  99999 99999  99999 99999
8862:  99999 99999  99999 99999  99999 99999  99999 99999  99999 99999    99999 99999  99999 99999  99999 99999  99999 99999  99999 99999
8863:  99999 99999  99999 99999  99999 99999  99999 99999  99999 99999    99999 99999  99999 99999  99999 99999  99999 99999  99999 99999
8864:  99999 99999  99999 99999  99999 99999  99999 99999  99999 99999    99999 99999  99999 99999  99999 99999  99999 99999  99999 99999
8865:  99999 99999  99999 99999  99999 99999  99999 99999  99999 99999    99999 99999  99999 99999  99999 99999  99999 99999  99999 99999
8866:  99999 99999  99999 99999  99999 99999  99999 99999  99999 99999    99999 99999  99999 99999  99999 99999  99999 99999  99999 99999
8867:  99999 99999  99999 99999  99999 99999  99999 99999  99999 99999    99999 99999  99999 99999  99999 99999  99999 99999  99999 99999
8868:  99999 99999  99999 99999  99999 99999  99999 99999  99999 99999    99999 99999  99999 99999  99999 99999  99999 99999  99999 99999
8869:  99999 99999  99999 99999  99999 99999  99999 99999  99999 99999    99999 99999  99999 99999  99999 99999  99999 99999  99999 99999
8870:  99999 99999  99999 99999  99999 99999  99999 99999  99999 99999    99999 99999  99999 99999  99999 99999  99999 99999  99999 99999
8871:  99999 99999  99999 99999  99999 99999  99999 99999  99999 99999    99999 99999  99999 99999  99999 99999  99999 99999  99999 99999
8872:  99999 99999  99999 99999  99999 99999  99999 99999  99999 99999    99999 99999  99999 99999  99999 99999  99999 99999  99999 99999
8873:  99999 99999  99999 99999  99999 99999  99999 99999  99999 99999    99999 99999  99999 99999  99999 99999  99999 99999  99999 99999
8874:  99999 99999  99999 99999  99999 99999  99999 99999  99999 99999    99999 99999  99999 99999  99999 99999  99999 99999  99999 99999
8875:  99999 99999  99999 99999  99999 99999  99999 99999  99999 99999    99999 99999  99999 99999  99999 99999  99999 99999  99999 99999
8876:  99999 99999  99999 99999  99999 99999  99999 99999  99999 99999    99999 99999  99999 99999  99999 99999  99999 99999  99999 99999
8877:  99999 99999  99999 99999  99999 99999  99999 99999  99999 99999    99999 99999  99999 99999  99999 99999  99999 99999  99999 99999
8878:  99999 99999  99999 99999  99999 99999  99999 99999  99999 99999    99999 99999  99999 99999  99999 99999  99999 99999  99999 99999
8879:  99999 99999  99999 99999  99999 99999  99999 99999  99999 99999    99999 99999  99999 99999  99999 99999  99999 99999  99999 99999
8880:  99999 99999  99999 99999  99999 99999  99999 99999  99999 99999    99999 99999  99999 99999  99999 99999  99999 99999  99999 99999
8881:  99999 99999  99999 99999  99999 99999  99999 99999  99999 99999    99999 99999  99999 99999  99999 99999  99999 99999  99999 99999
8882:  99999 99999  99999 99999  99999 99999  99999 99999  99999 99999    99999 99999  99999 99999  99999 99999  99999 99999  99999 99999
8883:  99999 99999  99999 99999  99999 99999  99999 99999  99999 99999    99999 99999  99999 99999  99999 99999  99999 99999  99999 99999
8884:  99999 99999  99999 99999  99999 99999  99999 99999  99999 99999    99999 99999  99999 99999  99999 99999  99999 99999  99999 99999
8885:  99999 99999  99999 99999  99999 99999  99999 99999  99999 99999    99999 99999  99999 99999  99999 99999  99999 99999  99999 99999
8886:  99999 99999  99999 99999  99999 99999  99999 99999  99999 99999    99999 99999  99999 99999  99999 99999  99999 99999  99999 99999
8887:  99999 99999  99999 99999  99999 99999  99999 99999  99999 99999    99999 99999  99999 99999  99999 99999  99999 99999  99999 99999
8888:  99999 99999  99999 99999  99999 99999  99999 99999  99999 99999    99999 99999  99999 99999  99999 99999  99999 99999  99999 99999
8889:  99999 99999  99999 99999  99999 99999  99999 99999  99999 99999    99999 99999  99999 99999  99999 99999  99999 99999  99999 99999
8890:  99999 99999  99999 99999  99999 99999  99999 99999  99999 99999    99999 99999  99999 99999  99999 99999  99999 99999  99999 99999
8891:  99999 99999  99999 99999  99999 99999  99999 99999  99999 99999    99999 99999  99999 99999  99999 99999  99999 99999  99999 99999
8892:  99999 99999  99999 99999  99999 99999  99999 99999  99999 99999    99999 99999  99999 99999  99999 99999  99999 99999  99999 99999
8893:  99999 99999  99999 99999  99999 99999  99999 99999  99999 99999    99999 99999  99999 99999  99999 99999  99999 99999  99999 99999
8894:  99999 99999  99999 99999  99999 99999  99999 99999  99999 99999    99999 99999  99999 99999  99999 99999  99999 99999  99999 99999
8895:  99999 99999  99999 99999  99999 99999  99999 99999  99999 99999    99999 99999  99999 99999  99999 99999  99999 99999  99999 99999
8896:  99999 99999  99999 99999  99999 99999  99999 99999  99999 99999    99999 99999  99999 99999  99999 99999  99999 99999  99999 99999
8897:  99999 99999  99999 99999  99999 99999  99999 99999  99999 99999    99999 99999  99999 99999  99999 99999  99999 99999  99999 99999
8898:  99999 99999  99999 99999  99999 99999  99999 99999  99999 99999    99999 99999  99999 99999  99999 99999  99999 99999  99999 99999
8899:  99999 99999  99999 99999  99999 99999  99999 99999  99999 99999    99999 99999  99999 99999  99999 99999  99999 99999  99999 99999
```

```
8900:  99999 99999  99999 99999  99999 99999  99999 99999  99999 99999    99999 99999  99999 99999  99999 99999  99999 99999  99999 99999
8901:  99999 99999  99999 99999  99999 99999  99999 99999  99999 99999    99999 99999  99999 99999  99999 99999  99999 99999  99999 99999
8902:  99999 99999  99999 99999  99999 99999  99999 99999  99999 99999    99999 99999  99999 99999  99999 99999  99999 99999  99999 99999
8903:  99999 99999  99999 99999  99999 99999  99999 99999  99999 99999    99999 99999  99999 99999  99999 99999  99999 99999  99999 99999
8904:  99999 99999  99999 99999  99999 99999  99999 99999  99999 99999    99999 99999  99999 99999  99999 99999  99999 99999  99999 99999
8905:  99999 99999  99999 99999  99999 99999  99999 99999  99999 99999    99999 99999  99999 99999  99999 99999  99999 99999  99999 99999
8906:  99999 99999  99999 99999  99999 99999  99999 99999  99999 99999    99999 99999  99999 99999  99999 99999  99999 99999  99999 99999
8907:  99999 99999  99999 99999  99999 99999  99999 99999  99999 99999    99999 99999  99999 99999  99999 99999  99999 99999  99999 99999
8908:  99999 99999  99999 99999  99999 99999  99999 99999  99999 99999    99999 99999  99999 99999  99999 99999  99999 99999  99999 99999
8909:  99999 99999  99999 99999  99999 99999  99999 99999  99999 99999    99999 99999  99999 99999  99999 99999  99999 99999  99999 99999
8910:  99999 99999  99999 99999  99999 99999  99999 99999  99999 99999    99999 99999  99999 99999  99999 99999  99999 99999  99999 99999
8911:  99999 99999  99999 99999  99999 99999  99999 99999  99999 99999    99999 99999  99999 99999  99999 99999  99999 99999  99999 99999
8912:  99999 99999  99999 99999  99999 99999  99999 99999  99999 99999    99999 99999  99999 99999  99999 99999  99999 99999  99999 99999
8913:  99999 99999  99999 99999  99999 99999  99999 99999  99999 99999    99999 99999  99999 99999  99999 99999  99999 99999  99999 99999
8914:  99999 99999  99999 99999  99999 99999  99999 99999  99999 99999    99999 99999  99999 99999  99999 99999  99999 99999  99999 99999
8915:  99999 99999  99999 99999  99999 99999  99999 99999  99999 99999    99999 99999  99999 99999  99999 99999  99999 99999  99999 99999
8916:  99999 99999  99999 99999  99999 99999  99999 99999  99999 99999    99999 99999  99999 99999  99999 99999  99999 99999  99999 99999
8917:  99999 99999  99999 99999  99999 99999  99999 99999  99999 99999    99999 99999  99999 99999  99999 99999  99999 99999  99999 99999
8918:  99999 99999  99999 99999  99999 99999  99999 99999  99999 99999    99999 99999  99999 99999  99999 99999  99999 99999  99999 99999
8919:  99999 99999  99999 99999  99999 99999  99999 99999  99999 99999    99999 99999  99999 99999  99999 99999  99999 99999  99999 99999
8920:  99999 99999  99999 99999  99999 99999  99999 99999  99999 99999    99999 99999  99999 99999  99999 99999  99999 99999  99999 99999
8921:  99999 99999  99999 99999  99999 99999  99999 99999  99999 99999    99999 99999  99999 99999  99999 99999  99999 99999  99999 99999
8922:  99999 99999  99999 99999  99999 99999  99999 99999  99999 99999    99999 99999  99999 99999  99999 99999  99999 99999  99999 99999
8923:  99999 99999  99999 99999  99999 99999  99999 99999  99999 99999    99999 99999  99999 99999  99999 99999  99999 99999  99999 99999
8924:  99999 99999  99999 99999  99999 99999  99999 99999  99999 99999    99999 99999  99999 99999  99999 99999  99999 99999  99999 99999
8925:  99999 99999  99999 99999  99999 99999  99999 99999  99999 99999    99999 99999  99999 99999  99999 99999  99999 99999  99999 99999
8926:  99999 99999  99999 99999  99999 99999  99999 99999  99999 99999    99999 99999  99999 99999  99999 99999  99999 99999  99999 99999
8927:  99999 99999  99999 99999  99999 99999  99999 99999  99999 99999    99999 99999  99999 99999  99999 99999  99999 99999  99999 99999
8928:  99999 99999  99999 99999  99999 99999  99999 99999  99999 99999    99999 99999  99999 99999  99999 99999  99999 99999  99999 99999
8929:  99999 99999  99999 99999  99999 99999  99999 99999  99999 99999    99999 99999  99999 99999  99999 99999  99999 99999  99999 99999
8930:  99999 99999  99999 99999  99999 99999  99999 99999  99999 99999    99999 99999  99999 99999  99999 99999  99999 99999  99999 99999
8931:  99999 99999  99999 99999  99999 99999  99999 99999  99999 99999    99999 99999  99999 99999  99999 99999  99999 99999  99999 99999
8932:  99999 99999  99999 99999  99999 99999  99999 99999  99999 99999    99999 99999  99999 99999  99999 99999  99999 99999  99999 99999
8933:  99999 99999  99999 99999  99999 99999  99999 99999  99999 99999    99999 99999  99999 99999  99999 99999  99999 99999  99999 99999
8934:  99999 99999  99999 99999  99999 99999  99999 99999  99999 99999    99999 99999  99999 99999  99999 99999  99999 99999  99999 99999
8935:  99999 99999  99999 99999  99999 99999  99999 99999  99999 99999    99999 99999  99999 99999  99999 99999  99999 99999  99999 99999
8936:  99999 99999  99999 99999  99999 99999  99999 99999  99999 99999    99999 99999  99999 99999  99999 99999  99999 99999  99999 99999
8937:  99999 99999  99999 99999  99999 99999  99999 99999  99999 99999    99999 99999  99999 99999  99999 99999  99999 99999  99999 99999
8938:  99999 99999  99999 99999  99999 99999  99999 99999  99999 99999    99999 99999  99999 99999  99999 99999  99999 99999  99999 99999
8939:  99999 99999  99999 99999  99999 99999  99999 99999  99999 99999    99999 99999  99999 99999  99999 99999  99999 99999  99999 99999
8940:  99999 99999  99999 99999  99999 99999  99999 99999  99999 99999    99999 99999  99999 99999  99999 99999  99999 99999  99999 99999
8941:  99999 99999  99999 99999  99999 99999  99999 99999  99999 99999    99999 99999  99999 99999  99999 99999  99999 99999  99999 99999
8942:  99999 99999  99999 99999  99999 99999  99999 99999  99999 99999    99999 99999  99999 99999  99999 99999  99999 99999  99999 99999
8943:  99999 99999  99999 99999  99999 99999  99999 99999  99999 99999    99999 99999  99999 99999  99999 99999  99999 99999  99999 99999
8944:  99999 99999  99999 99999  99999 99999  99999 99999  99999 99999    99999 99999  99999 99999  99999 99999  99999 99999  99999 99999
8945:  99999 99999  99999 99999  99999 99999  99999 99999  99999 99999    99999 99999  99999 99999  99999 99999  99999 99999  99999 99999
8946:  99999 99999  99999 99999  99999 99999  99999 99999  99999 99999    99999 99999  99999 99999  99999 99999  99999 99999  99999 99999
8947:  99999 99999  99999 99999  99999 99999  99999 99999  99999 99999    99999 99999  99999 99999  99999 99999  99999 99999  99999 99999
8948:  99999 99999  99999 99999  99999 99999  99999 99999  99999 99999    99999 99999  99999 99999  99999 99999  99999 99999  99999 99999
8949:  99999 99999  99999 99999  99999 99999  99999 99999  99999 99999    99999 99999  99999 99999  99999 99999  99999 99999  99999 99999
```

```
8950:  99999 99999  99999 99999  99999 99999  99999 99999  99999 99999   99999 99999  99999 99999  99999 99999  99999 99999  99999 99999
8951:  99999 99999  99999 99999  99999 99999  99999 99999  99999 99999   99999 99999  99999 99999  99999 99999  99999 99999  99999 99999
8952:  99999 99999  99999 99999  99999 99999  99999 99999  99999 99999   99999 99999  99999 99999  99999 99999  99999 99999  99999 99999
8953:  99999 99999  99999 99999  99999 99999  99999 99999  99999 99999   99999 99999  99999 99999  99999 99999  99999 99999  99999 99999
8954:  99999 99999  99999 99999  99999 99999  99999 99999  99999 99999   99999 99999  99999 99999  99999 99999  99999 99999  99999 99999
8955:  99999 99999  99999 99999  99999 99999  99999 99999  99999 99999   99999 99999  99999 99999  99999 99999  99999 99999  99999 99999
8956:  99999 99999  99999 99999  99999 99999  99999 99999  99999 99999   99999 99999  99999 99999  99999 99999  99999 99999  99999 99999
8957:  99999 99999  99999 99999  99999 99999  99999 99999  99999 99999   99999 99999  99999 99999  99999 99999  99999 99999  99999 99999
8958:  99999 99999  99999 99999  99999 99999  99999 99999  99999 99999   99999 99999  99999 99999  99999 99999  99999 99999  99999 99999
8959:  99999 99999  99999 99999  99999 99999  99999 99999  99999 99999   99999 99999  99999 99999  99999 99999  99999 99999  99999 99999
8960:  99999 99999  99999 99999  99999 99999  99999 99999  99999 99999   99999 99999  99999 99999  99999 99999  99999 99999  99999 99999
8961:  99999 99999  99999 99999  99999 99999  99999 99999  99999 99999   99999 99999  99999 99999  99999 99999  99999 99999  99999 99999
8962:  99999 99999  99999 99999  99999 99999  99999 99999  99999 99999   99999 99999  99999 99999  99999 99999  99999 99999  99999 99999
8963:  99999 99999  99999 99999  99999 99999  99999 99999  99999 99999   99999 99999  99999 99999  99999 99999  99999 99999  99999 99999
8964:  99999 99999  99999 99999  99999 99999  99999 99999  99999 99999   99999 99999  99999 99999  99999 99999  99999 99999  99999 99999
8965:  99999 99999  99999 99999  99999 99999  99999 99999  99999 99999   99999 99999  99999 99999  99999 99999  99999 99999  99999 99999
8966:  99999 99999  99999 99999  99999 99999  99999 99999  99999 99999   99999 99999  99999 99999  99999 99999  99999 99999  99999 99999
8967:  99999 99999  99999 99999  99999 99999  99999 99999  99999 99999   99999 99999  99999 99999  99999 99999  99999 99999  99999 99999
8968:  99999 99999  99999 99999  99999 99999  99999 99999  99999 99999   99999 99999  99999 99999  99999 99999  99999 99999  99999 99999
8969:  99999 99999  99999 99999  99999 99999  99999 99999  99999 99999   99999 99999  99999 99999  99999 99999  99999 99999  99999 99999
8970:  99999 99999  99999 99999  99999 99999  99999 99999  99999 99999   99999 99999  99999 99999  99999 99999  99999 99999  99999 99999
8971:  99999 99999  99999 99999  99999 99999  99999 99999  99999 99999   99999 99999  99999 99999  99999 99999  99999 99999  99999 99999
8972:  99999 99999  99999 99999  99999 99999  99999 99999  99999 99999   99999 99999  99999 99999  99999 99999  99999 99999  99999 99999
8973:  99999 99999  99999 99999  99999 99999  99999 99999  99999 99999   99999 99999  99999 99999  99999 99999  99999 99999  99999 99999
8974:  99999 99999  99999 99999  99999 99999  99999 99999  99999 99999   99999 99999  99999 99999  99999 99999  99999 99999  99999 99999
8975:  99999 99999  99999 99999  99999 99999  99999 99999  99999 99999   99999 99999  99999 99999  99999 99999  99999 99999  99999 99999
8976:  99999 99999  99999 99999  99999 99999  99999 99999  99999 99999   99999 99999  99999 99999  99999 99999  99999 99999  99999 99999
8977:  99999 99999  99999 99999  99999 99999  99999 99999  99999 99999   99999 99999  99999 99999  99999 99999  99999 99999  99999 99999
8978:  99999 99999  99999 99999  99999 99999  99999 99999  99999 99999   99999 99999  99999 99999  99999 99999  99999 99999  99999 99999
8979:  99999 99999  99999 99999  99999 99999  99999 99999  99999 99999   99999 99999  99999 99999  99999 99999  99999 99999  99999 99999
8980:  99999 99999  99999 99999  99999 99999  99999 99999  99999 99999   99999 99999  99999 99999  99999 99999  99999 99999  99999 99999
8981:  99999 99999  99999 99999  99999 99999  99999 99999  99999 99999   99999 99999  99999 99999  99999 99999  99999 99999  99999 99999
8982:  99999 99999  99999 99999  99999 99999  99999 99999  99999 99999   99999 99999  99999 99999  99999 99999  99999 99999  99999 99999
8983:  99999 99999  99999 99999  99999 99999  99999 99999  99999 99999   99999 99999  99999 99999  99999 99999  99999 99999  99999 99999
8984:  99999 99999  99999 99999  99999 99999  99999 99999  99999 99999   99999 99999  99999 99999  99999 99999  99999 99999  99999 99999
8985:  99999 99999  99999 99999  99999 99999  99999 99999  99999 99999   99999 99999  99999 99999  99999 99999  99999 99999  99999 99999
8986:  99999 99999  99999 99999  99999 99999  99999 99999  99999 99999   99999 99999  99999 99999  99999 99999  99999 99999  99999 99999
8987:  99999 99999  99999 99999  99999 99999  99999 99999  99999 99999   99999 99999  99999 99999  99999 99999  99999 99999  99999 99999
8988:  99999 99999  99999 99999  99999 99999  99999 99999  99999 99999   99999 99999  99999 99999  99999 99999  99999 99999  99999 99999
8989:  99999 99999  99999 99999  99999 99999  99999 99999  99999 99999   99999 99999  99999 99999  99999 99999  99999 99999  99999 99999
8990:  99999 99999  99999 99999  99999 99999  99999 99999  99999 99999   99999 99999  99999 99999  99999 99999  99999 99999  99999 99999
8991:  99999 99999  99999 99999  99999 99999  99999 99999  99999 99999   99999 99999  99999 99999  99999 99999  99999 99999  99999 99999
8992:  99999 99999  99999 99999  99999 99999  99999 99999  99999 99999   99999 99999  99999 99999  99999 99999  99999 99999  99999 99999
8993:  99999 99999  99999 99999  99999 99999  99999 99999  99999 99999   99999 99999  99999 99999  99999 99999  99999 99999  99999 99999
8994:  99999 99999  99999 99999  99999 99999  99999 99999  99999 99999   99999 99999  99999 99999  99999 99999  99999 99999  99999 99999
8995:  99999 99999  99999 99999  99999 99999  99999 99999  99999 99999   99999 99999  99999 99999  99999 99999  99999 99999  99999 99999
8996:  99999 99999  99999 99999  99999 99999  99999 99999  99999 99999   99999 99999  99999 99999  99999 99999  99999 99999  99999 99999
8997:  99999 99999  99999 99999  99999 99999  99999 99999  99999 99999   99999 99999  99999 99999  99999 99999  99999 99999  99999 99999
8998:  99999 99999  99999 99999  99999 99999  99999 99999  99999 99999   99999 99999  99999 99999  99999 99999  99999 99999  99999 99999
8999:  99999 99999  99999 99999  99999 99999  99999 99999  99999 99999   99999 99999  99999 99999  99999 99999  99999 99999  99999 99999
```

```
9000:   99999 99999   99999 99999   99999 99999   99999 99999   99999 99999     99999 99999   99999 99999   99999 99999   99999 99999   99999 99999
9001:   99999 99999   99999 99999   99999 99999   99999 99999   99999 99999     99999 99999   99999 99999   99999 99999   99999 99999   99999 99999
9002:   99999 99999   99999 99999   99999 99999   99999 99999   99999 99999     99999 99999   99999 99999   99999 99999   99999 99999   99999 99999
9003:   99999 99999   99999 99999   99999 99999   99999 99999   99999 99999     99999 99999   99999 99999   99999 99999   99999 99999   99999 99999
9004:   99999 99999   99999 99999   99999 99999   99999 99999   99999 99999     99999 99999   99999 99999   99999 99999   99999 99999   99999 99999
9005:   99999 99999   99999 99999   99999 99999   99999 99999   99999 99999     99999 99999   99999 99999   99999 99999   99999 99999   99999 99999
9006:   99999 99999   99999 99999   99999 99999   99999 99999   99999 99999     99999 99999   99999 99999   99999 99999   99999 99999   99999 99999
9007:   99999 99999   99999 99999   99999 99999   99999 99999   99999 99999     99999 99999   99999 99999   99999 99999   99999 99999   99999 99999
9008:   99999 99999   99999 99999   99999 99999   99999 99999   99999 99999     99999 99999   99999 99999   99999 99999   99999 99999   99999 99999
9009:   99999 99999   99999 99999   99999 99999   99999 99999   99999 99999     99999 99999   99999 99999   99999 99999   99999 99999   99999 99999
9010:   99999 99999   99999 99999   99999 99999   99999 99999   99999 99999     99999 99999   99999 99999   99999 99999   99999 99999   99999 99999
9011:   99999 99999   99999 99999   99999 99999   99999 99999   99999 99999     99999 99999   99999 99999   99999 99999   99999 99999   99999 99999
9012:   99999 99999   99999 99999   99999 99999   99999 99999   99999 99999     99999 99999   99999 99999   99999 99999   99999 99999   99999 99999
9013:   99999 99999   99999 99999   99999 99999   99999 99999   99999 99999     99999 99999   99999 99999   99999 99999   99999 99999   99999 99999
9014:   99999 99999   99999 99999   99999 99999   99999 99999   99999 99999     99999 99999   99999 99999   99999 99999   99999 99999   99999 99999
9015:   99999 99999   99999 99999   99999 99999   99999 99999   99999 99999     99999 99999   99999 99999   99999 99999   99999 99999   99999 99999
9016:   99999 99999   99999 99999   99999 99999   99999 99999   99999 99999     99999 99999   99999 99999   99999 99999   99999 99999   99999 99999
9017:   99999 99999   99999 99999   99999 99999   99999 99999   99999 99999     99999 99999   99999 99999   99999 99999   99999 99999   99999 99999
9018:   99999 99999   99999 99999   99999 99999   99999 99999   99999 99999     99999 99999   99999 99999   99999 99999   99999 99999   99999 99999
9019:   99999 99999   99999 99999   99999 99999   99999 99999   99999 99999     99999 99999   99999 99999   99999 99999   99999 99999   99999 99999
9020:   99999 99999   99999 99999   99999 99999   99999 99999   99999 99999     99999 99999   99999 99999   99999 99999   99999 99999   99999 99999
9021:   99999 99999   99999 99999   99999 99999   99999 99999   99999 99999     99999 99999   99999 99999   99999 99999   99999 99999   99999 99999
9022:   99999 99999   99999 99999   99999 99999   99999 99999   99999 99999     99999 99999   99999 99999   99999 99999   99999 99999   99999 99999
9023:   99999 99999   99999 99999   99999 99999   99999 99999   99999 99999     99999 99999   99999 99999   99999 99999   99999 99999   99999 99999
9024:   99999 99999   99999 99999   99999 99999   99999 99999   99999 99999     99999 99999   99999 99999   99999 99999   99999 99999   99999 99999
9025:   99999 99999   99999 99999   99999 99999   99999 99999   99999 99999     99999 99999   99999 99999   99999 99999   99999 99999   99999 99999
9026:   99999 99999   99999 99999   99999 99999   99999 99999   99999 99999     99999 99999   99999 99999   99999 99999   99999 99999   99999 99999
9027:   99999 99999   99999 99999   99999 99999   99999 99999   99999 99999     99999 99999   99999 99999   99999 99999   99999 99999   99999 99999
9028:   99999 99999   99999 99999   99999 99999   99999 99999   99999 99999     99999 99999   99999 99999   99999 99999   99999 99999   99999 99999
9029:   99999 99999   99999 99999   99999 99999   99999 99999   99999 99999     99999 99999   99999 99999   99999 99999   99999 99999   99999 99999
9030:   99999 99999   99999 99999   99999 99999   99999 99999   99999 99999     99999 99999   99999 99999   99999 99999   99999 99999   99999 99999
9031:   99999 99999   99999 99999   99999 99999   99999 99999   99999 99999     99999 99999   99999 99999   99999 99999   99999 99999   99999 99999
9032:   99999 99999   99999 99999   99999 99999   99999 99999   99999 99999     99999 99999   99999 99999   99999 99999   99999 99999   99999 99999
9033:   99999 99999   99999 99999   99999 99999   99999 99999   99999 99999     99999 99999   99999 99999   99999 99999   99999 99999   99999 99999
9034:   99999 99999   99999 99999   99999 99999   99999 99999   99999 99999     99999 99999   99999 99999   99999 99999   99999 99999   99999 99999
9035:   99999 99999   99999 99999   99999 99999   99999 99999   99999 99999     99999 99999   99999 99999   99999 99999   99999 99999   99999 99999
9036:   99999 99999   99999 99999   99999 99999   99999 99999   99999 99999     99999 99999   99999 99999   99999 99999   99999 99999   99999 99999
9037:   99999 99999   99999 99999   99999 99999   99999 99999   99999 99999     99999 99999   99999 99999   99999 99999   99999 99999   99999 99999
9038:   99999 99999   99999 99999   99999 99999   99999 99999   99999 99999     99999 99999   99999 99999   99999 99999   99999 99999   99999 99999
9039:   99999 99999   99999 99999   99999 99999   99999 99999   99999 99999     99999 99999   99999 99999   99999 99999   99999 99999   99999 99999
9040:   99999 99999   99999 99999   99999 99999   99999 99999   99999 99999     99999 99999   99999 99999   99999 99999   99999 99999   99999 99999
9041:   99999 99999   99999 99999   99999 99999   99999 99999   99999 99999     99999 99999   99999 99999   99999 99999   99999 99999   99999 99999
9042:   99999 99999   99999 99999   99999 99999   99999 99999   99999 99999     99999 99999   99999 99999   99999 99999   99999 99999   99999 99999
9043:   99999 99999   99999 99999   99999 99999   99999 99999   99999 99999     99999 99999   99999 99999   99999 99999   99999 99999   99999 99999
9044:   99999 99999   99999 99999   99999 99999   99999 99999   99999 99999     99999 99999   99999 99999   99999 99999   99999 99999   99999 99999
9045:   99999 99999   99999 99999   99999 99999   99999 99999   99999 99999     99999 99999   99999 99999   99999 99999   99999 99999   99999 99999
9046:   99999 99999   99999 99999   99999 99999   99999 99999   99999 99999     99999 99999   99999 99999   99999 99999   99999 99999   99999 99999
9047:   99999 99999   99999 99999   99999 99999   99999 99999   99999 99999     99999 99999   99999 99999   99999 99999   99999 99999   99999 99999
9048:   99999 99999   99999 99999   99999 99999   99999 99999   99999 99999     99999 99999   99999 99999   99999 99999   99999 99999   99999 99999
9049:   99999 99999   99999 99999   99999 99999   99999 99999   99999 99999     99999 99999   99999 99999   99999 99999   99999 99999   99999 99999
```

```
9050:  99999 99999  99999 99999  99999 99999  99999 99999  99999 99999     99999 99999  99999 99999  99999 99999  99999 99999  99999 99999
9051:  99999 99999  99999 99999  99999 99999  99999 99999  99999 99999     99999 99999  99999 99999  99999 99999  99999 99999  99999 99999
9052:  99999 99999  99999 99999  99999 99999  99999 99999  99999 99999     99999 99999  99999 99999  99999 99999  99999 99999  99999 99999
9053:  99999 99999  99999 99999  99999 99999  99999 99999  99999 99999     99999 99999  99999 99999  99999 99999  99999 99999  99999 99999
9054:  99999 99999  99999 99999  99999 99999  99999 99999  99999 99999     99999 99999  99999 99999  99999 99999  99999 99999  99999 99999
9055:  99999 99999  99999 99999  99999 99999  99999 99999  99999 99999     99999 99999  99999 99999  99999 99999  99999 99999  99999 99999
9056:  99999 99999  99999 99999  99999 99999  99999 99999  99999 99999     99999 99999  99999 99999  99999 99999  99999 99999  99999 99999
9057:  99999 99999  99999 99999  99999 99999  99999 99999  99999 99999     99999 99999  99999 99999  99999 99999  99999 99999  99999 99999
9058:  99999 99999  99999 99999  99999 99999  99999 99999  99999 99999     99999 99999  99999 99999  99999 99999  99999 99999  99999 99999
9059:  99999 99999  99999 99999  99999 99999  99999 99999  99999 99999     99999 99999  99999 99999  99999 99999  99999 99999  99999 99999
9060:  99999 99999  99999 99999  99999 99999  99999 99999  99999 99999     99999 99999  99999 99999  99999 99999  99999 99999  99999 99999
9061:  99999 99999  99999 99999  99999 99999  99999 99999  99999 99999     99999 99999  99999 99999  99999 99999  99999 99999  99999 99999
9062:  99999 99999  99999 99999  99999 99999  99999 99999  99999 99999     99999 99999  99999 99999  99999 99999  99999 99999  99999 99999
9063:  99999 99999  99999 99999  99999 99999  99999 99999  99999 99999     99999 99999  99999 99999  99999 99999  99999 99999  99999 99999
9064:  99999 99999  99999 99999  99999 99999  99999 99999  99999 99999     99999 99999  99999 99999  99999 99999  99999 99999  99999 99999
9065:  99999 99999  99999 99999  99999 99999  99999 99999  99999 99999     99999 99999  99999 99999  99999 99999  99999 99999  99999 99999
9066:  99999 99999  99999 99999  99999 99999  99999 99999  99999 99999     99999 99999  99999 99999  99999 99999  99999 99999  99999 99999
9067:  99999 99999  99999 99999  99999 99999  99999 99999  99999 99999     99999 99999  99999 99999  99999 99999  99999 99999  99999 99999
9068:  99999 99999  99999 99999  99999 99999  99999 99999  99999 99999     99999 99999  99999 99999  99999 99999  99999 99999  99999 99999
9069:  99999 99999  99999 99999  99999 99999  99999 99999  99999 99999     99999 99999  99999 99999  99999 99999  99999 99999  99999 99999
9070:  99999 99999  99999 99999  99999 99999  99999 99999  99999 99999     99999 99999  99999 99999  99999 99999  99999 99999  99999 99999
9071:  99999 99999  99999 99999  99999 99999  99999 99999  99999 99999     99999 99999  99999 99999  99999 99999  99999 99999  99999 99999
9072:  99999 99999  99999 99999  99999 99999  99999 99999  99999 99999     99999 99999  99999 99999  99999 99999  99999 99999  99999 99999
9073:  99999 99999  99999 99999  99999 99999  99999 99999  99999 99999     99999 99999  99999 99999  99999 99999  99999 99999  99999 99999
9074:  99999 99999  99999 99999  99999 99999  99999 99999  99999 99999     99999 99999  99999 99999  99999 99999  99999 99999  99999 99999
9075:  99999 99999  99999 99999  99999 99999  99999 99999  99999 99999     99999 99999  99999 99999  99999 99999  99999 99999  99999 99999
9076:  99999 99999  99999 99999  99999 99999  99999 99999  99999 99999     99999 99999  99999 99999  99999 99999  99999 99999  99999 99999
9077:  99999 99999  99999 99999  99999 99999  99999 99999  99999 99999     99999 99999  99999 99999  99999 99999  99999 99999  99999 99999
9078:  99999 99999  99999 99999  99999 99999  99999 99999  99999 99999     99999 99999  99999 99999  99999 99999  99999 99999  99999 99999
9079:  99999 99999  99999 99999  99999 99999  99999 99999  99999 99999     99999 99999  99999 99999  99999 99999  99999 99999  99999 99999
9080:  99999 99999  99999 99999  99999 99999  99999 99999  99999 99999     99999 99999  99999 99999  99999 99999  99999 99999  99999 99999
9081:  99999 99999  99999 99999  99999 99999  99999 99999  99999 99999     99999 99999  99999 99999  99999 99999  99999 99999  99999 99999
9082:  99999 99999  99999 99999  99999 99999  99999 99999  99999 99999     99999 99999  99999 99999  99999 99999  99999 99999  99999 99999
9083:  99999 99999  99999 99999  99999 99999  99999 99999  99999 99999     99999 99999  99999 99999  99999 99999  99999 99999  99999 99999
9084:  99999 99999  99999 99999  99999 99999  99999 99999  99999 99999     99999 99999  99999 99999  99999 99999  99999 99999  99999 99999
9085:  99999 99999  99999 99999  99999 99999  99999 99999  99999 99999     99999 99999  99999 99999  99999 99999  99999 99999  99999 99999
9086:  99999 99999  99999 99999  99999 99999  99999 99999  99999 99999     99999 99999  99999 99999  99999 99999  99999 99999  99999 99999
9087:  99999 99999  99999 99999  99999 99999  99999 99999  99999 99999     99999 99999  99999 99999  99999 99999  99999 99999  99999 99999
9088:  99999 99999  99999 99999  99999 99999  99999 99999  99999 99999     99999 99999  99999 99999  99999 99999  99999 99999  99999 99999
9089:  99999 99999  99999 99999  99999 99999  99999 99999  99999 99999     99999 99999  99999 99999  99999 99999  99999 99999  99999 99999
9090:  99999 99999  99999 99999  99999 99999  99999 99999  99999 99999     99999 99999  99999 99999  99999 99999  99999 99999  99999 99999
9091:  99999 99999  99999 99999  99999 99999  99999 99999  99999 99999     99999 99999  99999 99999  99999 99999  99999 99999  99999 99999
9092:  99999 99999  99999 99999  99999 99999  99999 99999  99999 99999     99999 99999  99999 99999  99999 99999  99999 99999  99999 99999
9093:  99999 99999  99999 99999  99999 99999  99999 99999  99999 99999     99999 99999  99999 99999  99999 99999  99999 99999  99999 99999
9094:  99999 99999  99999 99999  99999 99999  99999 99999  99999 99999     99999 99999  99999 99999  99999 99999  99999 99999  99999 99999
9095:  99999 99999  99999 99999  99999 99999  99999 99999  99999 99999     99999 99999  99999 99999  99999 99999  99999 99999  99999 99999
9096:  99999 99999  99999 99999  99999 99999  99999 99999  99999 99999     99999 99999  99999 99999  99999 99999  99999 99999  99999 99999
9097:  99999 99999  99999 99999  99999 99999  99999 99999  99999 99999     99999 99999  99999 99999  99999 99999  99999 99999  99999 99999
9098:  99999 99999  99999 99999  99999 99999  99999 99999  99999 99999     99999 99999  99999 99999  99999 99999  99999 99999  99999 99999
9099:  99999 99999  99999 99999  99999 99999  99999 99999  99999 99999     99999 99999  99999 99999  99999 99999  99999 99999  99999 99999
```

```
9100:   99999 99999   99999 99999   99999 99999   99999 99999   99999 99999     99999 99999   99999 99999   99999 99999   99999 99999   99999 99999
9101:   99999 99999   99999 99999   99999 99999   99999 99999   99999 99999     99999 99999   99999 99999   99999 99999   99999 99999   99999 99999
9102:   99999 99999   99999 99999   99999 99999   99999 99999   99999 99999     99999 99999   99999 99999   99999 99999   99999 99999   99999 99999
9103:   99999 99999   99999 99999   99999 99999   99999 99999   99999 99999     99999 99999   99999 99999   99999 99999   99999 99999   99999 99999
9104:   99999 99999   99999 99999   99999 99999   99999 99999   99999 99999     99999 99999   99999 99999   99999 99999   99999 99999   99999 99999
9105:   99999 99999   99999 99999   99999 99999   99999 99999   99999 99999     99999 99999   99999 99999   99999 99999   99999 99999   99999 99999
9106:   99999 99999   99999 99999   99999 99999   99999 99999   99999 99999     99999 99999   99999 99999   99999 99999   99999 99999   99999 99999
9107:   99999 99999   99999 99999   99999 99999   99999 99999   99999 99999     99999 99999   99999 99999   99999 99999   99999 99999   99999 99999
9108:   99999 99999   99999 99999   99999 99999   99999 99999   99999 99999     99999 99999   99999 99999   99999 99999   99999 99999   99999 99999
9109:   99999 99999   99999 99999   99999 99999   99999 99999   99999 99999     99999 99999   99999 99999   99999 99999   99999 99999   99999 99999
9110:   99999 99999   99999 99999   99999 99999   99999 99999   99999 99999     99999 99999   99999 99999   99999 99999   99999 99999   99999 99999
9111:   99999 99999   99999 99999   99999 99999   99999 99999   99999 99999     99999 99999   99999 99999   99999 99999   99999 99999   99999 99999
9112:   99999 99999   99999 99999   99999 99999   99999 99999   99999 99999     99999 99999   99999 99999   99999 99999   99999 99999   99999 99999
9113:   99999 99999   99999 99999   99999 99999   99999 99999   99999 99999     99999 99999   99999 99999   99999 99999   99999 99999   99999 99999
9114:   99999 99999   99999 99999   99999 99999   99999 99999   99999 99999     99999 99999   99999 99999   99999 99999   99999 99999   99999 99999
9115:   99999 99999   99999 99999   99999 99999   99999 99999   99999 99999     99999 99999   99999 99999   99999 99999   99999 99999   99999 99999
9116:   99999 99999   99999 99999   99999 99999   99999 99999   99999 99999     99999 99999   99999 99999   99999 99999   99999 99999   99999 99999
9117:   99999 99999   99999 99999   99999 99999   99999 99999   99999 99999     99999 99999   99999 99999   99999 99999   99999 99999   99999 99999
9118:   99999 99999   99999 99999   99999 99999   99999 99999   99999 99999     99999 99999   99999 99999   99999 99999   99999 99999   99999 99999
9119:   99999 99999   99999 99999   99999 99999   99999 99999   99999 99999     99999 99999   99999 99999   99999 99999   99999 99999   99999 99999
9120:   99999 99999   99999 99999   99999 99999   99999 99999   99999 99999     99999 99999   99999 99999   99999 99999   99999 99999   99999 99999
9121:   99999 99999   99999 99999   99999 99999   99999 99999   99999 99999     99999 99999   99999 99999   99999 99999   99999 99999   99999 99999
9122:   99999 99999   99999 99999   99999 99999   99999 99999   99999 99999     99999 99999   99999 99999   99999 99999   99999 99999   99999 99999
9123:   99999 99999   99999 99999   99999 99999   99999 99999   99999 99999     99999 99999   99999 99999   99999 99999   99999 99999   99999 99999
9124:   99999 99999   99999 99999   99999 99999   99999 99999   99999 99999     99999 99999   99999 99999   99999 99999   99999 99999   99999 99999
9125:   99999 99999   99999 99999   99999 99999   99999 99999   99999 99999     99999 99999   99999 99999   99999 99999   99999 99999   99999 99999
9126:   99999 99999   99999 99999   99999 99999   99999 99999   99999 99999     99999 99999   99999 99999   99999 99999   99999 99999   99999 99999
9127:   99999 99999   99999 99999   99999 99999   99999 99999   99999 99999     99999 99999   99999 99999   99999 99999   99999 99999   99999 99999
9128:   99999 99999   99999 99999   99999 99999   99999 99999   99999 99999     99999 99999   99999 99999   99999 99999   99999 99999   99999 99999
9129:   99999 99999   99999 99999   99999 99999   99999 99999   99999 99999     99999 99999   99999 99999   99999 99999   99999 99999   99999 99999
9130:   99999 99999   99999 99999   99999 99999   99999 99999   99999 99999     99999 99999   99999 99999   99999 99999   99999 99999   99999 99999
9131:   99999 99999   99999 99999   99999 99999   99999 99999   99999 99999     99999 99999   99999 99999   99999 99999   99999 99999   99999 99999
9132:   99999 99999   99999 99999   99999 99999   99999 99999   99999 99999     99999 99999   99999 99999   99999 99999   99999 99999   99999 99999
9133:   99999 99999   99999 99999   99999 99999   99999 99999   99999 99999     99999 99999   99999 99999   99999 99999   99999 99999   99999 99999
9134:   99999 99999   99999 99999   99999 99999   99999 99999   99999 99999     99999 99999   99999 99999   99999 99999   99999 99999   99999 99999
9135:   99999 99999   99999 99999   99999 99999   99999 99999   99999 99999     99999 99999   99999 99999   99999 99999   99999 99999   99999 99999
9136:   99999 99999   99999 99999   99999 99999   99999 99999   99999 99999     99999 99999   99999 99999   99999 99999   99999 99999   99999 99999
9137:   99999 99999   99999 99999   99999 99999   99999 99999   99999 99999     99999 99999   99999 99999   99999 99999   99999 99999   99999 99999
9138:   99999 99999   99999 99999   99999 99999   99999 99999   99999 99999     99999 99999   99999 99999   99999 99999   99999 99999   99999 99999
9139:   99999 99999   99999 99999   99999 99999   99999 99999   99999 99999     99999 99999   99999 99999   99999 99999   99999 99999   99999 99999
9140:   99999 99999   99999 99999   99999 99999   99999 99999   99999 99999     99999 99999   99999 99999   99999 99999   99999 99999   99999 99999
9141:   99999 99999   99999 99999   99999 99999   99999 99999   99999 99999     99999 99999   99999 99999   99999 99999   99999 99999   99999 99999
9142:   99999 99999   99999 99999   99999 99999   99999 99999   99999 99999     99999 99999   99999 99999   99999 99999   99999 99999   99999 99999
9143:   99999 99999   99999 99999   99999 99999   99999 99999   99999 99999     99999 99999   99999 99999   99999 99999   99999 99999   99999 99999
9144:   99999 99999   99999 99999   99999 99999   99999 99999   99999 99999     99999 99999   99999 99999   99999 99999   99999 99999   99999 99999
9145:   99999 99999   99999 99999   99999 99999   99999 99999   99999 99999     99999 99999   99999 99999   99999 99999   99999 99999   99999 99999
9146:   99999 99999   99999 99999   99999 99999   99999 99999   99999 99999     99999 99999   99999 99999   99999 99999   99999 99999   99999 99999
9147:   99999 99999   99999 99999   99999 99999   99999 99999   99999 99999     99999 99999   99999 99999   99999 99999   99999 99999   99999 99999
9148:   99999 99999   99999 99999   99999 99999   99999 99999   99999 99999     99999 99999   99999 99999   99999 99999   99999 99999   99999 99999
9149:   99999 99999   99999 99999   99999 99999   99999 99999   99999 99999     99999 99999   99999 99999   99999 99999   99999 99999   99999 99999
```

```
9150:  99999 99999  99999 99999  99999 99999  99999 99999  99999 99999   99999 99999  99999 99999  99999 99999  99999 99999  99999 99999
9151:  99999 99999  99999 99999  99999 99999  99999 99999  99999 99999   99999 99999  99999 99999  99999 99999  99999 99999  99999 99999
9152:  99999 99999  99999 99999  99999 99999  99999 99999  99999 99999   99999 99999  99999 99999  99999 99999  99999 99999  99999 99999
9153:  99999 99999  99999 99999  99999 99999  99999 99999  99999 99999   99999 99999  99999 99999  99999 99999  99999 99999  99999 99999
9154:  99999 99999  99999 99999  99999 99999  99999 99999  99999 99999   99999 99999  99999 99999  99999 99999  99999 99999  99999 99999
9155:  99999 99999  99999 99999  99999 99999  99999 99999  99999 99999   99999 99999  99999 99999  99999 99999  99999 99999  99999 99999
9156:  99999 99999  99999 99999  99999 99999  99999 99999  99999 99999   99999 99999  99999 99999  99999 99999  99999 99999  99999 99999
9157:  99999 99999  99999 99999  99999 99999  99999 99999  99999 99999   99999 99999  99999 99999  99999 99999  99999 99999  99999 99999
9158:  99999 99999  99999 99999  99999 99999  99999 99999  99999 99999   99999 99999  99999 99999  99999 99999  99999 99999  99999 99999
9159:  99999 99999  99999 99999  99999 99999  99999 99999  99999 99999   99999 99999  99999 99999  99999 99999  99999 99999  99999 99999
9160:  99999 99999  99999 99999  99999 99999  99999 99999  99999 99999   99999 99999  99999 99999  99999 99999  99999 99999  99999 99999
9161:  99999 99999  99999 99999  99999 99999  99999 99999  99999 99999   99999 99999  99999 99999  99999 99999  99999 99999  99999 99999
9162:  99999 99999  99999 99999  99999 99999  99999 99999  99999 99999   99999 99999  99999 99999  99999 99999  99999 99999  99999 99999
9163:  99999 99999  99999 99999  99999 99999  99999 99999  99999 99999   99999 99999  99999 99999  99999 99999  99999 99999  99999 99999
9164:  99999 99999  99999 99999  99999 99999  99999 99999  99999 99999   99999 99999  99999 99999  99999 99999  99999 99999  99999 99999
9165:  99999 99999  99999 99999  99999 99999  99999 99999  99999 99999   99999 99999  99999 99999  99999 99999  99999 99999  99999 99999
9166:  99999 99999  99999 99999  99999 99999  99999 99999  99999 99999   99999 99999  99999 99999  99999 99999  99999 99999  99999 99999
9167:  99999 99999  99999 99999  99999 99999  99999 99999  99999 99999   99999 99999  99999 99999  99999 99999  99999 99999  99999 99999
9168:  99999 99999  99999 99999  99999 99999  99999 99999  99999 99999   99999 99999  99999 99999  99999 99999  99999 99999  99999 99999
9169:  99999 99999  99999 99999  99999 99999  99999 99999  99999 99999   99999 99999  99999 99999  99999 99999  99999 99999  99999 99999
9170:  99999 99999  99999 99999  99999 99999  99999 99999  99999 99999   99999 99999  99999 99999  99999 99999  99999 99999  99999 99999
9171:  99999 99999  99999 99999  99999 99999  99999 99999  99999 99999   99999 99999  99999 99999  99999 99999  99999 99999  99999 99999
9172:  99999 99999  99999 99999  99999 99999  99999 99999  99999 99999   99999 99999  99999 99999  99999 99999  99999 99999  99999 99999
9173:  99999 99999  99999 99999  99999 99999  99999 99999  99999 99999   99999 99999  99999 99999  99999 99999  99999 99999  99999 99999
9174:  99999 99999  99999 99999  99999 99999  99999 99999  99999 99999   99999 99999  99999 99999  99999 99999  99999 99999  99999 99999
9175:  99999 99999  99999 99999  99999 99999  99999 99999  99999 99999   99999 99999  99999 99999  99999 99999  99999 99999  99999 99999
9176:  99999 99999  99999 99999  99999 99999  99999 99999  99999 99999   99999 99999  99999 99999  99999 99999  99999 99999  99999 99999
9177:  99999 99999  99999 99999  99999 99999  99999 99999  99999 99999   99999 99999  99999 99999  99999 99999  99999 99999  99999 99999
9178:  99999 99999  99999 99999  99999 99999  99999 99999  99999 99999   99999 99999  99999 99999  99999 99999  99999 99999  99999 99999
9179:  99999 99999  99999 99999  99999 99999  99999 99999  99999 99999   99999 99999  99999 99999  99999 99999  99999 99999  99999 99999
9180:  99999 99999  99999 99999  99999 99999  99999 99999  99999 99999   99999 99999  99999 99999  99999 99999  99999 99999  99999 99999
9181:  99999 99999  99999 99999  99999 99999  99999 99999  99999 99999   99999 99999  99999 99999  99999 99999  99999 99999  99999 99999
9182:  99999 99999  99999 99999  99999 99999  99999 99999  99999 99999   99999 99999  99999 99999  99999 99999  99999 99999  99999 99999
9183:  99999 99999  99999 99999  99999 99999  99999 99999  99999 99999   99999 99999  99999 99999  99999 99999  99999 99999  99999 99999
9184:  99999 99999  99999 99999  99999 99999  99999 99999  99999 99999   99999 99999  99999 99999  99999 99999  99999 99999  99999 99999
9185:  99999 99999  99999 99999  99999 99999  99999 99999  99999 99999   99999 99999  99999 99999  99999 99999  99999 99999  99999 99999
9186:  99999 99999  99999 99999  99999 99999  99999 99999  99999 99999   99999 99999  99999 99999  99999 99999  99999 99999  99999 99999
9187:  99999 99999  99999 99999  99999 99999  99999 99999  99999 99999   99999 99999  99999 99999  99999 99999  99999 99999  99999 99999
9188:  99999 99999  99999 99999  99999 99999  99999 99999  99999 99999   99999 99999  99999 99999  99999 99999  99999 99999  99999 99999
9189:  99999 99999  99999 99999  99999 99999  99999 99999  99999 99999   99999 99999  99999 99999  99999 99999  99999 99999  99999 99999
9190:  99999 99999  99999 99999  99999 99999  99999 99999  99999 99999   99999 99999  99999 99999  99999 99999  99999 99999  99999 99999
9191:  99999 99999  99999 99999  99999 99999  99999 99999  99999 99999   99999 99999  99999 99999  99999 99999  99999 99999  99999 99999
9192:  99999 99999  99999 99999  99999 99999  99999 99999  99999 99999   99999 99999  99999 99999  99999 99999  99999 99999  99999 99999
9193:  99999 99999  99999 99999  99999 99999  99999 99999  99999 99999   99999 99999  99999 99999  99999 99999  99999 99999  99999 99999
9194:  99999 99999  99999 99999  99999 99999  99999 99999  99999 99999   99999 99999  99999 99999  99999 99999  99999 99999  99999 99999
9195:  99999 99999  99999 99999  99999 99999  99999 99999  99999 99999   99999 99999  99999 99999  99999 99999  99999 99999  99999 99999
9196:  99999 99999  99999 99999  99999 99999  99999 99999  99999 99999   99999 99999  99999 99999  99999 99999  99999 99999  99999 99999
9197:  99999 99999  99999 99999  99999 99999  99999 99999  99999 99999   99999 99999  99999 99999  99999 99999  99999 99999  99999 99999
9198:  99999 99999  99999 99999  99999 99999  99999 99999  99999 99999   99999 99999  99999 99999  99999 99999  99999 99999  99999 99999
9199:  99999 99999  99999 99999  99999 99999  99999 99999  99999 99999   99999 99999  99999 99999  99999 99999  99999 99999  99999 99999
```

```
9200:  99999 99999  99999 99999  99999 99999  99999 99999  99999 99999   99999 99999  99999 99999  99999 99999  99999 99999  99999 99999
9201:  99999 99999  99999 99999  99999 99999  99999 99999  99999 99999   99999 99999  99999 99999  99999 99999  99999 99999  99999 99999
9202:  99999 99999  99999 99999  99999 99999  99999 99999  99999 99999   99999 99999  99999 99999  99999 99999  99999 99999  99999 99999
9203:  99999 99999  99999 99999  99999 99999  99999 99999  99999 99999   99999 99999  99999 99999  99999 99999  99999 99999  99999 99999
9204:  99999 99999  99999 99999  99999 99999  99999 99999  99999 99999   99999 99999  99999 99999  99999 99999  99999 99999  99999 99999
9205:  99999 99999  99999 99999  99999 99999  99999 99999  99999 99999   99999 99999  99999 99999  99999 99999  99999 99999  99999 99999
9206:  99999 99999  99999 99999  99999 99999  99999 99999  99999 99999   99999 99999  99999 99999  99999 99999  99999 99999  99999 99999
9207:  99999 99999  99999 99999  99999 99999  99999 99999  99999 99999   99999 99999  99999 99999  99999 99999  99999 99999  99999 99999
9208:  99999 99999  99999 99999  99999 99999  99999 99999  99999 99999   99999 99999  99999 99999  99999 99999  99999 99999  99999 99999
9209:  99999 99999  99999 99999  99999 99999  99999 99999  99999 99999   99999 99999  99999 99999  99999 99999  99999 99999  99999 99999
9210:  99999 99999  99999 99999  99999 99999  99999 99999  99999 99999   99999 99999  99999 99999  99999 99999  99999 99999  99999 99999
9211:  99999 99999  99999 99999  99999 99999  99999 99999  99999 99999   99999 99999  99999 99999  99999 99999  99999 99999  99999 99999
9212:  99999 99999  99999 99999  99999 99999  99999 99999  99999 99999   99999 99999  99999 99999  99999 99999  99999 99999  99999 99999
9213:  99999 99999  99999 99999  99999 99999  99999 99999  99999 99999   99999 99999  99999 99999  99999 99999  99999 99999  99999 99999
9214:  99999 99999  99999 99999  99999 99999  99999 99999  99999 99999   99999 99999  99999 99999  99999 99999  99999 99999  99999 99999
9215:  99999 99999  99999 99999  99999 99999  99999 99999  99999 99999   99999 99999  99999 99999  99999 99999  99999 99999  99999 99999
9216:  99999 99999  99999 99999  99999 99999  99999 99999  99999 99999   99999 99999  99999 99999  99999 99999  99999 99999  99999 99999
9217:  99999 99999  99999 99999  99999 99999  99999 99999  99999 99999   99999 99999  99999 99999  99999 99999  99999 99999  99999 99999
9218:  99999 99999  99999 99999  99999 99999  99999 99999  99999 99999   99999 99999  99999 99999  99999 99999  99999 99999  99999 99999
9219:  99999 99999  99999 99999  99999 99999  99999 99999  99999 99999   99999 99999  99999 99999  99999 99999  99999 99999  99999 99999
9220:  99999 99999  99999 99999  99999 99999  99999 99999  99999 99999   99999 99999  99999 99999  99999 99999  99999 99999  99999 99999
9221:  99999 99999  99999 99999  99999 99999  99999 99999  99999 99999   99999 99999  99999 99999  99999 99999  99999 99999  99999 99999
9222:  99999 99999  99999 99999  99999 99999  99999 99999  99999 99999   99999 99999  99999 99999  99999 99999  99999 99999  99999 99999
9223:  99999 99999  99999 99999  99999 99999  99999 99999  99999 99999   99999 99999  99999 99999  99999 99999  99999 99999  99999 99999
9224:  99999 99999  99999 99999  99999 99999  99999 99999  99999 99999   99999 99999  99999 99999  99999 99999  99999 99999  99999 99999
9225:  99999 99999  99999 99999  99999 99999  99999 99999  99999 99999   99999 99999  99999 99999  99999 99999  99999 99999  99999 99999
9226:  99999 99999  99999 99999  99999 99999  99999 99999  99999 99999   99999 99999  99999 99999  99999 99999  99999 99999  99999 99999
9227:  99999 99999  99999 99999  99999 99999  99999 99999  99999 99999   99999 99999  99999 99999  99999 99999  99999 99999  99999 99999
9228:  99999 99999  99999 99999  99999 99999  99999 99999  99999 99999   99999 99999  99999 99999  99999 99999  99999 99999  99999 99999
9229:  99999 99999  99999 99999  99999 99999  99999 99999  99999 99999   99999 99999  99999 99999  99999 99999  99999 99999  99999 99999
9230:  99999 99999  99999 99999  99999 99999  99999 99999  99999 99999   99999 99999  99999 99999  99999 99999  99999 99999  99999 99999
9231:  99999 99999  99999 99999  99999 99999  99999 99999  99999 99999   99999 99999  99999 99999  99999 99999  99999 99999  99999 99999
9232:  99999 99999  99999 99999  99999 99999  99999 99999  99999 99999   99999 99999  99999 99999  99999 99999  99999 99999  99999 99999
9233:  99999 99999  99999 99999  99999 99999  99999 99999  99999 99999   99999 99999  99999 99999  99999 99999  99999 99999  99999 99999
9234:  99999 99999  99999 99999  99999 99999  99999 99999  99999 99999   99999 99999  99999 99999  99999 99999  99999 99999  99999 99999
9235:  99999 99999  99999 99999  99999 99999  99999 99999  99999 99999   99999 99999  99999 99999  99999 99999  99999 99999  99999 99999
9236:  99999 99999  99999 99999  99999 99999  99999 99999  99999 99999   99999 99999  99999 99999  99999 99999  99999 99999  99999 99999
9237:  99999 99999  99999 99999  99999 99999  99999 99999  99999 99999   99999 99999  99999 99999  99999 99999  99999 99999  99999 99999
9238:  99999 99999  99999 99999  99999 99999  99999 99999  99999 99999   99999 99999  99999 99999  99999 99999  99999 99999  99999 99999
9239:  99999 99999  99999 99999  99999 99999  99999 99999  99999 99999   99999 99999  99999 99999  99999 99999  99999 99999  99999 99999
9240:  99999 99999  99999 99999  99999 99999  99999 99999  99999 99999   99999 99999  99999 99999  99999 99999  99999 99999  99999 99999
9241:  99999 99999  99999 99999  99999 99999  99999 99999  99999 99999   99999 99999  99999 99999  99999 99999  99999 99999  99999 99999
9242:  99999 99999  99999 99999  99999 99999  99999 99999  99999 99999   99999 99999  99999 99999  99999 99999  99999 99999  99999 99999
9243:  99999 99999  99999 99999  99999 99999  99999 99999  99999 99999   99999 99999  99999 99999  99999 99999  99999 99999  99999 99999
9244:  99999 99999  99999 99999  99999 99999  99999 99999  99999 99999   99999 99999  99999 99999  99999 99999  99999 99999  99999 99999
9245:  99999 99999  99999 99999  99999 99999  99999 99999  99999 99999   99999 99999  99999 99999  99999 99999  99999 99999  99999 99999
9246:  99999 99999  99999 99999  99999 99999  99999 99999  99999 99999   99999 99999  99999 99999  99999 99999  99999 99999  99999 99999
9247:  99999 99999  99999 99999  99999 99999  99999 99999  99999 99999   99999 99999  99999 99999  99999 99999  99999 99999  99999 99999
9248:  99999 99999  99999 99999  99999 99999  99999 99999  99999 99999   99999 99999  99999 99999  99999 99999  99999 99999  99999 99999
9249:  99999 99999  99999 99999  99999 99999  99999 99999  99999 99999   99999 99999  99999 99999  99999 99999  99999 99999  99999 99999
```

```
9250:   99999 99999   99999 99999   99999 99999   99999 99999   99999 99999      99999 99999   99999 99999   99999 99999   99999 99999   99999 99999
9251:   99999 99999   99999 99999   99999 99999   99999 99999   99999 99999      99999 99999   99999 99999   99999 99999   99999 99999   99999 99999
9252:   99999 99999   99999 99999   99999 99999   99999 99999   99999 99999      99999 99999   99999 99999   99999 99999   99999 99999   99999 99999
9253:   99999 99999   99999 99999   99999 99999   99999 99999   99999 99999      99999 99999   99999 99999   99999 99999   99999 99999   99999 99999
9254:   99999 99999   99999 99999   99999 99999   99999 99999   99999 99999      99999 99999   99999 99999   99999 99999   99999 99999   99999 99999
9255:   99999 99999   99999 99999   99999 99999   99999 99999   99999 99999      99999 99999   99999 99999   99999 99999   99999 99999   99999 99999
9256:   99999 99999   99999 99999   99999 99999   99999 99999   99999 99999      99999 99999   99999 99999   99999 99999   99999 99999   99999 99999
9257:   99999 99999   99999 99999   99999 99999   99999 99999   99999 99999      99999 99999   99999 99999   99999 99999   99999 99999   99999 99999
9258:   99999 99999   99999 99999   99999 99999   99999 99999   99999 99999      99999 99999   99999 99999   99999 99999   99999 99999   99999 99999
9259:   99999 99999   99999 99999   99999 99999   99999 99999   99999 99999      99999 99999   99999 99999   99999 99999   99999 99999   99999 99999
9260:   99999 99999   99999 99999   99999 99999   99999 99999   99999 99999      99999 99999   99999 99999   99999 99999   99999 99999   99999 99999
9261:   99999 99999   99999 99999   99999 99999   99999 99999   99999 99999      99999 99999   99999 99999   99999 99999   99999 99999   99999 99999
9262:   99999 99999   99999 99999   99999 99999   99999 99999   99999 99999      99999 99999   99999 99999   99999 99999   99999 99999   99999 99999
9263:   99999 99999   99999 99999   99999 99999   99999 99999   99999 99999      99999 99999   99999 99999   99999 99999   99999 99999   99999 99999
9264:   99999 99999   99999 99999   99999 99999   99999 99999   99999 99999      99999 99999   99999 99999   99999 99999   99999 99999   99999 99999
9265:   99999 99999   99999 99999   99999 99999   99999 99999   99999 99999      99999 99999   99999 99999   99999 99999   99999 99999   99999 99999
9266:   99999 99999   99999 99999   99999 99999   99999 99999   99999 99999      99999 99999   99999 99999   99999 99999   99999 99999   99999 99999
9267:   99999 99999   99999 99999   99999 99999   99999 99999   99999 99999      99999 99999   99999 99999   99999 99999   99999 99999   99999 99999
9268:   99999 99999   99999 99999   99999 99999   99999 99999   99999 99999      99999 99999   99999 99999   99999 99999   99999 99999   99999 99999
9269:   99999 99999   99999 99999   99999 99999   99999 99999   99999 99999      99999 99999   99999 99999   99999 99999   99999 99999   99999 99999
9270:   99999 99999   99999 99999   99999 99999   99999 99999   99999 99999      99999 99999   99999 99999   99999 99999   99999 99999   99999 99999
9271:   99999 99999   99999 99999   99999 99999   99999 99999   99999 99999      99999 99999   99999 99999   99999 99999   99999 99999   99999 99999
9272:   99999 99999   99999 99999   99999 99999   99999 99999   99999 99999      99999 99999   99999 99999   99999 99999   99999 99999   99999 99999
9273:   99999 99999   99999 99999   99999 99999   99999 99999   99999 99999      99999 99999   99999 99999   99999 99999   99999 99999   99999 99999
9274:   99999 99999   99999 99999   99999 99999   99999 99999   99999 99999      99999 99999   99999 99999   99999 99999   99999 99999   99999 99999
9275:   99999 99999   99999 99999   99999 99999   99999 99999   99999 99999      99999 99999   99999 99999   99999 99999   99999 99999   99999 99999
9276:   99999 99999   99999 99999   99999 99999   99999 99999   99999 99999      99999 99999   99999 99999   99999 99999   99999 99999   99999 99999
9277:   99999 99999   99999 99999   99999 99999   99999 99999   99999 99999      99999 99999   99999 99999   99999 99999   99999 99999   99999 99999
9278:   99999 99999   99999 99999   99999 99999   99999 99999   99999 99999      99999 99999   99999 99999   99999 99999   99999 99999   99999 99999
9279:   99999 99999   99999 99999   99999 99999   99999 99999   99999 99999      99999 99999   99999 99999   99999 99999   99999 99999   99999 99999
9280:   99999 99999   99999 99999   99999 99999   99999 99999   99999 99999      99999 99999   99999 99999   99999 99999   99999 99999   99999 99999
9281:   99999 99999   99999 99999   99999 99999   99999 99999   99999 99999      99999 99999   99999 99999   99999 99999   99999 99999   99999 99999
9282:   99999 99999   99999 99999   99999 99999   99999 99999   99999 99999      99999 99999   99999 99999   99999 99999   99999 99999   99999 99999
9283:   99999 99999   99999 99999   99999 99999   99999 99999   99999 99999      99999 99999   99999 99999   99999 99999   99999 99999   99999 99999
9284:   99999 99999   99999 99999   99999 99999   99999 99999   99999 99999      99999 99999   99999 99999   99999 99999   99999 99999   99999 99999
9285:   99999 99999   99999 99999   99999 99999   99999 99999   99999 99999      99999 99999   99999 99999   99999 99999   99999 99999   99999 99999
9286:   99999 99999   99999 99999   99999 99999   99999 99999   99999 99999      99999 99999   99999 99999   99999 99999   99999 99999   99999 99999
9287:   99999 99999   99999 99999   99999 99999   99999 99999   99999 99999      99999 99999   99999 99999   99999 99999   99999 99999   99999 99999
9288:   99999 99999   99999 99999   99999 99999   99999 99999   99999 99999      99999 99999   99999 99999   99999 99999   99999 99999   99999 99999
9289:   99999 99999   99999 99999   99999 99999   99999 99999   99999 99999      99999 99999   99999 99999   99999 99999   99999 99999   99999 99999
9290:   99999 99999   99999 99999   99999 99999   99999 99999   99999 99999      99999 99999   99999 99999   99999 99999   99999 99999   99999 99999
9291:   99999 99999   99999 99999   99999 99999   99999 99999   99999 99999      99999 99999   99999 99999   99999 99999   99999 99999   99999 99999
9292:   99999 99999   99999 99999   99999 99999   99999 99999   99999 99999      99999 99999   99999 99999   99999 99999   99999 99999   99999 99999
9293:   99999 99999   99999 99999   99999 99999   99999 99999   99999 99999      99999 99999   99999 99999   99999 99999   99999 99999   99999 99999
9294:   99999 99999   99999 99999   99999 99999   99999 99999   99999 99999      99999 99999   99999 99999   99999 99999   99999 99999   99999 99999
9295:   99999 99999   99999 99999   99999 99999   99999 99999   99999 99999      99999 99999   99999 99999   99999 99999   99999 99999   99999 99999
9296:   99999 99999   99999 99999   99999 99999   99999 99999   99999 99999      99999 99999   99999 99999   99999 99999   99999 99999   99999 99999
9297:   99999 99999   99999 99999   99999 99999   99999 99999   99999 99999      99999 99999   99999 99999   99999 99999   99999 99999   99999 99999
9298:   99999 99999   99999 99999   99999 99999   99999 99999   99999 99999      99999 99999   99999 99999   99999 99999   99999 99999   99999 99999
9299:   99999 99999   99999 99999   99999 99999   99999 99999   99999 99999      99999 99999   99999 99999   99999 99999   99999 99999   99999 99999
```

```
9300:   99999 99999   99999 99999   99999 99999   99999 99999   99999 99999     99999 99999   99999 99999   99999 99999   99999 99999   99999 99999
9301:   99999 99999   99999 99999   99999 99999   99999 99999   99999 99999     99999 99999   99999 99999   99999 99999   99999 99999   99999 99999
9302:   99999 99999   99999 99999   99999 99999   99999 99999   99999 99999     99999 99999   99999 99999   99999 99999   99999 99999   99999 99999
9303:   99999 99999   99999 99999   99999 99999   99999 99999   99999 99999     99999 99999   99999 99999   99999 99999   99999 99999   99999 99999
9304:   99999 99999   99999 99999   99999 99999   99999 99999   99999 99999     99999 99999   99999 99999   99999 99999   99999 99999   99999 99999
9305:   99999 99999   99999 99999   99999 99999   99999 99999   99999 99999     99999 99999   99999 99999   99999 99999   99999 99999   99999 99999
9306:   99999 99999   99999 99999   99999 99999   99999 99999   99999 99999     99999 99999   99999 99999   99999 99999   99999 99999   99999 99999
9307:   99999 99999   99999 99999   99999 99999   99999 99999   99999 99999     99999 99999   99999 99999   99999 99999   99999 99999   99999 99999
9308:   99999 99999   99999 99999   99999 99999   99999 99999   99999 99999     99999 99999   99999 99999   99999 99999   99999 99999   99999 99999
9309:   99999 99999   99999 99999   99999 99999   99999 99999   99999 99999     99999 99999   99999 99999   99999 99999   99999 99999   99999 99999
9310:   99999 99999   99999 99999   99999 99999   99999 99999   99999 99999     99999 99999   99999 99999   99999 99999   99999 99999   99999 99999
9311:   99999 99999   99999 99999   99999 99999   99999 99999   99999 99999     99999 99999   99999 99999   99999 99999   99999 99999   99999 99999
9312:   99999 99999   99999 99999   99999 99999   99999 99999   99999 99999     99999 99999   99999 99999   99999 99999   99999 99999   99999 99999
9313:   99999 99999   99999 99999   99999 99999   99999 99999   99999 99999     99999 99999   99999 99999   99999 99999   99999 99999   99999 99999
9314:   99999 99999   99999 99999   99999 99999   99999 99999   99999 99999     99999 99999   99999 99999   99999 99999   99999 99999   99999 99999
9315:   99999 99999   99999 99999   99999 99999   99999 99999   99999 99999     99999 99999   99999 99999   99999 99999   99999 99999   99999 99999
9316:   99999 99999   99999 99999   99999 99999   99999 99999   99999 99999     99999 99999   99999 99999   99999 99999   99999 99999   99999 99999
9317:   99999 99999   99999 99999   99999 99999   99999 99999   99999 99999     99999 99999   99999 99999   99999 99999   99999 99999   99999 99999
9318:   99999 99999   99999 99999   99999 99999   99999 99999   99999 99999     99999 99999   99999 99999   99999 99999   99999 99999   99999 99999
9319:   99999 99999   99999 99999   99999 99999   99999 99999   99999 99999     99999 99999   99999 99999   99999 99999   99999 99999   99999 99999
9320:   99999 99999   99999 99999   99999 99999   99999 99999   99999 99999     99999 99999   99999 99999   99999 99999   99999 99999   99999 99999
9321:   99999 99999   99999 99999   99999 99999   99999 99999   99999 99999     99999 99999   99999 99999   99999 99999   99999 99999   99999 99999
9322:   99999 99999   99999 99999   99999 99999   99999 99999   99999 99999     99999 99999   99999 99999   99999 99999   99999 99999   99999 99999
9323:   99999 99999   99999 99999   99999 99999   99999 99999   99999 99999     99999 99999   99999 99999   99999 99999   99999 99999   99999 99999
9324:   99999 99999   99999 99999   99999 99999   99999 99999   99999 99999     99999 99999   99999 99999   99999 99999   99999 99999   99999 99999
9325:   99999 99999   99999 99999   99999 99999   99999 99999   99999 99999     99999 99999   99999 99999   99999 99999   99999 99999   99999 99999
9326:   99999 99999   99999 99999   99999 99999   99999 99999   99999 99999     99999 99999   99999 99999   99999 99999   99999 99999   99999 99999
9327:   99999 99999   99999 99999   99999 99999   99999 99999   99999 99999     99999 99999   99999 99999   99999 99999   99999 99999   99999 99999
9328:   99999 99999   99999 99999   99999 99999   99999 99999   99999 99999     99999 99999   99999 99999   99999 99999   99999 99999   99999 99999
9329:   99999 99999   99999 99999   99999 99999   99999 99999   99999 99999     99999 99999   99999 99999   99999 99999   99999 99999   99999 99999
9330:   99999 99999   99999 99999   99999 99999   99999 99999   99999 99999     99999 99999   99999 99999   99999 99999   99999 99999   99999 99999
9331:   99999 99999   99999 99999   99999 99999   99999 99999   99999 99999     99999 99999   99999 99999   99999 99999   99999 99999   99999 99999
9332:   99999 99999   99999 99999   99999 99999   99999 99999   99999 99999     99999 99999   99999 99999   99999 99999   99999 99999   99999 99999
9333:   99999 99999   99999 99999   99999 99999   99999 99999   99999 99999     99999 99999   99999 99999   99999 99999   99999 99999   99999 99999
9334:   99999 99999   99999 99999   99999 99999   99999 99999   99999 99999     99999 99999   99999 99999   99999 99999   99999 99999   99999 99999
9335:   99999 99999   99999 99999   99999 99999   99999 99999   99999 99999     99999 99999   99999 99999   99999 99999   99999 99999   99999 99999
9336:   99999 99999   99999 99999   99999 99999   99999 99999   99999 99999     99999 99999   99999 99999   99999 99999   99999 99999   99999 99999
9337:   99999 99999   99999 99999   99999 99999   99999 99999   99999 99999     99999 99999   99999 99999   99999 99999   99999 99999   99999 99999
9338:   99999 99999   99999 99999   99999 99999   99999 99999   99999 99999     99999 99999   99999 99999   99999 99999   99999 99999   99999 99999
9339:   99999 99999   99999 99999   99999 99999   99999 99999   99999 99999     99999 99999   99999 99999   99999 99999   99999 99999   99999 99999
9340:   99999 99999   99999 99999   99999 99999   99999 99999   99999 99999     99999 99999   99999 99999   99999 99999   99999 99999   99999 99999
9341:   99999 99999   99999 99999   99999 99999   99999 99999   99999 99999     99999 99999   99999 99999   99999 99999   99999 99999   99999 99999
9342:   99999 99999   99999 99999   99999 99999   99999 99999   99999 99999     99999 99999   99999 99999   99999 99999   99999 99999   99999 99999
9343:   99999 99999   99999 99999   99999 99999   99999 99999   99999 99999     99999 99999   99999 99999   99999 99999   99999 99999   99999 99999
9344:   99999 99999   99999 99999   99999 99999   99999 99999   99999 99999     99999 99999   99999 99999   99999 99999   99999 99999   99999 99999
9345:   99999 99999   99999 99999   99999 99999   99999 99999   99999 99999     99999 99999   99999 99999   99999 99999   99999 99999   99999 99999
9346:   99999 99999   99999 99999   99999 99999   99999 99999   99999 99999     99999 99999   99999 99999   99999 99999   99999 99999   99999 99999
9347:   99999 99999   99999 99999   99999 99999   99999 99999   99999 99999     99999 99999   99999 99999   99999 99999   99999 99999   99999 99999
9348:   99999 99999   99999 99999   99999 99999   99999 99999   99999 99999     99999 99999   99999 99999   99999 99999   99999 99999   99999 99999
9349:   99999 99999   99999 99999   99999 99999   99999 99999   99999 99999     99999 99999   99999 99999   99999 99999   99999 99999   99999 99999
```

```
9350:  99999 99999  99999 99999  99999 99999  99999 99999  99999 99999   99999 99999  99999 99999  99999 99999  99999 99999  99999 99999
9351:  99999 99999  99999 99999  99999 99999  99999 99999  99999 99999   99999 99999  99999 99999  99999 99999  99999 99999  99999 99999
9352:  99999 99999  99999 99999  99999 99999  99999 99999  99999 99999   99999 99999  99999 99999  99999 99999  99999 99999  99999 99999
9353:  99999 99999  99999 99999  99999 99999  99999 99999  99999 99999   99999 99999  99999 99999  99999 99999  99999 99999  99999 99999
9354:  99999 99999  99999 99999  99999 99999  99999 99999  99999 99999   99999 99999  99999 99999  99999 99999  99999 99999  99999 99999
9355:  99999 99999  99999 99999  99999 99999  99999 99999  99999 99999   99999 99999  99999 99999  99999 99999  99999 99999  99999 99999
9356:  99999 99999  99999 99999  99999 99999  99999 99999  99999 99999   99999 99999  99999 99999  99999 99999  99999 99999  99999 99999
9357:  99999 99999  99999 99999  99999 99999  99999 99999  99999 99999   99999 99999  99999 99999  99999 99999  99999 99999  99999 99999
9358:  99999 99999  99999 99999  99999 99999  99999 99999  99999 99999   99999 99999  99999 99999  99999 99999  99999 99999  99999 99999
9359:  99999 99999  99999 99999  99999 99999  99999 99999  99999 99999   99999 99999  99999 99999  99999 99999  99999 99999  99999 99999
9360:  99999 99999  99999 99999  99999 99999  99999 99999  99999 99999   99999 99999  99999 99999  99999 99999  99999 99999  99999 99999
9361:  99999 99999  99999 99999  99999 99999  99999 99999  99999 99999   99999 99999  99999 99999  99999 99999  99999 99999  99999 99999
9362:  99999 99999  99999 99999  99999 99999  99999 99999  99999 99999   99999 99999  99999 99999  99999 99999  99999 99999  99999 99999
9363:  99999 99999  99999 99999  99999 99999  99999 99999  99999 99999   99999 99999  99999 99999  99999 99999  99999 99999  99999 99999
9364:  99999 99999  99999 99999  99999 99999  99999 99999  99999 99999   99999 99999  99999 99999  99999 99999  99999 99999  99999 99999
9365:  99999 99999  99999 99999  99999 99999  99999 99999  99999 99999   99999 99999  99999 99999  99999 99999  99999 99999  99999 99999
9366:  99999 99999  99999 99999  99999 99999  99999 99999  99999 99999   99999 99999  99999 99999  99999 99999  99999 99999  99999 99999
9367:  99999 99999  99999 99999  99999 99999  99999 99999  99999 99999   99999 99999  99999 99999  99999 99999  99999 99999  99999 99999
9368:  99999 99999  99999 99999  99999 99999  99999 99999  99999 99999   99999 99999  99999 99999  99999 99999  99999 99999  99999 99999
9369:  99999 99999  99999 99999  99999 99999  99999 99999  99999 99999   99999 99999  99999 99999  99999 99999  99999 99999  99999 99999
9370:  99999 99999  99999 99999  99999 99999  99999 99999  99999 99999   99999 99999  99999 99999  99999 99999  99999 99999  99999 99999
9371:  99999 99999  99999 99999  99999 99999  99999 99999  99999 99999   99999 99999  99999 99999  99999 99999  99999 99999  99999 99999
9372:  99999 99999  99999 99999  99999 99999  99999 99999  99999 99999   99999 99999  99999 99999  99999 99999  99999 99999  99999 99999
9373:  99999 99999  99999 99999  99999 99999  99999 99999  99999 99999   99999 99999  99999 99999  99999 99999  99999 99999  99999 99999
9374:  99999 99999  99999 99999  99999 99999  99999 99999  99999 99999   99999 99999  99999 99999  99999 99999  99999 99999  99999 99999
9375:  99999 99999  99999 99999  99999 99999  99999 99999  99999 99999   99999 99999  99999 99999  99999 99999  99999 99999  99999 99999
9376:  99999 99999  99999 99999  99999 99999  99999 99999  99999 99999   99999 99999  99999 99999  99999 99999  99999 99999  99999 99999
9377:  99999 99999  99999 99999  99999 99999  99999 99999  99999 99999   99999 99999  99999 99999  99999 99999  99999 99999  99999 99999
9378:  99999 99999  99999 99999  99999 99999  99999 99999  99999 99999   99999 99999  99999 99999  99999 99999  99999 99999  99999 99999
9379:  99999 99999  99999 99999  99999 99999  99999 99999  99999 99999   99999 99999  99999 99999  99999 99999  99999 99999  99999 99999
9380:  99999 99999  99999 99999  99999 99999  99999 99999  99999 99999   99999 99999  99999 99999  99999 99999  99999 99999  99999 99999
9381:  99999 99999  99999 99999  99999 99999  99999 99999  99999 99999   99999 99999  99999 99999  99999 99999  99999 99999  99999 99999
9382:  99999 99999  99999 99999  99999 99999  99999 99999  99999 99999   99999 99999  99999 99999  99999 99999  99999 99999  99999 99999
9383:  99999 99999  99999 99999  99999 99999  99999 99999  99999 99999   99999 99999  99999 99999  99999 99999  99999 99999  99999 99999
9384:  99999 99999  99999 99999  99999 99999  99999 99999  99999 99999   99999 99999  99999 99999  99999 99999  99999 99999  99999 99999
9385:  99999 99999  99999 99999  99999 99999  99999 99999  99999 99999   99999 99999  99999 99999  99999 99999  99999 99999  99999 99999
9386:  99999 99999  99999 99999  99999 99999  99999 99999  99999 99999   99999 99999  99999 99999  99999 99999  99999 99999  99999 99999
9387:  99999 99999  99999 99999  99999 99999  99999 99999  99999 99999   99999 99999  99999 99999  99999 99999  99999 99999  99999 99999
9388:  99999 99999  99999 99999  99999 99999  99999 99999  99999 99999   99999 99999  99999 99999  99999 99999  99999 99999  99999 99999
9389:  99999 99999  99999 99999  99999 99999  99999 99999  99999 99999   99999 99999  99999 99999  99999 99999  99999 99999  99999 99999
9390:  99999 99999  99999 99999  99999 99999  99999 99999  99999 99999   99999 99999  99999 99999  99999 99999  99999 99999  99999 99999
9391:  99999 99999  99999 99999  99999 99999  99999 99999  99999 99999   99999 99999  99999 99999  99999 99999  99999 99999  99999 99999
9392:  99999 99999  99999 99999  99999 99999  99999 99999  99999 99999   99999 99999  99999 99999  99999 99999  99999 99999  99999 99999
9393:  99999 99999  99999 99999  99999 99999  99999 99999  99999 99999   99999 99999  99999 99999  99999 99999  99999 99999  99999 99999
9394:  99999 99999  99999 99999  99999 99999  99999 99999  99999 99999   99999 99999  99999 99999  99999 99999  99999 99999  99999 99999
9395:  99999 99999  99999 99999  99999 99999  99999 99999  99999 99999   99999 99999  99999 99999  99999 99999  99999 99999  99999 99999
9396:  99999 99999  99999 99999  99999 99999  99999 99999  99999 99999   99999 99999  99999 99999  99999 99999  99999 99999  99999 99999
9397:  99999 99999  99999 99999  99999 99999  99999 99999  99999 99999   99999 99999  99999 99999  99999 99999  99999 99999  99999 99999
9398:  99999 99999  99999 99999  99999 99999  99999 99999  99999 99999   99999 99999  99999 99999  99999 99999  99999 99999  99999 99999
9399:  99999 99999  99999 99999  99999 99999  99999 99999  99999 99999   99999 99999  99999 99999  99999 99999  99999 99999  99999 99999
```

```
9400:  99999 99999   99999 99999   99999 99999   99999 99999   99999 99999      99999 99999   99999 99999   99999 99999   99999 99999   99999 99999
9401:  99999 99999   99999 99999   99999 99999   99999 99999   99999 99999      99999 99999   99999 99999   99999 99999   99999 99999   99999 99999
9402:  99999 99999   99999 99999   99999 99999   99999 99999   99999 99999      99999 99999   99999 99999   99999 99999   99999 99999   99999 99999
9403:  99999 99999   99999 99999   99999 99999   99999 99999   99999 99999      99999 99999   99999 99999   99999 99999   99999 99999   99999 99999
9404:  99999 99999   99999 99999   99999 99999   99999 99999   99999 99999      99999 99999   99999 99999   99999 99999   99999 99999   99999 99999
9405:  99999 99999   99999 99999   99999 99999   99999 99999   99999 99999      99999 99999   99999 99999   99999 99999   99999 99999   99999 99999
9406:  99999 99999   99999 99999   99999 99999   99999 99999   99999 99999      99999 99999   99999 99999   99999 99999   99999 99999   99999 99999
9407:  99999 99999   99999 99999   99999 99999   99999 99999   99999 99999      99999 99999   99999 99999   99999 99999   99999 99999   99999 99999
9408:  99999 99999   99999 99999   99999 99999   99999 99999   99999 99999      99999 99999   99999 99999   99999 99999   99999 99999   99999 99999
9409:  99999 99999   99999 99999   99999 99999   99999 99999   99999 99999      99999 99999   99999 99999   99999 99999   99999 99999   99999 99999
9410:  99999 99999   99999 99999   99999 99999   99999 99999   99999 99999      99999 99999   99999 99999   99999 99999   99999 99999   99999 99999
9411:  99999 99999   99999 99999   99999 99999   99999 99999   99999 99999      99999 99999   99999 99999   99999 99999   99999 99999   99999 99999
9412:  99999 99999   99999 99999   99999 99999   99999 99999   99999 99999      99999 99999   99999 99999   99999 99999   99999 99999   99999 99999
9413:  99999 99999   99999 99999   99999 99999   99999 99999   99999 99999      99999 99999   99999 99999   99999 99999   99999 99999   99999 99999
9414:  99999 99999   99999 99999   99999 99999   99999 99999   99999 99999      99999 99999   99999 99999   99999 99999   99999 99999   99999 99999
9415:  99999 99999   99999 99999   99999 99999   99999 99999   99999 99999      99999 99999   99999 99999   99999 99999   99999 99999   99999 99999
9416:  99999 99999   99999 99999   99999 99999   99999 99999   99999 99999      99999 99999   99999 99999   99999 99999   99999 99999   99999 99999
9417:  99999 99999   99999 99999   99999 99999   99999 99999   99999 99999      99999 99999   99999 99999   99999 99999   99999 99999   99999 99999
9418:  99999 99999   99999 99999   99999 99999   99999 99999   99999 99999      99999 99999   99999 99999   99999 99999   99999 99999   99999 99999
9419:  99999 99999   99999 99999   99999 99999   99999 99999   99999 99999      99999 99999   99999 99999   99999 99999   99999 99999   99999 99999
9420:  99999 99999   99999 99999   99999 99999   99999 99999   99999 99999      99999 99999   99999 99999   99999 99999   99999 99999   99999 99999
9421:  99999 99999   99999 99999   99999 99999   99999 99999   99999 99999      99999 99999   99999 99999   99999 99999   99999 99999   99999 99999
9422:  99999 99999   99999 99999   99999 99999   99999 99999   99999 99999      99999 99999   99999 99999   99999 99999   99999 99999   99999 99999
9423:  99999 99999   99999 99999   99999 99999   99999 99999   99999 99999      99999 99999   99999 99999   99999 99999   99999 99999   99999 99999
9424:  99999 99999   99999 99999   99999 99999   99999 99999   99999 99999      99999 99999   99999 99999   99999 99999   99999 99999   99999 99999
9425:  99999 99999   99999 99999   99999 99999   99999 99999   99999 99999      99999 99999   99999 99999   99999 99999   99999 99999   99999 99999
9426:  99999 99999   99999 99999   99999 99999   99999 99999   99999 99999      99999 99999   99999 99999   99999 99999   99999 99999   99999 99999
9427:  99999 99999   99999 99999   99999 99999   99999 99999   99999 99999      99999 99999   99999 99999   99999 99999   99999 99999   99999 99999
9428:  99999 99999   99999 99999   99999 99999   99999 99999   99999 99999      99999 99999   99999 99999   99999 99999   99999 99999   99999 99999
9429:  99999 99999   99999 99999   99999 99999   99999 99999   99999 99999      99999 99999   99999 99999   99999 99999   99999 99999   99999 99999
9430:  99999 99999   99999 99999   99999 99999   99999 99999   99999 99999      99999 99999   99999 99999   99999 99999   99999 99999   99999 99999
9431:  99999 99999   99999 99999   99999 99999   99999 99999   99999 99999      99999 99999   99999 99999   99999 99999   99999 99999   99999 99999
9432:  99999 99999   99999 99999   99999 99999   99999 99999   99999 99999      99999 99999   99999 99999   99999 99999   99999 99999   99999 99999
9433:  99999 99999   99999 99999   99999 99999   99999 99999   99999 99999      99999 99999   99999 99999   99999 99999   99999 99999   99999 99999
9434:  99999 99999   99999 99999   99999 99999   99999 99999   99999 99999      99999 99999   99999 99999   99999 99999   99999 99999   99999 99999
9435:  99999 99999   99999 99999   99999 99999   99999 99999   99999 99999      99999 99999   99999 99999   99999 99999   99999 99999   99999 99999
9436:  99999 99999   99999 99999   99999 99999   99999 99999   99999 99999      99999 99999   99999 99999   99999 99999   99999 99999   99999 99999
9437:  99999 99999   99999 99999   99999 99999   99999 99999   99999 99999      99999 99999   99999 99999   99999 99999   99999 99999   99999 99999
9438:  99999 99999   99999 99999   99999 99999   99999 99999   99999 99999      99999 99999   99999 99999   99999 99999   99999 99999   99999 99999
9439:  99999 99999   99999 99999   99999 99999   99999 99999   99999 99999      99999 99999   99999 99999   99999 99999   99999 99999   99999 99999
9440:  99999 99999   99999 99999   99999 99999   99999 99999   99999 99999      99999 99999   99999 99999   99999 99999   99999 99999   99999 99999
9441:  99999 99999   99999 99999   99999 99999   99999 99999   99999 99999      99999 99999   99999 99999   99999 99999   99999 99999   99999 99999
9442:  99999 99999   99999 99999   99999 99999   99999 99999   99999 99999      99999 99999   99999 99999   99999 99999   99999 99999   99999 99999
9443:  99999 99999   99999 99999   99999 99999   99999 99999   99999 99999      99999 99999   99999 99999   99999 99999   99999 99999   99999 99999
9444:  99999 99999   99999 99999   99999 99999   99999 99999   99999 99999      99999 99999   99999 99999   99999 99999   99999 99999   99999 99999
9445:  99999 99999   99999 99999   99999 99999   99999 99999   99999 99999      99999 99999   99999 99999   99999 99999   99999 99999   99999 99999
9446:  99999 99999   99999 99999   99999 99999   99999 99999   99999 99999      99999 99999   99999 99999   99999 99999   99999 99999   99999 99999
9447:  99999 99999   99999 99999   99999 99999   99999 99999   99999 99999      99999 99999   99999 99999   99999 99999   99999 99999   99999 99999
9448:  99999 99999   99999 99999   99999 99999   99999 99999   99999 99999      99999 99999   99999 99999   99999 99999   99999 99999   99999 99999
9449:  99999 99999   99999 99999   99999 99999   99999 99999   99999 99999      99999 99999   99999 99999   99999 99999   99999 99999   99999 99999
```

```
9450:   99999 99999   99999 99999   99999 99999   99999 99999   99999 99999     99999 99999   99999 99999   99999 99999   99999 99999   99999 99999
9451:   99999 99999   99999 99999   99999 99999   99999 99999   99999 99999     99999 99999   99999 99999   99999 99999   99999 99999   99999 99999
9452:   99999 99999   99999 99999   99999 99999   99999 99999   99999 99999     99999 99999   99999 99999   99999 99999   99999 99999   99999 99999
9453:   99999 99999   99999 99999   99999 99999   99999 99999   99999 99999     99999 99999   99999 99999   99999 99999   99999 99999   99999 99999
9454:   99999 99999   99999 99999   99999 99999   99999 99999   99999 99999     99999 99999   99999 99999   99999 99999   99999 99999   99999 99999
9455:   99999 99999   99999 99999   99999 99999   99999 99999   99999 99999     99999 99999   99999 99999   99999 99999   99999 99999   99999 99999
9456:   99999 99999   99999 99999   99999 99999   99999 99999   99999 99999     99999 99999   99999 99999   99999 99999   99999 99999   99999 99999
9457:   99999 99999   99999 99999   99999 99999   99999 99999   99999 99999     99999 99999   99999 99999   99999 99999   99999 99999   99999 99999
9458:   99999 99999   99999 99999   99999 99999   99999 99999   99999 99999     99999 99999   99999 99999   99999 99999   99999 99999   99999 99999
9459:   99999 99999   99999 99999   99999 99999   99999 99999   99999 99999     99999 99999   99999 99999   99999 99999   99999 99999   99999 99999
9460:   99999 99999   99999 99999   99999 99999   99999 99999   99999 99999     99999 99999   99999 99999   99999 99999   99999 99999   99999 99999
9461:   99999 99999   99999 99999   99999 99999   99999 99999   99999 99999     99999 99999   99999 99999   99999 99999   99999 99999   99999 99999
9462:   99999 99999   99999 99999   99999 99999   99999 99999   99999 99999     99999 99999   99999 99999   99999 99999   99999 99999   99999 99999
9463:   99999 99999   99999 99999   99999 99999   99999 99999   99999 99999     99999 99999   99999 99999   99999 99999   99999 99999   99999 99999
9464:   99999 99999   99999 99999   99999 99999   99999 99999   99999 99999     99999 99999   99999 99999   99999 99999   99999 99999   99999 99999
9465:   99999 99999   99999 99999   99999 99999   99999 99999   99999 99999     99999 99999   99999 99999   99999 99999   99999 99999   99999 99999
9466:   99999 99999   99999 99999   99999 99999   99999 99999   99999 99999     99999 99999   99999 99999   99999 99999   99999 99999   99999 99999
9467:   99999 99999   99999 99999   99999 99999   99999 99999   99999 99999     99999 99999   99999 99999   99999 99999   99999 99999   99999 99999
9468:   99999 99999   99999 99999   99999 99999   99999 99999   99999 99999     99999 99999   99999 99999   99999 99999   99999 99999   99999 99999
9469:   99999 99999   99999 99999   99999 99999   99999 99999   99999 99999     99999 99999   99999 99999   99999 99999   99999 99999   99999 99999
9470:   99999 99999   99999 99999   99999 99999   99999 99999   99999 99999     99999 99999   99999 99999   99999 99999   99999 99999   99999 99999
9471:   99999 99999   99999 99999   99999 99999   99999 99999   99999 99999     99999 99999   99999 99999   99999 99999   99999 99999   99999 99999
9472:   99999 99999   99999 99999   99999 99999   99999 99999   99999 99999     99999 99999   99999 99999   99999 99999   99999 99999   99999 99999
9473:   99999 99999   99999 99999   99999 99999   99999 99999   99999 99999     99999 99999   99999 99999   99999 99999   99999 99999   99999 99999
9474:   99999 99999   99999 99999   99999 99999   99999 99999   99999 99999     99999 99999   99999 99999   99999 99999   99999 99999   99999 99999
9475:   99999 99999   99999 99999   99999 99999   99999 99999   99999 99999     99999 99999   99999 99999   99999 99999   99999 99999   99999 99999
9476:   99999 99999   99999 99999   99999 99999   99999 99999   99999 99999     99999 99999   99999 99999   99999 99999   99999 99999   99999 99999
9477:   99999 99999   99999 99999   99999 99999   99999 99999   99999 99999     99999 99999   99999 99999   99999 99999   99999 99999   99999 99999
9478:   99999 99999   99999 99999   99999 99999   99999 99999   99999 99999     99999 99999   99999 99999   99999 99999   99999 99999   99999 99999
9479:   99999 99999   99999 99999   99999 99999   99999 99999   99999 99999     99999 99999   99999 99999   99999 99999   99999 99999   99999 99999
9480:   99999 99999   99999 99999   99999 99999   99999 99999   99999 99999     99999 99999   99999 99999   99999 99999   99999 99999   99999 99999
9481:   99999 99999   99999 99999   99999 99999   99999 99999   99999 99999     99999 99999   99999 99999   99999 99999   99999 99999   99999 99999
9482:   99999 99999   99999 99999   99999 99999   99999 99999   99999 99999     99999 99999   99999 99999   99999 99999   99999 99999   99999 99999
9483:   99999 99999   99999 99999   99999 99999   99999 99999   99999 99999     99999 99999   99999 99999   99999 99999   99999 99999   99999 99999
9484:   99999 99999   99999 99999   99999 99999   99999 99999   99999 99999     99999 99999   99999 99999   99999 99999   99999 99999   99999 99999
9485:   99999 99999   99999 99999   99999 99999   99999 99999   99999 99999     99999 99999   99999 99999   99999 99999   99999 99999   99999 99999
9486:   99999 99999   99999 99999   99999 99999   99999 99999   99999 99999     99999 99999   99999 99999   99999 99999   99999 99999   99999 99999
9487:   99999 99999   99999 99999   99999 99999   99999 99999   99999 99999     99999 99999   99999 99999   99999 99999   99999 99999   99999 99999
9488:   99999 99999   99999 99999   99999 99999   99999 99999   99999 99999     99999 99999   99999 99999   99999 99999   99999 99999   99999 99999
9489:   99999 99999   99999 99999   99999 99999   99999 99999   99999 99999     99999 99999   99999 99999   99999 99999   99999 99999   99999 99999
9490:   99999 99999   99999 99999   99999 99999   99999 99999   99999 99999     99999 99999   99999 99999   99999 99999   99999 99999   99999 99999
9491:   99999 99999   99999 99999   99999 99999   99999 99999   99999 99999     99999 99999   99999 99999   99999 99999   99999 99999   99999 99999
9492:   99999 99999   99999 99999   99999 99999   99999 99999   99999 99999     99999 99999   99999 99999   99999 99999   99999 99999   99999 99999
9493:   99999 99999   99999 99999   99999 99999   99999 99999   99999 99999     99999 99999   99999 99999   99999 99999   99999 99999   99999 99999
9494:   99999 99999   99999 99999   99999 99999   99999 99999   99999 99999     99999 99999   99999 99999   99999 99999   99999 99999   99999 99999
9495:   99999 99999   99999 99999   99999 99999   99999 99999   99999 99999     99999 99999   99999 99999   99999 99999   99999 99999   99999 99999
9496:   99999 99999   99999 99999   99999 99999   99999 99999   99999 99999     99999 99999   99999 99999   99999 99999   99999 99999   99999 99999
9497:   99999 99999   99999 99999   99999 99999   99999 99999   99999 99999     99999 99999   99999 99999   99999 99999   99999 99999   99999 99999
9498:   99999 99999   99999 99999   99999 99999   99999 99999   99999 99999     99999 99999   99999 99999   99999 99999   99999 99999   99999 99999
9499:   99999 99999   99999 99999   99999 99999   99999 99999   99999 99999     99999 99999   99999 99999   99999 99999   99999 99999   99999 99999
```

```
9500:   99999 99999   99999 99999   99999 99999   99999 99999   99999 99999     99999 99999   99999 99999   99999 99999   99999 99999   99999 99999
9501:   99999 99999   99999 99999   99999 99999   99999 99999   99999 99999     99999 99999   99999 99999   99999 99999   99999 99999   99999 99999
9502:   99999 99999   99999 99999   99999 99999   99999 99999   99999 99999     99999 99999   99999 99999   99999 99999   99999 99999   99999 99999
9503:   99999 99999   99999 99999   99999 99999   99999 99999   99999 99999     99999 99999   99999 99999   99999 99999   99999 99999   99999 99999
9504:   99999 99999   99999 99999   99999 99999   99999 99999   99999 99999     99999 99999   99999 99999   99999 99999   99999 99999   99999 99999
9505:   99999 99999   99999 99999   99999 99999   99999 99999   99999 99999     99999 99999   99999 99999   99999 99999   99999 99999   99999 99999
9506:   99999 99999   99999 99999   99999 99999   99999 99999   99999 99999     99999 99999   99999 99999   99999 99999   99999 99999   99999 99999
9507:   99999 99999   99999 99999   99999 99999   99999 99999   99999 99999     99999 99999   99999 99999   99999 99999   99999 99999   99999 99999
9508:   99999 99999   99999 99999   99999 99999   99999 99999   99999 99999     99999 99999   99999 99999   99999 99999   99999 99999   99999 99999
9509:   99999 99999   99999 99999   99999 99999   99999 99999   99999 99999     99999 99999   99999 99999   99999 99999   99999 99999   99999 99999
9510:   99999 99999   99999 99999   99999 99999   99999 99999   99999 99999     99999 99999   99999 99999   99999 99999   99999 99999   99999 99999
9511:   99999 99999   99999 99999   99999 99999   99999 99999   99999 99999     99999 99999   99999 99999   99999 99999   99999 99999   99999 99999
9512:   99999 99999   99999 99999   99999 99999   99999 99999   99999 99999     99999 99999   99999 99999   99999 99999   99999 99999   99999 99999
9513:   99999 99999   99999 99999   99999 99999   99999 99999   99999 99999     99999 99999   99999 99999   99999 99999   99999 99999   99999 99999
9514:   99999 99999   99999 99999   99999 99999   99999 99999   99999 99999     99999 99999   99999 99999   99999 99999   99999 99999   99999 99999
9515:   99999 99999   99999 99999   99999 99999   99999 99999   99999 99999     99999 99999   99999 99999   99999 99999   99999 99999   99999 99999
9516:   99999 99999   99999 99999   99999 99999   99999 99999   99999 99999     99999 99999   99999 99999   99999 99999   99999 99999   99999 99999
9517:   99999 99999   99999 99999   99999 99999   99999 99999   99999 99999     99999 99999   99999 99999   99999 99999   99999 99999   99999 99999
9518:   99999 99999   99999 99999   99999 99999   99999 99999   99999 99999     99999 99999   99999 99999   99999 99999   99999 99999   99999 99999
9519:   99999 99999   99999 99999   99999 99999   99999 99999   99999 99999     99999 99999   99999 99999   99999 99999   99999 99999   99999 99999
9520:   99999 99999   99999 99999   99999 99999   99999 99999   99999 99999     99999 99999   99999 99999   99999 99999   99999 99999   99999 99999
9521:   99999 99999   99999 99999   99999 99999   99999 99999   99999 99999     99999 99999   99999 99999   99999 99999   99999 99999   99999 99999
9522:   99999 99999   99999 99999   99999 99999   99999 99999   99999 99999     99999 99999   99999 99999   99999 99999   99999 99999   99999 99999
9523:   99999 99999   99999 99999   99999 99999   99999 99999   99999 99999     99999 99999   99999 99999   99999 99999   99999 99999   99999 99999
9524:   99999 99999   99999 99999   99999 99999   99999 99999   99999 99999     99999 99999   99999 99999   99999 99999   99999 99999   99999 99999
9525:   99999 99999   99999 99999   99999 99999   99999 99999   99999 99999     99999 99999   99999 99999   99999 99999   99999 99999   99999 99999
9526:   99999 99999   99999 99999   99999 99999   99999 99999   99999 99999     99999 99999   99999 99999   99999 99999   99999 99999   99999 99999
9527:   99999 99999   99999 99999   99999 99999   99999 99999   99999 99999     99999 99999   99999 99999   99999 99999   99999 99999   99999 99999
9528:   99999 99999   99999 99999   99999 99999   99999 99999   99999 99999     99999 99999   99999 99999   99999 99999   99999 99999   99999 99999
9529:   99999 99999   99999 99999   99999 99999   99999 99999   99999 99999     99999 99999   99999 99999   99999 99999   99999 99999   99999 99999
9530:   99999 99999   99999 99999   99999 99999   99999 99999   99999 99999     99999 99999   99999 99999   99999 99999   99999 99999   99999 99999
9531:   99999 99999   99999 99999   99999 99999   99999 99999   99999 99999     99999 99999   99999 99999   99999 99999   99999 99999   99999 99999
9532:   99999 99999   99999 99999   99999 99999   99999 99999   99999 99999     99999 99999   99999 99999   99999 99999   99999 99999   99999 99999
9533:   99999 99999   99999 99999   99999 99999   99999 99999   99999 99999     99999 99999   99999 99999   99999 99999   99999 99999   99999 99999
9534:   99999 99999   99999 99999   99999 99999   99999 99999   99999 99999     99999 99999   99999 99999   99999 99999   99999 99999   99999 99999
9535:   99999 99999   99999 99999   99999 99999   99999 99999   99999 99999     99999 99999   99999 99999   99999 99999   99999 99999   99999 99999
9536:   99999 99999   99999 99999   99999 99999   99999 99999   99999 99999     99999 99999   99999 99999   99999 99999   99999 99999   99999 99999
9537:   99999 99999   99999 99999   99999 99999   99999 99999   99999 99999     99999 99999   99999 99999   99999 99999   99999 99999   99999 99999
9538:   99999 99999   99999 99999   99999 99999   99999 99999   99999 99999     99999 99999   99999 99999   99999 99999   99999 99999   99999 99999
9539:   99999 99999   99999 99999   99999 99999   99999 99999   99999 99999     99999 99999   99999 99999   99999 99999   99999 99999   99999 99999
9540:   99999 99999   99999 99999   99999 99999   99999 99999   99999 99999     99999 99999   99999 99999   99999 99999   99999 99999   99999 99999
9541:   99999 99999   99999 99999   99999 99999   99999 99999   99999 99999     99999 99999   99999 99999   99999 99999   99999 99999   99999 99999
9542:   99999 99999   99999 99999   99999 99999   99999 99999   99999 99999     99999 99999   99999 99999   99999 99999   99999 99999   99999 99999
9543:   99999 99999   99999 99999   99999 99999   99999 99999   99999 99999     99999 99999   99999 99999   99999 99999   99999 99999   99999 99999
9544:   99999 99999   99999 99999   99999 99999   99999 99999   99999 99999     99999 99999   99999 99999   99999 99999   99999 99999   99999 99999
9545:   99999 99999   99999 99999   99999 99999   99999 99999   99999 99999     99999 99999   99999 99999   99999 99999   99999 99999   99999 99999
9546:   99999 99999   99999 99999   99999 99999   99999 99999   99999 99999     99999 99999   99999 99999   99999 99999   99999 99999   99999 99999
9547:   99999 99999   99999 99999   99999 99999   99999 99999   99999 99999     99999 99999   99999 99999   99999 99999   99999 99999   99999 99999
9548:   99999 99999   99999 99999   99999 99999   99999 99999   99999 99999     99999 99999   99999 99999   99999 99999   99999 99999   99999 99999
9549:   99999 99999   99999 99999   99999 99999   99999 99999   99999 99999     99999 99999   99999 99999   99999 99999   99999 99999   99999 99999
```

```
9550:   99999 99999   99999 99999   99999 99999   99999 99999   99999 99999     99999 99999   99999 99999   99999 99999   99999 99999   99999 99999
9551:   99999 99999   99999 99999   99999 99999   99999 99999   99999 99999     99999 99999   99999 99999   99999 99999   99999 99999   99999 99999
9552:   99999 99999   99999 99999   99999 99999   99999 99999   99999 99999     99999 99999   99999 99999   99999 99999   99999 99999   99999 99999
9553:   99999 99999   99999 99999   99999 99999   99999 99999   99999 99999     99999 99999   99999 99999   99999 99999   99999 99999   99999 99999
9554:   99999 99999   99999 99999   99999 99999   99999 99999   99999 99999     99999 99999   99999 99999   99999 99999   99999 99999   99999 99999
9555:   99999 99999   99999 99999   99999 99999   99999 99999   99999 99999     99999 99999   99999 99999   99999 99999   99999 99999   99999 99999
9556:   99999 99999   99999 99999   99999 99999   99999 99999   99999 99999     99999 99999   99999 99999   99999 99999   99999 99999   99999 99999
9557:   99999 99999   99999 99999   99999 99999   99999 99999   99999 99999     99999 99999   99999 99999   99999 99999   99999 99999   99999 99999
9558:   99999 99999   99999 99999   99999 99999   99999 99999   99999 99999     99999 99999   99999 99999   99999 99999   99999 99999   99999 99999
9559:   99999 99999   99999 99999   99999 99999   99999 99999   99999 99999     99999 99999   99999 99999   99999 99999   99999 99999   99999 99999
9560:   99999 99999   99999 99999   99999 99999   99999 99999   99999 99999     99999 99999   99999 99999   99999 99999   99999 99999   99999 99999
9561:   99999 99999   99999 99999   99999 99999   99999 99999   99999 99999     99999 99999   99999 99999   99999 99999   99999 99999   99999 99999
9562:   99999 99999   99999 99999   99999 99999   99999 99999   99999 99999     99999 99999   99999 99999   99999 99999   99999 99999   99999 99999
9563:   99999 99999   99999 99999   99999 99999   99999 99999   99999 99999     99999 99999   99999 99999   99999 99999   99999 99999   99999 99999
9564:   99999 99999   99999 99999   99999 99999   99999 99999   99999 99999     99999 99999   99999 99999   99999 99999   99999 99999   99999 99999
9565:   99999 99999   99999 99999   99999 99999   99999 99999   99999 99999     99999 99999   99999 99999   99999 99999   99999 99999   99999 99999
9566:   99999 99999   99999 99999   99999 99999   99999 99999   99999 99999     99999 99999   99999 99999   99999 99999   99999 99999   99999 99999
9567:   99999 99999   99999 99999   99999 99999   99999 99999   99999 99999     99999 99999   99999 99999   99999 99999   99999 99999   99999 99999
9568:   99999 99999   99999 99999   99999 99999   99999 99999   99999 99999     99999 99999   99999 99999   99999 99999   99999 99999   99999 99999
9569:   99999 99999   99999 99999   99999 99999   99999 99999   99999 99999     99999 99999   99999 99999   99999 99999   99999 99999   99999 99999
9570:   99999 99999   99999 99999   99999 99999   99999 99999   99999 99999     99999 99999   99999 99999   99999 99999   99999 99999   99999 99999
9571:   99999 99999   99999 99999   99999 99999   99999 99999   99999 99999     99999 99999   99999 99999   99999 99999   99999 99999   99999 99999
9572:   99999 99999   99999 99999   99999 99999   99999 99999   99999 99999     99999 99999   99999 99999   99999 99999   99999 99999   99999 99999
9573:   99999 99999   99999 99999   99999 99999   99999 99999   99999 99999     99999 99999   99999 99999   99999 99999   99999 99999   99999 99999
9574:   99999 99999   99999 99999   99999 99999   99999 99999   99999 99999     99999 99999   99999 99999   99999 99999   99999 99999   99999 99999
9575:   99999 99999   99999 99999   99999 99999   99999 99999   99999 99999     99999 99999   99999 99999   99999 99999   99999 99999   99999 99999
9576:   99999 99999   99999 99999   99999 99999   99999 99999   99999 99999     99999 99999   99999 99999   99999 99999   99999 99999   99999 99999
9577:   99999 99999   99999 99999   99999 99999   99999 99999   99999 99999     99999 99999   99999 99999   99999 99999   99999 99999   99999 99999
9578:   99999 99999   99999 99999   99999 99999   99999 99999   99999 99999     99999 99999   99999 99999   99999 99999   99999 99999   99999 99999
9579:   99999 99999   99999 99999   99999 99999   99999 99999   99999 99999     99999 99999   99999 99999   99999 99999   99999 99999   99999 99999
9580:   99999 99999   99999 99999   99999 99999   99999 99999   99999 99999     99999 99999   99999 99999   99999 99999   99999 99999   99999 99999
9581:   99999 99999   99999 99999   99999 99999   99999 99999   99999 99999     99999 99999   99999 99999   99999 99999   99999 99999   99999 99999
9582:   99999 99999   99999 99999   99999 99999   99999 99999   99999 99999     99999 99999   99999 99999   99999 99999   99999 99999   99999 99999
9583:   99999 99999   99999 99999   99999 99999   99999 99999   99999 99999     99999 99999   99999 99999   99999 99999   99999 99999   99999 99999
9584:   99999 99999   99999 99999   99999 99999   99999 99999   99999 99999     99999 99999   99999 99999   99999 99999   99999 99999   99999 99999
9585:   99999 99999   99999 99999   99999 99999   99999 99999   99999 99999     99999 99999   99999 99999   99999 99999   99999 99999   99999 99999
9586:   99999 99999   99999 99999   99999 99999   99999 99999   99999 99999     99999 99999   99999 99999   99999 99999   99999 99999   99999 99999
9587:   99999 99999   99999 99999   99999 99999   99999 99999   99999 99999     99999 99999   99999 99999   99999 99999   99999 99999   99999 99999
9588:   99999 99999   99999 99999   99999 99999   99999 99999   99999 99999     99999 99999   99999 99999   99999 99999   99999 99999   99999 99999
9589:   99999 99999   99999 99999   99999 99999   99999 99999   99999 99999     99999 99999   99999 99999   99999 99999   99999 99999   99999 99999
9590:   99999 99999   99999 99999   99999 99999   99999 99999   99999 99999     99999 99999   99999 99999   99999 99999   99999 99999   99999 99999
9591:   99999 99999   99999 99999   99999 99999   99999 99999   99999 99999     99999 99999   99999 99999   99999 99999   99999 99999   99999 99999
9592:   99999 99999   99999 99999   99999 99999   99999 99999   99999 99999     99999 99999   99999 99999   99999 99999   99999 99999   99999 99999
9593:   99999 99999   99999 99999   99999 99999   99999 99999   99999 99999     99999 99999   99999 99999   99999 99999   99999 99999   99999 99999
9594:   99999 99999   99999 99999   99999 99999   99999 99999   99999 99999     99999 99999   99999 99999   99999 99999   99999 99999   99999 99999
9595:   99999 99999   99999 99999   99999 99999   99999 99999   99999 99999     99999 99999   99999 99999   99999 99999   99999 99999   99999 99999
9596:   99999 99999   99999 99999   99999 99999   99999 99999   99999 99999     99999 99999   99999 99999   99999 99999   99999 99999   99999 99999
9597:   99999 99999   99999 99999   99999 99999   99999 99999   99999 99999     99999 99999   99999 99999   99999 99999   99999 99999   99999 99999
9598:   99999 99999   99999 99999   99999 99999   99999 99999   99999 99999     99999 99999   99999 99999   99999 99999   99999 99999   99999 99999
9599:   99999 99999   99999 99999   99999 99999   99999 99999   99999 99999     99999 99999   99999 99999   99999 99999   99999 99999   99999 99999
```

```
9600:   99999 99999   99999 99999   99999 99999   99999 99999   99999 99999      99999 99999   99999 99999   99999 99999   99999 99999   99999 99999
9601:   99999 99999   99999 99999   99999 99999   99999 99999   99999 99999      99999 99999   99999 99999   99999 99999   99999 99999   99999 99999
9602:   99999 99999   99999 99999   99999 99999   99999 99999   99999 99999      99999 99999   99999 99999   99999 99999   99999 99999   99999 99999
9603:   99999 99999   99999 99999   99999 99999   99999 99999   99999 99999      99999 99999   99999 99999   99999 99999   99999 99999   99999 99999
9604:   99999 99999   99999 99999   99999 99999   99999 99999   99999 99999      99999 99999   99999 99999   99999 99999   99999 99999   99999 99999
9605:   99999 99999   99999 99999   99999 99999   99999 99999   99999 99999      99999 99999   99999 99999   99999 99999   99999 99999   99999 99999
9606:   99999 99999   99999 99999   99999 99999   99999 99999   99999 99999      99999 99999   99999 99999   99999 99999   99999 99999   99999 99999
9607:   99999 99999   99999 99999   99999 99999   99999 99999   99999 99999      99999 99999   99999 99999   99999 99999   99999 99999   99999 99999
9608:   99999 99999   99999 99999   99999 99999   99999 99999   99999 99999      99999 99999   99999 99999   99999 99999   99999 99999   99999 99999
9609:   99999 99999   99999 99999   99999 99999   99999 99999   99999 99999      99999 99999   99999 99999   99999 99999   99999 99999   99999 99999
9610:   99999 99999   99999 99999   99999 99999   99999 99999   99999 99999      99999 99999   99999 99999   99999 99999   99999 99999   99999 99999
9611:   99999 99999   99999 99999   99999 99999   99999 99999   99999 99999      99999 99999   99999 99999   99999 99999   99999 99999   99999 99999
9612:   99999 99999   99999 99999   99999 99999   99999 99999   99999 99999      99999 99999   99999 99999   99999 99999   99999 99999   99999 99999
9613:   99999 99999   99999 99999   99999 99999   99999 99999   99999 99999      99999 99999   99999 99999   99999 99999   99999 99999   99999 99999
9614:   99999 99999   99999 99999   99999 99999   99999 99999   99999 99999      99999 99999   99999 99999   99999 99999   99999 99999   99999 99999
9615:   99999 99999   99999 99999   99999 99999   99999 99999   99999 99999      99999 99999   99999 99999   99999 99999   99999 99999   99999 99999
9616:   99999 99999   99999 99999   99999 99999   99999 99999   99999 99999      99999 99999   99999 99999   99999 99999   99999 99999   99999 99999
9617:   99999 99999   99999 99999   99999 99999   99999 99999   99999 99999      99999 99999   99999 99999   99999 99999   99999 99999   99999 99999
9618:   99999 99999   99999 99999   99999 99999   99999 99999   99999 99999      99999 99999   99999 99999   99999 99999   99999 99999   99999 99999
9619:   99999 99999   99999 99999   99999 99999   99999 99999   99999 99999      99999 99999   99999 99999   99999 99999   99999 99999   99999 99999
9620:   99999 99999   99999 99999   99999 99999   99999 99999   99999 99999      99999 99999   99999 99999   99999 99999   99999 99999   99999 99999
9621:   99999 99999   99999 99999   99999 99999   99999 99999   99999 99999      99999 99999   99999 99999   99999 99999   99999 99999   99999 99999
9622:   99999 99999   99999 99999   99999 99999   99999 99999   99999 99999      99999 99999   99999 99999   99999 99999   99999 99999   99999 99999
9623:   99999 99999   99999 99999   99999 99999   99999 99999   99999 99999      99999 99999   99999 99999   99999 99999   99999 99999   99999 99999
9624:   99999 99999   99999 99999   99999 99999   99999 99999   99999 99999      99999 99999   99999 99999   99999 99999   99999 99999   99999 99999
9625:   99999 99999   99999 99999   99999 99999   99999 99999   99999 99999      99999 99999   99999 99999   99999 99999   99999 99999   99999 99999
9626:   99999 99999   99999 99999   99999 99999   99999 99999   99999 99999      99999 99999   99999 99999   99999 99999   99999 99999   99999 99999
9627:   99999 99999   99999 99999   99999 99999   99999 99999   99999 99999      99999 99999   99999 99999   99999 99999   99999 99999   99999 99999
9628:   99999 99999   99999 99999   99999 99999   99999 99999   99999 99999      99999 99999   99999 99999   99999 99999   99999 99999   99999 99999
9629:   99999 99999   99999 99999   99999 99999   99999 99999   99999 99999      99999 99999   99999 99999   99999 99999   99999 99999   99999 99999
9630:   99999 99999   99999 99999   99999 99999   99999 99999   99999 99999      99999 99999   99999 99999   99999 99999   99999 99999   99999 99999
9631:   99999 99999   99999 99999   99999 99999   99999 99999   99999 99999      99999 99999   99999 99999   99999 99999   99999 99999   99999 99999
9632:   99999 99999   99999 99999   99999 99999   99999 99999   99999 99999      99999 99999   99999 99999   99999 99999   99999 99999   99999 99999
9633:   99999 99999   99999 99999   99999 99999   99999 99999   99999 99999      99999 99999   99999 99999   99999 99999   99999 99999   99999 99999
9634:   99999 99999   99999 99999   99999 99999   99999 99999   99999 99999      99999 99999   99999 99999   99999 99999   99999 99999   99999 99999
9635:   99999 99999   99999 99999   99999 99999   99999 99999   99999 99999      99999 99999   99999 99999   99999 99999   99999 99999   99999 99999
9636:   99999 99999   99999 99999   99999 99999   99999 99999   99999 99999      99999 99999   99999 99999   99999 99999   99999 99999   99999 99999
9637:   99999 99999   99999 99999   99999 99999   99999 99999   99999 99999      99999 99999   99999 99999   99999 99999   99999 99999   99999 99999
9638:   99999 99999   99999 99999   99999 99999   99999 99999   99999 99999      99999 99999   99999 99999   99999 99999   99999 99999   99999 99999
9639:   99999 99999   99999 99999   99999 99999   99999 99999   99999 99999      99999 99999   99999 99999   99999 99999   99999 99999   99999 99999
9640:   99999 99999   99999 99999   99999 99999   99999 99999   99999 99999      99999 99999   99999 99999   99999 99999   99999 99999   99999 99999
9641:   99999 99999   99999 99999   99999 99999   99999 99999   99999 99999      99999 99999   99999 99999   99999 99999   99999 99999   99999 99999
9642:   99999 99999   99999 99999   99999 99999   99999 99999   99999 99999      99999 99999   99999 99999   99999 99999   99999 99999   99999 99999
9643:   99999 99999   99999 99999   99999 99999   99999 99999   99999 99999      99999 99999   99999 99999   99999 99999   99999 99999   99999 99999
9644:   99999 99999   99999 99999   99999 99999   99999 99999   99999 99999      99999 99999   99999 99999   99999 99999   99999 99999   99999 99999
9645:   99999 99999   99999 99999   99999 99999   99999 99999   99999 99999      99999 99999   99999 99999   99999 99999   99999 99999   99999 99999
9646:   99999 99999   99999 99999   99999 99999   99999 99999   99999 99999      99999 99999   99999 99999   99999 99999   99999 99999   99999 99999
9647:   99999 99999   99999 99999   99999 99999   99999 99999   99999 99999      99999 99999   99999 99999   99999 99999   99999 99999   99999 99999
9648:   99999 99999   99999 99999   99999 99999   99999 99999   99999 99999      99999 99999   99999 99999   99999 99999   99999 99999   99999 99999
9649:   99999 99999   99999 99999   99999 99999   99999 99999   99999 99999      99999 99999   99999 99999   99999 99999   99999 99999   99999 99999
```

```
9650:   99999 99999   99999 99999   99999 99999   99999 99999   99999 99999     99999 99999   99999 99999   99999 99999   99999 99999   99999 99999
9651:   99999 99999   99999 99999   99999 99999   99999 99999   99999 99999     99999 99999   99999 99999   99999 99999   99999 99999   99999 99999
9652:   99999 99999   99999 99999   99999 99999   99999 99999   99999 99999     99999 99999   99999 99999   99999 99999   99999 99999   99999 99999
9653:   99999 99999   99999 99999   99999 99999   99999 99999   99999 99999     99999 99999   99999 99999   99999 99999   99999 99999   99999 99999
9654:   99999 99999   99999 99999   99999 99999   99999 99999   99999 99999     99999 99999   99999 99999   99999 99999   99999 99999   99999 99999
9655:   99999 99999   99999 99999   99999 99999   99999 99999   99999 99999     99999 99999   99999 99999   99999 99999   99999 99999   99999 99999
9656:   99999 99999   99999 99999   99999 99999   99999 99999   99999 99999     99999 99999   99999 99999   99999 99999   99999 99999   99999 99999
9657:   99999 99999   99999 99999   99999 99999   99999 99999   99999 99999     99999 99999   99999 99999   99999 99999   99999 99999   99999 99999
9658:   99999 99999   99999 99999   99999 99999   99999 99999   99999 99999     99999 99999   99999 99999   99999 99999   99999 99999   99999 99999
9659:   99999 99999   99999 99999   99999 99999   99999 99999   99999 99999     99999 99999   99999 99999   99999 99999   99999 99999   99999 99999
9660:   99999 99999   99999 99999   99999 99999   99999 99999   99999 99999     99999 99999   99999 99999   99999 99999   99999 99999   99999 99999
9661:   99999 99999   99999 99999   99999 99999   99999 99999   99999 99999     99999 99999   99999 99999   99999 99999   99999 99999   99999 99999
9662:   99999 99999   99999 99999   99999 99999   99999 99999   99999 99999     99999 99999   99999 99999   99999 99999   99999 99999   99999 99999
9663:   99999 99999   99999 99999   99999 99999   99999 99999   99999 99999     99999 99999   99999 99999   99999 99999   99999 99999   99999 99999
9664:   99999 99999   99999 99999   99999 99999   99999 99999   99999 99999     99999 99999   99999 99999   99999 99999   99999 99999   99999 99999
9665:   99999 99999   99999 99999   99999 99999   99999 99999   99999 99999     99999 99999   99999 99999   99999 99999   99999 99999   99999 99999
9666:   99999 99999   99999 99999   99999 99999   99999 99999   99999 99999     99999 99999   99999 99999   99999 99999   99999 99999   99999 99999
9667:   99999 99999   99999 99999   99999 99999   99999 99999   99999 99999     99999 99999   99999 99999   99999 99999   99999 99999   99999 99999
9668:   99999 99999   99999 99999   99999 99999   99999 99999   99999 99999     99999 99999   99999 99999   99999 99999   99999 99999   99999 99999
9669:   99999 99999   99999 99999   99999 99999   99999 99999   99999 99999     99999 99999   99999 99999   99999 99999   99999 99999   99999 99999
9670:   99999 99999   99999 99999   99999 99999   99999 99999   99999 99999     99999 99999   99999 99999   99999 99999   99999 99999   99999 99999
9671:   99999 99999   99999 99999   99999 99999   99999 99999   99999 99999     99999 99999   99999 99999   99999 99999   99999 99999   99999 99999
9672:   99999 99999   99999 99999   99999 99999   99999 99999   99999 99999     99999 99999   99999 99999   99999 99999   99999 99999   99999 99999
9673:   99999 99999   99999 99999   99999 99999   99999 99999   99999 99999     99999 99999   99999 99999   99999 99999   99999 99999   99999 99999
9674:   99999 99999   99999 99999   99999 99999   99999 99999   99999 99999     99999 99999   99999 99999   99999 99999   99999 99999   99999 99999
9675:   99999 99999   99999 99999   99999 99999   99999 99999   99999 99999     99999 99999   99999 99999   99999 99999   99999 99999   99999 99999
9676:   99999 99999   99999 99999   99999 99999   99999 99999   99999 99999     99999 99999   99999 99999   99999 99999   99999 99999   99999 99999
9677:   99999 99999   99999 99999   99999 99999   99999 99999   99999 99999     99999 99999   99999 99999   99999 99999   99999 99999   99999 99999
9678:   99999 99999   99999 99999   99999 99999   99999 99999   99999 99999     99999 99999   99999 99999   99999 99999   99999 99999   99999 99999
9679:   99999 99999   99999 99999   99999 99999   99999 99999   99999 99999     99999 99999   99999 99999   99999 99999   99999 99999   99999 99999
9680:   99999 99999   99999 99999   99999 99999   99999 99999   99999 99999     99999 99999   99999 99999   99999 99999   99999 99999   99999 99999
9681:   99999 99999   99999 99999   99999 99999   99999 99999   99999 99999     99999 99999   99999 99999   99999 99999   99999 99999   99999 99999
9682:   99999 99999   99999 99999   99999 99999   99999 99999   99999 99999     99999 99999   99999 99999   99999 99999   99999 99999   99999 99999
9683:   99999 99999   99999 99999   99999 99999   99999 99999   99999 99999     99999 99999   99999 99999   99999 99999   99999 99999   99999 99999
9684:   99999 99999   99999 99999   99999 99999   99999 99999   99999 99999     99999 99999   99999 99999   99999 99999   99999 99999   99999 99999
9685:   99999 99999   99999 99999   99999 99999   99999 99999   99999 99999     99999 99999   99999 99999   99999 99999   99999 99999   99999 99999
9686:   99999 99999   99999 99999   99999 99999   99999 99999   99999 99999     99999 99999   99999 99999   99999 99999   99999 99999   99999 99999
9687:   99999 99999   99999 99999   99999 99999   99999 99999   99999 99999     99999 99999   99999 99999   99999 99999   99999 99999   99999 99999
9688:   99999 99999   99999 99999   99999 99999   99999 99999   99999 99999     99999 99999   99999 99999   99999 99999   99999 99999   99999 99999
9689:   99999 99999   99999 99999   99999 99999   99999 99999   99999 99999     99999 99999   99999 99999   99999 99999   99999 99999   99999 99999
9690:   99999 99999   99999 99999   99999 99999   99999 99999   99999 99999     99999 99999   99999 99999   99999 99999   99999 99999   99999 99999
9691:   99999 99999   99999 99999   99999 99999   99999 99999   99999 99999     99999 99999   99999 99999   99999 99999   99999 99999   99999 99999
9692:   99999 99999   99999 99999   99999 99999   99999 99999   99999 99999     99999 99999   99999 99999   99999 99999   99999 99999   99999 99999
9693:   99999 99999   99999 99999   99999 99999   99999 99999   99999 99999     99999 99999   99999 99999   99999 99999   99999 99999   99999 99999
9694:   99999 99999   99999 99999   99999 99999   99999 99999   99999 99999     99999 99999   99999 99999   99999 99999   99999 99999   99999 99999
9695:   99999 99999   99999 99999   99999 99999   99999 99999   99999 99999     99999 99999   99999 99999   99999 99999   99999 99999   99999 99999
9696:   99999 99999   99999 99999   99999 99999   99999 99999   99999 99999     99999 99999   99999 99999   99999 99999   99999 99999   99999 99999
9697:   99999 99999   99999 99999   99999 99999   99999 99999   99999 99999     99999 99999   99999 99999   99999 99999   99999 99999   99999 99999
9698:   99999 99999   99999 99999   99999 99999   99999 99999   99999 99999     99999 99999   99999 99999   99999 99999   99999 99999   99999 99999
9699:   99999 99999   99999 99999   99999 99999   99999 99999   99999 99999     99999 99999   99999 99999   99999 99999   99999 99999   99999 99999
```

```
9700:   99999 99999   99999 99999   99999 99999   99999 99999   99999 99999     99999 99999   99999 99999   99999 99999   99999 99999   99999 99999
9701:   99999 99999   99999 99999   99999 99999   99999 99999   99999 99999     99999 99999   99999 99999   99999 99999   99999 99999   99999 99999
9702:   99999 99999   99999 99999   99999 99999   99999 99999   99999 99999     99999 99999   99999 99999   99999 99999   99999 99999   99999 99999
9703:   99999 99999   99999 99999   99999 99999   99999 99999   99999 99999     99999 99999   99999 99999   99999 99999   99999 99999   99999 99999
9704:   99999 99999   99999 99999   99999 99999   99999 99999   99999 99999     99999 99999   99999 99999   99999 99999   99999 99999   99999 99999
9705:   99999 99999   99999 99999   99999 99999   99999 99999   99999 99999     99999 99999   99999 99999   99999 99999   99999 99999   99999 99999
9706:   99999 99999   99999 99999   99999 99999   99999 99999   99999 99999     99999 99999   99999 99999   99999 99999   99999 99999   99999 99999
9707:   99999 99999   99999 99999   99999 99999   99999 99999   99999 99999     99999 99999   99999 99999   99999 99999   99999 99999   99999 99999
9708:   99999 99999   99999 99999   99999 99999   99999 99999   99999 99999     99999 99999   99999 99999   99999 99999   99999 99999   99999 99999
9709:   99999 99999   99999 99999   99999 99999   99999 99999   99999 99999     99999 99999   99999 99999   99999 99999   99999 99999   99999 99999
9710:   99999 99999   99999 99999   99999 99999   99999 99999   99999 99999     99999 99999   99999 99999   99999 99999   99999 99999   99999 99999
9711:   99999 99999   99999 99999   99999 99999   99999 99999   99999 99999     99999 99999   99999 99999   99999 99999   99999 99999   99999 99999
9712:   99999 99999   99999 99999   99999 99999   99999 99999   99999 99999     99999 99999   99999 99999   99999 99999   99999 99999   99999 99999
9713:   99999 99999   99999 99999   99999 99999   99999 99999   99999 99999     99999 99999   99999 99999   99999 99999   99999 99999   99999 99999
9714:   99999 99999   99999 99999   99999 99999   99999 99999   99999 99999     99999 99999   99999 99999   99999 99999   99999 99999   99999 99999
9715:   99999 99999   99999 99999   99999 99999   99999 99999   99999 99999     99999 99999   99999 99999   99999 99999   99999 99999   99999 99999
9716:   99999 99999   99999 99999   99999 99999   99999 99999   99999 99999     99999 99999   99999 99999   99999 99999   99999 99999   99999 99999
9717:   99999 99999   99999 99999   99999 99999   99999 99999   99999 99999     99999 99999   99999 99999   99999 99999   99999 99999   99999 99999
9718:   99999 99999   99999 99999   99999 99999   99999 99999   99999 99999     99999 99999   99999 99999   99999 99999   99999 99999   99999 99999
9719:   99999 99999   99999 99999   99999 99999   99999 99999   99999 99999     99999 99999   99999 99999   99999 99999   99999 99999   99999 99999
9720:   99999 99999   99999 99999   99999 99999   99999 99999   99999 99999     99999 99999   99999 99999   99999 99999   99999 99999   99999 99999
9721:   99999 99999   99999 99999   99999 99999   99999 99999   99999 99999     99999 99999   99999 99999   99999 99999   99999 99999   99999 99999
9722:   99999 99999   99999 99999   99999 99999   99999 99999   99999 99999     99999 99999   99999 99999   99999 99999   99999 99999   99999 99999
9723:   99999 99999   99999 99999   99999 99999   99999 99999   99999 99999     99999 99999   99999 99999   99999 99999   99999 99999   99999 99999
9724:   99999 99999   99999 99999   99999 99999   99999 99999   99999 99999     99999 99999   99999 99999   99999 99999   99999 99999   99999 99999
9725:   99999 99999   99999 99999   99999 99999   99999 99999   99999 99999     99999 99999   99999 99999   99999 99999   99999 99999   99999 99999
9726:   99999 99999   99999 99999   99999 99999   99999 99999   99999 99999     99999 99999   99999 99999   99999 99999   99999 99999   99999 99999
9727:   99999 99999   99999 99999   99999 99999   99999 99999   99999 99999     99999 99999   99999 99999   99999 99999   99999 99999   99999 99999
9728:   99999 99999   99999 99999   99999 99999   99999 99999   99999 99999     99999 99999   99999 99999   99999 99999   99999 99999   99999 99999
9729:   99999 99999   99999 99999   99999 99999   99999 99999   99999 99999     99999 99999   99999 99999   99999 99999   99999 99999   99999 99999
9730:   99999 99999   99999 99999   99999 99999   99999 99999   99999 99999     99999 99999   99999 99999   99999 99999   99999 99999   99999 99999
9731:   99999 99999   99999 99999   99999 99999   99999 99999   99999 99999     99999 99999   99999 99999   99999 99999   99999 99999   99999 99999
9732:   99999 99999   99999 99999   99999 99999   99999 99999   99999 99999     99999 99999   99999 99999   99999 99999   99999 99999   99999 99999
9733:   99999 99999   99999 99999   99999 99999   99999 99999   99999 99999     99999 99999   99999 99999   99999 99999   99999 99999   99999 99999
9734:   99999 99999   99999 99999   99999 99999   99999 99999   99999 99999     99999 99999   99999 99999   99999 99999   99999 99999   99999 99999
9735:   99999 99999   99999 99999   99999 99999   99999 99999   99999 99999     99999 99999   99999 99999   99999 99999   99999 99999   99999 99999
9736:   99999 99999   99999 99999   99999 99999   99999 99999   99999 99999     99999 99999   99999 99999   99999 99999   99999 99999   99999 99999
9737:   99999 99999   99999 99999   99999 99999   99999 99999   99999 99999     99999 99999   99999 99999   99999 99999   99999 99999   99999 99999
9738:   99999 99999   99999 99999   99999 99999   99999 99999   99999 99999     99999 99999   99999 99999   99999 99999   99999 99999   99999 99999
9739:   99999 99999   99999 99999   99999 99999   99999 99999   99999 99999     99999 99999   99999 99999   99999 99999   99999 99999   99999 99999
9740:   99999 99999   99999 99999   99999 99999   99999 99999   99999 99999     99999 99999   99999 99999   99999 99999   99999 99999   99999 99999
9741:   99999 99999   99999 99999   99999 99999   99999 99999   99999 99999     99999 99999   99999 99999   99999 99999   99999 99999   99999 99999
9742:   99999 99999   99999 99999   99999 99999   99999 99999   99999 99999     99999 99999   99999 99999   99999 99999   99999 99999   99999 99999
9743:   99999 99999   99999 99999   99999 99999   99999 99999   99999 99999     99999 99999   99999 99999   99999 99999   99999 99999   99999 99999
9744:   99999 99999   99999 99999   99999 99999   99999 99999   99999 99999     99999 99999   99999 99999   99999 99999   99999 99999   99999 99999
9745:   99999 99999   99999 99999   99999 99999   99999 99999   99999 99999     99999 99999   99999 99999   99999 99999   99999 99999   99999 99999
9746:   99999 99999   99999 99999   99999 99999   99999 99999   99999 99999     99999 99999   99999 99999   99999 99999   99999 99999   99999 99999
9747:   99999 99999   99999 99999   99999 99999   99999 99999   99999 99999     99999 99999   99999 99999   99999 99999   99999 99999   99999 99999
9748:   99999 99999   99999 99999   99999 99999   99999 99999   99999 99999     99999 99999   99999 99999   99999 99999   99999 99999   99999 99999
9749:   99999 99999   99999 99999   99999 99999   99999 99999   99999 99999     99999 99999   99999 99999   99999 99999   99999 99999   99999 99999
```

```
9750:  99999 99999  99999 99999  99999 99999  99999 99999  99999 99999    99999 99999  99999 99999  99999 99999  99999 99999  99999 99999
9751:  99999 99999  99999 99999  99999 99999  99999 99999  99999 99999    99999 99999  99999 99999  99999 99999  99999 99999  99999 99999
9752:  99999 99999  99999 99999  99999 99999  99999 99999  99999 99999    99999 99999  99999 99999  99999 99999  99999 99999  99999 99999
9753:  99999 99999  99999 99999  99999 99999  99999 99999  99999 99999    99999 99999  99999 99999  99999 99999  99999 99999  99999 99999
9754:  99999 99999  99999 99999  99999 99999  99999 99999  99999 99999    99999 99999  99999 99999  99999 99999  99999 99999  99999 99999
9755:  99999 99999  99999 99999  99999 99999  99999 99999  99999 99999    99999 99999  99999 99999  99999 99999  99999 99999  99999 99999
9756:  99999 99999  99999 99999  99999 99999  99999 99999  99999 99999    99999 99999  99999 99999  99999 99999  99999 99999  99999 99999
9757:  99999 99999  99999 99999  99999 99999  99999 99999  99999 99999    99999 99999  99999 99999  99999 99999  99999 99999  99999 99999
9758:  99999 99999  99999 99999  99999 99999  99999 99999  99999 99999    99999 99999  99999 99999  99999 99999  99999 99999  99999 99999
9759:  99999 99999  99999 99999  99999 99999  99999 99999  99999 99999    99999 99999  99999 99999  99999 99999  99999 99999  99999 99999
9760:  99999 99999  99999 99999  99999 99999  99999 99999  99999 99999    99999 99999  99999 99999  99999 99999  99999 99999  99999 99999
9761:  99999 99999  99999 99999  99999 99999  99999 99999  99999 99999    99999 99999  99999 99999  99999 99999  99999 99999  99999 99999
9762:  99999 99999  99999 99999  99999 99999  99999 99999  99999 99999    99999 99999  99999 99999  99999 99999  99999 99999  99999 99999
9763:  99999 99999  99999 99999  99999 99999  99999 99999  99999 99999    99999 99999  99999 99999  99999 99999  99999 99999  99999 99999
9764:  99999 99999  99999 99999  99999 99999  99999 99999  99999 99999    99999 99999  99999 99999  99999 99999  99999 99999  99999 99999
9765:  99999 99999  99999 99999  99999 99999  99999 99999  99999 99999    99999 99999  99999 99999  99999 99999  99999 99999  99999 99999
9766:  99999 99999  99999 99999  99999 99999  99999 99999  99999 99999    99999 99999  99999 99999  99999 99999  99999 99999  99999 99999
9767:  99999 99999  99999 99999  99999 99999  99999 99999  99999 99999    99999 99999  99999 99999  99999 99999  99999 99999  99999 99999
9768:  99999 99999  99999 99999  99999 99999  99999 99999  99999 99999    99999 99999  99999 99999  99999 99999  99999 99999  99999 99999
9769:  99999 99999  99999 99999  99999 99999  99999 99999  99999 99999    99999 99999  99999 99999  99999 99999  99999 99999  99999 99999
9770:  99999 99999  99999 99999  99999 99999  99999 99999  99999 99999    99999 99999  99999 99999  99999 99999  99999 99999  99999 99999
9771:  99999 99999  99999 99999  99999 99999  99999 99999  99999 99999    99999 99999  99999 99999  99999 99999  99999 99999  99999 99999
9772:  99999 99999  99999 99999  99999 99999  99999 99999  99999 99999    99999 99999  99999 99999  99999 99999  99999 99999  99999 99999
9773:  99999 99999  99999 99999  99999 99999  99999 99999  99999 99999    99999 99999  99999 99999  99999 99999  99999 99999  99999 99999
9774:  99999 99999  99999 99999  99999 99999  99999 99999  99999 99999    99999 99999  99999 99999  99999 99999  99999 99999  99999 99999
9775:  99999 99999  99999 99999  99999 99999  99999 99999  99999 99999    99999 99999  99999 99999  99999 99999  99999 99999  99999 99999
9776:  99999 99999  99999 99999  99999 99999  99999 99999  99999 99999    99999 99999  99999 99999  99999 99999  99999 99999  99999 99999
9777:  99999 99999  99999 99999  99999 99999  99999 99999  99999 99999    99999 99999  99999 99999  99999 99999  99999 99999  99999 99999
9778:  99999 99999  99999 99999  99999 99999  99999 99999  99999 99999    99999 99999  99999 99999  99999 99999  99999 99999  99999 99999
9779:  99999 99999  99999 99999  99999 99999  99999 99999  99999 99999    99999 99999  99999 99999  99999 99999  99999 99999  99999 99999
9780:  99999 99999  99999 99999  99999 99999  99999 99999  99999 99999    99999 99999  99999 99999  99999 99999  99999 99999  99999 99999
9781:  99999 99999  99999 99999  99999 99999  99999 99999  99999 99999    99999 99999  99999 99999  99999 99999  99999 99999  99999 99999
9782:  99999 99999  99999 99999  99999 99999  99999 99999  99999 99999    99999 99999  99999 99999  99999 99999  99999 99999  99999 99999
9783:  99999 99999  99999 99999  99999 99999  99999 99999  99999 99999    99999 99999  99999 99999  99999 99999  99999 99999  99999 99999
9784:  99999 99999  99999 99999  99999 99999  99999 99999  99999 99999    99999 99999  99999 99999  99999 99999  99999 99999  99999 99999
9785:  99999 99999  99999 99999  99999 99999  99999 99999  99999 99999    99999 99999  99999 99999  99999 99999  99999 99999  99999 99999
9786:  99999 99999  99999 99999  99999 99999  99999 99999  99999 99999    99999 99999  99999 99999  99999 99999  99999 99999  99999 99999
9787:  99999 99999  99999 99999  99999 99999  99999 99999  99999 99999    99999 99999  99999 99999  99999 99999  99999 99999  99999 99999
9788:  99999 99999  99999 99999  99999 99999  99999 99999  99999 99999    99999 99999  99999 99999  99999 99999  99999 99999  99999 99999
9789:  99999 99999  99999 99999  99999 99999  99999 99999  99999 99999    99999 99999  99999 99999  99999 99999  99999 99999  99999 99999
9790:  99999 99999  99999 99999  99999 99999  99999 99999  99999 99999    99999 99999  99999 99999  99999 99999  99999 99999  99999 99999
9791:  99999 99999  99999 99999  99999 99999  99999 99999  99999 99999    99999 99999  99999 99999  99999 99999  99999 99999  99999 99999
9792:  99999 99999  99999 99999  99999 99999  99999 99999  99999 99999    99999 99999  99999 99999  99999 99999  99999 99999  99999 99999
9793:  99999 99999  99999 99999  99999 99999  99999 99999  99999 99999    99999 99999  99999 99999  99999 99999  99999 99999  99999 99999
9794:  99999 99999  99999 99999  99999 99999  99999 99999  99999 99999    99999 99999  99999 99999  99999 99999  99999 99999  99999 99999
9795:  99999 99999  99999 99999  99999 99999  99999 99999  99999 99999    99999 99999  99999 99999  99999 99999  99999 99999  99999 99999
9796:  99999 99999  99999 99999  99999 99999  99999 99999  99999 99999    99999 99999  99999 99999  99999 99999  99999 99999  99999 99999
9797:  99999 99999  99999 99999  99999 99999  99999 99999  99999 99999    99999 99999  99999 99999  99999 99999  99999 99999  99999 99999
9798:  99999 99999  99999 99999  99999 99999  99999 99999  99999 99999    99999 99999  99999 99999  99999 99999  99999 99999  99999 99999
9799:  99999 99999  99999 99999  99999 99999  99999 99999  99999 99999    99999 99999  99999 99999  99999 99999  99999 99999  99999 99999
```

```
9800:  99999 99999  99999 99999  99999 99999  99999 99999  99999 99999   99999 99999  99999 99999  99999 99999  99999 99999  99999 99999
9801:  99999 99999  99999 99999  99999 99999  99999 99999  99999 99999   99999 99999  99999 99999  99999 99999  99999 99999  99999 99999
9802:  99999 99999  99999 99999  99999 99999  99999 99999  99999 99999   99999 99999  99999 99999  99999 99999  99999 99999  99999 99999
9803:  99999 99999  99999 99999  99999 99999  99999 99999  99999 99999   99999 99999  99999 99999  99999 99999  99999 99999  99999 99999
9804:  99999 99999  99999 99999  99999 99999  99999 99999  99999 99999   99999 99999  99999 99999  99999 99999  99999 99999  99999 99999
9805:  99999 99999  99999 99999  99999 99999  99999 99999  99999 99999   99999 99999  99999 99999  99999 99999  99999 99999  99999 99999
9806:  99999 99999  99999 99999  99999 99999  99999 99999  99999 99999   99999 99999  99999 99999  99999 99999  99999 99999  99999 99999
9807:  99999 99999  99999 99999  99999 99999  99999 99999  99999 99999   99999 99999  99999 99999  99999 99999  99999 99999  99999 99999
9808:  99999 99999  99999 99999  99999 99999  99999 99999  99999 99999   99999 99999  99999 99999  99999 99999  99999 99999  99999 99999
9809:  99999 99999  99999 99999  99999 99999  99999 99999  99999 99999   99999 99999  99999 99999  99999 99999  99999 99999  99999 99999
9810:  99999 99999  99999 99999  99999 99999  99999 99999  99999 99999   99999 99999  99999 99999  99999 99999  99999 99999  99999 99999
9811:  99999 99999  99999 99999  99999 99999  99999 99999  99999 99999   99999 99999  99999 99999  99999 99999  99999 99999  99999 99999
9812:  99999 99999  99999 99999  99999 99999  99999 99999  99999 99999   99999 99999  99999 99999  99999 99999  99999 99999  99999 99999
9813:  99999 99999  99999 99999  99999 99999  99999 99999  99999 99999   99999 99999  99999 99999  99999 99999  99999 99999  99999 99999
9814:  99999 99999  99999 99999  99999 99999  99999 99999  99999 99999   99999 99999  99999 99999  99999 99999  99999 99999  99999 99999
9815:  99999 99999  99999 99999  99999 99999  99999 99999  99999 99999   99999 99999  99999 99999  99999 99999  99999 99999  99999 99999
9816:  99999 99999  99999 99999  99999 99999  99999 99999  99999 99999   99999 99999  99999 99999  99999 99999  99999 99999  99999 99999
9817:  99999 99999  99999 99999  99999 99999  99999 99999  99999 99999   99999 99999  99999 99999  99999 99999  99999 99999  99999 99999
9818:  99999 99999  99999 99999  99999 99999  99999 99999  99999 99999   99999 99999  99999 99999  99999 99999  99999 99999  99999 99999
9819:  99999 99999  99999 99999  99999 99999  99999 99999  99999 99999   99999 99999  99999 99999  99999 99999  99999 99999  99999 99999
9820:  99999 99999  99999 99999  99999 99999  99999 99999  99999 99999   99999 99999  99999 99999  99999 99999  99999 99999  99999 99999
9821:  99999 99999  99999 99999  99999 99999  99999 99999  99999 99999   99999 99999  99999 99999  99999 99999  99999 99999  99999 99999
9822:  99999 99999  99999 99999  99999 99999  99999 99999  99999 99999   99999 99999  99999 99999  99999 99999  99999 99999  99999 99999
9823:  99999 99999  99999 99999  99999 99999  99999 99999  99999 99999   99999 99999  99999 99999  99999 99999  99999 99999  99999 99999
9824:  99999 99999  99999 99999  99999 99999  99999 99999  99999 99999   99999 99999  99999 99999  99999 99999  99999 99999  99999 99999
9825:  99999 99999  99999 99999  99999 99999  99999 99999  99999 99999   99999 99999  99999 99999  99999 99999  99999 99999  99999 99999
9826:  99999 99999  99999 99999  99999 99999  99999 99999  99999 99999   99999 99999  99999 99999  99999 99999  99999 99999  99999 99999
9827:  99999 99999  99999 99999  99999 99999  99999 99999  99999 99999   99999 99999  99999 99999  99999 99999  99999 99999  99999 99999
9828:  99999 99999  99999 99999  99999 99999  99999 99999  99999 99999   99999 99999  99999 99999  99999 99999  99999 99999  99999 99999
9829:  99999 99999  99999 99999  99999 99999  99999 99999  99999 99999   99999 99999  99999 99999  99999 99999  99999 99999  99999 99999
9830:  99999 99999  99999 99999  99999 99999  99999 99999  99999 99999   99999 99999  99999 99999  99999 99999  99999 99999  99999 99999
9831:  99999 99999  99999 99999  99999 99999  99999 99999  99999 99999   99999 99999  99999 99999  99999 99999  99999 99999  99999 99999
9832:  99999 99999  99999 99999  99999 99999  99999 99999  99999 99999   99999 99999  99999 99999  99999 99999  99999 99999  99999 99999
9833:  99999 99999  99999 99999  99999 99999  99999 99999  99999 99999   99999 99999  99999 99999  99999 99999  99999 99999  99999 99999
9834:  99999 99999  99999 99999  99999 99999  99999 99999  99999 99999   99999 99999  99999 99999  99999 99999  99999 99999  99999 99999
9835:  99999 99999  99999 99999  99999 99999  99999 99999  99999 99999   99999 99999  99999 99999  99999 99999  99999 99999  99999 99999
9836:  99999 99999  99999 99999  99999 99999  99999 99999  99999 99999   99999 99999  99999 99999  99999 99999  99999 99999  99999 99999
9837:  99999 99999  99999 99999  99999 99999  99999 99999  99999 99999   99999 99999  99999 99999  99999 99999  99999 99999  99999 99999
9838:  99999 99999  99999 99999  99999 99999  99999 99999  99999 99999   99999 99999  99999 99999  99999 99999  99999 99999  99999 99999
9839:  99999 99999  99999 99999  99999 99999  99999 99999  99999 99999   99999 99999  99999 99999  99999 99999  99999 99999  99999 99999
9840:  99999 99999  99999 99999  99999 99999  99999 99999  99999 99999   99999 99999  99999 99999  99999 99999  99999 99999  99999 99999
9841:  99999 99999  99999 99999  99999 99999  99999 99999  99999 99999   99999 99999  99999 99999  99999 99999  99999 99999  99999 99999
9842:  99999 99999  99999 99999  99999 99999  99999 99999  99999 99999   99999 99999  99999 99999  99999 99999  99999 99999  99999 99999
9843:  99999 99999  99999 99999  99999 99999  99999 99999  99999 99999   99999 99999  99999 99999  99999 99999  99999 99999  99999 99999
9844:  99999 99999  99999 99999  99999 99999  99999 99999  99999 99999   99999 99999  99999 99999  99999 99999  99999 99999  99999 99999
9845:  99999 99999  99999 99999  99999 99999  99999 99999  99999 99999   99999 99999  99999 99999  99999 99999  99999 99999  99999 99999
9846:  99999 99999  99999 99999  99999 99999  99999 99999  99999 99999   99999 99999  99999 99999  99999 99999  99999 99999  99999 99999
9847:  99999 99999  99999 99999  99999 99999  99999 99999  99999 99999   99999 99999  99999 99999  99999 99999  99999 99999  99999 99999
9848:  99999 99999  99999 99999  99999 99999  99999 99999  99999 99999   99999 99999  99999 99999  99999 99999  99999 99999  99999 99999
9849:  99999 99999  99999 99999  99999 99999  99999 99999  99999 99999   99999 99999  99999 99999  99999 99999  99999 99999  99999 99999
```

```
9850:  99999 99999   99999 99999   99999 99999   99999 99999   99999 99999      99999 99999   99999 99999   99999 99999   99999 99999   99999 99999
9851:  99999 99999   99999 99999   99999 99999   99999 99999   99999 99999      99999 99999   99999 99999   99999 99999   99999 99999   99999 99999
9852:  99999 99999   99999 99999   99999 99999   99999 99999   99999 99999      99999 99999   99999 99999   99999 99999   99999 99999   99999 99999
9853:  99999 99999   99999 99999   99999 99999   99999 99999   99999 99999      99999 99999   99999 99999   99999 99999   99999 99999   99999 99999
9854:  99999 99999   99999 99999   99999 99999   99999 99999   99999 99999      99999 99999   99999 99999   99999 99999   99999 99999   99999 99999
9855:  99999 99999   99999 99999   99999 99999   99999 99999   99999 99999      99999 99999   99999 99999   99999 99999   99999 99999   99999 99999
9856:  99999 99999   99999 99999   99999 99999   99999 99999   99999 99999      99999 99999   99999 99999   99999 99999   99999 99999   99999 99999
9857:  99999 99999   99999 99999   99999 99999   99999 99999   99999 99999      99999 99999   99999 99999   99999 99999   99999 99999   99999 99999
9858:  99999 99999   99999 99999   99999 99999   99999 99999   99999 99999      99999 99999   99999 99999   99999 99999   99999 99999   99999 99999
9859:  99999 99999   99999 99999   99999 99999   99999 99999   99999 99999      99999 99999   99999 99999   99999 99999   99999 99999   99999 99999
9860:  99999 99999   99999 99999   99999 99999   99999 99999   99999 99999      99999 99999   99999 99999   99999 99999   99999 99999   99999 99999
9861:  99999 99999   99999 99999   99999 99999   99999 99999   99999 99999      99999 99999   99999 99999   99999 99999   99999 99999   99999 99999
9862:  99999 99999   99999 99999   99999 99999   99999 99999   99999 99999      99999 99999   99999 99999   99999 99999   99999 99999   99999 99999
9863:  99999 99999   99999 99999   99999 99999   99999 99999   99999 99999      99999 99999   99999 99999   99999 99999   99999 99999   99999 99999
9864:  99999 99999   99999 99999   99999 99999   99999 99999   99999 99999      99999 99999   99999 99999   99999 99999   99999 99999   99999 99999
9865:  99999 99999   99999 99999   99999 99999   99999 99999   99999 99999      99999 99999   99999 99999   99999 99999   99999 99999   99999 99999
9866:  99999 99999   99999 99999   99999 99999   99999 99999   99999 99999      99999 99999   99999 99999   99999 99999   99999 99999   99999 99999
9867:  99999 99999   99999 99999   99999 99999   99999 99999   99999 99999      99999 99999   99999 99999   99999 99999   99999 99999   99999 99999
9868:  99999 99999   99999 99999   99999 99999   99999 99999   99999 99999      99999 99999   99999 99999   99999 99999   99999 99999   99999 99999
9869:  99999 99999   99999 99999   99999 99999   99999 99999   99999 99999      99999 99999   99999 99999   99999 99999   99999 99999   99999 99999
9870:  99999 99999   99999 99999   99999 99999   99999 99999   99999 99999      99999 99999   99999 99999   99999 99999   99999 99999   99999 99999
9871:  99999 99999   99999 99999   99999 99999   99999 99999   99999 99999      99999 99999   99999 99999   99999 99999   99999 99999   99999 99999
9872:  99999 99999   99999 99999   99999 99999   99999 99999   99999 99999      99999 99999   99999 99999   99999 99999   99999 99999   99999 99999
9873:  99999 99999   99999 99999   99999 99999   99999 99999   99999 99999      99999 99999   99999 99999   99999 99999   99999 99999   99999 99999
9874:  99999 99999   99999 99999   99999 99999   99999 99999   99999 99999      99999 99999   99999 99999   99999 99999   99999 99999   99999 99999
9875:  99999 99999   99999 99999   99999 99999   99999 99999   99999 99999      99999 99999   99999 99999   99999 99999   99999 99999   99999 99999
9876:  99999 99999   99999 99999   99999 99999   99999 99999   99999 99999      99999 99999   99999 99999   99999 99999   99999 99999   99999 99999
9877:  99999 99999   99999 99999   99999 99999   99999 99999   99999 99999      99999 99999   99999 99999   99999 99999   99999 99999   99999 99999
9878:  99999 99999   99999 99999   99999 99999   99999 99999   99999 99999      99999 99999   99999 99999   99999 99999   99999 99999   99999 99999
9879:  99999 99999   99999 99999   99999 99999   99999 99999   99999 99999      99999 99999   99999 99999   99999 99999   99999 99999   99999 99999
9880:  99999 99999   99999 99999   99999 99999   99999 99999   99999 99999      99999 99999   99999 99999   99999 99999   99999 99999   99999 99999
9881:  99999 99999   99999 99999   99999 99999   99999 99999   99999 99999      99999 99999   99999 99999   99999 99999   99999 99999   99999 99999
9882:  99999 99999   99999 99999   99999 99999   99999 99999   99999 99999      99999 99999   99999 99999   99999 99999   99999 99999   99999 99999
9883:  99999 99999   99999 99999   99999 99999   99999 99999   99999 99999      99999 99999   99999 99999   99999 99999   99999 99999   99999 99999
9884:  99999 99999   99999 99999   99999 99999   99999 99999   99999 99999      99999 99999   99999 99999   99999 99999   99999 99999   99999 99999
9885:  99999 99999   99999 99999   99999 99999   99999 99999   99999 99999      99999 99999   99999 99999   99999 99999   99999 99999   99999 99999
9886:  99999 99999   99999 99999   99999 99999   99999 99999   99999 99999      99999 99999   99999 99999   99999 99999   99999 99999   99999 99999
9887:  99999 99999   99999 99999   99999 99999   99999 99999   99999 99999      99999 99999   99999 99999   99999 99999   99999 99999   99999 99999
9888:  99999 99999   99999 99999   99999 99999   99999 99999   99999 99999      99999 99999   99999 99999   99999 99999   99999 99999   99999 99999
9889:  99999 99999   99999 99999   99999 99999   99999 99999   99999 99999      99999 99999   99999 99999   99999 99999   99999 99999   99999 99999
9890:  99999 99999   99999 99999   99999 99999   99999 99999   99999 99999      99999 99999   99999 99999   99999 99999   99999 99999   99999 99999
9891:  99999 99999   99999 99999   99999 99999   99999 99999   99999 99999      99999 99999   99999 99999   99999 99999   99999 99999   99999 99999
9892:  99999 99999   99999 99999   99999 99999   99999 99999   99999 99999      99999 99999   99999 99999   99999 99999   99999 99999   99999 99999
9893:  99999 99999   99999 99999   99999 99999   99999 99999   99999 99999      99999 99999   99999 99999   99999 99999   99999 99999   99999 99999
9894:  99999 99999   99999 99999   99999 99999   99999 99999   99999 99999      99999 99999   99999 99999   99999 99999   99999 99999   99999 99999
9895:  99999 99999   99999 99999   99999 99999   99999 99999   99999 99999      99999 99999   99999 99999   99999 99999   99999 99999   99999 99999
9896:  99999 99999   99999 99999   99999 99999   99999 99999   99999 99999      99999 99999   99999 99999   99999 99999   99999 99999   99999 99999
9897:  99999 99999   99999 99999   99999 99999   99999 99999   99999 99999      99999 99999   99999 99999   99999 99999   99999 99999   99999 99999
9898:  99999 99999   99999 99999   99999 99999   99999 99999   99999 99999      99999 99999   99999 99999   99999 99999   99999 99999   99999 99999
9899:  99999 99999   99999 99999   99999 99999   99999 99999   99999 99999      99999 99999   99999 99999   99999 99999   99999 99999   99999 99999
```

```
9900:   99999 99999   99999 99999   99999 99999   99999 99999   99999 99999      99999 99999   99999 99999   99999 99999   99999 99999   99999 99999
9901:   99999 99999   99999 99999   99999 99999   99999 99999   99999 99999      99999 99999   99999 99999   99999 99999   99999 99999   99999 99999
9902:   99999 99999   99999 99999   99999 99999   99999 99999   99999 99999      99999 99999   99999 99999   99999 99999   99999 99999   99999 99999
9903:   99999 99999   99999 99999   99999 99999   99999 99999   99999 99999      99999 99999   99999 99999   99999 99999   99999 99999   99999 99999
9904:   99999 99999   99999 99999   99999 99999   99999 99999   99999 99999      99999 99999   99999 99999   99999 99999   99999 99999   99999 99999
9905:   99999 99999   99999 99999   99999 99999   99999 99999   99999 99999      99999 99999   99999 99999   99999 99999   99999 99999   99999 99999
9906:   99999 99999   99999 99999   99999 99999   99999 99999   99999 99999      99999 99999   99999 99999   99999 99999   99999 99999   99999 99999
9907:   99999 99999   99999 99999   99999 99999   99999 99999   99999 99999      99999 99999   99999 99999   99999 99999   99999 99999   99999 99999
9908:   99999 99999   99999 99999   99999 99999   99999 99999   99999 99999      99999 99999   99999 99999   99999 99999   99999 99999   99999 99999
9909:   99999 99999   99999 99999   99999 99999   99999 99999   99999 99999      99999 99999   99999 99999   99999 99999   99999 99999   99999 99999
9910:   99999 99999   99999 99999   99999 99999   99999 99999   99999 99999      99999 99999   99999 99999   99999 99999   99999 99999   99999 99999
9911:   99999 99999   99999 99999   99999 99999   99999 99999   99999 99999      99999 99999   99999 99999   99999 99999   99999 99999   99999 99999
9912:   99999 99999   99999 99999   99999 99999   99999 99999   99999 99999      99999 99999   99999 99999   99999 99999   99999 99999   99999 99999
9913:   99999 99999   99999 99999   99999 99999   99999 99999   99999 99999      99999 99999   99999 99999   99999 99999   99999 99999   99999 99999
9914:   99999 99999   99999 99999   99999 99999   99999 99999   99999 99999      99999 99999   99999 99999   99999 99999   99999 99999   99999 99999
9915:   99999 99999   99999 99999   99999 99999   99999 99999   99999 99999      99999 99999   99999 99999   99999 99999   99999 99999   99999 99999
9916:   99999 99999   99999 99999   99999 99999   99999 99999   99999 99999      99999 99999   99999 99999   99999 99999   99999 99999   99999 99999
9917:   99999 99999   99999 99999   99999 99999   99999 99999   99999 99999      99999 99999   99999 99999   99999 99999   99999 99999   99999 99999
9918:   99999 99999   99999 99999   99999 99999   99999 99999   99999 99999      99999 99999   99999 99999   99999 99999   99999 99999   99999 99999
9919:   99999 99999   99999 99999   99999 99999   99999 99999   99999 99999      99999 99999   99999 99999   99999 99999   99999 99999   99999 99999
9920:   99999 99999   99999 99999   99999 99999   99999 99999   99999 99999      99999 99999   99999 99999   99999 99999   99999 99999   99999 99999
9921:   99999 99999   99999 99999   99999 99999   99999 99999   99999 99999      99999 99999   99999 99999   99999 99999   99999 99999   99999 99999
9922:   99999 99999   99999 99999   99999 99999   99999 99999   99999 99999      99999 99999   99999 99999   99999 99999   99999 99999   99999 99999
9923:   99999 99999   99999 99999   99999 99999   99999 99999   99999 99999      99999 99999   99999 99999   99999 99999   99999 99999   99999 99999
9924:   99999 99999   99999 99999   99999 99999   99999 99999   99999 99999      99999 99999   99999 99999   99999 99999   99999 99999   99999 99999
9925:   99999 99999   99999 99999   99999 99999   99999 99999   99999 99999      99999 99999   99999 99999   99999 99999   99999 99999   99999 99999
9926:   99999 99999   99999 99999   99999 99999   99999 99999   99999 99999      99999 99999   99999 99999   99999 99999   99999 99999   99999 99999
9927:   99999 99999   99999 99999   99999 99999   99999 99999   99999 99999      99999 99999   99999 99999   99999 99999   99999 99999   99999 99999
9928:   99999 99999   99999 99999   99999 99999   99999 99999   99999 99999      99999 99999   99999 99999   99999 99999   99999 99999   99999 99999
9929:   99999 99999   99999 99999   99999 99999   99999 99999   99999 99999      99999 99999   99999 99999   99999 99999   99999 99999   99999 99999
9930:   99999 99999   99999 99999   99999 99999   99999 99999   99999 99999      99999 99999   99999 99999   99999 99999   99999 99999   99999 99999
9931:   99999 99999   99999 99999   99999 99999   99999 99999   99999 99999      99999 99999   99999 99999   99999 99999   99999 99999   99999 99999
9932:   99999 99999   99999 99999   99999 99999   99999 99999   99999 99999      99999 99999   99999 99999   99999 99999   99999 99999   99999 99999
9933:   99999 99999   99999 99999   99999 99999   99999 99999   99999 99999      99999 99999   99999 99999   99999 99999   99999 99999   99999 99999
9934:   99999 99999   99999 99999   99999 99999   99999 99999   99999 99999      99999 99999   99999 99999   99999 99999   99999 99999   99999 99999
9935:   99999 99999   99999 99999   99999 99999   99999 99999   99999 99999      99999 99999   99999 99999   99999 99999   99999 99999   99999 99999
9936:   99999 99999   99999 99999   99999 99999   99999 99999   99999 99999      99999 99999   99999 99999   99999 99999   99999 99999   99999 99999
9937:   99999 99999   99999 99999   99999 99999   99999 99999   99999 99999      99999 99999   99999 99999   99999 99999   99999 99999   99999 99999
9938:   99999 99999   99999 99999   99999 99999   99999 99999   99999 99999      99999 99999   99999 99999   99999 99999   99999 99999   99999 99999
9939:   99999 99999   99999 99999   99999 99999   99999 99999   99999 99999      99999 99999   99999 99999   99999 99999   99999 99999   99999 99999
9940:   99999 99999   99999 99999   99999 99999   99999 99999   99999 99999      99999 99999   99999 99999   99999 99999   99999 99999   99999 99999
9941:   99999 99999   99999 99999   99999 99999   99999 99999   99999 99999      99999 99999   99999 99999   99999 99999   99999 99999   99999 99999
9942:   99999 99999   99999 99999   99999 99999   99999 99999   99999 99999      99999 99999   99999 99999   99999 99999   99999 99999   99999 99999
9943:   99999 99999   99999 99999   99999 99999   99999 99999   99999 99999      99999 99999   99999 99999   99999 99999   99999 99999   99999 99999
9944:   99999 99999   99999 99999   99999 99999   99999 99999   99999 99999      99999 99999   99999 99999   99999 99999   99999 99999   99999 99999
9945:   99999 99999   99999 99999   99999 99999   99999 99999   99999 99999      99999 99999   99999 99999   99999 99999   99999 99999   99999 99999
9946:   99999 99999   99999 99999   99999 99999   99999 99999   99999 99999      99999 99999   99999 99999   99999 99999   99999 99999   99999 99999
9947:   99999 99999   99999 99999   99999 99999   99999 99999   99999 99999      99999 99999   99999 99999   99999 99999   99999 99999   99999 99999
9948:   99999 99999   99999 99999   99999 99999   99999 99999   99999 99999      99999 99999   99999 99999   99999 99999   99999 99999   99999 99999
9949:   99999 99999   99999 99999   99999 99999   99999 99999   99999 99999      99999 99999   99999 99999   99999 99999   99999 99999   99999 99999
```

```
9950: 99999 99999  99999 99999  99999 99999  99999 99999  99999 99999    99999 99999  99999 99999  99999 99999  99999 99999  99999 99999
9951: 99999 99999  99999 99999  99999 99999  99999 99999  99999 99999    99999 99999  99999 99999  99999 99999  99999 99999  99999 99999
9952: 99999 99999  99999 99999  99999 99999  99999 99999  99999 99999    99999 99999  99999 99999  99999 99999  99999 99999  99999 99999
9953: 99999 99999  99999 99999  99999 99999  99999 99999  99999 99999    99999 99999  99999 99999  99999 99999  99999 99999  99999 99999
9954: 99999 99999  99999 99999  99999 99999  99999 99999  99999 99999    99999 99999  99999 99999  99999 99999  99999 99999  99999 99999
9955: 99999 99999  99999 99999  99999 99999  99999 99999  99999 99999    99999 99999  99999 99999  99999 99999  99999 99999  99999 99999
9956: 99999 99999  99999 99999  99999 99999  99999 99999  99999 99999    99999 99999  99999 99999  99999 99999  99999 99999  99999 99999
9957: 99999 99999  99999 99999  99999 99999  99999 99999  99999 99999    99999 99999  99999 99999  99999 99999  99999 99999  99999 99999
9958: 99999 99999  99999 99999  99999 99999  99999 99999  99999 99999    99999 99999  99999 99999  99999 99999  99999 99999  99999 99999
9959: 99999 99999  99999 99999  99999 99999  99999 99999  99999 99999    99999 99999  99999 99999  99999 99999  99999 99999  99999 99999
9960: 99999 99999  99999 99999  99999 99999  99999 99999  99999 99999    99999 99999  99999 99999  99999 99999  99999 99999  99999 99999
9961: 99999 99999  99999 99999  99999 99999  99999 99999  99999 99999    99999 99999  99999 99999  99999 99999  99999 99999  99999 99999
9962: 99999 99999  99999 99999  99999 99999  99999 99999  99999 99999    99999 99999  99999 99999  99999 99999  99999 99999  99999 99999
9963: 99999 99999  99999 99999  99999 99999  99999 99999  99999 99999    99999 99999  99999 99999  99999 99999  99999 99999  99999 99999
9964: 99999 99999  99999 99999  99999 99999  99999 99999  99999 99999    99999 99999  99999 99999  99999 99999  99999 99999  99999 99999
9965: 99999 99999  99999 99999  99999 99999  99999 99999  99999 99999    99999 99999  99999 99999  99999 99999  99999 99999  99999 99999
9966: 99999 99999  99999 99999  99999 99999  99999 99999  99999 99999    99999 99999  99999 99999  99999 99999  99999 99999  99999 99999
9967: 99999 99999  99999 99999  99999 99999  99999 99999  99999 99999    99999 99999  99999 99999  99999 99999  99999 99999  99999 99999
9968: 99999 99999  99999 99999  99999 99999  99999 99999  99999 99999    99999 99999  99999 99999  99999 99999  99999 99999  99999 99999
9969: 99999 99999  99999 99999  99999 99999  99999 99999  99999 99999    99999 99999  99999 99999  99999 99999  99999 99999  99999 99999
9970: 99999 99999  99999 99999  99999 99999  99999 99999  99999 99999    99999 99999  99999 99999  99999 99999  99999 99999  99999 99999
9971: 99999 99999  99999 99999  99999 99999  99999 99999  99999 99999    99999 99999  99999 99999  99999 99999  99999 99999  99999 99999
9972: 99999 99999  99999 99999  99999 99999  99999 99999  99999 99999    99999 99999  99999 99999  99999 99999  99999 99999  99999 99999
9973: 99999 99999  99999 99999  99999 99999  99999 99999  99999 99999    99999 99999  99999 99999  99999 99999  99999 99999  99999 99999
9974: 99999 99999  99999 99999  99999 99999  99999 99999  99999 99999    99999 99999  99999 99999  99999 99999  99999 99999  99999 99999
9975: 99999 99999  99999 99999  99999 99999  99999 99999  99999 99999    99999 99999  99999 99999  99999 99999  99999 99999  99999 99999
9976: 99999 99999  99999 99999  99999 99999  99999 99999  99999 99999    99999 99999  99999 99999  99999 99999  99999 99999  99999 99999
9977: 99999 99999  99999 99999  99999 99999  99999 99999  99999 99999    99999 99999  99999 99999  99999 99999  99999 99999  99999 99999
9978: 99999 99999  99999 99999  99999 99999  99999 99999  99999 99999    99999 99999  99999 99999  99999 99999  99999 99999  99999 99999
9979: 99999 99999  99999 99999  99999 99999  99999 99999  99999 99999    99999 99999  99999 99999  99999 99999  99999 99999  99999 99999
9980: 99999 99999  99999 99999  99999 99999  99999 99999  99999 99999    99999 99999  99999 99999  99999 99999  99999 99999  99999 99999
9981: 99999 99999  99999 99999  99999 99999  99999 99999  99999 99999    99999 99999  99999 99999  99999 99999  99999 99999  99999 99999
9982: 99999 99999  99999 99999  99999 99999  99999 99999  99999 99999    99999 99999  99999 99999  99999 99999  99999 99999  99999 99999
9983: 99999 99999  99999 99999  99999 99999  99999 99999  99999 99999    99999 99999  99999 99999  99999 99999  99999 99999  99999 99999
9984: 99999 99999  99999 99999  99999 99999  99999 99999  99999 99999    99999 99999  99999 99999  99999 99999  99999 99999  99999 99999
9985: 99999 99999  99999 99999  99999 99999  99999 99999  99999 99999    99999 99999  99999 99999  99999 99999  99999 99999  99999 99999
9986: 99999 99999  99999 99999  99999 99999  99999 99999  99999 99999    99999 99999  99999 99999  99999 99999  99999 99999  99999 99999
9987: 99999 99999  99999 99999  99999 99999  99999 99999  99999 99999    99999 99999  99999 99999  99999 99999  99999 99999  99999 99999
9988: 99999 99999  99999 99999  99999 99999  99999 99999  99999 99999    99999 99999  99999 99999  99999 99999  99999 99999  99999 99999
9989: 99999 99999  99999 99999  99999 99999  99999 99999  99999 99999    99999 99999  99999 99999  99999 99999  99999 99999  99999 99999
9990: 99999 99999  99999 99999  99999 99999  99999 99999  99999 99999    99999 99999  99999 99999  99999 99999  99999 99999  99999 99999
9991: 99999 99999  99999 99999  99999 99999  99999 99999  99999 99999    99999 99999  99999 99999  99999 99999  99999 99999  99999 99999
9992: 99999 99999  99999 99999  99999 99999  99999 99999  99999 99999    99999 99999  99999 99999  99999 99999  99999 99999  99999 99999
9993: 99999 99999  99999 99999  99999 99999  99999 99999  99999 99999    99999 99999  99999 99999  99999 99999  99999 99999  99999 99999
9994: 99999 99999  99999 99999  99999 99999  99999 99999  99999 99999    99999 99999  99999 99999  99999 99999  99999 99999  99999 99999
9995: 99999 99999  99999 99999  99999 99999  99999 99999  99999 99999    99999 99999  99999 99999  99999 99999  99999 99999  99999 99999
9996: 99999 99999  99999 99999  99999 99999  99999 99999  99999 99999    99999 99999  99999 99999  99999 99999  99999 99999  99999 99999
9997: 99999 99999  99999 99999  99999 99999  99999 99999  99999 99999    99999 99999  99999 99999  99999 99999  99999 99999  99999 99999
9998: 99999 99999  99999 99999  99999 99999  99999 99999  99999 99999    99999 99999  99999 99999  99999 99999  99999 99999  99999 99999
9999: 99999 99999  99999 99999  99999 99999  99999 99999  99999 99999    99999 99999  99999 99999  99999 99999  99999 99999  99999 99999
```

A Million Sixes

CPSIA information can be obtained
at www.ICGtesting.com
Printed in the USA
BVHW020328070223
658034BV00005B/162